Steengeest

Van Katharine Kerr zijn verschenen:

De Deverry-serie:
Zilverdolk*
Maanduister*
Sperenwoud*
Lotsverbond*

De Westland-serie:
Banneling*
Onheilsbode*
Vuurgeest*

De Drakenmagiër-serie:
Drakengloed
Ravenzwart
Elfenkracht
Goudvalk
Steengeest

*In POEMA-POCKET verschenen

KATHARINE KERR

Steengeest

LUITINGH FANTASY

Oorspronkelijke titel: *The Spirit Stone*
Vertaling: Carla Benink
Omslagontwerp: Karel van Laar
Omslagillustratie: © Geoff Taylor

ISBN 978 90 245 2286 6
NUR 334

www.boekenwereld.com
www.dromen-demonen.nl

Voor al mijn lezers,
zonder wie deze serie een stille dood gestorven zou zijn
lang voordat ik hem af had.

Aantekening van de auteur

Blijkbaar heb ik door mijn systeem van ondertitels voor de verschillende delen verwarring gesticht bij de lezers van deze reeks. Alle Deverry-boeken maken deel uit van één lang verhaal, dat ik heb verdeeld in drie 'bedrijven'. Hier komt de juiste volgorde:

Eerste bedrijf: *Zilverdolk, Maanduister, Sperenwoud, Lotsverbond.*

Tweede bedrijf, de Westland-serie: *Banneling, Onheilsbode, Vuurgeest, Wisselvrouw.*

Derde bedrijf, de Drakenmagiër-serie: *Drakengloed, Ravenzwart, Elfenkracht, De Goudvalk, Steengeest.*

Er zal nog één deel verschijnen: *The Shadow Isle.*

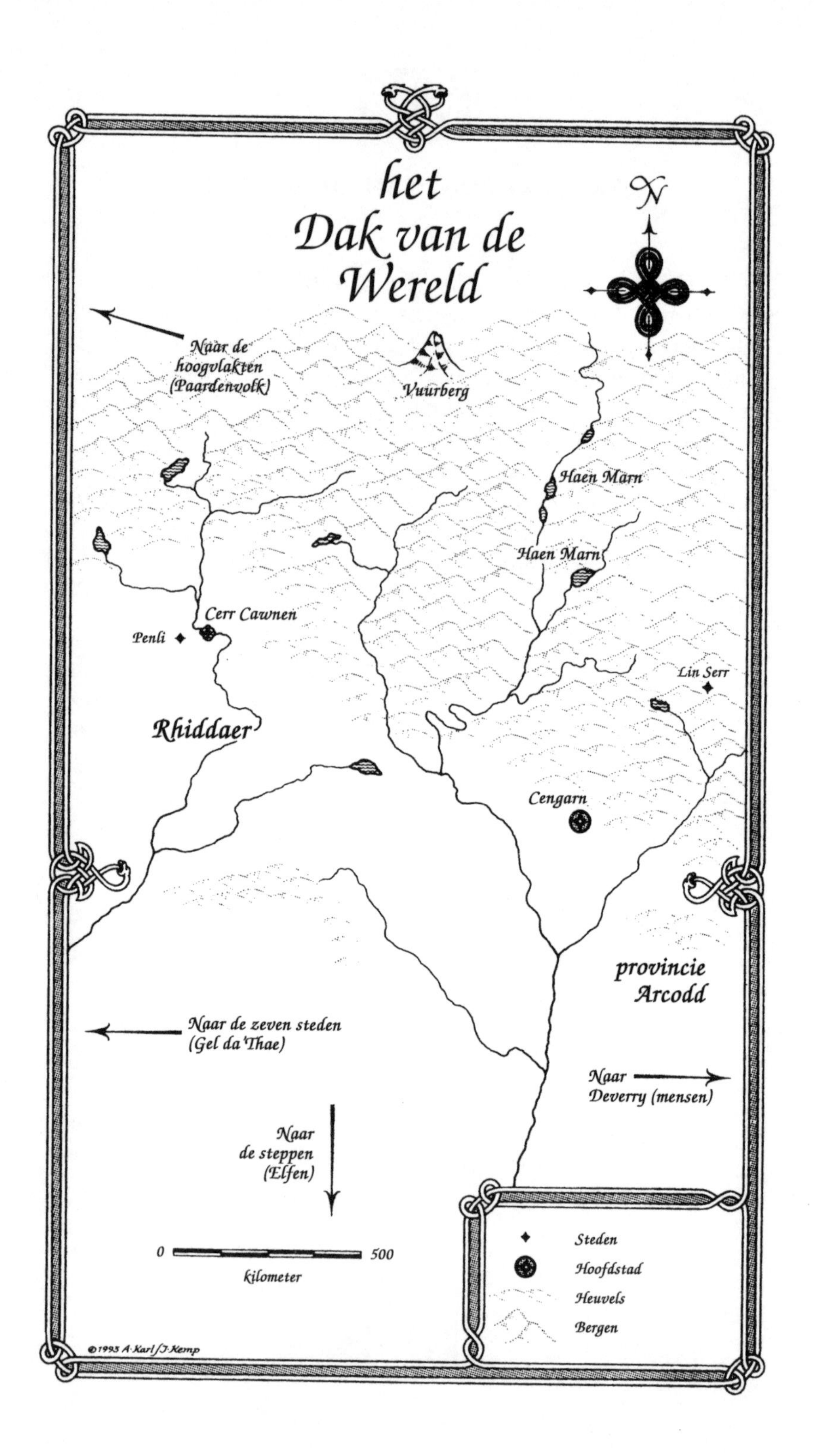
het
Dak van de
Wereld
N
Naar de
hoogvlakten
(Paardenvolk)
Vuurberg
Haen Marn
Haen Marn
Cerr Cawnen
Penli
Lin Serr
Rhiddaer
Cengarn
provincie
Arcodd
Naar de zeven steden
(Gel da'Thae)
Naar
Deverry (mensen)
Naar
de steppen
(Elfen)
0
500
kilometer
Steden
Hoofdstad
Heuvels
Bergen
©1993 A·Karl/J·Kemp

Proloog

Het Noordland

Zomer 1159

In zekere zin is elke tovenaar een wever, gewoon iemand die werkt met onzichtbare draden van het verborgen licht. Daarmee weven we, zoals een wever zijn stoffen, onze diverse vormen, die we vervolgens, zoals een kleermaker van lappen stof een tuniek of gewaad naait, in elkaar passen tot het de beelden zijn die we willen zien. Als we ons vak goed beheersen, zullen bepaalde krachten zich in onze vormen hullen zoals mensen een tuniek kopen om zich in te hullen. Maar als we tot in de verste hoeken van onze kunst zijn doorgedrongen, als we meesters zijn in ons vak, dan kunnen we deze krachten beheersen en zowel de vormen weven als ons eigen lichaam erin hullen.

De Pseudo-Iamblichos Rol

Twee mannen van het Bergvolk zaten op een richel halverwege een bergwand te zonnen. Onder hen, aan de voet van lange stenen trappen, spreidde zich een parkachtig groen landschap uit, aan weerskanten van een rivier die onder aan de berg ontsprong. Vlak achter hen leidde een stenen platform naar een dubbele, met ijzer beslagen deur, die openstond om de frisse zomerlucht door de in de rotsen uitgehouwen stad Lin Serr te laten waaien. Kov, de zoon van Kovolla, was in gesprek met hoofdgezant Garin, de zoon van Garinna – een belangrijke persoon, die ernstige kneuzingen en een gezwollen enkel had opgelopen. Een paar dagen geleden had hij, toen hij druk pratend met een vriend de twee trappen naar beneden afliep, niet goed uitgekeken en was hij het hele eind naar beneden getuimeld.
'Zonlicht is het beste voor kneuzingen,' zei Kov. 'Dat hebben de heelmeesters tenminste tegen me gezegd.'
Garin mompelde een verwensing en knipperde met een nors gezicht tegen het felle zonlicht. Hij wordt oud, dacht Kov. Hij is bijna zover dat hij net als de andere oudjes de diepe stad niet meer uit komt. Kov was zelf nog maar vierentachtig, jong voor het Bergvolk; het le-

ven boven de grond trok hem nog steeds aan.
'De zon versterkt je bloed,' vervolgde Kov.
'Dat zal best,' zei Garin. 'Ik zit hier nu toch?'
Kov liet het onderwerp rusten. Vanwaar ze zaten, kon hij over het parklandschap heen kijken en zien hoe arbeiders van rotsblokken een nieuwe muur bouwden. De stad lag precies in het midden van een hoefijzervormige wand van hoge kliffen en was door dwergarbeiders uitgegraven en gebouwd. De nieuwe muur zou van het ene uiteinde van het hoefijzer naar de hoge wachttoren op het andere uiteinde lopen en het parklandschap insluiten. Tot het zover was, hielden gewapende bewakers dag en nacht de wacht. Iedereen wist dat het Paardenvolk boerderijen had geplunderd langs de grens met Deverry. Hoewel er op het Dak van de Wereld al veertig jaar geen Paardenvolker was gezien, nam het Bergvolk graag het zekere voor het onzekere.
'Wat is dat lawaai?' vroeg Garin. 'Het klinkt als geschreeuw.'
Kov stond op om beter te kunnen luisteren. 'Het zijn de bewakers.' Hij hield een hand boven zijn ogen en tuurde naar de nieuwe muur. 'Er komen vreemdelingen aan.'
De vreemdelingen werden, omringd door bewakers, mee naar binnen genomen. Het waren vier menselijke mannen met hun rijpaarden en een lastpaard aan de teugel. Toen ze dichterbij kwamen, herkende Kov het blazoen met de zon van Cengarn. Een van hen, een donkerharige man die kleiner was dan de anderen en de gedrongen lichaamsbouw had van iemand met ook het bloed van het Bergvolk in zijn aderen, kwam hem bekend voor.
'Als ik het goed zie, is dat heer Blethry. De opperstalmeester van Cengarn.'
'Ik denk dat je gelijk hebt.' Garin stak een hand uit en Kov gaf hem zijn wandelstok aan. Garin hees zich moeizaam overeind en tuurde weer in de richting van de muur. 'Inderdaad, het is Blethry. Zo te zien heeft hij een knecht en een gewapend escorte bij zich.'
Kov stond ook op en zag hoe enkele steenhouwers de mensen door het park naar hen toe brachten. Onder aan de trap bleven ze staan om Blethry de gelegenheid te geven in het Deverriaans een groet naar boven te roepen: 'Gezant Garin! Mag ik boven komen?'
'Natuurlijk!' riep Garin in dezelfde taal terug. 'Wat kom je doen?'
Blethry wachtte met antwoorden tot hij hijgend naar boven was geklommen, de ongeveer honderdtwintig treden op. Hij veegde met zijn hand het zweet van zijn gezicht en brieste als een afgepeigerd paard.
'Ik kom je vertellen dat het oorlog wordt,' zei hij. 'Het Paardenvolk

is in het Westland een vesting aan het bouwen. We denken dat ze een basis willen hebben om onze grenzen aan te vallen.'
'En nadat ze jullie land hebben veroverd,' zei Garin, 'zullen ze ongetwijfeld naar het noorden trekken om ook het onze binnen te trekken.'
'Ongetwijfeld. Gwerbret Ridvar hoopt dat we op jullie hulp kunnen rekenen om die vesting te verwoesten. Hij heet Zakh Gral.'
'Daar zal onze Hoge Raad over moeten beslissen. Alleen hoop ik dat zijne hoogheid gwerbret Cengarn het niet als een belediging zal opvatten dat ik mijn assistent stuur met het antwoord, wat dat ook zal zijn, want ik kan nauwelijks lopen.' Hij wees met zijn wandelstok naar zijn gezwollen, verbonden enkel.
'Ik weet zeker dat de jonge Ridvar daar begrip voor zal hebben.' Blethry keek Kov aan en maakte een buiging. 'Dank u dat u bereid bent met ons mee terug te gaan.'
'Geen dank.' Kov wierp een blik op Garin, die zo te zien opgelucht glimlachte. Het gaat helemaal niet om die enkel, dacht hij. Hij wil niet meer weg uit het veilige donker.
'Kov,' beval Garin, 'ga naar beneden en help de mannen van de edele heer met het vastbinden van hun paarden en het opzetten van hun tenten en zo. En kom daarna naar mijn vertrekken.'

Heer Blethry was al een paar keer eerder in Lin Serr geweest, maar hij was steeds weer diep onder de indruk van de grootte van de stad. De met ijzer beslagen deuren gaven toegang tot een gewelfd voorvertrek dat tweemaal zo groot was als de grote zaal van Cengarn. De bundel zonlicht die door de open deuren over de glanzende leistenen vloer naar binnen viel, wees als een pijl naar een met stenen van allerlei kleuren ingelegd soort rondeel, dat een doolhof bevatte met een doorsnee van wel twintig meter. In de gebogen muur aan de andere kant gaven openingen toegang tot tunnels naar de donkere, diepe stad zelf, waar vreemdelingen niet mochten komen.
Een meter of drie de hal in, nog een heel eind voor de doolhof, sloeg Garin, strompelend met behulp van zijn stok, links af een korte gang in, die uitkwam bij een hoge houten deur. Hij was versierd met een patroon van in elkaar grijpende schakels en maakte een solide indruk, maar toen Garin er met zijn stok tegenaan duwde, zwaaide hij geluidloos open. Ze liepen een klein, zonnig vertrek in.
'Ziezo,' zei Garin. 'Je hebt hier wel eens eerder overnacht, nietwaar?'
'Inderdaad,' antwoordde Blethry. 'Het is een heel comfortabele kamer.'
Door het grote raam leek het vertrek groter dan het was en het uit-

zicht op het park in de diepte gaf een gevoel van ruimte. Tegen de binnenmuur stond een bed, met daarnaast een tafel en twee houten stoelen. Aan de muren hingen ijzeren panelen waarin jachttaferelen waren gekerfd. Garin schoof een stoel naar de donkerste hoek van de kamer en liet zich er kreunend van pijn op zakken. Het viel Blethry op dat de hoofdgezant sinds hun vorige ontmoeting een grijswitte streep in zijn korte haar had gekregen en dat zijn korte baard helemaal grijs was geworden.
'Ik zal Kov vragen nog een stoel te halen,' zei Garin. 'Als Brel het nieuws hoort, zal hij er ook bij willen zijn.'
Inderdaad kwam Brel, de avro – het dwergenwoord voor 'krijgsheer' – tegelijk binnen met Kov, die de derde stoel meebracht. Brel bleef even staan om Garin fel aan te kijken en ging op een stoel bij het raam zitten, met zijn benen voor zich uitgestrekt.
'De Raad heeft een spoedvergadering bijeengeroepen,' zei hij tegen Blethry. 'In de diepe stad, dat spreekt vanzelf. Dus moet u mij de situatie uitleggen, zodat ik die kan doorgeven.'
'Dat is goed,' zei Blethry. 'In dat geval zal ik het op een formele manier doen.' Hij schraapte zijn keel. 'Ik ben gekomen namens Ridvar, gwerbret Cengarn, om de hulp in te roepen die de bergstad Lin Serr ons in oorlogstijd verschuldigd is. Door een verdrag en een plechtige belofte zijn we verplicht elkaar voor ons gemeenschappelijke belang bij te staan.'
'Hij spreekt de waarheid,' beaamde Garin de herhaling van de in het verleden opgestelde formule. 'We hebben ons verdrag op dezelfde voorwaarden verlengd na de vijandigheden die we de Oorlog van Cengarn noemen, die in 1116 is beëindigd, zoals geschreven staat in de ...'
'Wormen en slijm!' onderbrak Brel hem, 'dat weet ik toch ook! Als de raadsleden het zich niet kunnen herinneren, hebben ze stenen in plaats van hersens in hun hoofd.'
'Het gaat om de juiste woorden,' zei Garin bits. 'De Raad moet weten dat we hebben gehoord dat heer Blethry de juiste woorden heeft gebruikt en dat ik met de juiste woorden heb geantwoord.'
Brel sloeg grommend zijn armen over elkaar.
'Zoals geschreven staat in de documenten die betrekking hebben op die oorlog, die tijd van bloed en duisternis,' nam Blethry het van Garin over. 'Op dat plechtige moment hebben we de overwinning gevierd op het leger van het volk dat we de Gel da'Thae of het Paardenvolk noemen, nadat ze het hadden gewaagd onze stad Cengarn aan te vallen. Uit dankbaarheid voor hun hulp hebben we de band met het Bergvolk uit de stad Lin Serr hernieuwd.'

'Daar ben ik eveneens getuige van geweest,' zei Garin. 'Het zij zo.'
'Zijn jullie nu klaar?' vroeg Brel.
'Dat zijn we.' Blethry grinnikte tegen hem. 'U kunt tegen de Raad zeggen dat we een offer hebben gebracht in de tempel van goede manieren.'
'Hrmm,' brieste Brel. 'Nou ja, wees welkom. Het is een genoegen u weer te zien.'
'Dank u,' zei Blethry glimlachend. 'Het is ook een genoegen u weer te zien.'
Er kwamen jongens binnen met bladen met eten, die ze op tafel zetten. De maaltijd bestond uit aan stukken gesneden en gebakken vleermuis, zacht paddenstoelenbrood en gestoofde paarse wortels, die Blethry nooit eerder had gezien. Kov deed de deur weer achter hen dicht en ging, bij gebrek aan een vierde stoel, op de grond zitten. Garin schonk voor iedereen een dikke bruine alcoholische drank, die Blethry wel kende, in een tinnen kroes. Blethry nam kleine slokjes en lette erop dat hij niet alles opdronk, en het viel hem op dat Kov dat ook deed.
Onder het eten gaf Blethry een toelichting op de reden voor zijn komst naar Lin Serr. Ook al was een deel van het woeste Paardenvolk in het hoge noorden zich beschaafder gaan gedragen – de groep die zich op een vaste plaats had gevestigd noemde zich de Gel da' Thae – het leven in steden had hun honger naar oorlog niet gestild. Aan de rand van de grasvlakte die tot het Westland behoorde, bouwden ze nu de vesting Zakh Gral.
'Hoe hebben jullie die gevonden?' vroeg Kov. 'Of heeft het Westvolk hem gevonden?'
'Wij niet en zij ook niet,' antwoordde Blethry. 'Een gerthddyn die zich Salamander noemt, heeft ...'
'Dat doet er nu niet toe,' viel Brel hem in de rede. 'Het belangrijkste is dat die vesting is ontdekt. De rest komt later wel.'
'Volgens ons is het alleen maar een voorpost,' vervolgde Blethry. 'Daarna zullen ze nog meer forten gaan bouwen. Blijkbaar willen ze de grasvlakte veroveren om een groter graasgebied voor hun enorme paarden te krijgen. En natuurlijk beweren ze dat die verdomde valse godin van hen wil dat zij die vlakte in bezit nemen.'
'Weer die Alshandra?' vroeg Brel.
'Juist. Ze willen niet geloven dat ze dood is.'
'Dat komt hun dan weer goed van pas,' mompelde Garin. 'Gek genoeg laten goden en godinnen altijd van zich horen wanneer iemand op het land van een ander aast.'
'Zo denk ik er ook over.' Blethry knikte tegen Garin.

'Ze zullen zich niet willen beperken tot het Westland,' zei Brel. 'Maar dat weet u natuurlijk ook wel, anders zat u nu niet hier. Hoe ziet die vesting eruit?'
Blethry herhaalde Salamanders beschrijving zo nauwkeurig als hij zich die kon herinneren. 'Hij staat op de rand van een klif boven een diepe kloof, waar een rivier doorheen stroomt,' eindigde hij. 'Slimme schurken, die Paardenvolkers.'
'Houten muren, zei u?' Brel wierp Garin een veelbetekenende blik toe.
'Voorlopig wel,' antwoordde Blethry. 'Maar ze zijn al druk bezig die door stenen muren te vervangen.'
'Hm, we zullen zien hoe ver ze daarmee komen,' zei Brel. 'Ik veronderstel dat uw heren al een plan hebben bedacht om die vesting te vernietigen.'
'Inderdaad. Gwerbret Ridvar roept al zijn bondgenoten te hulp en bovendien doet Voran, een prins van koninklijken bloede, met vijftig man mee.'
'Meer niet?' zei Garin.
'Tot nu toe. Hij is ervan overtuigd dat zijn vader versterking zal sturen. Misschien zijn de boodschappers inmiddels in Dun Deverry aangekomen. Ik ben een paar weken geleden uit Cengarn vertrokken. En prins Daralanteriel van het Westvolk is ook bereid om mee te doen.'
'En terecht,' zei Brel droogjes. 'Als het Paardenvolk naar het oosten zou trekken, zou hij al zijn land kwijtraken.'
'Dat is natuurlijk zo. Hij heeft ons vijfhonderd boogschutters beloofd. Ridvar kan minstens zoveel krijgers leveren.'
Brel keek misprijzend. 'Is dat het grootste leger dat jullie op de been kunnen brengen?'
'Tot we bericht hebben van de Eerste Koning.'
'Hoe lang doet een leger erover om van Dun Deverry hierheen te komen?' vroeg Brel, en meteen gaf hij zelf het antwoord: 'Te lang. Met wat jullie nu hebben, zullen jullie die vesting nooit kunnen innemen. Jullie zullen hem moeten belegeren en hopen dat je dat kunt volhouden.'
'Dat weet ik,' zei Blethry. 'Tot de hulptroepen uit Dun Deverry aankomen.'
'Het Paardenvolk zal die hulptroepen waarschijnlijk eerder zien aankomen dan jullie, en dan hoeft er maar één van hun boodschappers te ontsnappen. Als ze daar in de bergen een stad hebben gebouwd, hebben ze daar ongetwijfeld ook een reserveleger ondergebracht. Ik haat die vuile moordenaars, maar ik zal nooit beweren dat ze dom

zijn.' Brel zweeg om een stukje gebraden vleermuis uit zijn grijzende baard te plukken. 'Daarom zou ik niet aan een belegering beginnen. Als wij meedoen, hoeft dat ook niet.'
'Maar wat kunnen wij...' begon Kov vanaf de vloer.
'Denk na, man!' snauwde Brel. 'Die vesting ligt op de rand van een klif!'
Kov begon te grinniken. 'Tunnels,' zei hij. 'Wij hebben tunnelgravers.'
'Die moeten ons redden,' zei Blethry. 'Als de Hoge Raad goedvindt dat jullie ons helpen.'
Brel brieste luidruchtig. 'Dat spreekt vanzelf. Elke familie hier in Lin Serr heeft in de oorlog met het Paardenvolk wel iemand verloren.'
'Kov.' Garin keek zijn assistent aan. 'Wat zijn we Cengarn volgens het verdrag schuldig?'
'Vijfhonderd steenhouwers, heer gezant,' antwoordde Kov. 'Plus honderdvijftig piekeniers en voedsel voor hen allemaal voor veertig dagen.'
'Goed zo.' Garin knikte hem toe en keek weer naar Blethry. 'Denk je dat de gwerbret beledigd zal zijn als we die piekeniers vervangen door tunnelgravers en mijnwerkers?'
'Hm, als dat zo zou zijn, wat ik oprecht betwijfel, dan zullen heer Oth en ik wel eens met hem praten.'
'Mooi zo,' zei Garin met een glimlachje. 'De Raad komt morgenvroeg bijeen, dus tegen het middaguur weten we wat er is besloten.'
De volgende morgen werd Blethry bij zonsopgang wakker. De volgende uren liep hij bezorgd in zijn gastenverblijf heen en weer. Zo nu en dan stak hij zijn hoofd uit het raam om te schatten hoe lang het nog duurde tot het middaguur, maar voordat het zover was, werd er op de deur geklopt. Vlug deed hij open en daar stond Garin, met opgeheven stok om nogmaals te kloppen, en achter hem de jonge Kov.
'Aha, je bent wakker,' zei Garin. 'Ik dacht dat je nog zou slapen.'
'Welnee,' zei Blethry. 'En?'
'De Raad heeft voor de verandering eens een keer snel een besluit genomen,' antwoordde Garin. 'Ze zijn al een leger aan het verzamelen, dat morgenvroeg bij zonsopgang zal vertrekken. Vijfhonderd steenhouwers en een peloton tunnelgravers en mijnwerkers met hun gereedschap. En voedsel voor tweemaal veertig dagen.'
'Geweldig!' zei Blethry lachend. 'Dank je wel! Ik ga meteen naar beneden om mijn mannen van het goede nieuws op de hoogte te brengen.'

De nacht voordat het leger uit Lin Serr zou vertrekken, deed Kov bijna geen oog dicht. Hij pakte zijn spullen in, maar was bang dat hij iets was vergeten. Dus pakte hij alles weer uit, legde dingen opzij en deed er andere dingen bij, en pakte alles weer in. Hoewel hij een paar keer in Cengarn was geweest, was hij nooit verder naar het westen gereisd. En hij had ook nooit een oorlog meegemaakt. Toen hij ten slotte toch in slaap viel, had hij een droom met veel geschreeuw en bloederige gevechten.
Vlak voor zonsopgang wekte Garin hem om hem nog een paar instructies te geven. Behalve zijn wandelstok had de oudere dwerg ook een in een doek gewikkeld lang voorwerp bij zich.
'Je bent niet meer mijn assistent,' zei hij. 'Van nu af aan ben jij de hoofdgezant. Gedraag je waardig, jongen. Spreek langzaam, luister goed wanneer er tegen je wordt gesproken en denk na voordat je antwoord geeft. Als je je aan die eenvoudige regels houdt, ben je op je taak berekend.'
'Dat hoop ik.' Kov haalde diep adem en slikte. 'Ik zal mijn best doen.'
'Dat weet ik. Ik zie dat je het zwaard van je vader al om hebt, en hier heb je iets dat erbij hoort.'
Het lange voorwerp bleek een staf te zijn, zwart en hard van ouderdom, waarin runen waren gekerfd. Kov nam hem met beide handen aan en hield hem zo vast dat hij de twaalf symbolen kon lezen. Hij kende de rots en het goud als Bergvolkrunen en twee andere als Deverriaanse letters, maar de rest kende hij niet.
'Weet je wat ze betekenen?' vroeg Garin.
'Eh... Nee.'
'Dat weet niemand. Ze zijn heel oud en we weten alleen dat ze ooit op de deur van Lin Rej hebben gestaan.'
'Lin Rej? De oude stad?'
'Juist. Die had met snijwerk versierde houten toegangsdeuren. Toen het Paardenvolk ervoor stond, in de Tijd des Doods, waren ze niet sterk genoeg om de vijand tegen te houden. De plunderaars staken een vuur aan en toen de deuren waren afgebrand, hakten ze ook de resten weg. Een van onze wijzen heeft deze runen' – Garin wees ze aan – 'toen in een stuk hout gekerfd om ze niet te vergeten. In de loop der jaren zijn ze ook in andere staven gekerfd, maar deze heb ik van mijn grootvader gekregen. Toen hij hem als kind kreeg, was de staf al honderd jaar oud.'
'Dan moet hij nu bijna duizend jaar oud zijn.'
'Inderdaad. Sommige bijgelovigen beweren dat runen dweomerkracht hebben.' Garin sloeg zijn ogen ten hemel. 'Maar ja, alles wat niet meer wordt begrepen, heeft tegenwoordig dweomerkracht. Geloof het maar niet.'

'Ach nee, natuurlijk niet. Maar nu weet ik waarom Lin Serr met ijzer beslagen deuren heeft.'
'Al leren we traag, uiteindelijk leren we.' Garin glimlachte. 'Hoe het ook zij, je mag die staf van me lenen omdat ik zelf niet meer ten strijde kan trekken. Onze gezanten hebben nooit een officieel kenmerk gedragen, maar dit is je eerste opdracht.'
'Mijn allereerste.' Kov hoorde dat zijn stem trilde en hij kuchte om het te verbergen.
'Inderdaad.' Garin glimlachte. 'Dus dacht ik dat je wel iets nodig zou hebben om je positie kenbaar te maken en je moed te schenken. Draag hem trots en maak hem nooit te schande.'
'Ik ben erg dankbaar voor de eer en ik zal mijn best doen die waardig te zijn.'
'Meer kan een man niet doen, nietwaar? Ga nu maar gauw. Beneden staat een muilezel voor je om op te rijden.'
Buiten op het grasveld waren vijfhonderd steenhouwers bezig zich in colonne op te stellen, voor een rij karren die elk door twee gespierde knechten werden getrokken. Tunnelgravers en mijnwerkers liepen rond om de karren te inspecteren, hier en daar iets opnieuw te stouwen of er nog een ingepakt voorwerp bij te leggen. Kov vroeg of heer Blethry met hem en Brel Avro mee wilde lopen om het leger te inspecteren. Blethry mompelde beleefde opmerkingen tot ze bij de karren kwamen. De meeste waren beladen met voedselvoorraden, de normale dingen, maar op de voorste wagen stonden geheimzinnig uitziende kisten, nauwelijks zichtbaar onder ruwe, geoliede lappen om ze in de zomerregens droog te houden. Op elke lap waren runen geborduurd. Zwijgend bestudeerde Blethry de runen, en hij leunde naar voren om de kisten beter te kunnen bekijken.
'Kunt u onze runen lezen?' vroeg Kov glimlachend.
'Nee, dat niet,' antwoordde Blethry. 'Wat me opvalt, zijn de wielen van deze wagens. Ze hebben een heel opvallend model.'
Aha, hij ontwijkt mijn vraag, dacht Kov. Hardop zei hij: 'Een verbetering, die we zelf hebben bedacht.'
Blethry knikte. Het was begrijpelijk dat hij zo geboeid was door de wielen, want in plaats van de solide ronde platen onder de wagens in Deverry hadden de ambachtslieden van de dwergen deze lichter gemaakt door spaken te plaatsen tussen de wielrand en een ijzeren kraag om de as. De houten wielrand was versterkt met een ijzeren band met noppen erop voor een betere greep op de weg.
'Veel lichter,' zei Kov, 'en even sterk. Ook gemakkelijker te repareren.'
'Ze lijken mij veel sterker. Ik hoop dat jullie het niet erg zullen vin-

den dat onze wagenmakers in Cengarn ze goed zullen bekijken, want dat zal ik hen niet kunnen beletten.'
'Natuurlijk niet. Ik weet zeker dat onze mannen het een eer zullen vinden als jullie ze zouden namaken.'
'Hebben jullie lang genoeg staan kletsen?' Brel keek hen allebei geërgerd aan. 'De zon is op en zo meteen wordt het warm. Laten we opstijgen en vertrekken.'
Kov en Blethry gehoorzaamden. Tijdens de lange mars vanuit de bergen naar het laagland greep Blethry in elke rustpauze de kans aan om langs de wagens met de verpakte voorwerpen en kisten te slenteren, maar Kov wist zeker dat niemand hem ook maar iets over de inhoud zou verklappen. Het ontwerp van een wiel mocht worden overgenomen, maar als het aan het Bergvolk lag, zou de geheimzinnige lading van de wagens voor altijd een geheim blijven.

De grens van het rhan van gwerbret Ridvar lag bij de dun van een van zijn vazallen, een kleine broch omringd door een hoge, stenen muur op een heuvel met een doolhof van lemen wallen eromheen. De omgeving was bezaaid met restanten van een legerkamp: vuurkuilen, afval, gebroken pijlen, gebroken tentharingen en hier en daar haastig dichtgegooide greppels. Het dwergenleger hield halt een eind ervandaan, waar het schoon was. Kov herinnerde zich dat de dun had toebehoord aan de clan van de Zwarte Pijl, maar ruiters met de zon van Cengarn op hun schouderstukken kwamen hen begroeten.
'Wat is er met heer Honelg gebeurd?' vroeg Kov aan Blethry.
'Dat weet ik nog niet.' Blethry keek Kov met een grimmig lachje aan. 'Maar ik vermoed dat hij dood is. Hij was een verrader, zie je. Toen ik uit Cengarn vertrok, stond de gwerbret op het punt om met een legertje naar hem toe te gaan. Zo te zien heeft Ridvar de dun inmiddels ingenomen.'
De mannen van Cengarn die het fort moesten bewaken, bevestigden Blethry's vermoeden. Heer Honelg was dood, zijn land was in beslag genomen, zijn zoontje werd vastgehouden en zijn weduwe was teruggekeerd naar de dun van haar vader.
'Wie is hier de nieuwe heer?' vroeg Blethry. 'Of heeft Ridvar het land nog niet aan iemand anders gegeven?'
'Jawel, heer,' antwoordde de hoofdman van de bewakers. 'Aan heer Gerran van de Goudvalk. Vroeger was hij de hoofdman van de Rode Wolf, een burger, maar nu is hij een heer.'
'Ach ja, ik ken hem goed. Hij is de beste zwaardvechter die we hebben en een uitstekende keus voor dit domein.'
'Dat denken wij ook, heer. Gaat u morgen door naar Cengarn?'

'Inderdaad.'
'Dan is zijne hoogheid misschien al weg. Hij gaat in de dun van de Rode Wolf zijn bondgenoten ophalen voor de mars naar het westen.' De hoofdman draaide zich om naar Kov en boog. 'Het doet mijn hart vreugd dat ik uw volk hier zie, gezant, nu het oorlog wordt.'
'Dank u,' zei Kov. 'Maar ik heb de indruk dat het al oorlog is.'
'Zo zou je het ook kunnen zien,' gaf de hoofdman grinnikend toe. 'Hoe dan ook, we zijn blij dat jullie aan onze kant staan.'

Het Bergvolk was niet de enige bondgenoot van gwerbret Ridvar die zich voorbereidde op een oorlog met het Paardenvolk. In de dun van de Rode Wolf, een heel eind ten zuidwesten van de dun die voortaan zou toebehoren aan de clan van de Goudvalk, wachtten tieryn Cadryc en zijn mannen op hun opperheer om samen verder te trekken. Gerran, de heer en een van de nog maar twee leden van de Goudvalk – het andere lid was zijn jonge schildknaap, Clae – zag erop toe dat de krijgsbende zich klaarmaakte voor de strijd. Hoewel Gerran onlangs in de adelstand was verheven, beschouwde hij zichzelf nog steeds als de hoofdman van de krijgsbende van de tieryn, vooral omdat de tieryn niemand anders had die deze taak van hem kon overnemen. Weliswaar had de tieryn een zoon, heer Mirryn, maar die zou hij achterlaten om zijn vesting te bewaken.
De laatste paar avonden was Mirryn vlak voor het avondmaal in de grote zaal als een schildknaap achter de stoel aan het hoofdeinde van de tafel gaan staan om wanneer zijn vader eraan kwam een buiging te maken en de stoel naar achteren te trekken zodat Cadryc kon gaan zitten. Ook begon hij pas te eten wanneer de anderen aan de eretafel klaar waren. Toen hij dit drie dagen had volgehouden, had Cadryc er genoeg van.
'Nog steeds aan het mokken?' vroeg hij.
'Alle goden, vader, hoe denkt u dat ik het vind om als een vrouw buiten de oorlog te worden gehouden?' antwoordde Mirryn kwaad.
'En wat moet dat verdomde gedoe met mijn stoel voorstellen?' vervolgde Cadryc onverstoorbaar.
'Omdat ik word behandeld als een knecht kan ik me net zo goed als een knecht gedragen.'
'Ga zitten, nu meteen. Ik word gek van dat gehang om me heen.'
Mirryn gromde iets en ging links van zijn vader zitten, maar hij sloeg zijn armen over elkaar en staarde recht voor zich uit. De tieryn keek boos naar zijn zoon, maar die deed alsof hij het niet merkte. Hoewel het haar dat de tieryn nog overhad grijs was geworden en Mirryn nog een dikke bos bruin haar had, en de sproeten en blauwe

ogen van zijn familie, zou niemand betwijfelen dat ze vader en zoon waren. Ook waren ze even mager en even koppig.
'Als je je bij mij aan tafel zit uit te hongeren, ben je straks te zwak om te vechten, mocht ik van gedachten veranderen. Wat trouwens niet zal gebeuren. Dus hou godbetert op met dat vervloekte gemok en eet mee!'
Mirryn bleef kalm voor zich uit staren. Ten slotte leunde vrouwe Galla, zijn moeder, vanaf haar plaats rechts van de tieryn naar voren en zei: 'Alsjeblieft, Mirro. Dit is heel vervelend voor ons allemaal.'
'Vooruit dan maar, ma.' Mirryn trok zijn tafeldolk uit de schede en legde die naast de eetplank die voor hem lag. 'Zal ik wat brood voor u afsnijden?'
'Als je zo vriendelijk wilt zijn.' Vrouwe Galla glimlachte tegen haar zoon en vervolgens tegen haar man, die niet reageerde.
De 'allemaal' waarop de vrouwe doelde, waren de anderen aan de eretafel. Behalve de tieryn, zijn gezette, donkerharige vrouwe en zijn zoon zat Gerran er sinds kort ook bij, samen met Galla's nichtje vrouwe Branna en haar man Neb, die niet van adel was. Branna, met haar lichtblonde haar en smalle blauwe ogen, was een knappe jonge vrouw. Neb had een onopvallend uiterlijk. Hij was een magere jongeman met donkerblond haar, niet knap, maar ook niet lelijk. Niemand besteedde veel aandacht aan hem, maar Gerran wist wat hij waard was.
Binnenkort zouden Cadrycs bondgenoten en vazallen aankomen en dan zouden alle plaatsen aan de tafel voor de edelen worden bezet. Gerran verwachtte dat hij dan ongemerkt weer op zijn oude plaats aan het hoofd van een van de tafels van de krijgers zou kunnen gaan zitten, aan de andere kant van de zaal, ook al moest hij toegeven dat het delen van een eetplank met vrouwe Solla, de hofdame van vrouwe Galla, veel goedmaakte. Elke keer dat hij haar een snee brood of het een of andere gerecht aanbood, keken haar mooie grijsbruine ogen hem recht aan en begon ze te blozen, en dan wist hij even niet wat hij moest zeggen.
Maar het was geen tijd voor zorgeloos vermaak. Gerran kon aan niets anders meer denken dan aan de aanstaande oorlog. De volgende morgen kwamen er boodschappers van hun belangrijkste bondgenoot aan. Toen de poortwachter Gerran haastig kwam vertellen dat er Westvolkers voor de poort stonden, beval Gerran dat ze moesten worden binnengelaten en liep hij zelf mee om hen te begroeten. Van een afstand zagen de Westvolkers eruit als normale mensen, maar van dichtbij was het duidelijk dat ze een natuurvolk

waren. Hun ogen hadden een ongewoon grote iris met een verticale pupil, zoals bij een kat. Hun lange oren hadden net als zeeschelpen een krullende punt. Er werd gezegd dat ze onsterfelijk waren, maar dat betwijfelde Gerran. Hij vroeg de bezoekers, drie boogschutters met een kleine boog op hun rug en een man met de met linten omwikkelde staf van een heraut, af te stijgen.
'Berichten, heer,' zei de heraut. 'Van prins Daralanteriel persoonlijk.'
'Mooi zo,' zei Gerran. 'Kom maar mee naar de grote zaal, daar zit de tieryn.'
Toen Gerran achter hen aan liep, verbaasde hij zich erover dat de heraut hem zo vanzelfsprekend 'heer' had genoemd, omdat hij nog steeds een hemd droeg met het blazoen van de Rode Wolf erop en niet dat van zijn eigen Goudvalk. Waarschijnlijk had de prins of zijn cadvridoc hem een keer beschreven. Tenslotte onthielden herauten alles wat ze hoorden, anders zouden ze hun belangrijke functie verliezen.

Vanuit de deuropening van de grote zaal zag vrouwe Branna de heraut afstijgen en daarna propvolle zadeltassen van zijn paard halen. Hij was een donkerharige man die meer leek op een mens dan op een elf, en hij kwam haar bekend voor, al kon ze niet bedenken waar ze hem eerder had gezien. Ze volgde hem naar de eretafel, waar haar oom op zijn plaats aan het hoofdeinde zat, met haar tante rechts van hem. Net toen Branna naast Galla op de bank ging zitten, kwam Neb haastig de trap af.
'Ha, ben je daar!' riep Cadryc. 'Berichten van prins Dar, vermoed ik.'
'Inderdaad, edele heer,' beaamde de Westvolker. 'Ik heet trouwens Maelaber, en ik ben de zoon van Calonderiel.'
Aha, dacht Branna, daarom komt hij me bekend voor!
'Dan ben je dubbel welkom, jongen,' zei Cadryc.
'Dank u. We zijn ook gekomen om uw leger mee te nemen naar dat van ons. Voor mensen uit Deverry valt het niet mee om op onze vlakte de weg te vinden.'
'Daar heb je gelijk in.' Cadryc glimlachte. 'Het doet mijn hart vreugd dat je hier bent. Je prins is een man die zich op de toekomst richt.'
'Dat is waar, edele heer. En ik heb een geschenk bij me voor vrouwe Branna. Van raadsvrouwe Dallandra.' Uit een van de zadeltassen haalde Maelaber een groot pak met een dikke grijze lap eromheen, stevig vastgebonden met leren banden. 'Boeken, denk ik. Ze heeft niet gezegd wat het was.'
Volgens de regels der wellevendheid zou Branna rustig moeten wach-

ten tot de tieryn het pak aan haar zou doorgeven, maar haar nieuwsgierigheid won het van goede manieren. Hoewel haar tante haar een strenge blik toewierp, stond ze op en rende om de tafel heen om het pak van Maelaber aan te nemen.
'Dank je wel,' zei ze lachend. 'Ik breng ze meteen naar boven.'
Branna ontweek Galla's blik en liep vlug naar de trap, maar ze had wel gezien dat Neb haar verwijtend aankeek. Niet vanwege haar gedrag, dat wist ze zeker. Maar als schrijver van de tieryn moest hij bij zijn heer blijven tot die hem toestemming gaf om te gaan, en hij zou net zo nieuwsgierig zijn als zij.
In hun kamer legde ze het pak op het bed en opende de luiken om het zonlicht binnen te laten. Met een paar halen van haar tafeldolk sneed ze de riempjes door. Verpakt in de doek zaten twee in leer gebonden boeken en een stukje lichtgekleurd leer met een berichtje van Dallandra erop.
'De boeken zijn van Jill en Nevyn geweest,' stond er. 'Daarom zijn ze nu voor jou. Bestudeer ze wanneer het leger vertrokken is, vooral het grootste. Ooit moet je dit allemaal uit je hoofd weten.'
Branna legde het briefje neer, pakte het grootste boek en legde het op de dekens, ondanks de muffe geur van de donkere leren omslag. Het boek was zo groot dat ze het niet kon vasthouden, groter dan haar onderarm. Ze sloeg het open en moest niezen van de schimmelige lucht. Ze veegde haar neus af aan haar mouw en zag op de eerste bladzijde Nevyns naam staan. Opeens wist ze het weer. Voor haar geestesoog zag ze de oude man het boek openen en wijzen naar een tekening van concentrische cirkels, met woorden erbij die ze nog niet kon lezen.
Jill heeft pas leren lezen en schrijven toen ze volwassen was, besefte ze. Nevyn heeft het haar geleerd. Haar ogen schoten vol tranen, onverwachte, hete tranen, die tot haar verbazing over haar wangen rolden. Leefde Nevyn nog maar, met zijn enorme kennis, was hij maar hier... Maar natuurlijk was hij hier, hij kwam net binnen, hoewel hij nu even jong en onwetend was als zij en even weinig kon uitrichten.
'Wat is er?' vroeg Neb. 'Alle goden, wat stinkt dat boek!'
'Inderdaad.' Branna haalde een zakdoek uit haar rok. 'Ik moest ervan niezen en mijn arme ogen...'
Terwijl ze haar gezicht schoonveegde en haar neus snoot, bladerde hij door het boek. Hij fronste zijn wenkbrauwen, mompelde een paar woorden en begon plotseling te glimlachen.
'Ik herinner me dit,' zei hij. 'Jij ook?'
'Ik ook. Je hebt me een keer verteld dat je dit boek hebt gekregen

toen je nog een jonge man was.'
Neb keek haar aan, met open mond.
'Ik bedoel dat Nevyn dat ooit tegen Jill heeft gezegd,' verbeterde Branna zich vlug.
'Dat dacht ik al, maar het verbaast me steeds weer dat je je nog zoveel kunt herinneren.'
'Mij ook. En dat andere boek?'
Het kleinere boek bleek over geneeskunde te gaan. Het begon met een verhandeling over de lichaamssappen, dan volgde er een compendium van kruiden, wortels, symptomen en behandelingen, en ten slotte bevatte het instructies voor eenvoudige chirurgische ingrepen. Het handschrift was onzeker, met hoekige, vrij grote letters.
'Dit heeft Jill geschreven,' zei Neb opeens. 'Af en toe komen er dingen boven. Ze heeft pas laat leren schrijven, zie je, daarom heeft ze zo'n kinderlijk handschrift.'
'Ik heb het gevoel dat we hier met z'n vieren zijn. Heb jij dat ook?'
'Een beetje.' Neb keek om alsof hij verwachtte dat Jill en Nevyn achter hem stonden. 'Ik krijg er kippenvel van.'
Branna sloeg het boek over geneeskunde dicht en liep naar het raam. Ze keek naar het bekende uitzicht met de muur om de dun van haar oom en daarachter de groene velden. Ze had zo half en half verwacht iets anders te zien, al wist ze eigenlijk niet wat. Een plek waar ik nooit ben geweest, dacht ze. In elk geval niet als mezelf. Kende ik daar de zilveren draak? Sinds ze Rori over Cengarn had zien vliegen, had ze steeds aan hem moeten denken.
'Wat was het nieuws van prins Dar?' vroeg ze.
'Wat? Eh... Wat zei je, Jill?'
Neb las een bladzijde uit het grote boek. Hij leunde voorover om het beter te kunnen zien, met de gebogen schouders van een veel oudere man. Weer herinnerde Branna zich dat ze Nevyn dat boek had zien lezen, aan een ruwe tafel met een dweomerlicht dat vlak boven hem hing om hem bij te lichten. Even zag ze ook zijn omgeving: een stenen kamer zonder raam met langs de bovenkant van de muren een versierde strook van cirkels en driehoeken, die abrupt ergens ophield, alsof iemand er een deel van had weggehakt. Hou op! vermaande ze zichzelf. Je bent Branna. Branna, niet Jill.
'Blijf hier, Neb!' zei ze zo streng mogelijk. 'Wat was het nieuws van prins Dar?'
Met een rukje van zijn hoofd ging Neb weer rechtop staan en hij draaide zich naar haar om. 'Je hebt gelijk,' zei hij zacht. 'Ik was even terug in de tijd. Hoe noemde je dat ook alweer? In het andere Wanneer?'

'Inderdaad. Maar nu zijn we hier.'
'Dat is zo. Die uitdrukking zullen we voortaan gebruiken om elkaar te beschermen, vind je niet? Blijf hier.'
'Het werkt, en we zullen hem wel vaker nodig hebben.'
Neb glimlachte terwijl hij een paar keer licht met zijn hoofd knikte. 'Het nieuws ging over het leger,' zei hij. 'Prins Dar heeft ruim vijfhonderd boogschutters bij elkaar gebracht, plus een groot aantal zwaardvechters. Hij hoopt dat hij tegen de tijd dat we bij hem aankomen nog meer krijgers heeft verzameld.'
'We? Je gaat toch niet met de krijgsbende van de Rode Wolf mee?'
'Natuurlijk wel. Ik moet de tieryn overal volgen.'
Branna's adem stokte. Neb pakte met beide handen een van haar handen vast.
'Wat is er?' vroeg hij.
'Ik ben natuurlijk doodsbang dat je zult worden gedood,' antwoordde Branna. 'Waarom wil hij dat je meegaat?'
'Om zo nodig berichten voor hem te versturen, dat spreekt toch vanzelf?'
'Nou ja, vooruit, maar je doet toch niet mee op het slagveld?'
'Nee. Vind je dat minderwaardig van me?'
'Hoe kom je erbij!'
Neb grinnikte. 'Op het slagveld zou ik van geen enkel nut zijn, behalve als ze iemand nodig hebben die redelijk goed stenen kan gooien. Vroeger schoot ik met een katapult op kraaien en eekhoorns.'
Ze lachten allebei, en ze voelde haar angst wegtrekken.
'Nou ja, je bent nu mijn man, dus mag ik me zorgen over je maken. En jij hoort je vereerd te voelen met mijn toewijding.'
'Je hebt gelijk, neem me niet kwalijk.' Neb maakte een zwierige buiging voor haar. 'Mag ik dan zeggen hoezeer ik aan jou toegewijd ben?'
'Dat mag. Maar hoe zit het met je brandende hartstocht?'
'Die voel ik natuurlijk ook. Heel sterk, om eerlijk te zijn. Acht je me hoog?'
'Zeer hoog, vergezeld van een even grote portie genegenheid.'
'Dan is het goed. Als je me even de tijd geeft, zal ik een lofdicht voor je schrijven.'
'Dat zou ik erg fijn vinden, maar moet ik dan met die rol op schoot op de vensterbank zitten wachten tot je terugkomt? Huh, ik ga met je mee!'
'Daar komt niets van in.'
'Waarom niet? Ik zal je helpen, riet zoeken om pennen van te maken en zo. Ze zullen me heus niet vragen ook met een zwaard te

gaan zwaaien, hoor.' Branna dacht even na. 'En ik kan verbandrepen maken en Dalla helpen.'
'Je oom zal het niet goedvinden.'
'Dan zeggen we het pas wanneer het te laat is.' Ze legde een hand op zijn arm en keek hem glimlachend aan. 'Wil jij soms niet dat ik meega?'
'Natuurlijk wel! Ik bedoel... Ach goden, dat had ik niet moeten zeggen.'
'Inderdaad, dat had je niet moeten zeggen. Maar je hebt het wel gezegd, dus laten we bedenken hoe ik hier kan ontsnappen.'
'En je tante?'
'Zij heeft Adranna en de kinderen, en nu ook Solla. Ze is niet eenzaam meer.'
'Soms denk ik dat mijn huwelijk met jou een verhaal van Salamander zou kunnen zijn. Maar daar ben ik elke god dankbaar voor.' Neb bracht haar hand naar zijn mond en kuste haar vingers.
Er werd in een dringend ritme op de deur geklopt. Neb ging haastig opendoen en daar stond Salamander. Zonder dat het hem werd gevraagd, kwam hij binnen. Met strenge, grijze ogen keek hij Branna aan.
'Wat is hier aan de hand?' vroeg hij. 'Ik heb net een waarschuwend voorgevoel gehad, vrouwe. Je hebt toch niet het domme plan opgevat om met het leger mee te gaan?'
'Hoe kom je erbij dat ik dat zou doen?'
'Ik ken je, en bovendien ben je vuurrood geworden.'
'Je bent een afschuwelijke man.'
'Aha, ik heb gelijk!'
'Ik kan Neb niet naar het slagveld laten gaan en zelf thuisblijven. Dat kan ik gewoon niet.'
'Wat?' De gerthddyn keek Neb aan. 'Ga jij dan wel met het leger mee?'
'Ik ben de schrijver van de tieryn,' zei Neb. 'Hij wil dat ik meega.'
'Dat is bijzonder kortzichtig, riskant en dom van de edele heer, maar hij is een heer van Deverry, dus verbaast het me niet. Neemt Ridvar dan geen schrijver mee?'
'Jawel, maar Cadryc kan hem niet vragen of hij die ook mag gebruiken. Je bent zijn kleinzoon Matto toch niet vergeten? Ridvar wilde hem doden.'
Salamander zei iets in de Elfentaal dat klonk als een verwensing, al kon Branna het niet verstaan. 'Maar ik kan ook lezen en schrijven,' vervolgde de gerthddyn in het Deverriaans. 'Ik ben nooit schrijver geweest, Neb, maar als je wat pennen en inkt voor me inpakt, kan

ik een poging wagen. En de schrijver van Dar gaat ook mee.'
'Maar het is mijn plicht om...'
'Ach wat, plicht. Branna en jij zijn veel te waardevol om bij zo'n gevaarlijke onderneming jullie leven op het spel te zetten. Begrijp je het dan niet? Jullie dweomer is de enige hoop die het grensgebied heeft.'
Branna draaide zich om, zag de boeken op het bed liggen en keek weer naar Salamander en Neb. Haar hart bonsde alsof ze een heel eind had hardgelopen.
'Dat was nog niet bij me opgekomen.' Neb klonk volkomen kalm. 'Maar ik zou niet weten hoe ik dat de tieryn moet uitleggen.'
'Hm, ik ook niet, maar het moet toch gebeuren,' zei Salamander. 'Ik zal met Gerran praten.'
'Weet hij er dan van?' vroeg Branna. 'Gerro, bedoel ik.'
'Ja, als je dweomer bedoelt, Nebs dweomer,' antwoordde Salamander. 'En hij vermoedt dat jij ook dweomerkracht hebt. Maar hij weet niet dat jullie de hoop van de grensstreek zijn en zo. Denk na! Zelfs als we erin slagen Zakh Gral te vernietigen, zal dat pas het eerste gevecht van een lange oorlog zijn. Of denken jullie soms dat het Paardenvolk na een nederlaag gedwee terugkeert naar hun eigen land om daar voortaan te blijven?'
'Ik begrijp wat je ons duidelijk wilt maken,' zei Neb. 'Hoe meer dweomermeesters we hebben, des te beter.'
'Ze zijn ons beste wapen,' beaamde Salamander. 'Voran en Ridvar komen pas over een paar dagen. Voor die tijd kan ik vast wel een geloofwaardig verhaal voor de tieryn bedenken.' Hij grinnikte. 'Ik ben goed in verhalen.'

Steeds wanneer de tieryn de grote zaal verliet, ging Gerran terug naar zijn vroegere plaats aan een van de tafels van de krijgers. Daar was de enige stoel voor hem, en hij kantelde die graag op zijn achterste poten en legde zijn voeten op een van de banken. Hij was net begonnen aan zijn eerste kroes bier van die dag toen hij Salamander de trap af zag komen. De gerthddyn riep een groet en kwam vlug naar hem toe.
'Ik heb je raad nodig, Gerro,' zei hij. 'Mag ik even gaan zitten?'
'Ga je gang. Haal ook iets te drinken.'
Salamander vond een kroes, vulde die uit het vat naast de haard van de bedienden en ging op de bank zitten tegenover die waarop Gerrans voeten lagen.
'Het gaat om Neb, de schrijver,' begon hij. 'Hij vertelde me dat hij met het leger meegaat, maar dat is geen goed idee. Hij moet in de

dun blijven. Tegen sommige soorten gevaar kunnen de bewakers de vesting niet beschermen, maar hij kan dat wel, als je begrijpt wat ik bedoel.'
'Ik begrijp het.' Gerran nam een flinke slok bier. 'Niet dat ik daar graag over nadenk.'
'Dat weet ik.' Salamander keek gauw om zich heen, maar er waren geen bedienden in de buurt die hen konden afluisteren. 'Als onze tieryn bereid is om hem achter te laten, kan ik zijn plaats innemen. Maar dan moet ik een reden bedenken die hem zal overtuigen. Een slim verzinsel, een schitterende smoes, kortom, een leugen. Want ik kan hem niet de waarheid vertellen.'
'Je hoeft niet met allerlei onzin aan te komen.' Gerran zette zijn kroes neer. 'Het hoeft geen volksvermaak te zijn.'
'Nou ja, wat dan?'
'Laat het maar aan mij over. Ik ga meteen met onze edele heer praten.'
Gerran vond tieryn Cadryc in de stallen, waar hij met de stalmeester stond te overleggen welke paarden ze zouden meenemen naar Zakh Gral. Gerran wachtte tot er een stilte viel.
'Mag ik u even spreken, edele heer?' vroeg hij toen.
'Natuurlijk.' Cadryc knikte tegen de stalmeester. 'Ik kom zo terug.'
Ze liepen door de groentetuin naar de ronde vestingmuur, waar niemand hen kon horen.
'Wat is er, Gerro?' vroeg Cadryc.
'Vertrouwt u me, edele heer?'
'Wat? Natuurlijk vertrouw ik je!'
'Vertrouwt u ook mijn beslissingen? Of vindt u me daar te dom voor?'
'Natuurlijk niet! Gerro...'
'Willig dan een dom klinkend verzoek van me in alleen omdat ik het vraag. De schrijver, Neb, moet hier blijven en niet met ons meegaan.'
Cadryc keek hem lange tijd met samengeknepen ogen aan. 'Alleen omdat jij het me vraagt? Zonder uitleg?'
'Zonder uitleg, edele heer.'
Cadryc haalde glimlachend zijn schouders op. 'Je krijgt je zin,' zei hij. 'Het is geen verzoek waar ik moeite mee heb. Ik kan altijd de hulp van de schrijver van prins Dar inroepen als ik een bericht wil versturen of zo.'
'Salamander kan ook lezen en schrijven, dat maakt het nog gemakkelijker. Neb kan hem meegeven wat hij nodig zal hebben.'
'Aha, dan is het geregeld. Dat valt dus weer mee.'
Cadryc ging terug naar de stallen en Gerran liep terug naar de broch.

Hij nam de kortste weg door de groentetuin en zag vanuit zijn ooghoeken dat er iemand achter het schuurtje van de kokkin stond. Hij kon wel raden wie het was.
'Kom maar tevoorschijn, troubadour,' zei hij. 'Ik had moeten weten dat je ons zou bespieden.'
'In elk geval heb ik je weer wat moeite bespaard.' Salamander slenterde naar Gerran toe. 'Nu hoef je me niet meer te vertellen wat onze edele tieryn heeft gezegd. Dank je wel, trouwens. Je had gelijk, we hoefden hem niets op de mouw te spelden. Ik zal Neb vertellen dat het in orde is.'
Salamander wuifde vrolijk en draafde weg. Gerran liep door en keek even naar de lucht. Hoog boven de dun zweefde de zwarte draak op de zomerbries. Hoewel hij niet wist waar Arzosahs verblijfplaats was, verscheen hun allervreemdste bondgenote een paar keer per dag boven de vesting om een oogje in het zeil te houden. Ze kwam ook 's nachts, terwijl ze op jacht was naar een maaltijd. Gerran wist niet of hij haar aanwezigheid geruststellend of angstaanjagend vond. Zolang ze de paarden maar geen schrik aanjaagt, dacht hij. Hij haalde zijn schouders op en ging naar binnen om zich bij zijn krijgers te voegen.

'Het doet mijn hart vreugd dat we dat geregeld hebben,' zei Branna. 'Ik vind het wel erg zelfzuchtig van me, maar ik ben dolblij dat Neb hier veilig in de dun blijft.'
'Waarom zou je daar niet blij om zijn?' Salamander lachte haar vriendelijk toe. 'Het leven is kort, dus geniet alsjeblieft van al het goede dat op je pad komt. En wat veilig zijn betreft, hoop ik dat dat geldt voor jullie allebei, maar jullie moeten wel waakzaam blijven.'
'Vanwege die mazrakraaf?'
'Juist. Misschien weet hij niet precies wie jullie zijn, maar dweomer kan nooit voor andere dweomer verborgen blijven. Hij weet beslist dat jullie die gave ook hebben, daarom zijn jullie een potentiële doorn in zijn oog.'
'Ik hoop dat ik geen doorn, maar een dolk kan zijn.'
'In de toekomst misschien, nu nog niet. Daag hem nooit uit.' Salamander klonk opeens ijzig streng. 'Hou hem alleen in de gaten. Hij is honderdmaal sterker dan jullie.'
'Ik zal eraan denken. Zal Arzosah weer boodschappen overbrengen? Dan kan ik het je laten weten als ik hem weer heb gezien.'
'Helaas betwijfel ik dat. De draken moeten bij het leger blijven.'
'Komt Rori ook?'
'Dat spreekt vanzelf. Als er vroeger ergens werd gevochten, stond

hij altijd met zijn neus vooraan.'
Branna had het gevoel dat ze precies hoorde te weten wat hij bedoelde, maar haar geheugen liet haar in de steek. Net toen ze door wilde vragen, hoorde ze achter zich stemmen. Ze stond met haar rug naar de ingang voor de edelen van de grote zaal, die langzaam volliep voor het avondmaal. Toen ze omkeek, zag ze tante Galla en haar dochter Adranna aankomen. Ze deed een stap opzij om hen door te laten, en Salamander boog voor beide vrouwen. Galla wuifde glimlachend naar hem, maar Adranna liep hem straal voorbij, met samengeknepen mond en boze ogen.
'Helaas vrees ik dat je nichtje het me nooit zal vergeven,' zei Salamander. 'Nou ja, als ik haar was, zou ik het me ook nooit vergeven. Mijn hart doet pijn om haar verlies.'
'Ze mag blij zijn dat ze van Honelg af is,' zei Branna. 'En de kinderen ook.'
'Dat is waar, maar het valt vast niet mee om als weduwe terug te moeten naar de dun van je vader.'
'Je weet nog niet half hoe waar dat is. Zij en Galla hebben voortdurend ruzie.'
'Wat akelig.'
'Dat is zo, maar in elk geval helpt ze met spinnen.' Zonder erbij na te denken, wreef Branna met haar linkerhand over haar rechterpols. 'Hoe meer vrouwen daarmee kunnen helpen, des te beter.'
In afwachting van de komst van het leger van de gwerbret bracht Branna zo veel mogelijk tijd met haar nichtje door. Tijdens hun lange gesprekken praatte Adranna soms ook over haar overleden man en soms huilde ze zelfs om hem, maar het verlies dat ze het meest betreurde was niet, wat voor de hand lag, dat van haar heer en haar dun. Die avond stonden ze vroeg van tafel op en gingen naar boven, naar de vrouwenzaal. Ze zetten hun stoelen in de koelere lucht voor een raam.
'Je hebt geen idee hoe dat is, Branni,' zei Adranna. 'Deel uitmaken van een clan van gelovigen, bedoel ik. Zo beschouwden we ons, als een clan van verwanten. We hoorden allemaal bij Alshandra, zowel de edelen als de boeren.'
'Zo voel ik me wanneer we op feestdagen naar de Maantempel gaan.'
'Ach, dat...' Adranna schudde afkeurend haar hoofd. 'Dat is alleen maar een traditie. Alshandra is echt. Je kunt haar aanwezigheid voelen. Onze vrouwe is iets heel anders, heus waar.'
'Hoe kan dat nou? Alle godinnen zijn één godin.'
'Dat zeggen de priesteressen van de Maan, maar waarom moeten we hen geloven?'

Branna besloot hier geen antwoord op te geven. 'Het kan best zijn dat Alshandra een nieuw aspect van de godin is,' zei ze, 'maar die onzin over het Gebroed van Vandar en zo... Dat klinkt echt als iets wat de mannen van het Paardenvolk hebben bedacht, zodat ze een nieuwe reden hebben om een oorlog te beginnen en anderen hun land af te pakken.'
'Ik moet toegeven dat dat ook bij mij is opgekomen, dat wat je zegt over Vandars Gebroed. En ze willen inderdaad meer grasland voor hun paarden. De mannen die bij ons langs zijn gekomen, gaven dat zelfs min of meer toe, maar toen dacht ik dat Alshandra misschien wilde dat ze op de vlakte zouden gaan wonen.'
'Ja, ja, dat zou toevallig goed uitkomen, maar ik denk het niet. Godinnen trekken geen grenzen op kaarten, zoals een dorpspriester die moet beslissen welke zoon welk stuk grond krijgt als de boer overlijdt.'
Daar moest Adranna zelfs om glimlachen.
'Bovendien zou ik wel eens willen weten,' ging Branna verder, 'waarom jullie godin uit zou zijn op de vernietiging van het Westvolk. Ze...'
'Wacht even!' Adranna leunde naar voren. 'Het Westvolk? Ik heb nooit iets nadeligs over het Westvolk gehoord.'
'Maar zij zijn Vandars Gebroed, volgens de leiders van het Paardenvolk. Dat heeft Salamander me verteld. En het Paardenvolk wil het land van het Westvolk hebben.'
'Dat kan niet waar zijn.'
'Het is wel waar. Vraag het maar aan Salamander, als je mij niet gelooft.'
'Waarom zou ik ook maar één woord van die leugenachtige slang geloven?'
'Waarom zou hij zoiets verzinnen? Hij liegt alleen maar als het niet anders kan. Hij heeft me verteld dat hij het van die priesteres Rocca heeft gehoord.'
'Maar...'
'Bovendien heeft Dallandra me hetzelfde verteld. Zou zij liegen?'
'Zij niet,' fluisterde Adranna, en ze klemde haar handen om de leuningen van haar stoel. 'Maar het is een afschuwelijke gedachte.'
'Dat vind ik ook.'
Plotseling zag Adranna dat ze zo hard in de houten leuningen kneep dat haar knokkels wit waren geworden. Met een diepe zucht liet ze de leuningen los en legde haar handen in haar schoot. Branna zweeg om haar tijd te geven om na te denken.
Na een poosje zei Branna: 'Na alles wat ik heb gehoord, denk ik dat

Aranrodda model heeft gestaan voor het geloof in Alshandra. En Aranrodda is een aspect van de enige ware godin, nietwaar?'
'Dat is waar.'
'Betekent dat dan niet dat Alshandra dat ook is?'
'Ach, zo heb ik het nooit bekeken, maar...'
Branna wachtte. Adranna zuchtte en liet zich tegen de rug van haar stoel vallen. Haar gezicht was zo ongewoon mager en bleek en vormde zo'n sterk contrast met haar donkere haar dat Branna er bijna van moest huilen. 'Je bent doodmoe, nichtje,' zei ze. 'We hoeven dit gesprek nu niet voort te zetten.'
'Dank je.' Adranna glimlachte zwakjes. 'Als de mannen straks weg zijn, hebben we nog tijd genoeg om te praten. Dus is er in elk geval iets goeds uit voortgekomen.'
'Je hebt gelijk.'
'En dat is niet het enige goede,' vervolgde Adranna. 'Het ergste van mijn leven met Honelg was dat ik altijd in angst zat. Niet zozeer door hem, hoewel hij erg opvliegend was, maar door Alshandra. Ik was altijd bang dat iemand zou ontdekken wat we deden en dat tegen de priester of de gwerbret zou zeggen. Die eeuwige angst putte me uit. Elke keer dat er iemand op bezoek kwam, zat ik te trillen tot ik wist wie het was. Echt waar, Branni. Ik trilde zo erg dat ik nog geen kommetje water kon vasthouden. En nu is het ergste gebeurd en zijn de kinderen veilig. Ik maak me niet druk om mijn eigen toekomst, maar ik heb altijd gebeden dat de kinderen veilig zouden zijn. In elk geval ben ik nu niet meer bang.'
Branna kon zichzelf nog net beletten eruit te flappen dat ze nu pas echt reden hadden om bang te zijn.

Wanneer Arzosah Salamander wilde spreken, wachtte ze tot de staljongens de paarden op stal hadden gezet, zodat ze niet door haar in paniek zouden raken. Dan vloog ze laag over de dun tot hij haar zag en landde in het veld onder aan de vestingheuvel. Maar op een avond landde ze op het platte dak van de broch. Salamander, die in zijn kamer op de bovenste verdieping zat, voelde de toren trillen alsof het stormde. Op het binnenplein begonnen een paar dienstmaagden te gillen.
'Het moet de draak zijn,' zei Salamander hardop. 'Laat ik maar even gaan vragen wat ze wil.'
Hij beklom de ladder in de gang en duwde het luik naar het dak open. In de warme vochtige nachtlucht benam de zure geur van de enorme draak hem de adem. Hij stapte van de bovenste sport van de ladder op het dak, richtte zich op en maakte een buiging voor

haar. Ze hief haar enorme kop, die donker afstak tegen de sterrenhemel.
'Goedenavond, o wonderschone, wijze wyrm,' zei Salamander in de Elfentaal.
'Och, och, wat weet jij toch goed hoe je een dame moet vleien.' Arzosah maakte het rommelende geluid dat betekende dat ze iets vermakelijk vond. 'Zelfs troubadours hebben hun nut, begrijp ik.'
'Mijn beperkte bekwaamheden staan tot je dienst.'
'Mooi zo. Ik wil weten of jullie hier veilig zijn als ik vertrek. Ik moet Rori zoeken. Hij zou me hier ontmoeten, maar hij is niet komen opdagen.'
'Dat is waar. Ik hoop niet dat er iets ergs met hem aan de hand is.'
'Dat betwijfel ik, want alleen een andere draak zou hem iets kunnen aandoen. Nee, ik denk dat hij alleen maar bang is om jou en Dallandra onder ogen te komen.'
'Kan Dallandra hem niet oproepen?'
'Nee, omdat hij niet de ziel van een ware draak heeft. Als ze zijn ware naam roept, kan hij dat wel als een draak horen, maar heeft het geen macht over hem. Dan negeert hij haar gewoon.' Arzosah klapperde een paar keer met haar reusachtige kaken. 'Hij haalt soms het bloed onder je nagels vandaan.'
'Maar het valt niet mee om tussen twee soorten in te leven. Dat doe ik mijn hele leven al, dus weet ik waar ik het over heb.'
'Ach, daar heb je natuurlijk gelijk in.' Arzosah dacht even na. 'Ik begrijp heus wel waarom Rori het zo moeilijk heeft, maar hij maakt het voor mij ook niet gemakkelijk.'
'En dat is natuurlijk nog erger. Nou ja, als je hem gevonden hebt, waarom gaan jullie dan niet rechtstreeks naar Dallandra, naar de vlakte? Ik denk niet dat hier gevaar dreigt, althans niet van gewapende vijanden.'
'Goed, dat zal ik doen.' Ze begon haar vleugels te spreiden, maar vouwde ze weer op. 'Je kunt beter weggaan voordat ik opstijg, want ik zou het erg vervelend vinden als ik je van het dak blies.'
'Dat zou ik nog vervelender vinden dan jij. Goede jacht, en tot ziens bij het legerkamp van Daralanteriel.'
Salamander daalde een eindje de ladder af en sloot het luik. Toen hij weer veilig in de gang stond, hoorde hij aan wiekslagen die klonken als oorverdovende trommelslagen dat Arzosah wegvloog.
Omdat het verstikkend benauwd was in zijn kamer, besloot Salamander voordat hij ging slapen nog een ommetje over het koelere binnenplein te maken. Toen hij beneden kwam, zag hij dat wel de helft van de bewoners van de dun op hetzelfde idee was gekomen,

zowel edelen als burgers. Lichtjes van kaarslantaarns gingen deinend over het donkere plein en wat hoger over de loopbrug langs de vestingmuur, en hij hoorde zachte, vleiende mannenstemmen en het gegiechel van dienstmaagden.
Ergens in een hoekje stond Gerran te praten met vrouwe Solla. In het licht van zijn lantaarn glansde zijn rode haar als koper. Neb en Branna maakten gearmd een wandeling; de twee kinderen van Adranna slenterden achter hen aan en een groep Natuurvolkers danste om hen heen, onder leiding van Branna's magere grijze dwerg en de dikke gele dwerg van Neb. Boven hen fladderde een zwerm flonkerende luchtgeesten. Toen Salamander stilstond om hen te groeten, antwoordde Trenni met een vriendelijk 'goedenavond', maar Matto wendde zijn hoofd af en spuugde nadrukkelijk op de keien. Het Natuurvolk verdween.
'Kom, we gaan naar binnen,' zei Branna op ferme toon. 'Jij ook, Trenni. Het is bedtijd.'
Ze pakte met elke hand een kind vast en nam hen mee naar de broch. Neb en Salamander bleven buiten. Ze liepen om de broch heen en bleven aan de achterkant staan, in het schijnsel van kaarslicht achter een venster.
'Denk je dat Matto het me ooit zal vergeven?' vroeg Salamander. 'Dat ik betrokken was bij de dood van zijn vader, bedoel ik.'
'Ik ben er niet van overtuigd dat het dát is,' zei Neb. 'Ik denk eerder dat hij jou er de schuld van geeft dat ze hun huis zijn kwijtgeraakt en dat zijn moeder nu zo ongelukkig is. Doordat Honelg de jongen probeerde te doden, heeft Matto elk respect voor zijn vader verloren. Trenni haatte haar vader, en het lijkt erop dat Matto dat zo langzamerhand ook gaat doen.'
'O. Toch is het een droevige zaak.'
'Dat is het, ik ben er ook van geschrokken. Maar hoe vreemd het ook is, Matto vindt nog steeds dat hij jou hoort te haten, en ook Gerran, omdat zijn vader is gedood.' Neb schudde zijn hoofd. 'Ik denk niet dat ik edelen ooit zal doorgronden.'
'Ik ook niet. Aan de andere kant, mijn vader en ik hebben ook onze problemen en toch zou ik, als iemand hem had gedood, de dader willen uitleveren aan de rechtspraak van de prins.'
'Mijn vader en ik hadden nooit problemen met elkaar. Ik mis hem nog steeds, maar de helft van de inwoners van onze stad is destijds gestorven aan de pest. Dus kan ik niet denken dat ik de enige ben die recht heeft op verdriet.'
'Dat is zo. Een natuurlijke ramp heeft niets te maken met vetes of eer.'

'Daar wilde onze plaatselijke priester natuurlijk niets van weten. Volgens hem was de grote Bel kwaad op ons, daarom moesten we witte paarden gaan zoeken om te offeren.'
'Als het nog eens gebeurt, weten we wel waar we witte koeien zullen vinden. Of is vee niet goed genoeg?'
'Nee. Bel eist paarden, maar... Wacht even!' Neb stak een hand op. 'Er schiet me iets te binnen. Ik...' Hij aarzelde en dacht na.
Salamander zei niets. Door de uitdrukking van diepe concentratie op Nebs gezicht leek hij opeens veel ouder, en veel sterker. Zo lijkt hij op Nevyn, dacht Salamander. Zou er een nieuwe herinnering bij hem opkomen?
'De pest,' zei Neb langzaam. 'Stel dat die niet de schuld van Bel is geweest of geen natuurlijke oorzaak heeft gehad? In die tijd wist ik nog helemaal niets van het Westvolk en hun geschiedenis, en had ik ook nog nooit van duistere dweomer gehoord. Maar nu weet ik meer, en plotseling vraag ik me af of iemand die ziekte soms naar onze stad heeft overgebracht. Het is heel snel gebeurd, bij warm weer. Er was een grote markt geweest, waar een heleboel vreemdelingen naartoe waren gekomen.'
'Dat zou best kunnen. Maar wat heeft het Westvolk ermee te maken?'
'Niets, maar die oeroude plaag die het Paardenvolk had getroffen, wel. Jij hebt me verteld dat die hun darmen had aangetast en dezelfde soort bloederige afscheiding had veroorzaakt als' – Neb slikte moeizaam en leek moed te verzamelen – 'als wat ik destijds zelf heb gezien. Het klinkt precies hetzelfde. Als er in die stad van het Paardenvolk waarover je me hebt verteld nog iets van die plaag over was en als iemand daar was geweest en ermee was besmet en daarna om een bepaalde reden naar Trev Hael was gegaan... Wat denk je?'
'Je zou wel eens gelijk kunnen hebben. Ik zal Dalla vertellen wat je tegen me hebt gezegd.'
'Dat is goed. De kruidenvrouw in onze stad besloot toen dat, omdat de ziekte een overmaat aan waterig lichaamsvocht voortbracht, vurig lichaamsvocht dat zou bestrijden. Dus moest iedereen zijn voedsel roosteren en het water koken. Wanneer er iemand was overleden, moesten we zijn dekens en kleren verbranden. Daardoor is de ziekte tot staan gekomen.'
'Heel interessant. Dat zal ik Dalla ook vertellen.'
'Het was een vreselijke tijd.' Neb rilde en wendde zijn hoofd af. 'Ik heb er niet eerder over willen nadenken, maar het is wel belangrijk, denk je niet? Ik heb het gevoel dat ik het me moet herinneren. Toen

Clae en ik wees waren geworden, hebben priesters van Bel ons naar het westen gebracht. Ze moesten naar een tempel ten noorden van Cengarn, maar een van hen was bereid om ons af te zetten op de Grote Weg naar het Westen. Ik weet maar één tempel ten noorden van Cengarn.'

'Alle goden!' zei Salamander schor. Hij kuchte en spuugde op de grond. 'Neem me niet kwalijk, maar terwijl ik naar je luister, trekt mijn keel dicht van allerlei voorgevoelens.'

Salamander liep haastig terug naar zijn kamer. Hij ging op de brede vensterbank van het glasloze raam zitten en keek omlaag naar de lichtjes op het plein. Hij dacht aan Dallandra en algauw zag hij haar voor zich. Blijkbaar had ze een dweomerlicht aangestoken, want ze zat in een koud zilveren schijnsel. Met haar asblonde haar en metaalgrijze ogen leek het alsof ze zelf van zilver was, alsof ze op de maan thuishoorde.

Toen hij haar in gedachten doorgaf wat Neb hem allemaal had verteld over de pest, voelde hij haar bezorgdheid.

'Ik ben blij dat je me dit meteen hebt laten weten,' zei ze. 'Als die ziekte inderdaad afkomstig is uit de steden van het Paardenvolk, hoop ik dat ze dat niet beseffen. Want dan zouden ze hem als wapen tegen ons kunnen gebruiken.'

Salamander kreeg het gevoel dat de solide stenen waarop hij zat begonnen te schommelen. 'Alle goden,' zei hij. 'Dat... Alle goden...'

'Maar de kans is groot dat het niet zo is,' vervolgde Dallandra. 'Want als de pest nog steeds sluimert in de steden in het noorden, waarom zijn de Gel da'Thae er dan aan ontsnapt? En nu ik erover nadenk, waarom ben ik er niet mee besmet geraakt toen ik jaren geleden in Braemel was om Zatcheka en Grallezar te bezoeken?'

'Een geruststellend en gepast argument, o prinses van perileuze potenties. De steden in Deverry kunnen niet prat gaan op reinheid, dus misschien is die ziekte in Nebs geboorteplaats gewoon in de goten ontkiemd.'

'Dat klinkt logischer.' Toch klonk Dallandra weifelend. 'Rinbaladelan is de enige van de verwoeste steden waar de pest nog steeds zou kunnen rondwaren. Daar is hij ook begonnen. Ik heb gehoord dat ze er ondergrondse waterputten hadden, en het komt vaak voor dat er op vochtige, donkere plaatsen zomaar de een of andere kwalijke damp ontstaat. Door al dat slijm, snap je.'

'Ik geloof het graag.' Salamander wist niets van geneeskunde en bij de gedachte aan vochtig, donker slijm was hij daar blij om. 'En die priester die Neb naar de boerderij van zijn betreurenswaardig bezweken oom heeft gebracht?'

'Wat bedoel je? Priesters van Bel reizen toch altijd door het land?'
'Dat is waar, maar ik heb het vreemde gevoel dat hij en de pest iets met elkaar te maken hebben. Hoewel niemand in die tempel bij de dun van Honelg eraan is gestorven.'
'En ook geen van de boeren daar. Bovendien is het niet waarschijnlijk dat ze ooit in een stad van het Paardenvolk zijn geweest.'
'Dat is inderdaad hoogst onwaarschijnlijk. Maar ik kan de gedachte aan die verduivelde ziekte niet loslaten, vooral vanwege die vrienden van je uit Braemel. Ik was al bang dat ze de pest zouden meebrengen naar het slagveld.'
'Dat denk ik niet, vooral nu niet.' Opeens klonk Dallandra weer erg bezorgd. 'Want er lijkt in Braemel iets heel vreemds aan de hand te zijn.'
'Heb je al een tijd niets van Grallezar gehoord?'
'Inderdaad. Ik heb haar een paar keer geprobeerd te bereiken, maar het lukt niet. Ik voel haar geest, maar ze maakt een volkomen afwezige indruk. Ik hoop dat alles daar in orde is.'
'Misschien willen de Gel da'Thae niet tegen hun soortgenoten vechten. Vooral omdat ze geen liefde koesteren voor de Deverrianen. Hoe noemen ze die ook alweer? Rode Rovers?'
'Inderdaad. In de taal van het Paardenvolk *Lijik Ganda.*'
'Hé, Rocca gebruikte een ander woord voor "rood".'
'De Gel da'Thae hebben een heleboel woorden voor allerlei kleuren. Gral betekent roestrood. Ganda is de kleur van vers vlees.'
'Aha, dat verraadt precies hoe ze over de Deverrianen denken.'
'Dat is zo. Braemel had zich bij ons en de Rondoren in Cerr Cawnen aangesloten uit angst voor het Paardenvolk, de woeste stammen in het noorden. In het voorjaar had Grallezar het vaag over een probleem in hun stad, iets wat te maken had met een groep volgelingen van Alshandra, maar ze legde niet uit wat het was. En ik vond dat het mij niet aanging. De Gel da'Thae zijn soms net zo op zichzelf als wij.'
'Dus horen we alleen wat ze aan ons kwijt wil, meer niet.'
'Helaas is dat waar. Maar toen we in gedachten met elkaar praatten, kon ik voelen dat ze bang was.'
Salamander scryde dagelijks en hij had al gezien dat er in Zakh Gral allerlei veranderingen hadden plaatsgevonden. Er waren meer troepen aangekomen, horden slaven waren nieuwe barakken aan het bouwen en er werd hard gewerkt aan de stenen muur om de vesting heen. Hij bracht Dallandra op de hoogte van wat hij had gezien. Ze praatten nog een poosje door, waarbij hun gedachten de honderden kilometers afstand tussen hen moeiteloos overbrugden. Maar Sala-

mander voelde dat het hem vermoeide. Veel eerder dan anders moest hij zich inspannen om zijn aandacht erbij te houden. Op het moment dat hij zich daarvan bewust werd, merkte Dallandra het ook.
'Je bent doodmoe, Ebañy,' zei ze. 'Ik weet dat we moeten bijhouden wat er in Zakh Gral gebeurt, maar je mag het scryen niet te lang laten duren. Je moest je vogelvorm aannemen om uit dat fort te ontsnappen en dat heeft je uitgeput. En toen ik in moeilijkheden kwam bij die astrale poort en jij me redde, was dat opnieuw een grote inspanning voor je. Ik maak me zorgen om je. Als je niet uitrust, bestaat de kans dat je waanzin terugkomt.'
'Maak je geen zorgen, o prinses van perileuze potenties, want dat besef ik zelf ook. Van nu af aan zal ik nog maar tweemaal per dag scryen, 's morgens en 's avonds, dat beloof ik je.'
Ze verbraken de verbinding. Toen Salamander van de vensterbank opstond, werd hij zo duizelig dat hij met zijn kleren nog aan op zijn bed ging liggen. Ik sta zo wel weer op, dacht hij. Maar toen hij wakker werd, was het de volgende morgen.

Eigenlijk waren Neb en Branna alleen nog maar verloofd, ze waren niet getrouwd. Maar met de oorlog in het verschiet was er geen tijd voor officiële plechtigheden en niet genoeg voedsel voor een feestmaal. Omdat zowel Branna's vader als haar oom zijn toestemming voor het huwelijk had gegeven, ging iedereen er gewoon van uit dat hun verbintenis een feit was. Na hun terugkeer in de dun had Neb zijn weinige bezittingen naar Branna's kamer gebracht, en dat was dat.
Nu Branna het zo druk had met haar nichtje en de kinderen, zagen zij en Neb elkaar overdag weinig. Na het ontbijt bleef Neb vaak aan tafel zitten met Salamander, Gerran en Mirryn om te horen wat ze over de komende oorlog te zeggen hadden.
Op een morgen, toen Branna en Galla naar de vrouwenzaal waren gegaan en tieryn Cadryc met de staljongens was gaan praten, kwam Maelaber, de heraut van het Westvolk, ook bij hen zitten. Zijn escorte bleef bij de krijgers. Maelaber deed nauwkeurig verslag van de voorbereidingen die het Westvolk trof voor de strijd. Gerran zat erbij met de verveelde uitdrukking op zijn gezicht die, vreemd genoeg, aangaf dat hij aandachtig luisterde. Mirryn staarde somber naar het tafelblad, zo verstrooid dat Maelaber opeens zijn mond hield.
'Wat is er, Mirro?' vroeg Gerran. 'Heb je zure oprispingen van de pap of zo?'
'Je weet verdomme best wat er is,' antwoordde Mirryn kwaad.
'Je moet je bij een bevel van Cadryc neerleggen,' zei Gerran. 'Hij is

de tieryn en bovendien je vader.'
Mirryn antwoordde met een reeks verwensingen die zo weerzinwekkend waren dat Neb, Salamander en Maelaber tegelijkertijd opstonden en wegliepen. Neb hoorde dat Gerran en Mirryn ruzie begonnen te maken.
'Het wachten op een oorlog valt nooit mee,' zei Salamander.
'Dat is zo,' beaamde Maelaber. 'Toen ik uit het kamp van het Westvolk wegreed, was iedereen daar ook erg prikkelbaar.'
Maelaber liep naar zijn escorte en de krijgers, Neb en Salamander verlieten de grote zaal en liepen door naar de vestingmuur. Ze beklommen een ladder naar de loopbrug, leunden boven met hun ellebogen op de muur en genoten van de zomerbries. Tussen de kantelen door hadden ze uitzicht op de groene velden en rivieren in het rhan van de tieryn. De zon scheen warm op hun rug. Neb geeuwde.
'Ben je nu al moe?' vroeg Salamander.
'Getrouwd zijn brengt slaapgebrek met zich mee.'
'Ach, schei uit, opschepper!'
Neb grinnikte en begon over iets anders: 'Heb je onlangs nog iets van Dallandra gehoord?'
'Ja. Zij heeft ook zo haar vragen over de pest, maar ze denkt niet dat die afkomstig was uit een stad van het Paardenvolk. En ze denkt ook niet dat de priesters die jou naar je oom hebben gebracht er iets mee te maken hadden.'
'Nou ja, als dat zo is...' Neb draaide zich om en leunde weer over de muur. 'O, grote goden!'
'Wat is er?'
'Kijk daar eens!' Neb wees met een armzwaai naar boven. 'Hij is terug.'
Ver boven hun hoofden zweefde een vogel met de zwarte vorm van een raaf, maar te groot om een raaf te zijn, in de lichtblauwe lucht.
'Inderdaad,' zei Salamander. 'Onze mazrak is terug van waar zijn vreemde tunnel hem naartoe had gebracht.'
'Hij heeft gewacht tot Arzosah weg was, de lafaard.'
'Ach, eigenlijk niet. Zou jij de strijd aanbinden met een draak die dertig keer zo groot is als jij? Nee, ik zie al aan je gezicht dat je dat niet zou doen.'
Neb liet zijn handen in de zakken van zijn brigga glijden en vond de wapens die hij altijd bij zich had: een leren katapult en een steen. Hij haalde ze zo onopvallend mogelijk tevoorschijn. 'Zou ik een steen kunnen afschieten zonder dat hij het merkt?'
De raaf maakte langzaam een cirkel boven de dun en kwam iets lager vliegen. Neb zag dat hij zijn kop heen en weer bewoog alsof hij

alles op de grond goed wilde bekijken. Plotseling keerde hij om en vloog snel weg, naar het noorden, en algauw was hij nog maar een zwarte stip in de wolkenloze lucht.
'Ik denk dat hij die katapult van je heeft gezien,' zei Salamander.
'Dan heeft hij uitstekende ogen, verdomme.' Neb mepte boos met de leren lus van de katapult tegen een kanteel. 'Zal ik je eens iets heel raars vertellen, Salamander? Ik heb het gevoel dat ik die vogel ken, de persoon in die vogel, bedoel ik. Alsof ik door zijn veren heen kan kijken of zoiets. Nou ja, nu ik het hardop zeg, klinkt het belachelijk.'
'Het is niet belachelijk, het is dweomer,' zei Salamander. 'Dat denk ik tenminste. Je kunt je natuurlijk vergissen, maar dat betwijfel ik. Volgens mij is het iemand die je in een vorig leven hebt gekend.'
'Echt waar? Nou ja, dan was ik beslist niet op hem gesteld.'
'Als je op deze manier iemand herkent, wil dat niet zeggen dat het een vriend van je is geweest. Een vroegere vijand zal je net zo hard roepen.'
Neb dacht na over de raaf en de gevoelens die de vogel bij hem opwekte. 'Het moet een vijand zijn geweest,' zei hij ten slotte, 'maar er komt nog iets bij. We zijn met elkaar verbonden door een schuld, of zelfs meerdere schulden. Ik ben hem iets schuldig, maar hij is mij veel meer schuldig.'
'Heel vreemd,' zei Salamander. 'Maar je moet erover blijven nadenken. Het antwoord kan belangrijk zijn.'
'De schakels van het wyrd zijn altijd belangrijk, nietwaar?'
'Dat is een waarheid als een koe.'

Salamander zag de mazrakraaf de volgende morgen weer. Kort na zonsopgang, het tijdstip waarop hij altijd scryde om naar Zakh Gral te kijken, richtte hij zijn blik op een paar hoge wolken en probeerde Rocca te zien. Meteen verscheen haar beeld, voor het altaar van de Buitentempel. Even verlustigde hij zich in haar aanblik. Als ze zich beter zou verzorgen, zou ze met haar hoge jukbeenderen en dikke, donkere haar een heel mooie vrouw zijn, maar nu was haar gezicht door de zon verbrand en vuil, en hing haar haar in ongewassen slierten om haar hoofd. Ze droeg een lang, mouwloos kleed van licht hertenleer met het heilige pijl-en-boogsymbool van Alshandra erop.
Achter haar op het ruwe stenen altaar stonden de relikwieën van de legendarische volgelinge van haar godin, de heilige getuige Raena. Salamander had de meeste dingen al eerder gezien – het kistje met de drakendolk, het koperen blad met de miniatuurpijl-en-boog, het

benen fluitje en de piramide van obsidiaan – maar hij schrok van de aanvulling op de verzameling. Het hemd dat hij had achtergelaten was op een effen banier genaaid en bevestigd aan een lange speer, die achter het altaar in de grond was geprikt. De banier wapperde in de wind.

Lakanza, de grijsharige hogepriesteres, stond naast Rocca met een perkamentrol in haar hand. Voor hen zat Sidro op haar knieën en met gebogen hoofd, en terzijde stonden de twee heilige vrouwen van het Paardenvolk. Ze keken grimmig en hadden hun handen gebald tot vuisten. Salamander zag dat Lakanza de rol iets afwikkelde en de tekst bestudeerde. Sidro hief haar hoofd op en keek Rocca met zo'n hatelijke blik in haar blauwe ogen aan dat Rocca een stap achteruit deed. Toen Lakanza de rol liet zakken, keek Sidro vlug weer naar de grond.

Hoewel Salamander niets kon horen, zag hij dat Lakanza's mond bewoog alsof ze iets zong. Ze hief een hand en wenkte een van de priesteressen van het Paardenvolk. De vrouw kwam naar voren en haalde de drakendolk uit het kistje. Met haar ene hand greep ze Sidro's ravenzwarte haar vast en toen hief ze de hand met de dolk. Salamander slaakte een kreet, omdat hij dacht dat ze Sidro's keel zou doorsnijden. Maar ze trok Sidro's haar strak naar achteren en sneed het met de dolk af, zo kort mogelijk. Sidro onderging het ritueel met samengeknepen lippen en gesloten ogen.

Onteerd, dacht Salamander. Haar verdiende loon, nadat ze mij bijna de dood in heeft gejaagd. Maar wat had ze eigenlijk op haar geweten, behalve dat ze de waarheid had gesproken en een vijand van haar volk had aangewezen? Opeens voelde Salamander zich schuldig. Niemand zou haar ooit meer geloven, maar ze had de waarheid goed geraden: hij behoorde inderdaad tot Vandars Gebroed, zoals ze had gezegd. Waarschijnlijk zou zijn zogenaamd wonderbaarlijke ontsnapping rampzalige gevolgen voor hun vesting en hun tempel hebben.

Toen de priesteres van het Paardenvolk klaar was met haar taak, draaide ze zich om en wierp de dikke bos van Sidro's afgesneden haar in de lucht. De wind blies de lange lokken alle kanten op. Nadat Lakanza nog een paar woorden had gesproken, stond Sidro op en raapte de spullen op die naast haar op de grond lagen: een zak en een deken. Salamander zag haar de vesting verlaten en naar het noorden lopen, naar de bossen. Was ze uit de heilige orde gezet? Waarschijnlijk niet, want ze droeg nog steeds het beschilderde kleed van een priesteres. Misschien was ze weggestuurd om bij gelovigen die ver weg woonden te gaan prediken, zoals Rocca had gedaan. De

kans bestond dat ze naar de dun van Honelg zou gaan, waar Ridvars bewakers haar meteen zouden vasthouden om haar naar de gevangenis in Dun Cengarn te sturen.
Toen Salamander zijn Zicht verruimde om de hele vesting te kunnen zien, zag hij hoog erboven de mazrakraaf zweven. Maar dat kan toch niet, dacht hij. Nog geen volle dag geleden vloog hij boven de dun van de Rode Wolf, en de twee forten liggen bijna vijfhonderd kilometer bij elkaar vandaan! Grote goden, vertel me niet dat er twee van die raven zijn! Hij verbrak het beeld met een steek van angst bij de gedachte dat ze wellicht meerdere machtige mazrakir als tegenstander hadden. Toen herinnerde hij zich de astrale tunnel.
'Denk je dat het mogelijk is,' vroeg hij Dallandra later, toen hij haar scryde, 'dat hij heeft ontdekt hoe hij de moederwegen moet vinden?'
'Dat is heel goed mogelijk,' antwoordde Dallandra. 'Het lijkt me veel waarschijnlijker dan dat er twee mazrakraven zijn. Dus daar was die tunnel voor! Mm, interessant. Het is nooit bij me opgekomen de moederwegen via het astrale te bereiken en dat is ook geen onderdeel van Deverriaans dweomer. Ik vraag me af waar hij het heeft geleerd.'
'In Bardek, denk ik. Je hebt toch wel eens gedacht dat hij daar vandaan kwam?'
'Ja, dat zou best kunnen. Maar waar hij het ook heeft geleerd, het feit dat hij in staat is om die dweomer te gebruiken, betekent dat hij een machtige man is. Wees dus alsjeblieft voorzichtig.'
'Dat ben ik, daar hoef je niet bang voor te zijn. Laten we uit alle macht hopen dat hij niet een heel leger door die tunnel kan meenemen.'
'Dat denk ik niet, want de moederwegen bestaan alleen op het astrale vlak.'
'Ach, dat is zo, en een leger van dweomermeesters is niet erg waarschijnlijk. Er is nog iets. Neb heeft me verteld dat hij het gevoel heeft dat er een verband bestaat tussen hemzelf en die mazrak, ergens uit een vroeger leven waarin ze elkaar hebben gekend. Meer kan hij er niet van zeggen. Het is geen prettig verband, dat weet hij wel.'
'Ach, bij de Stergodinnen!' Plotseling zag Dallandra's beeld er erg moe uit. 'Ik begrijp niet waarom me dat verbaast. Nevyn heeft tijdens zijn lange leven veel vijanden gemaakt.'
'Je hebt gelijk. Ik herinner me nog duidelijk een onzalig groepje dat ik heb meegeholpen te vangen. Dat was in Bardek, tijdens onze korte strijd met duister dweomer...' Salamander zweeg abrupt toen hij werd overspoeld door zowel herinneringen als akelige voorgevoelens. 'Die zwarte steen. Dat stuk obsidiaan op het altaar van Al-

shandra. Dat heeft hiermee te maken. Dat weet ik diep vanbinnen, maar ik weet niet waarom.'
'Denk er dan diep over na.' Salamander voelde de noodzaak waarvan Dallandra hem wilde doordringen. 'Laat die vraag, zoals een merrie met een zwak veulen, geen moment met rust.'
'Dat zal ik doen. Ik wil wedden dat deze kwestie iets met het wyrd te maken heeft, dat het iets is uit een heel oude tijd. Ik ben er ook bij betrokken, maar ik weet niet op welke manier.'
Salamander had gelijk. In zijn vroege jeugd, toen hij nog niet in staat was om duidelijke herinneringen te vormen en te bewaren, hadden de mazrakraaf en de zwarte piramide een web van het lot om hem heen geweven, waarin ook een heel machtige man verstrikt was geraakt: Nevyn, de Meester van de Ether. En die naam en dweomertitel hadden in een ver verleden toebehoord aan Neb, in het lichaam waarin hij toen huisde.

Deel I

Dun Deverry en het Westland

Voorjaar 983

Elk licht werpt een schaduw. Het dweomerlicht heeft een schaduw van het donker geworpen. In die vreselijke nacht sluipen schepsels rond die ooit net zulke mensen waren als jij, schepsels die denken dat ze alleen smachten naar geheimen om het lijden van de wereld te verzachten. Ergens onderweg is de schaduw ongemerkt over hen heen gevallen...

Het Geheime Boek van Cadwallon de Druïde

De stad Dun Deverry, gebouwd op zeven heuvels, torende hoog boven de omringende akkers en velden uit. Toen Nevyn vanuit het zuiden kwam aanrijden, zag hij hem al van verre als een verzameling grijze en groene vormen aan de horizon opdoemen. De weg was bochtig. Soms maakte hij een omweg van wel een of twee kilometer om de dun van een heer heen, of liep hij kronkelend mee met een riviertje tot er ergens een doorwaadbare plaats of een brug was waar een reiziger het water kon oversteken. Terwijl de weg naar verschillende kanten draaide, leek het alsof de stad een dans uitvoerde aan de horizon, dan weer naar het oosten, dan weer naar het westen, zodat Nevyn er naarmate hij dichterbij kwam steeds een ander zicht op kreeg. Vlak voor zonsondergang reed hij eindelijk de laatste heuvel op, en inmiddels doemde de stad als een donderwolk vlak voor hem op. De zuidpoort was, sinds de vorige keer dat Nevyn ervoor had gestaan, gerepareerd. Ruim honderd jaar geleden had de toegang uit niet meer bestaan dan twee hopen steen en een stapel kapotte planken. Nu bestond hij uit een dubbele poort van ruim drie meter hoog en zes meter breed, van dik eikenhout dat was versterkt met ijzeren banden. Elke band was versierd met een ingewikkeld pa-

troon van verstrengelde draken, en op het stuk muur boven de poort stond een klimmende draak van wit marmer.
Omdat de stenen muur om de poort heen wel vijf meter diep was, was de toegang tot de stad een soort korte tunnel, die uitkwam op een met keien bestraat plein. Het plein was omzoomd door jonge eiken, die zachtgroen begonnen te ontspruiten. Midden op het plein stond een groot aantal inwoners van de stad om een stenen fontein met elkaar te kletsen. Niemand besteedde aandacht aan Nevyn, een sjofele oude kruidengenezer met een pakezel en een armzalig rijpaard aan de teugel, alle drie stoffig van de reis.
Maar Nevyn keek wel naar de inwoners van de stad. Terwijl hij langs rijen welvarend uitziende bedrijfjes van ambachtslieden en neringdoenden door de bochtige straat naar boven liep, bestudeerde hij de gezichten van de mensen die hij tegenkwam. Hij was naar Dun Deverry gekomen om twee dingen te doen. Ten eerste zocht hij de jonge vrouw die heel lang geleden zijn leerlinge was geweest. Sinds haar dood had hij overal naar haar gezocht, maar haar nergens gevonden. Hij hoopte dat ze, omdat ze in Dun Deverry was gestorven, daar ook zou zijn herboren. Ze zou er natuurlijk heel anders uitzien, maar hij wist dat hij Lilli meteen zou herkennen. De tweede reden voor zijn bezoek was veel ingewikkelder. Om dat probleem op te lossen, had hij hulp van vrienden nodig.
Olnadd, priester van Wmm, de god van de schrijvers, woonde in een eenvoudig huisje met een rieten dak niet ver van de westpoort. Een omheining van bruine houten palen beschermde het huis zelf en een groentetuin met twee ganzen erin. Toen Nevyn voor het hek stond, stopten de ganzen met het zoeken van slakken en keken hem fel aan. Hij pakte de grendel vast. Sissend en gakkend kwamen de ganzen klapwiekend naar hem toe. Zijn paard en zijn ezel gooiden hun kop omhoog en begonnen aan de leidsels te trekken. Toen Nevyn de grendel losliet, kwamen de ganzen weer tot bedaren.
'Olnadd!' riep Nevyn. 'Olnadd! Is er iemand thuis?'
De voordeur ging open en de priester kwam haastig naar buiten. Hij was een slanke man met dun, glad, grijs haar. In het dagelijks leven kleedden de priesters van Wmm zich net als de andere burgers in Deverry in een eenvoudige wollen brigga met een linnen hemd eroverheen, dat bijeen werd gehouden door een riem. Het hemd van Olnadd had schouderstukken met pelikanen erop geborduurd, de heilige vogel van zijn god.
'Psst, psst!' siste hij tegen de ganzen. 'Ga terug!'
De ganzen gehoorzaamden, maar bleven op hun hoede.
'Neem me niet kwalijk,' zei Olnadd. 'Ze zijn beter dan waakhonden.'

'Dat zie ik. Je kijkt niet verbaasd omdat je me ziet, dus neem ik aan dat je mijn brief hebt gekregen.'
'Inderdaad.' Olnadd opende het hek, stapte naar buiten en deed het hek gauw weer dicht. 'Laten we eerst je paard en je ezel achterom brengen naar mijn schuurtje, dat als stal dienst kan doen.'
Toen Nevyn zijn ezel had afgeladen, zijn paard had afgezadeld en beide dieren had voorzien van hooi, ging hij met Olnadd mee terug naar diens huis. De vrouw van de priester, een lange, slanke vrouw met grijs haar dat ze in vlechten om haar hoofd had gewonden, begroette hem glimlachend en stuurde hen door naar de keuken. Ze gingen aan de tafel voor het zonnige raam zitten, en Affyna zette een bord met koeken en bekers warme melk met honing voor hen neer.
'Vertel me dan nu maar wat je komt doen.' Olnadd pakte een rozijnenkoek.
'Het is een vreemde kwestie,' begon Nevyn. 'Ik wil de koning spreken. Ik heb namelijk een talisman voor hem gemaakt, een geschenkje voor het koninklijke bloed.'
'Een geschenkje?' zei Affyna. 'Als jij het hebt gemaakt, riekt het sterk naar dweomer. Ach nee, ik bedoel natuurlijk niet dat het echt riekt.'
'Je mag dat woord best gebruiken.' Nevyn grinnikte. 'De vraag is hoe ik onze leenheer te spreken kan krijgen om het hem te geven.'
'Het zal wat moeite kosten,' zei Olnadd. 'Ik hoor niet nieuwsgierig te zijn, maar ik zou dat geschenkje van je best eens willen zien.'
'Ik hoor het niet toe te geven, maar ik ben er best trots op. Ik heb er verdraaid lang aan gewerkt.' Nevyn stak een hand in de opening van zijn hemd, trok de ketting die hij om zijn hals droeg naar buiten en knoopte het leren zakje dat eraan hing los. Hij haalde er een in zijde gewikkeld pakje uit.
'Wil je even de luiken dichtdoen?'
Olnadd stond op en deed wat hem was gevraagd. Door een kier viel alleen nog een gouden streep op tafel. Nevyn trok met een hand deosil een cirkel om het pakje, visualiseerde kleine pentagrammen op de vier windstreken en zuiverde de ruimte van alle invloeden; niet dat er boven de tafel van de priester duivelse of onreine krachten hingen, maar Nevyn wilde voorkomen dat de stenen sporen van plaatselijke kletspraatjes zouden opnemen. Toen pas maakte hij het pakje open.
Wat erin zat, was gewikkeld in vijf lapjes zijde van verschillende kleuren. Het buitenste lapje was een mengeling van olijfgroen, citriengeel, roestbruin en zwart, het tweede was paars, het derde was het oranje van Wmm, het vierde was smaragdgroen en het laatste was licht lavendelblauw. Het voorwerp dat uiteindelijk tevoorschijn

kwam was een opaal zo groot als een walnoot, zo perfect rond en zo glad gepolijst dat hij glansde alsof hij ademde en een eigen leven had. Affyna slaakte een kreetje en Olnadd mompelde een kort gebed.

'Ik heb hem opgedragen aan de nagedachtenis van Bran en de grote Gwindyc,' zei Nevyn. 'En ik heb hem via de koningen van de Wildernis verbonden met de gouden wortel van heerschappij. Denk eraan dat je dit tegen niemand zegt.'

'Is er dan iemand in Dun Deverry die zou begrijpen wat ik bedoelde als ik het hem zou vertellen?'

'Dat denk ik niet.' Nevyn wierp een blik op Affyna.

Ze glimlachte. 'De vrouw van een priester kan haar mond houden.'

Een voor een wikkelde Nevyn de opaal weer in de zijden lapjes, die hij eerst zorgvuldig glad had gestreken. Hij stopte het pakje terug in het leren zakje en veegde de dweomercirkel van de tafel. Olnadd stond op en opende de luiken om de voorjaarszon weer binnen te laten.

'Wat voor soort man is onze koning?' vroeg Nevyn. 'Ik kende zijn grootvader, maar ik ben verdraaid lang niet aan het hof geweest.'

Olnadd wreef over zijn kin terwijl hij nadacht.

'Dat is moeilijk te zeggen. Toen Casyl nog kroonprins was, was hij een wilde jongen, maar een kroon op je hoofd maakt een ander mens van je. Hoewel hij nog maar een jaar op de troon zit, lijkt het alsof hij is gekalmeerd.'

'Lijkt het?'

'Nou ja, hij is een uitstekende krijger. Wat op dit moment goed van pas komt.' Olnadd dacht opnieuw na, waarbij hij zijn beker pakte en tussen zijn lange vingers ronddraaide. 'Maar hij is nogal opvliegend. Oordeelt en handelt snel. Doet dingen waar een bard over kan zingen, heeft het vaak over eer... Je weet wel wat ik bedoel.'

'Is het moeilijk voor een onderdaan om zijne majesteit te ontmoeten? Ik heb genoeg geld bij me om bedienden om te kopen.'

'Dat zul je nodig hebben, maar ik kan je helpen en je een paar munten besparen. De schrijvers van de koning gaan allemaal naar de tempel om onze god te aanbidden, dat weet je. De hoofdschrijver is een interessante man. Eigenlijk had hij ook priester moeten worden, maar hij houdt van macht. Met geld zul je bij onze Petyc niet veel bereiken. We zullen naar de boekhandelaar gaan om te zien wat het beste is.'

'Boekhandelaar? Alle goden, Dun Deverry is een echte stad aan het worden!'

'Inderdaad. Misschien vinden we er een zeldzaam geschrift, maar

anders hebben ze er wel iets anders wat geschikt is als geschenk. En dan zal ik je voorstellen. Als Petyc je mag, zal hij met de kamerheer praten. Je moet de kamerheer ook iets geven, maar wat zilvergeld in een zakje is genoeg. Hij is niet zo fijnbesnaard.'
'Dank je wel. Ik wil dit graag geregeld hebben voordat koning Casyl deze zomer naar het slagveld gaat.'
'O, dat zal best lukken. Het gerucht gaat dat hij pas over een week of twee naar het noorden rijdt.'
'Mooi zo. Alle goden, weer een oorlog in Cerrgonney!'
'Wacht even...' Affyna keek Nevyn met een wrang glimlachje aan. 'De koning zegt niet dat het een oorlog is. Volgens hem is het een opstand.'
'Wanneer heeft de clan van het Zwijn ooit trouw gezworen aan de koninklijke Draak?' vroeg Nevyn.
'O, volgens de vader van onze huidige koning was dat omstreeks 962. Hij noemde hun heren *gwerbretion*, en hoe konden ze gwerbretion zijn als ze hem geen trouw hadden gezworen?' Olnadd sloeg zijn ogen ten hemel. 'En we mogen niet aan een uitspraak van de koning twijfelen, nietwaar? Want hij had het uit betrouwbare bron: zichzelf.'
Ze lachten, maar niet van vrolijkheid. Cerrgonney was al ongeveer honderddertig jaar een onafhankelijk koninkrijk, hoewel koninkrijk misschien een te groot woord was voor het rotsachtige land waar vetes, partijstrijd en kleinzielige haat de boventoon voerden. Maar de vazallen van de Eerste Koning zouden eerder bereid zijn oorlog te voeren als het ging om het neerslaan van een opstand dan om een verovering.
'Zijn schrijvers schrijven natuurlijk op wat hij hun opdraagt,' zei Affyna, 'en de koninklijke bards zingen alleen goedgekeurde liederen.'
'Ik begrijp het al,' zei Nevyn. 'Maar alle goden, weer een oorlog met die vervloekte Zwijnen. Ik vraag me af of het ooit ophoudt.'
'Hé, ik dacht dat jij me dat wel zou kunnen vertellen,' zei Olnadd grinnikend.
'Helaas niet. Dweomer vertelt iemand wat hij moet weten en daar blijft het zo ongeveer bij.'
Die avond ging Nevyn vroeg naar de kleine gastenkamer om een ingewikkelde dweomerhandeling uit te voeren. Ook al had hij een hekel aan valse voorboden en pompeus gedrag, hij wist dat hij er deze keer gebruik van moest maken. Hij had te hard aan de opaalamulet gewerkt om toe te staan dat de koning er nauwelijks aandacht aan zou schenken, en als hij alleen maar op audiëntie ging en de koning de steen zonder meer overhandigde, zou Casyl er am-

per waarde aan hechten. Heel wat jaren geleden had Nevyn met succes een soort magische truc toegepast om een eind te maken aan een opstand tegen de grootvader van de huidige koning. Wellicht kon hij dezelfde truc gebruiken om de kleinzoon van nut te zijn.

Nevyn ging op het bed liggen, vertraagde zijn ademhaling en visualiseerde de zegels die hem naar het etherische vlak zouden brengen. In zijn verbeelding zag hij het blauwe licht verschijnen dat even later de hele kamer verlichtte. De muren, dode dingen, werden zwart, terwijl de lucht en de luchtgeesten met een saffierblauwe gloed begonnen te pulseren. Om in dit vlak te reizen, moest hij zijn lichtgedaante aannemen, maar hij had dit zo vaak gedaan dat het bijna vanzelf ging. Van de etherische substantie had hij een lichaam gemaakt dat solide blauw afstak tegen de luchtgolven en de vorm had van een man in een brigga en een hemd. Het had een nogal grove vorm en het was met zijn zonnevlecht verbonden door een zilveren koord. Hij bracht zijn bewustzijn erin over en keek neer op zijn fysieke lichaam, dat roerloos en zo te zien diep in slaap op het bed lag. Hij steeg op, verliet het huis en bleef even in de lucht hangen. Boven hem flonkerden sterren als grote zilveren krullen en slierten in de donkere lucht.

Onder hem lagen in het glinsterende zilverblauwe etherische licht de huizen en straten van Dun Deverry, als dofzwarte stenen vormen. Hier en daar straalde een tuin of een boom de roodachtige gloed van planten uit. Eveneens hier en daar gleden de heldere, ovale aura's van mensen of dieren door de straten of verdwenen achter dode, houten deuren. Toch wekte de stad de indruk zelf ook te leven. Dun Deverry had zo'n lange, moeizame geschiedenis dat het leek alsof beelden vanuit het astrale vlak overstroomden in het etherische, zodat Nevyn zowel gewelddadige als hoopvolle taferelen uit het verleden over elkaar heen zag.

De mengeling van beelden zwol aan en nam af als het getij: wegen werden smaller, breder, verwisselden van plaats of verdwenen, huizen werden groter, ouder en stortten in, straten brandden af. Geesten van vroegere bewoners renden in groepjes heen en weer en verdwenen om te ontsnappen aan de verwoesting van de Tijd van Troebelen, toen er tussen de afgebrokkelde muren slechts een gehucht overbleef, dat zich weer uitbreidde toen er een welvarende vredestijd aanbrak. Tussen al die wervelende beelden bleven twee dingen als een rots in de branding staan: op een van de heuvels het grote tempelcomplex van Bel en op een andere de kleinere tempel van de Maangodin. Beide stonden onder een zilveren dweomerkoepel, die priesters en priesteressen er ter bescherming overheen hadden gezet.

Maar onder de steeds veranderende vormen straalde de stad, de Heilige Stad, voortdurend macht uit – de ziel van het koninkrijk, alleen maar omdat duizenden mensen dat geloofden.

Midden in de stad, in het hart van het stralende, kloppende, magische web, stond de dun van de koning: een verzameling hoge torens op de hoogste heuvel. Bijna moeiteloos zweefde Nevyn er door het golvende etherische licht naartoe. Ruim driehonderd jaar geleden was hijzelf op die heuvel geboren. Alle geschiedenis die zich sinds zijn geboorte had voltrokken steeg op in een tweede vloedgolf van beelden, overspoelde de dun en ebde weg om plaats te maken voor zijn eigen herinneringen.

Opnieuw zag Nevyn de brochs uit zijn jeugd, met hun eenvoudige vertrekken en ruwe meubels. In de door fakkels verlichte rechtszaal had hij de woede van zijn vader opgewekt en daarmee de verschrikkelijke fout gemaakt die zijn onnatuurlijk lange leven tot gevolg had. Met een flikkering van het licht veranderde het beeld in de grotere, beschaafdere koninklijke verblijfplaats die hij als eenvoudige kruidengenezer had bezocht, en vervolgens zag hij de gebouwen instorten toen de strijd tussen de grote clans uitbrak. Tijdens de burgeroorlogen had hij een nieuwe koning op de troon gezet, in een dun die na de lange jaren van bezetting en verraad half in puin lag.

Tussen de gebouwen door zag hij de schijnbeelden van lang geleden gestorven personen – gewone mensen noemden dat geesten. Hij zag zijn vader tussen de puinhopen lopen en geluidloos bevelen schreeuwen tegen verdwenen bedienden. Zijn moeder draafde achter hem aan en smeekte om genade voor haar ongelukkige zoon. Daar kwamen de Zwijnen uit Cantrae, razende bullebakken. Prins Maryn en zijn beklagenswaardige koningin Bellyra liepen door een doorzichtige grote zaal. Branoic de zilverdolk, Maddyn de bard, raadsheer Oggyn – hun schaduwbeelden stegen op alsof ze hem opnieuw wilden begroeten.

De beelden toonden ook iemand die Nevyn daar niet had verwacht: heer Gerraent van de clan van de Valk. Zijn brede schouders, de ontspannen houding van een krijger, het embleem van een valk op zijn hemd... De schim leek zo precies op Gerraent dat de haat die Nevyn altijd voor de man had gevoeld opnieuw in hem opwelde. Ook al was zijn lot al driehonderd jaar met dat van deze man verstrengeld, hij had verwacht dat als hij hem hier zou zien, het een veel latere incarnatie zou zijn. Bijvoorbeeld Owaen, de hoofdman van de lijfwachten van prins Maryn. Wat Nevyn ook verbaasde, was dat deze schim niet opging in de kluwen van andere beelden, maar apart

bleef en heen en weer liep op een rode gloed, als op een kleed van vuur. Ten slotte drong het tot Nevyn door dat hij niet naar een geest uit zijn herinnering keek, maar naar de echte Gerraent, of liever, naar het lichaam waarin zijn ziel was herboren.
Nevyn daalde door het blauwe licht en bleef iets boven de grond hangen. Van dichtbij kon hij zien dat het vurige kleed een grasveld was, omringd door dofzwarte stenen muren. Aan een kant bleek een pulserende oranje wolk een rozenstruik te zijn, die in het astrale voorjaarsgetij ontlook. Gerraent, of hoe hij nu ook mocht heten, zag eruit als een typische jonge krijger, met zelfs in de koninklijke tuin een zwaard aan zijn riem. Hij was een lange, blonde, gespierde man en zag er nog net zo arrogant uit als vroeger. Zijn aura straalde razende woede uit, bloedrode flitsen van onbeheerste energie, waar Nevyn van walgde.
Blijkbaar kon Gerraent Nevyns afkeer voelen. Hij stond abrupt stil en tuurde in het donker om zich heen, met zijn hand op het gevest van zijn zwaard. Zijn aura kromp van verwarring en begon om hem heen te wervelen. Nevyn prentte Gerraents beeld in zijn geheugen zodat hij hem later zou herkennen en zweefde weer omhoog. Hoog boven de grond zag hij een goudkleurig aura de tuin in komen, een zacht glanzend aura om het lichaam van een vrouw. Toen Gerraent vlug naar haar toe liep om haar te begroeten, bleef Nevyn voordat hij wegzweefde lang genoeg hangen om te kunnen vaststellen dat zij niet door het lot met hem verbonden was.
Niet ver van de tuin lag het hart van de koninklijke dun: vier torens die in verbinding stonden met een toren in het midden, zoals de blaadjes van een wilde roos. Op de begane grond van de middelste, hoogste toren stonden de ramen open en viel licht naar buiten. De laatste keer dat Nevyn dit vertrek had gezien, hadden er armoedige meubels in gestaan, waren de muren behangen met versleten kleden en lagen de enorme haarden vol as en afval. Nu waren de muren bepleisterd en versierd met kleurige banieren – steeds tussen twee vensters de banier van een grote clan. De tafels en stoelen bij de erehaard glommen van de was, het licht weerkaatste in zilveren bekers. Aan de kant van de bedienden en krijgers waren de meubels oud en beschadigd, maar nog steeds goed bruikbaar. De hele vloer was bedekt met keurige matten van gevlochten riet.
Nevyn zweefde naar de erehaard, waar edelen zaten te drinken en een bard een lied zong. Zijn stem klonk vreemd hol en vervormd in Nevyns etherische oren. Er zat niemand aan de tafel van de koning, die het dichtst bij het vuur stond, maar Nevyn zag een page met een kruik mede op een zilveren blad de zaal uit lopen. Hij volgde de jon-

gen de stenen wenteltrap op en een bekende gang door naar de koninklijke vertrekken.
Daar lagen mooie Bardekse kleden op de vloer en stonden met houtsnijwerk versierde meubels. Op een lange, smalle tafel brandden kaarsen in zilveren kaarslantaarns, maar ze hadden evenveel etherische kracht als zonlicht en beletten het Nevyn om goed te zien. In de goudkleurige mist zag hij een man met donker haar en groene ogen bij de lege haard staan. Op zijn linnen hemd, dat stijf stond van het borduursel, stond de rode draak van de koninklijke clan, en hij droeg een brigga in de rood-wit-gouden koninklijke ruit van Dun Deverry. De page zette de kruik op een tafeltje, boog en liep achterwaarts terug naar de deur. Na nog een buiging verliet hij het vertrek.
Nevyn zweefde boven de kaarsen en keek naar Casyl de Tweede, de koning van Deverry en Eldidd. Casyl schonk mede in een gouden beker, ging op een stoel met kussens zitten en strekte zijn lange benen voor zich uit. Dat hij de koning zomaar alleen aantrof, beschouwde Nevyn als een goed voorteken. Hij liet zich tot vlak boven de kaarsen zakken, haalde hun etherische uitwaseming en rook naar zich toe en wond die om zijn handen, zoals een vrouw een berg losse wol opwindt tot een kluwen. Hoewel hij niet vanuit het etherische met iemand kon praten, kon hij wel gedachten naar het hoofd van de koning sturen, die deze als woorden zou begrijpen.
'Hoogheid, een trouwe dienaar staat klaar om u te helpen.'
Casyl sprong zo snel op dat zijn mede bijna over de rand van de beker klotste. Hij zette de beker neer en keek om zich heen. Met een inspanning van zijn wil wierp Nevyn de kluwen rook en uitwaseming van de kaarsen om het hoofd van zijn lichtgedaante. Casyl slaakte een kreet en deinsde achteruit. Toen wist Nevyn dat het was gelukt, dat zijn spookachtige vorm zichtbaar was geworden.
'Soms is een groot geschenk afkomstig van niemand,' vervolgde Nevyn. 'Onthoud deze grap de komende dagen goed.'
Casyls aura kromp zo sterk ineen dat er alleen een soort lichtlaagje om zijn lichaam van overbleef.
'Uw hooggeëerde grootvader wist wie niemand was,' ging Nevyn verder. 'Het koninklijke bloed heeft zijn eigen vrienden.'
Nevyn verbrak het visioen. Hij liet het mengsel van uitwaseming en rook vervliegen en zweefde naar het open venster. De handeling had hem uitgeput. Casyl stond roerloos en met open mond te staren naar de plek waar hij Nevyns beeld had gezien.
Het is tijd om terug te gaan, dacht Nevyn. Meteen leek het alsof een paar handen aan het zilveren koord begonnen te trekken. Met dui-

zelingwekkende snelheid vloog hij terug naar Olnadds huis, waar zijn fysieke lichaam hem terugriep met een kracht die hij niet kon weerstaan.
Hoewel hij doodmoe was, bleef hij nog een hele poos wakker en dacht na over Gerraent. Als zijn oude vijand hier was, zou hij hier misschien ook de vrouw vinden die een rol had gespeeld in hun oorspronkelijke tragedie: Brangwen van de Valk. In een ver verleden, toen hij zelf een prins van koninklijken bloede was, was zij de zuster van Gerraent en zijn verloofde. Hij smeekte de Heren van het Licht haar te mogen vinden. Als hij in staat zou worden gesteld om zijn vroegere fout te herstellen, zou hij eindelijk mogen sterven. Als het zo moet zijn, dacht hij, zal ik Gerraent weerzien en zal hij me naar Brangwen leiden, als ze hier is.
Of het nu toeval was of het Lot, Nevyn zag de herboren Gerraent weer toen hij de volgende morgen met Olnadd naar de boekhandelaar ging om een steekpenning voor Petyc te kopen. Op de terugweg naar het huis van de priester hoorden ze hoefgetrappel en het gerinkel van zilveren teugelringen. Er kwamen ruiters aan. De mensen op straat renden een huis of een zijstraatje in of drukten zich tegen de muren. Er klonk geschal van zilveren hoorns en mannen riepen: 'Uit de weg voor de koning! Aan de kant!' Nevyn en Olnadd konden nog net een steegje inschieten voordat vijfentwintig ruiters op grijze paarden langs hen heen draafden. Voorop reed Gerraent, onmiskenbaar arrogant, met zijn blonde hoofd fier rechtop en samengeknepen, kille blauwe ogen. Nevyn wees naar hem en vroeg aan Olnadd: 'Weet jij toevallig hoe die hoofdman heet?'
'Ik ken zijn naam,' antwoordde Olnadd. 'Men zegt dat hij een held is, maar ik weet niet wat hij heeft gepresteerd. Hij heet heer Gwairyc en hij heeft een paar jaar geleden in de oorlog iets gedaan waardoor hij bij koning Casyl in de gunst is komen te staan. Je kunt het beter aan Petyc vragen, want ik houd me niet zo met hofroddels bezig. Ik zal hem een uitnodiging sturen om vanavond bij ons langs te komen.'
Meteen na het avondeten kwam Petyc naar Olnadds huis. Ook al was hij het hoofd van het koninklijke scriptorium, hij beschouwde zijn god als hoger in rang dan de koning en daarom, zei hij tegen Olnadd, had hij de uitnodiging niet kunnen afslaan.
'Niet dat ik het erg vind om bij je op bezoek te gaan,' voegde hij er glimlachend aan toe.
De schrijver was een magere, kalende man met ingevallen wangen en diepliggende, donkere ogen die voortdurend heen en weer flitsten, alsof hij overal vijanden verwachtte te zien. Toen ze om de ta-

fel zaten, stelde de priester Nevyn aan hem voor als een vriend en een kenner van vreemde volksverhalen. Petyc keek hem met een glimlachje aan.
'Nevyn?' herhaalde hij. 'Een vreemde naam. U ziet er te tastbaar uit om niemand te zijn, hoewel dat de betekenis is van uw naam.'
'Dat is zo, een onaardige grap van mijn vader,' beaamde Nevyn. 'Ik denk niet dat u meer mensen kent die zo heten.'
'Gek genoeg heeft onze koning het vanmorgen nog met me over die naam gehad.'
Nevyn wachtte glimlachend af.
'Petyc is de beheerder van het koninklijk archief,' legde Olnadd uit. 'Daarom worden hem wel vaker vreemde vragen gesteld.'
'Dat zal best,' zei Nevyn. 'Heeft onze koning antwoord op zijn vraag gekregen?'
'Een soort antwoord.' Petyc trok een wenkbrauw op. 'Maar ik weet niet of het iets met u te maken heeft, waarde Nevyn. Blijkbaar was er tijdens de regering van de grootvader van onze koning, koning Aeryc, sprake van een geheimzinnige priesterorde of iets dergelijks, waarvan alle priesters Nevyn heetten. En een van die Nevyns heeft koning Aeryc in de kwestie van de opstand in Eldidd een grote dienst bewezen.'
'Ah, dat is erg interessant,' zei Nevyn.
Olnadd onderdrukte een glimlach en keek aandachtig naar het plafond. Petycs ogen flitsten van Nevyn naar Olnadd en terug, zo nerveus en zo gretig als een zwerfkat die naar een bak vleesrestjes sluipt die een boerin voor hem heeft neergezet.
'Mag ik u iets vragen?' Petyc had genoeg moed verzameld. 'Zeg het maar als ik te nieuwsgierig ben, maar hebben die oude verhalen over al die Nevyns misschien toch iets met u te maken?'
'Inderdaad. Hoe komt u op dat idee, behalve dat ik die naam heb?'
'Vooral door de naam. En in enkele archiefstukken wordt een clan genoemd – ik neem aan dat ik dat woord mag gebruiken – van tovenaars, met aan het hoofd steeds een man die niemand heet. Mag ik ook aannemen dat u hebt gezworen de koning te helpen?'
'Hem ook, maar we doen ons best om iedereen te helpen die onze hulp nodig heeft, of hij nu een prins of een lijfeigene is.'
Petyc keek hem verbaasd aan.
'Ik heb altijd belangstelling voor geschiedenis gehad.' Nevyn veranderde van onderwerp. 'Ik vind het dan ook een grote eer de beheerder van het koninklijk archief te ontmoeten. Volgens Olnadd begrijpt u hoe belangrijk dat archief is, in tegenstelling tot zoveel andere schrijvers.'

Zo ging het gesprek moeiteloos over op de waarde van kennis, een veilig en prettig onderwerp. Terwijl Petyc vertelde over zijn kronieken, werd duidelijk dat hij een heel intelligente man was. Met het juiste inzicht besliste hij welke gebeurtenissen de moeite waard waren om voor toekomstige generaties te worden vastgelegd en bewaard.

'Er zijn oude verhalen bij die u vast erg vermakelijk zult vinden,' zei hij. 'Verhalen waarin heel serieus elke wolk in de vorm van een tweekoppig kalf of een draak wordt beschreven, maar waarin geen woord wordt gezegd over uitspraken van de koninklijke raadsheren.'

'U hebt blijkbaar veel belangstelling voor oude geschiedenis.'

'Inderdaad.' Petyc knikte naar Olnadd. 'Zijne heiligheid was degene die me uitlegde hoe boeiend het verleden kan zijn. Ik was toen nog maar een jongen en ik was naar hem toe gestuurd nadat ik in dienst was getreden bij de dun. Olnadd heeft me geleerd dat boeken meer zijn dan een verzameling mooie letters.'

'Je was een vlugge leerling, een van mijn beste leerlingen ooit.' Olnadd keek naar Nevyn. 'Inmiddels heeft Petyc zelf ook een belangwekkende verzameling boeken, wel een stuk of twintig.'

'Dat zijn er verbazingwekkend veel.' Nevyn begreep waar Olnadd naartoe wilde. 'Ik heb toevallig een boek bij me dat u wellicht interessant vindt, Petyc.'

Nevyn pakte de steekpenning, een ongeveer tachtigjarige kopie van de anonieme sage over Rwsyn van Eldidd, een koning uit de vijfde eeuw. Toen Petyc het boek blij verrast doorbladerde, kostte het Nevyn geen moeite om hem, zonder dat het rook naar omkoperij, over te halen het als geschenk aan te nemen. Nadat Petyc het verheugd in ontvangst had genomen, liet Nevyn zich ontvallen dat hij koning Casyl erg graag eens van dichterbij wilde zien dan wanneer hij tussen het publiek stond als de koninklijke stoet voorbijkwam.

'Dat kan ik wel regelen,' zei Petyc. 'Bovendien zou ik het een eer vinden als u me in mijn nederige onderkomen zou opzoeken om enkele van de boeken waarover we het hebben gehad, te bekijken.'

'Ik zou het een eer vinden ze te mogen zien. Mag ik dan binnenkort langskomen?'

'Natuurlijk. Kom morgenmiddag. Ik zal de kamerheer vragen of de koning u audiëntie wil verlenen, maar ik vrees dat de kamerheer zal zeggen dat de koning tegenwoordig andere zaken aan zijn hoofd heeft. Ik heb het over de oorlog in Cerrgonney. De opstand, bedoel ik.'

'Dat begrijp ik. Maar misschien kan ik de kamerheer van mijn oprechte wens overtuigen.'

De volgende dag stond Nevyn, die voor de gelegenheid een schoon hemd had aangetrokken, voor de enorme, met ijzer beslagen poort van de koninklijke dun. Toen hij zei wat hij kwam doen, namen de wachters hem argwanend op, maar ze lieten hem op het binnenplein wachten terwijl een bediende de schrijver ging halen. Algauw kwam Petyc eraan, die hem meenam naar de achterste toren van de groep brochs. Toen ze door de gang liepen, kwamen er twee ruiters aan, die hen opzij duwden in hun haast om te kunnen doorlopen. Petyc trok een zuur gezicht tegen hun brede ruggen.
'Dat is waar ook,' zei Nevyn. 'Kunt u me soms iets vertellen over een van de hoofdmannen van de koning, ene Gwairyc?'
'Dat kan ik. Weliswaar heb ik hem maar even en op een formele manier ontmoet, maar zijne hoogheid stond erop dat ik in de annalen van 980 een verslag over Gwairyc schreef. Het ging over een gebeurtenis die op zich wel degelijk belangrijk was, maar het was ook bedoeld als eerbewijs aan de hoofdman. Eerlijk gezegd, had hij een heel dappere daad verricht. Dat neem ik tenminste aan.'
'Een oorlogsdaad?'
'Inderdaad.' Petyc stond stil voor een hoge houten deur. 'Kom binnen, dan laat ik u dat deel van de annalen zien.'
Petyc ging Nevyn voor naar een langwerpige ruimte met een laag plafond, die dankzij een rij ramen helder werd verlicht. Voor de ramen stonden vier lange houten schrijftafels, en aan de tafel het dichtst bij de deur zaten twee jonge schrijvers kopieën te maken van een koninklijk besluit. Petyc wisselde met allebei een paar woorden, controleerde hun werk en nam Nevyn daarna mee naar een klein vertrek met planken langs de wanden, waar in leer gebonden manuscripten een zwakke geur van stof en oud perkament verspreidden. De meeste banden bevatten de huishoudelijke boekhouding en brieven, maar tot Nevyns tevredenheid stond er ook een vrij nieuwe kopie bij van de geschiedenis van Dun Cerrmor, geschreven door koningin Bellyra.
'Een heel interessante samenvatting, nietwaar?' Petyc knikte naar het boek van Bellyra. 'Ze heeft ook een deel van een manuscript over Dun Deverry nagelaten.'
'Ah, dus het is er nog.'
'Inderdaad. Het origineel ligt in Wmmglaedd, hier hebben we er kopieën van. Maar ik zal de annalen pakken waarover we het hadden.'
Petyc zakte op zijn hurken om te zoeken op de onderste plank. Ten slotte stond hij op met een prachtig ingebonden boek in zijn handen, waarvan het houten kaft was versierd met ineengevlochten, rood en goud geschilderd houtsnijwerk. Hij bladerde erdoorheen en

stopte bij een bladzijde achterin.
'U zult me mijn eenvoudige schrijftrant niet kwalijk nemen, denk ik.'
'Ach, maar u hebt een prachtig handschrift! De letters hebben precies de juiste afmetingen en een sierlijke vorm.'
Petyc kon een glimlachje niet onderdrukken. Nevyn las de bladzijde en Petyc keek verbaasd toe, omdat Nevyn een van de weinigen in het koninkrijk was die zwijgend kon lezen.
'De tragische dood van prins Cwnol was bijna voorkomen,' stond er, 'maar zijn wyrd greep in en daar kon niemand iets aan veranderen, zelfs Gwairyc, de zoon van Glaswyn niet. Toen de gemene verraders de prins op het slagveld omsingelden, rende Gwairyc naar hen toe en vocht eerder als een god dan als een mens om zijn prins te redden. Hij velde vier mannen en droeg zijn prins levend van het slagveld, maar helaas waren de wonden te diep om te kunnen verbinden. Ter ere van zijn moed noemt prins Casyl hem vanaf die dag zijn vriend en zorgt hij ervoor dat allen die dit boek lezen, hem niet vergeten.'
'Heel mooi verteld.' Nevyn sloeg het boek dicht en gaf het terug. 'Heeft hij echt in zijn eentje vier mannen gedood?'
'Dat zei Casyl tenminste – toen was hij nog prins Casyl. Zijn vader leefde nog. Ik heb zelf nooit een veldslag bijgewoond.'
'Dan boft u. En nu Casyl koning is, slaat hij Gwairyc nog even hoog aan?'
'Even hoog.' Petyc trok een wrang gezicht. 'Gwairyc is een van de vele jongere zoons van de Rammen van Hendyr, kent u die? Een respectabele oude clan, dat wel, maar misschien iets vruchtbaarder dan verstandig is. Gwairyc mocht lid worden van de koninklijke krijgsbende omdat hij zo'n goede zwaardvechter is. Hij weet dat de koning hem waardeert en dat buit hij uit door als een nat hemd op een blote rug aan hem vast te kleven.'
Net toen Nevyn weer iets wilde vragen, kwam de kamerheer binnen. Gathry was een dikke man met mollige handen, kort gesneden grijze haren en een even nette baard, en hij reageerde precies zoals Petyc had voorspeld.
'Helaas, waarde Nevyn, de koning heeft nu andere dingen aan zijn hoofd. De oorlog in Cerrgonney, wel te verstaan.'
Petyc keerde hen tactvol de rug toe om Nevyn de gelegenheid te bieden om Gathry een fluwelen zakje met munten toe te stoppen. De raadsheer gaf een paar klapjes op zijn hemd en het zakje was verdwenen.
'Maar ik denk,' vervolgde Gathry, 'dat onze koning vanmiddag wel

even tijd voor u heeft. Sta me toe het hem te gaan vragen.'
De kamerheer verliet haastig het vertrek en kwam verdacht gauw terug met de mededeling dat de koning zijn onderdaan inderdaad wel even wilde ontvangen. Nevyn liep achter Gathry aan een lange trap op, door een deur de middelste toren in en een kortere trap af naar een met houtsnijwerk versierde dubbele deur. Gathry wierp beide deuren open en liep buigend naar binnen. Nevyn herkende de halfronde kamer, die in de tijd van Maryn als vrouwenzaal werd gebruikt.
De stoelen met kussens en zilveren ornamenten van Bellyra waren verdwenen. Aan de stenen muren hingen kleden met jachttaferelen en aan ijzeren haken hingen jachtwapens: speren om wilde zwijnen te vangen, bogen en pijlenkokers, een grote houten hamer om de schedel van een gewond dier in te slaan... Er stonden een lange, rechthoekige tafel en enkele banken. Aan de rechte houten wand hingen twee oude banieren met de rode draak erop, en daarvoor zat op een halfronde, fraai bewerkte houten stoel, de koning.
Wellicht vanwege nogal wat inteelt in de koninklijke familie leek Casyl sprekend op Aeryc. Hij had hetzelfde vierkante gezicht en dezelfde grote groene ogen en smalle lippen, maar zijn dikke haar was donkerbruin en niet blond, zoals dat van zijn grootvader. Zijn lange vingers speelden nerveus met een met edelstenen bezette dolk. Toen Gathry wilde knielen, richtte hij de punt van de dolk op diens gezicht.
'Ga weg. Kom binnen, heer Nevyn.'
Gathry liep buigend achteruit naar de deur en deed die zorgvuldig achter zich dicht. De koning wees met zijn hoofd naar een bank bij zijn stoel en Nevyn ging erop zitten.
'Dit is een van de weinige plaatsen in de dun waar niemand ons kan horen,' zei Casyl. 'Ik neem aan dat u me mijn gebrek aan beleefdheden vergeeft.'
'Iemand zoals ik hecht niet veel waarde aan beleefdheden, majesteit.'
'Dat dacht ik wel.' Casyl gleed met zijn duim over het gevest van de dolk. 'Mijn schrijvers hebben me boeiende dingen verteld over mannen die Nevyn heten. Zijn die waar?'
'Twijfelt u daar nog aan nadat u me in het kaarslicht hebt gezien?'
Casyl klemde zijn hand zo stevig om het gevest van zijn dolk dat zijn knokkels wit werden. Nevyn zei niets. De koning keek naar zijn riem, nam de tijd om de dolk in de schede te steken en keek ten slotte weer op.
'Koning Aeryc heeft lange tijd geleefd,' zei hij. 'In tegenstelling tot de meeste andere mannen heb ik het voorrecht gehad mijn grootva-

der te leren kennen. Toen ik klein was, heeft hij me nadrukkelijk gezegd dat ik nooit de spot mag drijven met dweomer.'
'Aeryc was een verstandig mens. Mijn leermeester in de magie heeft me veel over hem verteld.'
'Ik voel me vereerd dat u me een bezoek brengt, maar wil dat zeggen dat mij en de mijnen grote moeilijkheden te wachten staan?'
Nevyn begon bijna te lachen. Hij was vergeten dat de meeste mensen dweomer alleen beschouwden als een afschuwelijke waarschuwing voor naderend onheil.
'Absoluut niet, majesteit. Ik ben gekomen om u een geschenk te geven, iets wat naar ik hoop moeilijkheden zal voorkomen.'
Casyl glimlachte, maar zijn blik bleef waakzaam.
'Ik heb een steen voor u meegebracht, een dweomersteen,' vervolgde Nevyn. 'En ik smeek u deze steen te bewaren alsof het uw grootste schat is en hem te zijner tijd door te geven aan uw zoon. Wilt u me dat beloven, majesteit, als een belofte van man tot man?'
'Met genoegen. Hoewel ik nooit heb gedacht dat er zoiets als een magische edelsteen zou bestaan.'
'Ze zijn erg zeldzaam, majesteit. Dat kunt u zich zeker wel voorstellen.'
Nevyn haalde het zakje uit zijn hemd, opende het en legde de opaal naast zich op de grote tafel. Voordat hij de kans kreeg om de steen naar de koning toe te brengen, stond Casyl op en liep naar de tafel om hem te bekijken. Toen hij de volmaakte, glanzende steen op de zijden lapjes zag liggen, slaakte hij een kreet. Hij stak er een hand naar uit, maar aarzelde.
'Mag ik hem aanraken?'
'Ga uw gang, majesteit. Als u hem mooi vindt, moet u erin kijken. Ik ben erg benieuwd wat u zult zien.'
Voorzichtig, alsof hij een gewond wild dier benaderde, pakte de koning de steen met de lapjes en al op en legde hem in de palm van zijn grote hand. De opaal straalde met oranjerode vlammen tegen een mistig witte achtergrond. Terwijl de koning aandachtig in de steen keek, riep Nevyn zwijgend de Heren van de Elementen aan, de heersers over de geesten die bij de talisman hoorden. Hij verwees ze naar de koning en kondigde aan dat Casyl en zijn erfgenamen voortaan de wettige eigenaars van de steen zouden zijn. Casyl voelde hun aanwezigheid, dat zag Nevyn aan de manier waarop hij opeens rilde en zich geschrokken omdraaide, alsof hij koude tocht langs zich heen voelde strijken.
'Alle goden,' fluisterde Casyl. 'Zo'n steen als deze heb ik nooit eerder gezien.'

'Ik wil wedden, majesteit, dat u ook nooit vaker zo'n steen zult zien, dus wees er zuinig op. Mag ik vragen wat u erin ziet?'
'Een gouden zon. Alle duivels, ben ik gek aan het worden?'
'Nee. Dat u die zon ziet, bewijst dat u de ware koning bent.'
Casyl keek op, met zijn mond halfopen van ontzag. Eerlijk gezegd zou iedereen van goede wil die in de steen keek die zon zien, maar Nevyn wist uit ervaring dat vleierij en lovende woorden, meer dan dweomer, een goede methode waren om invloed uit te oefenen op een koninklijke persoon.
'U mag deze steen gebruiken om te zien hoe het gesteld is met uw eer,' legde Nevyn uit. 'Als het ooit zou gebeuren dat u erin kijkt en de zon is ondergegaan, dan is er kwaad in uw hart geslopen. Zodra u dat kwaad teniet hebt gedaan, zal de zon weer opgaan.'
'Dan is het inderdaad een indrukwekkend geschenk. Ik hoop dat ik het nooit zal beschamen.'
'Dat hoop ik ook, maar ik maak me meer zorgen om degenen die na u komen. Iedereen weet dat u het toonbeeld van eer bent.'
'U vleit me, maar ik dank u. Ik hoop dat ik dit prachtige geschenk altijd waardig zal zijn.'
'Geen dank, majesteit. Maar onthoud dat het maar een edelsteen is, al is hij bijzonder, en dat ik maar een man ben, al versta ik mijn vak. Luister goed. Dit is de Grote Steen van het Westen. Onthoud die naam, maar vertel hem aan niemand anders dan uw wettige zoons. Laat de steen aan niemand zien, behalve aan hen. Zeg tegen uw oudste zoon dat niemand anders hem mag zien dan zijn erfgenaam, enzovoort, in heel de lange rivier van de Tijd. Bewaar deze steen als een zeer waardevolle schat, maar mocht er ooit iets mee gebeuren, dan zal ik of een van mijn opvolgers hem komen redden. Wanneer ik een opvolger zal moeten aanwijzen, zal dat opnieuw een Nevyn zijn, zoals mijn leermeester dat voor mij was.'
'Ik heb het goed begrepen.' Casyl keek weer in de steen en glimlachte. 'Het is meer dan vreemd. Ik hoef er alleen maar naar te kijken of hem alleen maar vast te houden en ik voel me heel anders dan normaal. De steen geeft me rust, maar een soort levende rust, niet de rust van de slaap.' Voorzichtig legde hij een vingertop op de steen. 'Moet ik iets doen om er goed voor te zorgen?'
'Nee, behalve dat u het geheim moet bewaren en de steen moet eren.'
'Het is een wonder. Maar waarom hebt u me deze steen gegeven?'
'Omdat u de koning bent, en de koning is het schild van zijn volk. Via u kan ik uw onderdanen helpen om in veiligheid te leven.'
Casyl knikte met een ernstig gezicht en staarde opnieuw heel lang in de opaal. Toen hij eindelijk opkeek, zei hij: 'Waarde Nevyn, u

moet het goedvinden dat ik u gul voor deze steen betaal.'
'Dat vind ik niet goed, majesteit. Dweomer eist geen beloning voor hulp aan goede mensen. Het is een geschenk aan u en het koninkrijk.'
'Dan geef ik u ook een geschenk.' Casyl grinnikte jongensachtig. 'Alles wat u in mijn land maar wilt hebben, is voor u. Nou ja, behalve mijn vrouw.' Hij lachte hard. 'Ik heb nog nooit zo'n mooie edelsteen bezeten! Zeg wat u wilt hebben, waarde Nevyn. Ik meen het, alles wat u wilt.'
Olnadd heeft gelijk, dacht Nevyn. De koning houdt van grootse gebaren.
'Mooie paarden, andere edelstenen, goud, land...' vervolgde Casyl. 'Hebt u ooit verlangd naar een groot eigen domein? De tieryn van Buccbrael is onlangs overleden en hij heeft alleen maar een dochter, geen erfgenaam. Zal ik het land en het meisje aan u geven?'
'Ik voel me vereerd door uw vrijgevigheid, majesteit, maar vanwege mijn vak heb ik geen tijd voor het beheren van een domein of een huwelijk met een jonge vrouw. Ik wil helemaal niets hebben. Uw dankbaarheid is de grootste beloning die een oude man zich kan voorstellen.'
'Ach, maar er moet toch iets zijn wat ik u kan geven? Ik zou het een schande vinden als ik u met lege handen liet gaan. Ik kan toch niet eerloos handelen jegens de man die me een edelsteen heeft gegeven die het symbool is van de kern van eer?'
Net toen Nevyn opnieuw een afwijzend antwoord wilde geven, voelde hij de kille aanraking van een dweomerwaarschuwing op zijn rug. Opeens besefte hij op de vreemde manier van dweomer dat er toch iets was wat Casyl hem moest geven.
'Ik voel me bijzonder geroerd en dankbaar, majesteit. Mag ik er dan nog even over nadenken? Een beloning van de koning is een te zeldzame en indrukwekkende gunst om er meteen een beslissing over te kunnen nemen.'
'U hebt gelijk. Denk er zorgvuldig over na en' – Casyl zweeg even – 'dan ontvang ik u over drie dagen, wanneer de zon op hetzelfde uur staat, in de grote zaal. Kom daar naar me toe.'
'Ik dank u nederig.' Nevyn stond op en boog. 'Dat zal ik doen.'
'Mooi zo. Laten we nu naar de grote zaal gaan, dan zal ik u een beker mede geven om mijn dank te bezegelen.'
'Dank u, majesteit, maar ik geef de voorkeur aan donker bier.'
Voordat ze het privévertrek verlieten, deed Nevyn voor hoe Casyl de opaal in de zijden lapjes moest wikkelen. Ook al had hij zijn geschenk aan de koning overgedragen, hij had ervoor gezorgd dat er

een verbinding bleef met hemzelf, voor het geval dat de steen in gevaar zou komen. Hij wilde niet dat zijn harde werk voor niets was geweest.

De koning liep zelf met Nevyn mee naar de grote zaal en nodigde hem uit aan de eretafel te gaan zitten. Een jonge page bracht donker bier, maar Casyl schonk Nevyns kroes zelf vol. Terwijl Nevyn het smakelijke, sterke bier dronk, was hij zich ervan bewust dat alle mannen en de meeste vrouwen in de zaal met hun bezigheden waren opgehouden om naar hem te kijken – de eenvoudig uitziende, oude man die door de koning werd behandeld alsof hij zijn verloren gewaande grootvader was. Toen Nevyn vertrok, besefte hij dat iedereen hem nakeek tot hij de zaal had verlaten. Buiten, in de koele namiddag, had hij het gevoel dat er een last van hem afviel, de last van zo veel afgunst.

Op dat moment kwam er een troep koninklijke ruiters het binnenplein oprijden. Nevyn ging uit de weg toen de mannen afstegen en staljongens kwamen aanrennen om de paarden van hen over te nemen. De meeste ruiters riepen lachend allerlei opmerkingen en grappen naar elkaar en verlangden duidelijk naar een kroes bier en hun avondmaal, maar heer Gwairyc stond een eindje bij de anderen vandaan en keek met een neerbuigend lachje toe. Minachtte hij hen echt of was die glimlach een soort schild tegen de minachting van anderen? Voordat Gwairyc hem in het oog kreeg, liep Nevyn door naar de poort, maar daar bleef hij even staan om een praatje te maken met de poortwachters, die voor hem bogen. Blijkbaar had het nieuws van zijn verheven positie zich al verspreid.

‘Kennen jullie heer Gwairyc, die net binnen is gekomen?’ vroeg Nevyn aan de poortwachters.

‘Iedereen weet wie hij is, heer,’ antwoordde een van hen, ‘maar hij bemoeit zich niet met mensen zoals wij.’

‘Ze zeggen dat hij een heldhaftige krijger is,’ voegde de andere poortwachter eraan toe. ‘Hij kent net zo weinig angst als een hongerige wolf. En je kunt hem beter niet tegenspreken, heer. Hij heeft lange tenen en is in staat om iemand om één verkeerd woord om zeep te brengen.’

‘Ah, ik begrijp het al. Heeft hij vrienden?’

‘De koning is op hem gesteld, heer.’ Nummer één dacht diep na. ‘Verder kan ik niemand bedenken.’

In de avondschemering liep Nevyn terug naar het huis van Olnadd. Overal op straat waren handelaren en ambachtslieden op weg naar huis voor hun avondmaal. Kaarslantaarns schenen door geopende ramen, etensgeuren hingen in de warme avondlucht. Een groepje kinderen speelde lachend met een leren bal tot hun moeder hen binnen zou roepen. Opeens kreeg Nevyn begrip voor Gwairyc, die net als hijzelf buiten een normaal leven met ontspannen vriendschappen stond. Na zijn vertrek uit de stad zou hij Olnadd waarschijnlijk nooit terugzien, omdat hij moest gaan waar de dweomer hem naartoe bracht en niet naar waar hijzelf wilde zijn. Gwairyc zou op een ereplaats in de grote zaal zijn maaltijden nuttigen en in de volle barak slapen, maar dat glimlachje... Gwairyc was eenzaam, besefte Nevyn. Als jongere zoon, als een man met een titel maar zonder bezittingen of vooruitzichten, had hij ontdekt dat de enige manier waarop hij een eervolle positie kon innemen was zijn leven keer op keer op het spel zetten tot hij op jonge leeftijd in dienst van de koning zou sterven. Van ons tweeën is zijn lot zwaarder dan het mijne, al ben ik nog zo moe, dacht Nevyn.

Na deze gedachte voelde hij voor het eerst een vleugje medeleven met Gerraent. Gek genoeg bleef dat medeleven groeien. Toen hij tijdens het avondeten Olnadd en Affyna op de hoogte bracht van zijn belevenissen van die dag, kreeg hij een idee dat zo vreemd was dat hij er niet bij stil wilde staan. Affyna bracht hem op dat idee toen hij vertelde dat de koning hem ook iets wilde geven.

'Het spreekt vanzelf dat ik geen duur geschenk kan aannemen,' zei Nevyn. 'Ik begrijp nu wat je bedoelde toen je het over grote gebaren had, Olnadd. Maar als ik niets van hem wil aannemen, doe ik net zoiets als een kind wegsturen dat me zijn lievelingsspeelgoed aanbiedt, een versleten houten paardje of zo. Ik wil het niet hebben, maar hoe kan ik het weigeren?'

'Maar als je een geschenk zou aannemen om iemand anders mee te helpen, zou dat aanvaardbaar zijn,' zei Affyna.

'Dat is waar. Er wonen genoeg arme mensen in het koninkrijk die wel een paar goudstukken kunnen gebruiken.'

Nevyn begon op een andere manier over het geschenk na te denken. Iets wat ik kan verkopen en waarvan ik de opbrengst aan arme mensen kan geven, dacht hij. Of misschien een andere edelsteen om nog een talisman van te maken. Want hij zou het missen dat hij geen vaste taak meer had om de lange dagen zinvol mee door te komen.

'O ja, dat wilde ik nog vragen,' zei Affyna opeens. 'Ben je nog iets te weten gekomen over die hoofdman voor wie je belangstelling had?'

'Gwairyc? Inderdaad. Petyc heeft me iets over hem verteld.'

'Gek genoeg heb ik hem een keer ontmoet. Mijn vriendin Ylaenna heeft een heel knappe dochter. Echt een schoonheid, dat meisje. Op de een of andere manier was zij die Gwairyc ergens tegengekomen en bleef hij daarna om haar heen draaien tot de man van Ylaenna

daar een eind aan maakte.'
'Ik neem aan dat Gwairyc zich wat meisjes betreft niet erg eervol gedraagt.'
'Nou ja, dat weet ik eigenlijk niet.' Affyna dacht even na. 'Waarschijnlijk niet, maar volgens mij stak er minder kwaad in die jongen dan anderen dachten.'
'Jij ziet in iedereen wel iets goeds,' zei Olnadd grinnikend. 'Zelfs over een moordenaar zou jij nog wel iets aardigs kunnen zeggen.'
'Ach, die jongen valt echt wel mee,' protesteerde Affyna. 'Hoewel je misschien gelijk hebt. En koninklijke ruiters leven niet lang. Maar heer Gwairyc heeft een goed hart, alleen moet iemand dat nog laten spreken.'
'Ik denk niet dat Ylaenna zich zorgen maakte om zijn hart,' mompelde Olnadd.
'Ho ho...' Affyna deed alsof ze haar man een tik wilde geven. 'Laten we het netjes houden.'
Affyna's mening over de hoofdman wekte in Nevyn eerst een gevoel en vervolgens een gedachte op die hij meteen weg probeerde te redeneren. Waarom zou hij, vervloekt nog aan toe, iets doen voor Gerraent? Waarom zou hij voor die arrogante kerel ook maar enige moeite doen? Omdat hij een medemens is, antwoordde hij zichzelf. Een lid van het ras dat je beloofd hebt te zullen dienen. Toen hij later op de avond in zijn kamer zat te mediteren, zag hij voor zijn geestesoog steeds weer dat eenzame glimlachje van Gwairyc. Misschien had Affyna gelijk en zat er onder dat uiterlijk een goed mens verscholen, dat alleen door iemand moest worden bevrijd.
Nevyn kreunde. De hervorming van de ziel van Gerraent zou een veel zwaarder karwei zijn dan de inspanning die hij had geleverd in de vijftig jaar die hij nodig had gehad voor het betoveren van de opaal. En hij had een goede reden om Gwairyc met rust te laten. Zodra hij Lilli had gevonden, zijn vroegere leerlinge, zou zij al zijn tijd in beslag nemen. Ze moet nu toch wel herboren zijn, dacht hij een beetje kribbig. Hij had nog een paar dagen om uit te vinden of ze ergens in of in de buurt van Dun Deverry woonde. Als dat niet zo was, kon hij zich alsnog druk maken om heer Gwairyc.
De volgende twee dagen doorzocht hij de stad. Hij stond er zelfs op de mooie dochter van Affyna's vriendin te ontmoeten, omdat zij misschien de herboren Lilli zou kunnen zijn. Maar hoewel ze inderdaad een schoonheid was, was ze niet zijn vroegere leerlinge. 's Avonds concentreerde hij zich in zijn meditatie op Lilli en haar zware lot en zocht hij op het astrale vlak naarstig naar sporen van haar ziel. Hij vond ze niet.

Op de derde dag, toen hij terug moest naar de koning om zijn geschenk in ontvangst te nemen, was hem bij het ontwaken iets duidelijk geworden. De oude ketenen van zijn wyrd, de tragedies van vele levens die hem verbonden met Gerraent en de andere zielen die betrokken waren geweest bij zijn oorspronkelijke fout, zouden altijd het belangrijkste in zijn leven zijn. Lilli had een grote gave voor dweomer en de kans was groot dat een andere dweomermeester haar zou vinden. Als dat niet gebeurde, zou Nevyn haar vinden wanneer het zijn lot was haar te vinden, geen moment eerder.
In de namiddag van de warme, benauwde dag liep Nevyn hijgend opnieuw de heuvel op naar de koninklijke dun. De poortwachters lieten hem buigend binnen en een schildknaap kwam hem haastig verwelkomen.
'Zijne majesteit zei dat we u konden verwachten, heer,' zei de schildknaap. 'Hij heeft nu een bespreking met de raadsheren, maar hij hoopt dat u zich niet beledigd voelt en dat u in de grote zaal op hem wilt wachten.'
'Ik voel me vereerd,' zei Nevyn. 'Breng me daar maar naartoe.'
Toen ze het binnenplein overstaken, zag Nevyn dat heer Gwairyc en zijn ruiters net binnengekomen waren. De mannen verspreidden zich en de staljongens namen de paarden mee. Vlak bij de broch stond heer Gwairyc met een andere edelman te praten en toen Nevyn langs hen heen liep, keek Gwairyc zijn kant op. Even keken ze elkaar recht aan en Nevyn schrok van wat hij in Gwairycs ogen zag: geen enkele herkenning of vijandigheid, niets anders dan kille onverschilligheid. De herboren Gerraent had hem vroeger altijd herkend, weliswaar als een vijand, maar hij had Nevyn herkend.
Nevyn zag dat de page doodsbang voor de hoofdman was. Even later zag hij waarom. De staljongen die Gwairycs grijze ruin wegbracht, hield met zijn ene hand het hoofdtuig vast en met zijn andere hand de teugels, die hij losjes als zweep gebruikte. Net toen hij langs Gwairyc liep, sloeg hij het paard iets te hard op zijn neus. Het paard schrok en Gwairyc was met twee stappen bij de staljongen, die hij bij een schouder vastpakte en zo'n harde draai om zijn oren gaf dat de jongen met een schreeuw achteruit sprong.
'Ik breng hem zelf wel weg,' snauwde Gwairyc. 'Hij is tweemaal zoveel waard als jij, onthoud dat goed.'
De staljongen drukte een hand tegen zijn bloedende neus en rende weg, struikelend en zonder om te kijken. De page die Nevyn vergezelde, pakte hem bij zijn mouw.
'Kom mee naar binnen, heer,' fluisterde hij.
'Graag,' zei Nevyn. 'Anders krijgen wij er ook nog van langs.'

Vlug liepen ze door naar de grote zaal, een koel toevluchtsoord om aan de hitte van de dag en de woede van heer Gwairyc te ontsnappen. Aan de kant van de krijgers en bedienden was het al vrij druk, aan de andere kant van de zaal zaten een paar hovelingen met elkaar te praten. Heer Gathry stond bij de eretafel te wachten. Hij trok een stoel voor Nevyn naar achteren en ging naast hem zitten.
'Breng ons een kruik mede en bekers, jongen,' zei hij tegen de schildknaap. 'Onze gast heeft vast dorst.'
De jongen knikte en draafde weg.
'Dank u, heer,' zei Nevyn. 'Ik wil u iets vragen. Kent u heer Gwairyc?'
'Voor zover iemand hem kán kennen, denk ik. Hij is lid van de koninklijke huishouding.' Gathry lachte een beetje wrang. 'Men fluistert zelfs dat de koning hem tot opperstalmeester zal benoemen.'
'O ja? Maar blijkbaar vindt u dat geen goed idee.'
'O nee, dat ziet u verkeerd. Als onze koning het wil, heb ik daar natuurlijk geen bezwaar tegen.' Gathry keek om zich heen en draaide zich zelfs helemaal om, alsof Gwairyc uit een spleet tussen twee stenen van de muur zou kunnen kruipen. 'Hij is een uitstekende krijger, heel trouw aan onze koning.'
'Mmm. Mag ik vragen hoe trouw?'
Gathry keek alsof hij de vraag niet begreep, maar hij dacht erover na.
'Er zijn mensen aan het hof die Gwairyc niet mogen en kwaad over hem spreken, maar ik moet eerlijk zijn, heer. Volgens mij zou hij voor onze koning door het vuur gaan. De heren die op hem mopperen, schamen zich, omdat hun trouw minder diep gaat dan die van Gwairyc, als u begrijpt wat ik bedoel.'
'Dat doe ik, en ik dank u.'
Nevyn draaide zich om en keek naar de ingang van de zaal. Daar stond Gwairyc, met zijn armen over elkaar geslagen en een uitdrukkingsloos gezicht. Niemand zei iets tegen hem toen hij binnenkwam en aan het hoofd van een van de tafels van de krijgers ging zitten. In groepjes kwamen de andere krijgers binnen, druk pratend en lachend. Nevyn bleef kijken, en hoewel hij zag dat veel mannen knikten tegen Gwairyc of zelfs een buiging voor hem maakten, zei niemand iets vriendelijks, ook Gwairyc zelf niet. Nevyn kreeg de indruk dat hij een ziel was die aan de rand van een afgrond stond, zoals iemand die 's avonds laat nog een wandeling over het klif maakt om een luchtje te scheppen en niet ziet dat de grond vlak voor zijn voeten afbrokkelt. Iemand die geen enkele band had met zijn medemensen liep het gevaar op het slechte pad te belanden. Misschien

zou dat Gwairyc niet in dit leven overkomen, nu hij zich nog kon vastklampen aan zijn trouw aan de koning. De kans was echter groot dat in zijn volgende leven het klif onder zijn voeten zou instorten en hij in de afgrond zou tuimelen, het donker in waar alleen zijn eigen wensen en grillen nog belangrijk voor hem waren.
Ik kan me hier echt niet aan onttrekken, dacht Nevyn. Hij is altijd een ergerlijke rotzak geweest, dus hoeft het me niet te verbazen dat hij nu ook weer zo'n lastpost is.
Toen de deur van de privévertrekken van de koning openging, had het licht dat door de ramen naar binnen viel, de kleur van de avondzon. Er klonk geschal van zilveren hoorns, twee schildknapen liepen voor de koning uit en iedereen stond op en knielde toen Casyl met twee raadsheren in zwarte gewaden de grote zaal inkwam. Casyl hief glimlachend een hand ter begroeting, liep door naar de eretafel en ging aan het hoofd zitten. Met veel gerammel van stoelen en banken ging iedereen weer zitten, maar alleen hier en daar werd nog iets gefluisterd. Nevyn zag dat bijna iedereen naar hem keek, naar die geheimzinnige, sjofel geklede oude man die terug was gekomen.
'Goedenavond, heer,' zei Casyl tegen Nevyn. 'Gaat u me nu vertellen wat u als geschenk van me wilt aannemen?'
'Inderdaad, majesteit.'
'Mooi zo!' Casyl wreef in zijn handen, zoals een koopman die goede zaken heeft gedaan. 'Het geschenk dat u mij hebt gegeven, wordt elke keer dat ik ernaar kijk wonderbaarlijker. Vertel me wat u verlangt en als ik uw wens kan vervullen, zal ik dat doen.'
'Ik dank u, majesteit.' Nevyn zweeg even om met zijn verzoek meer indruk te maken. 'Ik wil dat heer Gwairyc zeven jaar en een dag mijn dienaar wordt, om mij even toegewijd en plichtsgetrouw te dienen als hij het u heeft gedaan.'
De edelen aan de eretafel hielden hoorbaar hun adem in en de mannen aan de naburige tafels leunden naar hen toe om te kunnen meeluisteren. Casyl staarde Nevyn met samengeknepen ogen aan; het was duidelijk dat hij er niets van begreep en zich afvroeg of Nevyn een grapje maakte.
Nevyn glimlachte even en vroeg: 'Denkt u dat heer Gwairyc zich bij uw wens zal neerleggen, majesteit?'
'Daar twijfel ik niet aan. Maar waarom wilt u hém hebben, terwijl ik u alles kan geven wat uw hart begeert?'
Nevyn leunde naar de koning toe en fluisterde in zijn oor: 'De reden is deels dweomer en deels persoonlijk, verder wil ik er niet op ingaan, majesteit. Maar ik zweer dat uw vriend er baat bij zal hebben en u uiteindelijk ook.'

'Dan is het goed. Page, laat heer Gwairyc naar me toe komen.'
Het duurde een poosje voordat de page door de volle zaal was gelopen en naast heer Gwairyc stond. Hij zei iets tegen hem en deed een stap opzij om de heer alleen naar de koning te laten gaan. Inmiddels konden de hovelingen zich niet langer inhouden. Casyls dienaren begonnen fluisterend Nevyns vreemde verzoek te bespreken en de bedienden die mede schonken en mandjes brood rondbrachten, verspreidden het nieuws. Toen het de krijgers bereikte, werd het beleefde gefluister overstemd door gedempte verwensingen en kreten van verbazing. Gwairyc baande zich door het opgewonden geroezemoes een weg naar de koning. Nevyn verweet zichzelf zwijgend dat hij zijn verzoek niet onder vier ogen had ingediend, maar daar was het nu te laat voor.
Gwairyc knielde naast de koning, die een hand op zijn schouder legde.
'Heer Gwairyc,' zei Casyl, 'u hebt gezworen me te zullen dienen en zo nodig te volgen tot in de dood. Is die eed nog steeds van kracht?'
'Ik zweer het u nadrukkelijker dan ooit, majesteit,' antwoordde Gwairyc met zachte, diepe stem. 'Twijfelt u aan me?'
'Geen moment. Ik denk dat u al hebt gehoord wat er aan de hand is.'
'Ik heb het gehoord, maar ik geloofde het niet.'
'Helaas is het waar.' Casyl gebaarde naar Nevyn. 'Ik heb heer Nevyn beloofd dat hij zou krijgen wat hij wilde hebben. Hij vroeg om jou, hij wil dat jij zeven jaar en een dag zijn dienaar bent, even trouw aan hem als je was aan mij.'
Gwairyc draaide als een slang die wil aanvallen zijn hoofd om naar Nevyn en keek de oude man een ogenblik woedend aan voordat hij weer naar de koning keek. 'U stuurt me toch niet weg, majesteit?' fluisterde hij.
'Niet omdat ik dat wil, maar ik moet me aan mijn belofte houden. Ik kan toch geen geschenk beloven en er dan als een koopman op afdingen? Maar ik zal je missen, vriend.'
Gwairyc liet zijn schouders hangen en staarde naar de vloer. 'Inderdaad, majesteit, belofte maakt schuld. Ik zal zo bereidwillig mogelijk doen wat heer Nevyn van me verlangt.'
'Mooi zo. En kom wanneer de zeven jaar en een dag voorbij zijn alsjeblieft bij me terug.'
'Dat zal ik doen, majesteit.' Het kostte Gwairyc moeite zich te beheersen. 'Dat zweer ik.'
Casyl keek naar Nevyn om hem te laten weten dat hij iets mocht zeggen.

'Ik dank u, majesteit,' zei Nevyn. 'Heer Gwairyc, ik verblijf in de tempel van Wmm in de stad. Kom me daar morgen bij zonsopgang ophalen. Breng je paard mee en genoeg voorraden voor een lange reis.'
'Dat zal ik doen, heer.' Gwairyc aarzelde en keek Nevyn met een verbijsterde blik aan. 'Mag ik vragen wat ik voor u zal moeten doen?'
'Dat mag, maar niet hier,' antwoordde Nevyn. 'Morgen zal ik je meer vertellen. Ik ben kruidengenezer, we zullen de hele zomer door het land reizen.'
De luistervinken giechelden. Gwairycs gezicht werd een masker dat zijn emoties verborg. Overal in de zaal begon het gefluister opnieuw, een ruisende golf van 'wat heeft de oude man gezegd?' Toen de koning een hand opstak, werd het meteen weer stil.
'Gwarro, vriend,' zei de koning, 'doe je plicht voor deze man zoals je je plicht hebt gedaan voor mij. Meer vraag ik niet van je.'
'Dan zal ik dat doen, majesteit.' Gwairyc stond op en boog voor de koning. 'Mag ik nu gaan?'
Casyl knikte. In doodse stilte verliet Gwairyc de grote zaal. Niemand zei iets, niemand volgde hem, maar Nevyn zag dat er hier en daar een hoveling glimlachte alsof hij zojuist had meegemaakt dat een vijand werd verslagen.
Nevyn vertrok zo snel mogelijk. Toen hij terugliep naar het huis van Olnadd, lagen de straten al in de schaduw van de ondergaande zon, hoewel de lucht erboven nog blauw was. Misschien zullen we elkaar ooit weerzien, Lilli, dacht Nevyn berustend, maar deze zomer niet.

'Het is te erg, Gwarro,' zei Sagraeffa. 'Ik moet er al uren om huilen.'
De lijntjes van Bardekse kohl om haar opgezwollen ogen waren vlekkerig geworden van de tranen. Ze had haar hoofddoek afgedaan en haar haren hingen als dikke, donkere koorden om haar mollige gezicht.
'Ik vind het vreselijk,' vervolgde ze. 'Ik wil niet dat je weggaat.'
'Maar ik heb toch geen keus? Denk je, bij de zwarte harige kont van de hellevorst, dat ík het leuk vind?'
Sagraeffa snoof een paar keer en verfrommelde met haar bleke vingers haar zakdoek. Vrouwe Sagraeffa, de echtgenote van heer Obyn van de Witte Wolf, was een mooie vrouw met het ravenzwarte haar dat kenmerkend was voor de inwoners van Eldidd en korenbloemblauwe ogen. Gwairyc had al maandenlang een oogje op haar en had haar gevleid en het hof gemaakt, en nu het ernaar uitzag dat zijn moeite zou worden beloond, was er abrupt een eind gemaakt

aan zijn jacht. Hij kon haar wel wurgen omdat ze hem al die tijd aan het lijntje had gehouden. Alsof ze wist wat hij dacht, drukte ze zich angstig in een hoek van de vensterbank.
'Ik zal je vreselijk missen,' zei ze. 'En je weet niet eens waar die afschuwelijke oude man naartoe wil?'
'Nee. Naar de hel, wat mij betreft.'
Sagraeffa snikte zacht na en draaide haar zakdoekje tot een koord. Gwairyc mompelde een verwensing, stond op en begon heen en weer te lopen. De kamer stond vol met comfortabele meubels en zilveren ornamenten. Hij pakte een zilveren mandje met glazen bloemen uit Bardek en overwoog of hij het tegen de vergulde spiegel boven de haard zou gooien.
'Wat ben je van plan, Gwarro?' vroeg Sagraeffa pruilend. 'Kom weer bij me zitten. We hebben niet veel tijd meer en ik wil dat je me nog een keer kust.'
Gwairyc liep naar haar toe, maar hij bleef voor haar staan. Ze leunde tegen de kussens van rood fluweel en keek met een bedroefd glimlachje naar hem op.
'Hoe lang blijft die vervloekte man van je weg?'
'Hoe moet ik dat weten?' Sagraeffa tuitte haar volle lippen. 'Wanneer hij met heer Banryc praat, kan hij daar urenlang mee doorgaan.'
'Mooi zo.'
Toen Gwairyc naast haar ging zitten, stak ze glimlachend een hand naar hem uit, maar trok die algauw weer terug. Ze wilde nog meer complimentjes horen, vermoedde hij, allemaal hoofse onzin, die ze oppeuzelde zoals een kip dat deed met voor haar uitgestrooide graankorrels.
'Mijn hart doet pijn van verdriet omdat ik je moet verlaten, liefste,' zei hij. 'Het is het ergste wat me kan overkomen.'
Sagraeffa schoof glimlachend iets dichterbij en stond toe dat hij opnieuw haar hand pakte.
'Ach, alle duivels, hoe kunnen de goden zo wreed zijn?' ging Gwairyc verder. 'Eerst brengen ze me bij de liefde van mijn leven en dan rukken ze me bij haar weg.'
'Maar dat geldt ook voor mij! Die afschuwelijke oude man! O Gwarro, zonder jou wordt mijn leven weer heel akelig.'
Gwairyc trok haar naar zich toe en kuste haar. Met een zucht sloeg ze haar armen om zijn hals en liet hem nog even doorgaan, maar toen hij een hand op haar borst legde, trok ze zich giechelend los en keek naar de deur. Inderdaad kon die stomme kerel met wie ze getrouwd was elk moment binnenkomen, besefte Gwairyc, maar Obyn was een man van gewoonten en een daarvan was dat hij om de avond

drie spelletjes carnoic speelde met heer Banryc. Gwairyc schatte dat ze zojuist het eerste spelletje hadden beëindigd.
'Toe nou, liefste, het is onze laatste avond. Ben je net zo wreed als de goden en stuur je me weg zonder me zelfs maar een heerlijke herinnering aan je liefde mee te geven?'
Sagraeffa beet op haar onderlip en staarde hem oprecht geschrokken aan. Plotseling drong het tot Gwairyc door dat ze nooit van plan was geweest om met hem naar bed te gaan.
'Obyn kan zo terug zijn.' Haar stem trilde.
'Wat zou dat? Ik bén toch al verbannen? En denk je echt dat die droogstoppel van een man van jou sterk genoeg is om je een pak slaag te geven? Vast niet. Bovendien blijft hij heus nog wel een poosje weg.'
'Maar ik...'
Gwairyc legde zijn beide handen om haar gezicht en kuste haar hartstochtelijk. Toen ze zich probeerde los te trekken, pakte hij haar bij haar schouders en kuste haar opnieuw. Nog even stribbelde ze tegen, maar toen gaf ze zich gewillig aan hem over.
'Je zegt dat je van me houdt. Is dat waar of niet?'
Sagraeffa keek hem met betraande ogen aan – een teken van zwakheid dat hem genoegen deed. Vervolgens kuste hij haar zacht en liet zijn mond tegen de hare liggen. Ze legde een trillende hand op zijn arm en begon hem te strelen. Hij wist verdraaid goed dat ze evenveel naar hem verlangde als hij naar haar. Deze keer zou ze niet de kans krijgen om hem af te poeieren, besloot hij.
'Morgen ga ik weg en wie weet of we elkaar ooit terug zullen zien? Alsjeblieft, liefste. Mijn hart doet pijn van verlangen naar jou. Ik heb nooit eerder een vrouw gekend die me dit gevoel heeft gegeven.'
Eindelijk verscheen er een vermoeid glimlachje om haar opgezwollen lippen. Gwairyc dacht nog heel even aan haar man – stel dat hij toch eerder terugkwam? – maar toen kuste hij haar weer en bleef ermee doorgaan tot ze zich opnieuw door hem liet liefkozen.
'Laten we naar je slaapkamer gaan.'
Sagraeffa verstijfde in zijn armen en wendde haar hoofd af.
'Vervloekt nog aan toe, we hebben bijna geen tijd meer!' snauwde Gwairyc.
'Doe niet zo onaardig, Gwarro. Je bent vanavond lang niet zo aardig als anders.'
'Ach, goddomme, wat verwacht je dan? Ik word gemarteld en dan moet ik nog aardig zijn ook?'
'Nou ja, je hoeft niet zo te snauwen.'
Gwairyc voelde dat zijn geduld brak als een te strak getrokken touw.

Hij greep haar beet, kuste haar en drukte haar achterover op de vensterbank, terwijl hij over haar heen ging liggen om haar te blijven kussen. Ze gilde, maar heel zacht, een kreetje dat niet was bedoeld om buiten de kamer te worden gehoord. Toen ze zich deze keer aan zijn liefkozingen overgaf, stond hij niet toe dat ze van gedachten veranderde. Hij tilde haar op, liet zich met haar in zijn armen van de vensterbank glijden en legde haar op de vloer.
Toen het voorbij was, bleef Sagraeffa roerloos op het kleed liggen en staarde hem aan. Haar gezicht was rood en toen hij haar streelde, voelde hij dat haar tepels zo hard waren als amandelen uit Bardek. Hij gaf haar nog een kus, stond op, trok zijn brigga omhoog en reeg hem dicht.
'Je bent een bruut,' fluisterde ze.
'O ja? En al die geluiden die je maakte dan? Die klonken niet alsof je om hulp riep.'
Hijgend van woede ging Sagraeffa rechtop zitten. Ze trok haar kleed over zich heen en keek hem fel aan. Gwairyc raapte de riem met zijn zwaard op en gespte die om.
'En nu ga je gewoon weg, veronderstel ik,' zei ze.
'Jij bent degene die zich zorgen maakt om die vervloekte man van je. Ik wíl niet weg, ik breng liever de nacht door in jouw bed.' Hij grinnikte. 'Je zult moeten toegeven dat jij dat ook prettig zou vinden.'
Sagraeffa stond op en keek hem, terwijl ze zenuwachtig haar rokken gladstreek, verwijtend aan. Hij vond het leuk haar zo te zien: met haar kleren en haren in de war, van haar stuk gebracht en zwakker dan hij. Hij pakte haar schouders vast en gaf haar nog een kus. Ze leunde tegen hem aan en liet het gedwee toe.
'Grote goden, stel dat ik een kind krijg? Obyn zal beseffen dat het niet van hem is!' riep ze opeens uit.
'O ja? Dan zul je iets moeten doen om dat te voorkomen.'
Sagraeffa gromde van woede, trok zich los en gaf hem een draai om zijn oren. Haar handen waren zo zacht dat hij het nauwelijks voelde.
'Ga weg! Ik haat je!'
Gwairyc dook om de volgende klap te ontwijken, maakte haastig een buiging en beende de kamer uit. Toen hij de gang in stapte, hoorde hij dat ze begon te huilen. Schouderophalend trok hij de deur met een klap achter zich dicht en liep snel weg. Hij wilde geen tijd meer aan haar verspillen. Hij had het vervelendste deel van zijn laatste nacht in de dun nog voor zich, want nu moest hij terug naar zijn mannen in de kazerne.

De krijgers van de koning waren ondergebracht in vijf barakken. Elke troep ruiters had naast de koninklijke draak een eigen standaard en blazoen. De krijgsbende van Gwairyc, de Valken, huisde in de barak die het dichtst bij de hoofdbroch stond. Toen Gwairyc vlug het donkere binnenplein overstak, dacht hij verbitterd aan de vier andere krijgsbendes. 's Winters, wanneer ze geen vijanden buiten de poort hadden, waren ze onderling felle rivalen. Ongetwijfeld zouden de Valken heel wat te verduren krijgen nu het lot van hun hoofdman zo'n vreemde wending had genomen. Voor de deur van hun barak bleef hij staan om moed te verzamelen. Toen gooide hij de deur open en liep vastberaden naar binnen, klaar voor de spottende opmerkingen die hem zo goed als zeker ten deel zouden vallen.
Maar de mannen keken alleen maar even zijn kant op en gingen zwijgend door met hun dobbelspel of het poetsen van hun uitrusting. Hij liep tussen de lange rijen bedden door naar zijn eigen vertrekje aan het eind van de barak, ging naar binnen, vergrendelde de deur en blies met een lange zucht van opluchting zijn adem uit.
Zijn schildknaap had het vuur in de kleine haard aangestoken en het was erg warm in het vertrek. Gwairyc stak in de vlammen twee kaarsen aan, zette ze op de schoorsteenmantel en spreidde as over het vuur om het te doven. Toen leunde hij lange tijd tegen de muur en staarde naar de dansende kaarsvlammen.
'Ach goden, hoe kunnen jullie me dit aandoen?'
De goden namen niet de moeite om antwoord te geven. Zuchtend gespte Gwairyc zijn riem los en legde zijn zwaard voorzichtig op het bed. Hij kon maar beter zijn spullen pakken, bedacht hij, de weinige eigendommen die hij bezat. Genoeg kleren en zo voor twee stel zadeltassen, meer niet. Toen er zacht op de deur werd geklopt en hij opendeed, stonden daar enkele van zijn krijgers achter de roodharige Rhwn, die dienst had gedaan als zijn tweede man. Rhwn had een grote zilveren kruik en een aardewerken mok bij zich.
'De jongens en ik hebben een keukenmeisje omgekocht en een kruik mede voor u meegebracht, heer,' zei Rhwn. 'We dachten dat u daar wel behoefte aan zou hebben.'
'Dank je.' Het kostte Gwairyc moeite om zijn stem niet te laten trillen. Hij pakte de mede aan. 'Vinden jullie dit beschamend voor me?'
'Hoe komt u erbij! Eerlijk gezegd zijn we allemaal zo kwaad als de hellevorst met zweren op zijn ballen! Met een andere hoofdman zal alles anders worden.'
De mannen achter Rhwn knikten instemmend.
'Nou, nogmaals bedankt,' zei Gwairyc. 'Ik had nooit verwacht dat mijn lot zo'n vervloekt rare wending zou nemen.'

'Niemand weet wat zijn wyrd is,' zei Rhwn schouderophalend. 'Maar wie is die oude man, heer? Ik geloof nooit dat hij alleen maar een domme kruidengenezer is. De koning sprak hem aan met "heer".'
'Misschien is hij een domme, oude heer die kruidengenezer is geworden. Ach, paardenstront, ik zal er vanzelf wel achter komen, nietwaar?'
Rhwn knikte met een lange, treurige zucht en nam de anderen weer mee om Gwairyc rust te gunnen. Gwairyc schoof nogmaals de grendel voor de deur en propte de rest van zijn bezittingen in de tassen. Toen hij daarmee klaar was, had hij de helft van de mede op. Hij dronk de andere helft ook op, alsof het een medicijn was, en viel met zijn kleren nog aan op zijn bed in een diepe slaap.
Wakker worden was een kwelling; zijn hoofd deed pijn alsof hij een houw met een zwaard had gehad en zijn maag kolkte als de winterzee. Het oprollen van zijn dekens was een voorproefje van de zeven hellen. Even dacht hij aan zelfmoord, maar dat zou een nederlaag betekenen terwijl het gevecht nog niet eens was begonnen. Dus in plaats van zichzelf de keel door te snijden, droeg hij zijn spullen naar buiten. Terwijl de dageraad over de horizon kroop, leidde hij zijn grijze ruin, een geschenk van de koning, de poort uit. Het opstijgen kostte zo'n inspanning dat de huizen heen en weer leken te zwaaien. Hij liet zijn paard zelf langzaam de weg kiezen door de straten.
Er waren nog maar weinig mensen op. Een huisvrouw veegde haar stoepje, een knecht gooide een po leeg in de goot. Gwairyc vond de tempel van Wmm eerder op goed geluk dan omdat hij zich die herinnerde. Hij steeg af en vroeg zich af waar hij Nevyn zou vinden. Toen hij zijn hand op de gesloten poort legde, begonnen de ganzen te sissen en te klapwieken.
'Als jullie niet het eigendom van een priester waren, zou ik jullie je lelijke witte nek omdraaien,' zei hij.
Hij nam zijn paard mee naar de achterkant van het huis en ja hoor, daar stond Nevyn, die bezig was een gezadeld rijpaard aan een paal te binden.
'Zo, ben je daar,' zei de oude man. 'Ik ben mijn ezel nog aan het laden.'
Het hek was net breed genoeg om Gwairyc met zijn paard aan de teugel door te laten naar een zanderig pleintje achter een soort stal. Naast Nevyn stonden twee grote linnen zakken en vlakbij stond zijn ezel met hangende kop te mokken. Gwairyc maakte licht wankelend een buiging voor zijn nieuwe heer en meester. Nevyn was een lange, slanke man; hij maakte een krachtige indruk en straalde een energie

uit die niet leek te passen bij zijn slordige bos wit haar en het gerimpelde, door bruine vlekken ontsierde gezicht van iemand op vergevorderde leeftijd. Hij droeg een vuile, vaak opgelapte bruine brigga en een oud hemd zonder blazoen op de schouderstukken. Over het zadel van zijn paard hing een versleten bruine mantel.
'Hier ben ik dan,' zei Gwairyc. 'Zal ík die ezel voor u laden?'
'Zo meteen. Je ziet pips. Ben je gisteravond stomdronken geworden?'
'Inderdaad.'
'Dat verwachtte ik al, dus heb ik wat kruiden voor je opzij gelegd. Ga zitten, dan haal ik heet water bij Affyna uit de keuken.'
Gwairyc ging op de grond zitten. Hij had zo'n hoofdpijn dat hij nauwelijks kon nadenken, maar hij vroeg zich af of hij de oude man haatte. Want voor deze vernedering moest hij toch iemand haten? Wat verlangde die rare oude kerel eigenlijk van hem? Nevyn kwam terug met een kom, die hij Gwairyc in zijn handen duwde. Van een troebele groene vloeistof steeg een zoete geur op.
'Leegdrinken, jongen,' zei Nevyn. 'Je zult ervan opknappen.'
Gwairyc werkte de zoete drank moeizaam naar binnen. Eerst voelde hij zich nog ellendiger, maar opeens trok de hoofdpijn weg en kwam zijn maag tot rust.
'Alle goden, met dit spul kunt u een fortuin verdienen!' Hij gaf de kom terug aan Nevyn.
'O ja? Maar ik heb geen behoefte aan een fortuin. Ik betreur het dat je het nodig vond zoveel te drinken.'
'Begrijpt u dat dan niet?'
Nevyn keek hem recht aan, zonder te antwoorden, en opeens kreeg Gwairyc het koud. Hij had het gevoel dat de oude man rechtstreeks in zijn ziel keek en al zijn oude geheimen en fouten kon zien, en wandaden uit zijn verleden die hij zich zelf niet eens meer kon herinneren.
'Hoor eens, jongen,' begon Nevyn op kalme toon, 'wat ik je aandoe, is voor je bestwil. Ik weet dat je dat nu nog niet gelooft. Je mag me best haten, als dat helpt. Maar doe gewoon wat ik zeg en onthoud dat het voor je bestwil is.'
De blik van de ijsblauwe ogen priemde gaten in Gwairycs ziel.
'Dat zal ik doen, maar voor de koning, niet voor u,' zei Gwairyc.
'En niet voor jezelf?'
Gwairyc probeerde een antwoord te bedenken, vond er geen en gaf Nevyn de lege kom terug – het enige gebaar dat bij hem opkwam.
'Ach, dat was niet eerlijk van me.' Nevyn bevrijdde hem door zich om te draaien. 'Maar onthoud wat ik heb gezegd. Ik heb een nieuw

hemd en een mantel voor je gekocht. Pak die mooie kleren van je maar in. Ook al doe je dit voor de koning, je zult zijn blazoen heel lang niet dragen.'
Het hemd bleek van grof linnen te zijn en de mantel was van de ruwe bruine stof die boeren droegen. Nadat Gwairyc zich had verkleed, laadde hij de ezel terwijl Nevyn naar binnen ging om afscheid te nemen van de priester van de tempel. Tegen de tijd dat ze op weg gingen, waren de inwoners van de stad ook aan de dag begonnen en liepen haastig door de straten of stonden in groepjes met elkaar te praten. Gwairyc wilde opstijgen, maar Nevyn pakte hem bij zijn arm. 'We lopen naar de poort; het is te druk op straat om te rijden.'
'Het volk kan toch gewoon uit de weg gaan?'
'Het volk? Dat klinkt nogal verwaand voor de knecht van een kruidengenezer.'
Gwairyc moest zijn lippen opeen persen om niet te vloeken.
Buiten de stadsmuur stegen ze op. Gwairyc leidde de ezel, en ze namen de weg naar het westen. Nevyn had geen haast; het was een warme zomermorgen en hij liet zijn paard stapvoets lopen. Aan weerskanten van de weg strekten de vruchtbare groene akkers van Casyls persoonlijke domein zich uit tot aan de horizon. Met een misselijk gevoel bedacht Gwairyc dat het leger binnenkort zonder hem naar het noorden zou gaan. De bittere verrukking van de strijd – het enige in zijn leven waar hij om gaf – was hem door de gril van een oude man ontstolen. De gedachte kwam bij hem op dat hij Nevyn zou kunnen doden en ergens langs de weg achterlaten. Maar dan? Dan kun je nooit meer terug naar het hof, hield hij zich voor. Voor de koning die hij aanbad, moest hij deze grap tot het bittere einde volhouden.
Hij spoorde zijn paard aan en haalde Nevyn in. 'Mag ik vragen waar we naartoe gaan?'
'Naar het westen. Ik heb onderweg nooit precies in mijn hoofd waar ik naartoe wil. Overal in het koninkrijk zijn zieke mensen.'
'Dat geloof ik graag.'
'Maar we zullen een deel van de zomer in het oeroude woud doorbrengen. Verder naar het westen vind je nog uitgestrekte bossen.'
'Het oeroude woud, heer?'
'Inderdaad. Daar haal ik mijn kruiden vandaan, begrijp je.'
Gwairyc kon niet voorkomen dat hij kreunde van ontzetting. Ze gingen naar een oeroud woud, hij en deze vervloekte oude man, en hij zou zelfs geen knappe dienstmaagd vinden om hem te troosten!
'Waar denk je aan?' vroeg Nevyn. 'Vermoedelijk vervloek je de dag waarop je bent geboren.'

'Zoiets.'
Nevyn lachte.
Die dag reden ze eerst in zuidelijke richting om Loc Gwerconydd heen en vervolgden daarna hun tocht naar het westen. Gwairyc ontdekte algauw dat reizen met Nevyn betekende dat ze in een voor de paarden comfortabel tempo van dorp naar dorp trokken. In elk dorp kwamen de inwoners naar hen toe om Nevyns kruiden te kopen en hem te vragen hoe ze hun kwalen en pijntjes moesten behandelen. Gwairyc had nauwelijks meer te doen dan voor de paarden en de ezel zorgen, en hij vroeg zich af of hij al voordat de zeven jaar om waren van verveling zou sterven. Zoals meestal wanneer hij zich verveelde, dacht hij aan vrouwen.
De meeste meisjes in de dorpen onderweg zagen er vuil en slonzig uit. Maar op een avond kwam er een mooier exemplaar op Nevyns kruiden af. Ze was nog erg jong, maar al helemaal een vrouw, met hoge borsten boven een strak lijfje. Ze had lang kastanjebruin haar, dat ze naar achteren had gekamd om haar hartvormige gezicht beter te laten uitkomen. In tegenstelling tot de andere meisjes zag ze eruit alsof ze zich regelmatig waste. Terwijl Nevyn druk bezig was met het uitdelen van adviezen en kruiden, bleef ze aan de rand van de menigte staan. Gwairyc ving haar blik op en glimlachte tegen haar. Hij hoopte dat ze terug zou lachen of op z'n minst zou blozen, maar ze keek straal langs hem heen.
Misschien is ze bijziend, dacht hij. Toen het haar beurt was om met de kruidengenezer te praten, zorgde hij ervoor dat hij vlak achter Nevyn stond en glimlachte hij nogmaals tegen haar. Weer keek ze dwars door hem heen. Nadat ze haar kruiden had gekocht, deed hij een stap naar haar toe, maar ze liep met opgeheven hoofd vlug weg. 'Tja, ik denk echt dat ze geen belangstelling voor je heeft,' zei Nevyn.
'Dat denk ik ook. Ik had moeten weten dat het u zou opvallen.'
'Je bent alleen nog maar de knecht van een kruidengenezer, jongen. De meisjes komen niet meer naar je toe zoals toen je nog een hoofdman van de koning was.'
Gwairyc opende zijn mond om iets terug te snauwen, maar hij hield zich in omdat hij de oude man niet het genoegen wilde doen hem te laten merken dat hij zich beledigd voelde. Toch begon Nevyn te lachen voordat hij de overgebleven kruiden ging inpakken.
Een dag of tien later stopten ze bij een boerderij. Achter een lemen muur stonden een rond huis met een rieten dak, een gammele schuur, een varkensstal en een kippenren. De varkens lagen in stinkende modder, de kippen liepen kakelend rond in het droge zand van het

erf. Toen Nevyn het hek openduwde, kwamen er twee schurftige zwarte honden naar hem toe rennen, maar ze blaften goedmoedig en kwispelden vriendelijk met hun staart. Een dikke vrouw in een gescheurd bruin kleed kwam achter ze aan. Haar vette zwarte haar was met een leren bandje bijeengebonden, haar mollige vingers en handen vertoonden net zoveel eelt en littekens als die van een smid. Toen ze haar mond opende om te praten, zag Gwairyc dat de helft van haar gebit ontbrak.

'O Nevyn, Nevyn,' stamelde ze. 'O grote goden, mijn gebeden zijn verhoord, echt waar!'

'Maar Ligga, wat is er dan aan de hand?'

'Onze jongen is ziek, heel erg ziek. Ik smeek de godin al een tijdlang of ze ons wil helpen.'

'Nou, dan heeft ze mij misschien naar je toe gestuurd. Gwarro, laad de muilezel af en breng de paarden naar de schuur.'

Gwairyc bond de paarden vast in de stinkende koeienschuur en nam de linnen zakken mee naar het huis. Hij kwam terecht in een grote, halfronde kamer, die door een vuile wand van gevlochten riet van de rest van het huis was gescheiden. Onder het rookgat lagen twee beroete haardstenen, waar een vuurtje brandde. Een klein meisje in een bruine jurk, die er ondanks een paar hardnekkige vlekken uitzag alsof hij regelmatig werd gewassen, stond te roeren in een pan soep die aan een driepoot boven het vuur hing. Ze keek Gwairyc angstig aan en wees naar de andere kant van de kamer.

Gwairyc duwde de vaak verstelde grijze deken die dienstdeed als deur opzij en liep met de zakken door naar een groot vierkant bed. Nevyn en Ligga stonden ernaast. Op ruwe, vuile dekens lag een jongen. Zijn koortsig rode gezicht glom van het snot en de tranen. Ligga stonk naar een mengeling van zweet en dieren, rook Gwairyc, en de jongen bovendien naar ontlasting.

Nevyn gebaarde dat Gwairyc de zakken moest neerzetten en ging op de rand van het bed zitten. De jongen draaide zijn gezicht naar de muur.

'Kijk me eens aan, Anno. Ik ben de oude Nevyn, ik wil je beter maken.'

Anno schudde koppig zijn hoofd.

'Je moeder zegt dat je pijn hebt in je mond. Laat me eens kijken.'

Anno draaide zich jammerend op zijn buik.

'Nu moet je eens goed naar me luisteren, Anno,' ging Nevyn verder. 'Ik ga in je mond kijken, of je dat wilt of niet. Je bent erg ziek, jongen. Je beseft niet eens wat je doet, nietwaar? Werk dus mee, want je weet dat ik zal proberen je geen pijn te doen.'

Toen de jongen begon te huilen, pakte Nevyn hem vast en trok hem op schoot. Na een korte worsteling sloot hij de vingers van zijn beide handen om Anno's kaken en trok ze open, zoals bij een paard. Anno kreunde en liet zijn plas lopen, ook over de brigga van de oude man. Nevyn besteedde er geen aandacht aan.
'De goden zij dank, het is een rotte kies, dat is alles. Ik was bang dat je een zwelling in je keel had, jongen, maar het komt alleen door die kies. Ik zal hem trekken, dan ben je zo weer beter.'
'Nee!' schreeuwde Anno. 'Maaa!'
'Het moet gebeuren,' zei Ligga. 'Je moet naar volwassenen luisteren, Anno. Neem ons niet kwalijk, Nevyn, maar ik...'
'Stil maar, hij kan er niets aan doen. Het tandvlees is gaan zweren en nu heeft hij hoge koorts. De kies zit al los, dus heb ik hem er zo uit. Daarna zal ik hem iets geven voor de koorts. Zijn lichaamssappen zijn uit hun evenwicht, zie je, omdat de hete en vochtige sappen de overhand hebben gekregen.'
De ernstige uitleg scheen Ligga gerust te stellen, hoewel Gwairyc betwijfelde of ze wist wat Nevyn bedoelde. Toen Nevyn Anno losliet, probeerde de jongen van het bed te glijden. Nevyn greep hem weer vast en trok hem terug.
'Gwarro, kom naast me zitten. Hou hem goed vast terwijl ik alles pak wat ik nodig heb.'
Kokhalzend sloeg Gwairyc zijn armen stevig om de magere jongen heen. Hij liet zich op het bed zakken en vroeg zich af of er vlooien in het matras zaten. Anno probeerde zich los te wringen en in Gwairycs pols te bijten, en toen dat niet lukte, begon hij weer te huilen. Gwairyc rook de stank van urine en pus. Ik heb het de koning beloofd, dacht hij. Ik heb het gezworen. Dat herhaalde hij steeds weer. Het leek eindeloos lang te duren voordat Nevyn een tang, een flesje kruidig ruikende olie en een paar doeken had gepakt. Voor de operatie moest Gwairyc de jongen met zijn schouders op het bed drukken en toekijken terwijl Nevyn behendig een afgebroken kies uit zijn kaak trok. Er kleefde groene pus aan.
'Zie je die groene substantie, beste leerling?' vroeg Nevyn aan Gwairyc. 'Dat is het verstoorde hete lichaamssap met het teveel aan vocht. Het gebit wordt geregeld door het koude aardevocht in gekristalliseerde vorm, en de natuurlijke vijand daarvan is vloeistof.'
Gwairyc probeerde iets te zeggen, maar hij kon alleen slikken en dat moest hij dan ook een paar keer moeizaam doen.
'Je ziet bleek, jongen,' zei Nevyn.
Gwairyc beet op zijn lip en wendde zijn hoofd af. Bij de deurpost stond Ligga zacht te snikken. Ze houdt van dat stinkende rotjoch,

dacht Gwairyc. Nou ja, koeien zorgen ook voor hun kalveren.
'We zullen hier vannacht blijven, Ligga,' zei Nevyn. 'En ik heb kruiden voor de koorts.'
'Dank je.' Ze trok de zoom van haar rok omhoog en snoot haar neus in de gerafelde bruine stof. 'O goden, dank je wel.'
Gwairyc verwenste Nevyn in stilte. Hij had gehoopt dat ze meteen weer weg zouden gaan om ergens in de frisse lucht de nacht door te brengen.
Nadat Nevyn Anno een paar keer een dosis kruidendrank had gegeven, viel de jongen eindelijk in slaap. De oude man trok een schone brigga aan en overhandigde de vuile aan Gwairyc, met de opdracht hem te wassen.
'Was die van jezelf ook mee,' raadde Nevyn aan. 'Je hebt er toch nog een bij je?'
'Jazeker.'
'Achter het huis stroomt een beekje,' zei Ligga. 'Wacht even, dan haal ik zeep voor je.'
Met een stukje zeep in zijn ene en de vuile kleren in zijn andere hand liep Gwairyc het huis uit en het al wat frisser ruikende erf op. Ligga liep mee en zei terwijl ze wees: 'Loop dat hek uit en dan rechtdoor, dan zie je mijn wasstenen op de oever liggen.'
'Wasstenen?'
'Heb je nooit eerder kleren gewassen?' Ze lachte haar overgebleven tanden bloot. 'Eerst moet je ze natmaken en dan smeer je ze flink in met zeep, leg je ze op de platte steen en sla je er de vlekken met de ronde steen uit.'
Gwairyc mompelde allerlei verwensingen toen hij met de brigga's naar het beekje liep dat door het hoge gras stroomde. Hij vond de stenen en deed wat Ligga had gezegd. Zijn woede vlamde zo hoog op dat hij na een poosje nauwelijks meer besefte waar hij mee bezig was. Hoe bestond het dat hij, de held van de oorlogen in Cerrgonney, nu hier zat en de pies van een boerenjongen uit een oude brigga waste? Hij overwoog of hij er straks in het donker stiekem vandoor zou gaan, maar de bittere waarheid weerhield hem daarvan. Als hij zijn belofte zou breken, zou hij nergens meer terechtkunnen, tenzij hij diep genoeg wilde zinken om zilverdolk te worden. En zelfs de knecht van een kruidengenezer stond in hoger aanzien dan een zilverdolk.
Plotseling drong het tot hem door dat hij huilde. Daar schaamde hij zich zo voor dat hij zich niets ergers kon voorstellen. Hij wierp de natte brigga in het gras en huilde nog harder, tot hij iemand door het ruisende gras naar zich toe hoorde komen. Hij veegde zijn nat-

te gezicht droog aan zijn mouw en toen hij opkeek, zag hij Nevyn staan, met zijn handen in de zij.
'Ach, jongen toch. Dit is moeilijker voor je dan ik dacht.'
De vriendelijke woorden van de oude man waren de genadeslag. Gwairyc kon hem wel vermoorden. Ik doe dit voor de koning, hield hij zich verbeten voor. Nevyn zuchtte en ging naast Gwairyc in het gras zitten.
'De jongen overleeft het wel. Maar kan je dat ook maar iets schelen?'
'Nee, niets. Alle goden, hoe kunt u zich met dit soort dingen bezighouden? Met uw kennis zou u de geneesheer van de koning of iets dergelijks kunnen zijn.'
'Er zijn mensen genoeg die dat zouden willen, maar wie wil deze mensen helpen?'
'Nou ja, wat doet dat ertoe? Ze zijn nauwelijks meer dan lijfeigenen.'
'Ik behandel ook lijfeigenen als ze me nodig hebben.'
Gwairyc staarde hem aan. De man was niet goed bij zijn hoofd!
'Ik moet toegeven dat het me verbaasde toen je opeens zo bleek werd,' vervolgde Nevyn. 'Je hebt per slot van rekening heel wat veldslagen meegemaakt en toen moet je toch heel wat doden, stervenden en de vreselijkste wonden hebben gezien.'
'Ik begrijp het ook niet, want u hebt gelijk, toen heb ik van alles gezien.' Gwairyc dacht even na. 'Maar in een oorlog verwacht je zulke dingen. Je raakt eraan gewend. En je staat er niet bij stil. Dit...' Hij zweeg opnieuw en zijn gezicht klaarde op. 'In een oorlog vecht je voor je clan of je koning. Van de uitkomst hangt heel veel af. Dus al die doden en gewonden en zo zijn voor een goed doel. Ze zijn niet voor niets.'
'En deze jongen is niet belangrijk?'
'Wat is er belangrijk aan hem? Als er een van mensen zoals deze sterft, blijven er nog genoeg over. Ze fokken als konijnen.'
Met zijn hoofd scheef dacht Nevyn hier een poosje over na. Hoewel er niets op zijn gezicht stond te lezen, begon Gwairyc zich af te vragen of hij het te bont had gemaakt.
'Nou ja, misschien zijn ze meer net als paarden,' probeerde hij het nog een keer. 'Je bent blij met een goed paard, maar als je het verliest, neem je een ander.'
Nevyn knipperde een paar keer met zijn ogen.
'Het is vernederend!' riep Gwairyc opeens uit. 'Ik ben van adel, maar nu zou ik net zo goed hoefsmid of staljongen kunnen zijn!'
'Ah, dus zieken behandelen is een vernederende bezigheid.'
'Nou ja, voor u niet, natuurlijk.'

'Maar voor jou wel.'
'Dat spreekt toch vanzelf? U bent geen edelman.'
'Weet je dat zeker?'
Opeens zag Gwairyc weer voor zich hoe de koning eigenhandig een kroes bier voor de oude man had ingeschonken. Geschrokken probeerde hij weer iets te zeggen, maar hij kwam niet verder dan wat gestotter.
'Blijkbaar heb je de zwakke plek in je argument ontdekt,' zei Nevyn met een scheef glimlachje, en toen stond hij op. 'Misschien moet je eens over deze dingen nadenken. Wring het water uit die brigga's en leg ze op het gras te drogen. Ik ga terug naar het huis.'
Toen Gwairyc de brigga's op het gras had uitgespreid, liep hij terug naar de schuur. Hij zadelde de paarden af en bevrijdde ook de ezel van zijn last. Hij vond een tamelijk schone hoek om alles op te leggen en nam een kijkje in de verschillende hokken. Hij had geen idee of dit soort mensen hun koeien 's nachts binnen hielden of buiten lieten. Even later kwam er een magere, nog vrij jonge man de schuur in; hij had een verweerd gezicht en kort, vettig bruin haar.
'Ben jij Nevyns leerling? Ik ben Myrn, de man van Ligga.'
'Ik heet Gwairyc.'
Myrn knikte ter begroeting. 'Ik zorg wel voor de paarden. Dank je wel dat jullie mijn jongen hebben gered.'
'Dat was Nevyns werk, niet het mijne.'
Myrn knikte weer en raapte een mestvork van de vloer. Gwairyc liep vlug naar buiten en liet de paarden verder aan hem over.
De volgende morgen ging het een stuk beter met Anno, maar Nevyn liet voor alle zekerheid een paar zakjes kruiden achter. Toen Ligga Nevyn met een paar gespaarde koperen munten wilde betalen, weigerde hij die. Dat kon Gwairyc begrijpen. Geld van dit soort mensen aannemen was even oneervol als het voedsel van een jachthond stelen.
Ze verlieten de boerderij en trokken langzaam verder naar het westen. Het ene na het andere dorp, de ene na de andere boerderij... Het leek wel of Nevyn alle mensen in het koninkrijk kende en ze waren, volgens Gwairyc, allemaal even vuil. Hij zag meer wonden en ziekten dan hij zich ooit had kunnen voorstellen, allemaal met even walgelijke symptomen: ontstoken snijwonden, etterende puisten, koorts, braken, buikloop, zwellingen, stinkende donkere urine, waterzucht, om maar te zwijgen over rotte tanden en kiezen. In het begin deed hij zijn best om er niet over na te denken, maar de beelden en geuren bleven hem bij en soms droomde hij er zelfs van. Het is zo vernederend allemaal, hield hij zich voor. Waarom zou ik er anders zo van walgen?

Maar toen ze op een middag tussen akkers reden die zachtgroen waren van ontspruitende tarwe, herinnerde hij zich opeens de eerste veldslag die hij ooit had meegemaakt of liever, de gevolgen ervan. De dode krijgers, de stervende paarden. Toen de razernij van het gevecht was bekoeld, was zijn misselijkmakende afkeer groter geweest dan bij het zien van Nevyns patiënten. Hij was toen eigenlijk nog een jongen en hij was liever zelf gesneuveld dan dat hij de mannen om hem heen liet merken hoe hij zich voelde. In de loop van de tijd had hij geleerd hoe hij zijn ziel moest beschermen. Ik wen er wel aan, had hij zichzelf steeds voorgehouden. Ik zal wel moeten.

Op een hete namiddag, toen er vanuit het zuiden donkere regenwolken naderden, bereikten ze een vrij groot dorp op de oever van een brede, ondiepe rivier. Het dorp was te klein voor een herberg, maar de kroegbaas, die Nevyn kende, liet hen op zijn hooizolder slapen. Nadat Gwairyc de paarden en de muilezel op stal had gezet, kocht Nevyn voor hen beiden een kroes bier. Ze gingen buiten op een bankje zitten, dat uitzicht bood op het marktplein met de openbare bron. Er scharrelden alleen twee bruine honden rond. Het begon hard te waaien, en de populieren in het dorp begonnen te ritselen en te buigen.

'Er is storm op komst,' zei Nevyn.

'Dat denk ik ook, heer. Ik hoop bij alle goden dat het dak van de stal niet lekt.'

Nevyn knikte instemmend en nam een slok bier. Er klonk hoefgetrappel en gerinkel van goed onderhouden teugels, en ze zagen vijf ruiters door de hoofdstraat naar de kroeg rijden. Toen ze daar afstegen, zag Gwairyc dat ze zwaarden droegen en het blazoen van een rode havik op hun hemd hadden.

'Krijgers van de plaatselijke landheer, denk ik,' zei Gwairyc.

'Inderdaad. Ik weet niet meer hoe hij heet.'

De mannen bonden naast de kroeg hun paarden vast en slenterden naar de deur. Gwairyc was jaloers op hen. Nog niet zo lang geleden had hij ook bier gedronken in gezelschap van mannen die hem begrepen, kameraden, krijgslieden zoals hij. Een van de ruiters bleef staan en keek naar Nevyn.

'Goedemorgen, heer. U bent een nieuwkomer, vermoed ik.'

'Een reiziger. Ik ben kruidengenezer.'

De ruiter knikte vriendelijk en volgde zijn vrienden naar binnen. Een poosje later had Nevyn zijn bier op en gaf hij de lege kroes aan Gwairyc.

'Breng hem maar naar binnen. Eén kroes is genoeg voor mij, maar als jij er nog een wilt, ga je gang.'

'Dank u, graag.'
Gwairyc nam een koperstuk voor nog een kroes bier van Nevyn aan en ging naar binnen. Terwijl de kroegbaas zijn tweede kroes vulde uit het vat, zag Gwairyc dat de krijgers van de Rode Havik naar hem keken. Toen hij met zijn volle kroes naar buiten wilde gaan, stond een vlezige blonde kerel op en versperde hem de weg.
'Wat doe jij met een zwaard, jongen?'
'Dat gaat je niets aan,' antwoordde Gwairyc.
'Je bent de knecht van die door de motten aangevreten oude kruidenman, meer niet. Je hebt niet het recht het wapen van een man te dragen.'
Gwairyc gooide de krijger het bier in zijn gezicht. Met een schreeuw van woede deinsde de man achteruit en begon het vocht van zijn gezicht en borst te slaan. Gwairyc trok zijn zwaard en nam de vechthouding aan. Hij wilde niets liever dan de kans aangrijpen om iemand te doden en zijn vernederingen met bloed weg te spoelen.
'Hé, wat moet dat?' riep Nevyn. 'Hou op!'
Niemand lette op hem. De twee krijgers die het dichtstbij stonden, trokken ook hun zwaard en liepen voorzichtig naar Gwairyc toe. Gwairyc wachtte af en hield de afstand tussen hen in scherp in de gaten. Plotseling knalde er een donderslag en vlamde er een blauw vuur op om de krijgers heen, dat hen allemaal verblindde. Gwairyc hoorde hen schreeuwen en vloeken terwijl het vuur opnieuw opvlamde en er nog een donderslag volgde.
'Naar buiten,' zei Nevyn kalm. 'Jullie allemaal. Ga naar buiten.'
Nog halfblind deed Gwairyc een paar stappen achteruit en schudde zijn hoofd om het waas voor zijn ogen kwijt te raken. Hij zag nog net hoe de krijgers van de Rode Havik, net zo verblind als hij, bijna over elkaar heen buitelden in hun haast om naar buiten te gaan. In een hoek van het vertrek stond de kroegbaas met zijn armen om zijn buik te schaterlachen. Nevyn liep rustig naar Gwairyc toe en pakte het zwaard uit zijn krachteloze hand.
'Deed u dat?' Gwairyc hoorde dat zijn stem piepte als van een jongen.
'Wie kan het anders hebben gedaan?' zei de kroegbaas. 'Alle goden, Nevyn, je bent een wonderbaarlijke kerel, en dat op jouw leeftijd.'
'Ach, het oude paard kan heus nog wel over een paar heggen springen,' zei Nevyn grinnikend. 'Luister naar me, Gwarro. Ik wil niet dat je iemand doodt. Heb je dat goed begrepen?'
'Ik denk dat ik u eindelijk begrijp, heer. U bent dweomer.'
'Inderdaad. Hoe dacht je anders dat ik in de gunst van de koning was gekomen? Door zijn puisten open te snijden?'
Gwairyc begon zo te trillen dat hij niets meer kon zeggen en zocht

steun bij de muur. Nevyn keek naar het zwaard.
'Dat mag je niet meer dragen. Gesp die riem af, jongen, en geef hem aan mij. Ik zal je je zwaard teruggeven zodra ik denk dat je eraan toe bent.'
Gwairycs woede vlamde op als dweomervuur. Dat iemand zijn zwaard van hem afpakte, was de grootste vernedering van allemaal. Maar de kille blik in Nevyns blauwe ogen nagelde hem aan de muur. Langzaam en zichzelf vervloekend om zijn gehoorzaamheid gespte Gwairyc zijn riem los en gaf hem aan de oude man. Toen draaide hij zich om en rende naar buiten, want hij kon het niet aanzien dat iemand anders zijn zwaard in de schede stak. Hij plofte neer op de bank en staarde naar de donkere wolken, zo hevig trillend dat hij niet meer wist of dat werd veroorzaakt door woede of angst.
De regenwolken waren pikzwart geworden toen Nevyn weer naar buiten kwam. Met zijn handen in de zij ging hij voor Gwairyc staan en keek hem onderzoekend aan. 'En?' zei hij.
'En wat?'
'Wat vind je ervan?'
'Van dat blauwe vuur en zo? Daar vind ik niets van, behalve dat ik denk dat u het van waar dan ook naar beneden hebt geroepen. Is dat niet genoeg?'
'Eigenlijk wel, ja. Weet je nog wat ik die eerste dag bij de tempel van Wmm tegen je heb gezegd? Ik heb iets gezegd wat je moest onthouden.'
Gwairyc dacht diep na. 'U zei dat u dit deed voor de koning.'
'Niet waar.' Nevyn grinnikte. 'Ik zei dat ik dit deed voor jou.'
'Ach, goden, dat was ik helemaal vergeten.'
'Dat dacht ik al.'
'Maar hoe kan het, bij al het ijs in alle hellen, goed zijn voor mij?'
'Jij bent de enige die daarover kunt oordelen.'
'Hè? Ik...'
'Als ik het zou uitleggen, zou je het niet begrijpen.'
Een nors antwoord lag op het puntje van Gwairycs tong, maar de gedachte aan het blauwe vuur in de kroeg belette hem het hardop te geven.
'Ik spreek niet in raadselen om je te plagen,' vervolgde Nevyn, 'maar er zijn dingen die je een ander niet kunt uitleggen.'
'Nou ja, tegen dweomer kan ik natuurlijk niet protesteren.'
Gwairyc zag tot zijn genoegen dat Nevyn hem verbaasd aankeek.
'Eerlijk gezegd, dacht ik dat het idee van dweomer je de stuipen op het lijf zou jagen, maar ik heb me blijkbaar vergist,' zei de oude man ten slotte.

'U weet toch dat ik een Ram van Hendyr ben? De meeste heren drijven de spot met dweomer. Het bestaat niet, zeggen ze. Wij spotten daar niet mee, en we staan niet toe dat iemand van onze eigen rang of een lagere in ons bijzijn afkeurend over dweomer praat. Dat is een van de kenmerken van een Ram, hebben mijn vader en mijn grootvader ons allemaal ingeprent.'
'O ja?' Nevyn dacht even na. 'Mag ik vragen waarom?'
'U wel, om wie u bent. Vanwege vrouwe Lillorigga van de Ram. Zij was een van onze voorouders, in de Tijd van Troebelen.'
'Ik ken die naam.' Opnieuw keek Nevyn verbaasd, en Gwairyc begon plezier in hun gesprek te krijgen. 'Ga door, jongen, als je het niet erg vindt.'
'Helemaal niet. Ze was een tovenares. De barden hebben het verhaal doorgegeven. Ze heeft een voorspelling gedaan, dat geloof ik tenminste.' Gwairyc fronste nadenkend zijn wenkbrauwen, want het was al lang geleden dat hij het verhaal had gehoord. 'Ze waren altijd trouw geweest aan die vervloekte Zwijnen, maar dankzij haar ontdekte de Ram net op tijd wie de ware koning was en schaarde zich aan diens kant. Het verhaal maakt niet precies duidelijk hoe ze dat voor elkaar heeft gekregen, heer, maar ze heeft het gedaan en dat is voor ons goed genoeg.'
'Daar hebben jullie gelijk in. Laten we nu maar naar binnen gaan, want het begint te regenen.'
De volgende morgen was het weer opgeklaard en trokken ze verder naar het westen. Zo nu en dan schoot Gwairyc te binnen wat Nevyn had gezegd en dacht hij erover na. Maar hoe hij ook piekerde, het enige voordeel dat hij in zijn nieuwe omstandigheden kon ontdekken was dat hij deze zomer niet op het slagveld zou sterven – het voordeel van een lafaard en te verachtelijk voor woorden.
Op de langste dag bereikten ze Matrynwn, een echte stad bij de oorsprong van de Vicaver. Vanaf het stoffige plein konden ze verder naar het westen een rotsachtige bergrug zien liggen.
'Dat is de grens met Eldidd,' zei Nevyn.
'Wat een opluchting,' zei Gwairyc.
'Waarom?'
'Dan hoef ik niet meer bang te zijn dat ik een bekende tegenkom. Ik ben nog nooit zo ver naar het westen gereden.'
'Ah, ik begrijp het. Nou ja, we kunnen best naar Eldidd doorreizen.' Nevyn dacht even na. 'Ik heb daar ook vrienden.'
'Maar u wilde toch kruiden zoeken? In het oude woud? Dat zei u tenminste.'
'Dat heb ik inderdaad gezegd, maar in het westen van Eldidd zijn

ook heel oude bossen. Ja, dat doen we. Laten we hier maar eens vragen hoe de weg ernaartoe is.'

Het bleek dat Matrynwn de laatste stad was aan de enige weg door de bergen. Daarom waren er enkele behoorlijke herbergen, met omheinde weiden voor de paarden en muilezels van de langskomende karavanen. Nevyn deed navraag en hoorde dat er in een van de herbergen een karavaan halt had gehouden die naar het westen ging. De leider, een man uit Cerrmor die Wffyn heette, was blij dat er een kruidengenezer met hem mee wilde reizen. Hij was een forse kerel met een grijzende, donkerblonde baard en plukken grijs haar op zijn kalende hoofd. Maar te oordelen naar zijn gespierde lange armen kon hij, als dat nodig was, nog goed met een gevechtsstok overweg. Soms, zei hij, was dat nodig.

'Je weet nooit wie je in de bergen tegenkomt, maar bij ons bent u veilig,' beloofde hij. 'De tien mannen die voor de muilezels zorgen, zijn ook uitstekende vechters. U en uw leerling zijn van harte welkom, waarde heer.'

Wffyn had zelf ook een soort leerling bij zich – een eigenaardig soort, vond Gwairyc. Tirro was een magere jongen, waarschijnlijk niet ouder dan vijftien zomers, met de helderblauwe ogen en hoge jukbeenderen van iemand uit Cerrmor. Rode pukkels ontsierden zijn wangen en omringden zijn mond. Zijn haar... Maar het leek wel of hij geen haar had, want hij droeg een linnen mutsje vol vetvlekken. Zijn wenkbrauwen waren blond, zoals je van iemand uit het zuiden zou verwachten. De eerste keer dat Gwairyc hem zag, wilde Tirro hem niet aankijken. Terwijl hun leermeesters de reis bespraken, schoof Tirro steeds een vinger onder het mutsje om te krabben, zo hard dat zijn hoofdhuid ervan bloedde.

'Alle goden, wat is er met je aan de hand, jongen?'

'Eh... Nou, eh...' Tirro staarde naar de grond.

'Ringworm,' zei Wffyn. 'En je weet dat je niet mag krabben, jongen. Smeer er nog wat zalf op.'

'Dat zal ik doen, baas.' Tirro stond op. 'Neem me niet kwalijk.' Hij rende de herberg uit.

'Wat voor zalf is dat?' vroeg Nevyn.

'Dat weet ik niet precies. De apotheker in Cerrmor heeft hem speciaal voor Tirro gemaakt. Het is cerussiet, zei hij, als smeermiddel.'

'O, cerussiet,' herhaalde Nevyn. 'Dat is loodas of loodwit.'

'Lood? Ah, is het dat.' Wffyn knikte voldaan. 'Het helpt wel, als hij tenminste ophoudt met krabben.'

'Juist. Is hij een bloedverwant van u?'

'Nee, de goden zij dank. Hij is een beetje een lastpak, Tirro. Ik heb

hem meegenomen om zijn vader een plezier te doen, dat is alles.'
'Zodat hij kan zien wat het leven van een koopman inhoudt?'
Wffyn wilde iets zeggen, maar aarzelde en nam eerst een slok bier. Toen keek hij fronsend in zijn kroes, wilde weer iets zeggen en slaakte een diepe zucht. 'Nou ja,' zei hij ten slotte, 'ik wil niet uit de school klappen, maar ik zou het niet erg vinden als iemand me hielp die jongen in de gaten te houden. Hij moest weg uit Cerrmor, ziet u, en nogal snel.'
'Wegens diefstal?'
'Nog erger.' Weer aarzelde Wffyn even. 'Hij is een *loricart*, als u weet wat dat is.'
'Nee,' zei Nevyn. 'Ik ken de uitdrukkingen van Cerrmor niet.'
'Ik heb wel eens gehoord dat dit soort mannen in andere delen van het koninkrijk heggenkruipers worden genoemd, of kinderlokkers.'
'Die woorden ken ik ook.' Gwairyc schraapte zijn keel en spuugde in het stro op de vloer. 'Hij bedoelt mannen die willen vrijen met kinderen.'
'Dat is werkelijk walgelijk,' zei Nevyn langzaam.
'Inderdaad,' beaamde Wffyn. 'Het ging om een meisje, ze heette Mella en ze was een schatje om te zien, maar ze was pas zes zomers. Tirro was veel te aardig voor haar, als u begrijpt wat ik bedoel. Haar vader en haar oom waren van plan om dat vervloekte rotjoch tot moes te slaan, maar gelukkig waren ze bereid om ervan af te zien als ik hem zou meenemen met de karavaan.'
'Ik neem aan dat niemand eraan twijfelde dat de jongen schuldig was.'
'Niemand. Bovendien heeft hij het arme kind ook nog besmet met zijn ringworm.'
Nevyn trok een misprijzend gezicht. 'En toch neemt u hem mee?'
'Ach, ik had liever geen vinger naar hem uitgestoken, maar ik was zijn pa vrij veel geld schuldig, snapt u?'
'Ik snap het. Dus die schuld is vereffend?'
'Inderdaad.' Wffyn wierp een blik op Gwairyc. 'Maar als jullie Tirro onderweg te dicht bij kleine meisjes zien komen, moeten jullie me dat meteen vertellen, hoor. Want ik kan niet overal tegelijk zijn.'
'Met plezier,' zei Gwairyc. 'Maakt u zich maar geen zorgen.'
Wffyn hief zijn kroes en glimlachte dankbaar.
'Maar wat gebeurt er met hem als jullie terugkomen in Cerrmor?' vroeg Nevyn.
'Dan wordt Tirro op een boot naar Bardek gezet,' antwoordde Wffyn. 'Zijn vader heeft een vriend met een boot, maar die was net vertrokken voordat het gebeurde – de kapitein, bedoel ik, niet de va-

der. Hij komt aan het eind van de zomer terug en gaat dan nog één keer naar Bardek om daar te overwinteren. Tirro zal dan met hem meegaan. Opgeruimd staat netjes.'

'Aha,' zei Nevyn. 'Weet u soms ook waar dat schip precies naartoe vaart?'

'Myleton.'

Nevyn knikte alsof hij tevreden was met het antwoord, maar Gwairyc kende hem inmiddels goed genoeg om te zien dat hij er een beetje van geschrokken was. Toen ze een poosje later alleen waren, vroeg hij waarom.

'Bardek is een heel vreemde plaats,' legde Nevyn uit. 'Er wonen daar mannen met dezelfde afwijking als Tirro, en sommigen zijn rijk en machtig. Ze jagen in het donker op hun prooi omdat de meeste Bardekkers fatsoenlijke mensen zijn, maar in de grotere steden zijn er bordelen waar zelfs zij hun walgelijke verlangens veilig kunnen bevredigen.'

'Wat afschuwelijk!'

'Dat is het. Dus vraag ik me af of ik een boodschap zal sturen naar een paar vrienden daar, om hun aan te raden de magistraten te waarschuwen dat ze deze jongen in de gaten moeten houden. Helaas wonen ze op Orystinna, een heel eind bij Myleton vandaan.'

'Dat is jammer. Dat Orys-wat dan ook, is dat een ander eiland?'

'Inderdaad. Maar waarschijnlijk zal Tirro er, door te openlijk bezig te zijn met zijn stuitende liefhebberij, zelf wel voor zorgen dat de magistraten gewaarschuwd worden. Het lijkt me een heel domme jongen. Ik wou dat ik er iets aan kon doen, maar helaas kan ik net als onze brave koopman niet overal tegelijk zijn.'

Gwairyc schudde vol afkeer zijn hoofd. 'Alle goden, als die jongen zo nodig moest, had hij ook achter een schaap aan kunnen gaan. Dat zou een stuk frisser zijn geweest.'

'Inderdaad.' Nevyn glimlachte wrang.

Het kwam bij Gwairyc op dat hij en zijn meester, zoals hij Nevyn in gedachten noemde, in hun afkeer van Tirro iets gemeen hadden. Hij besloot dat het een gunstig moment was om over iets te praten wat hem hoog zat.

'Ik wilde u nog iets vragen,' zei hij. 'Het betreft die bandieten, heer. Ik kan de karavaan niet met blote handen helpen verdedigen.'

'Ah, je wilt je zwaard terug, nietwaar?' Nevyn dacht heel even na. 'Goed, dan zal ik het je geven. Maar denk eraan, je mag het alleen tegen bandieten gebruiken.'

'Daar zal ik me aan houden, dat beloof ik u.'

Toen Gwairyc zijn zwaard terug had, voelde hij zich opeens een stuk

beter. Als hij nu ook nog de kans zou krijgen om er een stel bandieten mee om zeep te brengen...
Helaas voor hem, maar niet voor de anderen, was de tocht door de bergen een aaneenschakeling van warme, saaie dagen – afgezien van een vreemd voorval.
Het gebeurde op het steilste deel van de weg, vlak voor de hoogste pas. Het was erg benauwd die dag en de karavaan kwam maar langzaam vooruit. Ze sloegen al vroeg hun kamp op voor de nacht, toen ze een tamelijk vlakke plek vonden naast het zanderige pad. Vanuit het bos stroomde een modderig beekje de berg af, omzoomd door heesterachtige boompjes die Gwairyc niet kende. Iedereen was doodmoe. Toch moesten de dieren worden verzorgd en gevoederd, waarbij alleen het hoognodige werd gezegd. Toen ze ermee klaar waren, trok een van de ezeldrijvers zijn laarzen uit, rolde zijn pijpen op en rende weg om zijn pijnlijke voeten stroomafwaarts van het drinkwater in de beek te laten afkoelen. Gwairyc had net de muilezel van Nevyn bij de andere dieren losgelaten toen hij de man hoorde schreeuwen. Zonder erbij na te denken, trok hij zijn zwaard en rende de kant op waar hij een tweede schreeuw hoorde.
In de gevlekte schaduw lag de ezeldrijver met één been omhoog op de grond. Het was zo'n rare houding dat het even duurde voordat Gwairyc zag dat er bloed over zijn been stroomde. De man was in een val gelopen en terwijl hij met zijn armen zwaaiend lag te schreeuwen, sneed de dunne ijzerdraad steeds dieper in zijn blote enkel.
'Lig stil!' Gwairyc legde al het gezag van een edelman in zijn stem. 'Als je niet stilligt, wordt de wond steeds dieper.'
De man keek zijn kant op, liet een snik ontsnappen en verloor het bewustzijn. Gwairyc rende naar hem toe en bekeek de val. Hij voelde er niets voor zijn zwaard bot te maken door er de draad mee door te snijden. Nader onderzoek wees uit dat de dunne ijzeren lus vastzat aan een dikkere ijzeren draad en een touw, en dat de valstrik was bevestigd aan een jonge boom. Inmiddels waren ook een andere ezeldrijver en Wffyn zelf erbij gekomen. Vloekend als een ketter knoopte de andere ezeldrijver de draden los terwijl de koopman het been van het slachtoffer steunde.
'Ik heb nog nooit zo'n verduiveld sterke valstrik gezien,' zei Wffyn. 'Ik vraag me af waarvoor hij was bedoeld. Een beer?'
'Hij is niet sterk genoeg voor een beer,' zei Gwairyc. 'Misschien een hert? Nee, ook niet.'
'Hmm.' Wffyn werd bleek en wendde zijn blik af van het bloederige been. 'Zou het kunnen dat hij bedoeld is voor een man? Voor iemand die hier ergens in de buurt iets in de gaten hield?'

'Wie weet.' Gwairyc stak zijn zwaard terug in de schede. 'Ik ga Nevyn halen. Onze vriend hier mag de goden wel danken dat de oude man hem te hulp kan komen.'
Inderdaad zou het slachtoffer, als de goden of misschien het geluk hem niet zo goed gezind waren geweest, zijn voet en misschien ook wel zijn leven hebben verloren als Nevyn hem niet had kunnen behandelen. Toekijken terwijl het stuk ijzerdraad uit de voet werd gehaald, de wond werd gereinigd en gehecht, was bijna net zo'n marteling als het te moeten ondergaan. Steeds wanneer de arme kerel bij bewustzijn kwam en Nevyn de voet aanraakte, viel hij weer flauw. Gwairyc kookte water om de kruiden te weken, de rest van de karavaan bleef zo ver mogelijk uit de buurt. Alleen Tirro liet zich niet wegsturen.
'Ik kan best helpen,' zei hij. 'Zal ik brandhout halen om nog meer water voor de kruiden op te warmen?'
'Goed idee,' antwoordde Gwairyc. 'Ga je gang, maar kijk verdomd goed uit waar je loopt.'
'Ja, heer.'
Na een respectvolle hoofdknik verdween Tirro in het struikgewas en even later kwam hij terug met een armvol dode takken. Inmiddels was Nevyn de wond aan het hechten. Tirro wierp een blik op het been en trok wit weg.
'Leg nog wat hout op het vuur,' beval Gwairyc. 'Niet naar dat been kijken.'
'Goed, heer.' Tirro hurkte bij het vuurtje.
De pot met water hing aan een driepoot. Tirro brak de takken in stukken en gooide ze in de vlammen. Dat ging goed tot de ezeldrijver weer bij bewustzijn kwam en begon te kreunen. Tirro kwam overeind en juist toen Nevyn warm kruidenwater over de wond goot om er de bloedkorsten en stukjes huid af te spoelen wierp hij een blik op het been. Hij verbleekte en rende weg om over te geven in de bosjes.
Maar Gwairyc had inmiddels ergere dingen gezien en kon de aanblik van de wond verdragen. Hij voelde vooral schaamte, alsof hij, door genoeg van kruiden te weten om het werk te doen van de leerling die hij heette te zijn, nog minderwaardiger was geworden. Desondanks moest hij, toen de ezeldrijver ten slotte met een schoon verband om zijn enkel op een stapel dekens lag en dankzij Nevyns kruidenmengsel niet meer zoveel pijn leed, toegeven dat hij bewondering had voor de kennis van de oude man. Toen ze veel later dan anders bij hun eigen vuur hun avondmaaltijd zaten te eten, zei hij dat ook.

'Ik wou dat we heelmeesters zoals u in het leger hadden,' zei hij. 'Ik wil wedden dat er niets is wat u niet kunt genezen.'
'Dank je, maar ik wou dat het waar was, jongen. Er zijn nog heel wat nare ziekten waartegen ik met mijn kruiden niets kan beginnen. Het wegteren van de longen, bijvoorbeeld, en onbekende koortsen afkomstig uit Bardek.'
'O. Ik ben nooit aan de zuidkust geweest, maar ik heb wel van die koortsen gehoord. Ze weerhouden me ervan die kant op te gaan.'
'Maar zelfs in Bardek komen die koortsen niet vaak voor.' Nevyn wendde nadenkend zijn hoofd af. 'Je kunt overal rare kwalen opdoen. Mijn leermeester in de kruidengeneeskunde vertelde me eens over een heel vreemde ziekte die iemand niet ver van Dun Deverry had opgelopen. De patiënt, een van de krijgers van de koning, was in een gevecht met bandieten gewond geraakt. Ze hadden die bandieten uiteindelijk naar een appelboomgaard gedreven, een rare plaats trouwens, waar de bomen jarenlang waren verwaarloosd, en...'
'Ho, wacht even,' viel Gwairyc hem in de rede. 'In de omgeving van Dun Deverry komen al heel lang geen bandieten meer voor.'
'Dat is waar. Maar dit gebeurde toen de leermeester van mijn leermeester nog een jongeman was, dat zei hij tenminste.' Nevyn telde iets af op zijn vingers. 'Het moet niet lang na de Burgeroorlogen zijn geweest, nu je het zegt.'
'Ja, dat zou kunnen.'
'Goed dan. Die man over wie ik het had, was een uitstekende zwaardvechter, maar hij en zijn kameraden waren nooit eerder afgestegen om tussen bomen te vechten.'
'Daarom hadden die bandieten daar natuurlijk hun toevlucht genomen.'
'Natuurlijk, maar mag ik nu mijn verhaal afmaken?'
'Neem me niet kwalijk, heer. Ga door.'
'Dus was die man te veel op zijn behendigheid gaan vertrouwen. Hij was een arrogante kerel, maar ja, daar had hij waarschijnlijk ook redenen voor. Maar hij dacht niet na en raakte ernstig gewond. De leermeester van mijn leermeester slaagde erin het bloeden te stelpen en de krijger was een sterke kerel, dus nam hij aan dat de hoofdman – de patiënt was de hoofdman van de lijfwacht van de koning, zie je...'
'Waren het zilverdolken?'
'Inderdaad. Daar heb je dus van gehoord.'
'Vaak.'
'Mooi zo, dan kan ik het verhaal korter maken. Toen die hoofdman

beter had moeten worden, gebeurde er iets heel raars met de wond. Hij begon te zweren, maar op een manier die de heelmeesters nooit eerder hadden gezien. Het vlees aan de randen werd zwart, zoals een stuk perkament dat je te dicht bij een kaarsvlam houdt. Het zwart breidde zich uit en de stank werd onverdraaglijk. Als het een wond aan zijn arm of zijn been was geweest, hadden ze dat ledemaat kunnen afzetten en hem kunnen redden, maar het was een wond op zijn dij, te dicht bij zijn lichaam. Het moet afschuwelijk zijn geweest het lichaam van die hoofdman te zien wegrotten zonder dat iemand er iets aan kon doen. Hij is uiteindelijk gestorven, dus misschien is zijn hart ook zwart geworden. Mijn leermeester wist het niet en zijn leermeester ook niet. De andere zilverdolken zeiden dat het toverkracht was en wie weet hadden ze gelijk.'

Gwairyc rilde. Hij had niet verwacht dat het verhaal hem zo zou aangrijpen. Hij had heel wat mannen op het slagveld zien sneuvelen of daarna aan hun verwondingen zien overlijden, maar niet op deze manier, door zwarte verrotting die steeds meer terrein veroverde in het lichaam. Het leek wel alsof hij het kon ruiken, alleen al door de beschrijving, die ranzig zure lucht van bedorven vlees. Hij moest er bijna van kokhalzen.

'Gaat het, jongen?' Nevyn keek hem onderzoekend aan.

'Jawel, heer. Neem me niet kwalijk. Maar het raakte me diep dat Owaen op die manier gestorven is. Of eh... heette hij zo?'

'Owaen? Inderdaad, en gek genoeg droeg hij ook het blazoen van een valk, net als jij.'

'Wat een afschuwelijk lot had die man.' Gwairyc rilde weer. 'Terwijl hij al zoveel veldslagen en oorlogen had overleefd.'

'Dat is waar. Je hebt ooit een bard een lied over hem horen zingen, vermoed ik.'

'Dat denk ik ook. Ik...' Maar Gwairyc kon zich absoluut niet herinneren waar hij die naam ooit eerder had gehoord. 'Ik kan me niet herinneren dat ik een keer een lied over hem heb gehoord, maar dat moet haast wel. Hoe weet ik anders zijn naam?'

'Precies.' Nevyn glimlachte kort. 'Hoe zou je die anders kunnen weten?'

Maar de rest van de avond bleef Gwairyc zich bezorgd afvragen hoe het kwam dat hij zoveel wist van die Owaen. Hij wist bijvoorbeeld zeker dat de hoofdman van de zilverdolken oorspronkelijk uit Eldidd was gekomen. Dat kwam bij hem op toen hij in zijn hoofd een stem hoorde die woorden lispelde die klonken als 'gwerbret'. Werrbret, zeiden ze in Eldidd. Dat wist hij zeker, hoewel hij het eigenlijk niet kon weten. Uiteindelijk lukte het hem de kwestie uit zijn hoofd

te zetten, maar die nacht had hij een verwarde droom, waarin hij flitsen zag van zichzelf als vechtende krijger met een rode draak op zijn schild.
De volgende morgen doorzochten Gwairyc, Tirro en enkele ezeldrijvers de omgeving van de valstrik. Ze vonden maar één ding dat zou kunnen wijzen naar de man of mannen die hem hadden gezet. Opeens bukte Tirro zich en raapte uit een berg dode bladeren iets glimmends op.
'Het is een munt,' zei hij. 'Een munt uit Bardek.'
'O ja?' Gwairyc stak zijn hand uit. 'Hoe weet je dat?'
'De vrienden van mijn vader in Myleton hebben precies dezelfde munten.' Tirro overhandigde het geldstuk aan Gwairyc. 'Ze noemden dit een sestertie.'
De munt was nauwelijks groter dan een van Gwairycs nagels, maar de groene aanslag verried dat er zilver in moest zitten. Gwairyc kon een paar onbekende letters onderscheiden. Toen ze de munt aan Nevyn gaven, wreef die hem schoon aan een mouw.
'Hij komt inderdaad uit Bardek,' zei hij. 'Zien jullie wat erop staat? Het profiel van een man. Dat moet een van hun archonten zijn, zoals ze de magistraten van hun bestuur noemen, maar ik heb geen idee wie het is.' Hij gaf de munt terug aan Tirro. 'Je hebt scherpe ogen, jongen.'
'Het spijt me van gisteren, heer, echt waar.' Tirro sloeg zijn ogen neer. 'Het ging per ongeluk.'
Nevyn keek alsof hij het net zomin begreep als Gwairyc. Met een scheef hoofd keek hij de jongen onderzoekend aan.
'Waar heb je het over?' vroeg hij ten slotte.
'Toen ik keek nadat u had gezegd dat ik niet mocht kijken. Bedoelde u dat niet toen u zei dat ik scherpe ogen had?'
'Helemaal niet! Ik bedoelde het als een compliment.'
Tirro werd vuurrood en wilde iets zeggen, maar voordat Gwairyc of Nevyn hem kon tegenhouden, rende hij terug naar het kamp.
'Bij al het ijs in alle hellen, waar ging dit over?' zei Gwairyc.
'Dat weet ik ook niet,' zei Nevyn. 'Maar ik vermoed dat zijn vader de neiging had hem uit te schelden, en vaak ook.'
'O.' Gwairyc haalde zijn schouders op. 'Nou ja, die munt is het enige wat we hebben gevonden, behalve bomen en vervloekt veel stenen. De oevers van die beek zijn laag en drassig, maar de enige sporen die we zagen, waren afkomstig van herten en nog een kleiner dier, waarschijnlijk een das.'
'Dat is erg vreemd,' zei Nevyn. 'Want die draad was vrij nieuw, er zat nog geen roest op. Maar we kunnen hier niet blijven om de zaak

uit te zoeken. Wffyn en zijn karavaan staan klaar om verder te reizen, dus moeten we opschieten.'
'Wat gebeurt er met de gewonde?'
'Ze hebben de lading van een van de muilezels overgebracht naar een ander dier en hem op die muilezel gezet, vastgebonden aan het zadel. Als hij weer flauwvalt, kan hij er niet af vallen. Maar in de volgende stad moeten we hem achterlaten.'
Het kostte bijna de hele dag om vanuit de bergen af te dalen. Tegen zonsondergang kwamen ze bij een welvarende boerderij, waar Wffyn met de boerin onderhandelde om perziken en kolen te kopen om de maaltijden aan te vullen. Toen de koop was gesloten, vertelde de koopman haar over het ongeluk van de ezeldrijver.
'Weet u soms wie die valstrik kan hebben gezet?' vroeg hij. 'Het was een vervloekt gevaarlijke daad.'
De boer en zijn vrouw keken elkaar even aan, maar op hun gezichten viel niets te lezen. 'Ik heb geen idee,' antwoordde de boer. 'Maar u hebt gelijk. Het is erg gevaarlijk om zo dicht bij de weg een val te zetten.'
'Ik zal even een zak kolen voor u halen.' Zonder hen aan te kijken, liep de boerin vlug het huis in. Wffyn trok een wenkbrauw op, maar hij zei niets.
Toen ze hun weg vervolgden, kwam Wffyn naast Gwairyc en Nevyn rijden.
'Wat vonden jullie van die mensen?' vroeg hij. 'Ik had de indruk dat ze precies wisten hoe die strik daar was gekomen.'
'Ik ook,' zei Nevyn. 'Ik vraag me af wat ze daar in die woeste bergen willen vangen.'
Toen Wffyn het verhaal in het volgende dorp in de kroeg vertelde, keken de andere klanten hem verbijsterd aan. Maar nadat ze er met elkaar over hadden gepraat, herinnerde de molenaar zich opeens dat je in de bergen grijze zwijntjes kon vangen.
'Varkens ontsnappen soms,' zei hij. 'En dan verwilderen ze en fokken onderling. Ik wil wedden dat er daar al een behoorlijke kudde zwijnen rondloopt. Onze werrbret jaagt er soms op, maar hij beweert niet dat ze van hem zijn, dus mag iedereen proberen ze te vangen.'
Werrbret. Gwairyc schrok zo van dat woord dat hem een kreet ontsnapte, die hij verdoezelde met een paar kuchjes.
'Zwijnen, zegt die man.' Wffyn keek naar Nevyn en vervolgde zacht: 'Waarom zouden die boer en zijn vrouw zo raar doen als ze alleen maar een wild varken wilden vangen?'
'Inderdaad. Maar ik vraag me af... Ik heb ook geruchten gehoord

over slavenhandelaars, die op afgelegen plekken langs de kust aan land gaan. Als iemand iets te verkopen heeft, kan hij er vast wel achter komen waar dat is.'
'Grote goden!' Wffyn spuugde op de met stro bedekte vloer. 'Daar zou u best eens gelijk in kunnen hebben, waarde heer.'
'Ik heb liever ongelijk. En nu ik erover nadenk, waarom zouden ze het risico lopen dat ze hun koopwaar verwonden? Zo'n val richt veel schade aan.'
'Maar als iemand zijn laarzen niet uittrekt en zijn pijpen niet oprolt, valt dat wel mee.'
'Dat is waar.' Nevyn staarde met gefronste wenkbrauwen in zijn kroes bier. 'Zelfs een paar lappen om de benen zouden bescherming bieden. Zeg vooral tegen uw mannen dat ze op de terugweg hun laarzen moeten aanhouden.'
'Ik geloof niet dat ik dat nog hoef te zeggen.'
Nevyn glimlachte en draaide zich om naar Gwairyc. 'Je kijkt bezorgd, jongen. Vanwege die slavenhandelaars?'
'Nee, dat niet. Maar ik vroeg me af waarom mensen uit Eldidd anders praten dan wij, met hun werrbret en zo, en hun rollende r's.'
'Het verbaast me dat het je opvalt.'
Gwairyc haalde gemaakt onverschillig zijn schouders op. Iemand heeft dat een keer tegen me gezegd, hield hij zich voor. Hij weigerde iets anders te geloven, ook al fluisterde een stem diep in zijn hoofd 'je kunt het je herinneren'.

Op Tirro's hoofd verscheen een laagje blond dons, dat door nog maar een paar plekjes ringworm werd ontsierd. Nevyn liet hem in de felle morgenzon op een baal bagage zitten en zijn hoofd naar alle kanten draaien, zodat hij goed kon zien of de schimmel echt aan het verdwijnen was. Tegelijkertijd onderzocht hij Tirro op iets heel anders. Het vermoeden was bij hem opgekomen dat hij de kwajongen vroeger had gekend, in een eerder leven, toen Tirro ook al niet deugde. Maar hij moest een reden vinden om diep in Tirro's ogen te kunnen kijken om daar zeker van te zijn, en op dit moment stond Wffyn naast hen mee te kijken.
'Heel goed,' zei Nevyn ten slotte. 'Je mag die vieze muts verbranden, jongen. Maar je moet nog wel zalf op de plekjes doen.'
'Goed, heer,' zei Tirro. 'Dank u wel.'
'Wacht even.' Nevyn had een leugentje om bestwil bedacht. 'Mag ik ook naar je linkeroog kijken? Dat ziet er een beetje verdacht uit. Als je die zalf in je oog hebt gekregen, kan dat akelige gevolgen hebben. Buig je hoofd iets achterover en kijk me recht aan.'

Tirro's adem stokte van schrik.
'Vooruit, doe wat de genezer zegt,' maande Wffyn.
Tirro stopte met een jammerkreetje zijn trillende handen tussen zijn knieën. Dus hij heeft een reden om bang voor me te zijn! dacht Nevyn. Tirro hief zijn hoofd op en keek Nevyn een ogenblik schichtig aan voordat hij zijn ogen neersloeg.
'Schiet op, Tirro, ik zal je niet bijten,' zei Nevyn.
Opnieuw hief de jongen zijn hoofd op en deze keer bleef hij Nevyn een paar tellen aankijken. Het was genoeg. Brour! dacht Nevyn. Dat achterbakse onderkruipsel. Hardop zei hij: 'Nee, er is niets mis met dat oog. Ik dacht dat het een beetje opgezwollen was, maar dat lag zeker aan het licht. Je mag gaan.'
Tirro sprong op en rende weg naar de ezels. Nevyn keek hem na tot hij was verdwenen.
'Ik wil u iets vragen,' zei Wffyn. 'Bent u van plan om nog veel verder met ons mee te reizen? Zo'n uitstekende kruidengenezer als u is overal welkom, Nevyn.'
'Dat is erg aardig van u,' zei Nevyn. 'Het is mijn bedoeling om helemaal door te reizen naar Aberwyn of zo, ver in het westen.'
'Zo ver gaan wij ook, en nog verder, want we doen zaken met het Westvolk.'
'Dat weet ik. Waar denkt u de Delonderiel over te steken?'
'Een eind ten noorden van Aberwyn, net ten noorden van de grens met Pyrdon. U zult dat wel een grote omweg vinden, maar in de omgeving van Peddroloc hebben ze betere paarden dan in de streek waar Aberwyn ligt. Wijkt dat te veel van uw reisplan af?'
'Misschien wel. Maar we reizen in elk geval mee tot de Gwynaver. Vandaar kunnen we de weg naar het zuiden nemen.'
Maar niet lang daarna gaf een oude vriend Nevyn een reden om toch de hele weg samen met Wffyn af te leggen. Een paar honderd jaar geleden had Nevyn een tovenaarsleerling aangenomen. Hij heette Aderyn en hij was uiteindelijk bij het Westvolk gaan wonen. Hij was nu ook dweomermeester, en Nevyn had altijd contact met hem gehouden. Als ze 's avonds allebei bij een vuur zaten, konden ze met behulp van de vlammen elkaars gedachten lezen.
Omdat Nevyn 's nachts maar een paar uur slaap nodig had, was hij meestal de laatste van de karavaan die naar bed ging. Die avond zat hij in zijn eentje bij het smeulende kampvuur naar de salamanders te kijken die in de vlammetjes speelden, toen hij merkte dat iemand hem via zijn gedachten wilde spreken. De verbinding kwam zo snel tot stand dat hij wist dat het Aderyn was en ja hoor, even later verscheen het gezicht van zijn vroegere leerling alsof het op het vuur dreef.

'Het doet me genoegen je te zien,' zei Nevyn in zijn hoofd.
'Hetzelfde. En ik hoop dat ik je vaker zal zien.' Aderyn glimlachte. 'Ik vroeg me af of je van plan was deze zomer onze kant op te komen.'
'Ik had me nog niet voorgenomen om je op te zoeken, maar ik ben nu wel in Eldidd en ik kan natuurlijk altijd iets verder doorreizen.'
'Goed idee! Een van mijn vroegere leerlingen heeft zich bij mijn alar aangesloten. Ze heet Valandario. Ken je haar soms?'
'Niet dat ik weet. Maar dat zegt natuurlijk niets. Het zou best kunnen.'
'Ze heeft gehoord dat je bezig bent geweest met de Grote Steen van het Westen en ze...'
'Wacht even, van wie heeft ze dat gehoord? Niet dat het een geheim is, maar ik wil niet dat iedereen ervan weet. Heb jij het haar verteld?'
'Nee, dat geloof ik niet.' In het visioen fronste Aderyn nadenkend zijn wenkbrauwen. 'Ik weet echt niet hoe ze het weet.'
'Wil je haar dat dan eens vragen?'
'Dat zal ik doen. Val heeft altijd een gave voor het werk met edelstenen gehad. Ik heb haar onlangs weer gezien, bij het zomerfestival. Ze vroeg me of ze jou om raad mocht vragen met betrekking tot een bepaalde steen.'
'Kan zij ook via het vuur praten? Dan sta ik tot haar beschikking. Ik heb in Bardek vrij veel over stenendweomer geleerd.'
'Ze kan het proberen.' Maar Aderyn keek alsof hij het betwijfelde. 'Daar heeft ze niet veel aanleg voor, hoewel het steeds beter gaat. Maar we vroegen ons af of je naar ons toe zou willen komen. Of we kunnen ook naar jou toe gaan, in Eldidd. Ze denkt dat je die steen met eigen ogen moet zien.'
'Dan kom ik naar jullie toe. Ik reis samen met een koopman die op weg is naar jullie handelsterrein en dan ga ik tot het eind met hem mee.'
'Dat is geweldig! Ik ben blij het te horen en Valandario zal het ook erg fijn vinden. Bovendien kun je me dan ook helpen met een klein probleem.'
'Ik zal mijn best doen. Hoe gaat het nu met Loddlaen?'
'Goed.' Aderyns gezicht werd uitdrukkingsloos, maar omdat hun gedachten met elkaar in verbinding stonden, kon Nevyn voelen dat hij kwaad werd. 'Ik begrijp niet waarom je ervan uitgaat...'
'Neem me alsjeblieft niet kwalijk. Waar gaat het dan om?'
'Ach, mijn geweldige plan werkt minder goed dan ik had verwacht.'
Nevyn wist niet meteen meer wat Aderyns geweldige plan inhield,

en dat had Aderyn meteen door.
'Mijn verzamelwerk van dweomerkennis,' vervolgde hij glimlachend. 'Mijn poging om de oude elfendweomer te ordenen en de leemten op te vullen met de door ons vergaarde kennis.'
Eindelijk kwam Nevyns geheugen op gang. 'Ach ja, het dweomersysteem dat het Westvolk is kwijtgeraakt door de verwoesting van de steden. We hebben het er vaak over gehad. Alle goden, ik kan je niet vertellen hoe ergerlijk het is als je je niet alles meer zo goed kunt herinneren. Straks vergeet ik mijn eigen naam nog.'
'Nou ja, jij hebt meer herinneringen dan de meeste andere mensen. Van ongeveer driehonderd jaar, nietwaar?'
'Zo ongeveer. Maar die van jou gaan ook al een heel eind terug.'
'Ah, maar hier is het leven een stuk eenvoudiger. Jij maakt het jezelf altijd veel moeilijker.'
'Ach ja, dat is ook wel zo. Maar wat dat probleem betreft...'
'Ik heb mijn uiterste best gedaan om zo veel mogelijk gegevens te verzamelen, maar op de kaart in mijn hoofd staan nog een heleboel kale stukken.'
'Dat heb je mooi gezegd.'
'Dank je.'
'Heb je enig idee wat die kale stukken horen te bevatten?'
'Een soort heel belangrijk kernpunt.' Aderyns gedachten straalden frustratie uit. 'Wel weet ik dat de meesters van de Zeven Steden dweomer beoefenden om heel andere redenen dan wij. Zij deden het niet om er hun volk mee te kunnen helpen, al deden ze dat ook, maar om eh... Om iets te doen wat ik niet kan bedenken. Iets verhevens.'
'En je weet echt niet waar je aan moet denken?'
'Het enige dat bij me opkomt, is een bijzonder ingewikkeld schema van Namen en Roepen. Toen ik pas in het Westland was, waren er daar ook nog een paar dweomerwerkers die in de leer waren geweest bij iemand die zelf les had gehad in de verloren steden. Helaas was die leermeester voor een elf nog erg jong en maar een ambachtsgezel. De oude dweomermeesters zijn tot op het laatst in de verloren steden gebleven.'
'Dus met hen is de kennis verloren gegaan?'
'Inderdaad. Alleen een lijst namen van bepaalde gebieden in de Binnenlanden is bewaard gebleven. Die namen, is me verteld, zijn het enige overblijfsel van een dubbel geheime kennis. Blijkbaar moest je eerst laten zien wat je waard was voordat je die mocht bestuderen.'
'In duistere tijden moet voor geheimhouding een bittere prijs worden betaald.'
'Dat is waar. Maar ik verheug me erop je, wanneer we elkaar weer

zien, het weinige dat ik weet te vertellen.'
'Daar verheug ik me ook op. We komen zo gauw mogelijk.'
'We?'
'Ik heb een vreemde leerling bij me. Wanneer je kennis met hem hebt gemaakt, zal ik je meer over hem vertellen.'
Het land van het Westvolk lag minstens een maand reizen voorbij de westelijke grens van het koninkrijk. Koopman Wffyn wilde er ijzerwaren verhandelen voor paarden, maar in plaats van die zware spullen helemaal vanuit Cerrmor mee te brengen, had hij specerijen en mooie zijden stoffen uit Bardek bij zich om in Eldidd te ruilen voor ijzer. Terwijl ze langzaam van markt naar markt in noordelijke richting trokken, had Nevyn meer dan genoeg tijd om zijn kruiden en andere geneesmiddelen te verkopen en in de velden aan weerskanten van de weg nieuwe kruiden te zoeken.
Hij zorgde ervoor dat hij Gwairyc bleef behandelen als de knecht die hij zogenaamd was. Hij leerde hem van alles over kruiden en hoe hij die moest drogen, en hij liet hem helpen bij de eenvoudige operaties die hij uitvoerde. Bij operatieve ingrepen kwam een grote, sterke hulpkracht goed van pas, omdat de beschikbare verdovende middelen niet sterk genoeg waren om de patiënt buiten bewustzijn te brengen. In de loop der jaren had Nevyn geleerd hoe hij zwaaiende vuisten en bijtende tanden moest ontwijken als een patiënt zo gek werd van de pijn dat hij degene die hem hielp wilde aanvallen. Gwairyc kon de patiënt stevig vasthouden en hem in geval van nood uit zijn pijn verlossen door hem met een vuistslag tegen zijn kaak bewusteloos te slaan. Vooral het laatste scheen Gwairyc niet erg te vinden.
Als ze onder minder veeleisende omstandigheden samenwerkten, bestudeerde Nevyn zowel zijn leerling als zijn patiënt. Ruim driehonderd jaar geleden was hij een prins van koninklijken bloede geweest en net zo arrogant als Gwairyc – of zelfs nog erger, hield hij zich voor. Maar toen hij bij zijn dweomermeester kruidengeneeskunde studeerde, waren zijn ogen en zijn hart opengegaan. Toen hij zag hoe gewone mensen in het koninkrijk leefden, vooral lijfeigenen, die in die tijd nauwelijks meer waren dan slaven, wilde hij niets liever dan zo veel mogelijk lijden verlichten. Hij had gehoopt dat Gwairyc net zo zou reageren als hij had gedaan, maar op het onverschillige gezicht van zijn leerling zag hij alleen zo nu en dan een trek van afkeer of ergernis. Maar jij bent nooit krijger geweest, dacht hij dan vergoelijkend. Jij hoefde je ziel niet als ijzer te harden.
Slechts één keer toonde Gwairyc belangstelling voor een patiënt. In het dorp Bruddlyn maakten ze kennis met de landheer, Corbyn, die

hen meenam naar zijn dun om zijn zoontje te behandelen. De jongen heette ook Corbyn en had mazelen. Gelukkig had zijn moeder zijn kamer verduisterd, want het zonlicht had hem kunnen verblinden. Nevyn brouwde een kruidenmengsel tegen de koorts en een ander mengsel om kompressen te maken tegen de jeuk.

'De heer had niet veel geld,' zei Nevyn later tegen Gwairyc, 'maar hij heeft me een zilveren beker gegeven die van zijn vader is geweest. Weliswaar staat de naam "Corbyn" in de bodem gekerfd, maar ik denk wel dat we hem ergens kunnen verkopen, vanwege het zilver.'

'Ik neem aan dat de jongen beter wordt,' zei Gwairyc.

'Inderdaad.'

'Mooi zo.' Gwairyc glimlachte van oprecht genoegen. 'Hij is de enige zoon van die clan, tenminste tot nu toe, dus ben ik blij dat ze hun erfgenaam niet zullen verliezen. Maar noemen de heren hier hun oudste zoon altijd Corbyn?'

'Blijkbaar wel. Hoezo?'

'Eldidd is een vreemd land, heel anders dan het onze.' Gwairyc staarde peinzend voor zich uit. 'Dat is ook weer iets wat ik niet kan...' Hij maakte de zin niet af.

Nevyn wachtte tot hij verder zou gaan, maar even later zei Gwairyc alleen dat hij de paarden ging zadelen en liep weg.

Eldidd mag dan een vreemd land zijn, dacht Nevyn, maar ik begin te geloven dat Gwarro net zo vreemd is. En wat moet ik dan met hem doen? Zijn eerste methode om Gwairycs zieke ziel te genezen had geen enkel resultaat. Met een zwaar gemoed besefte hij dat hij geen tweede methode kon bedenken.

Pas toen ze hun reisdoel bijna hadden bereikt, maakte Nevyn mee dat Gwairyc werd geraakt door het lijden van een gewone burger, maar dat was wel onder ongewone omstandigheden. Hij kreeg een voorteken van die gebeurtenis en tevens een waarschuwing voor een paar moeilijke dagen toen hij zich opnieuw in verbinding stelde met Aderyn.

'Ik heb een vraag,' zei Nevyn. 'Hoe weet ik, wanneer we op de grasvlakte zijn aangekomen, waar ik je moet vinden? Het handelsterrein is vrij groot, voor zover ik het me kan herinneren.'

'Inderdaad, het beslaat van noord naar zuid ongeveer honderdvijftig kilometer.' Aderyns gezicht boven het kampvuur glimlachte. 'Maar ik heb voor jou en je koopman een escorte geregeld.'

'Mooi zo. Waar tref ik dat escorte?'

'In Drwloc. Het is een bard, hij heet Devaberiel en hij gaat daar naartoe om zijn zoontje te halen.'

'Hoe komt het dat er een elfenvrouw in Pyrdon woont?'

'Ze is geen elf, hoewel ik vermoed dat er elfenbloed door de aderen van haar clan stroomt. Ze ziet eruit als een mens en haar familie gedraagt zich als mensen.' Aderyn keek misprijzend. 'Haar broer heeft haar, sinds ze haar rok hoog moest gaan dragen, alleen maar verwijten gemaakt. Een bastaard in zijn clan! Een schande! Als je hem hoort, zou je denken dat hij de Eerste Koning is.'
'Ah. Dan kan de jongen inderdaad beter bij zijn vader wonen. We naderen Pyrdon al. Wanneer komt die bard daar aan?'
'Omstreeks de volgende volle maan. Wij, mijn alar en ik, zijn onderweg naar de grens.'
'O, dank je wel. Op die manier zal het een stuk gemakkelijker zijn. Mm, ik ben sinds koning Maryn nog een jongen was niet meer in Dun Drw geweest.'
'Er komen vast wel een heleboel herinneringen boven.'
'Dat gebeurt toch overal?'
'Dat is waar.' Aderyns gezicht betrok. 'Gek genoeg heb ik ook herinneringen aan Drwloc, maar geen goede. Ik geloof dat ik het je wel eens heb verteld, dat verhaal over die jongen die vanwege die arme, gestoorde geestvrouw aan de tering is gestorven. Hij heette Meddry. Ik geef mezelf de schuld van zijn dood, want ik had hem geen moment alleen moeten laten.'
'Ach, maak jezelf maar niet te veel verwijten. Ik... Wacht even! Meddry is toch pas een paar jaar geleden gestorven?'
'Inderdaad.' Aderyn dacht even na. 'Een jaar of tien geleden, of iets korter. Hier op de vlakte raak je elk besef van tijd kwijt, daarom weet ik niet meer precies wanneer het was.'
'Het doet er niet toe. Ik vraag me af wie er nu nog in Drwloc en omstreken woont.' Nevyn slaakte somber een zucht. 'Want ik breng Gerraent mee.'
Een paar dagen later bereikten ze de stad van de gwerbret, Drwloc, een veel belangrijker plaats dan het dorp van heer Corbyn. De stad werd omringd door een stenen muur en bestond uit bijna tweehonderd ronde huizen om een groot marktplein. Wffyn vond er een echte herberg met een weiland ernaast, in de buurt van de smederij.
'Heel goed,' zei de koopman. 'Dan kunnen de paarden nieuwe hoeven krijgen voordat we doorrijden naar het handelsterrein.'
De inwoners kwamen kijken toen de karavaan halt hield en de dieren even later naar het weiland werden gebracht. De ezeldrijvers zouden daar bij de paarden en ezels overnachten, voor het geval dat er zich onder de inwoners van Drwloc een paardendief bevond. Nevyn en Wffyn namen samen een kamer, nauwelijks meer dan een zolder, boven het dranklokaal.

'Wat een drukte opeens!' zei de vrouw van de herbergier. 'Er is een grote markt en nu komt er ook nog een karavaan langs.'
'Dan bof ik ook,' zei Nevyn. 'Ik ga meteen even naar de markt om te laten weten dat er een kruidengenezer in de stad is aangekomen.'
'Ik ga straks wel onderhandelen met de smid,' zei Wffyn. 'Gaat u maar naar de markt, dan houd ik hier de boel wel in de gaten.'
Nevyn vulde een zak met kruiden voor algemeen voorkomende kwalen en gaf die aan Gwairyc om te dragen. Door een bochtig straatje liepen ze naar het midden van de stad, waar de markt werd gehouden en allerlei boeren vanaf hun kar verse groenten, eieren en kippen verkochten. Hier en daar had een koopman op een deken zijn waren uitgestald: aardewerk, zeep, borduurgaren en andere kleinigheden die hij uit de welvarende kuststreek had meegebracht. Overal stonden groepjes mensen te praten en slenterden klanten langs de koopwaar of onderhandelden op hun hurken over de prijs wanneer ze iets wilden kopen.
'Laten we hier nog maar wat voedsel inslaan voor het laatste deel van de reis,' zei Nevyn tegen Gwairyc. 'Meestal staat er ook wel iemand met kazen.'
Ze voegden zich bij de menigte op het drukke plein en even later werd hun aandacht getrokken door een jonge vrouw die een eindje voor hen uit liep. Ze was zo klein en mager dat Nevyn eerst dacht dat ze nog een meisje was, maar ze had een peuter op de arm. Haar donkere haar was naar achteren gekamd en werd, zoals bij ongetrouwde vrouwen de gewoonte was, met een speld bijeengehouden in haar nek. Hoewel haar overkleed van ongeverfd linnen netjes genaaid en schoon was, was het heel eenvoudig. Een effen linnen doek diende als overrok. Een kindermeisje, dacht Nevyn. De peuter op haar arm legde zijn kin op haar schouder en keek naar achteren.
'Alle goden, wat een mooi ventje!' zei Nevyn.
Het kind was een jaar of twee; hij had grote, grijze ogen en zijn haar was zo licht als winters zonlicht op sneeuw. Hij heeft Westvolkbloed, dacht Nevyn. Toen de jongen zag dat Nevyn naar hem keek, lachte hij zo vrolijk dat Nevyn vanzelf terug lachte. Het jongetje giechelde en zei iets tegen het kindermeisje. Ze stond stil en draaide zich om. Ze zou een knap meisje zijn geweest als ze geen heksenspleet in haar bovenlip had gehad. In de vele jaren dat Nevyn al geneesheer was, had hij ontelbare hazenlippen en gespleten verhemeltes gezien. Maar deze misvorming, aan een zijkant van haar lip, was abnormaal. Nevyn zag het roze tandvlees van haar bovenkaak, een paar vuile tanden en een krom, donkerroze litteken, en vond dat de ontsiering eerder op een genezen wond dan op een hazenlip leek. Hij staarde

er zo geboeid naar dat het even duurde voordat hij haar ogen zag: diepliggende, korenbloemblauwe ogen. Zijn adem stokte: het meisje was zijn Brangwen, in een wedergeboorte!
Ze zette de jongen neer en pakte zijn hand om te voorkomen dat hij zou weglopen. Even keek ze Nevyn aandachtig aan, alsof ze de verwarring in zijn ogen zag. Hij vermoedde dat ze hem herkende zonder te weten wie hij was. Misschien zou hij nu eindelijk de kans krijgen om haar naar haar ware wyrd te leiden, het beoefenen van dweomer, en zichzelf te bevrijden van de overhaaste belofte die hij honderden jaren geleden had gedaan.
'Goedemorgen, waarde heer.' Ze sprak lispelend, met vochtig gesis van bepaalde medeklinkers. 'Ik heb u hier niet eerder gezien.'
'We zijn net aangekomen,' antwoordde Nevyn. 'Ik heet Nevyn. Ik ben kruidengenezer en dit is mijn leerling, Gwairyc. Neem me niet kwalijk dat ik de indruk wek dat ik u volg, maar het jongetje trok mijn aandacht.'
'Ach, dat hindert niet. Ik heet Morwen.' Ze glimlachte, maar door het litteken vertrokken haar lippen tot een soort dierlijke grijns, die paste bij de afwerende blik in haar ogen. 'Een kruidengenezer is hier altijd welkom. Het kind is niet van mij, maar van mijn zuster.'
'Dan boft uw zuster.'
Morwens ogen vulden zich met tranen en ze wendde vlug haar hoofd af.
'Neem me niet kwalijk,' herhaalde Nevyn, 'maar wat heb ik...'
'Neemt u mij niet kwalijk, waarde heer, maar mijn zuster vindt helemaal niet dat ze boft. Onze Evan wordt binnenkort naar de familie van zijn vader gestuurd.'
'Bent u zijn verzorgster?'
Morwen knikte. Evan leunde tegen haar rokken en staarde naar Gwairyc, die met een mokkend soort geduld stond te luisteren. Plotseling drong het tot Nevyn door wie het kind moest zijn.
'Zijn vader,' zei hij, 'heet hij soms Devaberiel en is hij een bard van het Westvolk?'
'Inderdaad. Wat vreemd dat u dat weet!'
'Ik ben hierheen gekomen om hem te ontmoeten. Hij is een vriend van een vriend van me en we gaan samen naar het westen.'
'O. Dan komt hij zeker al gauw, hè? Dev, bedoel ik.' Ze klonk erg verdrietig.
'Dat is zo.'
Er viel een pijnlijke stilte. Evan voelde Morwens stemming aan en stak jammerend zijn armpjes naar haar uit. Toen ze hem optilde, drukte hij zijn gezicht tegen haar schouder.

'Morri lief,' zei hij.
'Ik vind jou ook lief.' Ze was bijna in tranen, maar ze deed haar best met weer een scheef glimlachje. 'We moeten naar huis. Je pa komt al heel gauw en dat moet je ma weten.'
Met het kind stevig tegen zich aan gedrukt liep ze met opgeheven hoofd haastig weg.
'Wat jammer,' zei Gwairyc.
'Inderdaad,' beaamde Nevyn. 'Het arme meisje. Dat kind is waarschijnlijk haar oogappel.'
'Dat ook, maar ik bedoelde het heksenteken.'
Nevyn nam niet de moeite erop in te gaan. Razendsnel probeerde hij een plan te maken om zo gauw mogelijk terug te keren naar Drwloc en vriendschap te sluiten met Morwen. Dweomer zal haar een nieuw doel in haar leven geven, dacht hij, als ik haar ervan kan overtuigen hoe belangrijk het is. Toen Morwen voorbijliep, wendden sommige mensen het hoofd af. Anderen staarden haar openlijk aan. Ze negeerde iedereen – waarschijnlijk was ze het allang gewend – tot een groepje van vier jongens, boerenjongens, te oordelen naar hun vaak verstelde kleren en vuile gezichten, zich niet liet negeren. Ze volgden haar en riepen lachend allerlei scheldwoorden.
'Hé, rattenkop!' riep een van hen. 'Heksenkind! Ben je te verwaand om met ons te praten?'
Ze versnelde haar pas, maar de jongens renden met haar mee. De twee grootsten gingen voor haar staan.
'Zo is het genoeg,' mompelde Gwairyc.
Voordat Nevyn het hem kon beletten, rende Gwairyc naar de jongens toe. Hij greep een van hen van achteren bij zijn hemd, draaide hem naar zich toe en gaf hem zo'n harde stomp in zijn gezicht dat het bloed uit zijn neus spoot. Met een kreet viel de jongen op de grond. Een van de anderen gaf het op en maakte dat hij wegkwam, maar twee jongens bleven staan. Tot Gwairyc de volgende plaaggeest met de achterkant van zijn hand een draai om de oren gaf, waardoor zijn lip scheurde. Met een gil zakte hij op zijn knieën. Gwairyc had de grootste jongen voor het laatst bewaard. Hij trok hem bij zijn hemd naar zich toe en gaf hem een stomp in zijn maag. De jongen viel ook op de grond en kotste goedkoop bier over zijn hemd. Tegen de tijd dat Nevyn het groepje had ingehaald, was wat nauwelijks een vechtpartij kon worden genoemd al afgelopen.
'Ziezo, lelijke honden,' grauwde Gwairyc. 'Nu zijn jullie een stuk afzichtelijker dan dat arme meisje. Verdwijn uit mijn ogen!'
De twee die nog konden lopen, grepen hun kotsende vriend bij zijn armen en sleurden hem mee. Hun laffe maat stond een eindje ver-

derop te wachten. Hij hielp een handje en ze draafden zo hard mogelijk weg, en even later waren ze in de menigte verdwenen. Het was zo vlug gegaan dat de kleine Evan er niet eens van geschrokken was. Hij stak zijn duim in zijn mond en draaide zich op de arm van zijn verzorgster om om de jongens na te kijken. Morwen staarde Gwairyc met grote ogen aan.

'Dank u wel,' sliste ze. 'Maar u had zich de moeite kunnen besparen. Ik ben aan dit soort dingen gewend.'

'Dan kan wel zijn,' antwoordde Gwairyc, 'maar ik kon niet verdragen dat ze je uitscholden.'

'Dan bent u de eerste man die dat overkomt,' zei Morwen, eerder bedachtzaam dan verheugd. 'Ik waardeer het erg, waarde heer. U moet niet denken dat ik het niet fijn vond hun bloed te zien.'

Gwairyc liet een kort lachje horen. Na een knikje tegen Nevyn draaide Morwen zich om en liep door, met Evan op de arm. Deze keer viel niemand haar meer lastig.

'Goed gedaan,' prees Nevyn. 'Het doet me goed te zien dat je toch nog een beetje medelijden kunt hebben met iemand van eenvoudiger komaf dan jij.'

Gwairyc haalde zijn schouders op en bekeek zijn knokkels. Nevyn wachtte. Ten slotte keek Gwairyc op en zei: 'Ik weet niet of het medelijden was. Iedereen zegt dat een hazenlip een vloek van de goden is.'

'Iedereen?' Nevyn trok een wenkbrauw op. 'Dus een arme boreling wordt al in de baarmoeder vervloekt, nog voordat hij zelfs maar een straaltje zonlicht heeft gezien?'

'Gebeurt het dan al in de baarmoeder?'

'Inderdaad.'

'Dat is dan heel wat anders, nietwaar?' Gwairyc draaide zich om en keek de kant op waar Morwen was verdwenen. 'Toen ik die jongens achter haar aan zag gaan, vrat dat aan mijn ziel.'

'Ze heeft gewoon pech gehad.'

'Ach, heden.' Gwairyc glimlachte tegen Nevyn. 'Daarom greep het me waarschijnlijk zo aan, omdat ze gewoon pech heeft gehad.'

Nevyn was diep teleurgesteld, want hij had gehoopt dat Gwairyc eindelijk eens een keer oprecht medelijden had gevoeld.

Die avond, nadat Nevyn de hele middag kruiden en andere spullen had verkocht, kreeg hij van de vrouw van de herbergier meer over Morwen en Evan te horen. Na een maaltijd van gekookt rundvlees met brood ging Wffyn naar bed. Tirro en Gwairyc, de knechten, sliepen op de met stro bedekte vloer van de gelagkamer. Ze spreidden een eind bij elkaar vandaan hun dekens uit voor de ronde muur en lagen even later te snurken. De herbergierster schepte voor Nevyn een kroes vol met donker bier, nam er zelf ook een kom van en ging tegenover hem aan tafel zitten. Ze was een magere vrouw met dunne lippen en smalle ogen, en ze droeg een smoezelig groen onderkleed en een overkleed met vetvlekken. Ze had een wedeblauwe doek met zweetkringen om haar kwabbige hals geknoopt.

'U vroeg naar Morwens zuster, waarde heer,' begon ze. 'Dat was een groot schandaal. Maar ze zeggen dat schoonheid beter is dan een bruidsschat en wat Varynna – dat is Morwens zuster – betrof, was dat waar. Zo mooi als de maan aan de zomerhemel, zeggen mannen. Nou ja!' Ze nam een slok bier en vervolgde op zachtere toon: 'En die man van het Westvolk vond dat blijkbaar ook. Dus opeens verwachtte ze een kind en was ze niet getrouwd. Haar verdiende loon.'

'Hoezo haar verdiende loon?' vroeg Nevyn.

'Voor haar hooghartige gedrag, waarde heer. Ze voelde zich overal te goed voor, tot haar buik dikker werd. Sommigen zeggen dat ze alleen maar het voorbeeld van haar moeder volgde, want Varynna lijkt geen spat op haar zuster of haar broer, als u begrijpt wat ik bedoel.' Ze gaf Nevyn een knipoog. 'En dan die naam! Een heel ongewone naam, vindt u niet?'

'Inderdaad.' Nevyn glimlachte beleefd.

'Een Westvolkse naam. Nou ja, Varynna heeft het joch wel zelf gevoed, maar verder laat ze hem aan haar zuster over. Ik geloof niet dat ze hem na de borstvoeding nog ooit heeft aangeraakt. Dat ze haar kind door een heks laat grootbrengen, bewijst al helemaal dat ze een slechte moeder is.'

'Ik heb de indruk dat Morwen heel goed voor de jongen zorgt.'

'Ach, ze is best dol op dat joch. Ze zal zelf geen kinderen krijgen.' Naar de uitdrukking op haar gezicht te oordelen, vond ze dat niet meer dan terecht. 'Wat Varynna betreft, haar broer was razend toen bleek dat er een bastaard zou worden geboren, maar hij kon er niets aan veranderen vanwege het testament.'

'Wacht even. Welk testament?'

'Ach, u bent zo'n goede luisteraar dat ik vergeet dat u hier niet vandaan komt, beste kruidenman. Het testament van hun vader. Hij is gestorven aan de koorts en hij wist dat hij het niet zou overleven. Dus liet hij de priester van Bel en nog een paar respectabele mannen komen om zijn testament te horen. De broer zou de boerderij erven, maar alleen als hij goed voor zijn moeder en zijn twee zusters zou zorgen.'

'Aha.'

'Dus de broer, Dwal, zat opgescheept met drie vrouwen. Maar de moeder overleed kort na de dood van de vader. Zij was na de geboorte van Morwen nooit meer helemaal gezond.' Ze tikte met haar wijsvinger tegen haar voorhoofd en knipoogde. 'De schande, denk ik.'
'Maar zij kon er toch niets aan doen?'
'Ze moest iets hebben gedaan waardoor ze zo'n misvormd wicht had gekregen. Misschien was ze over een barst gestapt of had ze een haas gedood toen ze zwanger was. Want daar komt het vaak van.'
'Dat is niet waar. Waarschijnlijk komt het door de nadelige invloed van de maan op de vier lichaamssappen in het begin van de zwangerschap. Vooral het lichaamswater is daar gevoelig voor.'
'O ja? Gut nog aan toe!' Maar de vrouw keek niet alsof ze het geloofde. 'Maar we hadden het over dat verwaande nest, onze Varynna. Het afgelopen voorjaar hadden de roddeltantes opnieuw iets om zich aan te verlekkeren. Op een dag kwamen er een koopman en zijn zoon helemaal uit Abernaudd om hier Westvolkse paarden te kopen. De zoon viel als een blok voor Varynna, hij was helemaal weg van haar. Maar zijn vader had meer verstand in zijn hoofd en het beviel hem absoluut niet dat de nieuwe geliefde van zijn zoon een bastaardkind had. Ze kregen er schreeuwende ruzie om en sloegen met hun vuisten op tafel, hier in mijn herberg, maar uiteindelijk gaf de oude man toe. Zolang ik die bastaard nooit te zien krijg, zei de vader, mag je met haar trouwen en haar meenemen naar huis.'
'O, nu begrijp ik het,' zei Nevyn. 'Daarom komt Evans vader de jongen halen.'
'Precies.' De herbergierster dronk haar kom bier in één teug leeg. 'En Dwal is dolblij dat hij dan van hen allebei af is, dat kan ik u verzekeren. Nu kan hij eindelijk zelf een vrouw zoeken.'
'Arme Morri! Ze heeft er veel verdriet van dat ze het jongetje moet afstaan.'
'Dat zal best.' De vrouw haalde haar schouders op. 'Maar die hoogmoedige zuster van haar wil dat kind zo ver mogelijk bij zich vandaan hebben en het Westvolk woont aan de rand van nergens, dus dat komt goed uit.'
Veel later, toen de herbergierster ook naar bed was gegaan, bleef Nevyn bij het smeulende vuur zitten en dacht na over Morwens vreemde omstandigheden. De abnormale hazenlip was een duidelijk voorbeeld van een terugslag, zoals dweomermeesters het noemen als het slachtoffer van een bijzonder gewelddadige dood in zijn volgende leven een kenmerkend teken of misvorming vertoont. De stroom van oude emoties markeert de ontluikende etherische dubbelganger

van het kind in de baarmoeder, wat weer invloed heeft op het fysieke lichaam. Maar omdat zo'n terugslag maar in één volgend leven voorkomt, betekende Morwens hazenlip dat dit haar eerste incarnatie was na de dood van Branoic al die jaren geleden.

En ze is zo mager, dacht Nevyn. Ongetwijfeld had ze als zuigeling en als kind moeite met eten, zoals de meeste kinderen met een hazenlip. En waarschijnlijk werd haar toen ze ouder was nauwelijks eten gegund. Nevyn besefte dat hij geen ingewikkelde reden hoefde te verzinnen om Morwen bij haar familie weg te halen. Als hij haar kon overhalen met hem mee te gaan, zou haar broer alleen maar blij zijn dat hij van haar af was.

De volgende morgen liet Nevyn zijn eigendommen bij Wffyn achter en ging met Gwairyc naar de boerderij van Dwal, een eindje buiten de stadsmuur. Het was een welvarende hofstede, die bestond uit drie dicht bij elkaar staande, witgepleisterde ronde huizen met nieuwe rieten daken. Ze stonden op een vierkant grasveld binnen een lemen muur, en erachter lag een veld waar koeien en paarden graasden. Achter het weiland lagen akkers met graan.

Morwen zat op een bankje naast de voordeur in de zon op Evan te letten, die met een leren bal speelde. Toen Nevyn haar riep, stond ze op en kwam naar het hek, gevolgd door twee grote, kwispelende zwart met bruine honden.

'Goedemorgen, heren,' lispelde ze. 'Wat komt u hier doen?'

'Ik vroeg me af of je Devaberiel al hebt gezien,' antwoordde Nevyn. 'Want het kan zijn dat hij vandaag aankomt.'

'Ik heb hem nog niet gezien.' Ze slikte en wendde haar hoofd af. 'Eh... Ik zou u graag willen vragen binnen te komen om op hem te wachten, maar mijn broer vindt het niet goed als ik bezoek krijg. Hij is altijd bang dat ik iemand een kroes bier of een stuk brood zal aanbieden.'

'Alle goden,' zei Gwairyc, 'als ik naar jullie boerderij kijk, krijg ik niet de indruk dat hij zo gierig hoeft te zijn.'

'Dat hoeft ook niet, en hij is alleen gierig als het om mij gaat.'

'Aha.' Nevyn verdeed zijn tijd al heel lang niet meer met geleuter, maar nu wilde hij graag nog even blijven. 'Krijg je dan vaak bezoek?'

'Ik?' Morwen lachte wrang. 'Zelden, waarde heer.'

'Komen er nooit vriendinnen langs of zo?'

'Er was in de hele stad maar één meisje dat het aandurfde vriendschap te sluiten met zo'n misvormd schepsel als ik en zij' – Morwen zweeg en haalde snel adem om een uiting van verdriet te onderdrukken – 'zij is twee jaar geleden gestorven. Ze heette Lanmara.'

Nevyn voelde de zucht van een omen langs zijn geest strijken. Zou

hij die Lanmara ook hebben herkend? 'Wat droevig,' zei hij.
Morwen knikte. Misschien had ze nog meer willen zeggen, maar de voordeur ging open en er kwam een jonge vrouw naar buiten. Inderdaad, Westvolks bloed, dacht Nevyn. De vrouw van de herbergier had gelijk. Ze was lang en slank, ze had hetzelfde manenstraallichte haar als de kleine Evan en ze liep met zo'n aangeboren gratie over het gras dat het leek alsof ze zweefde. Maar ze had ook een eigenschap die hij bij het Westvolk maar één keer eerder had gezien: ze gaf niets om haar kind. Toen Evan met zijn bal in de hand naar haar toe rende, keek ze hem zo verachtelijk aan dat hij achteruitdeinsde.
'Hou dat vieze ding bij je.' Varynna wees naar de bal. 'Er zit zand op.'
Morwen liep vlug naar Evan toe en trok hem bij Varynna vandaan. Nevyn maakte van de gelegenheid gebruik om de grendel van het hek te schuiven en op het erf te stappen. Varynna wierp hem een hooghartige blik toe.
'Goedemorgen,' zei Nevyn. 'Ik ben langsgekomen om jullie te vertellen dat Devaberiel binnenkort aankomt. Waarschijnlijk vandaag.'
'Dank u voor het bericht. Ik ben blij dat ik dan voortaan van hem af ben.' Varynna liet in het midden of ze de bard of haar zoon bedoelde – misschien allebei, veronderstelde Nevyn.
Morwen slaakte een kreetje en veegde vlug een paar tranen weg.
'Hou op met dat gejank,' zei Varynna kribbig. 'Het is jouw kind toch niet?'
'Dan is hij van niemand,' antwoordde Morwen. 'Want jij zou nog niet deugen als moeder van een big, laat staan een jongen.'
'Hou je mond, jij.' Varynna hief een hand alsof ze Morwen een klap wilde geven, maar ze aarzelde, waarschijnlijk omdat Nevyn en Gwairyc toekeken. 'Misbaksel! Geen wonder dat de goden je hebben vervloekt.'
Met zwaaiende rokken en opgeheven hoofd liep Varynna weer naar binnen en smeet de deur achter zich dicht.
'Je zuster verdient een pak slaag,' zei Gwairyc. 'En hard ook.'
'Ik wou dat ik dat kon meemaken, waarde heer. Of het haar zelf kon geven. Met een zweep.' Ze draaide zich om en gooide de bal over het gras een eindje weg. Giechelend draafde Evan erachteraan.
'Wat ga je doen als Evan en zijn vader weg zijn?' vroeg Nevyn.
'Dat weet ik nog niet,' antwoordde Morwen met een verdrietig gezicht. 'Mijn broer kan me niet de deur wijzen, maar ik denk erover om naar de Tempel van de Maan te gaan. De heilige vrouwen hebben al gezegd dat ik daar welkom ben en het is geen slecht leven.'

'Dat is zo, maar...'
'Ik verdiep me in de oude kennis,' vervolgde Morwen, alsof ze Nevyn niet had gehoord. 'Het is raar, maar het lijkt wel of ik er aanleg voor heb.'
'Neem niet te snel een beslissing,' zei Nevyn. 'Misschien kan ik iets bedenken om je een beter leven te geven.'
'Mm, tenzij u me met uw kruiden een nieuw gezicht kunt geven, zie ik niet hoe mijn leven ooit beter kan worden.'
'Ik zal erover nadenken.' Nevyn glimlachte tegen Morwen en keek Gwairyc aan. 'Zullen we dan nu teruggaan naar de stad en onze hovaardige Varynna van ons nederige gezelschap verlossen?'
Toen ze over de zandweg terugliepen naar de stad, was Gwairyc lange tijd in gedachten verzonken. Ten slotte hief hij schouderophalend zijn hoofd op en zei: 'Mag ik u iets vragen, heer? Deze streek is minder vruchtbaar dan het gebied om Dun Deverry, nietwaar?'
'De bodem is hier rotsachtiger. Het verbaast me dat het je opvalt.'
'Gaan de meeste oorlogen in het koninkrijk niet om de beste stukken land? Die tussen de belangrijke clans, bedoel ik.'
'Dat is waar.'
'Ik moest net denken aan dat piesende rotjoch met zijn rotte kies en stinkende familie. Waarom is de boerderij van Morwens familie zo welvarend en is dat gezin zo arm?'
'Myrn en Ligga, bedoel je? Zijzelf zijn arm, maar hun boerderij is ook welvarend. Alleen moet je, hoe dichter je bij Dun Deverry woont, des te hogere belastingen aan de edelen betalen. Myrn en Ligga wonen helaas te dicht bij het hof.'
Gwairyc keek Nevyn met open mond aan. 'Helaas?' herhaalde hij. 'Het is een eer zo dicht bij de stad van de koning te wonen!'
Nevyn voelde aandrang om Gwairyc bij zijn schouders te pakken en hard door elkaar te rammelen, maar hij zei: 'Voor hen niet. Hun landheer eist het grootste deel van hun oogst op en ze houden zelden genoeg over om stoffen en meubels te kopen. Als ze iets niet zelf kunnen maken, moeten ze het zonder doen.'
'Maar betaalt Morwens familie dan geen belastingen aan hun landheer?'
'Natuurlijk, maar Pyrdon ligt vlak bij de grens en de heren in dat gebied beseffen dat het volk aan hun kant moet staan. Bovendien gaan ze maar een keer per jaar naar het hof en soms nooit. Dus hoeven ze elkaar niet de loef af te steken en zijn ze niet zo inhalig als hovelingen.'
'Inhalig?' Gwairyc knipperde een paar keer met zijn ogen, alsof hij iets probeerde te zien wat buiten zijn gezichtsveld lag. 'Als je aan het

hof bent, moet je mooie kleren dragen en bezoekers ontvangen en zo. Daar hebben de edelen geen keus in.'
'Ach, ongetwijfeld dénken ze dat ze geen keus hebben,' zei Nevyn. 'Maar we zijn er. Ga mee naar de taveerne, ik heb behoefte aan een kroes van het donkerste bier.'
De markt was afgelopen, dus had Nevyn die middag geen klanten. Hij bracht de tijd door in de taveerne, samen met Wffyn, hun knechten en de vrouw van de herbergier. Een paar rondzoemende vliegen zorgden voor de enige afleiding.
'Gwairyc?' zei Tirro. 'Heb je zin om te dobbelen, om strootjes? Dan hebben we iets te doen.'
Gwairyc dacht er heel lang over na terwijl Tirro zat te wachten, met zijn schouders van spanning zo kromgebogen dat zijn hoofd bijna op zijn knieën lag.
'Ach, waarom niet?' antwoordde Gwairyc ten slotte. 'Laten we daarginds aan een tafeltje gaan zitten.'
Tirro lachte zo breed dat het leek alsof hij een duur geschenk had gekregen. 'Geweldig! Zal ik je trakteren op een kroes bier? Ik heb gisteren mijn loon gekregen.'
'Graag, dank je wel.'
Nevyn wachtte tot ze met hun kroezen bier aan hun spel waren begonnen voordat hij naar Wffyn toe leunde en zei: 'Een beklagenswaardige jongen, die leerling van u. Snakt naar een vriendelijk woord.'
'Dat is waar,' beaamde Wffyn zacht, 'maar ik zou hem mijn waardevolle spullen niet toevertrouwen.' Op normale toon vervolgde hij: 'Ik vraag me af wat hij van het Westvolk zal vinden. We zullen daar een poosje blijven, ik denk wel twee weken.'
'Zo lang?'
'Zo lang. Want ik heb een goed plan bedacht.' Wffyn glimlachte met glinsterende ogen. 'Het Westvolk verkoopt alleen ruinen. Zodoende kunnen we zelf hun goudkleurige paarden niet fokken. Maar ik heb heel bijzondere waren bij me en ik hoop dat ik met behulp daarvan iemand kan overhalen me een of twee merries te verkopen. Als het lukt, kan ik misschien de volgende keer naar een ander deel van het handelsgebied gaan en daar een goudkleurige hengst kopen. En dan hoef ik uiteindelijk niet meer zulke lange reizen te maken.'
'Dat klinkt goed. Denkt u dat u een kans hebt?'
'O ja, hoor. Het gaat erom dat je de juiste handelswaar meebrengt, de juiste verleiding, om het zo maar te noemen. Het Westvolk mag er dan vreemd uitzien, hun gedrag is menselijk genoeg. Hebzucht, beste kruidenman, is 's koopmans beste vriend. Met het juiste aas

vang je zwermen vissen. Misschien word ik ooit nog eens een rijk man.'
'Hm.' Nevyn liet zich niet verleiden om de koopman erop te wijzen dat het klonk alsof hebzucht niet slechts Wffyns vriend was, maar eerder zijn minnares.
'Wanneer zullen we doorreizen?' vroeg Wffyn. 'Ik dacht morgen, nou ja, als die Devaberiel dan tenminste aangekomen is.'
'Je weet het nooit met het Westvolk,' zei Nevyn met een zucht. 'Ze komen en gaan wanneer het hun uitkomt, geen moment vroeger of later.'
Wffyn knikte somber. Tirro en Gwairyc waren aan een ander tafeltje verdiept in hun spel. Ze wierpen de dobbelstenen met zulke grimmige gezichten dat het leek alsof het lot van het koninkrijk ervan afhing. Aan de andere kant van de grote ruimte veegde de herbergierster kroezen schoon met een versleten doek en spoelde ze na in een emmer bronwater. Enkele dappere vliegen zoemden om haar heen. Nevyn stond op om haar zijn lege kroes aan te geven.
'Ik heb een praatje gemaakt met Morwen toen we Varynna gingen waarschuwen dat de vader van haar kind onderweg is,' zei hij.
'Ze hebben u vast niet met open armen ontvangen.' De vrouw wierp de grauwe, gerafelde doek in de emmer.
'Varynna niet, maar Morwen was vriendelijk genoeg. Ze vertelde me over een vriendin van haar, Lanmara. Een ongewone naam.'
'Het was een ongewoon meisje.' De vrouw fronste haar wenkbrauwen. 'Dat moet u niet verkeerd opvatten, heer. Lanni was een aardig kind, de jongste dochter van de smid en goed opgevoed. Iedereen keurde het af dat ze vriendschap sloot met dat heksenmeisje. Sommige mensen maakten daar zelfs heel gemene opmerkingen over, bijvoorbeeld dat die twee meisjes té goed met elkaar konden opschieten, als u begrijpt wat ik bedoel. Maar dat geloofde ik niet.'
'O nee? Waarom niet?'
'Omdat Lanmara te netjes was opgevoed om zelfs maar aan zulke dingen te denken. Hoewel ze soms heel vreemde opmerkingen maakte en ik weet zeker dat ze helderziend was.'
'Echt waar? Hoezo?'
'Toen zij en Morri klein waren, speelden ze een spelletje dat met het Natuurvolk te maken had. Dan deden ze net alsof ze daar iemand van hadden gezien of zelfs gesproken.'
'Ach, de meeste kinderen houden van verhalen over het Natuurvolk,' zei Nevyn.
'Dat is zo, heer, maar die twee groeiden er niet overheen. Lanmara in elk geval niet. Zelfs toen ze oud genoeg was om te trouwen, had

ze het nog over het Natuurvolk.' De vrouw keek om zich heen en vervolgde op samenzweerderige fluistertoon: 'En ik zweer u dat ze wel eens iets zag, echt waar. Dan zag je haar ogen bewegen, terwijl er niets te zien was. Ze was niet helemaal goed bij haar hoofd.' Ze tikte knipogend op haar voorhoofd. 'Maar toen ze haar eigen dood voorspelde, schrokken we ons allemaal een hoedje.'
'Dat kan ik me voorstellen. Wat is er dan gebeurd?'
'Een paar winters geleden kreeg ze koorts en een akelige aandoening in haar borst. Ze hoestte zelfs bloed op, het arme kind. In het voorjaar werd ze beter, maar ze zei tegen haar moeder dat de koorts de volgende winter terug zou komen en dat ze er dan aan zou sterven. Haar moeder zei dat ze genezen was en dat ze zich zoiets niet in het hoofd moest halen, maar bij de godin zelf, toen het weer ging sneeuwen, kwam de koorts terug en vier dagen later was ze dood.'
'Het arme meisje!'
'Inderdaad. Jammer dat u er toen niet was met uw kruiden.'
In meerdere opzichten jammer, dacht Nevyn. Zou het Lilli zijn geweest? Zij was ook aan de tering gestorven. Omdat er ook een etherisch aspect aan die kwaal zat, was het mogelijk dat die in verschillende levens met haar meeging. Hij wist het niet zeker, maar opnieuw voelde hij een omen als een ijskoude streling over zijn rug glijden. Hij ging terug naar Wffyn, die zat te dommelen op zijn stoel.
'Ik ga even met mijn muilezel naar de smid,' zei Nevyn. 'Zijn hoefijzers zijn een beetje versleten en ik wil er geen probleem mee krijgen.'
De smid, een kleine, maar gespierde kerel, had die middag geen andere klanten. Nadat hij de hoeven van de ezel had bijgevijld en ze van nieuwe ijzers had voorzien, betaalde Nevyn hem met enkele kruidenzalven voor brandwonden en voor de rest met munten. Ze maakten nog een praatje terwijl Nevyn bedacht hoe hij met zijn vragen moest beginnen. Gelukkig kwam het zoontje van de smid naar de smederij om te zien waar zijn vader mee bezig was.
'Het is een flinke, gezonde jongen,' zei Nevyn.
'De goden zij dank,' zei de smid. 'We hebben nog een oudere dochter en zij is ook gezond, daar ben ik de goden eveneens dankbaar voor.'
'Ik wil niet nieuwsgierig zijn, maar het klinkt alsof je in je gezin ziekte hebt meegemaakt.'
'Een vreselijke ziekte, waarde heer. Mijn arme Lanni.' De smid schudde zuchtend zijn hoofd. 'Onze oudste, zij is aan de tering gestorven, net toen ze oud genoeg was om te trouwen.'
'Wat vreselijk verdrietig!'

'Haar moeder is er nog niet overheen. Het is namelijk pas twee winters geleden gebeurd.'
'Dus nog niet zo lang geleden. Waren er veel mensen met die koorts besmet?'
'Nee, dat niet. Ze kreeg het zomaar.' Hij fronste zijn wenkbrauwen en vervolgde met woede in zijn stem: 'Ik wil wedden dat dat ellendige heksenkind er iets mee te maken heeft gehad. Een vriendin van mijn dochter, waarde heer, als je zo'n misbaksel een vriendin kunt noemen. Ik had onze Lanni wel honderd keer verboden met haar om te gaan, maar ze bleven elkaar stiekem ontmoeten.'
'Heeft dat meisje ook tering gekregen?'
'Nee, zij niet. Zij is nog steeds kerngezond, daarom denk ik dat ze een vloek over Lanni had uitgesproken. Ik wilde naar onze landheer gaan om ervoor te zorgen dat hij dat lelijke schepsel uit de weg liet ruimen, maar daar wilde mijn vrouw niets van horen. Ze was bang dat die heks ons dan ook zou vervloeken.' Hij spuugde op de grond. 'Vrouwen!'
Hier word ik niet wijzer, besloot Nevyn. Hij nam afscheid van de smid en nam zijn ezel weer mee.
Net toen de herbergier opnieuw een maaltijd van gekookt vlees en oud brood opdiende, kwam het Westvolk aan. Nevyn, Wffyn en hun twee leerlingen zaten aan een tafel bij de haard toen er drie mannen binnenkwamen. Gwairyc keek op om een blik op de nieuwkomers te werpen, maar met zijn tafeldolk roerloos in zijn hand bleef hij naar hen staren. Ze waren lang, slank en blond, zoals de meeste Westvolkers, en hoewel ze alle drie opgerold beddengoed en andere bagage droegen, bewogen ze zich met achteloze gratie. Een van hen had een boog op zijn rug en een pijlenkoker aan zijn riem hangen, een ander had een vreemd gevormde leren tas bij zich waar een harp in moest zitten.
'Dat zal onze bard zijn,' zei Nevyn.
De veronderstelde bard keek in de volle taveerne om zich heen. Ten slotte vroeg hij iets aan de herbergier, die naar Nevyn wees. De bard glimlachte en nam zijn twee metgezellen mee naar Nevyns tafel. Toen ze dichterbij kwamen, hoorde Nevyn dat Gwairyc zacht vloekte en dat Tirro een kreet van verbazing slaakte. Westvolkers lijken veel op mensen, maar ze hebben heel andere oren – langwerpig en omgekruld, zoals een bloemblad dat zich ontvouwt uit de knop – en hun diepliggende ogen hebben verticale pupillen, zoals bij een kat. Een groepje dwergen danste om hen heen, maar natuurlijk kon alleen Nevyn dat zien.
'Goedenavond,' zei Nevyn. 'Bent u Devaberiel?'

'Inderdaad.' De bard glimlachte vriendelijk. 'En dit zijn Jennantar en Yannaderiel. Wacht even, dan leggen we onze spullen weg en komen bij u aan tafel zitten.' Hij wierp een blik op Wffyn. 'Ook goedenavond, beste koopman. Er staan op het handelsterrein al heel wat mensen op u te wachten.'
'Daar ben ik blij om,' antwoordde Wffyn. 'Want ik heb een heleboel mooie spullen bij me.'
Met een bard in de taveerne werd het een vrolijke avond en hij vloog om. Al was hij misschien moe na zijn lange rit, Devaberiel was een echte bard, die zijn publiek niet in de steek liet. Hij zong liedjes in het Deverriaans en in zijn eigen taal, en al na het eerste vers stroomden de mensen binnen. Het nieuws van hun komst en de muzikale voorstelling ging als een lopend vuurtje door de stad. Toen de taveerne zo vol was dat er niemand meer bij kon, bleven de mensen buiten voor de ramen en de open deur staan luisteren, en ze waren zo stil dat het leek alsof ze zelfs geen adem meer haalden. Niemand verroerde zich, tot Devaberiel ten slotte zei dat hij moe was en hij de snaren van zijn harp los begon te draaien.
Druk pratend en lachend ging iedereen naar huis. Toen Devaberiel terugliep naar Nevyns tafel, reikten de mensen hem van alle kanten muntstukken aan, die hij met een bedankje en een vriendelijke glimlach in ontvangst nam. De herbergier bracht hem een kroes donker bier en weigerde betaling.
'Dat is niet nodig,' zei hij. 'Ah, het is al heel lang geleden dat we u voor het laatst hoorden zingen.'
Devaberiel glimlachte alleen maar. Dit was de laatste keer dat ze hem zouden horen, vermoedde Nevyn, omdat hij zijn zoontje zou meenemen. Andere klanten riepen om meer bier en de herbergier liep haastig weg. Devaberiel nam een paar grote slokken en veegde zijn mond af met de rug van zijn hand.
'Onze wijsgeer verheugt zich erop u weer te zien, waarde Nevyn,' zei hij.
'Dat geldt ook voor mij,' zei Nevyn. 'Ik bof dat ik met jullie mee kan.'
'Ja, dat komt goed uit. Aderyn heeft me verteld dat hij in zijn jeugd verre reizen met u heeft gemaakt. Vraag ik te veel als ik uw raad nodig heb nadat ik mijn zoon heb opgehaald?' Zijn gezicht betrok. 'Het arme kind! Ik heb niet het flauwste benul hoe ik voor hem moet zorgen, zowel op weg naar huis als daarna.'
Opeens wist Nevyn wat hij moest doen.
'Hij heeft al een verzorgster' – Nevyn deed zijn best om zijn opwinding te onderdrukken – 'en zij vindt het heel erg dat ze de jongen verliest.'

'Ach ja, die arme kleine Morri! Denkt u dat ze bereid zal zijn om met ons mee te gaan?'
'Volgens mij heeft ze geen enkele reden om nog langer op de boerderij van haar broer te blijven.'
'Dat kan ik me voorstellen. Nou ja, dan lijkt het me voor haar en voor Evan beter dat ze met ons meegaat.' Devaberiel onderdrukte een geeuw. 'Neem me niet kwalijk, waarde heer, maar nu heb ik slaap nodig. En kracht, voor het geval dat de moeder van mijn zoon morgen lastig wordt.'
De volgende morgen vroeg begon Wffyn zijn karavaan klaar te maken om te vertrekken. De twee vrienden van Devaberiel gingen met hem mee, terwijl Nevyn, de bard en Gwairyc naar de boerderij reden om Evan op te halen. Ze zouden de karavaan later inhalen, want ruiters reizen sneller dan een stoet zwaar bepakte muilezels met ezeldrijvers te voet.
Het bericht dat de bard was aangekomen, had ook de boerderij bereikt. Toen ze afstegen voor het hek, zaten Morwen en Evan al op de bank te wachten. Evan droeg een schone, nog nooit verstelde grijze brigga met een geborduurd hemd – ongetwijfeld zijn mooiste kleren voor de bijzondere gelegenheid. Toen Gwairyc zich over het hek heen boog om het open te doen, stond Morwen op. Ze nam Evan bij de hand en pakte een zak waar zo te zien kleren in zaten. Toen ze naar hen toe kwam, zag Nevyn dat haar ogen rood en gezwollen waren, al deed ze haar best om dapper te glimlachen. Evan keek naar de paarden en de vreemdelingen en begon te huilen. Hij bleef staan en trok aan Morwens hand om haar tegen te houden.
'Niet doen, Evan,' zei Morwen. 'Je kent je vader toch nog wel?'
'Nee.' Hij trok zich los en verstopte zich achter haar rokken.
Devaberiel gebaarde dat de anderen even moesten wachten. Hij liep naar de jongen toe en knielde bij hem neer. 'Je hebt me een hele tijd niet gezien,' zei hij zacht, 'maar ik ben je vader, jongen. En vandaag mag je met me mee naar huis.'
Evan sloeg zijn armen om Morwens benen en klampte zich aan haar vast. Toen Devaberiel een hand naar hem uitstak, schudde hij heftig met zijn hoofd.
'Wil je niet mee naar je broer en je zuster?' vroeg Dev. 'Dan mag je een lange reis maken op die mooie paarden.'
Evan keek hem even aan, wierp een blik op de paarden, keek weer naar zijn vader en begon nog harder te huilen. Blijkbaar begreep hij wat er van hem werd verwacht en was hij het er absoluut niet mee eens.
'Neem me niet kwalijk,' stamelde Morwen. 'U zult wel denken dat

ik hem slecht heb opgevoed.'
'Wat?' Devaberiel stond op en keek haar aan. 'Helemaal niet. Ik wil je graag in dienst nemen om voor hem te blijven zorgen, want daar ben ik niet geschikt voor. Denk je dat je familie je met ons mee laat gaan?'
Morwen staarde hem sprakeloos aan en begon ook te huilen, maar van opluchting, want ze glimlachte door haar tranen heen.
'Zie je wel dat ik iets heb bedacht om je leven beter te maken, meisje?' Nevyn kwam ook het erf op. Hij grabbelde in de zak van zijn brigga en haalde er een vrijwel schone doek uit, die hij aan haar gaf. Morwen hield op het huilen. Ze overhandigde Nevyn de zak met kleren, nam de doek van hem aan en bette haar gezicht droog. Voordat ze iets zei, tilde ze Evan op. Het kind hield ook op met huilen, maar hij sloeg een arm stevig om haar hals toen ze zijn neus afveegde.
'Waarom zou ik me nog iets van mijn broer aantrekken?' zei Morwen ten slotte. 'Ongetwijfeld zal hij blij zijn dat hij me niet langer te eten hoeft te geven. Mag ik echt met u mee?'
'Of dat mag?' Devaberiel lachte. 'Je zou me er een groot genoegen mee doen. Maar ik moet je waarschuwen dat het geen comfortabele reis zal zijn en dat het leven op de vlakte heel anders is dan hier. Als blijkt dat je het afschuwelijk vindt bij ons, kan Nevyn je terugbrengen naar huis.'
Morwen glimlachte, en hoewel haar gespleten lip zoals altijd om het litteken heen krulde, keek ze zo triomfantelijk als een krijger. 'Ik wil niets liever dan meegaan,' lispelde ze. 'Voor mijn jongen zou ik zelfs naar de hel reizen.'
'Vooruit dan maar.' Devaberiel legde zijn hand op Evans rug. 'Dan gaan we naar huis. Je Morri gaat met ons mee. Je hoeft haar niet achter te laten.'
Evan keek alleen maar naar Morwen.
'Het is waar,' zei ze. 'Ik ga met je mee. We gaan fijn met je pa en zijn vrienden op reis. Nu ga ik mijn spullen pakken. Kom maar mee, dan mag je toekijken.'
'Ik kan het maar beter ook tegen je zuster zeggen,' zei Devaberiel.
'Waarom? Het kan haar niets schelen, net zomin als mijn broer. En nu hoeven ze niet meer bang te zijn dat hun lelijke heksenzuster Varynna's huwelijksfeest zal bederven. Nevyn?' Morwen keek de oude man aan. 'Dank u wel. Ik dank u uit de grond van mijn hart. Ik zal u eeuwig dankbaar blijven. Ik was zelf niet dapper genoeg om Devaberiel te vragen of ik mee mocht, maar ik wilde niets liever.'
'Dan is het toch allemaal goed gekomen,' zei Nevyn glimlachend.

Morwen liep met Evan terug naar het huis. Toen ze de deur achter zich dicht had gedaan, mompelde Gwairyc een paar verwensingen.
'Voor wie zijn die bedoeld?' vroeg Nevyn.
'Voor haar familie. Vooral voor die zuster van haar. Zo koud als ijs en tweemaal zo hard, als je het mij vraagt. Ze doet me denken aan een andere vrouw, die ik te goed heb gekend.'
'Ik ben blij het te horen,' zei Devaberiel. 'Want dan ben ik blijkbaar niet de enige man met een slechte smaak wat vrouwen betreft. Gedeelde smart is halve smart, bedoel ik.'

Als ze haar beddengoed niet meetelde, kon Morwen al haar eigendommen in één zak stoppen. Maar ze vond dat haar familie haar, omdat ze hun in haar oude leven zo weinig had gekost, voor haar nieuwe leven wel iets kon meegeven. Terwijl Evan aan haar rokken hing, liep ze door het huis en verzamelde een goed keukenmes met een stuk staal om het te slijpen, een tafeldolk, een oude brigga van haar broer om onderweg te dragen en een wintermantel. In de keuken vulde ze een zak met eten voor onderweg.
Evan leek er niets van te begrijpen, vooral toen ze teruggingen naar het tochtige schuurtje waar ze hadden geslapen. Hoewel ze zijn spullen al aan Nevyn had gegeven, keek hij om zich heen alsof hij niet wist waar ze waren gebleven. Toen ze de brigga aantrok onder haar kleed, begon hij te lachen.
'We gaan een eindje rijden,' zei ze. 'Met je pa en zijn vrienden.'
Hij klapte vrolijk in zijn handen. 'Paarden,' zei hij. 'Mooie paarden.'
'Inderdaad,' beaamde Morwen. 'En paardrijden is veel leuker dan een rit op onze oude muilezel.'
'Gaat mama ook mee?'
'Nee. Vind je dat erg?'
Hij haalde alleen maar zijn schouders op, alsof hij de vraag niet goed had begrepen.
Toen Morwen zich had aangekleed voor de reis, rolde ze haar dekens op, bond ze aan beide uiteinden netjes met reepjes stof vast en hing de bundel over haar schouder. Ze pakte haar twee zakken, een in elke hand, en zei tegen Evan dat hij voor haar uit moest lopen. Zo gingen ze weer naar buiten. Devaberiel en Nevyn zaten weer op hun paard, maar de leerling van de kruidenman stond op hen te wachten en nam de zakken en het beddengoed van Morwen over.
'Ik hang ze wel aan mijn zadel,' zei hij. 'Zodra we de karavaan hebben ingehaald, laden we ze op een muilezel.'
'Dank u wel,' zei Morwen. 'Als Evan met zijn vader meerijdt, kan ik wel lopen.'

'Dat hoeft niet. Je weegt vast niet meer dan een centenaar, meisje, en mijn leermeester is ook zo mager als een lat. Zijn paard kan jullie tweeën wel dragen.'
Nevyn schopte een stijgbeugel uit om haar te laten opstijgen. Geholpen door Gwairyc ging ze achter hem op zijn paard zitten.
'Als het nodig is, mag je je aan mij vasthouden,' zei Nevyn. 'Dat vind ik niet erg.'
'Dank u,' zei Morwen. 'Ik weet eigenlijk niet hoe ik u moet aanspreken. Moet ik Nevyn zeggen of heer?'
'Heer? Geen sprake van!' Nevyn lachte. 'Ik ben maar een gewone kruidengenezer, hoor.'
'Dat kan wel zijn, maar u hebt mij een heel grote gunst bewezen.'
'Ach, dat denk je maar, omdat niet veel mensen ooit iets voor je hebben gedaan. Zit er maar niet over in.'
'O, goed dan. Toch zal ik u eeuwig dankbaar blijven.'
Ze gingen op weg, met Nevyn voorop. Morwen keek regelmatig achterom om te zien of Evan zich rustig gedroeg, en elke keer zwaaide hij haar lachend toe. Blijkbaar vond hij het zo spannend op een paard te rijden dat hij zijn angst was vergeten. En zijn vader zong af en toe iets voor hem, vreemde liedjes die hij waarschijnlijk op dat moment bedacht. Morwen had ook wel willen zingen. Ze zou bij Evan blijven en ze was bevrijd van de boerderij, haar onaardige familie en de minachting van het stadje. Het enige wat ze zou missen, was dat ze geen bloemen meer naar het graf van Lanmara kon brengen. Toch vroeg ze zich zo nu en dan angstig af of ze soms uit een boom was gesprongen om in een doornstruik terecht te komen, maar tijdens de bezoekjes van Devaberiel aan haar geboorteplaats hadden hij en zijn vrienden van het Westvolk nooit naar haar mond gestaard of er ook maar één ding over gezegd. Ze hoopte maar dat de rest van hun volk haar net zo zou behandelen, al had ze gehoord dat alle Westvolkers even mooi waren. Nou ja, ik ben en blijf lelijk, dus wat maakt het uit, dacht ze berustend.
Na verloop van tijd haalden ze de veel langzamer reizende karavaan in. Omdat de Westvolkers een extra paard hadden meegebracht, kreeg Morwen haar eigen rijdier. Het was een flinke appelschimmel, het mooiste paard dat ze ooit had mogen berijden. Toen Evan lastig begon te worden, nam ze hem van zijn vader over.
'Kom maar hier, je bent moe, liefje,' zei ze. 'Je hebt je middagdutje gemist. Gwairyc, als jij mijn paard bij de teugel neemt, kan ik Evan in mijn armen nemen om hem een poosje te laten slapen.'
'Dat is goed, gooi me je teugel maar toe.'
Ze had even tijd nodig om Evan op een comfortabele manier op

schoot te nemen, omdat ze dat nooit had gedaan terwijl ze op een paard zat. Hij bleef mopperen tot hij zijn hoofd tegen haar schouder kon leggen, zoals hij altijd had gedaan wanneer ze samen op hun bankje zaten, zij met haar rug tegen de muur. Hij klemde zijn mollige beentjes om haar middel en zij sloeg haar armen stevig om hem heen. Al na een paar kilometer kreeg ze pijn in haar rug en haar armen, maar het kwam niet bij haar op hem wakker te maken om hem een andere houding te laten aannemen. In haar hele leven hadden slechts twee mensen van haar gehouden: Lanmara en Evan, en hij was de enige die ze nog overhad. Dat betekende zo veel voor haar dat ze het ongemak tijdens de lange rit graag op de koop toe nam.

Die avond sloegen ze hun kamp op aan de rand van het wilde woud dat tot op dat moment de grens van Morwens leven had gevormd. Devaberiel maakte een slaapplaats voor haar en het kind door een lang touw tussen twee bomen te spannen en daar in een tentvorm dekens overheen te hangen, waarvan hij de punten met stenen op de grond verankerde.

'Zo heb je een hoekje voor jezelf,' zei hij. 'Al is het primitief.'

'Het is goed genoeg,' zei ze. 'Dank u wel. Evan valt eerder in slaap als hij apart wordt gelegd.'

Na de avondmaaltijd en nadat ze door het trekken van lootjes hadden bepaald wie de wacht zou houden bij de muilezels en de paarden, rolde iedereen behalve Nevyn zich in zijn dekens. Morwen ging naast Evan liggen tot hij in slaap zou vallen. Ze hoopte dat ze zelf ook meteen zou gaan slapen, maar steeds weer gingen haar gedachten terug naar wat er die dag allemaal was gebeurd. Soms voelde ze triomf, dan weer overheerste de angst. Door de open kant van de tent kon ze Nevyn zien zitten, in het schijnsel van een vuurtje. Vreemd genoeg stelde dat haar gerust, maar na een poosje kroop ze toch weer naar buiten en ging bij de oude man zitten.

'Kun je niet slapen?' vroeg hij. 'Ik had verwacht dat je na zo'n dag als vandaag wel doodmoe zou zijn.'

'Ik ook.' Net op tijd slikte ze het woord 'heer' in. 'Maar ik ben gewend aan hard werken en zo. Behalve dat ik voor Evan moest zorgen, had ik nog een heleboel andere dingen te doen, dus stond ik elke dag bij zonsopgang op.'

'Ach, natuurlijk. Op een boerderij is het werk nooit gedaan.'

'Zo is het.'

In een vriendschappelijk stilzwijgen keken ze naar het vuur en wierpen er zo nu en dan wat nieuwe twijgjes en takken op, terwijl Morwen moed verzamelde om Nevyn de vraag te stellen die haar nooit

met rust liet. Hij lijkt me een heel wijze man, dacht ze. Misschien weet hij het antwoord.
'Weet u waarom de goden me hebben vervloekt, Nevyn?' vroeg ze ten slotte. 'Of eigenlijk bedoel ik niet waarom ze speciaal mij hebben vervloekt, maar waarom ze iemand vervloeken door hem op deze manier te verminken.'
'Dat doen ze niet,' antwoordde Nevyn. 'Het is bijgeloof, dom bijgeloof.'
'Maar iedereen zegt...'
'Ach, iedereen heeft het heel vaak mis. Ik wil je niet wijsmaken dat ik precies weet waardoor een hazenlip veroorzaakt wordt, maar de goden hebben er niets mee te maken. Geleerde geneesheren in Bardek zeggen dat het komt door een bepaalde invloed van de maan op de boreling terwijl die nog in de baarmoeder zit. Anderen denken dat te weinig voedsel of te veel bier de lichaamssappen van de moeder verzwakt en het evenwicht in de baarmoeder verstoort, waardoor de aan water verwante sappen de overhand krijgen boven de aardse. Die verstoring zou vast weefsel kunnen splijten, zoals een rivier het land splijt. Er zijn nog meer theorieën, maar die twee lijken mij het meest waarschijnlijk. Of misschien is de oorzaak een combinatie van beide.'
Morwen was zo geschokt dat ze Nevyn alleen maar met grote ogen kon aanstaren.
'In elk geval heb jij er geen enkele schuld aan, wat die oude feeksen en roddeltantes in dat stadje ook tegen je hebben gezegd.'
Morwen probeerde iets te zeggen, maar het lukte haar niet en ze vroeg zich af hoe lang ze sprakeloos zou blijven.
'Je zult wat tijd nodig hebben om wat ik je zonet heb verteld te verwerken,' zei Nevyn glimlachend. 'Denk er maar eens goed over na.'
Ze knikte instemmend. Nevyn gaapte en sloeg vlug een hand voor zijn mond.
'Ach, u zult wel moe zijn,' kon Morwen ten slotte toch uitbrengen. 'En nu moet ik ook maar gaan slapen.'
'Dat lijkt me het beste. We hebben nog tijd genoeg om verder over dit soort dingen te praten.'
Morwen kroop weer in de tent en strekte zich uit naast de slapende Evan, maar ze lag nog heel lang wakker. Jij hebt er geen schuld aan. Nevyn had het zo kalm en vastberaden gezegd dat ze hem echt geloofde en niet alleen maar wenste dat hij gelijk had. Haar verdriet om haar mismaaktheid was net zoiets geweest als het vastpakken van een gloeiend heet handvat van een ijzeren pan, terwijl ze het van schaamte om de vloek van de goden niet kon loslaten. Maar nu had

ze het gevoel dat ze haar verbrande hand eindelijk in koud water kon dompelen. Kon ik het Lanni maar vertellen, dacht ze. Dat ze dat niet kon, was de enige smet op haar nieuwe vrijheid. Was Lanni er nog maar om die met haar te delen!
Toen ze de volgende morgen opstond, zag ze dat de anderen al op waren. Haar eerste gedachte was: het is niet mijn schuld. Die gedachte bleef haar bij, als een opgewekte vriend, toen ze Evan zijn ontbijt gaf en hem aankleedde om hem weer bij zijn vader op het paard te zetten. Maar in de loop van de morgen, toen ze alle tijd had om na te denken, ebde haar blijdschap weg. Ze herinnerde zich Nevyns opmerking over 'oude feeksen en roddeltantes', maar hij wist niet hoe slecht die vrouwen haar hadden behandeld. Hun kinderen hadden niet met haar mogen spelen en ze hadden hun kinderen ertoe aangezet haar te bespotten en te plagen.
Thuis hadden haar zuster en haar broer haar ook geplaagd en wat nog erger was geweest, was dat ze de gewoonte hadden elke keer dat ze langs haar heen liepen haar achteloos een tik te geven of te knijpen. Ze had het gedwee verdragen, in de overtuiging dat ze de pijn en de blauwe plekken verdiende, omdat haar moeder noch haar vader er ooit iets van had gezegd. En al die tijd was het helemaal niet haar schuld geweest, was het geen vloek en had ze zich niet hoeven te schamen, absoluut niet. Kon ik maar teruggaan, dacht ze. Eén dag maar, dan zou ik hun eens wat laten zien!
Ze stelde zich voor hoe haar broer zou kijken als ze hem na een van zijn kwetsende opmerkingen met een ijzeren kookpot een klap op zijn hoofd zou geven, een harde klap waarvan zijn schedel zou opensplijten, zodat het bloed over zijn gezicht zou stromen. En die lieve Varynna... Van haar schoonheid zou na een behandeling met een gloeiend stuk houtskool uit het vuur niets overblijven. Morwen zag het duidelijk voor zich: de huid die zwart blakerde, het gesis van het schroeien, de stank van verkoold vlees... Tijdens de genezing zouden de korsten breken en loslaten en grote littekens achterlaten op Varynna's roze wangen.
De vrouwen in het stadje verdienden een nog erger lot. Morwen stelde zich voor hoe ze zouden sterven: door het afhakken van hun ledematen, de verdrinkingsdood of onderdompeling in kokend water. Ze zag de wraakzuchtige beelden zo scherp voor zich dat ze een eigen leven gingen leiden. Ze keek ernaar alsof ze droomde, maar ze was wakker en was zich bewust van het paard waarop ze zat en de warme zon in haar rug. De stem van Dev die een liedje zong voor Evan. Ze keek met een innerlijke blik toe terwijl ze in haar droom door het dorp liep en met elk wapen dat ze maar kon vinden wild

stak en hakte in wie ze maar tegenkwam. Bloed vloeide, vlees kneusde en werd opengereten, en uit steeds meer wonden borrelde steeds meer bloed.

'Hou op!' De woorden ontsnapten haar als een soort snik. 'Het is te erg!'

De wereld om haar heen werd weer werkelijkheid. Ze trilde en haar gezicht gloeide van schaamte, maar toen ze om zich heen keek, zag ze dat niemand haar in haar droomstaat had gezien of haar uitroep had gehoord. Gelukkig had niemand haar gedachten kunnen lezen en had niemand met haar mee kunnen kijken naar dat afgrijselijke visioen. Hoe kon ik me zo laten gaan? vroeg ze zich af. Hoe kon ik zulke dingen doen? Ben ik soms een monster dat zich heeft vermomd als menselijk wezen?

Wffyn, die de karavaan leidde, riep dat ze halt moesten houden. Nooit eerder was ze zo dankbaar geweest dat een stem haar terugriep naar de mensen om haar heen.

'Laten we iets eten, mannen!' riep hij. 'En de dieren moeten uitrusten.'

Morwen huilde bijna van opluchting omdat ze nu een poosje niet de gelegenheid zou hebben om na te denken.

De karavaan hield halt in een langwerpig weiland met hier en daar de stronk van een omgehakte boom aan de rand van het bos. De ezeldrijvers laadden hun dieren af om ze de kans te geven door het gras te rollen, en lieten ze daarna grazen bij de door de Westvolkers verzorgde paarden.

'Ze krijgen pas over twee dagen weer de gelegenheid om vers gras te eten,' zei Nevyn tegen Morwen. 'We zullen hier een poosje uitrusten voordat we het bos ingaan.'

'O, dat is fijn,' zei Morwen. 'Dan kunnen Evan en ik even met zijn bal spelen. Misschien slaapt hij dan vanmiddag beter dan gisteren.'

'Daar heb ik over nagedacht. De vrouwen van het Westvolk dragen hun kinderen wanneer ze onderweg zijn in een soort draagdoek. Dat spaart hun rug, zeggen ze. Ik zal Wffyn om een lap linnen vragen, hij is me nog iets schuldig voor de behandeling van een van zijn mannen na een ongeluk. Jennantar heeft al gezegd dat hij je zal laten zien hoe het moet.'

'Dank u wel, dat zal een stuk prettiger zijn.' Plotseling voelde Morwen tranen opwellen in haar keel en ze wendde haar hoofd af.

'Wat is er?' vroeg Nevyn.

'Niets, maar dit is voor het eerst van mijn leven dat iemand anders dan mijn vriendin Lanni eraan denkt me te helpen.' Morwen slikte de tranen in en glimlachte moeizaam. 'Het verbaasde me, dat is alles.'

Dankzij de draagdoek had Morwen inderdaad veel minder last van haar rug, want nu hoefde ze Evan niet meer zo stevig vast te houden om te voorkomen dat hij van het paard viel. Eerst verzette hij zich een beetje, maar toen ze over de beschaduwde weg het bos inreden, viel hij in slaap. Doordat Morwen zelf de vorige nacht nauwelijks geslapen had, dommelde zij ook bijna in. En ze moest zich inspannen om te voorkomen dat ze opnieuw door van bloed doordrenkte dagdromen zou worden overvallen. Gelukkig zorgde een volgende verrassing diep in het woud ervoor dat ze weer klaarwakker werd.

Van alle kanten kwamen Natuurvolkers tevoorschijn en verdrongen zich om de karavaan. Sylfen fladderden door de lucht. Kabouters renden tussen de paardenbenen door of reden mee op de ezels. Toen ze een ondiepe beek overstaken, rezen er watergeesten op en bespatten giechelend de dwergen. Morwen had sinds de dood van Lanmara niet meer zoveel Natuurvolkers bij elkaar gezien en toen ze eraan dacht hoe haar vroegere vriendin ervan zou hebben genoten, schoten haar ogen vol tranen om het gemis. Opeens viel het haar op hoe Devaberiel en zijn twee vrienden op hun nieuwe gezelschap reageerden. Behalve dat ze er geamuseerd naar keken, stak Devaberiel een hand naar een luchtgeest uit en ging die er als een tamme mus op zitten.

Ik hoef het niet meer geheim te houden, dacht Morwen. Zij zien ze ook. Ze voelde aandrang om haar hoofd achterover te werpen en te schreeuwen van blijdschap, maar de aanwezigheid van de menselijke mannen, die blijkbaar niets bijzonders zagen, dwong haar ertoe zich te beheersen. De hele dag kwamen er Natuurvolkers regelmatig opdagen om de mannen van het Westvolk te vergezellen. En toen ze die avond op een open plek in het bos hun kamp opsloegen, doemden er in het kampvuur van de Westvolkers spelende salamanders op. Evan, die het Natuurvolk altijd had kunnen zien, maakte er zijn vader op attent.

'Manders, pa,' zei hij.

'Salamanders,' verbeterde Morwen. Ze wierp een blik op Dev. 'Die vindt hij altijd het mooist. Ik zag dat hij kon kruipen toen hij een keer achter ze aan kroop bijna het vuur in.'

'Ik ben blij dat je hem op tijd hebt tegengehouden,' zei Dev glimlachend. 'Kom hier, Evan, dan vertel ik je een verhaal over salamanders. Je mag hier op mijn dekens gaan liggen om ernaar te luisteren.'

Toen Evan in slaap was gevallen en zijn vader op hem paste, stond Morwen op en liep weg van het rokerige vuur. Voor een boeren-

meisje zoals zij betekende een dag op een paard een dag dat ze niet hoefde te werken. Omdat ze moe wilde zijn om diep en zonder gewelddadige dromen te kunnen slapen, wilde ze een paar keer in stevige pas om het kamp heen lopen.
Achter de vastgebonden muilezels en paarden zag ze iemand tussen de bomen lopen. Een van de ezeldrijvers, vermoedde ze. Maar toen ze dichterbij kwam, zag ze dat het een vrouw van het Westvolk was. Ze droeg net als de mannen een leren kousenbroek, hoge laarzen en een wijd hemd met een band om het middel, maar haar dikke, honingblonde haar hing in een vlecht op haar rug. In haar ene hand hield ze een boog die niet was gespannen, op haar heup hing een koker met pijlen. Ze glimlachte tegen Morwen en wenkte haar.
'Neem me niet kwalijk dat ik hier als een dief rondsluip,' fluisterde de vrouw, 'maar de mannen mogen me niet zien.'
'O nee?' Morwen fluisterde ook. 'Waarom niet?'
'Ik zoek de man die mijn dochter heeft gestolen. Dat kind dat bij jou op je paard zat... Dat is een jongetje, nietwaar?'
'Inderdaad. Devaberiel is zijn vader.'
'Aah.' De vrouw knikte langzaam. 'Nou ja, dan kan hij niet mijn dochter zijn, hè? Dank je wel.'
Ze draaide zich om, deed een stap de andere kant op en verdween als een rookwolkje in de wind. Morwen voelde dat de haartjes op haar opeens koude armen en in haar nek rechtop gingen staan. Ze rende terug naar het licht van het vuur.
De bard lag naast Evan te slapen. Morwen overwoog of ze hem zou wekken om hem over die vreemde vrouw te vertellen, maar ze was er zo langzamerhand van doordrongen dat niemand behalve vroeger Lanmara ooit belangstelling had voor wat zij had gezien of gedaan. Bovendien hadden haar verhalen over het Natuurvolk haar als kind zo vaak een pak slaag opgeleverd dat ze niet het risico wilde nemen bij mensen die haar eindelijk vriendelijk behandelden weer met zo'n bizar verhaal aan te komen. Evan sliep zo rustig dat ze besloot hem bij zijn vader te laten liggen. Ze ging naar haar tent en viel meteen in slaap, maar ze werd een paar keer wakker om te luisteren of ze Evan hoorde. Midden in de nacht begon hij te huilen. Ze stond op en ging hem halen, en daarna viel hij weer in slaap.
Tot haar grote opluchting had ze de hele nacht geen enkele droom waarin ze anderen verwondde of doodde. Toen ze de volgende morgen wakker werd, herinnerde ze zich de vrouw in het bos, maar hoe meer ze over de ontmoeting nadacht, des te sterker was ze ervan overtuigd dat ze die had gedroomd. Ze besloot het voorval te vergeten en maakte het ontbijt klaar voor Evan.

Gwairyc wist niet wat hij van de Westvolkers moest denken. Eerst beschouwde hij ze als wezens uit een andere wereld, maar terwijl de karavaan langzaam naar het westen reisde, begon hij aan hen te wennen. Wanneer ze 's avonds om het kampvuur zaten te praten of hem hielpen voor de paarden en Nevyns muilezel te zorgen, vond hij hen eigenlijk heel normale mannen, al hadden ze enkele vreemde kenmerken, zoals hun gekrulde oren. Maar steeds wanneer hij dacht dat hij helemaal aan hen gewend was, kwamen ze weer met iets wat hem eraan herinnerde hoe buitenissig ze waren.
De houding van Devaberiel jegens zijn zoon, bijvoorbeeld. Hoewel Devaberiel de verzorging van het kind – het te eten geven en verschonen – aan Morwen overliet, was hij duidelijk dol op Evan. Hij vertelde hem verhaaltjes, zong liedjes voor hem en was begonnen hem de taal van zijn volk te leren, terwijl hij liet merken hoeveel plezier hij daarin had. Gwairyc had nooit eerder gezien dat een man op die manier met zijn kind omging en zelf had hij nooit aandacht aan kinderen besteed. Kinderen opvoeden was vrouwenwerk, daar had hij niets mee te maken, dus had hij er nooit eerder over nagedacht of hij ze leuk vond of niet.
'Dev lijkt verduiveld gelukkig met zijn erfgenaam te zijn,' merkte hij op een avond op tegen Jennantar.
'Erfgenaam? De jongen is niet zijn erfgenaam, hoor. Niet wat jullie in Deverry een erfgenaam noemen.'
'Maar je moet je eigendommen toch aan iemand nalaten?'
Jennantar lachte, maar op een vriendelijke manier. 'Als we eenmaal op de vlakte zijn, zul je het beter begrijpen,' zei hij. 'Geen van ons heeft eigendommen, in elk geval niet zoals bij jullie.'
Gwairyc wist niet wat hij op die bizarre verklaring moest antwoorden, dus glimlachte hij alleen. Maar toen ze ten slotte bij het handelsterrein aankwamen, was hij nog verbaasder. Hij had verwacht dat hij er een soort stadje zou aantreffen met een jaarmarkt of zo, zoals hij tijdens hun reis naar het westen al vaker had gezien. Een plattelandsstadje, dat wel, en in een uithoek van het land, maar toch een stadje. In plaats daarvan zag hij, toen ze op een zonnige dag het bos verlieten, zo ver zijn oog reikte een groene zee, een zee van gras dat golfde in de wind, met in de verte, als schepen, een groepje witte tenten.
'Ah, daar zijn ze!' Nevyn ging in de stijgbeugels staan en wees naar de tenten. 'Onze koopman wordt al door een hele menigte opgewacht.'
'Is dat het?' vroeg Gwairyc. 'Is dat de stad van het Westvolk?'
'Ze hebben geen steden.' Nevyn liet zich weer op zijn zadel zakken.

'Ze hebben ook geen boerderijen. Ze trekken met hun kudden paarden en schapen met de seizoenen mee door het land. Ze verhandelen wol, lammeren, hertenhuiden en dergelijke met boeren langs de grens voor spullen die ze niet zelf kunnen maken, maar de paarden zijn hun rijkdom. Kijk maar naar Wffyn, die honderden kilometers aflegt om er een paar van te kopen.'

Gwairyc schudde verbijsterd zijn hoofd. 'Een rondtrekkend leven, ik heb nog nooit zoiets raars gehoord,' zei hij ten slotte. 'En de koning? Gaat hij mee?'

'Ja, maar hij is een ander soort koning dan die wij kennen.' Nevyn dacht even na. 'Eerlijk gezegd weet ik niet eens hoe hij heet. Maar ik herinner me wel dat iemand me ooit heeft verteld dat ze een koning hebben.'

'Alle goden, eigenlijk zijn het gewoon wilden.' Gwairyc schudde opnieuw zijn hoofd. 'Geen wonder dat ik nog nooit van ze had gehoord.'

Devaberiel en zijn vrienden reden rechtstreeks naar de tenten toe, maar Wffyn liet zijn karavaan halt houden op een stuk grond dat blijkbaar was bedoeld als verblijfplaats voor kooplieden. Naast een riviertje waar wilgen en hazelaarstruiken bescherming boden tegen zon en wind had iemand drie stenen vuurkuilen gebouwd. Ze lagen een meter of zeven uit elkaar en waren groot genoeg om een heel schaap in te roosteren, mits de kok genoeg brandhout had om dat te doen. Het was Gwairyc al opgevallen dat Wffyns knechten 's avonds in het bos extra veel sprokkelhout hadden verzameld en nu begreep hij waarom. Omdat hier niets anders groeit dan gras, dacht hij. Hij schudde met zijn hoofd om een rilling te onderdrukken.

Enkele ezeldrijvers begonnen de ezels af te laden en andere haalden de touwen en pennen om de dieren vast te binden. Wffyn liep rond en brulde bevelen, en daarna ging hij met Nevyn praten. Toen Gwairyc wachtte tot Nevyn hem zou vertellen waar hij hun paarden en muilezel naartoe moest brengen, viel zijn blik op Morwen. Ze stond aan de rand van de bedrijvigheid en staarde naar het westen. Ze hield Evan bij de hand en het kind leunde tegen haar aan en keek net als zij naar de onbekende zee van gras. Gwairyc ging een praatje met haar maken.

'Waarom ben jij nog hier?' vroeg hij. 'Ik dacht dat je mee was gegaan naar de tenten van het Westvolk.'

'Dev wil hun eerst vertellen dat ik mee ben gekomen,' antwoordde ze. 'Nevyn heeft aangeboden dat hij mij en Evan er straks naartoe zal brengen.'

'O.' Hij wees in de verte. 'Een raar gezicht, vind je niet?'

'Inderdaad,' beaamde Morwen. 'Ik had Dev en zijn vrienden wel over de grasvlakte horen praten, in ons stadje, bedoel ik, maar ik had niet verwacht dat die zo groot zou zijn. Ik krijg het er koud van.'
'Je kunt altijd met ons mee teruggaan.'
'Dank je, maar waar zou ik naartoe moeten? Ik zou Evan moeten achterlaten en ik zou stapelgek zijn als ik terug zou gaan naar mijn afschuwelijke broer. De enige uitweg zou dan de Tempel van de Maan zijn, en eerlijk gezegd weet ik niet of ik ertegen zou kunnen de rest van mijn leven daar opgesloten te worden.'
'Nou ja, misschien raak je wel aan het leven hier gewend.'
'Dat hoop ik dan maar.' Ze glimlachte dapper. 'Vast wel.'
In het kamp waren Wffyns knechten druk bezig met het opzetten van de tenten, waar ze even later ook de bepakking van de ezels naartoe brachten. Nevyn had zijn eigen tent, een oud geval van canvas dat vaak was gerepareerd, met een rommelige verzameling stokken. De tent beschermde zijn voorraad kruiden en andere geneesmiddelen tegen de regen, maar was niet groot genoeg om hemzelf droog te houden, laat staan nog een man.
'We hebben goed geboerd deze zomer, heer,' zei Gwairyc, 'dus misschien kunnen we op de terugweg ergens in een stadje een stuk canvas kopen en iemand vinden om er een nieuwe tent van te maken.'
'Dat is een goed idee,' antwoordde Nevyn. 'Maar je hoeft mijn oude tent hier niet op te zetten, want we logeren bij mijn vriend Aderyn in zijn tent bij het Westvolk.'
'Daar ben ik blij om. Ik heb tijdens veldtochten vaak in de regen moeten slapen en kan niet zeggen dat ik dat prettig vind. Zal ik onze dieren meenemen?'
'Doe dat. Ik moet zeggen dat het me deugd doet dat je zo achteloos "onze" dieren zegt, want ik heb me wel eens afgevraagd of ik je op een morgen zou zoeken en zou ontdekken dat je was verdwenen.'
'Wat? Ik heb de koning toch beloofd dat ik u zou dienen? En deze reis is eigenlijk niet veel erger dan een veldtocht met het leger.'
'Niet veel?' herhaalde Nevyn met een glimlachje.
'En zal ik u nog iets vertellen?' Gwairyc zweeg even, verbaasd over wat hij wilde zeggen. 'U bent een soort vriend van me geworden, heer.'
'Echt waar? Ik had nooit verwacht dat je dat nog eens tegen me zou zeggen.'
'Ik ook niet, het eerste stuk na ons vertrek uit Dun Deverry. Maar vriendschap sluiten in een krijgsbende is geen goed idee, heer. Je loopt grote kans dat je een vriend opeens kwijt bent, als u begrijpt wat ik bedoel. En de andere heren aan het hof... Hmm. In je gezicht doen

ze vriendelijk, maar ze zijn in staat om je een dolk in je rug te steken. Eerlijk gezegd vind ik het best prettig een vriend te hebben.'
'Dat is het ook.' Nevyn glimlachte breed. 'Tenslotte hebben we dat hele eind gereisd om een vriend van mij te bezoeken.'
Niet lang daarna kon Gwairyc kennismaken met Nevyns vriend. Devaberiel kwam lopend terug om Morwen en Evan op te halen. Met hun paarden en de muilezel aan de teugels volgden Gwairyc en Nevyn hen naar het kamp van het Westvolk. Halverwege werden ze door twee andere mannen opgewacht. Een van hen was een kleine, slanke man uit Deverry. Hij had diepliggende donkere ogen, vreemd groot voor zijn gezicht, en grijs haar, dat vanaf zijn slapen in twee punten naar achteren was gekamd. Zijn schouders waren licht gebogen, zijn armen bungelden langs zijn lichaam. Hij deed Gwairyc sterk denken aan een uil. Nevyn wierp Gwairyc de teugels van zijn paard toe en snelde naar de man toe om hem te begroeten.
'Aderyn!' riep hij. 'Alle goden, wat ben ik blij je weer te zien!'
'Ik ben ook blij dat ik jou weer zie,' antwoordde Aderyn glimlachend. 'Het heeft te lang geduurd.'
Na de begroeting liepen ze meteen naar het kamp van het Westvolk, zo snel pratend dat Gwairyc zelfs niet kon raden waar ze het over hadden. De tweede man kwam met een vriendelijke glimlach naar Gwairyc toe. Eerst dacht Gwairyc dat hij wél een Westvolker was, want zijn haar was zo bleek als maanlicht, maar zijn oren waren, hoewel ze een puntige vorm hadden, even groot als van een mens en zijn ogen waren ook die van een mens, al hadden ze een donkerpaarse kleur. Waarschijnlijk is hij een halfbloed, dacht Gwairyc.
'Ik ben Loddlaen,' zei de man. 'De zoon van Aderyn.'
'Ik ben Gwairyc, de leerling van Nevyn.'
'Dat dacht ik al. Laat mij je een handje helpen met de paarden. Mijn vader zei dat jullie bij hem in zijn tent slapen, dus laten we jullie spullen daar naartoe brengen.'
'Dat is goed. Woon je bij je vader?'
'Nee, ik heb mijn eigen kleine tent.' Loddlaen glimlachte, maar hij had een angstige blik in zijn ogen. 'Ik ben nogal eenzelvig.'
Terwijl ze met de paarden naar het kamp van het Westvolk liepen, nam Gwairyc Loddlaen nog eens goed op. Hij had een mager gezicht en net als zijn vader grote ogen, en wanneer hij zweeg, maakte hij een opgejaagde indruk. Dan sperde hij zijn ogen open en flitsten ze heen en weer alsof hij verwachtte dat het kwaad hem van alle kanten zou bespringen. Gwairyc had zo'n blik wel vaker gezien, meestal in de ogen van oude mannen die hun familie en hun huis hadden verloren als gevolg van oorlogen en plunderingen van re-

bellen uit Cerrgonney. Mannen die getuige waren geweest van gebeurtenissen die niemand hoorde mee te maken – de verkrachting van hun dochter, de moord op hun zoon, het platbranden van hun huis – en dat nooit zouden vergeten. Gwairyc veronderstelde dat Loddlaen ook een tragedie had moeten doorstaan.

De tenten van het Westvolk waren gemaakt van hertenhuiden in plaats van canvas. Loddlaen bracht Gwairyc naar een van de grootste. Binnen kon Gwairyc het houten raamwerk onder de huiden zien, een slim patroon van gekruiste stokken, dat wanneer ze op reis gingen kon worden opgeklapt. Loddlaen hielp hem hun bagage bij de ingang te leggen en nam hem mee naar de kudde. Hoewel Gwairyc vaak westerse jachtpaarden – zo werden de paarden van het Westvolk in Deverry genoemd – had gezien, had hij nooit voor een hele kudde gestaan.

Een poosje bleef hij er met diep ontzag naar kijken. Zelfs het kleinste paard had een schofthoogte van bijna twee meter, met een diepe borst en sterke benen. Ze bewogen zich sierlijk, als golvend water, met wuivende lange manen en staart. Met opgeheven hoofd keken ze naar de twee armzalige rijdieren en de muilezel die onder hen werden losgelaten. Ze hadden een fijnbesneden hoofd met dunne spieren en grote, diepliggende, donkere ogen, die op een bewuste manier naar de twee mannen leken te kijken. De kleuren van hun vacht – zilver, grijsbruin, diep roodbruin, glanzend gitzwart en natuurlijk het glinsterende goudbruin dat de heren in Deverry meer op prijs stelden dan echt goud – benamen Gwairyc de adem.

'Het zijn prachtige dieren, nietwaar?' zei Loddlaen.

'Prachtig, dat is zeker,' beaamde Gwairyc. 'Ik begrijp nu waarom Wffyn helemaal hierheen komt om ze te kopen.'

'Inderdaad. En dit zijn alleen maar de ruinen en een paar oude merries. We brengen nooit fokdieren naar het handelsterrein.'

'Dat is heel verstandig. Elke heer in Deverry zou bereid zijn om zijn familie in te ruilen voor een goudkleurige fokhengst en een paar goudkleurige merries.'

Loddlaen lachte, een scherpe, bijna snijdende blaf. 'Dat is zo,' zei hij. 'We hoeven jullie dieren niet vast te binden. Ze zijn vast blij dat ze soortgenoten hebben gevonden en we hebben bewakers te paard die een oogje in het zeil houden.'

In de tent van Aderyn stond Nevyn op hen te wachten. De oude man glimlachte vriendelijk tegen Loddlaen en stak zijn hand uit, die Loddlaen zo kort en slap mogelijk schudde.

'Dev heeft Morwen een plekje in zijn tent gegeven,' zei Nevyn. 'Blijkbaar heeft niemand anders plaats voor haar, maar iedereen moet we-

ten dat ze de kinderverzorgster is, meer niet.'
'Waarom zou iemand denken dat er meer achter steekt?' zei Gwairyc. 'Zo'n lelijke meid als zij?'
'Alle goden!' Nevyn sloeg afkeurend zijn ogen ten hemel. 'Ze is een menselijk wezen, jongen, niet alleen een gezicht.'
Toen Gwairyc zich wilde omdraaien naar Loddlaen om hem naar zijn mening te vragen, bleek Loddlaen te zijn verdwenen. 'Alle duivels, die weet hoe hij zich snel en geruisloos uit de voeten moet maken,' zei hij.
'Inderdaad.' Maar Nevyn keek bezorgd.
'Wat is er?'
'Wat vind jij van Loddlaen?'
'Ik heb alleen een eerste indruk van hem.'
'Die wil ik horen.'
'Goed dan. Ik heb medelijden met hem, maar ik weet niet waarom. Ik zou hem nooit in mijn krijgsbende willen hebben.'
'Waarom niet?'
'Hij zou bij het eerste gevecht sneuvelen. Je kunt aan iemands ogen zien dat hij genoeg heeft van het leven maar dat zelf nog niet beseft. Het probleem is dat hij meestal een ander meeneemt de dood in.'
'O.' Nevyn dacht een poosje na. 'Dan is er nog een probleem. Tirro. Wffyn zal vrij veel tijd nodig hebben om al zijn spullen kwijt te raken. Wil jij dat akelige ventje in de gaten houden?'
'Daar kunt u op rekenen. De verleiding is hier groot voor hem.'
Gwairyc had al kinderen van het Westvolk zien rondlopen en ze waren net zo mooi en gracieus als hun ouders, vooral de meisjes. Ze renden door het hele kamp, in groepjes of met z'n tweeën, spelend met een leren bal of op de hielen gevolgd door een troep bastaardhonden. Als ze moe waren, ploften ze ergens op de grond neer om te slapen en het was hem ook al opgevallen dat ze, als ze honger hadden, elke willekeurige volwassene om eten vroegen. Het was niet mogelijk op hen allemaal tegelijk te letten, bedacht Gwairyc, dus mocht hij Tirro niet uit het oog verliezen.
Op de tweede morgen van hun verblijf ging er een moeder met twee meisjes met zilverblond haar en violette ogen naar de ijzerwaren van de koopman kijken. Gwairyc zag dat ze het kamp verlieten en in een opwelling volgde hij hen, als een lijfwacht. Terwijl de moeder Wffyn iets vroeg over messen met benen handvatten, begon Tirro met de meisjes te praten en grapjes te maken. Blijkbaar spraken ze een beetje Deverriaans. Ten slotte kreeg hij hen zover dat ze een eindje met hem gingen wandelen. Toen ze een meter of twintig bij hun moeder vandaan waren, liep Gwairyc naar het drietal toe.

‘Ga terug naar je moeder,’ zei hij tegen de meisjes.
Hun lach verstomde. Eerst staarden ze Gwairyc met grote ogen aan en daarna keken ze elkaar aan.
‘Nu meteen.’ Gwairyc wees naar de moeder. ‘Vlug.’
Ze renden weg. Gwairyc draaide zich om naar Tirro. ‘En jij moet eens goed naar me luisteren. Terwijl we hier zijn, gedraag je je netjes, vooral tegen de kinderen.’
‘Wat bedoel je daarmee?’ Tirro rechtte zijn magere rug. Gwairyc had hem het liefst bij zijn keel gegrepen, maar zijn angst voor ringworm hield hem tegen.
‘Alsof je dat niet weet, walgelijke kinderlokker. Als ik je erop betrap dat je ook maar één vinger naar een meisje uitsteekt, vermoord ik je. Duidelijker kan ik niet zijn. Begrijp je me nu?’
Tirro werd lijkbleek en legde een trillende hand tegen zijn keel. Hij slikte een paar keer en knikte, met zijn blik strak op Gwairycs gezicht.
‘Mooi zo.’ Gwairyc glimlachte, maar het was een grimmig lachje. ‘Je pa is hier niet om me om te kopen en al was hij dat wel, dan zou ik nog geen koperstuk van hem aannemen.’
Tirro knikte opnieuw. Hij deed Gwairyc zo sterk denken aan een rat die als verlamd tegenover een fret staat dat hij in de verleiding kwam om Tirro’s keel door te snijden om meteen van hem af te zijn. Alsof Tirro gedachten kon lezen, gaf hij een kreet van schrik en rende terug naar de karavaan. Mooi zo, dacht Gwairyc. Als hij dan de wraak van de goden niet vreest, vreest hij nu in elk geval die van mij.

‘Wat is er met die knecht van de koopman aan de hand?’ vroeg Aderyn. ‘Een van de vrouwen was vanmorgen op het handelsterrein en zij vertelde me dat die Gwairyc van jou een hekel aan die jongen schijnt te hebben.’
‘Daar heeft hij een goede reden voor,’ antwoordde Nevyn, ‘maar ik denk dat Gwarro de kwestie naar tevredenheid heeft afgehandeld. Tirro is te dol op kleine meisjes.’
Aderyn staarde Nevyn sprakeloos aan.
‘Ik denk niet dat er een Westvolker is die dat nare trekje met hem deelt,’ voegde Nevyn eraan toe.
‘Niet dat ik weet.’ Aderyn trok een afkerig gezicht. ‘Daarvoor vinden we ons nageslacht te belangrijk.’
‘En terecht. Maar in Deverry komt zoiets soms wel vaker voor, vooral in Cerrmor. Het is een verderfelijk overblijfsel uit de Begintijd. De oude Rhwmanes en Greggyns beschouwden het niet als afkeurens-

waardig gedrag. Geen wonder dat onze voorouders tegen die zwijnerij in opstand zijn gekomen.'
'Inderdaad.' Aderyn schudde met een somber gezicht zijn hoofd. 'Het is vreselijk als een man zich opdringt aan een kind dat zich niet kan verdedigen tegen iemand die tweemaal zo groot is als zijzelf.'
'Je hebt gelijk, maar dat is natuurlijk nog niet eens het ergste.'
'O nee? Hm, ik kan me niet herinneren dat we het daar tijdens mijn leertijd over hebben gehad.' Aderyn glimlachte wrang. 'Bovendien ben ik blij dat we dit probleem destijds op onze reizen niet zijn tegengekomen.'
'Dat is waar,' zei Nevyn. 'Als het goed is, gaat het tussen twee geliefden om het evenwicht tussen etherische krachten. Dat hoort er te zijn. Een kind kan de etherische energie die bij de geslachtsdaad vrijkomt absorberen noch terugkaatsen, dus die magnetische krachtstroom verschroeit het astrale lichaam zoals vuur de fragiele vingers van een kind verschroeit en laat hetzelfde soort littekens achter. Diepe littekens, die levenslang blijven zitten.'
'Ach, dan is het nog verwerpelijker dan ik dacht.'
'Helaas wel.'
'Dan kan ik iedereen maar beter waarschuwen.'
'Ik weet niet of dat nodig is.' Nevyn aarzelde en dacht even na. 'Als ik dacht dat ook maar een van de kinderen hier gevaar zou lopen, zou ik zelf iedereen waarschuwen, maar volgens mij hoeft dat niet. Tirro is doodsbang voor Gwairyc en dat is niet voor niets. Gwarro heeft gedreigd dat hij hem bij het minste wangedrag zal vermoorden.'
'En ik wil wedden dat Gwairyc dat zonder meer zou doen.'
'Dat is zo, en dat weet Tirro ook. Ik begrijp niet waarom, maar ik heb medelijden met Tirro.'
'Alle goden, hoe kom je daarbij?'
'Heb je niet gezien hoe hij ineenkrimpt wanneer een volwassen man op barse toon tegen hem praat? En hij doet altijd zijn best om de mannen om hem heen naar de mond te praten, alsof hij bang voor ze is en ze gunstig wil stemmen. Ik vermoed dat iemand hem toen hij een kind was heeft aangerand. Zolang hij geen kwaad doet, wil ik hem nog meer vernederingen besparen.'
'Misschien is vernedering het beste geneesmiddel voor zijn kwaal.'
'Dat geloof ik niet. Voor sommige mannen, vooral mannen met een sterk eergevoel, is vernedering hun grootste angst. Prins Mael heeft daar in een van zijn boeken een mooie opmerking over gemaakt: "Dreigende schaamte maakt van een man van eer een toonbeeld van deugd." Maar vernedering drijft zwakke zielen tot nog groter kwaad.

Ze zullen alles doen om zich te wreken, om het gevoel te krijgen dat ze te machtig zijn om nog ooit te worden vernederd.'
'Dat was nog niet bij me opgekomen.' Aderyn dacht even na. 'Tirro maakt inderdaad een heel zwakke indruk.'
'Dat vind ik ook. Bovendien blijft de karavaan hier niet voorgoed.'
'Dat is waar. Nou ja, dan waarschuw ik de alar pas als het niet anders kan. En ik zal Tirro ook in de gaten houden, voor het geval dat hij Gwairyc te slim af is.'
Na het middaguur hadden Nevyn en Aderyn het kamp verlaten voor een wandeling langs een riviertje. Voordat Tirro ter sprake was gekomen, hadden ze een veel boeiender onderwerp besproken: Aderyns poging om het verloren dweomersysteem van de Zeven Steden – de legendarische steden in de bergen ver in het westen waar de voorouders van het Westvolk een rijk, beschaafd leven hadden geleid – te herstellen. Toen het Paardenvolk vanuit het noorden was binnengevallen en alles wat het tegenkwam had verwoest, was het vooral gewone burgers, voor het merendeel boeren en veehouders, gelukt zich op de vlakte in veiligheid te brengen. Slechts een handjevol geleerden was daar ook in geslaagd en maar enkelen van hen hadden een studie gemaakt van dweomer. Toen Aderyn in het Westland aankwam, een paar honderd jaar geleden, had hij beoefenaars van dweomer gevonden die zich nog een klein beetje van de oorspronkelijke kennis herinnerden. Van bepaalde onderwerpen wisten ze nog alles, van andere hadden ze gedeelten onthouden of helemaal niets meer.
'Maar wat je inmiddels hebt gedaan door al die fragmenten samen te voegen, is erg indrukwekkend,' zei Nevyn tegen Aderyn. 'Je hebt een geweldig karwei verricht.'
Aderyn werd vuurrood van trots, en ondanks zijn zilvergrijze haar en diep gerimpelde gezicht leek hij heel even op de jonge leerling die Nevyn zich herinnerde van vroeger. 'Dank je,' zei Aderyn. 'Ik mis nog een paar belangrijke kernpunten, maar wat we al hebben, kunnen we onderwijzen. Hoe meer mensen zich die kennis eigen maken en hoe meer leerlingen die opschrijven, des te groter is de kans dat hij wordt bewaard.'
Inmiddels waren ze weer bijna terug bij de tenten van het Westvolk. De zoele avondbries bracht de geur van geroosterd lamsvlees mee. Zonder dat ze het hoefden te overleggen, versnelden ze hun pas. Zelfs vooraanstaande dweomermeesters hebben tegen etenstijd honger. Aan de rand van het kamp zagen ze Evan spelen met een jongetje van zijn leeftijd. De kinderen zaten op het gras en rolden een leren bal tussen hen heen en weer. Morwen stond glimlachend toe te kij-

ken. De jongetjes giechelden en brabbelden Deverriaans en de Elfentaal door elkaar heen.
'Het zal niet lang duren voordat Ebañy onze taal spreekt,' zei Aderyn. 'Hij heeft de juiste leeftijd om het te leren.'
'Inderdaad, en ik neem aan dat je Evan bedoelt.'
'Ja. Ebañy is de naam die volgens Devaberiel het meest op zijn oude naam lijkt. Het betekent "winterwind". Dat klinkt misschien erg koud, maar de jongen weet al dat hij voortaan zo zal worden genoemd.'
Morwen keek hun kant op, herkende Nevyn en zwaaide glimlachend naar hem. Nevyn liep naar haar toe om een praatje met haar te maken, maar voordat hij iets kon zeggen, kwam er een groepje oudere jongens naar de kleintjes toe. De meesten renden door, maar een van hen, een jongen met pikzwart haar en lichtgele ogen, gaf een harde trap tegen de bal, die wegvloog tussen de tenten. De jongetjes begonnen allebei te huilen.
Morwen greep de dader bij de rug van zijn hemd. 'Ga die bal onmiddellijk halen!' beval ze.
Voor zo'n tenger meisje was ze opvallend sterk – de beloning voor al die jaren dat ze op de boerderij had gewerkt. De jongen werd bijna gekeeld door de hals van zijn tuniek en bleef rochelend staan. Morwen schudde hem door elkaar en liet hem weer los.
'Ga die bal halen,' herhaalde ze. 'Je hebt ze aan het huilen gemaakt, kijk maar.'
'Ha, wat zou dat?' De jongen keek haar met opgetrokken neus aan. 'Een van de twee is een stinkend Rondoorjoch en jij bent zo lelijk als een dode kikker.'
Morwen zwaaide een arm naar achteren en gaf hem zo'n harde klap in zijn gezicht dat hij wankelde. Hij begon te schreeuwen en hief zijn handen om zich te verdedigen toen ze naar hem toe kwam en hem een nog hardere klap gaf. Het bloed spoot uit zijn neus en zijn bovenlip.
'Morri, zo is het genoeg!' Nevyn probeerde haar vast te pakken, maar ze dook weg. Hij keek naar haar gezicht en zag dat haar ogen zo uitdrukkingsloos waren als van iemand die door het dolle heen is.
De moeder van de jongen, die het voorval blijkbaar had gezien, slaakte een kreet en kwam schreeuwend in de Elfentaal naar hen toe. Ze wees naar Morwen en gebaarde wild tegen Aderyn die haar, terwijl Nevyn zich met Morwen bezighield, op even luide toon probeerde tot bedaren te brengen – hoewel Nevyn niet begreep waarom Aderyn dacht dat terug schreeuwen een kalmerende invloed op haar zou

hebben. Hij deed opnieuw een greep naar Morwen, net toen de woedende moeder tussen het meisje en de huilende jongen in stapte. Ze was wel een hoofd groter dan Morwen en hief haar hand om terug te slaan.

Met vreemde kalmte ontdook Morwen de klap, richtte zich weer op en gaf tegelijkertijd de vrouw van het Westvolk een stomp precies op de punt van haar kin. De vrouw wankelde en viel op de grond. Morwen deed een stap achteruit en kwam tot zichzelf. Ze ontwaakte uit de driftaanval die, dat wist Nevyn, zijn oorsprong had in diep begraven herinneringen uit eerdere levens van haar ziel. Ze sloeg beide handen voor haar mond en staarde naar de vrouw op de grond. Aderyn liet zich op zijn knieën naast het slachtoffer zakken, dat zich kreunend op haar rug draaide.

'Ze is niet gewond of zo,' zei Aderyn in het Deverriaans, 'maar ze kan beter nog even blijven liggen.'

Er klonk nog meer gegil en geschreeuw, en het leek of het hele kamp kwam aanrennen om te kijken. De jongetjes brulden van ellende. Gelukkig was de moeder van Evans speelkameraadje ook gekomen. Ze tilde haar kind op, bleef nog even staan om de vrouw op de grond een paar verwijten te maken en liep weg met haar zoon. Nevyn wilde Evan optillen, maar Loddlaen kwam aandraven en was hem voor.

'Laat mij het maar doen, Wijze,' zei hij. 'En ik neem Morwen ook mee.'

'Dank je,' zei Nevyn. 'Dan blijf ik hier om de rust te herstellen.'

'Ach, trek het u maar niet aan.' Loddlaen zette Evan op zijn heup. 'Die feeks en haar jong hebben het ongetwijfeld verdiend.' Met zijn vrije hand pakte hij Morwen bij de arm en beende met haar weg.

Nevyn staarde hen verbijsterd na. Achter zich hoorde hij iemand lachen. Hij draaide zich om en zag Gwairyc staan, die met zijn handen in de zij geamuseerd met zijn hoofd schudde.

'Alle goden, je kunt onze Morri beter niet kwaad maken, hè?' zei hij. 'Wie had gedacht dat ze zo'n vurig karakter had? Ze was geweldig!'

'Ik weet niet of het wel zo geweldig is dat ze misschien als verzorgster van Evan wordt ontslagen,' zei Nevyn.

'Ach welnee, dat gebeurt niet.' Aderyn kwam naar hen toe. 'Dit soort dingen is bij het Westvolk heel normaal.' Hij wierp een blik op de vrouw, die omringd door vriendinnen met een verdwaasde uitdrukking op haar gezicht rechtop was gaan zitten. Een paar vrouwen grinnikten. 'Morri hoort hier nu al thuis.'

Morwen liep bijna blindelings achter Loddlaen aan. Met Evan op

de arm ging hij haar voor naar een kleine tent aan de rand van het kamp. Hij wees haar een plaats bij het vuur aan en zette de jongen naast haar.
'Je moet iets aan je hand doen,' zei hij. 'Kijk maar, hij zit onder het bloed.'
Hij dook de tent in. Morwen staarde naar haar bloedende knokkels en vroeg zich af waarom het geen pijn deed. Ze trilde nog steeds van woede en kon nauwelijks nadenken, maar naarmate de razernij wegebde, ging de hand meer pijn doen.
'Morri pijn,' zei Evan. 'Arme Morri.'
'Domme Morri,' zei Morwen. 'Alle goden, ik weet niet wat me bezielde.'
Loddlaen kwam de tent uit met een zakje kruiden, een bruine aardewerken kom, een leren zak met water en een kleine ijzeren pot. Hij zette de pot rechtstreeks op het vuur, schonk er water in, strooide de kruiden erin en legde nog een paar takjes op het vuur.
'Dat laten we warm worden, dan kun je je hand er straks een poosje in laten weken,' zei hij.
'Duizendmaal dank,' zei Morwen. 'Wat een domkop ben ik geweest. Ik begrijp niet dat je me wilt helpen nadat ik me bij je hele clan te schande heb gemaakt.'
Loddlaen lachte. 'Je hebt je helemaal niet te schande gemaakt. Je bent een gevaarlijk meisje, dat wel, maar je hoeft je niet te schamen. Volgens mij vinden de anderen dat ook. Je begrijpt het Westvolk nog niet. Ruzietjes en gekijf zijn hier aan de orde van de dag. Zodra het voorbij is, denkt niemand er meer aan.'
'Echt waar?'
'Echt waar.' Hij lachte haar toe.
'O, wat een opluchting.'
Loddlaen stak een vinger in het water om te voelen of het al warm genoeg was. 'Nog te koud,' zei hij. 'Eerlijk gezegd heb ik bewondering voor je omdat je die feeks op haar nummer hebt gezet. Je boft met haar, Ebañy. Je hebt iemand die voor je opkomt.' Hij glimlachte broos. 'Dat had ik niet, toen rotjochies mij pestten.'
'Waarom deden ze dat?' vroeg Morwen. 'Je bent zo knap als een prins in een lied van een bard.'
'Dat denk jij misschien.' Morwen schrok van de verbitterde klank van zijn stem. 'Mijn vader heeft me verteld dat jij als kind werd geplaagd vanwege je lip. Nou, ik werd geplaagd om mijn ogen en oren. Andere kinderen scholden me uit voor Rondoor en Scheeloog. Ze zetten vallen voor me in het donker, omdat zij die konden zien en ik niet. Ik struikelde altijd over touwen die ze hadden gespannen of

stootte mijn tenen tegen stenen. Een keer lokten een paar kinderen me zelfs in een hinderlaag achter een tent en joegen me de stuipen op het lijf.'
'Ik zou nooit hebben geraden dat jij als kind zo hebt geleden.'
'De meeste anderen ook niet. Maar het is waar.'
'Waarom maakte je vader daar geen eind aan? Zo te zien heeft iedereen respect voor hem.'
'Ach, ik moest flink zijn en erom lachen en het negeren. Ze houden er wel mee op als je ze negeert, zei mijn vader steeds. Ik was de zoon van een Wijze. Waarom kon ik niet net zo wijs zijn als hij? Maar ík was nog maar een kind!'
'Ik veronderstel dat de moeders van de plaaggeesten ook niet ingrepen.'
'O, jawel, dat probeerden ze wel. Dat moet ik toegeven. Ze waren aardig voor me en behandelden me alsof ik achterlijk was. Jullie mogen Loddlaen geen pijn doen, zeiden ze tegen hun kroost. Hij kan er niets aan doen dat hij zo is. Zo vriendelijk waren ze.' Loddlaen haalde diep adem. 'Ach, nou ja, dat was lang geleden. Kijk, nu komen er stoomwolkjes van het water.' Opnieuw stak hij er zijn vinger in en tilde vervolgens de pot met een vork onder het hengsel van het vuur. 'Eerst schrijnt het, maar daarna trekt de pijn weg.' Hij schonk het kruidenwater in een kom en zette de pot op de grond naast het vuur. 'Denk eraan dat je de pot niet aanraakt, Ebañy, want die is heel erg heet!'
Evan trok geschrokken zijn hand terug.
'Goed zo, jongen,' prees Loddlaen. 'Toe maar, Morri. Doop je hand er heel langzaam in.'
Het kruidenwater deed haar hand inderdaad nog erger schrijnen, maar het trok snel weg en ook de doffe pijn verdween. Morwen zuchtte van verwondering. Iemand verzorgde haar en stelde haar gerust. Iemand had bij een ruzie haar kant gekozen, iemand die net zoveel had geleden als zij.
'Duizendmaal dank,' zei ze nogmaals. 'Die kruiden doen wonderen. Ik stel je hulp erg op prijs.'
'Ach, zoiets doe je graag voor iemand met wie je vriendschap hebt gesloten,' zei Loddlaen.
Ze glimlachten tegen elkaar en Morwen kon wel huilen van vreugde. Vriendschap. Eerst Nevyn, nu Loddlaen. Ze had vrienden. Een weelde die, had ze altijd gedacht, voor iemand zoals zij eeuwig buiten bereik zou blijven. Want Lanmara was zo veel meer dan een vriendin geweest dat haar liefde voor haar soms bijna pijn had gedaan, bijna een last was geweest.

Toen de kruiden uitgewerkt waren, ging Morwen terug naar de tent van Devaberiel. Dev liep naar een tentzak en haalde er een paar houten kommen uit.
'Ik ga iets te eten voor ons halen,' zei hij. 'Evan, ik bedoel Ebañy, kom met je vader mee. Morri moet even rusten.'
Hij liep de tent uit en Evan waggelde achter hem aan. Morwen keek de tent rond. Haar versleten dekens lagen bij de ingang en Dev had zijn bed opgemaakt aan de andere kant van het vuur. De haard bestond uit een aantal platte leistenen onder het rookgat in het dak. Aan de wanden hingen felgekleurde zakken, op het beschilderde grondzeil lagen hier en daar leren kussens. Hoewel ze er al een nacht had geslapen, vond ze haar nieuwe onderdak nog steeds erg bontgekleurd en ongewoon. Maar heel wat prettiger dan mijn oude schuurtje, dacht ze. De goden zij dank!
Aan het eind van de zomerdag rook het er naar zand en door de zon verwarmd leer en was het er nogal benauwd. Morwen ging naar buiten om daar op Dev te wachten. Ze was net op het gras gaan zitten toen Nevyn naar haar toe kwam.
'Ik hoop dat ik u niet te schande heb gemaakt,' zei ze.
'Absoluut niet,' antwoordde Nevyn. 'Ik schrok ervan en toen was ik bang dat iemand jou pijn zou doen, maar dat was dus niet nodig.'
'Ik weet echt niet wat me bezielde, behalve dat ik er niet tegen kan als Evan moet huilen. Ik... O, wacht even, daar komt onze plaaggeest aan.'
De donkerharige jongen met de gele ogen kwam hun kant op, maar hij bleef op veilige afstand staan en sloeg zijn ogen neer. Zijn gezicht zat onder de blauwe plekken. Hij had Evans bal in zijn hand.
'Hier is de bal terug,' zei hij in het Deverriaans. 'Het spijt me dat ik heb gezegd dat je lelijk bent en het is niet waar dat Ebañy stinkt.'
'Ik ben blij dat je dat zegt. Het spijt mij dat ik je pijn heb gedaan. Ik weet niet wat me bezielde.'
'O, nou, dan is het goed. Nu moet ik nog tegen Danalaurel zeggen dat het me spijt.' Hij gooide haar de bal toe en draafde weg.
'Danalaurel?' vroeg Nevyn.
'Evans vriendje,' zei Morwen.
'O. Hm, zo te zien heeft Loddlaen je hand uitstekend behandeld. Hij is nog wel gezwollen, maar lang niet zo erg als ik had verwacht.'
'Het was erg aardig van hem.'
'Inderdaad, en dat verbaast me een beetje. Hij kan nogal somber en humeurig zijn, maar hij heeft dan ook geen prettige jeugd gehad.'
'Ja, hij heeft me verteld dat de andere kinderen hem altijd plaagden. Bedoelt u dat?'

'Dat ook. Maar na zijn geboorte had zijn moeder weinig melk en leed hij honger tot ze een min voor hem hadden gevonden. En toen...' Nevyn aarzelde. 'Ach, ik moet niet roddelen.'
'Toe nou!' zei Morwen glimlachend. 'Ik zal heus geen geheimen doorvertellen, hoor. Ik heb mijn hele leven al dingen voor me moeten houden.'
'Vooruit dan maar. De moeder van Loddlaen was ook een Wijze. Dat is ze nog steeds, moet ik erbij zeggen.' Nevyn dacht met gefronste wenkbrauwen na. 'Ik neem tenminste aan dat Dallandra nog ergens leeft, in de een of andere vorm. Want ze is destijds met de Schimmenschare vertrokken.'
Morwen kruiste haar vingers om zich te beschermen. Iedereen wist dat alleen al het noemen van de Schare gevaarlijk was.
'Het was een trieste zaak,' vervolgde Nevyn. 'Maar ze moest meegaan, dat was haar lot en haar taak. Wellicht had ze nooit moeten proberen te trouwen en net zo'n leven te leiden als normale vrouwen van haar volk, niet dat ik dat toen ook al besefte. Aderyn is er nooit helemaal overheen gekomen en je kunt je voorstellen wat het met haar zoon heeft gedaan.'
'Niet veel goeds, dat staat vast. Ziet hij er daarom soms zo neerslachtig uit?'
'Deels wel. Hij heeft ook nog iets anders meegemaakt, maar dat verhaal kan ik je niet vertellen.'
'Goed, dan zal ik niet aandringen.'
Pas veel later schoot het Morwen te binnen dat Nevyn over Loddlaens moeder had gezegd dat het 'haar lot en haar taak' was geweest. Wat bedoelde hij daarmee? Nou ja, waarschijnlijk was dat ook weer een van die vreemde dingen die ze in haar uitheemse nieuwe leven moest leren. Ze overwoog of ze het Loddlaen zelf zou vragen, maar ze wilde hem geen verdriet doen door hem aan zijn verdwenen moeder te herinneren. Dat verdriet kende ze immers maar al te goed.

De volgende morgen kwam er nog een alar het handelsterrein oprijden, waartoe ook Aderyns vroegere leerlinge Valandario behoorde. Terwijl de anderen hun spullen uitpakten en de paarden verzorgden, ging de jonge dweomermeester naar Aderyn en Nevyn, die voor Aderyns tent zaten. In die tijd was Valandario eerder mager dan slank, vooral doordat ze zo in haar studie opging dat ze vaak vergat te eten. Haar lichtblonde haar hing in een slordige bos tot aan haar middel – ze gunde zich niet de tijd om het te vlechten, zoals bij het Westvolk de gewoonte was. Omdat ze nog maar kortge-

leden Deverriaans had leren spreken, deed ze dat overdreven zorgvuldig.
'Goedemorgen, meester Aderyn,' zei ze. 'En u ook een goede morgen, meester Nevyn. Het doet mijn hart vreugd u hier beiden te zien.'
'Het doet mijn hart vreugd jou weer te zien,' antwoordde Aderyn. 'Ik neem aan dat je een goede reis hebt gehad?'
'Inderdaad.'
'Mooi zo. Ik neem ook aan dat je die geheimzinnige steen van je hebt meegebracht. Wanneer mogen we hem zien?'
'Eerlijk gezegd heb ik hem nog niet ontvangen. Als het goed is, wordt hij binnenkort afgeleverd.'
'Dus iemand komt hem brengen?' vroeg Aderyn.
'Juist. Alweer heel wat dagen geleden heb ik een boodschap ontvangen van Javanateriel. Hij en enkele metgezellen zijn een heel eind naar het westen gereisd en hij wil pas nadat nog meer tijd is verstreken naar het handelsterrein komen.'
Aderyn knikte begrijpend.
'Eh... Mag ik vragen waarom?' vroeg Nevyn.
'Vanwege de pest, waar die indringers van het Paardenvolk aan zijn gestorven,' antwoordde Aderyn. 'Om precies te zijn, uit angst voor de pest. Bij het Westvolk is het een soort regel dat iemand die heel ver naar het westen reist, pas naar een kamp terug mag keren wanneer hij zeker weet dat hij niet is besmet.'
'Wacht even. Bedoel je de pest die heerste tijdens de verwoesting van de elfensteden in de bergen? Maar dat was duizend jaar geleden!'
'Dat weet ik, en het is waarschijnlijk een onnodige voorzorgsmaatregel. De meesten denken dat de ziekte destijds werd veroorzaakt door bedorven voedsel.' Het klonk alsof Aderyn dat betwijfelde. 'Toch weet je het nooit, en voorkomen is beter dan genezen.'
'Zo is het.' Valandario vervolgde haar verhaal. 'Onderweg naar huis is hij ergens herders tegengekomen en zij hebben zijn boodschap aan mij doorgegeven. De boodschap dat hij een wonderbaarlijk geschenk voor me heeft. Hij wil dat we elkaar hier ontmoeten.'
'En hij heeft erbij gezegd dat het een edelsteen is,' zei Aderyn.
'Nee, hij heeft alleen gezegd dat het een geschenk is. Maar ik heb erover gedroomd en daarom weet ik dat het een edelsteen is.'
Nevyn onderdrukte een diepe, vermoeide zucht. Het was echt iets voor het Westvolk om iemand te vragen meer dan honderd kilometer om te rijden vanwege een droom. Twee weken, twee maanden... Dat soort tijdseenheden hadden evenveel betekenis voor hen als een middag dat had voor een mens.
'Hij heeft me ook laten weten,' vervolgde Valandario, 'dat hij een

geschenk voor u heeft gevonden, meester Aderyn. Maar daarvan heb ik niet gedroomd. Edelstenen spreken me aan, dat weet u, maar andere dingen niet. Hoe dan ook, Jav zal binnenkort hier zijn. Nu moet ik mijn alar helpen met het opzetten van de tenten.'
Ze wuifde vrolijk en draafde terug naar haar kamp.
'Binnenkort, zei ze toch?' Aderyn keek Nevyn met een scheef glimlachje aan. 'Neem het me niet kwalijk, Nevyn. Laten we hopen dat dat verdraaide geschenk inderdaad een edelsteen is.'
'Ach, zit er maar niet over in. Het doet me genoegen je weer te zien, dus ben ik blij dat ik hiernaartoe ben gekomen. Wat dat geheimzinnige geschenk ook mag zijn.'

Tot Morwens grote opluchting maakte niemand een opmerking over de ruzie toen ze de volgende morgen met Evan door het kamp wandelde. Doordat Loddlaen haar had verteld dat bij het Westvolk gekibbel doodnormaal was, viel het haar opeens op dat er overal om haar heen ruzietjes oplaaiden en weer even snel doofden. Toch zorgde ze ervoor dat ze bij de vrouw die ze tegen de grond had geslagen uit de buurt bleef. Ze merkte dat de kinderen Evan niet meer plaagden en dat ze ook Danalaurel met rust lieten toen ze weer samen met de bal gingen spelen.
Kort na het middagmaal kwam Loddlaen naar haar toe. Ze was op weg naar de tent van Devaberiel om Evan daar een dutje te laten doen toen hij opeens achter haar stond. Hij was zo geruisloos komen aanlopen dat ze nog net een kreet van schrik kon binnenhouden toen hij haar aansprak.
'Hoe gaat het met je hand?' vroeg hij.
'Goden, je laat me schrikken!' zei ze lachend. 'Een stuk beter, dank je wel. Ik kan een vuist maken zonder dat het pijn doet.'
'Mooi zo. Ik wil je iets vragen. Wat vind jij van Gwairyc?'
'Dat weet ik eigenlijk niet. Soms is hij vriendelijk genoeg, soms maakt hij me bang. Waarom wil je dat weten?'
'Omdat ik hem een vreemd soort leerling van een kruidengenezer vind.'
'Dat ben ik met je eens.'
'En ik vroeg me ook af of jij weet waarom hij zo'n hekel heeft aan Tirro. Toen ik ging kijken wat Wffyn allemaal heeft meegebracht, viel het me op dat Gwairyc Tirro als een hond behandelt. Een paar vrouwen hebben me verteld dat hij de jongen nooit uit het oog verliest en hem om het minste of geringste afblaft.'
'Dat deed hij onderweg hiernaartoe ook, maar ik weet niet waarom. Je zou het Nevyn kunnen vragen.'

'Liever niet.' Loddlaen wendde met grote, angstige ogen zijn hoofd af. 'Dan zegt hij misschien tegen Gwairyc dat ik dat heb gevraagd.'
'Wat zou dat?'
'Stel dat Gwairyc me dan ter verantwoording roept? Hij is het soort man aan wie ik altijd een hekel heb gehad, zo'n arrogante, gevoelloze krijger. Meestal hebben ze ook een hekel aan mij.'
'Waarom zouden ze?'
'Geen idee.' Hij liet een soort blafgeluid horen dat als lach kon zijn bedoeld. 'Hoe dan ook, ik wilde je nog iets vragen. Heb je zin om vanavond bij mij te komen eten?'
'Ja, graag.'
'Dan verwacht ik je tegen zonsondergang.'
Loddlaen leek nog iets te willen zeggen, maar toen begon Evan te dreinen en aan Morwens hand te trekken.
'Ik moet hem naar bed brengen,' zei Morwen. 'Ik zie je tegen zonsondergang.'
Toen de zon naar de horizon zakte, bood Devaberiel aan op zijn zoontje te passen om Morwen wat vrije tijd te geven. Ze nam het aanbod aan, al kostte het haar moeite. De tent van Loddlaen stond een heel eind bij het kamp vandaan en hoewel ze zich verheugde op de rust die er heerste, vond ze het vervelend zo ver bij Evan vandaan te zijn, ook al liet ze hem achter bij zijn vader en Nevyn. Er kan hem niets overkomen, hield ze zich voor. Bovendien zal hij steeds groter worden en vroeg of laat steeds zelfstandiger.
Toen ze bij Loddlaens tent aankwam, zag ze daar tot haar verbazing Tirro staan. Ze mocht de jongen niet, maar omdat Loddlaen de gastheer was, besloot ze dat het niet aan haar was andere gasten af te keuren, vooral omdat Tirro zo vriendelijk was geweest een mandje met koeken mee te brengen om de maaltijd aan te vullen. Het Westvolk at voornamelijk vlees, samen met allerlei soorten rauwe bladeren met olie en kruiden eroverheen en wilde vruchten. Morwen kon er nog niet goed tegen. Ze gingen met gekruiste benen om de kring stenen zitten waar het vuur brandde. Loddlaen had plakken vlees van een lam dat de vorige dag was geslacht. Ze roosterden het vlees op een platte steen van het soort dat vrouwen in Deverry gebruikten om brood op te bakken, en legden het op de koeken.
'De koeken zijn erg lekker, Tirro,' zei Morwen. 'Ik mis ons brood.'
'We ruilen ook dingen met boeren in Deverry voor graan en meel,' zei Loddlaen, 'maar brood en pap en zo eten we alleen in de winter. Als het koud en nat is, vullen die je maag.'
'Jullie leven heel anders dan de mensen in Deverry,' zei Morwen. 'Ik moet er erg aan wennen.'

'Dat kan ik me voorstellen. Ik heb me vaak afgevraagd hoe het leven daar zou zijn, maar ik heb nooit genoeg moed kunnen opbrengen om het te proberen.'
'Jij zou je daar eerder kunnen aanpassen dan de meeste anderen van je volk. Je zou kruidengenezer kunnen worden, net als Nevyn.'
'Dat denk ik ook,' viel Tirro haar bij. 'Je ziet er niet eens zoveel anders uit, en Loddlaen zou een Deverriaanse naam kunnen zijn. Van een heleboel andere namen hier raakt mijn tong bijna in de knoop, echt waar.'
'Dat geloof ik graag. Maar Loddlaen is een bijnaam. Ik ben vernoemd naar mijn grootvader en hij heette Alodalaenteriel.'
'Die naam probeer ik niet eens. Ik heet ook geen Tirro, maar Alastyr.'
'Dat klinkt erg waardig,' zei Morwen. 'Maar Tirro past beter bij je.'
Tirro wierp haar een minachtende blik toe, die hij vlug probeerde te verdoezelen.
'Zeg, Tirro,' kwam Loddlaen snel tussenbeide, 'word jij later net als Wffyn paardenhandelaar?'
'Beslist niet,' antwoordde Tirro op ijzige toon. 'Dat is me veel te gewoon. Zodra we terug zijn in Cerrmor vaar ik naar Bardek om daar te leren hoe ik een echte koopman kan worden. Ik wil gaan handelen in uitheemse specerijen, zijde en edelstenen, niet in koekenpannen en messen.'
'Hoe ziet Bardek eruit?' vroeg Morwen. 'Ik heb er nooit meer over gehoord dan de naam.'
'Dat kan ik me voorstellen als je in Pyrdon woont.' Tirro dacht even na. 'Eh... Nou ja, ik ben er ook nog nooit geweest, maar er komen heel veel mensen uit Bardek naar Cerrmor.'
'Ik heb gehoord dat ze zo zwart zijn als teer,' zei Loddlaen.
'Hè? Ach welnee, dat is weer een van die domme dingen die mensen kunnen zeggen. Sommigen hebben inderdaad een donkere huid, maar de meesten hebben een licht- tot middenbruine kleur en anderen zien er niet anders uit dan de mensen in Deverry.'
'Dat vind ik erg interessant.' Loddlaen leunde naar voren. 'Ik heb me ook vaak afgevraagd hoe het in Bardek is.'
'Als ik een rijke koopman ben en mijn eigen schip heb, mag je met me mee.' Tirro glimlachte. 'Nou ja, als ik inderdaad ooit rijk word en een schip zal hebben. Tussen nu en dan moet ik nog lang en hard werken.'
Ze lachten alle drie. Loddlaen stelde Tirro nog een heleboel vragen en liet hem van alles vertellen over de Bardekkers en zijn eigen woonplaats Cerrmor – een stad die Morwen even uitheems voorkwam als die verre eilanden in de Zuiderzee. Toen het eten op was, haalde

Loddlaen een leren zak met mede uit zijn tent, een drank die Morwen nooit eerder had geproefd. Omdat hij van honing was gemaakt, verwachtte ze dat hij zoet zou zijn, dus was ze verbaasd over de droge, scherpe smaak. Uit beleefdheid nam ze alleen een paar kleine slokjes.
Terwijl Loddlaen en Tirro met elkaar praatten en om de beurt een flinke slok uit de zak namen, liet Morwen haar gedachten de vrije loop. Hoewel ze haar best deed om zich te vermaken, bleef ze zich zorgen maken om Evan. Net toen ze besloot dat ze net zo goed terug kon gaan naar Devs tent, kreeg ze het gevoel dat er iemand naar haar keek. Ze draaide zich om en speurde om zich heen.
Inmiddels was de avond gevallen en zaten ze in de lichtkring van het vuur. Achter haar strekte de grasvlakte zich schijnbaar eindeloos ver uit, vaag zichtbaar in het zwakke licht van de sterren. Er is niemand, hield ze zichzelf voor. Maar precies op dat moment zag ze de elfenvrouw staan die ze onderweg ook was tegengekomen. Ze stond een eindje bij hen vandaan in het donker. In haar ene hand hield ze de niet-gespannen boog, op haar heup hing de pijlenkoker.
Morwen stond op en liep naar haar toe om haar te begroeten. De vrouw glimlachte terug, maar haar ogen waren diepe poelen van verdriet.
'Hebt u uw dochter gevonden?' vroeg Morwen.
'Nee, maar het is vriendelijk van je dat je het vraagt.'
'Ik vind het heel erg dat u haar kwijt bent.'
'O ja? Dan zegen ik je, kind.'
Toen begon de vrouw te veranderen. Ze groeide tot ze hoog boven Morwen uittorende en strekte glimlachend een hand uit om Morwen te zegenen. Opeens hingen haar haren als glanzende gouden manen om haar gezicht en waren ze getooid met edelstenen. Haar kleren, in allerlei tinten groen, glinsterden en ritselden alsof er een briesje om haar heen waaide. Haar boog was glanzend goud en ook haar pijlenkoker was versierd met edelstenen.
Achter zich hoorde Morwen dat Tirro een kreet van schrik slaakte en dat de twee mannen overeind krabbelden.
'De negen in één,' fluisterde Morwen. 'Alle godinnen in één enorme ziel.'
'Nee, zij niet, alleen ik. Ik ben Alshandra.' De stem van de vrouw klonk als een zilveren gong, een slag voor elk woord. 'Ik ben de jaagster uit het grensgebied van de sterren.'
Ze zweefde iets omhoog en bleef even hangen terwijl ze glimlachend op hen neerkeek. Opeens was ze verdwenen, Morwen trillend en koud achterlatend.

'De godin.' Tirro stond ook te trillen. Hij strekte zijn armen uit naar de lucht. 'De godin is naar ons toe gekomen.'
'Daar ben ik niet zo zeker van,' zei Morwen.
'Wát zeg je?' piepte Tirro verontwaardigd. 'Hoe weet jij dat nou?'
'Omdat ik les heb gehad in de tempel. Ze had niet de juiste attributen bij zich en bovendien zei ze dat ze niet... Maar dat kan ik je niet uitleggen, dat is geheim.'
'Zo maak je je er wel erg gemakkelijk van af, nietwaar? Volgens mij was ze de godin.'
'Dat was ze niet. Ik weet niet wie ze dan wel was, maar ze was niet de godin die ik in de Maantempel heb aanbeden.'
'Nou ja, dan was ze een andere godin,' snauwde Tirro. 'Wat doet dat ertoe? Er is een godin naar ons toe gekomen, dat heb je toch zelf gezien? Waar zit je verstand, Morri?'
'Bij mij op de juiste plaats, maar bij jou blijkbaar niet.' Morwen stampvoette. 'Ik heb lessen gevolgd en zij was geen echte godin!'
'Lessen? Ha, wat voor lessen? Vertel me dan maar eens waarom je haar niet geloofde.'
'Dat kan ik niet doen. Ik heb gezworen dat ik bepaalde dingen geheim zou houden.'
'Dus moet ik jou eerder geloven dan mijn eigen ogen en je kunt me niet vertellen waarom. Ik...'
'Hou op, zo is het genoeg!' Loddlaen stapte tussen hen in. 'Ik denk dat Morri gelijk heeft. Zij heeft lessen gevolgd en wij niet. Ik geloof haar.'
Tirro keek aarzelend van de een naar de ander. De uitdrukking op zijn gezicht deed Morwen aan Evan denken wanneer hij iets wat hij wilde hebben niet kreeg – pure teleurstelling, als van een kind.
'Maar eh...' begon Tirro. 'Ze was zo mooi, zo bijzonder. Ik heb nog nooit zoiets moois gezien.'
'Ze was inderdaad mooi,' beaamde Loddlaen, 'maar het wemelt van de mooie geesten en ik zou er niet een van vertrouwen. Mijn pa heeft me verteld, en hij weet er ook heel veel van, dat ze je eerst verleiden en dan bedriegen. Vraag het hem zelf maar. Hij is onze Wijze.'
De verbitterde klank van zijn stem maakte Morwen duidelijk dat hij aan zijn moeder dacht. Tirro staarde naar de grond en overwoog op zijn lippen bijtend wat Loddlaen had gezegd. Ten slotte keek hij met een onoprecht glimlachje op en zei: 'Voortaan bid ik tot Alshandra. Als ze mijn gebeden verhoort, weten we dat ze wel degelijk een godin is. Zo niet, dan weten we dat ze geen godin is.'
'Dat kan erg gevaarlijk zijn,' zei Morwen. 'Misschien is ze een van de...'

‘Ach, hou op.’ Tirro draaide haar de rug toe. ‘Loddlaen, dank je wel voor de maaltijd. Nu moet ik terug, anders komt Gwairyc achter me aan.’
Tirro verdween in het donker. Ze hoorden zijn dravende voetstappen tot hij terug was in het kamp.
‘Denk je dat hij je vader vragen zal gaan stellen?’ vroeg Morwen.
‘Ik denk het niet,’ antwoordde Loddlaen. ‘Het is een laf ventje. Misschien kan ik hem helpen.’
‘Dat is erg aardig van je.’
‘Ik wil een goede heelmeester worden, hier of in Deverry. En ik heb de indruk dat Tirro een wond heeft diep in zijn ziel.’
‘Ik ook.’ Morwen overwoog of ze nog even zou blijven, maar de geestverschijning had een domper op de avond gezet. ‘Ik kan ook maar beter teruggaan, want ik weet niet of het Dev is gelukt Evan, ik bedoel Ebañy, in slaap te krijgen.’
‘Waarschijnlijk niet,’ zei Loddlaen lachend. ‘Waarschijnlijk zit hij zo hard en snel als de winterwind tegen hem te praten en begrijpt hij niet waarom zijn zoontje niet in slaap valt.’
‘Dat zou echt iets voor hem zijn, maar hij is een van de aardigste mensen die ik ooit heb ontmoet.’
‘De meeste barden zijn aardig.’ Weer klonk het een beetje zuur. ‘Waarom zouden ze dat niet zijn? Iedereen probeert het hun naar de zin te maken en overstelpt hen met complimenten en geschenken en zo.’
‘Daar heb je wel gelijk in, maar...’ Opeens voelde Morwen zich niet meer op haar gemak, al wist ze niet waarom. ‘Dank je wel voor de maaltijd. Nu moet ik echt gaan.’
Toen ze wegliep en even later omkeek, zag ze dat Loddlaen met hangende schouders in het vuur zat te staren. Soms was ze een beetje bang voor hem, besefte ze. Ach goden, dacht ze, wie is er nu een lafaard?

In het kamp zat Nevyn bij het vuur voor de tent van Devaberiel. De bard en zijn zoon waren binnen, en Dev was nog steeds bezig zijn zoontje in bed te stoppen. Morwen hoorde het kind jammeren dat hij zijn Morri bij zich wilde hebben, waarop zijn vader weer een liedje begon te zingen.
‘Ik kan er beter naartoe gaan,’ zei Morwen.
‘Evan moet leren dat hij ook moet gaan slapen als iemand anders hem naar bed brengt,’ zei Nevyn. ‘Ten slotte zal hij over niet al te lange tijd alleen moeten gaan slapen.’
‘Dat is zo.’ Morwen ging op de grond zitten. ‘Ik wil u iets vertellen.

Toen we zaten te eten, is er iets heel vreemds gebeurd.'
Nevyn luisterde vol belangstelling toen Morwen hem vertelde over de verschijning van Alshandra. Ze vertelde erbij dat ze dezelfde geest ook onderweg had gezien.
'Daarna dacht ik dat het een droom was geweest,' zei Morwen ten slotte. 'Daarom heb ik het u niet meteen verteld.'
'Dat begrijp ik.' Nevyn wreef over zijn kin en staarde in het vuur. 'Ik ben het met je eens. Dat was geen godin.'
'Denkt u dat ze uit het Schimmenrijk kwam?'
'Dat denk ik. Het Westvolk noemt dat soort geesten "Wachters" omdat ze, zo heb ik het tenminste begrepen, in het verleden het volk vaak een dienst hebben bewezen. Maar ik zou ze niet vertrouwen.'
'Dat doe ik ook niet, wees daar maar niet bang voor!' Morwen maakte met gekruiste vingers het beschermende teken. 'Ik wilde het waar Loddlaen bij was niet zeggen vanwege zijn moeder en zo, maar ik vroeg het me wel af. Toen ik lessen volgde in de tempel hebben ze ons ook over die geesten verteld.'
'Hebben ze erbij gezegd dat ze zich soms voordoen als goden? Mag je me dat vertellen?'
'Ja hoor, dat was geen geheim. Volgens de hogepriesteres doen ze dat inderdaad. Daar wilde ik Tirro juist voor waarschuwen, maar hij wilde niet luisteren en is weggerend.'
'Ik vermoed dat Tirro een erg verdrietig leven leidt. Zo'n schitterende Alshandra moet diepe indruk op hem hebben gemaakt.'
'Dat is zo. Ik hoop dat ze hem geen kwaad doet.'
'Dat hoop ik ook. Als ik de kans krijg, zal ik er met hem over praten.'
'Dat is goed. Ik denk dat hij eerder naar u luistert dan naar mij.'
Maar voor zover Morwen kon zien, deed Tirro zijn best om zowel Nevyn als Aderyn zo veel mogelijk te ontwijken. De volgende dagen moest hij hard werken op het handelsterrein en 's avonds bleef hij in de buurt van Loddlaen, al was het alleen maar omdat Gwairyc hem dan leek te negeren. Wanneer Devaberiel een poosje met zijn zoontje alleen wilde zijn, sloot Morwen zich bij hen aan. Ze vond de Westvolkers nog steeds zo anders dat ze ertegen opzag vriendschap met hen te sluiten, hoewel ze zich regelmatig voorhield dat ze dat uiteindelijk toch zou moeten doen. Tirro begon niet meer over Alshandra. Nevyn zei dat de jongen waarschijnlijk bang was dat ze hem zijn overtuiging uit het hoofd zou praten.
'Sommige mensen willen zo graag het gevoel hebben dat de goden naar hen omkijken dat ze zich vastklampen aan de eerste de beste bedrieger.'

Niet lang daarna liet Loddlaen Morwen een glimp opvangen van een nog boeiender tak van kennis. Nadat het kamp vijf dagen op dezelfde plek had gestaan en de paarden en muilezels het weiland kaal hadden gevreten, werden het hele kamp en de handelsmarkt verplaatst naar een plek ongeveer acht kilometer verderop, bij de zuidelijke punt van een meertje. Aan de westkant konden de dieren weer naar hartenlust grazen, aan de noordkant bood een halve cirkel van lage rotsen bescherming tegen de wind die altijd over de vlakte waaide.

Zoals gewoonlijk zette Loddlaen zijn tent een eindje bij de andere tenten vandaan, vlak bij een berg enorme stenen onder aan de rotswand. Om te voorkomen dat Evan bij het inrichten van het nieuwe kamp in de weg liep, wandelde Morwen er halverwege de middag met het kind naartoe. Loddlaen had al hout gesprokkeld voor een vuur en was bezig dat binnen een kring van stenen klaar te leggen.

'Het is nog erg warm, je steekt je vuur toch niet nu al aan?' vroeg Morwen glimlachend.

'Ik steek het nog niet aan, maar ik wil dat alles klaarligt,' antwoordde Loddlaen. 'Ik heb een hekel aan het donker, je weet nooit wat er dan naar je toe komt sluipen. Maar ga zitten. Ik heb honingwater gemaakt, met specerijen uit Bardek erin. Dat vind je vast lekkerder dan mede.'

Hij haalde twee ruw geglazuurde aardewerken mokken en schonk er uit een aardewerken kruik een zoet ruikende drank in. Morwen had nooit eerder kaneel geproefd en ze vond het heerlijk smaken. Dat vond Evan ook. Omdat haar mok te zwaar voor hem was om zelf vast te houden, hield ze hem die steeds voor en liet hem er een beetje uit drinken, maar hij nam steeds grotere slokken.

'Niet te veel tegelijk,' maande Loddlaen hem. 'Dan krijg je last van maagzuur.'

Evan grinnikte en veegde met de rug van zijn hand zijn kleverige mond af.

'Hoe bevalt het leven in ons kamp je tot nu toe?' vroeg Loddlaen aan Morwen. 'Helaas is ons volk soms verschrikkelijk luidruchtig.'

'O, dat vind ik helemaal niet erg.' Morwen glimlachte. 'Ik vind het hier heerlijk, vergeleken met mijn vroegere leven. Ik heb al wekenlang geen kippenhok hoeven uitmesten, of stenen uit een akker halen, of met hooibalen sjouwen.'

'Dat was nog niet eens bij me opgekomen. Het klinkt alsof ze je als muilezel hebben gebruikt.'

'Op een boerderij moet iedereen meehelpen. Zelfs mijn verwaande zuster moest een deel van het zware werk doen. Het leven hier lijkt een stuk gemakkelijker, hoewel Dev me heeft gewaarschuwd dat het 's winters erg zwaar kan zijn. Nou ja, dat was het in Pyrdon ook, dan lag de sneeuw soms hoger dan de ramen en hadden we nauwelijks meer te eten.'

'Maar als er niet te veel sneeuw ligt, kunnen we hier de kudden mee naar het zuiden nemen. Ik vroeg me af of je ons nog steeds zo vreemd vindt.'

'Anders, maar dat bedoel ik niet slecht.'

'Dat doet me genoegen. Als je iets wilt weten, moet je me dat gewoon vragen.'

'Er is inderdaad iets wat ik niet begrijp. Waarom noemen jullie Nevyn en je vader "wijzen"?'

Loddlaen dacht een hele poos na. 'Omdat ze dweomer beoefenen,' antwoordde hij ten slotte.

'Nee toch! Je houdt me voor de gek!'

'Het is geen grapje. Ze zijn dweomermeester, ze hebben heel lang en veel moeten leren om dat te worden en daarom verdienen ze het "wijzen" te worden genoemd.'

'Ik vind het afschuwelijk als iemand me voor de gek houdt.'

'Ik ook, daarom vertel ik je de waarheid. Waarom denk je dat ik onzin praat?'

Morwen wilde net een bits antwoord geven en zeggen dat het zo genoeg was toen ze zag dat hij haar niet-begrijpend aankeek, dus hield ze zich in. 'Mij is altijd verteld dat dweomer niet bestaat,' zei ze.

'O.' Hij grinnikte. 'Ik had moeten weten dat Rondoren erg onwetend zijn.'

'Wil je me dan vertellen dat dweomer wél bestaat?'

'Kijk zelf maar.' Loddlaen wees naar de vuurkuil en riep een paar woorden in de Elfentaal.

Aan weerskanten van het sprokkelhout verschenen twee salamanders. Evan kraaide van pret toen ze zich op hun achterpoten oprichtten en een ervan zelfs met een rokend oranje pootje naar hem wuifde en zijn platte, brede bek leek te vertrekken tot wat je een glimlach zou kunnen noemen. Morwen hoorde dat Loddlaen met zijn vingers knipte en plotseling vatten de grasprieten die tussen de takjes lagen vlam. Loddlaen knipte nogmaals met zijn vingers en de vlammen doofden.

'Salamanders steken vuur voor je aan als je weet hoe je het ze moet vragen,' zei hij. 'Die kennis is een onderdeel van dweomer.'

Morwen hoorde achter zich een mannenstem vloeken. Ze draaide zich om en daar stond Tirro, met zijn mond net zo wijd open als de salamanders. Loddlaen sprong op.

'Wat doe jij hier?' vroeg hij bars.
'Neem me niet kwalijk.' Tirro deinsde achteruit. 'Ik mocht van mijn baas een poosje vrij nemen, als beloning omdat ik zo goed heb meegeholpen met de verhuizing. Het spijt me, ik ga wel weer weg.' Zijn ogen schoten vol tranen.
'Nee, dat hoeft niet,' zei Loddlaen. 'Maar je hebt ons laten schrikken en je hoort dit soort dingen niet te zien.'
'Ik zal er niets over zeggen! Dat beloof ik je! Echt waar!'
'Vooruit dan maar. Kom erbij, ga zitten.'
Als een geslagen hond kwam Tirro voorzichtig dichterbij. Toen Loddlaen hem bemoedigend toeknikte, liet hij zich iets verder dan Loddlaen en Morwen bij de vuurplaats vandaan op de grond zakken. Zijn ogen glinsterden nog van de tranen, maar hij was zo onder de indruk van het verschroeide gras dat hij dat niet besefte.
'Heb ik echt gezien dat je zomaar het vuur aanstak?' fluisterde hij. 'Zonder vuursteen of ijzer of wat dan ook?'
'Nou ja, eigenlijk heeft het Natuurvolk dat gedaan,' antwoordde Loddlaen.
'Ach, natuurlijk!' Tirro grinnikte. 'Maar het hindert niet. Ik begrijp waarom je me niet wilt vertellen hoe je het hebt gedaan.'
'Ik héb het je al verteld.' Loddlaen zuchtte. 'En het hindert inderdaad niet. Maar vertel alsjeblieft niet door aan mijn vader, en dat vraag ik je nadrukkelijk, wat je hier net hebt gezien. Want dan zal hij míjn huid ook als tentdoek gebruiken. Het is ons verboden buitenstaanders iets over dweomer uit te leggen.'
'Ik zeg helemaal niets.' Plotseling keek Tirro zo verdrietig dat hij er vijftig jaar ouder uitzag. 'Je boft, Morwen. Jij hoort hier nu thuis. Jij mag de wonderen zien.'
'Dat is zo.' Opeens had ze met hem te doen. 'Maar wie weet zul jij ergens anders ook wonderen zien.'
'Waar dan?' zei Tirro fel. 'In Bardek? Dat meen je verdomme toch niet?'
'Maar na wat je ons hebt verteld, lijkt het me toe dat het alleen al een wonder zal zijn in Bardek te mogen wonen!' zei Loddlaen. 'Ik zal een kroes en iets te drinken voor je halen. Mede of honingwater?'
'Mede, graag, als je daar een slok van kunt missen.'
Toen Loddlaen wegliep, leunde Evan tegen Morwen aan en stak zijn duim in zijn mond. Met een frons tussen zijn lichte wenkbrauwen keek hij naar Tirro.
'Je ziet er moe uit, liefje,' zei Morwen tegen Evan. 'Je moet hoognodig een dutje doen. Kom, dan gaan we terug naar de tent van je pa.'

In plaats van te zeuren, knikte Evan gehoorzaam. Hij mag Tirro ook niet, dacht Morwen. Ik wist wel dat het een slim jongetje was.
Op de terugweg overwoog Morwen of ze Nevyn zou vertellen wat ze had gezien. Hij was zo'n wijze oude man en hij kende het Westvolk zo goed dat hij haar misschien iets meer over die geheimzinnige dweomer kon vertellen. Ze kon verzwijgen dat Tirro was komen opdagen en Loddlaen in bescherming nemen. Maar ze durfde het niet. Tirro had gezegd dat ze nu bij het Westvolk hoorde. Ze wilde dat hij gelijk had, maar diep vanbinnen wist ze dat ze nooit ergens bij zou horen. Als ze opnieuw moeilijkheden veroorzaakte, zouden ze haar misschien wegsturen en dat wilde ze niet. 'Als de emmer vol is, moet je er niet mee zwaaien en melk morsen,' had haar moeder altijd gezegd. Goede raad, dacht ze. Ik wacht gewoon of Loddlaen me nog meer vertelt.
Tussen de tenten liep ze Gwairyc tegen het lijf. Hij keek boos. Hij bleef staan en riep haar.
'Heb jij Tirro soms gezien?' vroeg hij.
'Ja, hij is bij Loddlaen, daarginds bij die rotsblokken.'
'O, mooi zo.' Zijn boze blik verdween en hij keek weer normaal. 'Dan ga ik even kijken of hij geen verkeerde dingen doet.'
'Wat voor verkeerde dingen?'
Gwairyc keek haar met een kille blik aan. 'Dat weet je maar nooit,' antwoordde hij ten slotte, en toen beende hij weg.

Gwairyc hield Tirro vooral zo scherp in de gaten omdat hij zich verveelde. Nu hij verbannen was naar een plek zo ver van de oorlog in Cerrgonney had hij moeite om de lange, saaie dagen door te komen. Zelfs de intriges aan het hof, waarvan hij altijd een afschuw had gehad, vond hij opeens boeiender dan toekijken hoe het Westvolk paarden ruilde voor Wffyns ijzerwaren.
Toen hij bij de tent van Loddlaen aankwam, zaten Tirro en de Westvolker daar beurtelings uit een zak mede te drinken en hard te lachen om de een of andere grap. Maar toen Tirro Gwairyc zag staan, eindigde zijn lach in een piepend kreetje.
'Dus jullie vermaken je wel?' zei Gwairyc.
'Wij wel,' antwoordde Loddlaen. 'Wat kan jou dat schelen?'
'Moet ik bij mijn baas komen?' vroeg Tirro. 'Dan ga ik meteen. Het spijt me, Loddlaen.'
'Nee, nee, nee!' zei Gwairyc. 'Ga gewoon door, jongens. Veel plezier. Drink zoveel je wilt, Tirro. Morgen moet je weer aan het werk.'
Verbijsterd keek Tirro hem aan. Gwairyc schonk beiden een zo vriendelijk mogelijke glimlach voordat hij zich omdraaide en wegliep. Blijf

maar lekker veel zuipen, rotzak, dacht hij. Dan blijft die piemel van je in elk geval slap.
De kinderen die hij zo ijverig probeerde te beschermen, hadden natuurlijk ook een moeder. Toen Gwairyc aan de vreemde ogen en nog vreemdere oren van de vrouwen gewend was, vond hij hen beeldschoon. Maar zo oordeelden ze niet over hem. Elke keer dat hij tegen een van hen glimlachte of de paar woorden in de Elfentaal uitprobeerde die hij inmiddels had geleerd, keerde ze hem beleefd maar vastbesloten de rug toe of liep ze weg, een verontschuldiging mompelend die hij natuurlijk niet kon verstaan. Het gebeurde regelmatig dat hij daarna dezelfde vrouw in uitstekend Deverriaans met Wffyn of Nevyn hoorde praten, maar als hij dan de kennismaking probeerde voort te zetten, zorgde ze ervoor nooit meer dicht genoeg bij hem in de buurt te komen.
Na een paar dagen liet een van de vrouwen zich tegen hem ontvallen dat ze ook Deverriaans sprak. Toen hij haar zo vriendelijk mogelijk vroeg hoe ze heette, keek ze hem met grote, angstige ogen aan en kruiste bezwerend haar vingers. Toen deinsde ze achteruit en draafde weg. Gwairyc mompelde een vloek, draaide zich om en zag dat Nevyn grinnikend achter hem stond.
'Bij de zwarte harige kont van de hellevorst!' riep Gwairyc. 'Wat moet dit voorstellen, heer? Zit mijn gezicht opeens onder de puisten of zo?'
'Dat niet,' zei Nevyn, 'maar je komt uit Deverry. De vrouwen van het Westvolk denken dat alle mannen in Deverry tirannen zijn die hun vrouw slaan.'
'O, nou, dan is het geen wonder dat ze een afkeer van me hebben. Ik vreesde al dat me iets mankeerde.'
'Wie zou dát nou durven denken!' Nevyn sloeg zijn ogen ten hemel.
Als Nevyn zijn gelijke of iemand van een lagere rang was geweest, zou Gwairyc hem ter plekke hebben uitgedaagd voor een duel. Maar Nevyn was een dweomermeester en met dat soort mensen kon je beter geen ruzie maken, hadden de heren van de Ram altijd gezegd.

'Morwen heeft iets heel vreemds meegemaakt,' zei Nevyn. 'Een van de Wachters is voor haar verschenen, tenminste als Alshandra een Wachter is.'
'Dat is ze, een heel boosaardige,' zei Aderyn.
'Dat is erg vervelend. Morwen zei dat Alshandra in het kamp op zoek was naar haar gestolen dochter.'
'Haar gestolen dochter?' Aderyn keek bedenkelijk. 'Wat zou ze daarmee bedoelen? Ik weet het echt niet, maar ik wil wedden dat het geen goed voorteken is.'

De twee dweomermeesters waren een eindje gaan wandelen, in de eerste plaats om een poosje aan het rumoerige kamp te ontsnappen en ook om te genieten van de warme zonneschijn. Aan de noordelijke horizon stapelden de wolken zich op tot enorme bergen die in het zonlicht nog fel wit waren, maar die voor later op de dag regen beloofden.

'Morwen zei ook dat Tirro erbij was toen Alshandra zich vertoonde en dat hij voor zichzelf heeft besloten dat ze een godin is.'

'O ja?' Aderyn trok een spottend gezicht. 'Misschien bewijst ze ons een gunst en neemt ze hem mee.'

'Dat is niet aardig van je.'

Aderyn haalde zijn schouders op en ging wat sneller lopen. Nevyn wilde er iets aan toevoegen, maar toen hoorde hij dat Aderyn werd geroepen. Hij keek om naar het kamp en zag Valandario door het tot aan haar middel reikende gras naar hen toe komen.

'Meester Aderyn!' riep ze. 'De koopman heeft uw hulp nodig om een meningsverschil bij te leggen. Twee van onze mannen azen op dezelfde koopwaar. Ik weet niet waarom de ruzie zo hoog oploopt, maar ze kunnen elk moment hun mes trekken.'

'Dus het loopt uit de hand.' Aderyn keek naar Nevyn. 'Ik kom zo gauw mogelijk terug.'

Aderyn liep haastig terug naar het kamp en door naar het handelsterrein erachter. Nevyn en Valandario slenterden achter hem aan. Aderyns voormalige leerlinge bleef strak voor zich uit kijken, alsof ze Nevyns blik wilde ontwijken.

'Heb je nog nieuws over je geheimzinnige geschenk?' vroeg Nevyn.

'Nee, maar ik heb het gevoel dat ik er niet lang meer op zal hoeven te wachten. Eh... Meester Nevyn, mag ik zo vrijpostig zijn om u een vraag te stellen?'

'Natuurlijk.'

'Dank u wel! Of eigenlijk wil ik u een heleboel vragen stellen.' Valandario glimlachte verlegen. 'Maar ik weet dat uw tijd kostbaar is.'

'Niet op dit moment. Ik heb al begrepen dat je veel belangstelling hebt voor de kennis van edelstenen.'

'Dat is zo, en daar gaat mijn eerste vraag over. Is het voor een leerling-dweomermeester een geschikt onderwerp om te bestuderen? Ik weet niet waarom, maar edelstenen en kristallen betekenen heel veel voor me. Voor mij hebben ze de geur van prachtige rozen, alsof ik ze kan ruiken. Dat klinkt dwaas, nietwaar? Of misschien hebben ze een aura en kan ik dat voelen, ook al kan ik het niet zien. Het is moeilijk uit te leggen.'

'Het is absoluut niet dwaas. Edelstenen leven niet, zoals planten en dieren, maar krachtige stenen bevatten een soort bron of zaadje van het leven. Ze hebben geen geest, dat spreekt vanzelf. Maar die zaadjes hebben invloed op het astrale en het etherische, en dingen die daar gebeuren, kunnen ook weer van invloed zijn op de stenen.'

'Ah, ik begrijp het. En ze trekken geesten aan, nietwaar?'

'Dat is zo. Elementaire geesten voelen een soort verwantschap met stenen. Daarom kun je dingen doen om met bepaalde stenen geesten aan te trekken. Maar denk eraan dat ik niet bedoel dat je geesten aan stenen mag verbinden. Een geest opsluiten in een steen is een duivelse daad.'

'Zoiets zou ik nooit doen, meester Nevyn! Je zou dus kunnen zeggen dat stenen op de een of andere manier gevoelig zijn voor gebeurtenissen in het fysieke vlak?'

'Onder de juiste omstandigheden wel.'

'En is het dan ook mogelijk dat sommige mensen gevoelig zijn voor bepaalde stenen?'

'Dat is heel goed mogelijk.' Nevyn glimlachte. 'Ik neem aan dat je met "sommige mensen" jezelf bedoelt.'

Valandario bloosde. 'Dat is zo,' gaf ze toe. 'Het kwam bij me op dat ik er gevoelig voor was toen ik over die edelsteen had gedroomd. Het leek wel of hij een soort astrale stroming naar me toe stuurde. En toen ik wakker werd, vroeg ik me af of dat waar kon zijn.'

'Dat kan zeker. Volgens mij heb je binnen het rijk van dweomer je ware roeping gevonden.'

'O, dank u wel! Het doet mijn hart vreugd dat u dat zegt, meester Nevyn! Toen ik hoorde dat u naar ons toe kwam, was ik erg blij. Dat hoorde ik namelijk op de dag nadat ik die droom had gehad.'

'O ja?' Dat vond Nevyn erg toevallig, en meteen vroeg hij zich af of het wel toeval was. 'Wie is die jongeman? Ken ik hem soms?'

'Dat weet ik niet. Hij heet Javanateriel en hij is een pleegbroer van Loddlaen. Zijn moeder was na het vertrek van Dallandra de min van Loddlaen. Daarom kent hij Aderyn goed.'

'Heeft hij ooit dweomer geleerd?'

'Nee.' Ze bloosde dieprood. 'Volgens mij is hij alleen erg verliefd op me.'

'Dan heeft hij een goede smaak. Maar via jou en zijn moeder heeft hij wel vaag iets met dweomer te maken. Ik vraag me af of er sprake is van samenwerking van verschillende krachten. Je ontvangt een boodschap van die jongeman, je hebt een droom, je hebt gehoord dat ik de Grote Steen van het Westen heb gemaakt... Dat is waar ook. Van wie heb je gehoord dat ik aan die opaal heb gewerkt?'

'Van Loddlaen. Ik denk dat hij dat van zijn vader had gehoord.'

'Dat zou kunnen. Maar wil je het alsjeblieft aan niemand anders vertellen?'
'Natuurlijk niet. Ik heb destijds ook tegen Loddlaen gezegd dat hij er verder zijn mond over moet houden.'
'O, dank je wel. Als je verder geen vragen hebt, zal ik het hem nu meteen zelf ook nog een keer op het hart drukken.'
'Ach, ik kan dagenlang over edelstenen praten, dus kan ik u nu maar beter laten gaan.'
Toen ze terug waren in het kamp nam Nevyn afscheid van Valandario en ging op zoek naar Loddlaen, maar hij kon hem nergens vinden. Ten slotte zag hij Farendar, een jongeman die hij kende, met drie anderen op de grond zitten. Hij liep naar hen toe en zag dat ze een beschilderde hertenhuid hadden uitgespreid en daar een ingewikkeld dobbelspel op speelden. Toen hij zijn vraag stelde, legden ze hun dobbelstenen neer.
'Ik weet het niet zeker,' antwoordde Farendar. 'Ik heb hem zien wandelen met Morwen, Wijze, en die gluiperige koopmansknecht slenterde achter hen aan.'
'O. Loddlaen heeft trouwens zijn tent alweer verplaatst. Ik wilde ernaartoe gaan, maar ik zag alleen een kale plek op de grond.'
'Dat doet hij wel vaker.' Farendar krulde minachtend zijn lippen. 'Hij vindt dat we te veel lawaai maken. Hij voelt zich te goed voor ons.'
'Dat is niet de reden, dat weet je best.' Een van de andere jongens keek Farendar geërgerd aan.
'Inderdaad,' viel nummer drie hem bij. 'Luister maar niet naar Far, Wijze. Loddlaen is een eenzelvige figuur, maar er is hier op de vlakte meer dan genoeg plaats voor iemand die rust en stilte zoekt.'
'Weet je misschien ook waaróm hij die zoekt?' vroeg Nevyn.
'Ach, zo is hij nu eenmaal.' De jongen stond op en speurde met een hand boven zijn ogen om zich heen. 'Ha, daar zijn ze, bij de rivier. Voorbij de kudde, ziet u ze? Bij die twee wilgen. Het is vrij ver weg.'
'Dank je wel. Mijn oude ogen zien niet zo scherp meer als de jouwe.'
Nevyn liep de kant op die de jongen had aangewezen en trof daar inderdaad Morwen, Tirro en Loddlaen aan. Ze zaten in het gras voor Loddlaens verplaatste tent en Evan lag naast zijn verzorgster te slapen. Morwen wapperde steeds weer vliegen weg boven het gezicht van het kind, met een waaiertje dat ze van gedroogde grasprieten had geweven.
Er zwermde een grote groep Natuurvolkers om hen heen en het viel Nevyn op dat Loddlaen en Morwen zich daarvan bewust waren,

maar Tirro absoluut niet. Hij maakte regelmatig een gebaar met zijn handen of ging verzitten zonder dat hij merkte dat hij daarbij een luchtgeest weg maaide of een dwerg verpletterde, en dat verbaasde Nevyn. Ook al was Brour een gluiperd en een dief geweest, hij had een gave voor dweomer. In dit leven blijkbaar niet.
Loddlaen keek op en glimlachte. 'Goedemorgen, meester Nevyn.'
'Ik wens jullie ook een goede morgen,' antwoordde Nevyn. 'Ik wil jou even spreken, Loddlaen.'
Loddlaen werd nog bleker dan hij al was. Even verstijfde hij en toen krabbelde hij snel overeind. Samen wandelden ze een eindje langs de oever tot ze buiten gehoor van de anderen waren.
'Valandario zei zojuist tegen me dat jij haar hebt verteld over de Grote Steen van het Westen,' zei Nevyn. 'Ik hoop dat je dat aan niemand anders hebt verteld.'
'Nee, beslist niet.' Loddlaen glimlachte beverig. 'Ik heb het alleen tegen Val gezegd vanwege haar edelstenendweomer.'
'Dat Val het weet, kan geen kwaad. Het is niet echt een geheim, maar ik wil ook niet dat iedereen het te horen krijgt. Want er lopen hier en daar boosaardige lieden rond die die steen maar wat graag zouden willen hebben.'
'Dat is waar. Ik zal er geen woord meer over loslaten.'
'Mooi zo.' Maar Nevyn aarzelde. Hij had het gevoel dat Loddlaen loog, maar het was slechts een vaag vermoeden en hij kon er geen enkele reden voor bedenken. 'Dat is het enige wat ik wilde bespreken, dus ga maar gauw terug naar je vrienden.'
Loddlaen was zo opgelucht dat zijn glimlach deze keer oprecht was.

De volgende middag kwam Javanateriel met zijn geschenken voor Valandario en Aderyn in het kamp aan. Nevyn en Aderyn zaten voor Aderyns tent toen ze uit de richting van de kudde paarden een schreeuw hoorden. Aderyn stond op en tuurde met een hand boven zijn ogen in de verte.
'Er komt iemand aan.' Hij ging weer zitten.
Niet lang daarna kwam Valandario aanrennen. 'Het is inderdaad een edelsteen!' riep ze. 'Ik heb hem nog niet gezien, maar dat heeft Jav me alvast verteld. Mijn droom komt dus uit.'
Een poosje later kwamen Javanateriel en zijn vriend Albaral ook naar Aderyns tent toe. Ze hadden allebei het kenmerkende uiterlijk van een man van het Westvolk, met blond haar en een knap gezicht, maar Albaral had een lang litteken op zijn wang. Aderyn nam hen meteen mee naar binnen, samen met Nevyn en natuurlijk Valandario. Ze gingen om de plek zonlicht onder het rookgat zitten.

‘Moet Loddlaen er niet bij zijn?’ vroeg Nevyn.
De twee jongemannen wisselden een blik.
‘Ik weet niet waar hij is,’ zei Aderyn met een spijtig glimlachje. ‘Ik heb hem gezocht, maar niemand kon me vertellen waar hij naartoe is gegaan.’
‘Ik heb hem naar het kamp van de koopman zien lopen,’ zei Nevyn. ‘Maar dat was al een tijdje geleden.’
‘Dat is jammer.’ Maar Valandario klonk opgelucht. ‘Dan zal hij wel lang wegblijven.’
‘Ja, dat is jammer,’ beaamde Aderyn. ‘Maar vertel ons nu eens, Jav, waar je deze geheimzinnige schatten hebt gevonden.’
‘Om te beginnen moet ik erbij zeggen dat Albaral met me mee is gegaan. Het was een soort uitdaging voor ons. We wilden langs de kust heel ver naar het westen rijden, maar ik had eigenlijk al half en half besloten dat we door zouden rijden naar Rinbaladelan.’
‘Een halfbakken idee,’ mompelde Albaral.
Jav negeerde hem en vervolgde: ‘We hadden al een tocht van acht dagen achter de rug over de kliffen langs de zee. Een troosteloos gebied. Alle goden, ’s nachts hoor je er de geesten rondwaren die rouwen om het verlies van de Zeven Steden.’
‘Ach welnee, dat was de zee die tegen de rotsen sloeg,’ zei Albaral.
‘Sommigen hebben meer verbeeldingskracht dan anderen.’ Jav keek zijn vriend fel aan. ‘Hou je nu je mond, zodat ik mijn verhaal kan afmaken?’ Hij keek naar Valandario. ‘De gedachte aan jou gaf me de moed om verder te gaan.’
Albaral drukte zijn ene hand tegen zijn maag en zijn andere tegen zijn mond alsof hij moest braken.
‘Maar lang voordat we bij de eerste verwoeste stad kwamen, stuitten we op iets wonderbaarlijks,’ vervolgde Jav. ‘Een omgevallen uitkijktoren.’
‘Wát zeg je?’ Aderyn leunde geboeid naar voren.
‘Een toren, Wijze. Gebouwd van een mooie, lichte steensoort. Hij moet zo hoog zijn geweest als een broch in Deverry en hij stond precies op de rand van het klif. Weet u nog dat het de afgelopen winter zo hard heeft gestormd? Toen is er een flink stuk van het klif afgebrokkeld en omlaag gevallen, met de toren erbij. Hij lag op het strand, met de bovenkant naar het water.’ Jav gebaarde met zijn rechterhand alsof hij dobbelstenen liet rollen. ‘We zijn tussen het puin gaan zoeken.’
‘Eén keer trok hij aan een steen en viel die bijna op zijn voet,’ zei Albaral. ‘De steen lag op een andere en...’
‘Het was maar goed dat ik dat deed, zeg nou zelf.’ Jav keek Alba-

ral verontwaardigd aan. 'Want daar vonden we het eerste kistje.'
'Ah, eindelijk komen we bij de kern van het verhaal,' zei Aderyn.
'Inderdaad, Wijze,' beaamde Jav. 'Ik heb het kistje meegebracht, want gek genoeg ziet het eruit als nieuw, terwijl je zou verwachten dat het zou zijn vermolmd. Het moet een magisch kistje zijn, dat kan niet anders.' Met een triomfantelijk gebaar haalde hij een houten kistje uit een zadeltas en gaf het aan Aderyn. 'Uw geschenk zit erin.' Hij keek Valandario glimlachend aan en voegde eraan toe: 'Positie gaat voor schoonheid, vind ik, zelfs voor zo'n grote schoonheid als de jouwe.'
Valandario bloosde alleen maar. Albaral deed alsof hij kokhalsde.
Het was een smal kistje, bijna een halve meter lang, met een patroon van spiralen en vlechten op het deksel. Nevyn vond dat het op mooi eikenhout leek.
'Dit kistje is in Eldidd gemaakt,' oordeelde Aderyn. 'Er is niets magisch aan, want het is vrij nieuw. Hooguit een paar jaar oud.'
De triomfantelijke glimlach van Javanateriel verdween en zijn mond hing open van teleurstelling. Albaral grinnikte.
'Maar we hebben het echt op die plaats gevonden, Wijze,' zei Jav.
'O, maar daar twijfel ik niet aan, jongen. Alleen vraag ik me af hoe het daar gekomen is.' Aderyn staarde met gefronste wenkbrauwen naar het kistje, haalde zijn schouders op en sloeg het deksel open. De uitdrukking op zijn gezicht veranderde in een blik van ontzag. 'Maar dit moet echt heel oud zijn,' zei hij zacht.
Nevyn leunde naar voren om het beter te kunnen zien. In het kistje lag een beschreven rol, niet van perkament, maar van Bardeks papyrus – een buigzaam, van riet gemaakt materiaal. De rol werd ontsierd door lichtbruine vlekken en kleine scheurtjes, maar Nevyn zag dat hij was beschreven met het verbleekte lettergreepschrift van de Elfentaal.
'Ik denk dat ik wacht met het ontrollen,' zei Aderyn, 'Maar ik dank je hartelijk, Jav.'
Javanateriel grinnikte trots. Albaral zei niets meer.
Aderyn deed het deksel van het kistje weer dicht. 'Laat nu die edelsteen maar eens zien,' zei hij. 'We hebben Val lang genoeg laten wachten.'
Jav rommelde in de zadeltas en haalde er iets uit dat was verpakt in een lap linnen uit Deverry, die was vastgeknoopt met blauwe linten. 'Deze lag in een versleten doek gewikkeld óp het kistje; ik heb hem opnieuw ingepakt,' zei hij tegen Val. 'Helaas had ik geen Bardekse zijde en een puur gouden draad om eromheen te doen, want je verdient het allermooiste.'

Iedereen leunde naar voren toen Valandario de linnen lap openvouwde. Met een kreetje hield ze even later een piramide van obsidiaan omhoog, van ongeveer vijftien centimeter hoog. De onderkant paste precies op de palm van haar hand. Nevyn had wel vaker obsidiaan gezien – kooplieden van de dwergen brachten regelmatig brokken mee naar Noord-Deverry – maar nooit een steen die op deze manier was geslepen. Het zonlicht dat door het rookgat van de tent viel werd erin weerkaatst, maar het leek alsof de steen zelf zwart licht uitstraalde. Dat kon natuurlijk niet, maar Nevyn was niet de enige die het opviel.
'De Zwarte Zon,' fluisterde Aderyn. 'Ik geloof dat ik eindelijk weet wat de gelofte "bij de Zwarte Zon" betekent. Dit voorwerp schittert in een van haar stralen.'
Valandario knikte, met haar ogen gericht op de steen. 'Meester Nevyn, is dit een duivelse steen? Ik voel geen kwaadaardigheid, maar hij heeft een donkere uitstraling.'
'Geef hem eens aan mij.' Nevyn stak zijn hand uit. 'Dan zal ik hem op de proef stellen.'
'Dank u wel.' Valandario zette de steen in zijn hand. 'Ik ben blij dat u erbij bent.'
'Dan heeft hij de eerste proef doorstaan,' zei Nevyn glimlachend. 'Als je hem niet had kunnen afstaan, al was het maar voor heel even, zou dat al een duidelijk teken van duivelse macht zijn.' Hij zweeg, sloot zijn ogen en liet zijn indrukken van de obsidiaan op zich inwerken. 'Ik voel ook geen kwaadaardigheid, maar ik voel beslist dweomer.' Hij opende zijn ogen en gaf de steen terug. 'Maar ik heb geen flauw idee wat voor soort dweomer het is. Het is jouw taak, niet de mijne, om daarachter te komen, en dat zal niet meevallen.'
'Ik kan me de komende jaren geen betere tijdpassering voorstellen.' Valandario keek Jav aan en schonk hem zo'n warme, lieve glimlach dat hij naar haar toe leunde, waarschijnlijk onbewust. 'Dank je, dank je wel. Ik weet niet wat ik anders nog moet zeggen. Het is het mooiste geschenk dat iemand me ooit heeft gegeven.'
'Dan is elk moment dat het me kostte om hem te vinden de inspanning tien keer waard geweest.' Met een blik op Albaral voegde hij eraan toe: 'En jij moet je mond houden! Ik weet dat jij er anders over denkt, maar heb ik je niet die goudkleurige jonge hengst uit mijn kudde beloofd?'
'Ik ben blij dat je dat nog weet,' zei Albaral. 'Dan hoef ik er tenminste niet om te zeuren.'
'Hm.' Javanateriel stond op. 'Laten we hem dan maar meteen gaan halen. Ik neem aan dat je verwacht dat ik je het halster erbij geef.'

Albaral stond ook op en liep achter Jav aan de tent uit. Valandario keek hen glimlachend na en vestigde met een zucht haar aandacht weer op de twee dweomermeesters.
'Ik heb vorig jaar spullen geruild voor lapjes Bardekse zijde,' zei ze. 'Die komen nu goed van pas, want zo'n steen als deze verdient een mooie verpakking. De zijde heeft de kleur van lavendel. Is dat een geschikte kleur voor de steen, meester Aderyn?'
'Dat is het. Mag ik de steen ook bekijken?'
'Natuurlijk!'
Die middag braken de drie dweomermeesters zich nog lange tijd het hoofd over de piramide van obsidiaan. Ze wisten alle drie dat het een magische steen was, maar naar het soort dweomer moesten ze blijven raden. Het antwoord kwam uit volkomen onverwachte bron toen de kleine Evan – of Ebañy, zoals Nevyn zich voorhield – de tent in kwam kruipen.
'Kijk eens aan,' zei Nevyn. 'Wat kom je doen, jongen?'
Ebañy haalde zijn schouders op, stak zijn duim in zijn mond en keek om zich heen. Toen hij de steen zag, haalde hij zijn duim weer uit zijn mond en begon te lachen.
'Mooi,' zei hij. 'Mooie steen.'
'Dat is zo,' beaamde Nevyn.
Ebañy waggelde naar Nevyn toe en liet zich plompverloren op zijn schoot vallen. Nevyn sloeg een arm om hem heen en hield hem de zwarte steen voor, zodat de jongen die beter kon zien.
'Hij glimt,' zei Ebañy en hij lachte luidkeels. 'Kijk, eiland! Eiland in de steen!'
'O ja?' Nevyn sprak zo kalm mogelijk. 'Dus jij ziet een eiland in de steen? Zie je nog meer?'
'Water eromheen. Hoog huis. Boot met gek hoofd. Hagedissenhoofd.' Ebañy leunde naar de steen toe, met opengesperde ogen. 'En een man, een rare man. Met geel haar.'
'Net zo geel als het haar van Valandario?' vroeg Nevyn zacht.
'Nee. Zo geel als boterbloemen. Blauwe ogen, rare blauwe ogen.'
'Woont hij op het eiland?'
Ebañy schudde ontkennend zijn hoofd. 'Eiland is weg. De rare man heeft iets in zijn handen.'
'Kun je zien wat het is?'
'Een plat ding, een plat wit ding, en een zwarte hagedis. Met een hagedis erop. Nee, geen hagedis. Een vogel.' Toen schudde hij zijn hoofd en zijn gezicht betrok. 'Wolken. Nu is alles weg.'
Valandario had met grote ogen geluisterd. 'Zo, zo, volgens mij heeft onze Dev een heel bijzonder kind op de wereld gezet,' zei ze.

'Dat ben ik met je eens,' zei Nevyn.
Aderyn knikte verbaasd. Buiten begon een vrouwenstem angstig Ebañy's naam te roepen.
'Morri.' Ebañy liet zich van Nevyns schoot glijden en stond op. 'Ik naar Morri toe.'
'Natuurlijk, ga maar gauw, anders maakt ze zich zorgen,' zei Nevyn.
Ebañy draafde waggelend de tent uit. Buiten hoorden ze Morwen opgelucht lachen en tegen iemand roepen: 'Ik heb hem gevonden! Ik zal hem zijn eten geven.' De stemmen stierven weg.
Valandario liet haar vingers over de steen glijden. 'Een heel bijzonder kind,' herhaalde ze. 'En hij lijkt een soort verwantschap te hebben met een heel bijzondere steen.'
'Inderdaad,' zei Nevyn. 'Je bent nog te jong om al een leerling aan te nemen, maar Ebañy is ook nog te jong om dweomer te leren. Wanneer het zover is, zul je er klaar voor zijn.'
Haar hoofd vloog omhoog en ze staarde hem met open mond aan.
'Dat hoort erbij,' vervolgde Nevyn. 'Het doorgeven van de kennis, bedoel ik. We willen niet dat die opnieuw verloren gaat. Denk aan de bittere prijs die we voor geheimhouding hebben moeten betalen.'
'Dat is waar. Ik hoop alleen maar dat ik, als de tijd rijp is, een goede leermeester zal zijn.'
'Ik denk het wel.' Nevyn glimlachte. 'En nu weten we wat deze obsidiaan is, namelijk een schouwsteen.'
'Ja, maar wat laat hij ons zien? Ik vraag me bijvoorbeeld af wie die rare man is.'
'Evandar.' Aderyn sprak de naam uit als een vloek. 'Het kan maar één wezen zijn. Dit hele gedoe is natuurlijk weer zo'n vervloekt raadsel van hem.'
'Maar wat vreemd dat de kleine Ebañy de enige lijkt te zijn die iets in de steen kan zien,' zei Valandario. 'Zou Evandar dat zo bedoeld hebben?'
'Het zou me niet verbazen. Zelfs de namen... Evan en Evandar, bedoel ik. Wellicht heeft hij met opzet van die gelijkenis gebruik gemaakt.' Aderyn trok een wrang gezicht. 'Ach, wie weet wat de Wachters allemaal wel en niet kunnen doen? Of waarom? Ik vermoed dat die hagedis die op een vogel lijkt een draak moet voorstellen.'
'Alle goden!' riep Nevyn uit. 'Dus de Maelwaedds uit Aberwyn hebben hier iets mee te maken?'
'Het lijkt er wel op,' antwoordde Aderyn. 'Ik weet niet of ik het Evandar ooit zal kunnen vergeven. Ik vraag me zelfs af of ik daar moeite voor moet doen.'

'Natuurlijk wel,' zei Nevyn op vermoeide toon. 'Maar voor jezelf, niet voor hem. Haat verbindt je met wat je haat, en je moet je eindelijk eens van hem losmaken.'
Even laaide er woede op in Aderyns ogen, maar toen glimlachte hij moeizaam. Al was het een karig glimlachje, het was in elk geval iets. 'Je hebt gelijk. Nou ja, nu weten we tenminste waarom het kistje nieuw is.'
'Inderdaad,' beaamde Nevyn. 'Evandar moet de steen en die rol daar hebben neergelegd toen hij de jongens naar het westen zag rijden.'
'Waarom zou dat akelige onderkruipsel... Ik bedoel, waarom zou hij deze rol daar hebben achtergelaten?' Aderyn keek niet-begrijpend naar het kistje op zijn schoot. 'Ik geloof nooit dat het zijn bedoeling was dat die bij mij terecht zou komen.'
'Ik weet zeker dat dat juist wel zijn bedoeling was,' zei Nevyn. 'Je hebt me genoeg over hem verteld om te weten dat hij een heel eenvoudige manier van denken heeft. Ik denk dat het een bruidsschat is, of een deel daarvan.'
Aderyn vloekte zacht in het Deverriaans.
'Neem me niet kwalijk, meester Aderyn,' zei Valandario, 'maar die woorden begrijp ik niet.'
'Mooi zo, dat hoeft ook niet,' zei Aderyn. 'Wat deze rol betreft, we weten niet wat Evandars bedoeling is tot we hem hebben gelezen. Maar dat doe ik liever niet hier in het kamp, voor het geval dat er een vloek op rust of zo.'
Nevyn slaakte luidruchtig een zucht. 'Ach, schei toch uit! Als dat zo was, zou ik de weerslag daarvan immers allang hebben gevoeld.'
'Eh... Ja, dat is zo.' Aderyn had het fatsoen om beschaamd te kijken. 'Maar met de Wachters weet je het nooit.' Hij keek Valandario aan. 'Nevyn en ik zullen de rol eerst samen bekijken, een eindje bij het kamp vandaan. Daarna zullen we je vertellen wat er staat. Want ik wil niet het risico lopen dat jou iets overkomt.'
'Zoals u wilt, meester Aderyn.' Valandario streelde met twee vingers haar steen. 'Ik zal morgen meer dan genoeg te doen hebben.'
Na de avondmaaltijd besloot Nevyn om een praatje met Wffyn te gaan maken. Toen hij het veld tussen het kamp van de koopman en dat van zijn klanten overstak, zag hij de paarden staan die Wffyn al met zijn handel had verdiend. Twintig prachtige dieren, voor het merendeel zwarte paarden en appelschimmels, maar er waren ook enkele goudkleurige exemplaren met zilvergrijze manen en staart bij. De ezeldrijvers zaten om hun vuur te lachen en te praten terwijl een leren zak met Westvolkse mede van hand tot hand ging.
Wffyn zat in kleermakerszit op het gras en was bezig messen van ge-

hamerd staal uit een canvas zak te halen. Hij legde er een aantal van op de grond, samen met wat andere ijzeren voorwerpen, op een deken die groot genoeg was voor driemaal zoveel. De dansende vlammen van het vuur weerkaatsten in het glanzend gepoetste metaal.
'Nevyn! Goedenavond!' riep Wffyn.
'Ook goedenavond,' zei Nevyn. 'Zo te zien heb je het grootste deel van je handelswaar verkocht.'
'Dat is zo, en ik heb geen slechte zaken gedaan.'
'Maar je klinkt somber.'
'Dat ben ik ook, maar dat is mijn eigen schuld, want ik wilde te veel. Ik wil al heel lang dolgraag een hengst en een paar fokmerries hebben, dat heb ik je geloof ik al eens verteld. Maar ze willen me alleen ruinen verkopen. Ik heb goud aangeboden en edelstenen, maar dat wordt allemaal minachtend afgewezen.'
'O.' Het verbaasde Nevyn niet. Het Westvolk is niet dom, dacht hij. 'Wat jammer,' zei hij.
'Dat is inderdaad erg jammer, mijn waarde! Nou ja, binnenkort gaan we terug naar Pyrdon. Gaan jij en je leerling dan weer met ons mee?'
'Dat denk ik niet. Ik heb Aderyn al jarenlang niet meer gezien en we hebben nog heel wat te bespreken.'
'En Morri? Denk je dat ze zich hier thuis zal voelen?'
'Dat weet ik wel zeker. Ze heeft me verteld dat ze nog nooit zo gelukkig is geweest.'
'Dat geloof ik graag. Het arme kind!' Wffyn keek om zich heen. 'Ik vraag me af waar Tirro is.'
'Dat weet Gwairyc waarschijnlijk wel. Ik zal hem vragen of hij je zwerflustige knecht naar je toe wil sturen.'

Morwen wachtte al een paar dagen op de gelegenheid om Loddlaen rustig allerlei vragen te kunnen stellen over dweomer. Hij was best bereid om erover te praten, maar elke keer dat ze erover begonnen, werden ze plotseling gestoord. Dan werd Ebañy wakker en eiste haar aandacht op, of kwam er iemand uit het kamp langs met een mededeling, of kwam Tirro eraan en konden ze niet meer vrijuit praten. Toen Loddlaen haar een keer iets vertelde over magische stenen, hadden ze Tirro betrapt terwijl hij zich verstopte achter een paar rotsblokken bij Loddlaens tent. Loddlaen had hem uitgefoeterd, maar Tirro had huilend zijn spijt betuigd en ze hadden het hem vergeven.
Op de avond van de dag waarop Javanateriel terug was gekomen, liet Morwen Ebañy achter bij zijn vader en ging met Loddlaen mee naar zijn tent, die ver buiten het gehoor van het rumoerige kamp

stond. Maar ze waren nog maar net begonnen te praten toen Tirro alweer kwam aandraven en zonder meer bij het vuur op de grond plofte. Hij had een mandje met brood en een in verse bladeren gewikkelde honingraat meegebracht, waaruit ze de honing op de sneden brood konden laten druppelen.
'Ik dacht dat je wel eens weer iets anders wilde eten dan vlees, Morri,' zei Tirro.
'Het ziet er erg lekker uit, dank je wel,' zei Morwen, maar ze had liever dat hij weg was gebleven.
Druk pratend liet Tirro het brood en de honing rondgaan, en pas daarna kwam hij met zijn nieuws: 'We gaan morgen weg. Dat vind ik heel erg, echt waar.'
'Als je een rijke Bardekse koopman bent geworden, kom je misschien weer eens terug,' zei Loddlaen.
Tirro glimlachte dapper, maar opeens leek hij op een verdwaald kind dat zijn best deed om niet te huilen.
'Of misschien al eerder,' zei Morwen. 'Uit je verhalen heb ik begrepen dat goederen uit Bardek hier erg gewild zijn. Specerijen voor het vlees, kleden voor de tenten en wat al niet meer.'
'Dat is zo.' Tirro deed opnieuw een poging om te glimlachen. 'En ik hoef niet rijk te zijn om een scheepslading olielampen en glazen kralen en zo bijeen te krijgen.'
'Nou dan!' Loddlaen maakte met een snee brood in zijn hand een instemmend gebaar.
Ze waren bijna klaar met eten toen er nog een ongenode gast kwam: Gwairyc. Hij ging in het licht van het vuur staan en wees streng naar Tirro.
'Ben je de hele tijd hier geweest?' vroeg hij.
'Ja,' antwoordde Tirro.
'Mooi zo. Maar nu moet je terug naar je baas. Je moet helpen inpakken, jongen.'
Zonder nog iets te zeggen stond Tirro op en liep met Gwairyc mee, terwijl hij het mandje met de rest van het brood achterliet. Morwen wachtte tot hun voetstappen in het donker waren weggestorven voordat ze iets zei.
'Arme Tirro. Gwairyc behandelt hem als een hond.'
'Gwairyc behandelt iedereen als een hond, nou ja, behalve natuurlijk Nevyn en mijn pa,' zei Loddlaen. 'Maar ik vraag me wel af waarom Tirro zich dat laat welgevallen.'
'Tirro is doodsbang voor Gwairyc.'
'Dat weet ik, maar waarom?' Loddlaen dacht er een poosje zwijgend over na. 'Ik wil Tirro nog wel een keer spreken voordat ze ver-

trekken. Als hij klaar is met zijn werk, heeft zijn baas daar vast geen bezwaar tegen. Ik zal dit mandje meenemen om als voorwendsel te gebruiken.' Hij keek erin. 'Neem die honingraat maar mee voor Ebañy.'
'Dat zal hij lekker vinden. Maar wat dweomer betreft, Loddlaen, moet je ermee worden geboren of kun je het leren?'
'Allebei. Je moet er een gave voor hebben, maar je moet er ook jarenlang voor leren. En het is niet gemakkelijk.' Hij wendde zijn blik af en keek even net zo bedroefd als Tirro een poosje geleden. 'Ik heb er de gave voor, maar die is niet groot. Ik probeer veel te leren, maar ik zal nooit zo goed worden als mijn pa.'
'Dat weet je niet. Hij is toch veel ouder dan jij? Dus is hij er al veel langer mee bezig. En al heb je maar heel weinig aanleg voor dweomer, dan nog lijkt me dat geweldig.'
'Echt waar?' Loddlaen begon ineens hard te lachen. 'Zal ik je eens iets vertellen? Jarenlang heb ik het een last gevonden en nu vind jij het geweldig! Jij hebt meer inzicht dan ik, denk ik.'
'Ach, welnee. Ik wou dat ik aanleg voor dweomer had.'
'Maar dat heb je ook! Je komt uit Deverry, maar je kunt het Natuurvolk zien. Alle Rondoren die dat kunnen, hebben aanleg voor dweomer.'
Morwens adem stokte in haar keel en even kon ze geen woord meer uitbrengen van verbazing.
'Hoe groot je gave is, weet ik natuurlijk niet,' vervolgde Loddlaen. 'Dat zul je pas weten als je leert ermee om te gaan.' Op zachte, verbitterde toon voegde hij eraan toe: 'Soms houden ze je een schat voor en halen die meteen weer weg.'
Morwen hoorde het nauwelijks. Haar gedachten galoppeerden als een nog maar deels getemd paard naar de vrijheid achter een openstaand hek.
'Denk je echt dat ik dweomer zou kunnen leren?' vroeg ze.
'Waarom niet? Het is de enige manier om erachter te komen hoe groot je gave is.'
'Maar ik durf het Nevyn of je vader niet te vragen, want zij zouden het vast erg aanmatigend vinden van een misvormd mens zoals ik. Elke keer dat ik iets graag wilde, werd het me op de een of andere manier onmogelijk gemaakt.'
'Heus?'
'Heus. Toen ik nog klein was, vond ik op de markt een keer een koperen munt. Ik weet nog hoe mijn broer mijn vingers opentrok en me die afpakte, terwijl mijn vader er alleen maar om lachte. En toen ik een keer van stro een pop voor mezelf had gemaakt, pakte mijn

zuster die van me af, en niemand zei dat ze hem terug moest geven. Ik weet dat dat maar onbenullige dingen zijn, maar zo ging het altijd.' Haar ogen werden vochtig toen ze aan Lanmara dacht. 'Alles waarvan ik hield, werd me afgenomen. Behalve Evan – Ebañy, bedoel ik. Als Nevyn er niet was geweest, was ik hem ook kwijtgeraakt.'

Loddlaen keek haar met een scheef hoofd ernstig aan. 'Dat vind ik heel erg voor je,' zei hij. 'Ik dacht dat ik het als kind moeilijk had, maar nu begrijp ik dat het voor jou nog veel erger was.'

'Ach, misschien wel, misschien niet. Het verbaast me dat ik dat soort onbenulligheden nog zo belangrijk vind. Toch denk ik dat, als ik Nevyn of je vader zou vragen me les te geven in dweomer, ze me zouden uitlachen. En dat zou ik vreselijk vinden.'

'Dat begrijp ik heel goed.' Loddlaen gaf haar meelevend een kneepje in haar hand. 'Maar ik kan je alvast leren wat ík weet.'

'O ja? Zou je dat echt willen doen?'

'Natuurlijk.' Hij lachte haar toe. 'We houden het geheim tot we weten hoe groot je gave is.'

'Geheim?' Morwen keek hem weifelend aan. 'Horen we het in elk geval niet tegen Nevyn te zeggen?'

'Zodat hij het ons kan verbieden? Want dat zou hij best eens kunnen doen, hoor. De meesters houden hun kostbare kennis het liefst voor zichzelf. Ze willen die niet delen met iemand die ze niet de moeite waard vinden.'

Als iemand 'niet de moeite waard' was, zou zij dat zijn, veronderstelde Morwen. Zij met haar bitse karakter en opgekropte wrok, nog afgezien van haar afstotelijke gezicht. Loddlaen, de knappe, goedhartige Loddlaen, leunde naar voren en pakte even haar hand. 'Doe het maar, Morri,' drong hij aan. 'En het is leuk als wij samen een geheim hebben.'

'Dat is zo. Vooruit dan maar. Dank je wel.'

Ze zaten tot laat op de avond te praten, met boven hun hoofden de sterren aan een heldere hemel. Ver na middernacht besefte Morwen dat ze in slaap zou vallen als ze nog langer bleef en zat Loddlaen steeds te gapen. Morwen wikkelde de rest van de honingraat weer in de bladeren en liep terug naar de tent van Devaberiel.

Gelukkig sliep Ebañy de volgende morgen uit. Het bleek dat zijn vader hem veel langer had laten opblijven dan Morwen zou hebben gedaan. Toen ze halverwege de morgen wakker werd, begon Ebañy zich ook te roeren. Natuurlijk was hij nat, omdat hij zo lang in bed had gelegen. Ze gaf hem te eten en nam hem mee naar de rivier, waar ze ook zijn deken waste. Ebañy zat zacht zingend een ingewikkeld

spelletje met kiezelstenen te spelen toen Loddlaen naar hen toe kwam.
'Morri, ik ga naar de koopman om over Tirro te praten,' zei hij. 'Heb je zin om mee te gaan?'
'Wat heeft Tirro dan gedaan?'
'Niets, niets.' Loddlaen glimlachte. 'Ik heb vanmorgen een lang gesprek met hem gehad en toen hebben we een plannetje bedacht. Maar ik kan wel wat steun gebruiken.'
'Dan ga ik natuurlijk mee. Wacht even tot ik Ebañy gewassen heb, hij heeft vanmorgen die honing gegeten.'
Ebañy's hele gezicht was kleverig van honing en zand, maar met een pluk gras en water was dat vlug verholpen. Morwen spreidde zijn deken uit op het gras om te drogen. Hand in hand staken ze met Loddlaen het lege veld tussen het kamp van het Westvolk en dat van de koopman over. Morwen had het gevoel dat ze een grens overstak, tussen de wereld van het Westvolk en die van Deverry, en dat ze nu eerder naar vreemdelingen ging dan terug naar haar eigen volk. Hoewel we hier nog helemaal niet zo lang zijn, dacht ze, vind ik het hier heerlijk!
Net toen ze bij het kamp van de koopman waren aangekomen, werden ze geroepen. Morwen keek om en zag dat Gwairyc kwam aanrennen.
'Ach goden, wat wil hij nou weer?' mompelde Loddlaen geërgerd.
Dat vertelde Gwairyc meteen nadat hij hen had ingehaald: 'Ik wil nog een hartig woordje spreken met Tirro.'
'Misschien krijg je daar later ook nog een kans voor,' zei Loddlaen. 'Wacht maar af.'
Gwairyc keek hem fel aan. 'Wat? Wat ben je...'
Loddlaen grinnikte. 'Wacht maar af,' herhaalde hij. 'Misschien hebben we straks een verrassing voor je.'
In het kamp van Wffyn draafden de ezeldrijvers af en aan. Sommigen sjouwden met zakken en zadels naar de nog grazende kudde, anderen deden halsters om de paarden die Wffyn van het Westvolk had gekocht en bonden ze bij elkaar. Wffyn stond in het midden van alle bedrijvigheid, terwijl Tirro geknield naast hem zat en de laatste ijzerwaren in een canvas zak stopte. Toen hij Loddlaen en de anderen zag aankomen, stond hij op.
'Ik wil u iets vragen, baas,' zei hij tegen Wffyn.
'O ja? Ga je gang,' zei Wffyn.
Tirro haalde diep adem. Zijn ogen glansden – Morwen besefte dat dit de eerste keer was dat hij er gelukkig uitzag. 'Ik wil bij het Westvolk blijven,' zei hij. 'Ik heb het er met Loddlaen over gehad en hij

vindt het goed. Als ik niet terugga, bespaart dat mijn vader heel wat geld en hij zal het helemaal niet erg vinden.'
'Ach, alle goden!' zei Wffyn lachend. 'Dit is een donderslag bij heldere hemel, jongen.' Hij keek Loddlaen aan. 'Denk je echt dat je vader het goedvindt als hij blijft?'
'Ik denk het wel, waarde Wffyn.' Loddlaen deed een stap naar hem toe. 'Een van de prettige dingen van onze manier van leven is dat er altijd plaats is voor iemand erbij. Tirro was in Cerrmor doodongelukkig en hij heeft me verteld dat hij daar in moeilijkheden is geraakt, maar hier in de vrije natuur zou hij...'
'Moeilijkheden?' Gwairyc keek Tirro aan. 'Heb je hem ook verteld wat voor moeilijkheden dat waren?'
Tirro werd lijkbleek.
'Aha, nee dus,' zei Gwairyc. 'Loddlaen, dit is geen paard dat je in je kudde wilt opnemen. Hij is uit Cerrmor weggestuurd omdat hij een meisje heeft verkracht, een kind van nog maar zes zomers oud.'
'Ik heb haar niet verkracht!' riep Tirro. 'Ik hield echt van Mella en zij hield van mij! Ik zou haar nooit pijn hebben gedaan.' Hij verstijfde en sloeg beide handen voor zijn mond, alsof hij de bekentenis weer naar binnen wilde duwen.
Even was Morwen bang dat ze haar waardigheid zou verliezen door haar ontbijt er weer uit te gooien. 'Wat een afschuwelijk, smerig zwijn ben jij,' zei ze. 'Wat een walgelijk stuk...' Woorden schoten te kort. Ze pakte Ebañy vast, tilde hem op en liep een paar stappen achteruit, om afstand te scheppen tussen het kind en de jongen met wie ze eerst zo'n medelijden had gehad.
Tirro draaide zich om naar Loddlaen en stak beide handen naar hem uit, maar hij hapte naar adem en kon geen woord uitbrengen.
'Jullie hebben ook kinderen in de alar,' vervolgde Gwairyc. 'Wil je dan echt dat deze lamlendige griezel met jullie meegaat?'
'Nee,' antwoordde Loddlaen heel zacht. 'Dank je wel, Gwarro. Dit wist ik niet.'
Tirro draaide zich om naar Gwairyc en hief zijn gebalde vuisten. 'Ik haat je!' schreeuwde hij. 'Hier zal ik je eeuwig om haten!'
'O ja?' Gwairyc stak zijn duimen achter zijn riem en nam de jongen van hoofd tot voeten op. 'Moet ik soms bang voor je zijn?'
Tirro werd donkerrood. 'Wacht maar,' gromde hij. 'Dit zal ik je een keer betaald zetten. Dat zweer ik je.'
Gwairyc lachte. Tirro draaide zich om en deed een stap alsof hij weg wilde rennen, maar hij botste bijna tegen Wffyn aan. Toen begon hij te huilen, met natte snikken die zo heftig waren dat hij bijna omviel.

'Ach goden,' zei Gwairyc op vermoeide toon, 'Ik had je keel moeten doorsnijden en je voor de raven moeten gooien. Laffe huilebalk.'
Tirro slaagde erin zijn snikken te onderdrukken en zijn hoofd op te heffen. Naar adem snakkend zette hij zijn handen in de zij en bracht hijgend uit: 'Je mag net zo hard schelden als je wilt, maar ooit zal ik je hiervoor laten boeten. Dat beloof ik je. Dan neem ik wraak.'
'Stoere taal. Er hangen nog wat klodders groen snot onder je neus.'
Morwen begon schel te lachen, een spottend, kakelend geluid. Tirro begon weer te huilen en zijn magere gezicht was zo bleek dat ze dacht dat hij zou flauwvallen, maar Wffyn greep zijn arm vast.
'Ga nu maar mee,' zei hij. 'Het is tijd om terug te gaan naar Cerrmor. Het schip naar Bardek zal daar op je wachten.'
Tirro trok zijn arm los, rilde en deed zijn best om hooghartig te kijken. Dat lukte hem heel even en toen begon zijn lip weer te trillen. Wffyn trok de huilende jongen mee. Niemand zei een woord voordat ze buiten gehoorsafstand waren.
'Eigenlijk heb ik nog steeds medelijden met hem,' zei Loddlaen.
'Hoe kún je!' zei Morwen bits.
'Nou ja, hij is toch ook een menselijk wezen?' Loddlaen dacht even na. 'Het moet een duivelse oorzaak hebben dat hij zo is geworden.'
'Daar zou je best eens gelijk in kunnen hebben.' Gwairyc trok een berouwvol gezicht. 'Maar ik hoop dat hij hiervan heeft geleerd dat hij zich beter moet gedragen.'
'We kunnen je vader vragen hoe het komt dat Tirro zo geworden is,' stelde Morwen voor.
'O nee, laten we dat maar niet doen.' Loddlaens stem trilde. 'Ik wil niet dat mijn vader hier iets over te weten komt.'
'Waarom niet?' vroeg Morwen.
'Omdat ik Alastyr ook bijna in onze alar heb toegelaten. Nu vind ik het oerstom van mezelf dat ik hem heb vertrouwd. Ik was zelfs op hem gesteld. Ik wil niet dat pa weet hoe stom ik opnieuw ben geweest. Of Nevyn. Ik kan je niet vertellen hoezeer ik Nevyn bewonder. Ik wil ook niet dat hij hoort dat ik bijna weer zo'n afschuwelijke fout heb gemaakt.'
'Dat begrijp ik.' Morwen keek naar Gwairyc. 'Wat vind jij?'
'Het maakt mij niets uit.' Gwairyc haalde zijn schouders op. 'Als je wilt dat ik het niet vertel, zal ik mijn mond houden.'
'Dat wil ik,' zei Loddlaen. 'Laten we het er alsjeblieft met geen woord meer over hebben.' Op fluistertoon voegde hij eraan toe: 'Ze hebben toch allemaal al zo'n hekel aan me...'

Intussen zaten Nevyn en Aderyn in de royale schaduw van een wilg, stroomopwaarts en een flink eind bij de twee kampen vandaan, waar ze het geschenk van Jav rustig konden bekijken. Aderyn trok een beschermende cirkel om hen heen en voor alle zekerheid ook om de bomen. Toen de pentagrammen in de vier windrichtingen stonden te stralen, ging hij weer zitten en haalde de papyrusrol uit het kistje. Hij spreidde hem uit in de met zonnevlekjes bestippelde schaduw en toen zagen ze dat hij ruim een halve meter lang was en onderaan was afgescheurd. Het lichtbruine vel was bedekt met regels bestaande uit donkerbruine symbolen, en in de kantlijn had iemand er rode symbolen aan toegevoegd.

'Ik vraag me af wie die rode inkt heeft gebruikt,' zei Aderyn. 'Dat schrift is niet verbleekt, zoals het oorspronkelijke deel. Ik vermoed trouwens dat daar zwarte inkt voor is gebruikt.'

'Dat denk ik ook,' beaamde Nevyn. 'Rode inkt wordt in Bardek gemaakt, maar het is een geheim van het gilde.'

'Dat is jammer. Misschien kan een van de kooplieden er volgend jaar wat van meebrengen. Ik wil wedden dat je die inkt in Aberwyn kunt kopen, zo dicht bij Wmmglaedd. Misschien de papyrus ook. Hoe dan ook, de schrijfstijl van het gedeelte met bruine inkt is veel ouder dan van dat met rode, dus veronderstel ik dat de aantekeningen in de kantlijn er later bij zijn geschreven.'

'Waarschijnlijk wel. Weet je soms ook door wie?'

'Nee, dat niet.' Aderyn legde een vingertop op een van de rode krabbels. 'Maar het moet iemand met dweomerkracht zijn geweest. Hier staat dat er minstens één woord aan de formule ontbreekt omdat die, zo staat het er, geen resultaat heeft opgeleverd.'

'Wat boeiend! Ik moet de Elfentaal toch ook eens leren lezen.'

'Maar de formules zelf zijn niet in de Elfentaal geschreven. Wel is het ook een lettergrepentaal en de vertaling staat erbij. Ik zal je een stukje voorlezen.'

Aderyn begon hardop te lezen, met opzet op normale gesprekstoon. Af en toe hield hij met opzet even op om de woordenstroom te onderbreken, want geen van beiden wilden ze per ongeluk een machtig wezen oproepen dat plotseling woedend voor hen zou staan.

'Bah-zoad-em ay-loh ee-tah,' begon hij. 'Pee-rip-so-noo obla-noo. Noh-zoad-akvah bay-hay... Nou ja, zo klinkt het.'

'Alle goden!' zei Nevyn. 'Zoiets heb ik nog nooit gehoord! Wat betekent het?'

'Volgens de vertaling betekent het "het middaguur, het eerste, is zoals de derde van de hoogste, gemaakt van zesentwintig paarse"' – Aderyn aarzelde even – '"paarse zuilen". Het woord dat in de Elfentaal voor "zuil" wordt gebruikt, stamt uit een heel oude tijd.'

'Dat verbaast me niets. Lees nog eens iets meer van de oorspronkelijke tekst voor, als je wilt, dan zal ik zien wat voor indrukken ik opdoe.'
Terwijl Aderyn verder las, voorzichtig de ene lettergreep na de andere, liet Nevyn zich in een lichte trance zakken. Hoewel de woorden geen enkele betekenis voor hem hadden, riepen de klanken beelden op in zijn hoofd. Langzamerhand verschenen er delen van gebouwen en flitsen van vreemde landschappen, beschenen door een vreemd licht. Af en toe ving hij een glimp op van een geest of ander soort schepsel dat zich door het beeld heen bewoog.
Aderyn stopte even om zijn stem rust te gunnen en water te drinken uit de zak die hij had meegebracht. Nevyn schudde met zijn lichaam en sloeg met zijn hand op het gras om elk spoor van de krachten die ze misschien hadden opgeroepen terug te duwen in de aarde.
'Het zijn heel sterke formules,' zei hij. 'Hoewel ik geen woord van die taal versta, hadden ze wel degelijk invloed op me.'
'Dat hoopte ik al.' Aderyns ogen glommen als van een boerenjongen die nadat hij maandenlang hard heeft gewerkt voor het eerst weer naar de markt gaat. 'Deze rol is een prachtig geschenk. Ik denk dat hij afkomstig is uit de verwoeste steden.'
'Wat een geluk dat hij is gevonden. Waarom zou Evandar hem aan jou hebben gegeven?'
'Ach, zo nu en dan doet hij iets om me een genoegen te doen. Waarschijnlijk heb je gelijk en probeert dat ellendige schepsel iets goed te maken vanwege mijn vrouw.'
'Misschien heeft hij oprecht spijt.'
'Welnee, zo ver gaat zijn ontwikkeling niet.'
'Weet je dat wel zeker?'
'Natuurlijk weet ik dat zeker!' Aderyn schreeuwde het bijna uit, maar hij beheerste zich en haalde diep adem. 'Neem me niet kwalijk. Ik ben Evandar erg dankbaar voor deze rol, wat dan ook de reden mag zijn voor dit gebaar.' Hij streelde het deksel van het kistje alsof het een kat was. 'Het zou me niet verbazen als deze spreuken me rechtstreeks naar de kern van de verloren kennis voeren.'
'Mij ook niet,' zei Nevyn. 'Maar als ik jou was, zou ik ze eerst zorgvuldig bestuderen voordat ik ze uitprobeerde.'
'Wees daar maar gerust op. Ik steek net zomin zomaar mijn hand in het vuur.'
Een voor een namen ze de formules door. Aderyn las de oorspronkelijke woorden, Nevyn dacht erover na en herhaalde er enkele van om te zien wat dat voor beelden zou opleveren. Vervolgens deed Aderyn hetzelfde en dan vergeleken ze de beelden, en slechts één keer

kwamen ze niet met elkaar overeen. Daarna las Aderyn de vertaling voor en ontdekten ze dat de beelden die door hun hoofd waren geflitst steeds weer iets gemeen hadden met de vertaling van de betreffende formule. De enige uitzondering was de formule waaraan een of meerdere woorden ontbraken, en dat sprak eigenlijk vanzelf. Op de een of andere manier stelde elke formule hen in verbinding met een nauwkeurig beschreven deel van de innerlijke vlakken.

Toen ze de laatste spreuk van de rol hadden beoordeeld, stond de zon halverwege het middaguur en zonsondergang. Nevyn voelde zich een beetje versuft, ook al hadden ze er allebei voor gezorgd dat ze bij hun normale bewustzijn bleven.

'We moeten iets eten,' zei Aderyn. 'Ik had ons middagmaal mee moeten nemen, maar ik ben het vergeten doordat ik zo benieuwd was naar de inhoud van de rol.'

'Ik heb er ook niet aan gedacht.'

'Hm, misschien moeten we onszelf ook eens wat kruiden toedienen. Hebben we iets wat het geheugen versterkt? Dat kan ik me niet herinneren.'

Ze lachten allebei.

'Dat is waar ook,' zei Nevyn. 'Ik had je geneeskrachtige zwavel beloofd. Ik zal het zo meteen halen, anders vergeet ik het weer.'

Toen ze terugkeerden naar het kamp van het Westvolk, was Wffyn met zijn karavaan al een tijdje geleden vertrokken. Aderyn ging op zoek naar iemand die een avondmaaltijd voor hen wilde klaarmaken en Nevyn ging in Aderyns tent op zoek naar het beloofde medicijn. Hij trof er Gwairyc aan, die op zijn dekens en met zijn zadel als hoofdkussen lag te slapen. Gwairyc werd wakker en ging geeuwend rechtop zitten.

'Je hoeft niet op te staan, jongen,' zei Nevyn.

'O, dat vind ik niet erg, heer. Ik verveelde me, ik was eigenlijk helemaal niet moe. Gek genoeg zal ik Tirro missen. Dat ik dat miserabele ventje in de gaten moest houden, gaf me iets te doen.'

Meteen toen Nevyn zijn zadeltas openmaakte, zag hij dat de zilveren beker van heer Corbyn was verdwenen. Hij herinnerde zich dat hij zijn voorraad zwavel erin had gestopt om veilig te bewaren. De alchemist van wie hij die had gekocht, een dwerg, had het gele poeder verpakt in stukjes worstvel die hij met een touwtje dicht had gebonden – een effectieve, maar tamelijk kwetsbare oplossing. Nevyn vond de zakjes zwavel terug, maar niet de beker.

'Tirro, dat wil ik wedden,' zei Gwairyc.

'We weten het niet zeker,' zei Nevyn, 'maar het zou me niet verbazen als hij inderdaad de dief is.'

'Als iemand van het Westvolk die beker had willen hebben, zou hij u daar rechtstreeks om hebben gevraagd.'
'Daar heb je gelijk in. Ach, nou ja, het is te veel moeite om achter Wffyn aan te gaan om hem terug te halen.'
'Misschien wel, heer, maar het zit me niet lekker.' Gwairyc schudde zijn hoofd alsof hij zijn ergernis van zich af wilde schudden. 'Het is hier vervloekt gemakkelijk om dingen te stelen. Alles ligt zomaar overal op de grond en iedereen loopt de tenten in en uit.'
'Dat is zo.'
Nevyn legde een zakje zwavel op een van Aderyns zakken met geneesmiddelen en verliet de tent. Hij botste bijna tegen Loddlaen aan, die voor de ingang stond en naar de grond staarde. Toen Nevyn hem groette, keek hij met een ruk van zijn hoofd op, deed een stap achteruit en begon te lachen.
'U maakt me aan het schrikken, heer,' zei hij. 'Is mijn vader binnen?'
'Nee, hij haalt iets te eten.'
'O, nou ja, zo belangrijk is het nu ook weer niet. Val heeft me haar nieuwe edelsteen laten zien en ik wilde graag weten wat u en mijn vader ervan vinden.'
'We vinden het een heel bijzondere steen, niet dat we er veel over weten. Het lijkt een soort schouwsteen te zijn.'
'Ik vind hem prachtig. Hij straalt een vreemd soort kracht uit, vindt u niet?'
'Dat is zo, maar wat voor kracht is het? Dat zou ik graag willen weten. Heeft Val je erin laten kijken?'
'Ja, en toen zag ik een licht dat bewoog, maar het kan ook een weerkaatsing van het zonlicht zijn geweest. Het is tenslotte een kristal.'
'Inderdaad. Maar het licht bewoog?'
'Heen en weer, alsof het aan het eind van een slingerend touw hing. Toen ik dat tegen Val zei, vond ze het heel interessant, maar ze weet niet wat het betekent.'
'Daar komt ze ongetwijfeld achter. Ze heeft een soort geestelijke verwantschap met stenen.'
'Dat is waar. Nou ja, dank u wel. Ik spreek mijn vader wel een andere keer.'
Loddlaen draaide zich om en liep weg. Nevyn keek hem na tot hij tussen de tenten was verdwenen. Ik moet iets voor die jongen doen, maande hij zichzelf. Alleen weet ik niet of zijn vader dat goedvindt.
De volgende dag had Aderyn het tot halverwege de middag druk met zijn werk als geneesheer. Toen hij eindelijk tijd had om het rumoerige kamp achter zich te laten en zich aan de papyrusrol te wij-

den, ging Valandario met de twee mannen mee. Aderyn stond erop dat Loddlaen hen vergezelde. Nevyn besloot er niet tegen te protesteren, vooral uit respect voor zijn vriend, maar ook omdat hij benieuwd was hoe sterk Loddlaens gave voor dweomer was.

Ze gingen weer naar de plek in de schaduw van de wilgen en installeerden zich daar op het gras. Net als de vorige dag trok Aderyn een beschermende cirkel om hen heen, en de uit blauw licht bestaande pentagrammen vormden zich sneller en schenen feller dan de eerste keer. Nevyn voelde dat Valandario een kracht uitstraalde die aan het ritueel meewerkte, maar Loddlaen niet. Daarentegen kon Loddlaen toen Aderyn het geschrift had ontrold enkele van de rode aantekeningen in de kantlijn lezen en er nog iets aan toevoegen ook.

'Die daar, nummer zeven,' zei hij, 'In de kantlijn staat dat "ra-as" hetzelfde betekent als ons woord "van-el", het oosten. De schrijver wist blijkbaar niet dat er in de Elfentaal een ouder woord voor het oosten bestaat: "ra-san-ah". Ik vraag me af wat het verband tussen die twee woorden is.'

'Dat is heel belangwekkend,' zei Nevyn. 'Waar heb je dat woord "ra-san-ah" eerder gehoord?'

'In een liedje van Dev, het lied dat hij zingt op de herdenkingsdag van de Grote Brand. Hij heeft het van een oudere bard geleerd, die het op zijn beurt heeft geleerd van iemand die de brand heeft meegemaakt.'

Nevyn was al bereid om te geloven dat hij de jongen te streng had beoordeeld, maar toen ze begonnen met het lezen van de formules, werd het hem duidelijk dat Loddlaen zijn kennis dankte aan zijn denkvermogen, niet aan de diepere lagen van de geest die ontvankelijk zijn voor dweomer.

'Rah-as ee Sal-mah-noo par-ah-de-zo-od,' las Aderyn voor uit de zevende formule. 'Oh-ay Kah-ree-mee Ah-ah-oh.' Hij zweeg en keek Loddlaen aan. 'Welke beelden komen er hier bij je op?'

'Beelden? Ik zie geen beelden. Is het een soort beschrijving?'

'Inderdaad. Laten we dan de volgende proberen.'

Terwijl Aderyn verder las, gaf Loddlaen steeds weer hetzelfde antwoord. Hij zag niets en bij het horen van de vreemde taal welde er geen enkel gevoel bij hem op. Toen Aderyn vijf formules had voorgelezen, klonk er teleurstelling door in zijn stem. Loddlaen begon een paar beelden te beschrijven, maar die hadden niets te maken met de tekst of met de resultaten van wat Aderyn en Nevyn de vorige dag hadden gedaan.

'Je verzint maar wat, nietwaar?' zei Aderyn ten slotte. 'Je probeert het niet eens.'

'Ik probeer het wel, pa.' Loddlaen keek strak naar de grond. 'Het spijt me.'
Aderyn trok een minachtend gezicht.
'Je ziet er moe uit, jongen,' zei Nevyn opgewekt. 'Soms is vermoeidheid een beletsel voor dweomerwerk, vooral als we eigenlijk niet weten waar we mee bezig zijn, zoals nu.' Tegen Aderyn vervolgde hij: 'Ik vind dat hij voor vandaag genoeg heeft gedaan. Leerlingen moeten hun uithoudingsvermogen langzaam opbouwen.'
'Je hebt gelijk,' zei Aderyn. 'Ben je moe, Loddlaen?'
'Ja, pa. Het spijt me.'
'Ach, daar hoef je je heus niet voor te verontschuldigen.' Maar Aderyn klonk ongeduldig. 'Wil je liever teruggaan naar het kamp?'
Loddlaen glimlachte opgelucht. Hij stond op, zei geluidloos 'dank u' tegen Nevyn en draafde weg alsof hij bang was dat zijn vader van gedachten zou veranderen en erop zou staan dat hij bleef. Toen Nevyn een blik wierp op Valandario, zag hij aan haar uitdrukkingsloze gezicht dat ze haar best deed niets van haar mening te laten merken. Hij vroeg zich af hoe vaak ze dit soort voorvallen eerder had meegemaakt.
Nu was Valandario aan de beurt om de formules op uit te proberen. Hoewel de beelden die haar voor de geest kwamen minder duidelijk waren dan die van de twee dweomermeesters, kwamen ze wel overeen met de vertaling van de teksten, vooral toen er in een van de formules sprake was van een edelsteen.
'Nu is het genoeg voor vandaag,' zei Aderyn ten slotte. 'Volgens mij hebben we hiermee iets heel belangrijks in handen. We moeten ons afvragen wat voor betekenis die beelden voor de dweomermeesters van de oude steden hebben gehad.' Hij rolde het papyrusvel op, legde het terug in het kistje en gaf dat aan Nevyn. 'Waarom houd jij dit niet een poosje bij je? De formules spreken jou het meest aan. Ik zou dolgraag willen weten wie de schrijver is en wie het commentaar heeft geleverd.'
'Ik ook. Ik zal mijn best doen om daar iets over te ontdekken.' Nevyn aarzelde en vervolgde voorzichtig: 'Maar je weet dat er voor zulk soort werk diepe stilte en rust nodig zijn.'
Aderyn wierp zijn hoofd achterover en begon hard te lachen. 'Je wilt zeggen dat je genoeg hebt van mijn lawaaiige tent en wilt verhuizen,' zei hij. 'Op een tactvolle manier, natuurlijk.'
'Natuurlijk.' Nevyn lachte mee. 'Het gaat niet zozeer om het lawaai, maar om de etherische sporen. De mensen lopen de hele dag je tent in en uit. De meesten zijn ziek of hebben andere problemen, en daar laten ze allemaal iets van achter.'

'Dat is waar,' beaamde Aderyn. 'Daar heb ik zelf ook last van, vooral 's winters, als ik niet vaak buiten kom. Maar goed, we zullen een eigen tent voor je laten opzetten.'
'Meester Nevyn?' Valandario leunde blozend naar voren. 'U mag mijn tent wel gebruiken. Want ik verhuis naar eh... Naar een andere tent.'
'Aha!' riep Aderyn grinnikend uit. 'Dus Jav heeft je eindelijk zover gekregen?'
'Inderdaad. We brengen mijn spullen straks als ik terug ben over, en ik wist nog niet wat ik dan met mijn eigen tent moest doen. Hij is stevig gebouwd, meester Nevyn, maar uw leerling moet wel eerst het grondzeil uitkloppen, want ik vrees dat ik geen erg goede schoonmaakster ben.'
Valandario zag er opeens zo gelukkig uit dat Nevyn het niet over zijn hart kon krijgen zijn twijfel uit te spreken. Niet dat hij twijfelde aan haar, maar hij had zijn bedenkingen wat Javanateriel aanging. Zou Jav op een dag, omdat zijn vrouw hem voor haar roeping in de steek had gelaten, net zo verbitterd zijn als Aderyn? Maar het gaat je niets aan, hield hij zich vermanend voor. Bovendien zou de verbintenis tussen Val en Jav, omdat Jav geen greintje aanleg voor dweomer had, een aards karakter hebben en niet zoals bij Aderyn en Dallandra als een ijzeren klem hun ziel in een greep houden. Wellicht is dit juist heel goed voor Val, dacht Nevyn. Dan kan Jav er in elk geval voor zorgen dat ze wat beter eet.
Na hun terugkeer in het kamp droeg Nevyn Gwairyc op hun spullen naar Valandario's tent te brengen. Die was klein, maar groot genoeg voor hen beiden en inderdaad stevig gebouwd, van nieuwe hertenhuiden die aan de buitenkant waren beschilderd met een bloemenpatroon. Ze verplaatsten de tent naar een plek een eindje bij het kamp vandaan. Terwijl Gwairyc het grondzeil meenam om er zand en oude etensresten uit te kloppen, ging Nevyn alvast bij de ingang zitten om te genieten van de stilte. Hij was zich steeds meer gaan ergeren aan het rumoer, de rommel en de wanordelijke bedrijvigheid die bij een kamp van het Westvolk schenen te horen.
'Dit is een stuk beter,' zei hij tegen Gwairyc toen die terugkwam. 'Soms vraag ik me af of ze zelf nooit genoeg krijgen van het lawaai.'
'Het is hier niet lawaaiiger dan in de dun van de koning, heer,' zei Gwairyc. 'En 's nachts is het hier een stuk rustiger dan in Dun Deverry.'
'Dat is waar. Ze leren hun kinderen 's nachts stil te zijn. Dat moet ik hun nageven.'
'En de mannen snurken niet. Hm, dat is eigenlijk heel raar.' Gwai-

ryc grinnikte. 'Ik wou dat ik dat mijn krijgers kon bijbrengen. U zou knettergek worden als u in een kazerne zou moeten slapen.'
'Dat geloof ik graag. Het is maar goed dat ik nooit krijger heb willen worden.'

Vroeg in de avond, wanneer Ebañy in slaap was gevallen en zijn vader op hem lette, ging Morwen naar Loddlaen om dweomer te leren. Tot haar verbazing bleek ze de eerste beginselen al te kennen. Omdat de priesteressen van de Maan hadden aangenomen dat ze zich op een dag bij hen in de tempel zou voegen, hadden ze haar geleerd te visualiseren en met de juiste stem – een diepe, trillende klank – gebeden te zingen. Loddlaen leerde haar om die stemklank te gebruiken bij de eerste rituelen van dweomer. Hij leerde haar ook welke beelden ze zich moest voorstellen bij het mediteren.
De heilige vrouwen hadden haar ook al geleerd dat het universum uit meer lagen bestond dan het fysieke vlak, maar ze was erg verbaasd toen Loddlaen haar vertelde dat elk schepsel, menselijk of dierlijk, meerdere lichamen had. Al een paar dagen was ze bezig te leren hoe ze zich een lichtlichaam moest voorstellen, zodat ze uiteindelijk zelf ook die andere vlakken zou kunnen zien.
'Je maakt echt grote vorderingen,' zei Loddlaen op een avond. 'Ik wil wedden dat jouw gave veel groter is dan de mijne.'
'Ach, welnee,' zei Morwen. 'Het komt doordat je zo'n goede leraar bent.'
'Dank je wel, dat is tenminste iets.' Met een zucht wendde hij zijn hoofd af. 'Ik wou dat ik die zwarte steen van Valandario had.'
'Waarom?'
'Elke keer dat ik hem mag aanraken, voel ik...' Hij fronste nadenkend zijn wenkbrauwen. 'Ik weet niet hoe ik het moet beschrijven. Dan krijg ik het gevoel dat hij kracht uitstraalt, zoals de zon licht geeft. Ik kan die kracht in me opnemen zoals je je op een koude morgen warmt aan de zon. Dus als ik die steen zou bezitten, zou ik eindelijk sterk genoeg zijn om dweomer te leren zoals mijn vader dat van me verlangt.'
'Waarom vraag je dan niet aan Val of ze hem met je wil ruilen? Je hebt me onlangs nog verteld dat je een heleboel paarden hebt.'
'Wat een goed idee!' Loddlaen lachte haar toe. 'Ik zou niet weten wat ik zonder jou moest doen, Morri. Laten we nu verder gaan met de les, maar morgen ga ik het Val meteen vragen.'
Maar Valandario wilde de piramide van obsidiaan voor geen goud missen. Morwen was met Loddlaen meegegaan om te vragen of ze hem wilde ruilen, maar Vals antwoord was boven elke twijfel verheven.

'Niet voor alle paarden ter wereld,' zei ze vastberaden. 'Die steen is precies wat ik voor mijn werk nodig heb. Als het een gewone edelsteen was, zou ik hem zo met je ruilen voor die zilverkleurige jonge hengst van je, maar het is geen gewone steen. Het is de sleutel tot allerlei dingen die ik aan het bestuderen ben.' Ze wierp geschrokken een blik op Morwen. 'Over sieraden, bedoel ik.'
Dat is waar ook, dacht Morwen. Ik weet niets van dweomer. Hardop zei ze: 'Het is vast erg moeilijk om een brok zwarte vuursteen op die manier te slijpen. Ik dacht dat het dan uit elkaar zou spatten.'
'Meestal doet het dat ook,' zei Val enthousiast, 'maar daarom moet ik die piramide juist bestuderen. Want iemand is erin geslaagd hem te maken.'
Loddlaen had geen woord meer gezegd. Toen Morwen hem aankeek, zag ze dat hij bleek was geworden en dat een ader in zijn slaap zichtbaar klopte. Ze legde kalmerend een hand op zijn arm, maar hij schudde die af en liep met grote stappen weg. Morwen staarde hem na.
'Hij kan er niet tegen als hem iets wordt geweigerd,' legde Valandario zacht uit. 'Hoewel hij de laatste tijd in een beter humeur is. Je doet hem goed, Morri. Ik ben blij dat hij zich beter voelt.'
Morwen besefte verbaasd dat Val dacht dat zij en Loddlaen geliefden waren. Alsof hij zo'n lelijk meisje als ik zou willen hebben, dacht ze. Maar dat iemand op het idee was gekomen, deed haar goed.
'Ach, we zijn vrienden, meer niet,' zei ze. 'We kunnen erg goed met elkaar praten.'
'O,' zei Val en met een knipoog voelde ze eraan toe: 'Maar je weet nooit wat er gebeurt, nietwaar?'
'Dat is zo. Eh... Nu moet ik terug naar Ebañy. Hij is met zijn vriendje Danno aan het spelen en Danno's moeder zal zo langzamerhand wel genoeg van ze hebben.'
Toen Morwen die avond naar Loddlaen ging om haar dweomerlessen voort te zetten, deed hij weer normaal. Toch had ze, toen ze overwoog of ze hem zou vragen wat hem die morgen opeens had bezield, het gevoel dat ze dat beter niet kon doen. Dus hield ze haar aandacht bij de les en toen het tijd werd om te gaan, maakte hij alweer grapjes en leek zelfs opgewekter dan anders.

Het werd een gewoonte dat Nevyn, Aderyn en Valandario de lange, hete zomermiddagen samen doorbrachten. Na een lichte middagmaaltijd wandelden ze stroomopwaarts weg van het rumoerige kamp om aan de dweomerrol te werken. Ze deden proeven met de verschillende spreuken en bespraken de resultaten met elkaar tot ze hadden bepaald welke visioenen betrouwbaar waren. Loddlaen vond elke keer weer een reden om niet mee te hoeven en tot Nevyns opluchting vroeg Aderyn zijn zoon na verloop van tijd ook niet meer of hij dat wilde.

In het begin bracht Val steeds haar obsidiaan mee, maar welke geheimzinnige krachten de steen ook had, ze hadden geen enkele invloed op de formules op de papyrusrol. Wanneer Aderyn of Nevyn een spreuk opzei, bekeek Valandario de verschillende bestaansvlakken, maar ze kon niets bijzonders ontdekken.

'Zo nu en dan zie ik een lichtflits,' zei ze op de voorzichtige manier die haar eigen was, 'maar verder niets. Hij komt en gaat op willekeurige momenten, niet als gevolg van bepaalde woorden.'

'Dan hebben de twee geschenken van Evandar blijkbaar toch niets met elkaar te maken,' zei Aderyn ten slotte. 'Al was het niet vreemd eerst te denken dat dat wel zo was.'

'De volgende keer breng ik de steen niet meer mee,' zei Val. 'Het is veiliger als ik hem achterlaat in mijn tent, want stel dat ik hem een keer onderweg laat vallen.'

Maar het gevaar dat de steen bedreigde, had niets met barsten of andere schade te maken. Op een namiddag toen de drie dweomerwerkers weer terug waren in het kamp zaten Nevyn en Aderyn in het laatste zonlicht voor Aderyns tent zwijgend bij elkaar. Opeens hoorden ze boven het normale rumoer van het kamp uit een gil van woede en angst, die alleen afkomstig kon zijn van een vrouw.

'Dat is Val!' Aderyn stond meteen op. 'Alle goden!'

Nevyn kwam ook overeind en liep achter Aderyn aan het kamp door. Val stond voor haar tent, met gebalde vuisten en een betraand gezicht, terwijl Javanateriel zijn armen om haar heen had geslagen en in de Elfentaal kalmerende woorden prevelde. Toen Aderyn Val in dezelfde taal iets vroeg, gaf ze zo fel antwoord dat Aderyn achteruitdeinsde.

'Wat is er gebeurd, Val?' vroeg Nevyn in het Deverriaans.

'Mijn piramide is weg, meester Nevyn.' Valandario haalde diep adem. 'Ik weet dat Loddlaen hem heeft gestolen, maar niemand wil me geloven.'

'Val, mijn liefste, we kunnen niet zomaar iemand beschuldigen, zonder bewijs,' zei Jav.

Aderyn sloeg zijn armen stijf over elkaar en kneep zijn lippen opeen.

'Ik vermoed dat Val en haar edelsteen zo sterk met elkaar verbonden zijn dat ze inderdaad weet waar hij is,' zei Nevyn, 'maar "stelen" klinkt erg hard. Ik stel voor dat we naar Loddlaen gaan om te

vragen of hij de steen heeft meegenomen om hem te bekijken.'
Zowel Aderyn als Valandario ontspanden zich en knikten glimlachend. Javanateriel liet zijn adem in een zucht van opluchting ontsnappen. Ze liepen met z'n allen naar de tent van Loddlaen aan de rand van het kamp, waar tot Nevyns verbazing Morwen en Ebañy Loddlaen gezelschap hielden. Ebañy zat op het gras met stokjes en kiezelstenen te spelen en Morwen roerde in een pan soep op het vuur.
'Ah, je bent hier, jongen,' zei Aderyn. 'Val is haar zwarte steen kwijt en ik vroeg me af of jij die soms had gezien.'
Loddlaen stond langzaam op, met een strak gezicht. 'Hoe komt u daarbij?' vroeg hij.
Morwen hield op met roeren en keek hem aan. Loddlaen stak abrupt zijn handen in zijn zakken. Nevyn had het akelige vermoeden dat ze trilden en dat hij ze wilde verbergen.
'Ach, zomaar...' stamelde Aderyn.
'Ik weet dat hij daar ligt!' Val wees naar Loddlaens tent. 'Ik voel dat hij me roept en hij ligt daar!'
'Niet waar!' zei Loddlaen fel.
'Lieg niet!' Jav deed een stap naar hem toe. 'Maak het niet erger dan het al is!'
Valandario bewoog zich zo snel dat Loddlaen misgreep toen ze langs hem heen vloog. Ze liep de tent in en toen Loddlaen haar achterna wilde gaan, versperde Javanateriel hem de weg. Even later slaakte Val een triomfantelijke kreet en kwam weer naar buiten, met de zwarte steen in beide handen. Loddlaen verbleekte.
'Hij lag open en bloot op zijn bed,' zei Val. 'Ik zei het toch?'
Loddlaen zei iets in de Elfentaal wat Jav ertoe bracht hem bij zijn hemd te pakken en heen en weer te schudden, terwijl hij in dezelfde taal iets terugzei. Ze begonnen tegen elkaar te schreeuwen, en Aderyn deed zijn best om hen uit elkaar te trekken. Nevyn wierp een blik op Morwen en zag dat haar ogen vol tranen stonden. Ze haalde de pan van het vuur en tilde Ebañy op. Even aarzelde ze, maar toen liep ze weg het kamp in. Nevyn liep achter haar aan.
'Wat is er?' vroeg hij.
'Ik begrijp niet hoe Loddlaen zoiets kon doen,' antwoordde ze. 'Ik vind het heel erg, Nevyn. Ik ben hem als een vriend gaan beschouwen, maar hij is een dief en...'
'Misschien was het niet zijn bedoeling de steen te stelen, misschien wilde hij hem alleen maar goed bekijken.'
'Denkt u dat echt?'
'Laten we zeggen dat ik dat graag wil geloven en dat het waar kan zijn. Loddlaen vindt het moeilijk om... om...' Nevyn dacht even na.

'Hij vindt het moeilijk om dingen op een rechtstreekse manier te doen. Misschien durfde hij Val niet te vragen of hij de steen mocht meenemen om hem rustig te bekijken.'

'Dan zal ik mijn best doen om dat ook te geloven.' Morwen zette Ebañy op de grond. 'Oef! Je wordt zwaar, liefje.'

'Ebañy, vind jij Loddlaen aardig?' vroeg Nevyn.

'Ik vind wel, rare man vindt niet,' antwoordde het kind.

'Ik vind van wel, de rare man vindt van niet,' verbeterde Morwen. 'Welke rare man?'

'De man in de steen.' Ebañy wendde met een bezorgd gezicht zijn hoofd af. 'Ik heb hem gezien.'

'Wanneer?' vroeg Nevyn.

'Net. In de tent.' Het kind keek Morwen aan. 'Heb jij hem ook gezien?'

'Nee, ik niet. Je hebt het toch niet over Tirro?'

Ebañy trok zijn neus op en schudde zijn hoofd. 'De rare man met geel haar,' legde hij uit.

'Ik denk dat ik weet wie hij bedoelt,' zei Nevyn. 'Waarschijnlijk iemand uit een verhaal van zijn vader.'

Morwen knikte alsof ze zijn leugentje niet doorhad. Nevyn wilde Ebañy nog meer vragen stellen, maar niet waar zij bij was. Maar toen hij daar later eindelijk de gelegenheid voor kreeg, was het kind het voorval vergeten.

Nevyn zou Morwen graag meer over Loddlaen willen vertellen, maar ze zou het niet begrijpen. Hij wist dat de priesteressen haar de eerste beginselen van dweomerkennis hadden geleerd, voor zover ze die zelf bezaten, maar met wat Morwen vermoedelijk wist, zou ze niet in staat zijn om de waarheid te bevatten over dat vreemde ras van onstoffelijke wezens dat de Wachters werd genoemd, of in Deverry de Schimmenschare. Bovendien, moest hij zichzelf toegeven, begreep hij zelf niet eens precies wat er met Dallandra, de moeder van Loddlaen, was gebeurd.

Op de een of andere manier waren de Wachters in staat om iemand in het astrale vlak voor eeuwig in leven houden. Evandar – Ebañy's rare man – had Dallandra's fysieke lichaam veranderd in een amethist, of misschien slechts in iets wat op een kristal leek, een stof die Nevyn niet kende. Wanneer ze maar wilden, konden de Wachters haar uit het kristal bevrijden en terugsturen naar de fysieke wereld, en haar opnieuw in de val lokken en mee terugnemen naar hun astrale land.

Maar toen ze voor de eerste keer met ze mee was gegaan, bevatte haar lichaam het begin van een ander lichaam met daarin de ziel die

haar zoon zou worden. Het was tijd om Aderyn een paar vragen te stellen, besloot Nevyn.
Nevyn moest zijn gesprek met Aderyn echter uitstellen omdat Valandario die morgen aankondigde dat zij en Javanateriel zouden vertrekken. Ze hadden een nieuwe alar samengesteld en waren van plan de rest van de zomer door te brengen op de weiden in het noorden.
'Het lijkt me beter dat ik de zwarte steen meeneem ergens anders naartoe, meester Aderyn,' zei Val.
'Misschien heb je gelijk,' zei Aderyn. 'Die steen heeft blijkbaar een kwaadaardige uitstraling. Hij brengt sommigen ertoe lichtzinnig te oordelen en anderen vals te beschuldigen.'
Val schrok en keek Nevyn aan. Nevyn glimlachte en stak een arm door de hare. 'Ik loop met je mee naar je paarden,' zei hij. 'Kom, we gaan.'
Aderyn deed geen moeite om hen te volgen. Nevyn wachtte met wat hij wilde zeggen tot Aderyn hem niet meer kon horen.
'Je zult Aderyn nooit zover krijgen dat hij kwaad wil horen over zijn zoon,' zei hij. 'Dat weet je toch wel?'
'Jawel, maar...' Val dacht even na. 'Deze keer was het zo duidelijk als wat!'
'Heeft Loddlaen wel vaker iets gestolen?'
'Nee, niet dat ik weet. Maar hij liegt en hij kan erg onaardig zijn.' Ze aarzelde. 'Misschien was hij inderdaad niet van plan om de steen te stelen. Ik zal mijn best doen om dat te geloven.'
'Meer kunnen we niet doen. Bij je werk met die steen kun je me via het vuur bereiken als je vragen hebt. In elk geval wil ik graag weten wat je allemaal ontdekt.'
'Dank u, meester Nevyn. Ik voel me vereerd.'
Nevyn ging terug naar de tent van Aderyn. Ze gingen voor de ingang zitten en keken naar de bedrijvigheid in het kamp. Een van de vrouwen bracht een mandje met rode bessen, die ze al pratend opaten.
'Hoe lang zat Loddlaens ziel bij Dallandra gevangen in die amethist?' vroeg Nevyn plotseling.
'In onze tijdrekening of die van de Wachters?'
'De onze. Loddlaen heeft de ziel van een mens of van een elf, dat staat vast. Want als hij een van de Wachters was, zou die ervaring hem niet zo veel schade hebben toegebracht.'
'Ik begrijp niet waarom je volhoudt dat hij beschadigd is.'
Kijk dan toch eens goed naar zijn ogen in plaats van je door liefde te laten verblinden, stomkop! Dat had Nevyn het liefst willen roepen. Maar hij zei: 'Dat kan toch niet anders? Nadat hij op die ma-

nier gevangen heeft gezeten, half geboren maar nog niet levend en zich alleen bewust van zichzelf en de steen om zich heen?'
'Ach, ik weet niet of hij zich daar echt van bewust was. Na de terugkeer van Dallandra duurde het nog maanden voordat hij werd geboren.'
'Hoeveel maanden?'
'Dat weet ik niet meer.'
Nevyn besloot Aderyn er niet op te wijzen dat hij een slechte leugenaar was.
'Maar wat je eerste vraag betreft,' vervolgde Aderyn, 'dat was bijna tweehonderd jaar.'
Nevyn rilde en had het gevoel dat zijn bloed bevroor in zijn aderen.
'Ik begrijp heus wel wat je wilt zeggen,' ging Aderyn verder. 'Als hij zich daar inderdaad van bewust was, moet dat een lijdensweg zijn geweest. Maar dat kan gewoon niet, niet al die tijd, anders zou hij stapelgek zijn geworden.'
'En dat is hij niet.'
'Ik neem aan dat je hierover begonnen bent vanwege het misverstand over die steen van Val.'
'Inderdaad. Jij bent er dus van overtuigd dat het een misverstand was?'
'Hij wilde dat ding alleen maar bekijken, hij wilde hem niet stelen. Maar het is waar dat hij nooit kan uitleggen wat hij precies wil of voelt. Misschien heb je toch gelijk wat die jaren in de baarmoeder van zijn moeder betreft, nu ik erover nadenk. Die hebben ongetwijfeld invloed op hem gehad.'
'Hm. Laten we hopen dat hij in elk geval het grootste deel van die tijd in het donkere lichaam van zijn moeder heeft geslapen,' zei Nevyn. Ik hoop dat de Heren van het Wyrd hem in zoverre genadig zijn geweest, dacht hij.
Aderyn stond op en keek in de verte. 'Daar komt een nieuwe alar aan. Ik kan ze maar beter gaan vertellen dat de koopman alweer vertrokken is.' Hij liep weg en keek niet om.
Nevyn stond ook op en tuurde met zijn hand boven zijn ogen eveneens in de verte. Inderdaad, daar zag hij, nog heel klein in het golvende gras, ruiters naderen. Ze zouden er algauw zelf achter komen dat ze de koopman hadden gemist, maar Nevyn had er begrip voor dat zijn oude vriend die reden als verontschuldiging had gebruikt.

Elke dag braken meer Westvolkers hun tenten af, scheidden hun eigen paarden van de rest van de kudde en trokken weg de vlakte over. Morwen en Ebañy keken hen na tot ze uit het zicht waren verdwe-

nen, tot het leek alsof ze aan de van de hitte trillende horizon wegzakten in het gras. Naarmate er minder mensen in het kamp woonden, werd het moeilijker voor Morwen om Loddlaen te ontwijken. Toen ze een keer tegen zonsondergang naar de rivier ging om water te halen, slaagde hij er eindelijk in haar te benaderen.
'Alsjeblieft, Morri, praat weer met me!' smeekte hij. 'Ik had die steen niet gestolen, echt niet! Ik wilde hem alleen maar rustig bekijken.'
Hij klonk zo wanhopig dat ze medelijden met hem kreeg. Ze zette de zware waterkruik neer en draaide zich naar hem toe. Hij had tranen in zijn ogen.
'Je had het Val eerst moeten vragen.'
'Dat weet ik, maar ik dacht dat ze me die steen nog geen dag zou willen lenen en ik kon me er niet op concentreren als zij erbij zou staan.'
Morwen wendde haar hoofd af. De ondergaande zon verguldde het water tussen de grijze rotsblokken. In de dichte rietkraag kwaakten de kikkers hun avondlied.
'Morri, alsjeblieft!' Fluisterend vervolgde hij: 'Je bent mijn enige kameraad. Weet je niet meer dat je me een keer hebt verteld dat alles altijd van je werd afgepakt? Laten we voorkomen dat onze vriendschap van óns wordt afgepakt.'
Hij sprak precies de juiste woorden om haar van haar voornemen af te brengen. 'Vooruit dan maar,' zei ze. 'Maar je moet me beloven dat je, als zoiets nog een keer voorkomt, het eerst vraagt. Als het nodig is, zal ik je wel helpen.'
'Dat zal ik doen. Ik beloof het je.'
Ze keek hem weer aan en zag dat hij naar haar keek met ogen zo groot en ernstig als van een kind.
'Je wilt toch ook doorgaan met de lessen?' vroeg hij.
'Dat is waar. Ik heb ze vreselijk gemist.'
'De lessen wel en mij niet?'
Hij leek zo veel op een kleine jongen dat Morwen moest glimlachen.
'Jou ook,' zei ze.
Hij grinnikte. 'Laat mij die kruik dan maar dragen, die is als hij vol is veel te zwaar voor je.'
'Dat is zo. Dank je wel. Zal ik straks als het donker is en Ebañy slaapt weer naar je toe komen?'
'Graag, dan kunnen we weer fijn met elkaar praten.'

Aderyn en Nevyn misten Valandario allebei, maar ze zetten hun werk met de dweomerrol voort. Nadat ze die wekenlang hadden bestudeerd, begon Aderyn zich af te vragen welke plaats hij precies in het

dweomersysteem van de oeroude elfensteden had ingenomen.
'De taal die voor die spreuken wordt gebruikt boeit me sterk,' zei hij. 'Sommige woorden doen me vreemd genoeg aan het Bardeks denken, maar andere zijn alleen maar vreemd.'
'Je hebt gelijk,' zei Nevyn. 'Zou het een kunstmatige taal zijn?'
'Dat zou best kunnen. In sommige van de oude verhalen over de Grote Brand wordt melding gemaakt van wijzen die een aantal buitenissige talen spraken. Helaas weet niemand meer welke talen dat waren.'
'Als ze verzonnen namen hadden, is dat te begrijpen.'
'Inderdaad. En natuurlijk hielden ze hun kennis krampachtig geheim.' Zuchtend stond Aderyn op en rekte zich uit. 'Zullen we teruggaan naar het kamp?'
Nevyn stond ook op en wandelde met hem mee. De zon ging onder en de avond viel, en een zachte bries deed het gras buigen. Nevyn zag dat de vuren tussen de tenten al waren ontstoken en hoorde de Westvolkers zingen terwijl ze het werk van de dag voltooiden.
'Addo, voordat we teruggaan, moeten we nog ergens over praten,' zei hij.
'Over mijn zoon, bedoel je zeker. Ik zie heus wel hoe je naar hem kijkt, alsof je een vreemde ziekte bestudeert.'
'Geen ziekte. Ik maak me zorgen om die jongen.'
'Je mag hem niet, hè?' Aderyn sloeg zijn armen over elkaar en keek zijn vroegere leermeester uitdagend aan.
'Ik mag hem heus wel,' begon Nevyn, 'maar daar gaat het niet om. Het gaat om...'
Aderyn vervolgde alsof hij Nevyns antwoord niet had gehoord: 'We hebben allemaal onze fouten, nietwaar? Maar ik ben zijn vader, en vaders schenken hun kinderen vergeving. Nou ja, goede vaders.'
'Ik verwacht niet dat je hem veroordeelt, integendeel. Ik wil graag dat je ophoudt met hem dweomer te leren. Of daar moeite voor te doen.'
'Waarom?'
'Hij heeft alles waartoe hij in staat is al geleerd. Om te beginnen heeft hij er niet eens belangstelling voor. Hij wil jou een genoegen doen, dat is de enige reden dat hij het blijft proberen.'
'Hij wordt alleen maar gauw moe. Dat zei je zelf ook, toen we met het werk aan die rol begonnen. Andere keren deed hij het veel beter.'
'Misschien wel, maar hij heeft er niet veel aanleg voor. De grondregels van dweomer kan iedereen leren, maar werken met dweomer is iets heel anders.'

‘Toe nou! Hij kan een lichtlichaam maken en door het etherische vlak reizen, en dat kost hem niet eens veel moeite. Als dat geen dweomerwerk is, weet ik het ook niet meer.’

‘Natuurlijk, maar wat kan hij daar tegenover stellen? Het spreekt vanzelf dat hij zijn wezen in tweeën kan splijten, dat komt door wat die ellendige Wachters met zijn moeder hebben gedaan toen ze zwanger was. Ik heb de jongen een poosje in de gaten gehouden. Open je Zicht! Dan zie je dat zijn etherische gedaante om hem heen hangt als een mantel die hem niet past. Zijn verschillende gedaanten zijn nooit naar behoren in elkaar overgevloeid, Addo. Het verbaast me zelfs dat hij in zijn geheel heeft kunnen incarneren.’

‘Wat een onzin! Ik...’

‘Jij ziet het ook, nietwaar? Je wilt het alleen niet toegeven.’

Aderyn liet zijn armen slap langs zijn lichaam vallen, maar met gebalde vuisten.

‘Ik vind het heel erg dat ik zo bot moet zijn,’ zei Nevyn zacht.

‘O ja? En hoe zit het dan met jou? Je denkt dat jij alles zo helder ziet en dat ik blind ben, nietwaar? Nou, dan vergis je je toch!’

Nevyn staarde hem verbijsterd aan.

‘Ik heb het over Morwen,’ zei Aderyn met een grimmig lachje. ‘Het arme kind! Denk je nu echt dat je haar wel dweomer kunt leren? Al heb je dat nog zo vaak gezworen, haar afschuwelijke jeugd heeft te veel littekens achtergelaten. Zie jij dát dan niet? Zij kan haar woede-uitbarstingen niet onderdrukken, net zomin als de bliksem kan voorkomen dat hij de aarde raakt. De verschrikkelijke manier waarop ze altijd is behandeld heeft haar ook vanbinnen misvormd. Denk je dan heus dat zij wel in staat is om dweomer te leren?’

Heel even voelde Nevyn aandrang om Aderyn de huid vol te schelden, want waar haalde hij het lef vandaan om zijn vroegere leermeester zo te beledigen? Maar een koud, misselijk gevoel in zijn maag weerhield hem ervan. ‘Je hebt gelijk,’ zei hij. ‘Ik had er zelf nog niet bij stilgestaan, maar je hebt gelijk.’

Het lachje van voldoening verdween van Aderyns gezicht. Hij wilde nog iets zeggen, slikte het in, draaide zich half om en keek Nevyn toen weer aan. ‘Nou ja, eh...’ zei hij bijna onhoorbaar, ‘misschien heb jij wat Loddlaen aangaat wel gelijk. Althans voor een deel,’ voegde hij er op zelfverzekerder toon aan toe.

‘Denk er maar eens over na, meer verlang ik niet van je. En wat Morwen betreft, daar heb ik niets aan toe te voegen.’ Nevyn zweeg om zich te vermannen, want tranen van een onbenoembaar verdriet welden op in zijn keel.

‘In elk geval blijft ze hier de komende jaren om voor de kleine Ebañy

te zorgen,' zei Aderyn. 'Misschien kan ik haar dan helpen de verbittering uit haar ziel te verdrijven. Ze hoort nu bij mijn alar en dat is het minste wat ik voor haar kan doen.'
'Dank je wel. Dan kom ik zo nu en dan naar je toe om te zien hoe het met haar gaat. Als je dat goedvindt.'
'Natuurlijk! Alle goden, van mij hoef je nooit meer weg te gaan!'
'Om een andere reden moet ik dat wel.'
'Je plicht jegens Gwairyc?'
'Dat ook.'
Aderyn deed een poging om te glimlachen, maar gaf het op. 'Ik begrijp het,' zei hij. 'Ik... Ach, neem het me alsjeblieft niet kwalijk. Loddlaen is het enige dat Dalla me heeft nagelaten.'
'Dat weet ik. Maar hij is een man, geen nalatenschap. Zoals...' Nevyn moest zich dwingen om zijn zin af te maken. '... zoals Morwen zichzelf is en niet Brangwen.'
'Je hebt gelijk.'
'Ik ben erover begonnen omdat ik me evenveel zorgen maak om Loddlaen als om jou. Hij zal een geweldige kruidengenezer worden als hij de vrijheid krijgt om zich die kennis eigen te maken.'
'Misschien heb je gelijk.' Aderyn klonk vermoeid. 'Ach ja, misschien wel.'
Nevyn stopte het kistje met de papyrusrol onder zijn arm en stak zijn hand uit. Aderyn klemde er zijn beide handen omheen en hield Nevyns hand even vast voordat hij hem losliet. Hij leek nog iets te willen zeggen, maar toen draaide hij zich om en liep snel terug naar het kamp, waar de kookvuren flakkerden in de avondschemering.
Nevyn bleef nog een hele poos op dezelfde plek staan en keek naar de sterren tot de Sneeuwweg zich helder aftekende in de lucht. Meestal gaf dat beeld hem rust, maar nu bezorgde het hem een gevoel van bedreiging, alsof de sterren vonken waren van een vuur en op de aarde konden vallen en de grasvlakte in brand steken. Hoewel hij zich inspande om over de symbolische betekenis hiervan te mediteren, vond hij geen reden voor zijn sombere voorgevoel. De visioenen of vage aanwijzingen waarmee de Heren van het Wyrd dweomermeesters soms een blik in de toekomst gunden, bleven weg. Ten slotte kwam hij tot de conclusie dat hij via de tekst op de papyrusrol alleen maar flitsen uit het verleden had doorgekregen, herinneringen aan het plunderende Paardenvolk dat de Zeven Steden in het Verre Westen had verwoest. Toen het sterrenwiel aangaf dat de nacht zijn hoogtepunt naderde, liep hij terug naar zijn tent.
Toen ze de volgende morgen zaten te ontbijten, zei Nevyn tegen Gwairyc dat ze binnenkort terug zouden gaan naar Deverry.

'Dat doet mijn hart vreugd, heer,' zei Gwairyc met een blijde lach. 'Gaan we terug naar Eldidd?'
'Waarschijnlijk wel. Vond je het erg om hier te zijn?'
'Wel een beetje.' Gwairyc dacht even na. 'Tussen je eigen soort mensen voel je je meer op je gemak, hoewel ik deze mensen misschien aardiger zou hebben gevonden als ik hun vervloekte taal had gesproken.'
'Inderdaad.'
'Maar ik moet u bekennen, heer, dat ik eigenlijk ook blij ben dat u me hier mee naartoe hebt genomen. De wereld is een stuk groter dan ik dacht en het is goed om dat te weten. Eldidd was vroeger niet meer dan een naam voor me, nu ben ik er geweest.' Gwairyc zweeg opnieuw. 'En ik heb nagedacht over de dingen die u destijds tegen me hebt gezegd, in Dun Deverry. Voordat u me meenam, bedoel ik. U zei dat ik er baat bij zou hebben, en dat is zo.'
'Het doet me genoegen dit van je te horen.'
Voordat ze vertrokken, wilde Nevyn nog wat geneeskrachtige kruiden verzamelen. Toen hij de volgende morgen samen met Gwairyc op zoek was naar jonge twijgen van de groene wilg, een geneesmiddel voor kiespijn, kwam Morwen met Ebañy kijken wat ze aan het doen waren. Ebañy had vooral belangstelling voor de kleine zilveren sikkel die Nevyn gebruikte om kruiden die helend vocht opleverden, af te snijden. Toen hij de jongen de sikkel liet zien, viel het hem op dat Morwen en Gwairyc een praatje maakten terwijl ze toekeken. Nadat Morwen en de jongen terug waren gegaan naar het kamp, kwam Gwairyc erop terug.
'Ze stelde vragen over Loddlaen, heer. Ze wilde weten of ik hem betrouwbaar vond.'
'O ja? Wat heb je geantwoord?'
'Dat het afhing van waar het vertrouwen mee te maken had. Als hij een gemakkelijke belofte over iets onbelangrijks zou doen, zou hij zich daar ongetwijfeld aan houden. Maar ik zou hem niet vertrouwen als het om iets belangrijks ging. Aan die belofte zou hij zich ook wel willen houden, maar goden, hij is zo'n zielenpoot dat hij dat waarschijnlijk niet zou kunnen opbrengen.'
'Volgens mij is dat een juiste beoordeling.'
'Dank u.' Gwairyc wierp een blik op het kamp van de elfen. 'Het arme kind! Weet u waaraan ze me doet denken, heer? Toen ik klein was, had mijn zuster een lievelingshond. Op een dag trapte een paard in de stal op zijn poot en verbrijzelde die. De kennelbaas wilde de hond de keel doorsnijden om hem uit zijn lijden te verlossen, maar mijn zuster smeekte zo hartverscheurend om zijn leven dat de chi-

rurgijn de poot afhakte en de wond verbond. De stomp genas, maar toen had de hond nog maar drie poten.'
Gwairyc had nooit gezegd dat hij een zuster had. Nevyn glimlachte om hem aan te moedigen om zijn verhaal af te maken en vroeg: 'En Morwen doet je aan je zuster denken?'
'Hè?' Gwairyc keek hem niet-begrijpend aan. 'Niet aan mijn zuster, aan de hond!'
Nevyn voelde dat zijn glimlach verstarde en blijkbaar kon Gwairyc dat zien. 'Nou ja,' vervolgde hij, 'door die hazenlip is ze tamelijk fel geworden, nietwaar? Dat opvliegende raakt ze nooit meer kwijt.'
Alle duivels, zelfs Gwairyc heeft dat door, dacht Nevyn. Ben ik dan de enige die het niet heeft gezien? 'Nooit is een heel lange tijd, jongen,' zei hij. 'En het zal niet meevallen om die driftbuien te overwinnen. Ze zal er veel hulp bij nodig hebben.'
'Dat denk ik ook. Als ze het tenminste waard is, dat lelijke mormel.'
Voor het eerst sinds honderden jaren voelde Nevyn aandrang om iemand een stomp in zijn gezicht te geven. Hij merkte dat het Natuurvolk om hem heen kwam hangen en aanbood de stomp kracht bij te zetten. Gelukkig was hij zo geoefend in het onderdrukken van zijn emoties dat hij zich beheerste. Gwairyc besefte niet dat hij nauwelijks aan een gebroken kaak was ontsnapt. Nevyn dacht opeens aan Ligga en haar zoon. Ze fokken als konijnen, had Gwairyc over boeren gezegd, en daarna had hij hen vergeleken met paarden. Maar je moet eerlijk zijn, maande hij zichzelf. Krijgers van de koning vinden paarden ook vaak belangrijker dan mensen van hun éígen soort.
'Ik begin me af te vragen of ik er ooit in zal slagen Gwairyc te laten inzien dat het gewone volk net zogoed uit mensen bestaat, dat het geen dieren zijn,' zei hij later tegen Aderyn.
'Dat betwijfel ik ook,' antwoordde Aderyn. 'Ik denk dat hij dat pas zou begrijpen als hij zelf een tijdje onder de armen zou moeten leven. Misschien wordt hij ooit herboren als boer of knecht.'
'Misschien wel. Wie weet wat de Groten met hem voorhebben.'
'Denk maar aan dat oude gezegde dat je wel de krib kunt vullen met hooi, maar dat je de os niet kunt dwingen het op te eten.'
'Een waarheid als een koe. Ik zal er eens over mediteren.'
'Dat helpt altijd.' Aderyn zweeg en leek moed te verzamelen. 'Ik doe het ook, over Loddlaen.'
'Ach, het spijt me oprecht dat ik toen zo bot tegen je deed. Ik...'
'Daar hoef je je niet meer voor te verontschuldigen. Je had gelijk. Ik vroeg me af of je hem ook als leerling zou willen aannemen.' Aderyn aarzelde, glimlachte en vervolgde: 'In de geneeskunde, bedoel ik.

Ik weet dat je Gwairyc al hebt, maar nadat je hem hebt weggestuurd om zijn eigen leven te gaan leiden.'
'Dat zal ik graag doen, dat meen ik.'
'Duizendmaal dank. Ik was van plan om de jongen de komende winter meer dweomerlessen te geven, maar ik zal het houden bij lessen in de kruidenleer.'
'Dat is geweldig! Ik weet niet of ik Gwairyc dan nog bij me heb, maar in het voorjaar kom ik terug om jou en Morwen op te zoeken en dan zal ik met Loddlaen overleggen of hij bij mij in de leer wil komen.'
Die avond zocht Nevyn een rustige plek op om te mediteren. Hij was zich ervan bewust dat Gwairyc, ook al had de jongen op een arrogante, neerbuigende manier zijn medelijden met Morwen geuit, in elk geval wel medelijden voelde. En hij was in nog meer opzichten veranderd. Misschien is dit alles wat ik met hem kan bereiken, dacht Nevyn. De goden weten dat ik niets anders kan bedenken.
Toch wilde Nevyn Gwairyc de rest van de zomer nog onder zijn hoede houden, om te zien of 'alles' wat de krijger betrof hetzelfde betekende als 'genoeg'. Dat kon overal, maar hij besloot bij het Westvolk te blijven, omdat hij diep in zijn hart wist dat hijzelf er nog niet aan toe was Morwen achter te laten. Niet dat hij haar vaak zag, want zij en Loddlaen trokken steeds meer samen op. Net als de rest van het kamp nam hij aan dat ze geliefden waren geworden, en dat vond hij het beste geneesmiddel dat hij haar voor de verbitterde eenzaamheid in haar hart zou kunnen voorschrijven.
'Ik denk dat het ook heel goed is voor Loddlaen,' zei hij tegen Aderyn.
'Ben je dan niet jaloers?' vroeg Aderyn.
'Alleen op zijn jeugd.'
Ze lachten allebei en namen hun studie van de geheimzinnige papyrusrol weer op.

Morwen was zich ervan bewust dat haar dweomerlessen de oorzaak waren van haar gevoel van onbehagen wanneer ze aan Nevyn dacht. Ze mocht hem graag, ze had een heleboel redenen om hem dankbaar te zijn en toch bleef ze hem zo veel mogelijk uit de weg. Ze begreep er niets van, maar elke keer dat ze de oude man zag, voelde ze zich verschrikkelijk schuldig.
'Ik vind dat ik Nevyn moet vertellen waar we mee bezig zijn,' zei ze tegen Loddlaen.
'Waarom? Ik vind het geweldig dat we samen een geheim hebben. Waarom wil je roet in het eten gooien?'

'Dat weet ik niet precies, maar ik vind echt dat hij het hoort te weten.'
'Goed, dan zullen we het hem samen gaan vertellen, maar pas over een poosje.' Loddlaen lachte haar toe met de onschuldige glimlach die haar aan Ebañy deed denken. 'Er staat hem een grote verrassing te wachten, denk je niet? Je maakt snelle vorderingen, Morri. Het wordt ons geschenk aan hem.'
'Vooruit dan maar, dan zal ik voorlopig mijn mond houden.'
Morwen had al geleerd hoe ze, wanneer ze maar wilde, in een trance kon raken. In die toestand kon ze ook een lichtlichaam scheppen, maar ze slaagde er niet in haar bewustzijn erin over te brengen.
'Je moet heel vaak oefenen,' zei Loddlaen. 'Als je eenmaal weet hoe het moet, is het geen kunst.'
'Voor jou niet, maar voor mij wel.'
Elke avond deed Morwen er haar best voor. Loddlaen had haar zo veel over de wonderen van het etherische vlak verteld dat ze die zelf ook dolgraag wilde zien. Toen Nevyn zich liet ontvallen dat hij het Westland binnenkort zou verlaten, spande ze zich nog meer in om haar doel te bereiken. Voordat Nevyn vertrok, wilde ze hem verblijden met het geschenk van hun geheim.
Uiteindelijk en bijna per ongeluk slaagde ze erin het etherische vlak binnen te gaan. Zoals gewoonlijk lagen Loddlaen en zij tijdens een dweomerles in het gras voor zijn tent. Ze ging in trance, vormde het beeld van haar lichtlichaam en probeerde erin over te glijden. Plotseling hoorde ze een vreemd geluid, een soort ruisende klik – te scherp om het zoemen te noemen, te zacht voor het geluid van metaal op metaal – en zag ze haar omgeving door de ogen van haar evenbeeld. Haar blijde verrassing wierp haar meteen weer terug in haar aardse lichaam, maar ze vloog lachend en met een triomfantelijke kreet overeind.
'Het is gelukt! O Loddlaen, het is me eindelijk gelukt!'
'Dat weet ik,' zei hij glimlachend. 'Ik was er ook en ik zag je komen. Dat heb je heel goed gedaan, Morri. Van nu af aan zal het gemakkelijker zijn. Probeer het nog maar eens.'
Toen ze opnieuw in trance raakte, zag ze dat haar lichtlichaam al op haar wachtte. In gedachten liet ze zich in het beeld glijden en weer hoorde ze de klik, weer keek ze door andere ogen. Toen ze om zich heen speurde, zag ze Loddlaen boven zijn fysieke lichaam hangen. De wereld rondom hen had een zilverig blauwe glans, het gras had een roodachtige weerschijn en de bomen in de verte hadden een oranje gloed. Dode dingen – de tent, de rotsblokken en zo – waren pikzwart.

'Je bent er weer.' De stem van Loddlaen klonk in haar hoofd. 'Hier hoor ik thuis, Morri. Dit is de enige wereld waar ik me op mijn gemak voel.'
'Het is hier prachtig!' Ze stuurde de woorden met haar gedachten naar hem toe.
'Laten we dan eens rondkijken.'
Langzaam steeg hij op. Ze hoefde alleen maar te denken dat ze hem volgde en het leek alsof ze vleugels had gekregen. Onder zich zag ze dat het zilveren koord waarmee ze met haar aardse lichaam was verbonden, langer werd. Met haar blik op Loddlaens glanzend gouden lichtlichaam gericht zweefde ze achter hem aan steeds verder omhoog.
'Kijk eens naar de sterren,' zei hij.
Ze keek naar boven en in de glanzend blauwe nacht zag ze reusachtige zilveren krullen. Omdat ze al haar aandacht vestigde op wat ze allemaal zag, zweefde ze steeds hoger. Ze voelde dat het steeds sneller ging, tot ze besefte dat ze niet meer kon stoppen, alsof ze net zo snel omhoog suisde als een steen van een hoog klif omlaag viel.
'Morri!'
Zijn roep in haar hoofd bracht haar als een ruk aan het leidsel om de hals van een hond abrupt tot stilstand. Met inspanning van al haar krachten dwong ze zich naar beneden te kijken, maar tussen de zilveren lichtkrullen kon ze hem nergens meer vinden. Ze speurde alle kanten op en elke keer dat ze haar aandacht verplaatste, bewoog ze mee – op en neer, heen en weer, zonder dat ze er iets aan kon doen. Ze hoorde hem roepen, maar hij moest ergens zijn achtergebleven, want ze zag hem niet meer.
'Naar beneden!' brulde hij. 'Kom naar beneden!'
Wild zwaaiend met haar etherische armen slaagde ze erin haar lichtgedaante om te keren tot ze begon te vallen. Het ging razendsnel, weer veel te snel. Ze zag haar aardse lichaam liggen, als een grote berg vlees met een lawine van kleren eromheen gedrapeerd. Ze probeerde om te keren en weer omhoog te vliegen, maar ze voelde dat ze aan het zilveren koord steeds dichterbij werd getrokken, alsof haar aardse lichaam een visser was die een zware boot op de wal trok.
'Loddlaen!' Ze spande zich in om in gedachten zijn naam te roepen, maar dat leidde haar zo af dat ze haar enige kans op redding verspeelde. Het zilveren koord stond heel even strak en na een harde ruk viel haar etherische dubbelganger terug in haar fysieke lichaam. Ze voelde een brandende pijn door zich heen gaan. Ze stuiterde iets omhoog, weer even vrij, en zag het gebroken zilveren koord onder

zich hangen. De pijn werd een gouden mist die haar verstikte, en toen een gouden licht. Ze zweefde in het licht, zachtjes heen en weer en met haar hoofd iets omlaag, alsof het water was. Ze zag iemand naar zich toe komen, een vage zilveren mensengedaante, gevolgd door reusachtige wezens met in plaats van een lichaam een gouden vlam.
Toen pas besefte ze dat ze dood was.

Hoewel Nevyn zich aan de andere kant van het kamp bevond, hoorde hij de kreet van paniek van Loddlaen. Hij sprong op en zag dat Devaberiel kwam aanrennen. Zelfs in de gloed van het vuurtje was zijn gezicht doodsbleek.
'Er is iets gebeurd met Morri!' riep hij hijgend. 'Loddlaen heeft haar vermoord!'
Nevyn vloekte en rende zo hard mogelijk het kamp door. Aan de rand van het weiland stond al een groepje nieuwsgierigen. Hij baande zich een weg erdoorheen en zag Aderyn en Loddlaen staan. Aderyn had Loddlaen bij zijn schouders gepakt en stond met zijn gezicht vlak voor dat van de doodsbange jongen driftig tegen hem te praten, in de Elfentaal en zo snel dat Nevyn er geen woord van kon verstaan. Morwen lag op de grond, met haar armen en benen gespreid en haar hoofd zo ver naar opzij gedraaid dat Nevyn meteen wist dat haar nek was gebroken. Jennantar zat geknield bij haar hoofd en Farendar bij haar voeten, alsof ze bij haar lichaam waakten. Nevyn klikte met zijn vingers om een bal zilveren licht op te roepen. Bij het felle schijnsel zag hij dat Morwens gezicht, hals, armen en handen onder de rode en blauwe plekken zaten.
'Ik wilde echt niet...' Loddlaen sprak Deverriaans, maar hij huilde zo hard dat hij niet verder kon praten. Hij rukte zich los en probeerde weg te lopen, maar Devaberiel greep hem vast en hield hem tegen. Nevyn liep naar hem toe en keek hem streng aan.
'Wat is er gebeurd?' Nevyn hoorde zelf hoe bars hij klonk. 'Wat heb je met haar gedaan?'
Loddlaen begon te trillen. 'Ik... Ik liet haar zien... Ik bedoel, ik leerde haar... dweomer, een beetje maar.'
'Vervloekte stommeling die je bent!'
Nevyn liet zich op zijn knieën zakken en legde een hand op Morwens gezicht. Meteen wist hij dat haar etherische dubbelgedaante het dode lichaam al had verlaten. Hij boog zich diep over haar heen om zijn gezicht te verbergen en liet zich in een trance glijden. Toen hij zijn Zicht op het etherische richtte, zag hij alleen het krullende blauwe licht en geen spoor meer van Morwen. Hij kwam tot zijn

normale bewustzijn terug en richtte zich op. Loddlaen staarde hem aan, met betraande ogen in een lijkbleek gezicht.
'Laat me eens raden,' begon Nevyn. 'Je besloot haar te leren hoe ze naar het etherische vlak moest gaan, maar je was vergeten dat ze geen idee had hoe ze daar moest blijven of hoe ze veilig terug moest komen.'
Loddlaen wierp zijn hoofd achterover en brulde het uit van verdriet en angst.
'Dat dacht ik al,' zei Nevyn. 'Ik kan niets meer voor haar doen. Ze is dood.'
'Morri!' schreeuwde Loddlaen en toen fluisterde hij: 'Morri, Morri, Morri...'
Hij rukte zich van Devaberiel los en rende het donker in, weg uit het schijnsel van de lichtbol. Dev liep twee stappen achter hem aan, maar toen gaf hij het met een zucht op.
'Ik denk niet dat hij haar kwaad wilde doen,' zei hij.
'Ik denk het ook niet,' zei Nevyn. 'Anders had ik hem achter haar aan gestuurd.' Langzaam stond hij op en keek naar Aderyn, die vlakbij zacht stond te huilen.
'Ik had je gewaarschuwd,' zei hij en toen verwenste hij zichzelf omdat hij dat had gezegd. Ik had hem net zo goed een klap in zijn gezicht kunnen geven, dacht hij. 'O goden, neem me niet kwalijk, ik weet niet waarom ik dat zei! Ik had het nooit mogen zeggen... Duizend verontschuldigingen!'
'Je hebt gelijk,' fluisterde Aderyn. 'Dat weet ik heus wel.' Tranen verstikten zijn stem.
'Bij de donkere zon!' zei Devaberiel plotseling. 'Ebañy! Zo meteen wordt hij wakker!'
De bard draaide zich om en rende terug naar zijn tent.
Jennantar stak een hand op om de aandacht te trekken van de Westvolkers die om de twee dweomermeesters heen stonden. 'Een van jullie moet een deken gaan halen,' begon hij. 'We moeten het arme meisje netjes in een deken wikkelen, de kinderen mogen haar zo niet zien.'
'Laten we haar naar een tent brengen,' stelde Farendar voor. 'Ik zal wel helpen dragen.'
'Goed idee,' zei Jennantar. 'Dan zullen de Wijzen haar wel... Eh... Zij zullen het verder wel afhandelen.'
Samen droegen ze Morwens lichaam op een zo waardig mogelijke manier weg. Aderyn liet zich op zijn knieën zakken en staarde met gebogen hoofd naar de grond. Nevyn ging naast zijn vriend zitten en wachtte tot Aderyn was gekalmeerd. Hij was verbaasd over zijn

eigen emoties of liever, over het ontbreken ervan. Hij voelde zich zo onaangedaan dat hij besefte dat hij een tragedie zoals deze had verwacht, opnieuw een akelige gebeurtenis waardoor zijn Brangwen bij hem weg werd gehaald.

'Ik kan het niet.' Aderyn hief zijn hoofd op en staarde in de verte. 'Praten, bedoel ik. Nog niet. Kunnen we...'

'... er later over praten? Natuurlijk. Ik wil je alleen nogmaals vragen of je me die opmerking wilt vergeven en dan ga ik terug naar de anderen.'

In het kamp zaten kinderen rustig in het gras en volgden hem zwijgend met hun ogen. Farendar stond bij de ingang van zijn tent te wachten. Hij wenkte. Nevyn zag dat Morwens in een witte deken gewikkelde lichaam in de tent op de grond lag.

'Zullen we haar in de grond begraven of haar aan het vuur geven?' vroeg Farendar.

'Aan de aarde,' antwoordde Nevyn. 'Volgens de gewoonte van haar volk. Een diep graf met een steen erop. En geef haar iets mee waar ze waarde aan hechtte, als ze dat tenminste had.'

'Dat is goed. Als u dat had gewild, hadden we haar volgens ónze gewoonte begraven, maar het is inderdaad beter om het volgens de gewoonte van haar volk te doen.'

'Wanneer?'

'Zo gauw mogelijk. We willen haar meenemen naar een plek ver bij het kamp vandaan, zodat Ebañy het niet hoeft te zien.'

'Ach, dat arme ventje!'

Farendar begon de begrafenis meteen te regelen. Samen met Albaral groef hij een graf vlak bij de plek waar het kamp van de koopman had gestaan, een plek tussen haar nieuwe volk en haar oude in, zoals Far het uitlegde. Omdat ze even weinig woog als een kind, droeg Jennantar er in zijn eentje haar lichaam naartoe en legde het voorzichtig in de koude aarde. Vervolgens gaven ze haar de zak met eigendommen die ze had meegebracht mee en haar keukenmes.

'Wilt u nog iets zeggen, Wijze?' vroeg Jennantar.

'Ik zal het proberen.' Nevyn hoorde dat zijn stem verstikt werd door tranen. 'Ga naar het Licht, kleintje. We zullen je missen.' Zijn stem brak en hij wendde zich af.

'Dat is genoeg,' zei Jen zacht. 'Dank u wel.'

Nevyn vond het te pijnlijk om toe te kijken terwijl het graf werd dichtgemaakt. Hij liep terug naar het kamp en ging naar Devaberiel, die voor zijn tent zat. Zijn harp, waarvan de snaren niet waren gespannen, lag naast hem. Toen Nevyn op zijn knieën bij hem ging zitten, begroette de bard hem met een vermoeid opgestoken hand.

'Hoe gaat het met Evan?' vroeg Nevyn. 'Ebañy, bedoel ik.'
'Hij is eindelijk in slaap gevallen.' Devaberiel keek Nevyn aan. 'Ik heb hem niet verteld dat ze dood is. Hij zou het niet begrijpen.'
'Waarschijnlijk niet.'
'Ik heb hem verteld dat ze weg moest en dat ze over een tijdje terugkomt. Ik hoop dat hij haar gewoon zal vergeten.'
'Dat zal hij uiteindelijk ook, maar vind je het echt verstandig om tegen hem te liegen? Vroeg of laat moet hij het toch weten.'
'Laat is vroeg genoeg. Alle goden, het valt niet mee tegen je zoon te moeten toegeven dat je hebt gefaald.'
'Gefaald? Hoezo?'
'Begrijpt u het dan niet?' Devs stem trilde van verdriet en schaamte. 'Ze was mijn gast! Ik had het moeten zien, ik had het moeten weten! Ik had ervoor moeten zorgen dat die vervloekte ellendeling haar met rust liet! Loddlaen! Hij is altijd de rotte appel in de mand geweest. Ze hadden hem al heel lang geleden moeten wegsturen, maar die beslissing was niet aan mij. Maar het was wel mijn plicht, mijn heilige plicht, mijn gast en de verzorgster van mijn zoon te beschermen. En daar heb ik in gefaald.'
'Dan heb ik net zo erg gefaald als jij.'
'Onzin. U probeert al jarenlang Aderyn te laten inzien hoe zijn zoon werkelijk is. Heeft hij ooit naar u geluisterd? Nooit, dat weet ik zeker.'
'Nu luistert hij wel.' De stem klonk zo vermoeid en oud dat Nevyn niet meteen wist wie het was. Toen stapte Aderyn in de lichtcirkel om het vuur. 'Wat kan ik nu nog zeggen? Je had gelijk. Ik had het mis. Ik had die jongen nooit ook maar iets over dweomer moeten leren.'
Devaberiel stond op. 'Kom bij ons zitten, Wijze. En neem me mijn harde woorden alstublieft niet kwalijk. Ik ben kapot van wat er is gebeurd, maar ik ben ook vader en ik besef hoe erg het moet zijn als je zoon' – hij aarzelde een ogenblik – 'zoiets doet.'
Aderyn weifelde even, maar toen nam hij de uitgestoken hand van Devaberiel aan en drukte die stevig. 'Hij was alles wat ik van Dalla overhad,' zei hij. 'Ik kon hem niets weigeren.' Met een zucht liet hij de hand van de bard los en ging naast Nevyn zitten. 'Natuurlijk wil ik haar de schuld geven, maar dat is niet terecht. Ze heeft hem achtergelaten bij een min die van hem hield en een vader die nog meer van hem hield. Dat had genoeg moeten zijn, maar ik heb hem te veel verwend.' Aderyn sloeg beide handen voor zijn gezicht. Hij huilde niet en bleef verder zwijgen.
Devaberiel ging tegenover hem zitten. De stilte hield aan, even on-

behaaglijk als de vochtig warme zomeravond om hen heen.
'Waar is Loddlaen nu?' vroeg Nevyn ten slotte.
'Hij is weg.' Aderyn staarde het donker in. 'Hij heeft al zijn spullen en een paar paarden meegenomen en is ervandoor gegaan. Ik heb geen idee waarheen. Hij zal wel ergens een andere alar vinden waar hij kan blijven. Ongetwijfeld komen we hem wel weer ergens tegen.'
Ongetwijfeld, dacht Nevyn. En heb je het hem dan vergeven?
Plotseling stond Aderyn op. Hij bleef even staan, keek Nevyn aan en liep schouderophalend weg in de richting van zijn tent. Nevyn stond ook op en nam afscheid van de bard, maar hij ging naar zijn eigen tent. Gwairyc zat voor de ingang bij een vuurtje, waar hij steeds twijgjes op legde om het gaande te houden.
'Je hebt op me gewacht,' zei Nevyn.
'Inderdaad. Ik wilde u vragen of u wilt dat ik achter Loddlaen aan ga en hem de keel doorsnijd.'
'Nee. Als Morri daardoor bij ons terug zou komen, zou ik je aanbod graag aannemen, maar dat gebeurt niet en ik wil Aderyns verdriet niet vergroten. We vertrekken morgen. Als we blijven, druppelen we alleen maar azijn in Aderyns wond.'
'Dat is waar. Ach, dat arme meisje! Maar ze is nu wel beter af. Niemand kan haar ooit meer bespotten. Het spijt me, heer, dat ik haar niet beter heb bewaakt. Ik wist alleen niet dat dat nodig was.'
'Ik ook niet. Ik ben ontzettend stom geweest. Het is nooit tot me doorgedrongen dat Loddlaen haar dweomer leerde.'
'Ik denk dat hij ervoor heeft gezorgd dat u daar niet achter zou komen. Ik heb erover nagedacht. Ze was een lelijk mormel, maar ik mocht haar graag. Dat wist ik eigenlijk niet en natuurlijk was het op een vriendschappelijke manier, maar ik wou dat ik had gemerkt dat ze in gevaar verkeerde. Het vreet aan mijn ziel dat ze eindelijk gelukkig was en dat alles haar toen weer is afgenomen. Ach, nou ja. Nu is het te laat.'
'Inderdaad.'
Maar niet te laat voor jou, vriend! dacht Nevyn. Hij besefte dat Gwairyc hem het teken had gegeven waarop hij had gewacht. Voor het eerst sinds ze aan hun reis waren begonnen en waarschijnlijk voor het eerst van zijn leven toonde de jongen oprechte bezorgdheid en spijt over het welzijn van een ander. Hij stond niet langer op de rand van het afbrokkelende klif dat hem scheidde van andere mensen en waar hij in de diepe zee van het kwaad had kunnen storten. Op de een of andere manier was Nevyn erin geslaagd hem mee te trekken naar een plek waar hij vaste grond onder zijn voeten had. Over niet al te lange tijd zou hij van de onbezonnen eed aan zijn ko-

ning kunnen worden ontslagen.
Nevyn wachtte tot ze terug waren in Eldidd voordat hij zijn laatste gesprek met Gwairyc voerde. Ze waren zuidwaarts gereden tot aan de kust iets ten westen van Wmmglaedd en hadden daarna de kust van Eldidd gevolgd. Tegen de tijd dat ze in Abernaudd aankwamen, vlak bij de grens van Deverry, waren de dagen kort en vroor het 's nachts.
Ze zochten hun toevlucht in een herberg voor zeelieden en kooplui. Hoewel er in deze tijd van het jaar in de havenstad niet veel te doen was, vonden ze een schip dat van zijn laatste reis van het jaar terug zou keren naar Cerrmor. Nevyn beschouwde het als een goed voorteken. Toen ze die avond schapenvlees met in schapenvet gebakken rapen zaten te eten, aan een tafeltje dicht bij de haard, dacht Gwairyc blijkbaar na over het weer.
'Waar brengen we de winter door, heer?' vroeg hij. 'Neem me niet kwalijk dat ik het vraag.'
'Ik ga terug naar Cannobaen,' antwoordde Nevyn, 'maar jij niet. Ga jij maar terug naar je koning, jongen. Ik zal je een brief meegeven om hem te laten weten dat ik je ontslagen heb. Je mag ook de helft van ons geld hebben, dat is waarschijnlijk genoeg om met dat vrachtschip in de haven je terugreis naar Cerrmor te betalen en stroomopwaarts over de Belaver terug te keren naar Dun Deverry.'
Gwairyc liet van verbazing zijn tafeldolk vallen. Hij lachte verheugd en begon Nevyn stamelend te bedanken.
'Je hoeft me niet te bedanken,' zei Nevyn. 'Het is gewoon tijd. Maar je moet wel onthouden wat je van me hebt geleerd, en dan bedoel ik niet alleen wat de kruidengeneeskunde aangaat.'
'Dat zal ik doen, heer,' zei Gwairyc. 'Alle goden, wat verheug ik me erop mijn mannen weer te zien! Ik vraag me wel af hoeveel Valken de zomer hebben overleefd. Ik hoop allemaal, en binnenkort zal ik het weten. Maar ik zou het prettig vinden als ik u ook nog af en toe zou zien. Denkt u dat u ooit weer naar Dun Deverry komt?'
'Dat betwijfel ik,' antwoordde Nevyn. 'Ik denk dat ik de jaren die ik nog heb in Eldidd zal doorbrengen. Ik heb hier ook vrienden, net als bij het Westvolk.'
'Ach, heer, u bent zo gezond dat ik wil wedden dat u wel honderd wordt!'
'Misschien heb je wel gelijk.' Nevyn deed zijn best om niet te lachen. 'Ik wens jou hetzelfde.'

Desondanks eindigde Gwairycs leven, zoals te verwachten was, lang voor zijn honderdste verjaardag. Aan de oorlogen in Cerrgonney kwam almaar geen eind en veel brave borsten sneuvelden op het slagveld. Dat overkwam ook Gwairyc, vijf jaar na zijn reis naar het Westland, toen een groep krijgers van het Zwijn hem afsneed van de rest van het koninklijk leger. Maar voordat het zover was, was het bijna iedereen aan het hof opgevallen dat hij een heel ander mens was geworden, hoffelijker en prettiger in de omgang. Toch was alleen koning Casyl degene die oprecht om hem rouwde.

Door de band die Nevyn tussen hemzelf en Gwairyc had gesmeed, wist hij op het moment dat Gwairyc stierf wat er gebeurde. Hij voelde een steek van verdriet door zich heen gaan, die nog lang bleef nazeuren. Moge hij in zijn volgende leven meer geluk hebben, wenste Nevyn elke keer dat hij aan Gwairyc dacht. Hij vroeg zich af of hij Gwairyc ooit weer ergens zou ontmoeten. Maar alleen de Heren van het Wyrd wisten het antwoord op die vraag en geen enkele sterfelijke ziel die zo dom was ernaar te vragen, zou het ooit te horen krijgen. Nevyn hield zich regelmatig voor dat wat een man als Gwairyc betrof het bericht van zijn dood bij een veldslag geen verrassing hoorde te zijn.

Het bericht van de volgende droevige dood raakte hem echter tot diep in zijn ziel.

Het duurde jaren voordat Loddlaen zich weer in het Westland liet zien. Op een voorjaarsdag reed hij op een mooi paard langs de kust, met aan een leidsel een muilezel beladen met snuisterijen en bijzondere voorwerpen uit Bardek, die hij weggaf aan iedereen die ze maar wilde hebben. Hij was naar Bardek gegaan om geneeskunde te studeren, zei hij, en daarnaast was hij handelaar geworden om zichzelf te onderhouden. Valandario hoorde het nieuws een paar dagen later.

'Hij moet goed geboerd hebben,' zei Javanateriel. 'Ik heb gehoord dat hij echte glazen kralen en ook zilveren kralen bij zich heeft.'

'Mooi zo,' zei Valandario. 'Eh... Wacht even, over wie heb je het?'

'Over Loddlaen. Heb je niet gehoord wat ik je vertelde?'

'Ach, mijn liefste, neem me niet kwalijk! Ik zat weer na te denken over die lastige leerling van me.'

Javanateriel sloeg zijn ogen ten hemel en schudde zuchtend zijn hoofd. Ze zaten voor hun tent geroosterd konijn te eten, met een plat brood zoals ze dat in Deverry bakten erbij, allebei klaargemaakt door Jav. Om hen heen kabbelde en klaterde de rumoerige bedrijvigheid van het kamp bij zonsondergang: harpmuziek, keffende honden, gejammer van vermoeide kinderen, gezang, gelach en zo af en toe boze stemmen.

'Waar is Ebañy?' vroeg Javanateriel.
'Dat weet ik niet,' antwoordde Val. 'Dat is juist het probleem. Ik vermoed dat hij weer naar Deverry is gegaan. Ik wou dat zijn vader niet zulke hoge verwachtingen van hem had. Elke keer dat Devaberiel hem uitfoetert over zijn trage vorderingen in dweomer, gaat hij ervandoor.'
'Zeg dan tegen Dev dat hij daarmee moet ophouden.'
'Dat heb ik al gedaan, maar hij luistert niet. Barden luisteren nooit.'
'Helaas is dat waar.' Javanateriel likte zijn vette vingers af. 'Maar wat Loddlaen betreft, Danalaurel zei tegen me dat Loddlaen je wil spreken.'
Valandario legde het stuk vlees waarvan ze net een hap had willen nemen terug op haar houten bord.
'Wat is er? Kreeg je een waarschuwing?'
'Zo sterk was het niet. Ik mag die kerel niet, dat is alles.'
'Misschien kunnen we bij hem uit de buurt blijven. De vlakte is groot genoeg.'
'Hij kent genoeg dweomer om te scryen waar ik ben.'
'O, daar had ik niet aan gedacht.' Jav staarde teleurgesteld in het vuur.
'Bovendien denk ik dat het beter is te horen wat hij te zeggen heeft, dan zijn we ervan af. Ik heb geen zin om me door hem te laten dwingen me ergens op de vlakte schuil te houden.'
'In veel opzichten ben je het moedigste schepsel dat ik ken, weet je dat?'
Javanateriel keek haar met zo'n bewonderende glimlach aan dat Valandario ervan bloosde. 'Nee,' zei ze, 'jij bent moediger dan ik. Jij hebt de moed om met iemand zoals ik samen te leven.'
Hij lachte, stond op en veegde zijn handen af aan zijn kousenbroek. 'Wil je wat honingwater?' vroeg hij. 'Ik heb er een kruik van gemaakt.'
'Graag, dank je wel.'
Javanateriel bracht de drank in twee houten kommen, die hij zelf had uitgesneden toen Val ermee had ingestemd zijn tent met hem te delen. Hij had ze geschuurd tot ze bijna even glad waren als glas en in de rand van beide kommen had hij hun namen gekerfd. In de loop der jaren had het hout een diepe, warme glans gekregen. Valandario oordeelde tevreden dat hun liefde zich op dezelfde manier had verdiept en door dagelijks gebruik ook heel mooi was geworden.
'Eigenlijk zou ik Loddlaen best weer eens willen zien,' zei Jav. 'Hij is tenslotte mijn pleegbroer.'

‘Dat is waar ook,’ zei Val. ‘Nou ja, misschien is hij beter en sterker geworden, nu hij genezer is. Nu heeft hij zijn eigen plek op de wereld.’

Op een bewolkte middag twee dagen later kwam Loddlaen in hun kamp aan. Danalaurel ging vlug naar Valandario toe om het haar te vertellen.

‘Hij wil met ons meereizen, Wijze,’ zei Danno. ‘Lijkt u dat een goed idee?’

‘Dat weet ik pas als ik hem gesproken heb,’ antwoordde Valandario. ‘Dus kan ik maar beter meteen naar hem toe gaan.’

Loddlaen stond bij de paarden van hun alar op haar te wachten. Naast hem stond zijn eigen paard, een grijs Westers jachtpaard, en hij hield twee muilezels met halflege tassen bij de teugels. Hij leek nog sterk op de Loddlaen van vroeger, met gekwelde ogen en rusteloze handen die aan de teugels friemelden terwijl hij haar dichterbij zag komen. Maar Valandario was nieuwsgieriger naar zijn aura. Ze opende het Zicht van haar helderziendheid net genoeg om het duidelijk te kunnen zien en het bleek nog steeds, als een trillende zachtgouden mantel, te los om zijn fysieke lichaam te hangen. Hij was nog dezelfde Loddlaen. Ze sloot het Zicht.

‘Goedemorgen, Loddlaen,’ zei ze. ‘We hebben je al heel lang niet gezien.’

‘Dat is zo. Ik ben in Bardek geweest.’ Zijn stem klonk vaster en ook iets dieper, met meer zelfvertrouwen. ‘Het is me gelukt bij een van hun geneesheren in de leer te gaan.’

‘Geweldig! Hoe is dat afgelopen?’

‘O, heel goed.’ Loddlaen glimlachte, eveneens zelfbewuster dan vroeger. ‘Ik heb een heleboel waardevolle kennis opgedaan, al is die vooral van toepassing op Rondoren. Ik ben dan ook van plan om voor de winter naar Bardek terug te gaan, Val. Ik ben hier alleen naartoe gekomen om een bezoek te brengen aan mijn vader.’ Opeens trilde zijn stem weer net als vroeger. ‘Als hij me tenminste wil zien. Ik wilde jou graag spreken om je te vragen of je me wilt helpen. Of jij eerst met hem wilt praten, bedoel ik.’

Het wanhopige verlangen waarmee hij haar aankeek, raakte haar.

‘Natuurlijk,’ antwoordde ze. ‘Maar ik zal eerst een paar mannen naar je toe sturen om je te helpen je tent op te zetten. Zet je paard en de ezels maar bij de kudde.’

Terwijl Loddlaen zich in het kamp installeerde, stelde Valandario zich in verbinding met Nevyn om hem op de hoogte te brengen. Bovendien wilde ze van hem weten hoe ze Aderyn het beste kon waarschuwen.

'Draai er niet omheen,' raadde Nevyn haar aan. 'Vertel hem meteen wat je te vertellen hebt.'
'Dat zal ik doen. Dank u wel, meester Nevyn. Ik hoop dat ik er goed aan heb gedaan toen ik Loddlaen toestemming gaf een poosje hier te blijven.'
'Kreeg je een voorgevoel dat je dat beter niet had kunnen doen?'
'O nee, dat niet, maar ik heb Loddlaen nooit gemogen. Maar hij keek zo zielig toen hij mijn hulp inriep dat ik hem niet kon wegsturen. Ik denk dat ik gewoon bang ben dat hij opnieuw moeilijkheden zal veroorzaken. Dat deed hij vroeger immers ook.'
'Als dat weer gebeurt, moet je me meteen waarschuwen.'
Omdat Valandario eerst haar eigen gedachten wilde ordenen, wachtte ze tot later op de dag voordat ze zich via het vuur met Aderyn in verbinding stelde. Hij reageerde meteen.
'Ik wil u iets vertellen, meester Aderyn,' zei ze. 'Loddlaen is terug uit Bardek. Hij wil u spreken en hij heeft mij gevraagd u te vragen of u hem wilt zien.'
De golf van emoties die in hem opwelde, stroomde haar geest binnen: vreugde, oude woede, lichte angst en verdriet dat meer met Dallandra dan met hun zoon te maken had. Ze staarde naar de knisperende vlammetjes van het vuur en wachtte tot het weer kalm was in zijn hoofd.
'Zeg maar dat ik hem wil zien,' antwoordde Aderyn. 'Ondanks wat hij jaren geleden heeft gedaan, is en blijft hij mijn zoon. Zeg dat er maar bij.'
'Dat zal ik doen. Waar bent u nu? Onze alar bevindt zich op twee dagen rijden ten noorden van het zuidelijkste handelsterrein.'
'Wij bevinden ons op ongeveer vijf dagen rijden ten oosten daarvan en gaan die kant op. Als jullie er ook naartoe gaan, komen we zo gauw mogelijk.' Het visioen van Aderyns gezicht lachte. 'En ik dacht nog wel dat ik hem nooit meer zou zien!'
Toen Valandario het gesprek met Aderyn doorvertelde aan Loddlaen, begon hij te huilen. Hij wendde zijn hoofd af en sloeg een arm voor zijn gezicht – tranen van blijdschap, veronderstelde Val.
'Dank je wel, Val,' zei hij.
'Graag gedaan.' Ze gaf hem een paar klapjes op zijn schouder.
Hij veegde zijn gezicht af aan zijn mouw en schonk haar een glimlach – een raar soort glimlach: zenuwachtig, onoprecht en kort. Maar Loddlaen had altijd vreemde trekjes gehad, dus dacht ze er niet verder over na.
'We hebben twee dagen nodig om langs de kust naar het handelsterrein te trekken, nietwaar?' zei Loddlaen.

'Inderdaad. Je vader en zijn alar zullen hooguit drie dagen later aankomen. Ik weet zeker dat hij haast zal willen maken.'
Loddlaen knikte en wendde met getuite lippen zijn hoofd af, alsof hij ergens over nadacht. 'Dank je nogmaals,' zei hij ten slotte. 'Ik ben je erg dankbaar.' Hij knikte haar toe en liep weg naar zijn tent, die hij zoals gewoonlijk een eindje bij de rest van het kamp vandaan had neergezet.
Bij hun aankomst op het handelsterrein zagen ze dat al twee kooplieden uit Deverry er hun goederen hadden uitgestald: ijzerwaren, graan, garen, geweven stoffen, zeep en andere benodigdheden die het Westvolk zelf niet verbouwde of maakte. Dit terrein lag dicht genoeg bij de grens met Eldidd om kooplieden te lokken die bereid waren om hun goederen te ruilen voor ongelooide huiden in plaats van de veel duurdere paarden. Toen er op de dag na hun aankomst nog enkele alarli aankwamen, werd het een echte markt, maar dan wel op de manier van het Westvolk.
Iedereen bereidde zijn lievelingskostje en ieder ander mocht ervan proeven. Hier en daar speelden groepjes muzikanten elk hun eigen liedjes, dus was het een lawaai van jewelste. Kinderen, honden en Natuurvolkers vlogen tussen de tenten door, met een boog om de vuren heen, en struikelden over touwen terwijl ze schreeuwend en lachend allerlei spelletjes verzonnen.
Als Wijze werd Valandario geraadpleegd om advies te geven en de toekomst te voorspellen. De mensen kwamen met allerlei vragen en sommige kon ze niet beantwoorden. 'Maar Aderyn komt binnenkort ook,' zei ze dan, waarop de vragenstellers glimlachend beloofden op hem te wachten.
Hoewel Loddlaen inmiddels heelmeester was geworden, hield hij zich nog net zo afzijdig als vroeger. Hij had geen geneesmiddelen meegebracht en als iemand hem om raad vroeg, antwoordde hij steeds dat hij alleen Rondoren kon helpen, niet het Westvolk. En dan stelde hij net als Val voor dat de patiënt zou wachten op Aderyn.
De avond voordat Aderyn zou aankomen, ging het feest tot laat in de nacht door. In het weiland buiten het kamp werden vuurtjes aangestoken en danste het Westvolk in lange rijen. Een van de alarli had het hele kamp van Valandario en Javanateriel uitgenodigd om bij hun grote vuur te komen zitten. Toen Javanateriel voorstelde dat ze ook zijn pleegbroer zouden vragen, sloeg deze de uitnodiging af.
'Ik haat mensenmassa's, Jav,' zei hij. 'Dat weet je toch? Dat lawaai! Ik denk dat ik een lange wandeling in het maanlicht ga maken om alle drukte te vermijden.'

'Doe dat dan maar,' zei Jav. 'Maar ik wilde niet dat je je buitengesloten voelde.'
'Zoals toen we nog klein waren?' Loddlaens glimlach verstrakte. 'Ach, dat was lang geleden. Maar ik herinner me nog een heleboel dingen, misschien meer dan anderen dat doen.'
'Dat deed je altijd al.'
'Inderdaad, dat deed ik altijd al,' beaamde Loddlaen zacht.
Toen Val en Jav wegliepen en Val omkeek, stond Loddlaen hen met zijn handen in zijn zakken na te kijken.
Op de plaats waar het feest werd gehouden, telde Val ongeveer tachtig aanwezigen. Loddlaen zou het inderdaad vreselijk hebben gevonden. Sommige gasten stonden bij de vuurkuil en keken toe terwijl hun gastheer een geroosterd lam aan stukken sneed, andere zaten in het gras achter de tenten en keken naar de dansers in het weiland. Javanateriel en Valandario zochten een plekje om te gaan zitten. Een paar vrouwen brachten borden met heerlijke gerechten, met een blij gezicht omdat ze de Wijze en haar man mochten bedienen.
Hoewel Valandario niet van sterkedrank hield, liet Jav een zak mede nooit onaangeroerd voorbijgaan en die avond kwamen er heel wat zakken mede voorbij. De meeste mannen van het Westvolk konden mede drinken alsof het water was, maar dat gold niet voor Javanateriel en daar schaamde hij zich voor. De volle maan stond nog hoog aan de hemel toen Val merkte dat hij meer dan genoeg had gedronken. Opnieuw reikte iemand hem een volle zak aan en hoewel het Jav lukte een straal in zijn mond te spuiten, morste hij er ook wat van op zijn hemd.
Zijn drankgebruik was het enige waarover ze soms ruziemaakten. Omdat ze die avond onder vreemden waren, deed Val haar best om zijn gedrag te negeren, maar ze wist dat Jav haar kille houding zou opmerken. Uiteindelijk begon hij erover.
'Je bent boos, nietwaar?'
'Je had me beloofd dat je vanavond niet stomdronken zou worden.'
'Ik ben niet stomdronken.'
'Nog niet.'
'Waarom denk je dat ik het zal worden?'
'Ervaring.'
'Ach, Val, schei toch uit! Als je zelf af en toe ook eens een slokje zou nemen...'
'Ik heb er geen behoefte aan niet meer helder te kunnen denken.'
'O, nu kan ik opeens niet meer helder denken!'
'Zo bedoelde ik het niet.'
Een paar andere gasten keken hun kant op, zag Val. Ze haalde diep

adem en blies die uit als een zucht.
'Onze ruzies eindigen altijd op dezelfde manier,' zei ze. 'Het spijt me dat ik er iets van heb gezegd. Is het zo goed? Ik zal verder mijn mond houden.'
Hij keek haar met een wrang lachje aan. Ze dacht dat ze hem gesust had, maar na een poosje zei hij: 'Je bedoelt dat ik niet tegen drank kan. Dat is een belediging.'
'Dat bedoelde ik niet.'
'O nee? Wat bedoel je dan als je zegt dat ik stomdronken ben?'
Val begon bijna tegen hem te schreeuwen, maar ze beheerste zich. Misschien zou een glimlach helpen? Ze legde ook liefkozend haar hand op zijn arm, maar hij schudde hem eraf.
'Goed dan, als je me belachelijk wilt maken, ga ik terug,' zei hij.
Hij stond op, wankelde even voordat hij erin slaagde rechtop te blijven staan en liep weg in de richting van hun tent. Valandario wilde hem achternagaan, maar een van de andere vrouwen pakte haar arm vast.
'Jij bent onze wijze vrouw, maar ik ben een stuk ouder dan jij,' zei ze. 'Het is beter om een man zijn roes te laten uitslapen.'
'Waarschijnlijk heb je gelijk.' Val ging weer zitten. 'Als ik nu achter hem aan ga, komt daar alleen maar nog meer ruzie van.'
De vrouw knikte met een glimlach en liep haastig weg, tot ze tussen de tenten was verdwenen. Valandario keek weer naar de dansers, maar ze bleef aan de vrouw denken en ineens besefte ze dat ze haar nooit eerder had gezien. Het was een grote vrouw met honingblond haar, donkerder haar dan dat van de meeste Westvolkers. 'Wie was die vrouw?' vroeg ze aan de man die naast haar zat.
'Dat weet ik niet,' antwoordde hij. 'Waarschijnlijk hoort ze bij een andere alar. Ze hoort dus niet bij jullie?'
'Nee. En gek genoeg kan ik me haar gezicht niet eens meer voor de geest halen, terwijl ze zojuist nog iets tegen me heeft gezegd.'
Plotseling voelde ze de ijskoude greep van dweomer. Ze krabbelde overeind, trillend en snakkend naar adem. De man naast haar stond ook op, aangestoken door haar paniek.
'Is er iets, Wijze?' vroeg hij.
'Niet met mij,' antwoordde Val, 'maar wel met Jav.'
Ze draaide zich om en rende weg, kriskras door de menigte. Ze was er zich vaag van bewust dan anderen haar volgden, met kreten van schrik en roepend dat de Wijze hulp nodig had. Maar ze dacht alleen nog aan Jav, die ergens alleen was. In onze tent, dacht ze. Hij zei dat hij terugging. Toen ze hun eigen deel van het terrein bereikte, was ze buiten adem en doordrenkt van het koude angstzweet.

Hun tent stond in het midden van de groep. Ze rende verder, tussen de andere door. Zwermen Natuurvolkers vergezelden haar – dwergen liepen mee, luchtgeesten vlogen mee – en verspreidden een zilveren licht.
Ze trok de tentflap opzij en dook naar binnen. Jav lag op zijn rug, met zijn mond open en starende ogen. Zijn hemd was niet nat van de mede, maar van het bloed uit de wonden van dolksteken in zijn borst. Om hem heen lagen lege tentzakken en alles wat eruit was gegooid en naar alle kanten was geschopt. Val liep naar hem toe en zakte op haar knieën naast hem. Ze had geen adem meer om te gillen. Wel hoorde ze anderen schreeuwen en vloeken, maar wat ze zeiden, drong niet tot haar door.
'Jav?' fluisterde ze. 'Jav?'
Ze pakte zijn rechterhand vast – hij was nog warm – maar ze wist dat Jav dood was. Ze liet zich zo snel mogelijk in een trance zakken en gleed in haar wachtende lichtlichaam. Om haar heen straalden en glinsterden Natuurvolkers, als lichtstrepen en kristalvormen in allerlei kleuren – het etherische vlak was hun ware thuis. In een stralende wolk steeg ze op naar het dak van de tent, waar ze Javs etherische dubbelgedaante nog boven zijn lichaam had moeten zien hangen, maar ze zag alleen dood vlees en zwarte voorwerpen eromheen. Ze zweefde door het tentdak de nachtelijke hemel in, vol wervelend blauw licht. Hoog boven haar stond de reusachtige maan met een stuurs, zilveren gezicht.
'Jav!' Ze zond de gedachte uit als een kreet van pijn. 'Jav! Denk aan me zodat ik je kan vinden! Roep mijn naam!'
In het blauw doemde iemand op, maar het was de geest van een vrouw, een ongewoon grote vrouw met honingblond haar. Ze was gekleed in een leren kousenbroek en een tuniek zoals de elfen droegen; in haar rechterhand hield ze een gouden boog en op haar heup hing een gouden pijlenkoker.
'Ik heb hem meegenomen naar het lavendelblauwe veld en hem naar de overkant van de witte rivier gestuurd,' zei de vrouw. 'Hij heeft ons gestoord.' Ze slaakte een bitter ruikende, berouwvolle zucht en was plotseling verdwenen.
Alleen Valandario's lange opleiding weerhield haar ervan hem achterna te gaan. Een minder begaafde dweomermeester zou wild heen en weer vliegend haar woede hebben uitgeschreeuwd tot haar zilveren koord zou breken. Maar Valandario gleed langs het koord terug naar haar aardse lichaam, bracht haar bewustzijn erin over en liet haar lichtgedaante volgens het juiste ritueel verdwijnen. Ze opende haar ogen en zag dat ze voorover in de opdrogende bloedplas op

Javs borst was gevallen. Toen pas begon ze hysterisch te gillen en te huilen; ze trok aan haar haren en krabde in haar gezicht tot haar handen werden beetgepakt om haar te laten ophouden.
'Val! Val!' Het was de stem van Enabrilia. 'Niet doen! Doe jezelf geen pijn, dat zou hij niet willen.'
Val draaide zich blindelings naar haar vriendin toe, en Enabrilia sloeg haar armen om Val heen en trok haar tegen zich aan om haar te laten uithuilen. Andere vrouwen stonden, troostende woorden mompelend, om hen heen en hielpen hen overeind.
'Kom mee naar buiten,' zei Enabrilia zacht.
Zonder de hulp van de vrouwen zou Val die vijf stappen niet hebben kunnen zetten. Ze ondersteunden haar en namen haar mee naar de tent van Enabrilia, terwijl ze hevig trillend bleef huilen en bijna stikte in haar verdriet. Ze hielpen haar te gaan zitten en schaarden zich om haar heen, en de luchtgeesten die boven haar zweefden wrongen verslagen hun handjes.
Door haar snikken heen hoorde Val een mannenstem zeggen: 'Ik dacht dat Loddlaen misschien kon helpen, maar we kunnen hem niet vinden. Zijn paard en zijn ezels zijn weg; zijn tent staat er nog, maar die is leeg.'
In haar verdriet vlamde razernij op. Ze slikte moeizaam en keek op. 'Heeft hij het gedaan?' vroeg ze fluisterend aan de luchtgeesten.
Ze knikten en doofden als uitgeblazen kaarsen. Valandario zag Danalaurel in de tentopening staan.
'Heeft Loddlaen hem vermoord?' Danno's stem trilde even hard als de hare, maar van woede. 'Heeft hij zijn eigen pleegbroer vermoord?'
Valandario knikte. Ze was sprakeloos.
Danno draaide zich om en riep iets naar buiten. Iemand riep een antwoord. Danno liep de tent uit en schreeuwde iets over paarden halen.
'Waarom?' zei een van de vrouwen. 'Waarom zou hij...'
'Diefstal, denk ik,' zei een andere vrouw. 'Heb je niet gezien dat alles door de tent lag verspreid? Iedereen weet dat Val altijd edelstenen bij zich heeft.'
Opeens kwam er een herinnering bij Valandario boven. Edelstenen. Loddlaen wilde... 'De zwarte piramide!' zei ze. 'Ik moet terug naar mijn tent.'
'Wacht nog even.' Enabrilia pakte haar bij haar schouders vast. 'Laat de anderen...' Ze aarzelde. 'Laat de anderen eerst afmaken waar ze mee bezig zijn.'
'Waar ze mee bezig zijn?' fluisterde Val. 'Je bedoelt dat ze Jav meenemen?'

Enabrilia knikte. Valandario begon weer te huilen, met haar armen gekruist om haar lichaam en heen en weer wiegend als een kind. Een van de andere vrouwen bracht een schone tuniek en een kousenbroek, en Enabrilia hielp Val met het verkleden, alsof ze inderdaad nog een kind was.
'Ik moet het Aderyn vertellen,' zei Val. 'Ik kan hem niet hierheen laten komen zonder dat hij het weet.'
'Dat kan best,' zei Enabrilia. 'Het is minder erg voor hem als je het hem persoonlijk vertelt. Daarna kunnen we ons best doen om hem te troosten. De zon komt al bijna op, dus het duurt niet lang meer voordat hij er is.'
Niemand deed die nacht nog een oog dicht. De mannen kwamen met z'n tweeën of drieën terugrijden naar het kamp om te horen of hun speurtocht al iets had opgeleverd en vertrokken weer om die te hervatten. Tegen zonsopgang kwamen ze terug om te verklaren dat het een hopeloze zaak was. Hoewel ze in alle richtingen hadden gezocht, waren Loddlaen en zijn dieren verdwenen zonder zelfs maar een hoefafdruk achter te laten.
'Hij kent dweomer, nietwaar?' zei Danalaurel. 'Dus is het geen wonder dat we hem niet kunnen vinden.'
In het bleke ochtendlicht waren de eerste golven van Valandario's verdriet weggeëbt. Danno's opmerking herinnerde haar eraan dat ze zelf ook dweomer kende, dus probeerde ze Loddlaen te scryen. Maar zij kon hem ook niet vinden, hoe sterk ze zich ook op haar innerlijke zicht concentreerde.
'Misschien is hij weer aan boord van een schip gegaan,' zei ze tegen de anderen. 'Ik vraag me af of er aan de kust iemand op hem heeft gewacht. Het is maar een paar kilometer hiervandaan.'
Toen de zon op was, gingen Valandario, Enabrilia en twee andere vrouwen naar Vals tent om naar de steen te zoeken en de rommel op te ruimen. Omdat Val het niet kon opbrengen, pakten de anderen Javs kleren en eigendommen in. Valandario doorzocht alles wat was achtergebleven. Zorgvuldig pakte ze de tentzakken weer in en hing ze op hun plaats, om zich te dwingen niet alleen maar te rouwen. Ze ontdekte dat Loddlaen twee zakjes edelstenen had laten liggen – ze waren een klein fortuin waard – en inderdaad de piramide van zwart obsidiaan had meegenomen.
'Verder mis ik niets,' zei ze ten slotte. 'Voor zover ik kan zien, tenminste. Ik kan niet goed meer nadenken.'
'Dat begrijp ik,' zei Enabrilia. 'Denk je dat je een poosje kunt slapen?'
'Ik betwijfel het, maar ik zal het proberen.'

Ondanks haar twijfel viel ze meteen nadat ze was gaan liggen in slaap. Ze droomde van Javanateriel. Hij kwam naar haar toe lopen, lachend om de grap die hij met haar had uitgehaald. Ze foeterde hem uit omdat hij net had gedaan alsof hij dood was, maar toen hij haar handen vastpakte, vergaf ze het hem. Op dat moment werd ze wakker en besefte ze dat hij echt dood was, vermoord. Ze ging rechtop zitten en werd misselijk bij de gedachte dat de geur van zijn bloed nog in de vochtige zomerlucht hing. Enabrilia zat vlakbij op haar te letten.
'Het is het middaguur,' zei ze. 'Wil je meegaan naar buiten?'
'Ja, ik heb behoefte aan frisse lucht,' antwoordde Valandario.
Ze gingen naar buiten en het bleek vrij rustig te zijn in het kamp. De kinderen waren bij hun ouders gebleven, die in groepjes zacht met elkaar stonden te praten. Zelfs de honden leken de stemming aan te voelen, want ze lagen bij de tenten en hielden zich koest.
'Ze hebben hem niet gevonden,' zei Enabrilia. 'Ach, bij de Zwarte Zon! Ik vraag me af wat zijn moeder ervan zal denken, als we haar ooit terugzien en het haar kunnen vertellen. Toen we klein waren, was Dalla mijn beste vriendin, weet je. Dat haar kind nu... Ach, goden.'
Plotseling hoorden ze aan de rand van het kamp iemand vaag 'nee!' brullen, gevolgd door nog een paar kreten van woede en verdriet. Iedereen draaide zich om naar waar het geluid vandaan kwam.
'Dat moet Aderyn zijn,' zei Valandario. 'Iemand heeft het hem verteld.'
Aderyn kwam tussen de tenten door naar haar toe. Zijn zilvergrijze haar was naar achteren gekamd, zijn wangen waren nat van de tranen, zijn mond was een grimmige streep. Iedereen keek hem zwijgend na. Toen hij Valandario zag staan, hield hij even zijn pas in, rechtte zijn schouders en snelde naar haar toe.
'Mijn arme kind,' zei hij. 'Mijn hart doet pijn om jou.'
Hij spreidde zijn armen en Valandario rende hem tegemoet. Ze voelde zich inderdaad net weer een kind, een bange jonge leerling. Aderyn omhelsde haar en streelde haar haren terwijl ze met haar gezicht tegen zijn borst gedrukt huilde.
'Vergeef het me,' zei hij. 'Vergeef het me, alsjeblieft.'
'Het is niet uw schuld,' zei ze snikkend. 'Ik geef er u niet de schuld van.'
Ze huilden samen, terwijl om hen heen het Volk toekeek. Iemand aan de rand van de groep begon een rouwlied te zingen en een voor een vielen de anderen in, tot uiteindelijk het hele kamp zingend uiting gaf aan hun verdriet.

Vanwege de hitte was de begraafplaats bij het Meer van de Springende Forel te ver weg om daar op de rituele manier afscheid van Javanateriel te nemen. De kooplieden uit Deverry gaven het Westvolk al het brandhout dat ze hadden meegebracht voor de brandstapel. De vrouwen van de alar wikkelden Jav in een linnen laken, legden hem op de berg hout en goten kruiken met olijfolie uit Bardek over het lichaam leeg. Voordat het vuur werd aangestoken, haalde Valandario de houten kommen uit haar tent en legde die bij zijn handen.

Het vuur bleef bijna de hele nacht branden. Toen bij zonsopgang de as was afgekoeld, liet Valandario die door de opstekende wind meenemen. Terwijl ze de grijze poederwolken nakeek, besefte ze dat ze nooit meer van een man zou houden, al duurde het leven dat haar nog wachtte nog zo lang.

Toen Nevyn op een namiddag onder dreigende regenwolken op een braakliggend stuk land smeerwortelplanten aan het opgraven was, merkte hij opeens dat Aderyn hem in gedachten probeerde te bereiken. Hij legde zijn schepje neer, rechtte zijn rug en staarde naar de grijze wolken om die als achtergrond voor het scryen te gebruiken. Toen Aderyn hem op de hoogte had gesteld van de moord was hij even zo geschokt en zo onaangenaam verrast dat hij niet wist wat hij moest denken. Ten slotte antwoordde hij Aderyn in gedachten: 'Ik had nooit verwacht dat Loddlaen zoiets zou doen. In geen duizend jaar.'

'Ik ben blij dat ik je dat hoor zeggen,' zei Aderyn. 'Want ik heb niets anders gedaan dan mezelf verwijten dat ik had moeten weten waartoe hij in staat was.'

'Hou daar dan meteen mee op. De Loddlaen die wij kenden, wás er ook niet toe in staat. Denk je echt dat hij van plan was Jav te vermoorden? Ik denk eerder dat hij in paniek raakte toen Jav de tent binnenkwam.'

'Dat denk ik eigenlijk ook. En volgens Vals verhaal was er ook een van de Wachters bij betrokken, waarschijnlijk Alshandra.'

'Ach goden, dat maakt het nog erger. Waarom zou zij die piramide van obsidiaan willen hebben?'

'Geen idee. Misschien om de boodschap van Evandar die erin verborgen zit. Of misschien om een van haar volgelingen de kans te geven om, net als Dalla zo lang geleden, naar haar land te reizen.'

Nevyn voelde dat Aderyns oude verdriet weer in hem opwelde, en het duurde dan ook even voordat Aderyn het gedachtegesprek kon voortzetten.

'Had ik al die jaren geleden maar hetzelfde inzicht gehad als jij.'
'Dat kon je toen niet opbrengen. Maar je zei dat Val jou niet de schuld geeft. Mooi zo. Doe dat zelf dan ook niet.'
'Dank je wel.'
Deze woorden bereikten Nevyn op zo'n golf van oprechte dankbaarheid dat hij wist dat de breuk die vlak na de dood van Morwen tussen hem en Aderyn was ontstaan, eindelijk was geheeld.
'Wat ik het ergst vind,' vervolgde Aderyn, 'is dat hij eerst Vals vertrouwen won door haar te vertellen dat hij mij wilde zien, terwijl hij al die tijd van plan was om die steen van haar te stelen. Ik denk dat hij mij erbij wilde betrekken om me te straffen. En ik was dolblij dat hij eindelijk weer thuiskwam.'
'Dat was me niet helemaal duidelijk, maar ik wilde er niet over beginnen,' zei Nevyn. Wat een gemene gluiperd, dacht hij. Als ik hem ooit te pakken krijg...
'Nou ja, nu is hij weer weg,' ging Aderyn verder. 'Waarschijnlijk terug naar Bardek. Ik denk niet dat ik hem ooit weer zal zien.'
'O, ik denk het wel,' zei Nevyn. 'Hij komt heus wel weer een keer terug naar het Westland, dat weet ik zeker. Hij heeft krachten in beweging gezet die hem terug zullen slepen, en bovendien zal hij opnieuw zijn woede op jou willen koelen.'
'Misschien heb je gelijk. Als dat zo is, zal ik met hem moeten afrekenen. Ik word erdoor verscheurd – aan de ene kant hoop ik dat hij terugkomt, aan de andere kant hoop ik dat hij zich nooit meer laat zien.'
Aderyn klonk zo vermoeid dat Nevyn om het gesprek af te sluiten alleen nog maar een paar geruststellende opmerkingen maakte. Maar hij bleef er nog dagenlang over nadenken. Met de woordenloze zekerheid van een groot dweomermeester wist hij dat Loddlaen werd bedreigd door duistere dweomer. Wat dat inhield en hoe dat zich zou openbaren, wist hij nog niet. Hij kon alleen wachten tot Loddlaen terug zou komen naar het Westland. Hij zal heimwee krijgen naar zijn eigen volk, dacht Nevyn. Ai! Geen van ons heeft ooit vermoed dat die jongen zo'n haat koesterde!

In zijn onnatuurlijk lange leven was Nevyn regelmatig gedwongen zijn woonplaats te verlaten en zich ergens anders te vestigen. Als hij ergens te lang zou blijven, zou het de mensen daar opvallen dat hij veel te oud werd. Die zomer, na de moord op Javanateriel, vertrok hij uit Cannobaen en reisde naar het noordoosten, naar de provincie Cantrae en zijn verborgen woning in Brin Toraedic. Maar hij onderbrak zijn reis in Cerrmor, na een bedekte aanwijzing van de He-

ren van het Wyrd dat daar iemand verbleef voor wie hij veel belangstelling koesterde.
Hoewel de Heren van het Wyrd ooit gewone mensen zijn geweest, zijn ze zo ver ontwikkeld en leven ze op zo'n hoog bestaansvlak dat ze niet meer bij machte zijn om met woorden te communiceren. Het enige wat ze nog kunnen doen, is met behulp van intuïtie, vreemde gevoelens en gedachten – wat mensen voortekens noemen – aanwijzingen geven aan dweomermeesters, die in een veel lager bestaansvlak leven. Nevyn begreep uit deze aanwijzing dat Lilli of Morwen in Cerrmor herboren was. Helaas was dat een misvatting, hoewel hij de aanwijzing wel degelijk serieus moest nemen.
Op de tweede dag van zijn verblijf in Cerrmor sloeg hij een straat naar de kade in en zag voor zich een forse kerel lopen – een welgestelde koopman, te oordelen naar zijn mooie geruite wollen brigga en zijn weelderig geborduurde linnen hemd. Bij de deur van een taveerne bleef de man staan en keek even achterom, en Nevyn kon nog net zien dat hij de kenmerken had van alle mannen in Cerrmor: een breed gezicht, blauwe ogen en dik blond haar. Maar hij kreeg geen gelegenheid om de man goed op te nemen, want de man verbleekte en rende bijna de taveerne in. Nevyn keek om en zag niemand achter zich. Dan moet hij van mij geschrokken zijn, dacht hij. Wie zou die man zijn? Hij liep door naar de taveerne en keek naar binnen, maar hij zag alleen dat de achterdeur nog heen en weer zwaaide, alsof iemand aan die kant haastig naar buiten was gelopen.
Hij draafde zelf ook door de taveerne heen en weer naar buiten, maar in het steegje erachter zag hij alleen lege tonnen en een mestvaalt. Schouderophalend vervolgde hij zijn weg, maar hij bleef speuren naar de geheimzinnige koopman. Helaas zag hij hem nergens meer en hoe diep hij ook in zijn geheugen groef, hij kon zich de man niet herinneren. Wel dacht hij even aan Tirro, de achterbakse koopmanszoon die hij korte tijd had meegemaakt, maar die gedachte zette hij meteen weer van zich af. Dat was erg jammer, want jaren later zou de herinnering aan de volwassen, welvarende en door en door corrupte Tirro, of liever Alastyr – zijn volle naam – hem van pas zijn gekomen.
Uiteindelijk zou hij tijdens zijn zoektocht naar de zielen met wie hij volgens zijn lotsbestemming iets goed te maken had de geheimzinnige, bange vreemdeling in Cerrmor vergeten. Nadat hij jarenlang door het koninkrijk had gezworven en de hoop dat hij de herboren Lilli of Morwen terug zou vinden tevergeefs was gebleken, keerde hij terug naar Eldidd en het stadje Cannobaen. Weer besloot hij daar

te blijven, tot de Heren van het Wyrd hem opnieuw door middel van een voorteken zouden laten weten dat hij moest vertrekken. Zelfs zo'n machtige dweomermeester als hij kon niet weten hoe verstandig die beslissing was, noch dat hij honderden jaren later in het grensgebied in het westen zou worden herboren, in een tijd dat de bewoners daar werden bedreigd door het grootste gevaar dat ze ooit hadden gekend.

Deel 2

Het Westland, 1159

De spiraal, niet de cirkel, is de sleutel tot de vervulling van het Wyrd.

Het Geheime Boek van Cadwallon de Druïde

De handen van de oude man lagen om een glinsterende zwarte steen. Ze zaten in een tent, en zachte stemmen praatten in een onbegrijpelijke taal terwijl Evan – hij wist dat Evan zijn ware naam was – in de steen keek. In het glanzende zwart hield een man met narcissengeel haar en kersenrode lippen hem een wit, plat voorwerp voor met een afbeelding van een zwarte hagedis erop. Of was het een raaf?

Salamander werd abrupt wakker en zag de droom nog helder voor zich. Hij ging rechtop in bed zitten, streek met zijn handen door zijn bezwete haar en staarde naar de gevlochten rietmat op de vloer. Hij verzekerde zichzelf ervan dat hij zich bevond in een kamer van de dun van de Rode Wolf, niet in een tent van het Westvolk. Hij gaapte een paar keer flink en liep naar het raam. Beneden op de binnenplaats liepen dienstmeisjes met mandjes brood die ze van de keuken naar de grote zaal brachten. Verderop zag hij staljongens met paarden naar de drinkbak lopen. De dun begon aan een nieuwe dag.

Hij kleedde zich aan om te gaan ontbijten, maar hij bleef nog even dralen om te proberen te droom te verklaren. De piramide van ob-

sidiaan riep zijn naam. De steen probeerde hem te bereiken, hij kon geen andere betekenis bedenken. Hij ging weer op zijn bed zitten, richtte zijn blik op de bundel zonlicht en zond zijn gedachten naar de steen.
In het visioen zag hij de piramide van obsidiaan op een altaar staan, naast een olielamp. Om de piramide hing een vreemd zwart schijnsel – opeens drong het tot hem door dat er een geest in de steen zat. Dat was de enige verklaring voor die eigenaardige gloed en de zwarte vonken die zo nu en dan van de steen spatten. Maar wat voor geest? Zijn Zicht was zijn enige hulpmiddel en dat kon hem niet verder helpen. Hij vergrootte het beeld. Nu zag hij duidelijker het stenen altaar met de olielamp erop en met daarachter een op de Bardekse manier geschilderd portret van Alshandra. De rest van het beeld was mistig, zodat hij niets meer van de aan haar gewijde Binnentempel kon ontwaren.
Terwijl hij Zakh Gral scryde, moest hij aan Rocca denken. Meteen versprong zijn visioen naar het daglicht en de Buitentempel. Rocca stond gebogen over het ruwe stenen buitenaltaar en poetste het met een handvol lappen schoon. Naast haar stond een emmer water. Het karwei zou haar spierpijn bezorgen, maar dat zou ze alleen maar prettig vinden, vermoedde hij. Ze zou het als een offer voor haar godin beschouwen. Vlak bij haar stond een van de priesteressen van de Gel da'Thae druk gebarend te praten. Rocca hield op met poetsen om te luisteren, met een ernstig, bijna bezorgd gezicht. Voor de duizendste keer wenste Salamander dat hij bij het scryen ook iets kon horen, maar dat konden alleen de allergrootste dweomermeesters.
Nu begon Rocca te praten. De Gel da'Thae-vrouw luisterde aandachtig en even later glimlachte ze, waarbij ze haar volgens de gewoonte bij het Paardenvolk puntig geslepen tanden ontblootte. Ze leek opgelucht dat haar medepriesteres het probleem voor haar had opgelost. Rocca gaf haar geruststellend een paar tikjes op haar schouder. De andere vrouw knikte en liep weg. Rocca ging door met haar werk.
Waar was Sidro? Salamander vloog met het Zicht mee stroomopwaarts naar de rand van het bos. Precies op die plek was hij met Rocca uit het bos tevoorschijn gekomen, herinnerde hij zich, over dezelfde weg die Sidro in tegenovergestelde richting had genomen. Daar liep ze, voort sjokkend in haar beschilderde leren kleed, met een deken als rok om haar middel geknoopt en een volle zak over haar schouder. Ze liep met gebogen hoofd, alsof ze nu al moe was van de onlangs begonnen reis.

In het zonlicht glansde haar korte haar als de vleugels van een raaf. Voor het eerst viel het hem op dat ze een rijtje groene tatoeages in haar hals had. En heel brede schouders, vreemd ronde ogen, uitgesproken gelaatstrekken... Alle goden, dacht hij, ik wil wedden dat er Paardenvolkbloed door haar aderen stroomt! Hij stelde zijn Zicht wat scherper in en zag dat ze huilde. Ze hief haar hoofd op en terwijl de tranen over haar wangen stroomden, keek ze naar de lucht. Dat kwam haar duur te staan, want meteen struikelde ze over een steen. Ze stond stil, zette de zak neer en sloeg haar handen voor haar gezicht. Haar schouders schokten toen ze huilde van de pijn aan haar blote voet.

Hij had met haar te doen en zijn onbewuste medelijden verbaasde hem zo dat hij het visioen bijna verbrak, maar hij slaagde erin nog even zijn aandacht erbij te houden. Plotseling liet Sidro haar handen zakken en keek achterom, met een uitdrukking van paniek op haar betraande gezicht, alsof ze voelde dat iemand naar haar keek.

Vlug verbrak hij het beeld. Even bleef hij stil zitten en staarde voor zich uit. Toen probeerde hij op te staan, maar de kamer draaide zo wild om hem heen dat hij bijna flauwviel. Na een poosje werd zijn fysieke zicht weer rustig, maar het leek alsof de stenen muren ademhaalden, alsof kleine longen in elke steen die keer op keer deden opzwellen en inzakken.

'Stergodinnen, help me!' fluisterde hij. Het liefst wilde hij zich in verbinding stellen met Dallandra, maar opeens was hij bang om nogmaals een beroep te doen op dweomer.

Buiten zijn kamerdeur hoorde hij geluid. Hij hield niet-begrijpend zijn hoofd scheef en toen hij het nog een keer hoorde, drong het tot hem door dat er iemand aanklopte.

'Wie is daar?' riep hij.

'Neb. Ben je ziek of zo?'

'Nee. De grendel zit niet op de deur. Kom binnen.'

Neb duwde de deur open en kwam binnen. Met zijn handen in de zij keek hij Salamander onderzoekend aan. 'Je ziet er ziek uit,' zei hij.

'O ja? Misschien komt dat door de warmte. En ik heb vannacht niet goed geslapen.'

'Dan kun je maar beter hier weggaan, het is snikheet in deze kamer.'

'Goed idee. Heb ik het ontbijt gemist?'

'Nee, de meisjes zetten het klaar.'

Na een kom pap en een stuk versgebakken brood met boter voelde Salamander zich een stuk beter. Hij hield zich voor dat Dallandra ook nu weer gelijk had. Hij moest het scryen tot het uiterste beperken en verder niets doen wat met dweomer te maken had, tenzij er een ramp dreigde die gebruik van zijn gave noodzakelijk maakte.

Het Noordland is een hooggelegen, woest woud dat wordt doorkruist door beken en riviertjes die klaterend omlaag stromen en uitmonden in een van de naar het zuiden lopende rivieren. In de tijd waarin dit verhaal zich afspeelt, waren de bergen begroeid door oeroude bossen, die ook de valleien en kloven bedekten. Zelfs degenen die er regelmatig doorheen reisden, zouden al na een paar dagen verdwaald zijn als ze het bestaan van een geheime doorgang niet kenden. Ingewijden in de leer van Alshandra hadden een reeks symbolen bedacht die, hoog in boomstammen en rotsblokken gekerfd, de van oost naar west lopende route naar het noorden van Deverry markeerde, en naar de gehuchten en boerderijen van Deverrianen die in de godin geloofden.

Hoewel Sidro al enkele jaren priesteres was en dus op Alshandra zou moeten vertrouwen, was ze in het bos nog steeds bang. Ze was geboren en getogen in Taenalapan, een van de steden die de Gel da' Thae hadden gebouwd op de overblijfselen van een veel oudere stad. Voor Sidro betekenden stenen muren veiligheid en gemak, terwijl gekraak van takken en geritsel van bladeren of struikgewas in een bos een sein was dat beren en wolven op zoek waren naar een smakelijke maaltijd op twee benen.

De vochtige boslucht vergrootte haar angst. Er stroomde genoeg Paardenvolkbloed door haar aderen om haar in staat te stellen dingen te ruiken die aan de neus van een normaal mens voorbijgingen, maar ze had geen idee wat die dingen waren. De keutels van een wezel voorspelden voor haar evenveel gevaar als die van een grote zwarte beer. Tegen zonsondergang klom ze in een boom en vond een zitplaats op een splitsing van twee takken. Ze rolde haar deken op tot een stevig touw en bond zich daarmee vast. Zo bracht ze dommelend de nacht door, met haar zak tegen zich aan gedrukt, tot de zon weer opkwam.

Omdat ze in Zakh Gral van alle volgelingen van Alshandra de hoogste in rang was geweest, was ze nooit eerder als zendelinge naar afgelegen, woeste streken gestuurd. Door haar nederlaag in de zaak van Evan, de troubadour, en zijn zogenaamde wonder had ze haar hoge positie onder haar geloofsgenoten verloren. Terwijl ze moeizaam haar weg vervolgde, moest ze steeds weer denken aan de vernederingen die ze had ondergaan. Rocca, die achterbakse feeks, heeft het slim gespeeld, dacht ze dan. En nu had Rocca haar plaats ingenomen en was zij de gunstelinge van de hogepriesteres geworden, terwijl Sidro was weggestuurd om in het land de leer van de godin te verkondigen – de laagste rang van Alshandra's Uitverkorenen, zoals ze hun orde noemden. Ik wist dat hij een bedrieger was, maar ik mocht niet eens uitleggen waarom! Bij die gedachte vulden haar ogen zich weer met tranen.

In de namiddag van de derde dag na haar vertrek uit Zakh Gral kwam ze bij een smal weiland waar een helder beekje doorheen stroomde. De zon ging voorlopig nog niet onder en ze voelde zich veilig genoeg om een poosje uit te rusten. Ze legde haar zak met voedsel en haar deken op de met gras begroeide oever en keek naar het ondiepe water. Hoewel priesteressen van Alshandra zich volgens de regels van hun orde niet mochten bezighouden met zoiets overbodigs als een bad, had Sidro de gewoonte om zich te wassen nooit af kunnen leren.

Ze trok haar leren kleed uit, legde het op het gras en stapte, met haar linnen onderkleed nog aan, in het koude bergwater. Met veel gespat en snakkend naar adem liet ze zich in het ondiepe water zakken tot ze op het zachte witte zand op haar knieën zat en het water over haar schouders stroomde. Zonder zeep kon ze niets anders doen dan het zand en het opgedroogde zweet van haar huid en haar onderkleed af spoelen, maar alleen dat was al een heerlijk gevoel.

'Vergeef het me, Alshandra,' prevelde ze een paar keer.

Net toen ze met haar handen water schepte om haar gezicht te wassen, gleed er een schaduw over haar heen. Boven haar hoofd vloog een raaf in een kring door de lucht, een reusachtige raaf. Hij was zo groot dat ze meteen wist wat, of liever, wie hij was. Ze stond op en was net weer op de oever geklommen toen de raaf met fladderende, glanzend zwarte vleugels landde. Hij vouwde zijn vleugels tegen zijn lichaam voordat hij begon te praten. Hoewel hij de taal van het Paardenvolk sprak, werden zijn woorden zo door zijn snavel vervormd dat Sidro hem alleen maar verstond omdat ze hem al sinds haar jeugd kende.

'Draai je om!'

Ze gehoorzaamde. Een blauwe lichtflits gleed over het gras voor haar voeten. Toen ze hem weer mocht aankijken, zat Laz Moj met gekruiste benen naakt in het gras, met nog één ravenveer in zijn hand. Het bloed van zijn mach-fala – de clan van zijn moeder, zoals de Gel da'Thae die noemde – was al vele eeuwen een mengeling van dat van het mensenras en dat van het Paardenvolk. Hij was even lang en gespierd als een man van het Paardenvolk, maar zijn bruine haar was kort en recht naar achteren gekamd, en zo glad als de veren van

een raaf. Hij had opvallend grote, donkerbruine ogen, een smalle neus, dunne lippen en een scherpe kaaklijn – een messcherp gezicht, werd vaak gezegd. Tussen de wirwar van blauwe tatoeages op zijn gezicht, hals en schouders was zijn huid lichtbruin en niet spierwit zoals die van het Paardenvolk, al waren zijn borst en buik rozeachtig bleek door gebrek aan zon.
'Wat een verrassing dat ik je weer zie,' zei Sidro.
'Waarom?' vroeg Laz met een vogelachtig knikje van zijn hoofd. 'Sisi, mijn grote liefde, ik verlang nog steeds naar je. Ik ruik je geur in mijn dromen.'
In plaats van te antwoorden, deed ze een paar stappen achteruit.
'Of jij naar mij verlangt of niet, ik ben gekomen om je te waarschuwen,' vervolgde Laz. 'Je verkeert in groot gevaar.'
'Dat weet ik! Hier lopen toch beren en wolven rond?'
'O nee, ik bedoel een veel groter gevaar dan beren en wolven. De zilverdraak jaagt op mij en op jou.'
Sidro's adem stokte. Even leek het alsof het weiland als een groene golf over haar heen zou spoelen. Ze viel op haar knieën en wachtte tot de wereld weer normaal was, terwijl Laz met een scheve glimlach naar haar keek.
'Waarom?' vroeg ze fluisterend. 'Ik wou dat ik wist waaróm hij me haat. Je zou kunnen denken dat het is omdat ik een priesteres ben en hij bij Vandar hoort, maar hij heeft nooit geprobeerd de anderen te doden.'
'Bovendien ben ík nooit priesteres geweest en heeft hij ons duidelijk gemaakt dat hij vindt dat ik samen met jou in het dodenrijk thuishoor.'
'Hij heeft Zakh Gral toch nog niet gevonden, hè?'
'Jazeker. Daar mag je niet naar teruggaan, dan vindt hij je meteen. Ik weet dat je een hekel hebt aan het woud, maar bij mij en mijn mannen zul je het veiligst zijn.'
'Je misdadigers en godslasteraars bedoel je. Je afgodendienaars.'
'Waarom noem je ze toch steeds zo? Weliswaar geloof ík niet in goden, maar zij zijn trouw aan het oude geloof. En dat moedig ik aan. Dat houdt ze gehoorzaam.'
'Dan ben je hun zielen aan het vermoorden. Wanneer je sterft...'
'Ja, ja, ik weet het, wanneer ik sterf ga ik in mijn ravenlichaam naar het afschuwelijke land van Vandar, waar hij me tot in de eeuwigheid de veren uit mijn lijf zal plukken.' Laz grinnikte. 'Ongetwijfeld zal hij me elke avond roosteren en met een vieze saus opdienen voor zijn mededuivels. Elke morgen zal het opnieuw beginnen.'
Sidro kneep haar lippen opeen. Ze deed al jaren haar best om hem

tot inkeer te brengen, maar het enige wat hij deed, was de spot met haar drijven.
'Hé, zeg je niets meer?' vervolgde Laz. 'Het is niets voor jou om opeens niet meer over godsdienst te willen praten.'
'Niet met die vreselijke draak in de buurt,' antwoordde Sidro. 'Als hij het fort heeft gevonden, verkeren wij allemaal in gevaar.'
'Wij allemaal? Dat stel heilige dwazen verkeert misschien in gevaar, maar jij en ik doen dat niet. Zolang we onder de bomen blijven.'
'Het zijn geen dwazen!'
'O nee? Denk toch eens na, Sisi! Alleen dwazen denken dat ze ondanks hun vijanden veilig zijn. Alleen dwazen gooien hun beste wapens tegen hun vijanden weg. Die Evan... Wij weten precies hoe hij heeft kunnen wegvliegen, maar zouden zij je hebben geloofd als je het hun had verteld? Geen sprake van! Ze zouden je hebben gedood omdat je iets weet van mazrakir.'
En nu heeft Rocca haar valse wonder, dacht Sidro. Die smerige zeug! Hardop zei ze: 'Evan scryt me zo nu en dan.'
'Weet je het zeker?'
'Heel zeker.'
'Ik neem aan dat je dat net zomin tegen je o zo heilige hogepriesteres durfde te zeggen.'
'Waag het niet Lakanza te beledigen! Dat vind ik niet goed!' Opeens was Sidro doodmoe. 'Maar hier hebben we het al zo vaak over gehad. Inderdaad, als het over tovenarij gaat, willen ze daar niets van weten. Desondanks hoor ik bij hen.'
'En niet bij mij?' Laz keek haar met een opgetrokken wenkbrauw aan. 'Vroeger hield je van me.'
'Wie zorgde voor me nadat jij me in de steek had gelaten?'
'Het was niet mijn bedoeling je in de steek te laten. Ik durfde het kind niet te erkennen omdat ik dacht dat mijn moeder hem dan zou laten doden. En je was het toch met me eens? Als het een meisje was geweest, zou dat verschil hebben gemaakt, maar we hadden al twee bastaardzoons in de mach-fala... Mijn lieve moeder, die krenterige oude feeks, zou hem elke hap eten hebben misgund.'
'Ach natuurlijk, het spijt me, Laz. We hebben dit bot al te vaak afgekloven, ik moet het eindelijk eens laten liggen.'
'Wil je het dan eindelijk eens begraven? Ik zou bij jullie zijn gebleven als het mogelijk was geweest. Of geloof je me niet?'
Sidro gaf geen antwoord en keek naar de lucht, alsof ze verwachtte dat Vandars witte draak elk moment een duikvlucht zou kunnen maken om hen mee te nemen. 'Wat is er?' vroeg Laz. 'Ben je ziek?'
'Nee, stomkop, ik ben doodsbang. Eerst Evan, nu die zilverdraak...

Ik moet terug naar Zakh Gral. De zilverdraak is een van de dienaren van Vandar in deze wereld. Stel dat hij die prins van Vandars Gebroed of een van die rakzanir van de Lijik Ganda, de gwerbrotz of hoe ze hem ook noemen, vertelt over Zakh Gral? Ik moet het fort waarschuwen.'

'Zullen de heilige vrouwen je geloven? Hoe weet je dat van die draak, zullen ze je vragen. O, dat heeft een mazrak me verteld, zeg jij.' Laz gooide de veer in het gras. 'De rakzan van het fort zal je al voordat je Alshandra hebt kunnen aanroepen aan een lange speer hebben geregen.'

'Hou je mond!' Ze hoorde dat haar stem trilde. 'Ik zal zeggen dat Alshandra me een visioen heeft gestuurd.'

'Ze zullen het niet geloven. Je bent uit de gratie, ze hebben je weggestuurd. Waarom zou je godin de moeite nemen jou wel te waarschuwen en hen niet?'

'Hoe weet je dat?'

'Dat heb ik natuurlijk gezien, vanuit de lucht. Een raaf heeft scherpe ogen, liefje, en nog scherpere oren.' Hij grinnikte. 'En nu sta je hier voor me, doodongelukkig en zonder je mooie lange haar, en moet je de spirituele konten krabben van jullie gelovigen in het land van de slaven, dat stinkende klootjesvolk. Terwijl je lieve vriendin Rocca daar rondloopt als een tochtige merrie in een kudde hengsten.'

Sidro voelde tranen opwellen. Ze sloeg haar handen voor haar ogen om ze te verbergen en stiekem weg te vegen, maar ze drupten tussen haar vingers door. Ze hoorde dat Laz opstond en naar haar toe kwam – een ander soort gevaar. Ze was half ontkleed en hij was naakt, precies zoals op die dag zo lang geleden toen zijn moeder haar had ontboden naar de kamer van de Eerste Zoon. Ze zag nog voor zich hoe ze daar naar binnen was gegaan en Laz naakt op het bed had zien liggen. Ze had precies geweten wat haar plicht was en die maar al te graag vervuld.

Toen wel, nu niet. Laz knielde voor haar neer en legde zacht een hand tegen haar wang. Hij haalde diep adem en snoof haar geur op. Ze duwde zijn hand weg. Met een zacht lachje ging hij op zijn hielen zitten.

'Ach ja, je heilige gelofte,' zei hij.

'Kwel me niet. Alsjeblieft, Laz.'

'Ik ben niet naar je toe gekomen om je verdriet te doen. Je herinnert je toch nog wel dat je als slavin naar het huis van mijn moeder bent gekomen? Toen heb ik je bevrijd. Nu wil ik je weer bevrijden. Wil je me niet eens aankijken?'

Hij glimlachte, maar het was een droevige glimlach en er lag een schaduw over zijn bruine ogen toen hij zich weer naar haar toe boog. Ze keek hem recht aan en was niet bij machte haar blik af te wenden. Plotseling rilde ze en moest ze gapen. Ik ben uitgeput, dacht ze. Ik heb de afgelopen nacht bijna geen oog dichtgedaan. Laz bleef haar strak aankijken.
'Ga met mij mee, Sisi,' zei hij. 'Ik wil dat je met me meegaat.'
'Dat kan ik niet doen. Ik heb mijn godin trouw gezworen.'
'Maar ik heb iets wat ik je wil laten zien, iets heel bijzonders. Het is een kristal, een kristal met magische krachten.'
'De godin is belangrijker. Ik moet haar volgelingen waarschuwen.'
'Dat is niet nodig. Ze zijn veilig. De draak... Die wil ons doden, hen niet. Ga met me mee, dan zal ik ervoor zorgen dat je niets overkomt.'
Het leek alsof zijn ogen grote stofwolken werden die door een warme zomerwind om haar heen werden geblazen. Zijn geur omhulde haar.
'Maar Evan zal het iemand vertellen.' Opeens kon ze zich nauwelijks meer herinneren wie Evan was. 'En dan weten ze het allemaal. Die heren... Van de Lijik Ganda, bedoel ik.'
'Waarom zouden ze zich druk maken over iets wat zo ver in het westen gebeurt?' Laz leunde nog dichter naar haar toe. 'Zakh Gral is zo veilig als wat. Niemand zal er ooit naartoe gaan. Niemand weet ervan, het is een geheim.'
Sidro gaapte nogmaals. De stofwolken zwaaiden en wervelden om haar heen. 'Een geheim,' herhaalde ze fluisterend.
'Inderdaad, en we hebben geheimen, nietwaar, Sisi? Dat weet je toch nog wel? Ga met me mee. Sinds we uit elkaar zijn gegaan, heb ik er nog een heleboel geheimen bij gekregen. Wil je die niet met me delen?'
'Ik denk het wel.'
'Niet denken. Je weet dat je dat wilt.'
'Ja, ik wil ze met je delen.'
'En je wilt met me meegaan.'
'Ik wil met je meegaan.'
De wolken werden roetzwart en ze verloor het bewustzijn. Toen ze bijkwam, lag ze netjes op haar zij in het gras. Laz zat met gekruiste benen naast haar. Ze ging ook zitten en keek om zich heen. Vanaf de westelijke rand van het bos vielen lange schaduwen over het veld. Ergens in die schaduw bewoog iets. Even later kwam er een man van het Paardenvolk tussen de bomen tevoorschijn, gevolgd door een gezadeld paard.

'Voel je je iets beter?' vroeg Laz. 'Je was aan een dutje toe.'
'Ja, dank je.' Sidro gaapte. 'Wie is die man?'
'Een vriend van me. Ik heb hem geroepen toen je sliep. Dat paard is voor jou, om die arme opgezwollen voeten van je te sparen. Ah, mijn lief, ik kan je niet zeggen hoe gelukkig ik ben omdat je met me mee wilt gaan.'
'Ik ook.' Maar ze was helemaal in de war. Wanneer had ze dat gezegd? Ze kon het zich niet herinneren, maar het moest waar zijn, dat kon niet anders. Nu hoef ik niet meer alleen door het bos te lopen, dacht ze. Die lieve Laz... Ik weet zeker dat Alshandra hem heeft gestuurd.
Toen de vriend van Laz dichterbij kwam, zag Sidro dat het paard – een zwarte merrie met een wit rechtervoorbeen en een witte ruit op haar voorhoofd – hem volgde zonder dat ze aan een teugel werd geleid, al droeg ze wel een leren halster. De man knikte tegen Laz en maakte een buiging voor Sidro, maar hij zei niets. Hij was slank, ongeveer een meter tachtig lang – niet lang voor iemand van het Paardenvolk – en hij had de kenmerkende melkwitte huid met blauwe tatoeages op zijn gezicht, hals en handen. Op zijn linkerwang stond met de blauwe letters uit het alfabet van zijn volk de naam KREN, de godin van de wildernis. Hij droeg een wijd groen hemd en een hertenleren kousenbroek – vrij normale kleren.
Maar aan zijn zwarte haar was te zien dat hij een buitenbeentje was. De meeste mannen van de Gel da'Thae droegen hun tot aan hun middel reikende haar naar achteren gekamd of in lange vlechten, maar deze man had zijn haar kort afgesneden, behalve een strook midden over zijn schedel. Die had hij tot dunne vlechtjes gevlochten, die als de manen van een paard naar één kant vielen. Toen hij voor Sidro boog, tinkelden de in het zonlicht glinsterende, zilverkleurige amuletten die hij aan de vlechtjes had geknoopt.
'Ik zal van gedaante wisselen en over het bos heen vliegen, liefje,' zei Laz tegen Sidro, 'dan zie ik je in ons kamp. Het is niet ver.'
Sidro's onderkleed was droog genoeg om er haar overkleed weer overheen te doen. Laz wachtte tot zijn vriend haar had geholpen op het paard te klimmen en gaf haar de deken en de zak aan.
'Niet kijken,' zei hij toen.
Ze wendde haar hoofd af en opnieuw zag ze de blauwe lichtflits. Toen ze even later achteromkeek, was hij verdwenen. De raaf deed een paar pasjes, spande zijn spieren en sprong met roffelende vleugels de lucht in. De merrie negeerde hem; waarschijnlijk maakte ze al heel lang deel uit van zijn kudde. De raaf vloog in een kring boven het veld, kraste ten afscheid en verdween in noordoostelijke richting.

De Gel da'Thae knikte tegen Sidro, klakte met zijn tong tegen de merrie en liep dezelfde kant op. Zijn lange gevlochten manen deinden met zijn stappen mee. De merrie volgde hem op de voet en zwaaide in hetzelfde ritme met haar staart.
'Hoe heet je?' vroeg Sidro aan de man.
'Pir.'
'Je bent een paardenmagiër, dat kan niet anders.'
'Inderdaad.'
Ze wachtte, maar hij zei niets meer. Ze overwoog of ze hem nog meer zou vragen, maar toen ze eenmaal in het bos liepen, had ze al haar aandacht nodig om de laaghangende takken te ontwijken terwijl ze zich vastklemde aan de zadeltassen op de rug van het paard. Het pad liep kronkelig dan weer omhoog, dan weer omlaag, en om grote rotsblokken en onverwachte ravijnen heen. De zwarte merrie liep stapvoets achter haar baas aan en verbrak het ritme van haar gang alleen wanneer ze een obstakel moest overwinnen.
Toen Sidro het kamp kon ruiken, stond de zon zo laag dat het schemerig was in het bos, hoewel de lucht boven haar hoofd nog blauw was. Wat ze rook was de stank van ongewassen mannen, klaargemaakte maaltijden, een soort bier en het onvermijdelijke gevolg van de laatste twee. Een paar honderd meter verder zag ze het kamp liggen.
Tussen de bomen stonden houten schuurtjes van met leren banden en touw aan elkaar vastgemaakte ruwe planken en hertenvellen. Ze telde er zestien, eerder krotten dan fatsoenlijke hutten, met een schuin dak en open ramen, en een eind verder in het bos stonden er nog een paar. Pir nam het paard mee naar de grootste hut, die in tegenstelling tot de andere vier stevige wanden en een houten dak had, al was hij wel erg laag. Pir klakte met zijn tong en de merrie bleef roerloos staan terwijl hij Sidro hielp afstijgen.
'Welkom,' zei Pir. 'Daar komen de anderen aan.'
Ze draaide zich om en zag mannen van het Paardenvolk uit het bos komen. Het was een grote groep, ze telde er minstens twintig, en ze waren uitgedost in een vreemde verzameling kledingstukken: leren kousenbroeken, wollen brigga's, linnen en wollen hemden... Alles was even vuil en versleten. Maar hun wapens waren glanzend schoon: speerpunten en lange messen fonkelden in het laatste zonlicht. De mannen gingen in een halve kring om Sidro, Pir en het paard heen staan, knielden en bogen hun hoofd. Achter Sidro klonk geritsel en toen ze achteromkeek, zag ze Laz weer in zijn menselijke gedaante blootsvoets in de deuropening van de hut staan. Hij droeg een wijde grijze brigga van het soort dat in het Slavenland

werd gedragen en een hemd dat ooit wit was geweest en dat met een band om zijn middel bijeen werd gehouden. Aan de band hing een jachtmes met een benen heft in een donkere leren schede.
'Welkom, driewerf welkom,' zei hij. 'Kom binnen, mijn lief. Mannen, deze vrouw bezit mijn hart en al mijn vreugde. Bescherm haar zoals jullie mij beschermen.'
Met een kreet ter begroeting hieven de mannen hun speren. Sidro hief haar handen om hen te bedanken en liep met Laz mee naar binnen. Hij ging haar voor drie treden af naar de lager gelegen vloer van de hut. Het bleek een groot vertrek te zijn met rietmatten op de grond. In de hoeken lagen hoopjes groene dennennaalden om een frisse geur te verspreiden, een verademing na de stank van buiten. In het midden stond een vierkante houten tafel met aan weerskanten een afgezaagde boomstronk om op te zitten. In een hoek lag een met stro gevuld matras met twee tamelijk schone dekens erop. Schuin tegenover het bed stond een standaard van takken. Ze wees ernaar.
'Voor de raaf, neem ik aan.'
'Inderdaad. Een hulpmiddel bij de gedaantewisseling,' antwoordde Laz. 'Ik wou dat ik je een beter huis kon aanbieden. Herinner je je het huis van mijn moeder nog?'
'Natuurlijk.' Ze gooide haar deken op het bed, ging op een boomstronk zitten en legde haar zak met eigendommen op tafel. 'Alles was er mooi en schoon. En de vloeren... Het marmer had zo veel kleuren dat het leek alsof je over een bloemenveld liep. Ik vond het niet eens erg ze te schrobben.'
'Misschien zul jij ook ooit de meesteres van zo'n mooi huis zijn. Ik zal er mijn best voor doen. Als die heilige dwazen van je me niet eerst vermoorden natuurlijk. Want als ze de kans zouden krijgen, zouden ze dat doen, hoor. En Pir, de paardenmagiër. Waarom denk je dat een man met zijn gave bereid is om in dit vieze, stinkende kamp te wonen? Hem zouden ze ook vermoorden, als ze hem te pakken konden krijgen. Of geloof je me niet?'
Sidro nam niet de moeite om hem tegen te spreken, want het was de waarheid. 'En die andere mannen?' vroeg ze. 'Hebben die ook een gave?'
'Sommigen wel. Helaas zijn de meesten inderdaad de misdadigers en schurken voor wie jij ze aanziet. Degenen die kunnen toveren, helpen mij en Pir om de rest onder controle te houden.'
Sidro moest opnieuw gapen en terwijl ze om zich heen keek, deed ze haar uiterste best zich te herinneren wat er was gebeurd, waarom ze was meegegaan, wat hij tegen haar had gezegd. Plotseling schoot haar iets te binnen.

'Je zei dat je me iets wilde laten zien,' zei ze.
'Dat is zo.'
Hij liep naar de hoek achter de vogelstandaard en met zijn rug naar haar toe bukte hij zich en tastte met beide handen in het stro op de grond. Ze hoorde iets van metaal klikken en knarsen. Even later richtte hij zich op en kwam met een eenvoudig houten kistje in zijn handen terug naar de tafel. Hij ging tegenover haar zitten, opende het deksel, haalde er een vuil wollen zakje uit en daaruit weer een kleiner zakje van een gladde, goudkleurige stof.
'Wat is dat voor stof?' vroeg ze.
'Ze noemen het zijde. De stof komt oorspronkelijk uit de Zwarte Eilanden, maar dit zakje heb ik het in het Slavenland gevonden. Dit zit erin.'
Met een zwaai haalde hij een glinsterend voorwerp tevoorschijn en zette het op tafel. Het was een smalle piramide van witte kwarts, ongeveer vijftien centimeter hoog. De onderkant paste precies op een handpalm. De punt was er schuin afgehakt.
'Alshandra beware me!' fluisterde Sidro. 'Zoiets hebben wij op ons altaar staan, alleen is die zwart. Dat heb ik je toch verteld?'
'Dat is waar,' beaamde Laz. 'Daarom viel mijn blik op deze, op een markt toen ik als banneling moest leven. De een of andere domme edelsmid dacht dat het een snuisterij was, meer niet.'
Sidro wist altijd precies wanneer hij loog, vooral omdat hij dat vaak deed.
'Vertel me nu eens waar je hem écht hebt gevonden,' zei ze.
Hij wierp lachend zijn hoofd achterover. 'Het zal een hele uitdaging zijn jou bij me te hebben. Maar je bent het waard. Ik zal het je ooit vertellen, mijn lief, als de tijd rijp is.'
'Het verbaast me niets dat je Vandar aanbidt. Hij is ook dol op leugens en raadsels.'
'Ik aanbid Vandar niet. Ik wou dat je dat idee van je af kon zetten, lieve Sisi. Ik kan hem niet aanbidden, want hij was alleen maar een tovenaar, geen god. Net zomin een god als Alshandra een godin is.'
'Ze ís een godin.'
'Nee, ze is dood, net als Vandar.' Laz grinnikte. 'Denk toch eens na, Sisi! Honderden mensen hebben gezien dat ze boven de Hoogstenen Toren in het Slavenland werd verscheurd! Het staat duidelijk in de kronieken beschreven! Ze...'
'Dat zijn leugens. Je moet het zien met de ogen van het geloof en niet alles geloven wat de een of andere verwarde bard ooit voor de een of andere verdorven priesteres van een oude god heeft gezongen.'

'De ogen van het geloof!' Hij sloeg zijn ogen ten hemel. 'Mij kun je echt niet bekeren. Als dat wel zo was, had moeder het al jaren geleden gedaan.'
'Waarschijnlijk wel. Maar hoe weet jij dat wat in de kronieken staat niet is gelogen?'
'Wat zou dat voor zin hebben? Bovendien kan ik het me zelf nog herinneren.'
'Je bedoelt dat je het hebt gedroomd. Je droomt dat soort dingen en noemt het herinneringen, dat heb je altijd al gedaan.'
'Nee, ik heb deze herinnering in een trance teruggehaald.'
Hij zei het zo rustig en keek haar zo kalm aan dat ze haar mond hield. Hij zat tegenover haar aan tafel en leunde naar haar toe. De witte piramide tussen hen in glinsterde even alsof hij een straal zonlicht had opgevangen.
'Het is een echte herinnering,' vervolgde Laz. 'Ik heb hem met alle zegels gecontroleerd. Ik stond op een berg in de buurt van de Hoogstenen Toren en zag Alshandra sterven. Boven een doorwaadbare plaats in een rivier. Ze had een wolkvorm, je weet wel wat ik bedoel. Zoals wanneer je in een wolk een toren of een paleis ziet. Maar dan komt de wind en die blaast het beeld aan flarden. De illusie valt uiteen. Eerst verdwenen haar armen, toen een deel van haar lichaam. Ze schreeuwde, ze slaakte nog een laatste afgrijselijke kreet en toen...'
'Hou op! Ik wil het niet horen. Het was een nachtmerrie, meer niet.'
Sidro zag dat haar handen trilden. Ze legde ze op schoot om ze te verbergen.
'Het was een herinnering! Ik was in dat leven soldaat, een bevelhebber of zo, en ik denk dat ik kort daarna ben gestorven. De volgende dag is er nog één keer gevochten, staat in de kronieken, maar onze mannen hadden de moed verloren en konden het nauwelijks meer opbrengen.'
'Ze waren door een afschuwelijke truc voor de gek gehouden. Het heeft geen zin erover te redetwisten.'
'Waarom niet? Omdat je ongelijk hebt?'
Omdat Sidro niet wist wat ze hierop moest zeggen, trok ze een zuur gezicht. Ze had het gevoel dat haar hoofd van steen was of misschien gevuld met lood. Ze zette haar ellebogen op tafel en leunde met haar gezicht op haar handen.
'Wat is er?' vroeg Laz ongerust.
Ze kon geen woord meer uitbrengen. Hij stond op, kwam naar haar toe en knielde naast haar neer. Toen ze haar hoofd omdraaide en hem aankeek, viel ze bijna flauw. Hij kneep zijn ogen tot spleetjes.
'Neem me niet kwalijk.' Hij hield haar blik vast. 'Blijf me aankij-

ken, mijn lief.' Hij hief een hand op en schetste een zegel in de lucht. 'Ziezo.'
Haar hoofd werd lichter en weer helder. De herinneringen tuimelden terug in haar bewustzijn. Met een snelle beweging sprong ze van de boomstronk en rechtte haar rug.
'Stinkende schoft!' Haar stem trilde van woede. 'Je had me betoverd!'
'Ik beken.' Laz stond op. 'Ik wist dat je anders niet met me mee zou gaan.'
'Daar heb je gelijk in. Ik blijf dan ook niet.'
'Dat doe je wel.'
Ze griste haar zak van tafel. Laz stapte om de boomstronk heen en pakte haar bij de schouders. Ze verzette zich hevig, maar dankzij zijn vogelvluchten waren zijn armen sterk gespierd en kon ze zich niet lostrekken. Ze rook dat hun worsteling hem opwond en ze aarzelde. Het was al heel lang geleden dat ze... Maar de gedachte daaraan onderdrukte ze vastberaden. Toen hij probeerde haar blik op te vangen, keek ze strak naar zijn neus.
'Je bent een slim meisje,' zei hij.
'Die truc heb je me zelf geleerd. In het weiland was ik niet op mijn hoede, maar het gebeurt niet weer. Laat me gaan, Laz.'
'Nee.'
'Waarom niet? Denk je dat ik je zal verraden? Doe niet zo dom. Natuurlijk verraad ik je niet.'
'Dat weet ik. Maar ik laat je om twee andere redenen niet gaan. Ten eerste heb ik je hulp nodig om met die witte piramide aan het werk te gaan, en ten tweede wil ik graag dat je blijft.' Hij boog zijn hoofd en raakte met zijn lippen even de hare aan. 'Alsjeblieft.'
Ze wendde haar hoofd af en probeerde zich opnieuw te bevrijden. Even liet hij haar los, maar alleen om daarna zijn armen om haar heen te slaan en haar naar zich toe te trekken. Zijn seksuele geur werd zwaarder en bleef als een wolk om hen heen hangen. Haar hart begon te bonzen toen zijn sterke hand naar haar billen gleed en die begon te liefkozen. Ze hoorde dat ze naar adem snakte, en zijn geur vulde haar longen. De linnen zak gleed uit haar vingers en viel op de grond.
'Het is bijna donker buiten,' zei hij. 'Je mag morgen vertrekken.'
'Ik moet nu weg.' Maar ze hoorde de twijfel in haar stem.
'Nee. Blijf bij me. Alsjeblieft?'
Toen hij zijn mond opnieuw op de hare drukte, opende ze haar lippen en stond toe dat hij haar kuste. Zijn armen ontspanden zich. Ze sloeg haar armen om zijn hals en kuste hem terug. Hij lachte, tilde

haar op en droeg haar met een paar stappen naar zijn bed. In zijn armen dacht ze alleen nog maar aan zijn geur en zijn liefkozingen. Maar veel later, toen hij naakt naast haar lag te slapen, dacht ze weer aan haar godin en haar belofte. Ze voelde elke spier in haar lichaam verstijven toen de schaamte als braaksel in haar oprees en haar ogen zich vulden met tranen van ontzetting. Ik heb Alshandra bedrogen, dacht ze. Ze begon hardop te snikken. Laz werd wakker en kwam leunend op een elleboog een eindje overeind.

'Wat is er?' vroeg hij.

'Wat er is?' bracht ze moeizaam uit. 'Ik heb mijn heilige belofte gebroken. Ik...' Ze huilde nog harder en kon niets meer zeggen.

Ze hoorde dat hij ging zitten. Plotseling verscheen er op de tafel midden in de hut een stralende gouden bal, en in het schijnsel zag ze de glimlach op zijn hoekige gezicht.

'Daar ben ik blij om,' zei hij. 'Nu kún je niet eens meer terug. Sommige van die heilige vrouwen van jullie zijn volbloed Gel da'Thae, nietwaar? Ze zullen het verschil aan je ruiken en je uit de orde verstoten. Dan zit er niets anders op dan dat je bij mij terugkomt, dus waarom zou je de moeite nemen om eerst weer weg te gaan?'

Sidro keerde hem de rug toe. Haar tranen droogden op. Na een laatste snik dwong ze zichzelf tot kalmte. Toen hij haar naakte rug begon te strelen, schoof ze bij hem vandaan en stond op terwijl ze tegelijkertijd haar linnen onderkleed opraapte van de grond. Maar haar handen trilden zo dat het haar niet lukte het over haar hoofd te laten glijden. Achter zich hoorde ze hem zacht lachen.

'Je vindt het blijkbaar erg vermakelijk,' zei ze. 'Jij drijft overal de spot mee, maar voor mij valt er niets te lachen.'

Hij was meteen stil. 'Ach Sisi, het spijt me,' zei hij en hij klonk inderdaad berouwvol. 'Het was niet tot me doorgedrongen dat dit voor jou een heel ernstige zaak is. Ik dacht... Ik weet niet wat ik dacht. Vergeef het me.'

Ze hoorde dat hij opstond en voelde even later zijn handen op haar schouders, maar heel licht. 'Vergeef het me,' herhaalde hij. 'Ik heb je gekwetst. Dat was niet mijn bedoeling. Ik dacht dat je die stomme belofte als een mantel van je af had geworpen.'

Sprakeloos staarde ze naar het onderkleed in haar trillende handen.

'Maar ik ben nu de enige die je nog hebt,' vervolgde hij opgewekt. 'Dus kun je beter blijven.'

Ze slikte en hervond haar stem. 'Heb je me verleid om ervoor te zorgen dat ik niet terug kon gaan?'

'Natuurlijk niet! Ik heb je verleid omdat ik naar je verlangde. Heb ik niet altijd naar je verlangd, vanaf de dag dat moeder je meebracht

naar huis? Maar ik moet toegeven dat het gevolg dat je dan ook je belofte zou breken wel bij me op is gekomen.' Weer op berouwvolle toon voegde hij eraan toe: 'Ik besefte niet hoe belangrijk dat voor je was. En dat spijt me.'
'Laz, ik heb nooit echt geloofd dat je van me houdt, al die jaren niet.'
'Dat weet ik. Iedereen wil wel eens iets niet zien. Ik neem aan dat ik het nu voorgoed voor mezelf heb bedorven.'
'Nee, nu geloof ik je. Ik geloof dat je van me houdt voor zover je daartoe in staat bent, maar dat is niet veel.'
Zijn kreet van verontwaardiging klonk zo precies als het gekras van een raaf dat ze zich vliegensvlug omdraaide in de verwachting de vogel weer te zien staan, maar hij was nog steeds een man. Met zijn handen in de zij keek hij haar boos aan. Ze haalde diep adem en merkte dat ze niet meer trilde. Ze wist dat ze twee keuzes had: net doen alsof ze hem zijn zin gaf en hem doden terwijl hij lag te slapen, of hem zijn zin geven. Op dit moment haatte ze hem, maar ze had hem in het verleden ook wel eens gehaat en dat gevoel was altijd vroeg of laat, en eerder vroeg dan laat, verdwenen. Ik ben nog steeds zijn slavin, dacht ze. Ook al heeft hij me lang geleden mijn vrijheid gegeven. Ze zag dat ze haar onderkleed nog steeds in haar handen had, en ze liet het over haar hoofd glijden en trok het omlaag.
'Laten we dan maar samen naar de hel van Vandar gaan,' zei ze.
'Als die zou bestaan, zou dat gebeuren, maar die bestaat niet.' Zijn gezicht klaarde op en hij begon te lachen. 'Maar al zou die bestaan, dan nog zou het voor ons niet de hel zijn, nietwaar? Als we er samen zouden zijn.'
'Voor jou misschien niet. Maar dat ik Alshandra's domein niet meer binnen mag gaan, is voor mij de hel.'
'Dan moet je nu maar zo veel mogelijk vreugde zien te vinden.' Hij keek naar de tafel, waar de witte piramide onder het magische licht stond te glinsteren. 'En het zou geen kwaad kunnen als je naast die vreugde ook macht zou vinden. Maar ik veronderstel dat je je gave nooit meer wilt gebruiken.'
'Het is geen gave, het is een vloek.'
'Volgens die troep heilige dwazen, niet volgens mij. Waarom eigenlijk? Ik begrijp niet waarom ze zo'n afkeer hebben van tovenarij. Tenzij... In de kronieken staat dat Alshandra bij de Hoogstenen Toren door tovenarij te gronde is gericht. Zo zag ik het ook, in mijn herinnering die geen droom is.'
'Dat is belachelijk! En je was er niet bij. Het was een droom. Ze is niet weg.'

'O nee? Waarom...'
'De leer heeft er een heel eenvoudige verklaring voor. Vandar maakt gebruik van tovenarij om het kwaad in de wereld te verspreiden en daarom is het de volgelingen van Alshandra verboden iets met tovenarij te maken te hebben.'
'In het begin was dat niet zo, hoor. In die oude kronieken waar jij zo'n minachting voor hebt, staan heel belangwekkende dingen. De eerste volgelingen maakten wel degelijk gebruik van tovenarij. Nagarshad, bijvoorbeeld, de Eerste Priester, had een staf waarmee hij blauw vuur kon maken.'
'En? Toen was het dus nog niet verboden. De godin heeft haar wil niet in één keer geopenbaard. We hebben ons best moeten doen om stukje bij beetje te ontdekken wat die was.'
'Wat een onzin, en dat weet jij ook.'
Sidro sloeg haar armen over elkaar en keek hem fel aan. Hij glimlachte alleen maar, met de twinkeling in zijn ogen die ze nooit had kunnen weerstaan. 'Ik moet toegeven,' zei ze, 'dat ik me soms afvraag of de rakzanir gewoon bang zijn voor tovenarij en dat ze die daarom zo graag willen uitbannen. Af en toe denk ik heus nog wel na, hoor.'
'Mooi zo.' Laz benadrukte zijn goedkeuring met een hoofdknik. 'Als je gelijk hebt, betekent dat dat ze niet alleen dom, maar ook laf zijn. Mag ik aannemen dat je nu bereid bent om in mijn piramide te kijken?'
'Geen sprake van.'
'Waarom niet?'
'Ik heb nog een belofte gedaan. De ene heb ik al gebroken, aan de andere wil ik me graag houden.'
Laz haalde zijn schouders op en liep naar de tafel. Hij legde zijn handen erop en leunde naar voren om de piramide beter te kunnen bekijken. Het toverlicht bescheen zijn naakte lichaam en Sidro zag opeens dat hij veranderd was. Zijn schouders en bovenarmen hadden zulke sterke spieren gekregen dat zijn bovenlichaam naar verhouding veel te zwaar was geworden.
'Je brengt steeds meer tijd in je ravengedaante door, nietwaar?' vroeg ze. 'In de tekst die we van onze leermeester hebben gekregen, staat dat het gevaarlijk is als je je dierenlichaam te vaak gebruikt. Ik geloof dat er staat dat je alleen mag vliegen bij of omstreeks volle maan.'
'O ja?' zei Laz alsof het niets met hem te maken had. 'Volgens mij is dit een schouwsteen! Ha, moet je zien!' Hij boog zich verder voorover en mompelde iets onverstaanbaars. Tegen haar wil werd Sidro's

tweede belofte verdrongen door haar nieuwsgierigheid.
'Ik denk niet dat het kwaad kan als je me vertelt wat jij ziet,' zei ze.
Hij keek grinnikend op. 'Maar dat doe ik niet,' zei hij. 'Je moet zelf komen kijken.'
'Loop naar de hel, Laz!'
'Volgens jou ben ik al onderweg.' Zijn grijns werd breder. 'Je mag me toewensen wat je wilt.'
'Wil je dat ding dan terugleggen in het kistje? Ik ben moe en wil zitten.'
'Kom dan zitten. Je hoeft er niet naar te kijken. Draai je rug ernaartoe. Maar ik ben wel een vreselijk slechte gastheer, nietwaar? Mijn arme lief, je zult wel honger hebben. Wacht even, dan kleed ik me aan en ga iets te eten halen.'
Hij trok zijn kousenbroek aan, reeg hem dicht en ging op de boomstronk zitten om zijn laarzen aan te trekken. Toen hij weer stond, wierp hij een blik op de witte piramide en zei: 'Hm, Evan de minstreel.'
Met een vaag glimlachje tegen Sidro liep hij naar buiten zonder de piramide eerst weg te bergen. Sidro overwoog of ze weer op het matras zou gaan liggen, maar als dan een van zijn mannen binnenkwam... Bovendien had ze pijn in haar rug en zou ze in slaap kunnen vallen. Ze bedacht zo veel redenen om aan tafel te zitten dat ze wist dat ze de strijd met haar nieuwsgierigheid had verloren. Ik ben nu ook verdoemd, dacht ze. Ik kan doen wat ik wil, het maakt niets meer uit. Ze liep naar de tafel, ging op een boomstronk zitten en richtte haar blik op de piramide.
Eerst leek het alsof ze door een spleet in een muur naar een kleine afbeelding erachter keek. Vervolgens werd de afbeelding groter en toen besefte ze dat ze naar het schilderij van Alshandra keek dat in de Binnentempel boven het altaar hing. Maar de kleuren waren dof en het schilderij was niet scherp, alsof er een rookwolk voor hing. Het schuldgevoel om haar gebroken beloften deed een snik in haar opwellen en daardoor verschoof haar Zicht. Nu keek ze door dikke rook of mist de tempel in. Rocca zat geknield voor het altaar. Haar lippen bewogen terwijl ze door de rook heen naar Sidro leek te kijken.
'Zeug!' zei Sidro hardop. 'Lelijke zeug!'
Rocca hief met een rukje haar hoofd op en deinsde achteruit. Het visioen trilde en verdween, en toen zag Sidro alleen nog maar een stuk helder kristal dat in de hut van Laz op tafel stond. Die rook... Natuurlijk! Ze had het altaar gezien door de piramide van obsidiaan! Op de een of andere manier had de witte steen haar verbon-

den met de zwarte! Rocca was bezig geweest met het ritueel voor de heilige getuige Raena, waarbij ze in de zwarte piramide had gekeken.

Sidro dacht aan de keren dat ze dat ritueel zelf had uitgevoerd. Meestal had ze niets meer gezien dan obsidiaan, maar zo nu en dan had ze een wazige gedaante kunnen onderscheiden of een onduidelijke vorm die een gezicht had kunnen voorstellen. Had ze toen Laz gezien terwijl hij in deze hut zat? Maar hoe had Laz Evan in dit witte kristal kunnen zien? Misschien was die geniepige slang, die minstreel, terug in Zakh Gral. Misschien had hij zelfs het lef gehad om de heilige tempel binnen te gaan.

Ze haalde een paar keer diep adem om weer kalm te worden en ging in gedachten op zoek naar Evan. Soms lukte het haar om iemand te scryen. Ze had altijd gedacht dat ze die gave te danken had aan Alshandra, als beloning voor haar kuisheid. Maar nu had ze haar beloften gebroken, dus verwachtte ze dat de gave haar was ontnomen. Tot haar grote verbazing kreeg ze een visioen dat duidelijker was dan ooit tevoren.

Het leek alsof ze boven een groot rond vertrek zweefde, waar mannen en vrouwen van de Lijik Ganda aan houten tafels uit aardewerken kommen en metalen kroezen zaten te drinken. Op een tafel naast een haard die niet brandde, stond Evan te praten. Met sierlijk bewegende handen vertelde hij een verhaal. Haar hart ging sneller kloppen bij de gedachte dat het misschien een verhaal over Zakh Gral was, maar toen schoot zijn hand omhoog en leek hij een ei uit de lucht te plukken. Hij liet het vallen en iedereen begon te lachen. Nee, als het een belangrijk verhaal was, zou zo'n soort grapje daar geen deel van uitmaken. Haar hartslag vertraagde.

Achter haar gaf iemand een trap tegen de deur, die met een klap openvloog. Ze draaide zich om en Laz kwam binnen met een grote aardewerken kom in beide handen. Hij werd gevolgd door een magere jongen van het Paardenvolk, wiens schedel was bedekt met het eerste donkere dons van zijn haardos. In zijn ene hand droeg hij een mand, in zijn andere hand een kruik. Ze rook aangebrand brood en gestoofd hertenvlees.

'Dit is Vek,' zei Laz. 'Hij heeft helaas de gewoonte om te pas en te onpas in trance te raken en voorspellingen te prevelen, dus moest hij Taenalapan ontvluchten om zijn leven te redden.'

De jongen schonk haar een waterige glimlach en zette de mand en de kruik op tafel. Na een knikje tegen Laz draafde hij meteen weer weg. Laz zette de kom met vlees voor Sidro neer, pakte de witte steen en stopte die terug in de zakjes.

'Wat heb je gezien?' vroeg hij.
'De zwarte piramide op het altaar in onze tempel.'
'Wát zeg je?'
'Het is waar. Het leek alsof ik door de zwarte piramide heen naar de tempel keek. Jij zei dat je Evan had gezien, maar ik begrijp niet hoe dat kan.'
'Nee, nee, ik moet je opbiechten dat ik dat zomaar heb gezegd. Ik zag wel een gedaante, maar het beeld was erg vaag en ik kon niet zien wie het was.'
'Het was Rocca. Ik wou dat je ophield met voortdurend tegen me te liegen.'
'Het was geen leugen, het was een veronderstelling.'
Ze wilde er niet over redetwisten. In de mand lagen platte ronde sodabroodjes met een zwartgeblakerde rand. Ze nam aan dat ze die als lepel zouden gebruiken.
'In mijn zak zitten kaas en appels,' zei ze. 'De appels zijn nog niet rijp, maar je kunt ze al wel eten.'
'Laten we die dan maar voor het ontbijt bewaren.'
In de stoofpot zaten behalve stukken hertenvlees ook wortels, uien en rapen, en hoewel het gerecht lauw was, smaakte het lekker en was het niet bedorven. Sidro nam steeds een hap met behulp van een stuk brood en at het brood wanneer het slap was geworden van het koude vleesnat. Maar ze had al zo lang geen vlees meer gegeten dat ze zich al na een paar happen onbehaaglijk vol voelde.
'Hoe komen jullie eigenlijk aan je voedsel?' vroeg ze.
'We gaan op strooptocht. Hoe moeten we er anders aan komen? Maar we jagen op herten.'
'Op strooptocht? Je bedoelt dat jullie het stelen van de boeren.'
'Wie anders verbouwt voedsel?' Laz veegde zijn mond af met zijn mouw.
'En ik neem aan dat jullie iemand die protesteert, vermoorden.'
'Natuurlijk. We zijn geen Gel da'Thae meer, Sisi. We zijn teruggekeerd naar de primitieve wortels van onze stam. We staan buiten de wet en we leven als een volk dat buiten de wet staat. Waarom zouden wij ons beschaafd gedragen terwijl onze medemensen ons dood willen martelen? En nog wel in het openbaar? Hoe durven ze! Als ik moet gillen, kreunen en mezelf nat pissen, doe ik dat wel het liefst in afzondering.'
'Ik heb van rooftochten langs de grens met Lijik gehoord. Volgelingen van Alshandra krijgen er de schuld van.'
'Omdat zij ook meestal de schuldigen zijn. Toevallig heb ik aan het begin van de zomer zelf zo'n gruwelijk tafereel gezien, toen ik bo-

ven een boerengehucht vloog. Alle mannen werden koelbloedig vermoord, ze werden op een rij gezet en doodgestoken. Daarna werden de vrouwen meegesleurd, waarschijnlijk om in Taenalapan of Braemel te verkopen.'
'Alsof jullie zachtmoediger zijn!'
'Dat zijn we. Als een boer zich niet verzet, doden we hem niet en we stelen alleen wat zij kunnen missen. Want uitgehongerde boeren hebben geen zaad meer voor de volgende oogst. Bovendien nemen wij geen slaven mee, daarom hebben we ook geen geld om de boeren voor het voedsel te betalen. Ik ben van mening dat de slavenhandel een slechte zaak is.'
'Wat?' Ze keek hem verbijsterd aan. 'Waarom? Iedereen houdt slaven, nou ja, behalve het Gebroed van Vandar.'
'Ik wou dat je de Ouden niet het Gebroed van Vandar noemde. Die naam is onzin en ook nogal dom, omdat Vandar geen van hen het leven heeft geschonken.'
'Maar...' Ze zweeg. Nu ze verdoemd was, had de heilige leer voor haar geen betekenis meer, hield ze zich voor.
'Wat het waarom betreft,' ging Laz verder, 'moet je eens goed naar jezelf kijken. Je bent als slavin geboren en niet in staat om een vrij leven te leiden, ook al heb ik je formeel bevrijd. Wat heb je, nadat het met ons fout was gegaan, onmiddellijk gedaan? Je hebt je aangesloten bij een groep domoren en halve garen die je opnieuw aan zich onderwierpen. Waarom? Omdat je daaraan gewend was. Je wist niet hoe je vrij moest zijn, Sisi. Je vond het verschrikkelijk. En het is vreselijk om dat iemand aan te doen, het is hetzelfde als de vleugels van een vlinder trekken.'
Sidro was zo geschokt dat ze het gevoel had dat hij haar een klap in haar gezicht had gegeven. Laz grijnsde haar toe en ging door met eten. Ze pakte nog een stuk brood, nam er een hap van en verkruimelde de rest tussen haar vingers, terwijl ze haar best deed om haar gedachten als een troep keffende honden tot stilte te manen.

Elke avond na de maaltijd vermaakte Salamander de aanwezigen in de grote zaal met zijn verhalen en goochelkunstjes. Gerran genoot er evenveel van als de anderen. Tieryn Cadryc stond erop dat hij gedurende de voorstelling aan de eretafel bleef zitten. Daardoor zat hij op een avond dicht genoeg bij om de vergissing die Salamander maakte te zien. De gerthddyn plukte vrolijk babbelend een ei uit de lucht, maar hij liet het vallen. De toeschouwers lachten erom en dachten dat hij dat met opzet had gedaan, maar Gerran zag dat Salamander ervan schrok. Even staarde hij voor zich uit en Gerran dacht,

hoewel hij er in het kaarslicht niet helemaal zeker van was, dat Salamander bleek was geworden.
'Alle goden, neem me alstublieft niet kwalijk!' zei Salamander met een gemaakte grijns. 'Ik ben ongewoon stuntelig vanavond en nu ben ik ook nog vergeten wat ik net heb gezegd!' Hij sprong van de tafel. 'Wilt u me verontschuldigen?' Hij boog voor de tieryn en vrouwe Galla, draaide zich om en liep zonder nog iets te zeggen naar de trap.
Verbijsterd keek iedereen hem na terwijl hij naar boven rende. Ten slotte schudde Cadryc schouderophalend zijn hoofd en zei: 'Wat had dat te betekenen? Hij keek zo geschrokken dat ik dacht dat hij een geest zag binnenkomen.'
'Deze dun is nog niet oud genoeg om geesten te hebben,' zei Galla. 'Ik hoop niet dat hij ziek is.'
Neb zwaaide zijn benen over de bank, stond op en maakte een buiginkje naar Galla. 'Ik ga wel even kijken, vrouwe,' zei hij. 'Als u het tenminste goedvindt.'
'Natuurlijk,' zei Galla. 'Dank je wel.'
Een poosje later kwam Neb terug met de mededeling dat Salamander hoofdpijn had. 'Raadsvrouwe Dallandra heeft geneesmiddelen bij me achtergelaten,' zei hij tegen Galla, 'dus heb ik hem een stuk wilgenbast gegeven om op te kauwen.'
'Dat zal hem goeddoen,' zei Galla. 'Neb, je wilt me toch niet vertellen dat je niet alleen schrijver, maar ook kruidengenezer bent?'
'Nog niet, vrouwe. Maar een van de boeken die Dallandra ons heeft gestuurd gaat over kruidengeneeskunde en daarin ben ik aan het studeren.'
'Je bent een veelzijdige jongeman!' zei Galla glimlachend.
Maar Gerran had het onbehaaglijke gevoel dat Neb wat Salamanders kwaal betrof niet de waarheid had verteld. En als hij gelijk had, dan vermoedde hij dat niet hoofdpijn, maar dweomer de oorzaak was van Salamanders vreemde gedrag. Toen de grote zaal later die avond leegliep, kreeg hij de gelegenheid om er onder vier ogen met Neb over te praten.
'Had de gerthddyn echt hoofdpijn?' vroeg hij.
'Nee,' antwoordde Neb glimlachend. 'Je hebt scherpe ogen, Gerro.'
'Dweomer?'
'Juist. Zal ik het je uitleggen?'
'Nee, nee, dat is niet nodig. Doe geen moeite.'
'Mag ik jou ook iets vragen? Waarom vinden krijgers het zo erg om over dweomer te praten?'
Omdat Neb de vraag uit oprechte belangstelling en zonder enige spot

had gesteld, dacht Gerran over het antwoord na. 'Ik weet het niet,' zei hij ten slotte. 'Ik denk omdat we er niets van begrijpen en ook niet in staat zijn om het te begrijpen, hoezeer we daar ook ons best voor doen. Voor ons bestaat dweomer niet omdat we het niet kunnen zien of aanraken, maar het bestaat wel degelijk. Maar hoe kun je vechten met een vijand die je niet kunt zien? Ik krijg er kippenvel van, echt waar.' Hij grinnikte. 'Bovendien, als we het niet kunnen gebruiken om iemand mee aan repen te snijden of zijn schedel mee in te slaan, wat hebben we er dan aan?'

'Ah, nu wordt het me duidelijk.'

Ze lachten allebei.

De volgende morgen kwamen Cadrycs vazallen en hun krijgsbenden als eersten aan om zich te verzamelen voor het leger. Ieder van hen had zo veel mannen meegebracht als hij met achterlating van genoeg bewakers voor zijn dun kon missen, dat wil zeggen tussen de vijf en de tien krijgers. De edelen kregen een slaapplaats in de broch en omdat die niet groot genoeg was om ook de krijgers in onder te brengen, zetten zij hun kamp op in het veld achter de dun. Na de vazallen kwamen de bondgenoten van Cadryc aan, onder wie de vader van Branna, tieryn Gwivyr, die vijfentwintig krijgers en voedsel voor zestig dagen meebracht. Toen hij de poort binnenreed, ging Branna hem plichtsgetrouw begroeten. Ze maakten een praatje en vormden een vreemd paar: de lange, forse Gwivyr en de jonge, slanke Branna, hoewel ze zijn lichtblonde haar had. Hij gaf haar een paar klapjes op haar hoofd en liep algauw langs haar heen naar de grote zaal. Branna haalde haar schouders op en volgde hem, en voor zover Gerran kon zien, keek ze blij noch verdrietig.

Later op de dag liep Gerran Gwivyr bij de vestingmuur tegen het lijf. De tieryn stond met zijn handen in de zij en een geërgerd gezicht te kijken naar tegen de muur gestapelde balen hooi. Gerran bleef staan en zei vriendelijk: 'Goedemorgen, edele heer.'

'Hetzelfde, heer.' Gwivyr wees met zijn duim naar de balen. 'Wat moet dit voorstellen? Zijn het doelwitten?'

'Inderdaad. Gwervyls boogschutters moeten oefenen.'

'Het bevalt me absoluut niet, die vervloekte boogschutters. Ik vraag me af wat onze voorvaderen ervan zouden denken als ze wisten dat edellieden en krijgers zich tegenwoordig bij een gevecht achter een schild van gewoon volk verschuilen. Het is oneervol.'

Opeens besefte Gerran dat het ook voordelen had als je in de adelstand was verheven. Hij hoefde tegen heren zoals Gwivyr niet langer beleefd zijn mond te houden.

'Is dat echt zo, edele heer? Hoe zou u het dan noemen als gewoon

volk zich zonder wapens tegen invallen van het Paardenvolk moest verdedigen?'
'U hebt gelijk, dat zou inderdaad oneervol zijn. Maar edelen hebben minstens duizend jaar gevochten als mannen en met het zwaard in de hand tegenover hun vijanden gestaan. Waarom moeten we nu opeens boogschutters uit het volk meenemen om met ons mee te vechten?'
'Waarom?' Gerran probeerde te bedenken hoe hij zo beleefd mogelijk antwoord kon geven. 'Omdat zij een deel van onze vijanden kunnen doden terwijl wij de rest voor onze rekening nemen.'
Tieryn Gwivyr staarde Gerran even sprakeloos aan en begon toen te brullen van het lachen.
'Een uitstekend antwoord, heer,' zei hij met een glimlach. 'Maar zeg eens eerlijk, vindt u het ook niet jammer? U bent de beste zwaardvechter van het Noordland, maar een sukkel met een pijl en boog kan dat op honderd meter afstand tenietdoen.'
'Dat is waar. Ik moet toegeven dat ik dat betreur. En u hebt ook gelijk wat die duizend jaar betreft. Maar die zijn voorbij, of wij dat prettig vinden of niet.'
Gwivyrs gezicht betrok. Hij stak stuntelig een hand op ten afscheid en beende weg.
Gwivyr zou nog meer ontdaan zijn als hij wist dat er ook dweomer in het spel is, dacht Gerran. Hij herinnerde zich hoe kalm Neb over dweomer praatte en dat hij er soms gebruik van maakte zoals hijzelf van zijn zwaard. Hij liever dan ik, dacht Gerran. Toch had hij ook het gevoel dat hijzelf openstond voor dweomer en dat dat soms invloed had op zijn manier van denken. Hij wist bijvoorbeeld zeker, al probeerde hij het af te doen als bijgeloof, dat hij bij de komende veldslag tegenover de moordenaar van zijn vader zou komen te staan. Maar het is al zestien jaar geleden! hield hij zich voor. Die krijger van het Paardenvolk is vast allang dood, of te oud om naar een fort aan de grens te worden gestuurd, of hij woont nu heel ergens anders. Desondanks voelde hij diep vanbinnen, nee, wist hij zeker, dat hij niet alleen tegenover die moordenaar zou staan, maar dat hij hem zou herkennen.
Je bent niet goed wijs, dacht hij. Hoofdschuddend liep hij terug naar de broch. Uit gewoonte wilde hij door de ingang van de bedienden naar binnen gaan, maar net op tijd bedacht hij zich en liep door naar de grote deur. Op dat moment kwam vrouwe Solla naar buiten. Toen ze hem zag aankomen, begon ze breeduit te lachen, maar vlug beheerste ze zich en schonk hem een vriendelijk glimlachje.
'Goedemorgen, heer Gerran,' zei ze.

‘Hetzelfde, vrouwe.’
Zwijgend bleven ze tegenover elkaar staan, niet op hun gemak. Gerran had graag van alles willen zeggen, allemaal dingen die eindigden met ‘wil je met me trouwen’, maar hij deed het niet. Niet omdat hij bang was dat ze hem zou afwijzen, maar omdat hij bang was dat ze zou toestemmen. Maar als ze zich zouden verloven en hij op het slagveld zou sneuvelen, zou ze als weduwe worden beschouwd en geen kans meer maken op een goed huwelijk met een ander. Terwijl ze wachtte tot hij weer iets zou zeggen, werd de uitdrukking in haar mooie grijsbruine ogen steeds bezorgder en verkrampte haar glimlach. Hij wist dat hij iets moest bedenken, anders zou hij haar verdriet doen.
‘Ik heb erg veel respect voor u, vrouwe,’ begon hij.
‘Ik ook voor u.’ Ze klonk niet-begrijpend, wat niet veel goeds voorspelde.
‘Wilt u voor me bidden wanneer ik ten strijde trek?’
‘Dat spreekt vanzelf.’ De glimlach werd weer iets natuurlijker.
‘Ik neem aan dat de vrouwen tijdens onze afwezigheid genoeg te doen hebben, met spinnen en weven en zo.’
‘O, meer dan genoeg! En er komt geen eind aan het naaiwerk.’
‘Mag ik u toch om een gunst vragen? De tieryn is me als deel van mijn beloning een nieuw hemd schuldig, maar deze blazoenen...’ Gerran raakte de Rode Wolf aan die op een schouderstuk was geborduurd.
‘Die horen niet meer bij u, nietwaar?’ Solla glimlachte oprecht. ‘Ik kan makkelijk een hemd met een paar valken voor u maken. Die wolven zijn trouwens erg kaal geworden, zo oud is dat hemd dat u nu draagt.’
Gerran grinnikte. ‘Maar het is nog goed genoeg om in te vechten.’
‘Waarschijnlijk wel. Wanneer u terugkomt, heb ik een nieuw hemd voor u.’
‘Laten we de goden niet verzoeken, lieve vrouwe. Als ik terugkom. En als dat zo is, dan eh... Nou ja, dan wil ik iets met u bespreken. Iets wat voor ons allebei erg belangrijk is.’
Opeens keek ze zo gelukkig dat het leek alsof het zonlicht haar gezicht in een gouden gloed zette. Ze had begrepen wat hij bedoelde en daar dankte hij alle goden voor.
‘Dit is geen geschikt moment,’ legde hij uit. ‘Stel dat ik niet terugkom?’
‘Daar wil ik niet eens over nadenken.’
‘Maar de mogelijkheid bestaat. U bent de dochter van een krijgsheer, u weet wat oorlog betekent.’

'Dat is waar.' Haar gezicht betrok en ze wendde haar hoofd af. 'U hebt gelijk. Maar mag ik u iets geven om bij u te dragen om u te beschermen? Voor anderen betekent het alleen maar dat ik u geluk toewens.'
'Daar zou ik erg blij mee zijn.'
Solla liep snel weer naar binnen. Gerran volgde langzaam en wachtte in de schemering bij de muur terwijl zij naar boven ging. De grote zaal was zo goed als leeg. In het midden lag een troep honden op het stro te slapen en bij de bediendenhaard stond een groepje slonzige dienstmaagden te babbelen. Even later kwam Solla weer beneden. Ze had een smalle sjaal bij zich, die ze in zijn uitgestoken handen legde. Het moest een prachtige sjaal zijn geweest, zag hij, van glanzende Bardekse zijde en met geborduurde rozen op de uiteinden, maar nu was hij vaal en rafelig.
'Hij is niet nieuw meer, maar een mooiere heb ik niet,' zei Solla. 'Mijn broer was niet scheutig met geld voor opsmuk.'
Gerran kon nog net binnenhouden dat hij haar broer, gwerbret Ridvar, een gierig misbaksel vond. 'Voor mij is hij mooi genoeg,' zei hij. 'Ik zit er net zomin warmpjes bij.'
Hij vouwde de sjaal op en stopte hem in zijn hemd, vlak boven zijn gordel, zodat hij goed zou blijven zitten. Vervolgens keken ze elkaar lange tijd diep in de ogen, tot ze tieryn Cadryc met zijn gasten druk pratend en lachend over het plein hoorden aankomen.

Nu de dun bijna uit zijn voegen barstte van de edelen, brachten Neb en Branna zo veel mogelijk tijd in hun eigen kamer door. Dan zaten ze op het bed en lazen elkaar om beurten voor uit de boeken die Dallandra hun had gestuurd. Het sprak vanzelf dat ze zo nu en dan een tijdje in beslag werden genomen door hun gevoelens als pasgetrouwd paar en dat de boeken dan onaangeroerd bleven liggen. Toch gaven ze hun studie niet op en ze leerden bladzij na bladzij uit het hoofd, tot de zon onderging en het verbleekte schrift onleesbaar was geworden. Ze overhoorden elkaar de tafels van overeenkomsten en reeksen bijzondere namen tot ze de verschillende vlakken van het universum, de schepsels die er leefden en al hun kenmerken zonder haperen konden opdreunen.
'Ik neem aan dat we dit allemaal ooit een keer zullen begrijpen,' merkte Branna op een namiddag op. 'In de dromen die ik vroeger had, was alles schitterend en vanzelfsprekend, heel anders dan dit. Dit is bijna net zo saai als garen spinnen.'
'Uit het hoofd leren leidt tot wat je hebt ervaren in je dromen,' zei Neb. 'Dat is ons tenminste verteld. Maar ik moet zeggen dat ik dat

boek over geneeskunde bijna even boeiend vind.'
'Ik heb gezien dat je dat ook bestudeert.'
'Omdat ik meer wil weten over de ziekte waaraan mijn vader en mijn zuster en de helft van de inwoners van ons stadje destijds gestorven zijn.' Neb wendde met een intens verdrietige uitdrukking in zijn ogen zijn hoofd af. 'Ik wil het begrijpen. Ik weet dat iemand ziek wordt als zijn lichaamssappen uit hun evenwicht zijn, maar hoe is het mogelijk dat dat bij een hele stadsbevolking tegelijk gebeurt?'
'Als je het zo stelt, klinkt het inderdaad bespottelijk.'
'Juist. Dus om te beginnen moeten de lichaamssappen door de een of andere duivelse macht zijn verstoord, misschien door iets in de waterputten of in de lucht of zo...' Neb dacht even na. 'Er moet iets zijn geweest dat bederf heeft veroorzaakt, iets wat zich door de stad heeft verspreid. Maar ik heb geen idee wat het zou kunnen zijn.'
'Het lijkt mij het meest waarschijnlijk dat het zich door de lucht heeft verspreid.'
'Mij eigenlijk ook, vanwege de lichaamsgeest.'
'Een geest in het lichaam? Zoiets als een Natuurvolker?'
'Nee, dat bedoel ik niet.' Neb grinnikte. 'Ik bedoel in de betekenis van levenskracht...'
Er werd op de deur geklopt.
'Wie is daar?' riep Branna.
'Salamander, eindelijk ontsnapt. Zijn jullie aangekleed?'
'Wat? Natuurlijk!'
Zonder dat hem werd gevraagd binnen te komen, opende een bleek en vermoeid uitziende Salamander de deur en glipte naar binnen. Hij deed de deur stevig achter zich dicht. 'Als iemand me zoekt, ben ik niet hier,' zei hij.
'Wat is er?' vroeg Neb lachend. 'Je ziet eruit alsof vrouwe Adranna heeft geprobeerd je te vergiftigen of zo.'
'Vergif zou een opluchting zijn.' Salamander plofte kreunend op de enige stoel. 'Ik heb me staan uitsloven in de grote zaal. Kunstjes gedaan en verhalen verteld voor de edelen tot mijn arme keel bijna rauw was.' Hij wapperde met zijn hand in de richting van Branna. 'Je oom is me minstens mijn levensonderhoud voor de hele winter schuldig.'
'O, ik weet zeker dat je hier welkom bent, maar dan zul je nog meer verhalen moeten vertellen.' Branna pakte het kruidenboek, dat naast haar op het bed lag. 'Even kijken. Wijn uit Bardek is een uitstekend middel tegen een pijnlijke keel, maar ik geloof niet dat de kokkin nog wijn overheeft. Misschien vind ik een andere oplossing.'
'Malrove,' zei Neb. 'Het hele kruid, fijngehakt en in water met ho-

ning verhit tot het is ingekookt tot siroop.'
'Aha, je bent aan het studeren,' zei Salamander.
'Wij allebei. Branni, denk je dat de kokkin malrove heeft?'
'Ik denk het wel. Het staat op het veld in bloei, als de paarden het tenminste niet hebben verorberd. Goden, zo veel paarden! En mannen, en knechten...' Branna schudde verwonderd haar hoofd. 'Er zijn hier nu bijna evenveel mensen als in heel Cengarn, denk je niet?'
'Iets minder,' zei Salamander lachend. 'Dat is waar ook, ik heb gescryd en gezien dat het leger er ook aankomt. Ridvar is uit Cengarn vertrokken.'
Branna voelde een steek van verdriet door zich heen gaan en opeens voelde ze zich zo ellendig dat ze bijna begon te huilen.
'Wat is er?' Neb legde een hand op de hare.
'Ik ben bang. Mijn oom, Gerran, mijn vader... Alle mannen eigenlijk. Wat zal er met hen gebeuren?' Ze haalde diep adem om weer kalm te worden. 'Je moet wat meer tijd met je broer doorbrengen, Neb.'
'Gaat Clae mee naar het slagveld?' vroeg Salamander stomverbaasd. 'Hij is nog maar acht zomers oud!'
'Hij is Gerrans schildknaap,' zei Neb. 'Waar zijn heer naartoe gaat, gaat hij ook naartoe. Een van de redenen dat ik mee wilde, was om op Clae te passen.'
'Dan zal ik dat doen,' beloofde Salamander. 'Ik zal jouw rol vervullen, als schrijver en als broer.'
'Daar dank ik je dan heel hartelijk voor,' zei Neb. 'Dat is erg aardig van je.'
'Ik hoop alleen dat hij het niet erg zal vinden.'
'Ik zal tegen hem zeggen dat hij naar je moet luisteren.'
'Doe dat.' Salamander dacht even na. 'En Matto? Hij gaat vast ook mee, hij is tenslotte de gijzelaar van de prins.'
'Hij gaat niet mee,' zei Branna. 'Voran heeft een boodschap gestuurd en Mirryn gevraagd de bewaking van Matto over te nemen.'
'Mooi zo. Ik denk dat hij zich beter zal voelen als Gerran en ik eenmaal vertrokken zijn. In elk geval zal hij eindelijk bereid zijn om in de grote zaal te komen eten.'
'Dat denk ik ook,' zei Branna. 'Wanneer verwacht je dat het leger aankomt?'
'Al gauw, over een paar dagen. Als er oponthoud is, zal ik je dat laten weten.'
Het vreemdst van al was, bedacht Branna, dat ze het inmiddels heel normaal vond dat er een dweomermeester bij hen in de kamer zat met wie ze over iets praatten wat zich een heel eind bij hen vandaan

afspeelde. Nog maar een paar maanden geleden zou ze iedereen hebben uitgelachen die haar probeerde te vertellen dat je op de hoogte kon zijn van gebeurtenissen die zich zestig kilometer bij je vandaan afspeelden. Inmiddels wist ze dat de wereld niet alleen groter, maar ook veel onbegrijpelijker was dan ze ooit had gedacht.
Die avond ging ze voor het raam staan om naar de sterren te kijken. Waar zou de zilveren draak op zo'n prachtige avond uitrusten, vroeg ze zich af. Beslist niet in een donkere grot, vermoedde ze. Ooit zal ik de gelegenheid krijgen om het hem zelf te vragen, hield ze zich voor.
'Kom toch naar bed!' Neb lag al tussen de lakens. 'Denk je weer aan die verduivelde draak?'
'Inderdaad. Hij is een raadsel voor me. Ik weet dat Jill heeft beloofd dat ze hem van zijn kwade lot zal bevrijden. Dat kwade lot is dat hij een draak is geworden, denk je niet?'
'Ik denk het wel.'
'Ik veronderstel dat ik hem wanneer we elkaar eindelijk ontmoeten een heleboel te vertellen zal hebben, maar ik heb geen idee wat dat zal zijn.'
'We gaan niet met het leger mee, dus zul je meer dan genoeg tijd hebben om erover na te denken en hoef je je daar nu nog geen zorgen om te maken.'
'Je hebt gelijk.' Ze draaide zich glimlachend naar hem om. 'Wil je dat ik de luiken sluit of openlaat?'
'Laat ze maar open, het is een warme avond. En kom nu naar bed. Alsjeblieft?'
Lachend deed Branna wat hij vroeg en de rest van de nacht dacht ze niet meer aan de zilveren draak, geen moment.

De troep dwergen kwam in Cengarn aan op de dag voordat gwerbret Ridvar de volgende morgen zou vertrekken, dus hadden ze maar één nacht om uit te rusten. Maar de reis naar de dun van de Rode Wolf bleek erg mee te vallen, want het leger van de Deverrianen hield een veel langzamer tempo aan dan het Bergvolk gewoonlijk deed. Zonder de Deverrianen zouden de dwergen in twee dagen de dun hebben bereikt, nu deden ze er ruim drie dagen over.
In zijn rol van gezant van het Bergvolk gebruikte Kov de tijd om zo veel mogelijk heren en hoofdmannen te leren kennen, hoewel hij zich meestal aansloot bij gwerbret Ridvar en prins Voran. De prins, een jongere zoon van een jongere zoon van de koninklijke familie, was op het eerste gezicht een heel gewone man. Hij had bruin haar dat vanboven iets dunner was geworden, grote oren en een brede mond

die, als hij glimlachte, op een kikkerbek leek, al hing er een grote snor overheen om dat te verbergen. Maar Kov zag dat zijn grijze ogen een intelligente blik hadden en als iemand iets tegen de prins zei, luisterde hij aandachtig terwijl hij de spreker scherp opnam, alsof hij meteen over de woorden nadacht.

Maar Ridvar... Ridvar had het rhan geërfd omdat zijn vader en zijn oudere broer op het slagveld waren gesneuveld. Hij was een knappe jongeman met donker haar en grijsbruine ogen, maar Kov vond hem arrogant, al deed hij zijn best om dat niet te laten merken.

'Hoe oud is hij eigenlijk?' vroeg Kov ergens onderweg tijdens de middagrust aan heer Blethry.

'Bijna vijftien,' antwoordde Blethry. 'Maar hij is al getrouwd en hij heeft een paar keer flink meegevochten tegen de plunderaars.'

'Dat is erg bewonderenswaardig.'

Blethry trok een wenkbrauw op. Kov glimlachte kalm terug. Blethry begon over iets anders te praten.

Het leger trok verder naar het zuiden en er sloten zich steeds meer heren en hun krijgers bij aan, zowel degenen die rechtstreeks trouw aan Ridvar hadden gezworen als vazallen van zijn tierynau die woonden in de gebieden waar ze doorheen trokken. Bondgenoten van de gwerbret stuurden boodschappers om te melden dat ook zij hun krijgers verzamelden en dat ze zo snel mogelijk op weg zouden gaan naar de dun van de Rode Wolf. Desondanks bestond het leger toen het de vesting van Cadryc bereikte uit nauwelijks meer dan twaalfhonderd man, en Cadryc zelf kon daar nog honderd man aan toevoegen. Zonder de tunnelgravers en mijnwerkers van de dwergen zou de kans op een overwinning erg klein zijn.

Net als het grootste deel van het Deverriaanse leger sloegen de dwergen hun kamp op in het veld achter de dun. Cadrycs vrouwe en de kamerheer deden hun uiterste best om alle edelen een slaapplaats in de dun zelf te kunnen aanbieden. Kov en Brel werden daar eveneens ondergebracht. Heer Veddyn, de kamerheer, nam hen mee naar een vertrekje hoog in de broch, dat eruitzag alsof iemand anders het haastig had ontruimd.

'Bij de stenen goden!' mompelde Brel. 'Ik slaap liever buiten dan dat ik iemand uit zijn bed verjaag.'

'Inderdaad, heer,' zei Kov tegen Veddyn. 'We hebben zelf een tent in een van de wagens die van alle gemakken is voorzien. Als u dit vertrek aan zijn bewoner teruggeeft, kamperen wij op het veld.'

'Ah, jullie wagens!' Veddyns waterige ogen begonnen te glimmen. 'Ik heb gehoord dat jullie daar een heleboel belangwekkende spullen in vervoeren.'

Kov glimlachte alleen maar. Alle goden, wat denken ze eigenlijk dat we hebben meegebracht, dacht hij. Edelstenen en goud en zo? Nou ja, het Bergvolk had een bepaalde reputatie, dus zo vreemd was dat eigenlijk niet.
Toen Kov later zag dat vrouwe Branna de geheimzinnige wagens stond te bekijken, nam hij aan dat ook zij belangstelling had voor de kisten met de runen erop. Maar hij had ongelijk.
'Die andere wielen van jullie, wat een slim idee,' zei ze.
Het drong niet meteen tot hem door dat ze het eerlijk meende, maar toen antwoordde hij: 'Inderdaad. Ik vermoed dat u ze in de toekomst vaker zult zien. Alle voerlieden in Cengarn hebben ze bekeken en jullie timmerman hier in de dun heeft ze ook al gezien.'
'Horza? Ja, zijn handen kunnen maken wat zijn ogen zien.'
Een van de voerlieden van de dwergen stond met zijn handen op zijn knieën voorovergebogen met een bedenkelijk gezicht naar het linkerachterwiel van zijn wagen te kijken. Hij mompelde een paar vloeken, liet zich op een knie zakken en begon groene plukken van de wielen te trekken.
'Die zijn aan een heleboel wielen blijven hangen,' zei Branna. 'Dat viel me al op toen jullie de wagens op een rij zetten.'
'Dat komt door het hoge gras,' zei Kov. 'Deze nieuwe uitvinding heeft één nadeel en dat is dat de wielrand het droge gras afsnijdt, waarna het zich om het wiel heen wikkelt. Dat zal vervloekt vervelend zijn wanneer we over de vlakte rijden.'
Hij keek verbaasd naar Branna's gezicht toen ze eerst even nadacht en vervolgens begon te grinniken. Zonder nog iets te zeggen, draafde ze naar de wagen en keek toe hoe de voerman de lange halmen tussen de spijkers op de wielrand vandaan trok. Door het ronddraaien van de wielen waren ze gevlochten tot een ruw soort touw. Kov liep nieuwsgierig achter Branna aan.
'Eh... Is er iets, vrouwe?' vroeg hij.
'Nee hoor, dat niet.' Branna keek hem aan en lachte nog breder. 'Beste gezant, mag ik aannemen dat uw mannen een aantal extra wielen hebben meegebracht? Denkt u dat ik er daar een van mag hebben? Ik heb geen geld om ervoor te betalen, maar ik heb wel wat sieraden die ik er misschien voor in ruil kan geven.'
'Lieve vrouwe, het is me een grote eer u een wiel als geschenk aan te bieden, maar eh... Mag ik vragen waarom u het wilt hebben?'
'Ik heb een idee, meer niet. Ik vraag me af of je met zo'n wiel wol kunt spinnen, ongeveer op de manier zoals het gras wordt gevlochten.'
Kov begreep er werkelijk niets van, maar zijn leermeester Garin had

hem goed genoeg opgeleid om geen spier te vertrekken. 'Ik zal met-een een wiel voor u laten brengen,' zei hij. 'Ik geloof dat onze hoofd-voerman vlakbij staat.'
Toen Branna haar wiel in ontvangst had genomen, bedankte ze Kov hartelijk en nam het mee terug naar de dun. Kov hoorde dat ze Hor-za riep toen ze door de poort verdween. Ik weet niet waarom ik zo verbaasd ben, dacht hij. Onze vrouwen zijn ook dol op handig ge-reedschap. En tenslotte, hield hij zich voor, was de liefde van een vrouw voor slimme hulpmiddelen de oorzaak van het geheim dat ze in een van de met runen gemerkte kisten hadden meegebracht.
Maar voorlopig had niemand tijd om zich in de geheimen van het Bergvolk te verdiepen. Die middag riep prins Voran de krijgsraad bijeen. Omdat Cadryc geen raadszaal had – hij berechtte plaatselij-ke misdaden en ruzies in zijn grote zaal – kwamen de prins, de gwer-bret, Brel en Kov bijeen in de slaapkamer van de prins. Kov vond het een vrij klein en nogal sjofel vertrek, maar blijkbaar was dit het beste gastenverblijf dat de dun kon bieden. Bedienden hadden stoe-len bij het raam gezet en op een lage tafel lag de kaart van Deverry, die Ridvar had meegebracht uit Cengarn. Kov had verwacht dat Cad-ryc als heer van de dun uit beleefdheid ook was uitgenodigd om zit-ting te nemen in de raad, maar dat bleek niet zo te zijn.
Tegen de ronde muur zaten een jonge, bruinharige schrijver – Kov dacht dat hij Neb heette, hoewel hij de naam niet duidelijk had ver-staan – en een op een vreemde manier knappe jongeman met haar zo bleek als maanlicht en puntige oren. Eerst nam Kov aan dat de halve Westvolker een leerling van de schrijver was, omdat Neb hem voordeed hoe je met een schrijfpriem op een wastablet moest schrij-ven, maar even later hoorde hij dat deze man heel wat belangrijker was.
'Cadvridoc Brel, gezant,' begon prins Voran, 'dit is Salamander de gerthddyn, de man die Zakh Gral heeft ontdekt.' Opeens keek hij Salamander vragend aan en vervolgde: 'Je hebt vast wel een betere naam dan Salamander.'
Salamander overhandigde zijn wastabletten aan de schrijver, stond op en knielde. 'Inderdaad, hoogheid. Ik ben Evan van Drwloc.'
'Aha, dat klinkt beter. Waarde Evan,' vervolgde de prins, 'ik heb je laten komen om ons nogmaals uit te leggen hoe de omgeving van Zakh Gral eruitziet. Neb, ik hoop dat jij in staat bent om aan de hand van zijn uitleg een soort schets te maken op de achterkant van deze kaart.'
'Ik zal mijn best doen, hoogheid.' Tegen Evan vervolgde Neb: 'Praat jij maar, dan maak ik eerst een schets op een wastablet, die je even-

tueel kunt verbeteren voordat ik hem met inkt overneem op de kaart.'
'Een goed idee,' zei de prins. 'Ga je gang.'
Tegen de tijd dat de gerthddyn klaar was met zijn beschrijving en de schrijver met zijn schets, keken Kov en Brel elkaar somber aan. Het Paardenvolk wist hoe en waar je een fort moest bouwen, dat was duidelijk. Zakh Gral stond aan de rand van de grasvlakte, daar waar de uitlopers van de beroemde bergen in het verre westen begonnen. Ten noorden ervan lag een onderbroken tafellandschap begrensd door een rotswand die, dat wist het Bergvolk, zo lang geleden dat alleen het Natuurvolk het zich nog herinnerde, de vroegere kustlijn van die streek was geweest. Vanuit het hoge noorden stroomde een rivier recht naar de zee in het zuiden, de rivier die Evan niet ver van de bron had overgestoken.
'Waarschijnlijk heet die rivier de Galan Targ. De weg ernaartoe was zo ingewikkeld, hoogheid, dat ik toen we uit het bos kwamen mijn richtinggevoel volkomen kwijt was,' zei de gerthddyn. 'De goden zij dank voor de draken die ze ons zullen sturen, want zij zullen meer zien dan ik heb gedaan.'
Draken? dacht Kov. Krijgen we ook hulp van draken? Brel ving zijn blik op en sloeg zijn ogen ten hemel, alsof hij wilde zeggen dat het niet gekker moest worden.
'Dus toen hebben jullie die rivier gevolgd tot jullie bij het fort kwamen?' vroeg de prins.
'Inderdaad, hoogheid,' antwoordde Evan. 'Ik schat dat Zakh Gral ongeveer veertig kilometer ten zuiden van de doorwaadbare plaats ligt. We moesten nog anderhalve dag lopen voordat we er waren. Eerst loopt de weg nog vlak langs de rivier, maar hoe zuidelijker je komt, des te sneller stroomt het water en des te dieper wordt de kloof.'
Evan schatte dat de rivier uiteindelijk wel tien meter lager lag dan het fort, dat op het klif stond dat de westelijke oever vormde. Brel streek bedachtzaam over zijn baard. Het enige hoopvolle van de beschrijving, bedacht Kov, was de steensoort van het klif: rode zandsteen, die nauwelijks weerstand zou bieden aan sterke ijzeren pikhouwelen – mits de tunnelgravers er natuurlijk in slaagden ongezien af te dalen naar de bodem van de kloof.
'De grootste vraag is hoe we het leger naar de overkant van de rivier krijgen,' zei Brel.
'Ik hoopte dat uw mannen een brug voor ons konden bouwen,' zei Voran. 'Iedereen weet dat het Bergvolk erg goed is in dat soort dingen. Ik heb veel vertrouwen in uw...'
'Vleiende woorden,' onderbrak Brel hem, 'maar is er genoeg hout in

de buurt om een brug mee te bouwen?'
Iedereen keek naar Evan, die aarzelend glimlachte. 'De heuvels ten westen van Zakh Gral zijn bebost,' zei hij, 'maar ten oosten van de rivier heb ik alleen grasland met struikgewas gezien.'
Brel uitte een vloek in de Dwergentaal die zo erg was dat Kov opgelucht bedacht dat hij de enige was die het kon verstaan. De jonge gwerbret keek van Brel naar Voran en terug en zei: 'Maar we kunnen toch oversteken op die doorwaadbare plaats in het noorden, hoogheid?'
'Dat kan, en dan moeten we maar hopen dat ze voor die tijd van niemand horen dat we eraan komen. We kunnen daar natuurlijk altijd oversteken, maar als ze weten dat we dat gaan doen, zal het een stuk moeilijker worden.'
Neb, die aandachtig naar zijn schets zat te kijken, keek plotseling op en rilde, zo hevig alsof iemand een handvol sneeuw in zijn kraag had gestopt. Voran lachte kort – het klonk als een blaf.
'Lopen er ganzen over je graf, jongen?' vroeg hij.
'Ik hoop het niet, hoogheid. Neem me niet kwalijk.'
Kov had het gevoel dat zijn maag samentrok. Hij wilde liever niet in slechte voortekens geloven, maar onwillekeurig dacht hij dat hij zojuist van iets dergelijks getuige was geweest.

Nu er niemand meer aan het leger ontbrak, zouden ze nog maar één nacht doorbrengen in de dun van de Rode Wolf. De avondmaaltijd voor de edelen, een feestdis ter ere van gwerbret Ridvar en prins Voran, was zo'n grote uitdaging dat Branna blij was dat het gezelschap de volgende dag zou vertrekken, al maakte ze zich nog zo veel zorgen om de leden van haar clan. Als heer van de dun zat Cadryc op zijn eigen plaats aan het hoofd van de eretafel, terwijl de prins rechts van hem zat en de gwerbret links. Omdat de tierynau de andere plaatsen aan de hoofdtafel in beslag namen zodat Cadrycs familie en de lagere edelen er niet meer bij konden, zat heer Mirryn aan het hoofd van de tafel ernaast. Branna, die aan het andere uiteinde zat en een eetplank deelde met Gerran, kon het gesprek aan de eretafel volgen. Neb zat aan tafel bij de andere dienaren, iets verder de zaal in.
Aan de twee eretafels werd niet druk gepraat, wat afluisteren gemakkelijk maakte. Eerst vermoedde Branna dat de krijgsheren in gedachten waren verzonken, maar toen bedienden de resten van het geroosterde varkensvlees weghaalden, maakte Gerran haar duidelijk hoe het werkelijk zat.
'Kijk eens naar je oom,' zei hij zacht en met zijn hoofd vlak bij het

hare. 'Hij mocht vandaag de bijeenkomst van de krijgsraad niet bijwonen. Als hij zich daarover gaat opwinden, kun jij dan net doen alsof je flauwvalt of zo? Om voor afleiding te zorgen?'

Branna wierp een blik op haar oom en zag dat zijn gezicht donkerrood was. Hij keek over de rand van zijn kroes fel naar Ridvar, die met een wezenloos glimlachje voor zich uit staarde. Prins Voran schoof naar voren op zijn stoel en leunde iets over de tafel.

'Ik zal mijn best doen,' fluisterde Branna, 'maar ik ben niet goed in flauwvallen.'

Ridvar maakte een opmerking die ze niet kon verstaan, maar ze ving wel de naam 'Matyc' op. Cadryc zette zijn kroes met een klap op tafel en brulde: 'Hij is in de vrouwenzaal bij zijn moeder, edele heer. Hij is nog een kind, daarom mag hij daar eten. U hoeft niet bang voor hem te zijn.'

Ridvar werd eerst vuurrood en toen spierwit. Gehinderd door haar rokken duurde het even voordat Branna van de bank was opgestaan. Gelukkig kwam prins Voran sneller in beweging. Voordat Ridvar zelfs maar één woord terug had kunnen zeggen, stond hij al naast Cadryc.

Hij pakte de tieryn bij zijn arm en zei: 'U hebt me beloofd, heer, dat we naar uw westers jachtpaard in de stal zouden gaan kijken. Het is hier zo benauwd dat ik dat nu graag wil doen.'

Cadryc knipperde verdwaasd met zijn ogen, maar Voran hees hem zonder meer uit zijn stoel en Cadryc had geen andere keus dan zich te laten meetrekken naar de deur. Branna vloog naar de naburige tafel en zat al op de stoel van haar oom voordat de helft van de aanwezigen in de zaal had gemerkt dat er iets aan de hand was. Ze keek Ridvar glimlachend aan.

'Ik weet dat het erg onbeleefd van me is, edele heer, maar ik wilde dolgraag weten hoe het met uw lieve echtgenote gaat,' zei ze zo schalks mogelijk. 'Een van de dienstmaagden heeft me verteld dat ze een kind verwacht.'

Ridvar opende en sloot een paar keer zijn mond en keek kokend van woede om zich heen voordat hij antwoordde: 'Niet dat ik weet, vrouwe Branna, hoewel dat natuurlijk een grote zegen zou zijn. Maar ze maakt het goed.'

'Ze moet wel erg gelukkig zijn nu ze met zo'n knappe heer als u is getrouwd.'

Ridvar bloosde, glimlachte en bleef zitten.

Branna slaagde erin met Ridvar over koetjes en kalfjes te praten tot prins Voran en haar oom terugkwamen. Toen ze hen zag aankomen, stond ze op en gaf Ridvar gauw nog een compliment. De tot de orde geroepen Cadryc ging zitten op de stoel waar eerst de prins had gezeten, terwijl Voran de stoel van de tieryn nam, naast Ridvar, die hij met een kille, maar tegelijk nietszeggende blik aankeek. Branna liep vlug terug naar haar eigen plaats naast Gerran, die haar met een van zijn zeldzame glimlachjes beloonde.

'Goed gedaan,' zei hij. 'Want als Ridvar erin was geslaagd Cadryc tegen zich te keren, hadden we de oorlog kunnen vergeten en had het Paardenvolk zijn vervloekte vesting in alle rust kunnen afmaken.'

'Het doet mijn hart vreugd dat jij met mijn oom meegaat en Salamander ook.' Branna pakte Gerrans kroes en nam een grote slok bier. 'Ik zal voor jullie bidden.'

De rest van de avond verliep zonder problemen. Toen de vrouwen zich in de vrouwenzaal hadden teruggetrokken, kwam de lijfknecht van prins Voran er aan de deur met een briefje op een prachtig stukje afgeschraapt wit leer voor Branna. 'Dank je wel,' stond erop. Dat was alles, maar Branna stopte het weg in haar rok om te bewaren – niet omdat het afkomstig was van een prins, maar omdat zijzelf de achterkant nog zou kunnen gebruiken.

De volgende morgen verlieten de edelen en de hoofdmannen nadat ze in een grimmig stilzwijgen vlug in de grote zaal hadden ontbeten de dun en voegden zich bij hun mannen in het veld. Ook de krijgsbende van de Rode Wolf maakte zich klaar voor de tocht. Op het binnenplein renden schildknapen en knechten af en aan met zakken, kisten en manden met onderdelen van hun uitrusting en etensvoorraad. Staljongens brachten de paarden naar buiten en zadelden ze.

In de bedrijvigheid gingen Branna en Neb op zoek naar Clae, die ze uiteindelijk vonden bij de poort. Hij stond op een houten kist naast Gerrans grijze ruin en bevestigde de zadeltassen van zijn heer aan zijn schapenleren zadel. Aan de punt van het zadel hing het schild dat Neb onlangs had geschilderd: een gele valk met gespreide vleugels op een witte achtergrond. Omdat Neb geen goud had om de valk te vergulden, had hij gele verf gebruikt die van de plaatselijke klei was gemaakt.

'Ik kom je veel geluk toewensen,' zei Neb tegen Clae.

'Dank je wel.' De tassen zaten vast en Clae sprong van de kist. 'Kijk niet zo somber, Neb. Ik hoef niet mee te vechten, hoor.'

'Maar een slagveld is een gevaarlijke omgeving. Zul je voorzichtig zijn?'

'Natuurlijk.'

'Weet je nog wat ik je over Salamander heb gezegd?'

'Ja. En heer Gerran zal er ook voor zorgen dat me niets overkomt.'

Voor zover hij dat in de hand heeft, dacht Branna.
'Dat is waar.' Neb deed zijn best om te glimlachen.
'Je vindt het vast jammer dat jij niet mee mag.'
'Ach, dat gaat wel weer over. Tot ziens dan, Clae.'
'Tot ziens.' Clae keek bezorgd om zich heen. 'Nu moet ik het paard van mijn heer naar de stoet brengen.'
De krijgsbende van de Rode Wolf was zich in marsorde aan het opstellen. Om niet in de weg te staan, liepen Branna en Neb terug naar de ingang van de grote zaal.
'Vind je het echt jammer dat je hier moet blijven?' vroeg Branna.
'Natuurlijk niet,' zei Neb. 'Maar dat hoeft Clae niet te weten. Ik ga naar binnen. Ik weet dat mijn broer nu bij iemand in dienst is en dat ik niet meer voor hem hoef te zorgen, maar vervloekt nog aan toe! Ik kan niet staan kijken terwijl hij vertrekt om oorlog te gaan voeren.' Voordat Branna hem kon troosten, liep hij de zaal in.
Toen haar vader en haar oom naar buiten kwamen, nam Branna afscheid van hen. Samen met Solla keek ze toe terwijl de krijgers met hun paard aan de teugel in de rij gingen staan en wachtten op het bevel om op te stijgen. Gerran en tieryn Cadryc wisselden een paar woorden en Gerran liep langs de rij om de mannen een voor een te inspecteren en af en toe een opmerking te maken. Daarna liep hij terug naar het hoofd van de stoet, waar Clae met zijn paard op hem wachtte. Voordat hij opsteeg, haalde hij een reep blauwe stof uit zijn hemd en gaf die, met een paar woorden, aan Clae.
Branna stond te ver weg om te horen wat hij had gezegd. Clae overhandigde Gerran de teugels en Gerran hield ze in zijn rechterhand terwijl Clae de blauwe lap om zijn linkerbovenarm bond. Solla slaakte een kreetje. Branna keek naar haar gezicht.
'Dat is jouw sjaal, nietwaar?' zei ze.
'Inderdaad. Een kleinigheid om hem geluk te brengen, dat is alles.'
'Ah, natuurlijk, dat is alles.'
Ze keken elkaar glimlachend aan, maar toen Gerran opsteeg en het teken gaf dat zijn krijgers hetzelfde moesten doen, maakte Solla's glimlach plaats voor een vastberaden uitdrukking die haar gevoelens moest onderdrukken. Opeens vond Branna het erg zelfzuchtig van zichzelf dat ze blij was omdat haar geliefde veilig thuis mocht blijven. Als we hier tenminste veilig zijn, dacht ze. Ze keek naar de lucht, maar de mazrakraaf was nergens te bekennen. Tieryn Cadryc schreeuwde een bevel en met een armzwaai leidde hij zijn krijgers, adellijke bondgenoten en vazallen in draf de poort uit. De blauwe sjaal om Gerrans arm wapperde als een wimpel.
Terwijl het leger zich in het veld verzamelde, klommen de vrouwen

in de dun naar de loopbrug langs de vestingmuur om het uit te zwaaien. Net toen Branna de ladder wilde beklimmen, werd er aan haar rok getrokken. Naast haar stond de grijze dwerg, met een zorgelijke uitdrukking op zijn hoekige gezicht. Zijn mond stond open en hij wapperde met zijn handen.
'Wat is er?' fluisterde Branna. 'Waarom ben je zo van streek?'
De dwerg draaide zich om, rende weg, bleef een eindje verderop staan en wenkte haar. Ze liep met hem mee naar de achterkant van de broch. Daar kwam net een man met een paard uit de stal en hoewel het een warme dag was, droeg hij een mantel en had hij de kap ver over zijn hoofd getrokken in een vergeefse poging om niet te worden herkend.
'Waar ga jij naartoe, Mirro?' vroeg Branna. 'Ben je van plan om stiekem achter het leger aan te rijden?'
'Wel verduiveld!' Mirryn trok de kap van zijn hoofd. Het zweet parelde op zijn voorhoofd en liep in straaltjes langs zijn wangen. 'Nu loop je natuurlijk meteen naar mijn moeder om het haar te verklappen.'
'Dat is niet nodig. Ze staat bij de andere vrouwen op de muur en ze zal zelf zien dat je de dun verlaat. Dacht je echt dat het je zou lukken? Al droeg je tien mantels over elkaar, de vrouwen van je familie zouden je nog steeds herkennen.'
'Ach, bij de rode korstige ballen van de Heer van de Hel!' Mirryn liet de mantel van zich afglijden en wierp hem op de keien. Het paard brieste en maakte een sprongetje. 'Sta stil, schurftige ezel!'
Alsof het paard begreep dat het werd beledigd, legde het zijn oren plat, maar het bleef wel staan.
'Breng hem maar terug naar de stal,' raadde Branna haar neef aan. 'Bovendien heb je de prins toch beloofd dat jij de verantwoordelijkheid voor Matto op je neemt? Dan kan ik toch niet goedvinden dat je je daaraan onttrekt?'
'Klikspaan!'
Branna wilde boos iets terugzeggen, maar op dat moment nam een andere stem bezit van haar keel en mond, een kille, galmende stem die ze niet tot zwijgen kon brengen: 'Als u meegaat, komt daar veel kwaad uit voort, meer kwaad dan u zich kunt voorstellen, heer Mirryn. Uw vader heeft gelijk, u moet hier blijven. Binnen afzienbare tijd, wanneer het in het nieuwe jaar lente wordt, zal het uw beurt zijn om ten strijde te trekken, en dan zal het hele koninkrijk u eer bewijzen.'
De voorspellende stem verliet Branna even abrupt als hij bezit van haar had genomen, en liet haar koud en trillend achter. Mirryn staar-

de haar met open mond aan.
'Wat was dat?' fluisterde hij.
Toen ze wankelde, pakte hij haar bij een arm en de andere schouder. Dankbaar liet ze zich overeind houden.
'Mirro, blijf alsjeblieft hier. Dat moet, je moet hier blijven!'
Hij aarzelde lange tijd, maar toen knikte hij. 'Misschien is dat dan toch het beste. Ik heb je wel vaker rare dingen horen zeggen, Branni, maar dit slaat alles.'
'Het was een voorspelling, meer niet.'
'Meer niet? Wat bedoel je daarmee?'
'Dat weet ik niet.' Ze stak een trillende hand op. 'Ik moet iets drinken, Mirro. Mijn mond is zo droog als een korst oud brood.'
Mirryn nam haar mee naar de grote zaal en haalde een kan water en een beker voor haar. Branna dronk een hele beker leeg en nam slokjes van nog een beker terwijl hij bezorgd naast haar zat.
'Ah, daar heb je de gerthddyn,' zei hij opeens.
'Hoe kan dat?' Branna keek om en zag dat Salamander binnenkwam. 'Ga je niet met het leger mee?'
'Het leger heeft het veld nog niet verlaten.' Salamander kwam naar haar toe en maakte een buiging voor haar. 'Het duurt uren voordat zo'n stoet op weg is. Ze kunnen niet allemaal tegelijk vertrekken, dat begrijp je zeker wel. Mijn plaats is ergens achteraan, dus kom ik je nog even gedag zeggen.' Hij boog naar haar toe. 'Ben je ziek of zo?'
'Ik ben moe, dat is alles. Ik had net buiten op het plein een rare aanval van duizeligheid.'
Mirryn wilde eerst iets zeggen, maar toen keek hij de gerthddyn alleen maar met een vaag glimlachje aan.
'O ja?' Salamander keek met een ongelovige blik naar Branna. 'Ik ben blij dat Neb hier blijft. Met behulp van zijn eigen kennis en het kruidenboek dat Dalla je heeft gestuurd weet hij genoeg om je te kunnen verzorgen, als dat nodig is.'
'Het is niet nodig,' zei Branna. 'Zul je voorzichtig zijn? Ik maak me zorgen om je.'
'Ach, ik ben heus niet van plan om me in de buurt van gevechten te wagen, hoor.' Salamander wierp een blik op de deur. 'Nu moet ik weg. Heer Mirryn, vaarwel.'
'Vaarwel, gerthddyn. Mogen de goden met jullie zijn in de strijd en jullie veilig thuisbrengen.'
Salamander maakte opnieuw een buiging en liep vlug naar buiten. Branna volgde hem naar de deuropening en keek toe terwijl hij op zijn paard steeg. Hij zwaaide naar haar, klakte met zijn tong en reed

in draf de poort uit. Moge de ware godin je beschermen, dacht Branna. Meteen kreeg ze een eigenaardig, angstig voorgevoel en ze wist zeker dat het met dweomer te maken had. Iemand hield Salamander in de gaten, een vrouw, en zij wenste hem geen goeds toe.

Sidro deed regelmatig haar best om Evan de minstreel, zoals ze hem noemde, te scryen, maar ze ving alleen zo nu en dan een vage glimp van hem op. Dat gebeurde altijd vlak na zonsop- of ondergang. Meestal had ze eerder het gevoel dat er een soort glanzend schild om hem heen hing dan dat ze zeker wist dat hij het was. Zijn omgeving zag ze nooit.
'Waarschijnlijk heeft hij dat lichtschild zelf om zich heen gezet,' zei Laz toen ze hem ernaar vroeg. 'Na je vertrek heeft meester Hazdrubal mij dat kunstje ook geleerd.' Hij slaakte een weemoedige zucht. 'Ai, onze arme leermeester! Ik mis hem nog steeds.'
'Je bent niet wijs!' snauwde Sidro. 'Hij was een walgelijke oude man. Hij at rauw vlees! En in de buurt van kleine jongens was hij niet te vertrouwen. Hij zat altijd naar hun billen te staren.'
'Hij had inderdaad walgelijke gewoonten, maar hij was een uitstekende leermeester in de tovenarij. En niemand verdient dood te gaan zoals hij.'
Vroeger, of eigenlijk nog niet zo lang geleden, zou ze hebben geantwoord dat Hazdrubal zijn dood had verdiend omdat hij, al was het maar één keer, de wetten van Alshandra had overtreden, besefte Sidro.
'Ik moet toegeven dat het een afschuwelijke dood was,' zei ze. 'Ik kon het niet aanzien.'
'O nee? Ik had verwacht dat je ervan zou hebben genoten. Dat deed die troep heilige dwazen van je ook.'
'Lakanza niet! Zij is vlug samen met mij naar de tempel gegaan en daar hebben we gesmeekt of Alshandra ze wilde laten ophouden. Die mensen hoorden niet bij ons, Laz. Niet op dat moment. Ze gedroegen zich als beesten. Iemand met je handen aan stukken rijten... Het was afschuwelijk.' De beelden flitsten weer door haar hoofd en maakten haar sprakeloos.
'Ik was het volgende slachtoffer. Werd je daar bang van, Sisi? Van het vooruitzicht dat je vroegere geliefde eveneens door de nagels van jullie gelovigen aan flarden zou worden gescheurd?'
'Nee.'
Hij keek haar met open mond en diep gekwetste ogen aan.
'Omdat ik wist dat je zou ontsnappen,' legde ze uit. 'Ik weet absoluut zeker dat jij altijd een verhaal kunt verzinnen om je uit een las-

tige situatie te redden, Laz.'
Hij wierp zijn hoofd achterover en lachte schaterend. 'En dat heb ik ook gedaan,' zei hij toen hij uitgelachen was. 'Hoewel mijn moeder me een handje moest helpen. Hm. Het verbaasde me toen en het verbaast me nog steeds dat ze genoeg om me gaf om me te verbergen.'
Sidro stak een hand uit en tikte met een vingertop op de getatoeëerde blauwe spiraal midden op zijn voorhoofd. 'Je was Eerste Zoon.' Ze liet haar hand zakken. 'Of ze al dan niet om je gaf, was minder belangrijk.'
Hij trok een wrang gezicht. 'Ach ja, dom van me dat ik hoopte dat er in haar dorre, gevoelloze hart toch nog een vonk moederliefde was opgesprongen.'
'Ze had erop gerekend dat je een rakzan zou worden. Haar hart was verdord van teleurstelling.'
'Omdat ik een lafaard bleek te zijn? Want zo dacht ze erover, echt waar. Ik hoorde blij te zijn dat ik mijn leven mocht vergooien voor de roem van de mach-fala. De eerste rakzan in een clan van gemengd bloed. Wat een eer. Maar ik wilde niet.'
'Ik vond dat je de juiste beslissing had genomen.'
'Dat is een van de redenen dat ik van je hou.' Laz slaakte een overdreven zucht. 'Hoe dan ook, wil je nu leren hoe je een beschermend schild om jezelf kunt zetten? Het bevalt me niet dat Evan je scryt.'
'Mij ook niet, dus leer het me maar.'
Omdat Sidro haar geloften toch al had gebroken, had ze met iets van haar vroegere geestdrift de studie van dweomer, die ze vroeger samen met Laz had gevolgd, weer opgenomen. En omdat ze toch al vervloekt was, kon ze er net zo goed van genieten, vond ze. Maar elke keer dat ze met behulp van de witte piramide probeerde te scryen, kreeg ze door het donkere kristal van de tweede piramide op het altaar heen alleen de Binnentempel te zien. Dan welde de schaamte om haar gebroken beloften verstikkend in haar op en moest ze steeds weer huilen, terwijl ze als een versuft dier met haar hoofd heen en weer zwaaide van ellende. Ten slotte stopte Laz de piramide terug in het kistje en zei dat ze er niet meer aan mocht komen.
De eerste paar dagen na haar komst bleef Laz in het kamp en verliet zelden zijn hut. Ze waren zo veel jaren gescheiden geweest dat ze hun wederzijdse honger steeds weer wilden stillen. Hun geur doordrenkte de dekens, het matras en zelfs de muren, zo leek het Sidro. Laz ontzegde zijn mannen de toegang uit angst dat zij die zouden ruiken en haar dan ook wilden hebben. Als ze voedsel of water nodig hadden, ging hij dat halen.
Wanneer hij weg was, ging ze voor een van de twee ramen staan en

keek naar het bos achter de hut of het kamp ervoor. Soms bleef Pir of een van de anderen buiten staan om een praatje met haar te maken, altijd maar voor heel even en op beleefde afstand. Alleen Vek, de jongen die, als de oude goden in Taenalapan nog de heerschappij zouden voeren, hun profeet zou zijn geworden, waagde het dichterbij te komen. Hij miste zijn moeder heel erg, vertelde hij haar op een dag.
'Maar ik moest vluchten,' zei hij. 'Anders hadden de priesteressen me vermoord.'
'Bedoel je de volgelingen van Alshandra?' vroeg Sidro.
Hij knikte met betraande ogen. Een kind, dacht Sidro. Hoe kwamen ze erbij een kind te willen doden? Hier tussen de bannelingen kreeg ze langzamerhand een heel andere kijk op Alshandra's Uitverkorenen.
Ze begon de andere mannen te herkennen terwijl ze hun dagelijkse bezigheden uitvoerden: hout sprokkelen, terugkeren met hun buit of vangst van die dag, wapens schoonmaken, met elkaar praten... De meesten waren volbloed Gel da'Thae, zowel de dieven als degenen die om politieke redenen waren gevlucht, en ze telde vijf halfbloeden. Drie van hen hadden vooral de kenmerken van het Paardenvolk, de andere twee konden doorgaan voor Lijik, net als zijzelf en Laz. De vanzelfsprekende leider van de halfbloeden was Faharn. Hij had de dikke zwarte manen en de vele tatoeages van de mannen van het Paardenvolk, maar zijn blauwe ogen verrieden dat het bloed van zijn geslacht vermengd was met dat van slaven.
Als je Pir een vriend van Laz zou kunnen noemen, dan was Faharn zijn volgeling, besefte Sidro. Laz had hem, toen ze nog in Taenalapan woonden, leren toveren en toen Faharn die stad later ook was ontvlucht, hadden ze de lessen voortgezet. In het begin had Sidro geprobeerd op dezelfde manier met Faharn te praten als ze met Pir deed, gewoon wat babbelen om elkaar beter te leren kennen, maar Faharn had, als hij al durfde te antwoorden, alleen zo nu en dan een woord uitgespuwd en was zo gauw mogelijk doorgelopen.
'Waarom heeft hij een hekel aan me?' had ze Laz gevraagd.
'Omdat je zijn lessen hebt onderbroken. Helaas heeft hij niet veel aanleg voor tovenarij, al wil hij het erg graag leren. Maar hij hoeft jou mijn tijdrovende wellust niet kwalijk te nemen,' had Laz grinnikend geantwoord. 'Ik zal met hem praten.'
Sindsdien deed Faharn merkbaar zijn best om zich vriendelijker tegen Sidro te gedragen, maar ze zag dat hij nog steeds af en toe met een wrokkige, lijdzame blik naar haar keek.
Faharns vijandigheid zat haar dwars, maar ze was bang voor Mo-

vrae. Hij was een volbloed Gel da'Thae en volgens Laz had hij zich niet bij hen aangesloten omdat hij aanleg voor magie had, maar omdat hij zijn krijgsbende had verlaten. Als hij in de stad was gebleven, zouden ze hem, omdat de naam van zijn legerafdeling en zijn nummer op zijn gezicht waren getatoeëerd, al heel gauw hebben gevonden. Steeds wanneer Movrae Sidro voor het raam zag staan, bleef hij van een afstand naar haar kijken, met samengeknepen ogen en zo'n grimmige uitdrukking op zijn gezicht dat ze niet wist of hij begeerte of woede voelde. Dan ging ze weg bij het raam tot Laz of Pir hem had weggejaagd.

Op een benauwde middag, toen ze dicht genoeg bij het raam stond om een luchtje te scheppen maar uit het zicht van voorbijgangers, hoorde ze Laz op geërgerde toon tegen iemand fluisteren. Ze kon niet verstaan wat hij zei. Wel hoorde ze duidelijk wat Pir antwoordde:

'Ze zal het vroeg of laat toch moeten weten.'

Ze liepen weg, maar toen Laz later binnenkwam, vertelde Sidro hem wat ze had gehoord.

'Wát moet ik vroeg of laat weten?' vroeg ze. 'Je kunt het me beter nu vertellen dan later.'

'Ach, het is niet belangrijk. Weer een teken dat we ons steeds meer als wilden gedragen. Ik overweeg of ik Movrae moet laten doden.'

Daar schrok ze zo van dat ze Laz heel even geloofde. Hij keerde haar schouderophalend de rug toe, maar hij bleef vanuit zijn ooghoeken naar haar gluren en ze zag zijn mondhoek omhoog krullen.

'Lieg niet!' snauwde ze.

'Ik lieg niet.' Hij draaide zich weer naar haar toe en de kinderlijk onschuldige uitdrukking op zijn gezicht overtuigde haar ervan dat hij wel degelijk loog. 'De manier waarop hij naar mijn vrouw kijkt, bevalt me niet. Hoofden van primitieve stammen doden toch altijd mannen die loeren op hun vrouw?'

'Ik zou het echt niet weten, maar ik weet wel dat jij een leugenaar bent.'

'Dan zeg ik niets meer.' Hij grinnikte. 'Ook niet de waarheid. Dus je hoeft niet te proberen die uit me los te peuteren.'

'Laz...'

'Hoewel...' Hij aarzelde. 'Nu ik eraan denk...' Zonder nog iets te zeggen liep hij naar buiten.

Sidro rende naar de deur en riep hem een paar scheldwoorden na tot ze zag dat Faharn binnen gehoorsafstand stond. Ze deed een paar stappen achteruit, gooide de deur dicht en bleef kokend van woede staan. Toen haar boosheid wegebde, hoorde ze dat er buiten iets aan de hand was. Er stonden mannen kwaad naar elkaar te schreeuwen

en daarbovenuit klonk de lach van Laz als de schelle kreet van een raaf. Ze durfde niet voor het raam te gaan staan om te zien wat er zich daar afspeelde, maar toen kreeg ze een idee.
Omdat de vloer van de hut lager lag dan de grond buiten, was het geen kunst om aan de kant van het bos uit het raam te klimmen. Vervolgens boden de ruwe planken van de wand van de hut genoeg houvast om op het dak te klimmen, waar ze plat op haar buik ging liggen om naar beneden te kijken.
Midden in het kamp lag een grote vuurkuil, waarin op dat moment geen vuur brandde. De mannen stonden eromheen. Niemand zei iets en ze hadden hun speren bij zich, maar die rustten op de grond, alsof de mannen ergens op stonden te wachten. Aan zijn kapsel herkende ze Pir, die vlak bij de kring van stenen stond. Hij had zijn arm beschermend om Vek heen geslagen. Faharn liep voor de groep heen en weer. Zelfs van een afstand rook Sidro zijn angst – ongetwijfeld om Laz, want Laz en Movrae stonden een paar meter uit elkaar uitdagend tegen elkaar te schreeuwen.
Vergeleken met Movrae was Laz een tengere man en maakte hij zelfs een zwakke indruk. Maar terwijl Movrae zo gespierd was als een krijger, was Laz razendsnel. Movrae ging tot de aanval over en wilde zijn leider met vlakke hand een klap in het gezicht geven. Laz dook weg, maar hij werd nog net geraakt, waardoor hij bijna zijn evenwicht verloor. Movrae stormde op hem af om zijn voordeel te benutten en hem opnieuw een dreun te geven, maar Laz was nog behendig genoeg om opzij te springen. Ze draaiden een paar keer om elkaar heen en toen vloog Laz naar voren en gaf Movrae razendsnel eerst een stomp in zijn gezicht en vervolgens een harde stomp in zijn maag. De forse kerel wankelde en boog voorover. Laz hakte met de zijkant van zijn hand hard op zijn nek. Movrae viel kreunend op zijn knieën.
Faharn rende naar hem toe met een paar leren riemen, waarmee hij Movraes polsen en enkels aan elkaar bond. Laz keek hijgend toe en wreef over zijn bloedende knokkels. De anderen weken uiteen toen Faharn Movrae meesleepte naar de vuurkuil en hem daar als een stuk hout in gooide.
De wind ruiste als een zucht van medelijden door de bomen, maar geen van de mannen protesteerde. Laz stapte in de vuurkuil, keek op de geboeide man neer en knielde voor hem. Met zijn rechterhand trok hij zijn mes uit de schede en met zijn linkerhand greep hij Movrae bij zijn haar. Movrae schreeuwde, jankte en probeerde zich te bevrijden. Laz gaf een ruk aan zijn haar en stak. Movrae bleef stil liggen. De mouw van Laz' hemd raakte doordrenkt van het bloed

van de Paardenvolker toen dat uit diens hals in het zand en de as in de vuurkuil stroomde, een rode streep in de zon. Laz veegde zijn mes schoon aan zijn hemd, stond op en liet zijn blik langs de gezichten van zijn mannen glijden. Ze keken strak terug en zeiden geen woord. Sidro liet haar adem in een snik ontsnappen. Haar hart klopte in haar keel en het zweet parelde op haar borsten, en ze wist niet of dat van walging of van opwinding was. Ze liet zich achterwaarts van het dak glijden en klom naar beneden. Even bleef ze buiten het raam staan om naar het bos te kijken, dat als een golf van schaduwen boven haar uittorende. Ze overwoog of ze zou ontsnappen en proberen de weg naar Zakh Gral terug te vinden, maar de moed ontbrak haar om opnieuw alleen door de wildernis te dwalen. Dus klom ze door het raam naar binnen en ging op een boomstronk bij de tafel zitten.

Met trillende handen streek ze haar bezwete haar uit haar gezicht. Ze was er zojuist getuige van geweest dat Laz iemand had vermoord omdat hij op de verkeerde manier naar haar had gekeken. Laz had haar wat één ding betrof de waarheid verteld: de leergierige Eerste Zoon was verdwenen en hield zich schuil in een primitief stamhoofd.

De deur ging open. Ze stond op en legde onwillekeurig een hand tegen haar keel toen Laz binnenkwam. De mouw van zijn hemd was hard en roestbruin geworden.

'Ik heb gezien dat je keek.' Hij sloot de deur. 'Als je een primitieve vrouw van mijn stam was, zou je net zo blij zijn als een merrie met een pasgeboren veulen.' Hij zweeg en keek naar haar gezicht. 'Maar dat ben je niet.'

'Gedeeltelijk wel. Maar het andere deel walgt van je.'

'Dat is te wijten aan ons gemengde bloed.'

'Nee, daar heeft het niets mee te maken. Zelfs als we volbloed Paardenvolkers waren, zou ik me nog zo voelen.'

Onder de tatoeages op de linkerkant van zijn gezicht verscheen een paarsblauwe zwelling. Ze raakte hem met haar vingertoppen voorzichtig aan.

'Het doet pijn, maar niet erg.' Laz trok zijn bebloede hemd uit en gooide het op tafel. 'Besef je wel dat de zon al een heel eind voorbij zijn hoogste punt staat en ik je nog steeds niet mee terug naar bed heb genomen?'

'Ik heb geen zin in...'

Hij pakte haar bij haar schouders en trok haar naar zich toe. 'Wel waar,' zei hij. 'Ik ruik het aan je.'

De afschuwelijke waarheid was dat hij gelijk had. Ze zag de mannen weer zwijgend staan toekijken zonder te proberen Movrae te

redden. Niemand durfde in opstand te komen tegen Laz, hun bevelvoerder, hun heer en meester. Ze zag weer het beeld voor zich van Movrae terwijl hij kronkelde van doodsangst en dat van Laz, klaar om te steken, en daarna het bloed, die felrode streep in de zon. Het tafereel had ergens diep binnen in haar weerklank gevonden. Dat voelde ze nog steeds, alsof ze als een hond stond te kwijlen bij een klomp rauw vlees.
'Nee,' fluisterde ze. 'Alshandra, help...'
Laz kuste haar voordat ze het gebed kon voortzetten. Hij drukte haar tegen zich aan, kuste haar opnieuw en nam haar mee tot ze samen op de slordige, van hun geuren doordrenkte dekens tuimelden. De wereld kromp ineen tot zijn lichaam en zijn bed, zoals altijd gebeurde wanneer hij haar liefkoosde.

Naarmate de lome dagen verstreken, kreeg Sidro steeds meer het gevoel dat haar jaren in de tempel eerder een verhaal waren dat ze zichzelf had verteld dan herinneringen aan een gelukkige tijd. Zelfs haar zorgen om haar verdoemenis losten op in de mist van de verre toekomst. Maar ze was wel bang voor iets anders. Hoe zou Laz reageren als ze opnieuw zwanger zou raken? Hij had zijn eigen versie van wat er de vorige keer was gebeurd en dat was een veel prettiger beeld dan haar herinneringen aan zijn woede-uitbarstingen en nukkige buien. Toen na acht nachten haar maanvloeiing begon, maakte ze van blijdschap een rondedans door de hut.
Volgens de gewoonten van de Gel da'Thae mocht Laz haar in de dagen dat ze vloeide niet aanraken. Het gevaarlijke bloed wees een man erop dat een vrouw mocht komen en gaan wanneer zij wilde, niet moest komen of gaan wanneer een man dat wilde, en dat een man als hij iets van een vrouw wilde hebben, daarop moest wachten. De eerste vier dagen sliep Laz bij Faharn in diens onderkomen en omdat hij ook overdag niet naar haar toe mocht, ging hij vliegen. Toen ze de eerste morgen uit het raam keek, zag ze de raaf opstijgen van de open plek en het luchtruim kiezen. De draak! dacht ze. Stel dat de draak hem ziet? De angst greep haar zo naar de keel dat ze een hand op haar borst legde en naar adem snakte. Maar hij was zo zelfverzekerd weggevlogen... De angst verdween met een steek van woede. Ongetwijfeld had hij ook wat de zilveren draak betrof tegen haar gelogen toen hij haar probeerde over te halen om met hem mee te gaan.
'Waarom geloof ik hem toch steeds weer?' fluisterde ze.
Die avond kwam Laz veilig terug. Ze zag de raaf landen en even later stond hij in zijn mannengedaante in de deuropening. Hij had een

zorgvuldig ingepakte mand met voedsel bij zich, die hij buiten neerzette. Toen ze de mand ging halen, liep hij terug naar Faharn, die glimlachend op hem stond te wachten. In elk geval voor een paar dagen had Faharn weer een leermeester.

Nu Laz ergens anders verbleef, trok de reuk van geslachtsgemeenschap langzaam weg uit de hut. Sidro begon te beseffen dat Laz' rauwe geur haar had bedwelmd, vooral doordat ze steeds binnen had moeten blijven. Het had haar gedachten beneveld, veel erger dan bier of mede had kunnen doen. Ze begon zich de eigenaardige dingen te herinneren die ze zonder veel protest had geaccepteerd. Wat had Pir eigenlijk bedoeld toen hij zei dat ze het vroeg of laat zou moeten weten? En waar had Laz die witte piramide gevonden? Waar ging hij als raaf naartoe? Ze nam zich voor om in het vervolg in elk geval een deel van de dag buiten of vlak bij het raam door te brengen. Ze kon beter leren de stank van het kamp te verdragen dan niet meer helder te kunnen nadenken. Na wat er met Movrae was gebeurd, zou geen van de mannen het wagen haar aan te raken, dat wist ze zeker.

Om haar te helpen de tijd dat ze gescheiden waren door te komen, had Laz de met een slot vergrendelde kist geopend en haar een paar dikke, op bleek leer geschreven boeken gegeven. Ook al was ze in slavernij geboren, ze had wel leren lezen. De Gel da'Thae waren van mening dat de kunst om te lezen iets was wat zowel hen als hun slaven onderscheidde van de woeste stammen in het noorden en de slaven van de boeren die de steden van voedsel voorzagen. Bij daglicht zat ze aan tafel en las delen uit de magische *Pseudo-Iamblichos Rol*, een in zwart leer gebonden boek met een witte draak op de omslag. Laz had het vanuit de taal van de Zwarte Eilanden vertaald in de taal van het Paardenvolk.

Het andere boek, met een effen groene omslag, was een kopie van de kronieken waar hij het op haar eerste dag in het kamp al over had gehad: een verslag van de Slag bij de Hoogstenen Toren in het Slavenland en de nasleep ervan in de stad Moerasfort in Vrijland. Het laatste verhaal kende ze goed. In Moerasfort was de heilige getuige Raena gestorven, gedood door ene Rhodry Aberwyn, die daarna door Vandar was veranderd in een zilveren draak. Omdat Laz deze kroniek beschouwde als een wapen om haar geloof kapot te maken, liet ze dat boek voorlopig dicht. Maar nieuwsgierigheid... Dat is de zonde die je ondergang wordt, hield ze zich voor. Dat, en begeerte.

Maar op de vierde avond, nadat ze de maaltijd had gegeten die Laz weer voor de deur had gezet, gaf ze zich aan de zonde over en open-

de het groene boek. Bij dweomerlicht las ze erin tot haar rug pijn deed van het vooroverbuigen en haar opgezwollen ogen dienst weigerden. Moeizaam stond ze op en liep naar het raam, waar ze over de vensterbank naar buiten leunde om naar de avondhemel te kijken. Te oordelen naar de stand van de sterren zou het niet lang meer duren voordat de zon weer opkwam.
'Hij is niet de enige leugenaar ter wereld, hè?' zei ze hardop.
Ze moest even huilen en liep toen terug naar de tafel. Ze doofde het dweomerlicht, sloeg het boek dicht en liet zich uitgeput op het bed vallen. Toen ze wakker werd, scheen de zon de kamer binnen en zat Laz aan tafel. Hij glimlachte tegen haar. Het boek lag opengeslagen voor hem.
'Heb je honger?' vroeg hij. 'Vanavond slaap ik nog bij Faharn, maar ik denk dat het geen kwaad kan als ik overdag bij je blijf.'
'Waarschijnlijk niet. Ik vloei nauwelijks meer.'
Hij raakte met de vingertoppen van zijn rechterhand even zijn voorhoofd aan, een teken van zowel onderdanigheid als bescherming. Sidro ging rechtop zitten en keek hem peinzend aan.
'Ook al vind je het nog zo leuk om overal de spot mee te drijven, je houdt de tradities in ere,' zei ze.
'Sommige wel.' Hij grinnikte. 'Ik heb een paar emmers waswater voor je meegebracht en intussen ga ik iets te eten halen.'
Toen hij weg was, trok Sidro haar boven- en onderkleed uit en keek naar het water. Terwijl ze zich reinigde, hoorde ze gebeden te zeggen, maar ze moest kiezen tussen twee soorten: het oude ritueel dat ze als jong meisje had geleerd en het nieuwe ritueel dat de priesteressen van Alshandra hadden bedacht ter vervanging. Ze had het oude ritueel in geen jaren gebruikt en even overwoog ze of ze de gebeden voor Alshandra zou zeggen. Misschien hadden de kroniekschrijvers het mis. Misschien zou Alshandra antwoord geven en haar priesteres vergeving schenken voor het breken van haar geloften. Terwijl ze aarzelde, zag ze Laz weer voor zich toen hij met een gebaar zo oud als het Paardenvolk zelf zijn voorhoofd aanraakte.
'Rinbala, godin van de zee,' begon ze. 'Was me schoon nu het bloeden stopt.'
Toen ze het hele ritueel had afgewerkt, verzamelde ze de bebloede doeken die ze voor de reiniging had gebruikt om later in het bos in stromend water te wassen. En dan zou ze, dat wist ze nu, niet bidden tot Alshandra, maar tot Kanz, de godin van de maan.

Sidro was niet de enige die zich afvroeg waar de twee draken waren neergestreken. Salamander maakte zich zorgen omdat ze zo lang

wegbleven. Het leger, onder aanvoering van Maelaber en zijn escorte, was al bijna twee weken over de grasvlakte op weg naar het westen. Er liep geen weg en omdat een leger van zo veel mannen en paarden elke dag een paar uur nodig had om een kamp op te slaan en weer af te breken, maakten ze niet snel voortgang. Tot grote ergernis van de voerlieden van de dwergen bleef het lange gras voor hun met een ijzeren band beslagen wielen een probleem, en het leger moest dus onderweg ook nog regelmatig halt houden om de vloekende voerlieden tijd te geven om het gras van de wielen te verwijderen. De ouderwetse houten wielen van de wagens van de Deverrianen gingen vaak kapot en ook dat betekende oponthoud. Daarnaast regende het drie dagen en waren de krijgers genoodzaakt in hun tenten te schuilen.
Voor Salamander was het een slakkengang in plaats van een mars. Zo nu en dan vloog de mazrakraaf over hen heen. Salamander was voortdurend bang dat hij Zakh Gral zou waarschuwen.
'Ik wou dat die ellendige draak zich weer eens kwam melden,' zei hij tegen Gerran.
'Waar is ze eigenlijk naartoe?' vroeg Gerran.
'Ze is Rori gaan zoeken, de zilverdraak.'
'Ik ben hem heus niet vergeten, hoor.'
'O, mooi zo. Hij had er ook allang moeten zijn.'
Gerran wilde weer iets zeggen, maar hij wendde zijn hoofd af en kauwde op zijn lip alsof hij overwoog hoe hij dat het beste kon doen. Salamander wachtte rustig af. Het was vroeg in de morgen van de twaalfde dag dat ze onderweg waren en hoewel de zon al een heel eind boven de oostelijke horizon stond, waren de knechten en schildknapen nog maar net met het laden van de wagens begonnen. De krijgers waren bezig hun grazende paarden op te halen en te zadelen.
'Ik wil je iets vragen,' zei Gerran ten slotte. 'Over Rori. Hij is echt je broer, nietwaar?'
'Inderdaad. Over zoiets zou ik niet liegen.'
Gerran blies puffend zijn adem uit, maar hij keek niet verbaasd.
'Hoe komt het dat je dat nu wel gelooft?' vroeg Salamander. 'Toen ik het je vertelde, dacht je dat ik niet goed wijs was.'
'Nou ja, die vervloekte dweomer... Daarom geloofde ik je niet. Maar nu weet ik dat het echt bestaat. Bovendien worden in oude verhalen mensen veranderd in een kikker, dus waarom niet in een draak?'
'Inderdaad. Maar ik moet erbij zeggen dat alleen de grootste dweomermeester ter wereld dat voor elkaar heeft gekregen. En als ik het me goed herinner, heeft hem dat zijn leven gekost.'
'Nou ja, dat is dan weer een troost. Want ik moet er niet aan den-

ken dat ik op een ochtend wakker word en ontdek dat ik opeens schubben en vleugels heb.'
'Daar hoef je echt niet bang voor te zijn, dat lot wordt je bespaard.'
Even kwam het bij Salamander op om op te biechten dat hij zichzelf in een ekster kon veranderen, alleen maar om te zien hoe Gerran daarop zou reageren, maar gelukkig was hij verstandig genoeg om zijn mond te houden.
In de namiddag van die dag kwam Arzosah terug. Ze vloog een rondje hoog boven het kamp en landde een paar honderd meter ten oosten ervan, ver genoeg weg om te voorkomen dat de paarden van haar geur in paniek zouden raken. Salamander liep door het tot aan zijn middel reikende gras naar haar toe. Arzosah had haar lange staart als een soort zeis gebruikt om het gras in een kring om haar heen plat te slaan. Toen Salamander haar bereikte, zat ze met haar voorpoten opgevouwen voor haar borst en haar staart netjes om haar glanzend zwarte lendenen gekruld aandachtig naar de lucht te kijken. Toen hij naar haar toe liep, liet ze haar kop zakken en keek hem met haar koperkleurige ogen, met donkergroene pupillen die net als bij de elfen verticaal stonden, bedachtzaam aan.
'Gegroet, o wonderschone wijze wyrm,' zei Salamander in de Elfentaal.
'Hetzelfde, o wauwelende wijsneuzige minstreel,' zei Arzosah. 'Vlammen en rook! Dat leger van jullie is zo traag dat ik er wat van krijg! Ik wacht hier al dagenlang!'
'Ik krijg er ook wat van. Rondoren doen er een eeuwigheid over om alleen maar een zadeltas uit te pakken.'
'Dat verbaast me niets. Ik heb Rori gevonden.'
'Dat is goed nieuws! Is hij bereid om ons te helpen?'
'O ja! Toen ik zei dat we Paardenvolkers gingen afslachten, spitste hij zijn oren.' Ze hief zuchtend een vleugel op en liet die weer zakken. 'Hij is echt geweldig, als hij tenminste zichzelf is.'
'Heeft hij nog steeds last van die wond?'
'Ja. Hij zegt dat hij daar wraak voor wil nemen en dat wil ik ook, nadat ik er al die jaren mee heb moeten leven. Soms moet ik me bedwingen om hem niet hard te bijten zodat hij met dat eeuwige likken en krabben ophoudt. Laten we hopen dat Dallandra hem kan genezen.'
'Inderdaad. Waar is hij?'
'Hij is naar het westen gevlogen om een kijkje te nemen bij dat fort. Je beschrijving van de plaats was nogal vaag, hoor.'
'Nou ja, toen ik er aankwam was ik helemaal in de war en toen ik er wegging nog erger.'

'Dus je was gewoon jezelf. Als ik straks wegga, ga ik Rori achterna, maar we komen terug zodra jullie je bij het Westvolk hebben gevoegd. Het is niet ver meer.'
'Gelukkig.'
'Blijf op de uitkijk naar ons. We zullen een rondje boven jullie vliegen en dan ergens op een afstandje landen.'
'Waarschijnlijk vindt Rori het prettiger ons te ontmoeten zonder dat iedereen toekijkt.'
'Denk je dat?' Arzosah dacht er met haar kop scheef over na. 'Misschien heb je gelijk. Maar nu ga ik iets te eten halen.'
'Doe dat. Ik ga terug naar het kamp om hetzelfde te doen.'
Salamander wachtte tot het later op de avond rustig was in het kamp voordat hij zich in verbinding stelde met Dallandra. Meteen toen ze elkaar in gedachten troffen, merkte hij dat ze erg bezorgd was.
'Ik heb vandaag bericht gehad van Niffa,' zei ze. 'Cerr Cawnen stuurt ons geen troepen. Ze hebben alle mannen nodig om hun eigen muren te beschermen.'
'Zijn er dan Paardenvolkers bij hen in de buurt?'
'Nog niet, maar gisteren zijn er boodschappers uit Braemel aangekomen met de mededeling dat de stadsraad zijn bondgenootschap met Cerr Cawnen verbreekt.'
'Alle goden! Wat zegt Grallezar daarvan?'
'Ik kan haar niet bereiken.'
Gewoon nadenken joeg hem evenveel schrik aan als een dweomerwaarschuwing kon doen. 'Denk je dat ze dood is?' vroeg hij.
'Nee, want dat zou ik aanvoelen. Ze is te bezorgd om me te horen, dat is alles. Maar ze is eerder boos dan bang, en dat stelt me gerust. Haar pleegmoeder was namelijk degene die dat bondgenootschap had gesloten.'
'Dat wist ik niet. Dan is het geen wonder dat de dochter woedend is.'
'Inderdaad. Maar het is een tegenvaller dat we nu ook niet meer op troepen uit Braemel kunnen rekenen, nietwaar? Nu moet ik weg, Ebañy. Prins Dar komt eraan en ik moet hem het nieuws uit Cerr Cawnen ook laten weten.'
Ze verbrak de verbinding voordat hij nog iets kon antwoorden. Ach heden, het wordt steeds erger, dacht hij. De goden zij dank voor het Bergvolk. Maar hoe moest hij Dalla's nieuws doorgeven aan prins Voran en gwerbret Ridvar? Dat kon hij niet doen, besloot hij. Want al zou hij hen kunnen doen inzien dat het mogelijk was met behulp van dweomer boodschappen te versturen, ze zouden nooit geloven dat hijzelf de dweomerkunst ook beheerste. Hij had zich al te lang en te overtuigend voorgedaan als een wauwelende dwaas.

De volgende dag kwam het leger bij het kamp van het Westvolk aan. Omstreeks het middaguur reed Salamander voor de rij wagens uit toen hij in de voorhoede geschreeuw hoorde. Rij voor rij werd het nieuws naar achteren doorgegeven: de tenten van het Westvolk waren in zicht! Salamander verliet de stoet, reed een eindje weg van het opwaaiende stof en zag heel in de verte als wolkjes aan de horizon de witte punten van elfententen. Hij spoorde zijn paard aan en reed in draf voor het leger uit.

Salamander had nooit eerder een kamp van het Westvolk gezien dat zo groot en zo goed georganiseerd was. Er bivakkeerden boogschutters, zwaardvechters, paardenverzorgers en knechten die zich vrijwillig hadden aangemeld, en met inbegrip van de lastpaarden en sleden vol voorraden besloeg het een terrein zo groot als een stadje in Deverry. De paarden graasden aan de rand van het kamp, onder toezicht van boogschutters te paard. Om het kamp heen was een greppel gegraven voor het afval, en Salamander nam aan dat die bij een aanval van het Paardenvolk ook een soort bescherming zou bieden. Binnen de greppel stonden de tenten in ordelijke rijen.

Salamander steeg af en wenkte de bewakers, die hem doorlieten. Met zijn paard aan de teugel liep hij het kamp in. Overal liepen zwaardvechters vastberaden heen en weer. Op de grond zaten boogschutters pijlen recht te buigen, de baarden te repareren en bogen te bespannen. Uiteindelijk zag hij de tent van prins Daralanteriel staan, die herkenbaar was aan de op de huiden geschilderde rozen. Er stond een kring van andere tenten omheen.

'Ebañy!' riep Dallandra. 'We zijn hier!'

Ze stond voor de tent van Calonderiel, een van de tenten in de kring. Ze was in gezelschap van twee mannen en twee vrouwen, die ze voorstelde als haar helpers in haar functie als heelmeester. Een van hen nam Salamanders paard van hem over en bracht het weg.

'Ik reken ook op jouw hulp, als het gevecht begonnen is,' zei ze.

'Ik zal doen wat ik kan,' beloofde hij. 'Al moet ik verband vouwen. Maar wanneer onze twee legers verder trekken, kan ik niet bij jullie blijven. Ik moet mee met de Rode Wolf. Ik deel een tent met Gerran en zijn jonge schildknaap Clae.'

'Dat is waar ook, jij bent nu Cadrycs schrijver. Ik ben blij dat Neb niet mee hoefde.' Dallandra keek om zich heen en wees naar een eenvoudige grijze tent, die iets verder dan de andere bij zijn buren vandaan stond. 'Valandario is er ook. Ze gaat mee met de alar, of eerder het legerescorte, dat Carra en de kinderen naar Mandra brengt. Alle vrouwelijke boogschutters gaan met hen mee. Volgens Cal kunnen zij beter richten dan mannen, dus gaan zij zuiniger om

met pijlen. Hun groep zal gedurende de oorlog in de buurt van de stad blijven.'
'Van de schepen, bedoel je?'
'Inderdaad.' Dallandra's gezicht betrok. 'Voor het geval dat. Als Dar sneuvelt, wordt Rodiveriel de prins van het Westland. Ze moeten ervoor zorgen dat hem niets overkomt, zelfs als ze daarvoor naar zee moeten. We hebben een overeenkomst gesloten met de gwerbret van Aberwyn en hij zal de prins zo nodig onderdak verlenen.'
'Het is waarschijnlijk een goed idee om rekening te houden met het ergste, maar ik vraag me af of de troepenmacht van het Paardenvolk in Zakh Gral groot genoeg is om een bedreiging te vormen voor Mandra.'
'Ik natuurlijk ook, want anders zou ik gillend gek worden van angst.' Dallandra glimlachte. 'Nu moet ik kruiden uitzoeken. Wil je Val spreken?'
'Heel graag. Ik pijnig mijn hersens over die piramide van obsidiaan. Als iemand me iets over dat bijzondere, bizarre, verbijsterende stuk kristal kan vertellen, is het Val.'
Valandario bleek in haar tent te zitten. Boven haar hoofd hing een bal dweomerlicht om het zonlicht dat door het tentdoek filterde te versterken, en het zilveren schijnsel deed haar zijden scrydoek glanzen en de edelstenen die erop waren uitgespreid glinsteren. Val zat met gekruiste benen op een leren kussen. Toen Salamander binnenkwam, keek ze glimlachend en zonder een spoor van verbazing op, alsof ze niet had gemerkt dat hij wekenlang weg was geweest.
'Ik weet dat je binnenkort vertrekt, Val,' begon Salamander, 'maar ik moet je iets vragen. Neem me niet kwalijk dat ik je stoor.'
'Je stoort me niet. Ik zit na te denken over bepaalde delen van de voorspelling van gisteren.' Ze gebaarde naar het kussen tegenover haar aan de andere kant van de doek. 'Ga zitten en vraag wat je wilt weten.'
Salamander ging zo voorzichtig mogelijk zitten om te vermijden dat hij een edelsteen raakte.
'Toen ik in de tempel van het Paardenvolk was,' begon hij, 'zag ik daar een aantal voorwerpen die zij als heilige relikwieën beschouwen. Een ervan was een stuk kristal en ik dacht dat jij me daar misschien iets over zou kunnen vertellen, bijvoorbeeld waarom het Paardenvolk het zo belangrijk vindt. Het is een obsidiaan in de vorm van een piramide, maar het lijkt alsof de top er scheef afgehakt is.'
Valandario staarde hem met grote ogen en open mond aan.
'Eh, is het geen belangrijke of zelfs een heel domme vraag?' zei Salamander.

'Nee, helemaal niet dom, maar wel pijnlijk. Dus daar is hij terechtgekomen.' Val kneep met bedroefde ogen haar lippen opeen. 'Dat ellendige brok steen.' Haar stem trilde. 'En ik was er nog wel zo blij mee toen ik het kreeg!' Haar stem haperde en ze haalde diep adem. 'Maar ik zou graag willen weten hoe die smerige Paardenvolkers eraan zijn gekomen. Het past natuurlijk precies bij hen, zo'n kwaadaardig voorwerp.'
'Ik neem aan dat je weet waar ik het over heb.'
'Er zouden er meer dan een kunnen zijn, maar dat betwijfel ik. Kun jij het je dan niet meer herinneren? Het is die piramide die Loddlaen heeft gestolen toen hij mijn geliefde heeft vermoord.'
Salamander blies sissend zijn adem uit. Val wendde haar hoofd af en balde haar tengere handen tot vuisten.
'Toen dat gebeurde, was ik in Deverry,' zei Salamander, terwijl hij zijn best deed om zacht en meelevend te klinken. 'Ik hoorde het pas veel later. Het spijt me dat ik je eraan herinnerd heb.'
Valandario haalde haar schouders op en ontspande haar handen, maar ze keek hem nog niet aan. 'Wat die steen zelf betreft,' zei ze en haar stem klonk vast, 'het is een soort schouwsteen. Met de nadruk op "soort". Jij bent de enige die er ooit iets in heeft gezien. Ik heb echt nooit begrepen waarom Loddlaen hem zo graag wilde hebben.'
'Ik? Maar ik kan me niet herinneren dat ik er ooit in gekeken heb.'
'Je was toen nog een kind. Wacht even.' Haar mond zakte iets open erwijl ze in haar geheugen groef. 'Je zag een boek met een draak erop en een man. Later bleek dat het Evandar was.'
'Alle goden!' fluisterde Salamander. 'Daar weet ik niets meer van!'
'Dat verbaast me niets. Je kon nog maar net praten en je kon het ons maar met een paar woorden uitleggen.'
'O. Waarom heb je me er later niet nog een keer in laten kijken? Toen ik ouder was, bedoel ik.'
'Dat zou te gevaarlijk zijn geweest. Met name voor jou. Ik heb het er wel met Nevyn over gehad en hij was het met me eens. Je mag een onwetend kind niet zomaar een hulpstuk voor dweomer voorschotelen. Een van Nevyns leerlingen is jong gestorven doordat een gewetenloze kerel haar gaven misbruikte voordat ze er zelf bewust mee kon omgaan. Het verzwakte haar etherische dubbelgedaante en ze kreeg de tering. Ik geloof dat ze Lilli heette.'
'Dat verhaal herinner ik me, ja.'
'Daarom besloten we dat ik zou wachten tot je in staat was om zelf te scryen. Maar toen was de steen verdwenen.'
'O.' Salamander voelde zich schuldig. Als ik niet altijd was wegge-

lopen, als ik meer mijn best had gedaan, dan had ik die boodschap lang geleden misschien kunnen ontcijferen, dacht hij. Valandario keek hem met gefronste wenkbrauwen zo grimmig aan dat hij zich afvroeg of zij hetzelfde dacht.
'Eh... Die geest in de steen,' zei Salamander vlug, om over iets anders te praten, 'weet jij wie dat is?'
'Geest? Toen die steen van mij was, zat er geen geest in. Iemand anders moet ermee aan het werk zijn gegaan.'
Ze keken elkaar stomverbaasd aan.
'Misschien Evandar,' opperde Salamander ten slotte.
'Dat zou kunnen,' zei Val. 'Je mag nooit tegen Dallandra zeggen dat ik je dit heb verteld, maar de Wachters bezorgen me koude rillingen. Ik begrijp niet dat ze ooit met zo iemand heeft kunnen meegaan.'
'Iets dergelijks heeft Jill ook gezegd.'
'Dat wil ik graag geloven. Ik moet toegeven dat Evandar iets verstandiger was dan de meeste Wachters, dus als hij een boodschap in die steen heeft gestopt, moet het echt belangrijk zijn geweest.'
'Misschien zit die boodschap er nog steeds in. Als het ons lukt Zakh Gral te veroveren, zal ik de piramide meenemen en er nog eens in kijken.'
'Als hij tijdens de gevechten niet wordt vernield. Ik vraag me af hoe hij bij het Paardenvolk terecht is gekomen. Na de dood van Loddlaen heeft Aderyn ernaar gezocht, maar hij kon hem niet vinden. Niemand wist wat ermee was gebeurd.'
'Blijkbaar heeft hij een lange reis naar het westen gemaakt.'
'Inderdaad, en ik vraag me af hoe dat is gebeurd. Maar als het je lukt die steen in handen te krijgen, kijk er dan in, schrijf op wat je ziet en sla hem kapot.' De laatste woorden kwamen er bijna grommend uit. Ze legde een hand tegen haar keel en kuchte voordat ze verder ging. 'Als het nodig is, mag je er natuurlijk een paar keer in kijken, maar zodra je het gevoel hebt dat je er niets meer uit kunt halen, moet je hem voor me vernietigen. Ik zal blij zijn als ik weet dat hij niet meer bestaat.'
'Ik zal doen wat je zegt, dat beloof ik je.'
'Dank je wel.' Valandario glimlachte, weer even kalm en stralend als altijd. 'Nu kan ik mijn stenen maar beter opruimen en mijn spullen inpakken om morgen te vertrekken. Prinses Carra wil bij zonsopgang op weg gaan.'
'Ik wens jullie allemaal een veilige tocht naar de kust.'
'Daar hoef je je geen zorgen om te maken.' Valandario wees naar haar scrymaterialen. 'Maar ik maak me wel zorgen om jullie.'

Salamander glimlachte zwakjes, stond op en verliet de tent. Hij moest toegeven dat hij, hoewel hij geen onrustbarende waarschuwingen had gekregen, net zomin gerust was op een goede afloop.
Dallandra en haar groepje helpers waren ook druk aan het inpakken. Achter de tent van Calonderiel lag een berg ezelmanden, die door de helpers werden gevuld met geneesmiddelen, verband, potten om kruiden in te koken en wat niet al meer. Toen Salamander eraan kwam, gaf Dallandra vlug een paar opdrachten aan haar rechterhand, Ranadario – een jonge vrouw met ravenzwart haar en donkerpaarse ogen. Dallandra had op dat moment geen dweomerleerling, daarom had ze genoeg tijd om twee jonge mannen en twee jonge vrouwen te onderwijzen in geneeskunde en kruidenleer. Ze nam Salamander mee een eindje bij de tent vandaan, waar ze vrijuit konden praten.
'Wat kon Val je over die piramide van obsidiaan vertellen?' vroeg ze.
'Een heleboel. Luister goed.'
Toen hij uitgesproken was, staarde Dallandra met een peinzend gezicht voor zich uit.
'Dat van die geest zit me niet lekker,' zei ze. 'Ik vraag me af wie die met de steen heeft verbonden. Zoiets zou Evandar nooit doen. Daarom betwijfel ik dat het iemand is die de weg van het licht volgt.'
'Ik wil wedden dat het die gemene feeks Raena was,' zei Salamander. 'Of, neem me niet kwalijk, de heilige getuige Raena. Want de andere voorwerpen op dat altaar zijn blijkbaar ook van haar geweest.'
'Ik weet dat de drakendolk ooit van haar was. Maar ik heb Raena wel eens ontmoet en ik geloof niet dat ze genoeg kracht had om geesten ergens aan te verbinden. Ze had maar een heel beperkte kennis van dweomer. Al haar magische handelingen werden via haar verricht door eerst Alshandra en later Shaetano.'
'Dan moet iemand aan die steen hebben gewerkt voordat Raena hem in handen kreeg.'
'Loddlaen heeft hem ook gehad.' Dallandra sprak de naam voorzichtig uit, alsof het haar moeite kostte. 'Maar ik geloof niet dat hij in staat was om zoiets te doen. Dat is mijn mening na wat Val me in de loop der jaren over hem heeft verteld. Ik weet het natuurlijk niet zeker.'
'Misschien heeft iemand anders die steen in handen gekregen nadat hij eh... Hm, toen hij niet langer de eigenaar was.'
Dallandra deinsde achteruit alsof ze een klap in haar gezicht had gekregen.

'Het spijt me dat we dit onderwerp hebben aangeroerd,' zei Salamander. 'We kunnen het ook laten rusten.'
'Nee, dat kan niet. Misschien is het belangrijk. Weet Val wat er na de dood van Loddlaen met de steen is gebeurd?'
'Nee. Ze zei dat niemand dat weet.'
'Dan had hij hem waarschijnlijk niet meer toen...' Ze maakte de zin niet af.
Salamander wachtte.
'Ik moet echt weer aan het werk,' zei Dallandra abrupt. 'We zullen er later op terugkomen.'
Voordat Salamander nog iets kon zeggen, draaide ze zich om en liep terug naar haar helpers.
Hoewel prinses Carra en haar gezelschap vlak na zonsopgang vertrokken, nam het leger de tijd om de paarden uit Deverry te laten uitrusten. Een deel van de boogschutters van het Westvolk had, net als een groepje steenhouwers van de dwergen, meegevochten bij het beleg van Cengarn, en zij verspreidden zich onder de Deverrianen om hun te vertellen wat ze wisten over het Paardenvolk dat ze zouden gaan bestrijden. Toen Salamander terugliep door het kamp, zag hij overal groepjes krijgers druk met elkaar staan praten.
Omstreeks het middaguur vlogen de twee draken over, precies zoals Arzosah had beloofd. Salamander en Dallandra stonden al met een zak geneesmiddelen bij Dalla's tent te wachten. Ze liepen zo vlug mogelijk het kamp uit – wat met alle tenten, mannen, paarden, wagens en de rommel eromheen nog een hele opgave was. Boven hun hoofd zweefden de draken op de wind en gingen hen ten slotte voor naar een plek driekwart kilometer naar het noorden, waar ze landden. Toen Salamander en Dallandra zich een weg baanden door het hoge gras, voelde Salamander dat zijn hart bonsde, maar het was niet van inspanning. 'Je kijkt angstig,' zei Dallandra.
'Zo voel ik me ook,' gaf Salamander toe. 'Wat zeg je eigenlijk tegen een broer die veranderd is in een draak?'
'Wat zeg je tegen een vroegere geliefde met wie dat is gebeurd?'
'Aha! Daarom wilde je nooit met Branna over hem praten!'
'Inderdaad. Je moet toegeven dat het erg ingewikkeld is.'
'Ingewikkeld?' Salamander barstte bijna in lachen uit, maar hij beheerste zich. Hij wist dat als hij aan die aandrang zou toegeven, hysterisch zou gaan giechelen of zelfs gillen.
Blijkbaar had Arzosah ook moeite met de situatie. De twee draken hadden het gras geplet op een grote plek om zich heen, maar lang voordat Dallandra en Salamander die bereikten, sprong Arzosah omhoog en vloog weg, als een vonk van de zwarte piramide in de blau-

we lucht. Rori bleef zitten, met zijn voorpoten voor zich uitgestrekt, net zo op zijn gemak als een Bardekse leeuw. Van een afstand zag hij er, met zijn grote zilveren kop met een rand glinsterend blauw langs zijn kaken en over zijn schedel, even indrukwekkend uit. Hij had zijn reusachtige zilveren vleugels gevouwen en ze lagen met glanzende regenboogkleuren tegen zijn lichaam aan.

Pas toen ze dichterbij kwamen, zag Salamander de wond in zijn flank. Hij was nog geen dertig centimeter groot, maar zwart van opgedroogd bloed en dood vlees. Hij stonk zo vreselijk dat ze het boven de normale, zure lucht van een draak konden ruiken.

'Bij de Zwarte Zon!' fluisterde Dallandra.

'Inderdaad.' Salamander moest er bijna van kokhalzen. 'Er rust een dweomervloek op, dat kan niet anders.'

Maar Dallandra schudde haar hoofd. Inmiddels waren ze zo dicht bij Rhodry gekomen dat hij hen kon horen. Toen ze de platgeslagen grascirkel betraden, verried hij door zijn vleugels een stukje op te tillen dat hij het liefst ook zou wegvliegen, maar hij liet ze weer zakken. Dallandra liep rechtstreeks naar hem toe.

'Rori, je moet me naar die wond laten kijken,' zei ze in de Elfentaal. Ze sprak op zo'n kalme, normale toon dat het een magische invloed had op Salamander en blijkbaar ook op Rhodry.

'Waarom denk je dat ik ben gekomen?' Zijn stem klonk schorder en zwaarder dan de stem die Salamander zich van zijn broer herinnerde, maar nog steeds herkenbaar. 'Ik moet je eerst iets vertellen, Dalla. Ik had die dag in Cerr Cawnen naar je moeten luisteren.'

'Ik had nooit verwacht je dat nog eens te horen zeggen, Rori. Dat je naar me had moeten luisteren.'

De draak gromde iets en Salamander begon te lachen – een ontspannen lach, even vrolijk als Dallandra's gegrinnik.

'Maar het ging om het behoud van de stad en dat was geen kleinigheid,' vervolgde Dallandra. 'Arzosah dreigde de stad te verwoesten, dus had je eigenlijk geen keus.'

'Ik had kunnen sterven en het aan Evandar kunnen overlaten Arzosah tot de orde te roepen. Hij had haar in een mum van tijd mee kunnen nemen naar een plek ergens ver weg, waar ze de stad geen kwaad kon doen. Ze zou uiteindelijk tot bezinning zijn gekomen. Maar dat besefte ik pas toen het te laat was.' Hij zwaaide met zijn kop en de schubben glinsterden. 'Nee, dat is niet helemaal waar. Op dat moment verlangde ik naar wat ik nu heb. Ik wilde niet helder nadenken. Evandar had me nooit tegen mijn zin een gedaanteverandering kunnen laten ondergaan.'

'Maar je was stervende, Rori,' zei Dallandra. 'Ik kan het je toch

niet kwalijk nemen dat je op dat moment niet helder kon nadenken?'
De draak keek peinzend voor zich uit en knikte. 'Ik kan je niet vertellen wat een opluchting dat voor me is. Mijn schaamte heeft meer aan me geknaagd dan mijn wond,' vervolgde hij op een fluistertoon die klonk als gesis. 'Schaamte omdat ik niet had gezien wat er zou kunnen gebeuren.'
'We hebben ons allemaal afgevraagd wat er toch aan de hand was.' Salamander liep ook naar Rori toe. 'Ik heb al heel lang geprobeerd je te vinden, maar elke keer dat ik dacht dat ik je zag, vloog je weg. Ik nam aan dat je mij niet meer wilde zien.'
'Neem me niet kwalijk. Ik schaamde me inderdaad, maar ik heb ook het Noordland in de gaten gehouden.'
'Om te zien of het Paardenvolk eraan kwam, bedoel je.'
'Inderdaad. Aan het begin van de zomer zag ik daar een groepje plunderaars aan het werk. Ik was te laat om de dorpelingen te redden, maar ik heb die harige schoften wel de stuipen op het lijf gejaagd.'
'Dus je was het wel,' zei Salamander. 'Dat dacht ik al.'
'Was jij er ook?'
'Nee, maar daarna ben ik meegereden met de krijgsbende die ze moest verjagen.'
'O. Nou, het is maar goed dat je er niet bij was. Ze hebben een nieuw soort sabel, die Paardenvolkers. Krom, zoals een zeis. Ze reden recht op de mannen op de grond af en zwaaiden met hun sabel. Het was geen prettig gezicht.' Rori hief zijn kop en keek om zich heen. 'Waar is Jill? Ik weet dat ze in dit leven niet Jill heet, maar jullie weten wel wie ik bedoel.'
'Inderdaad,' beaamde Dallandra. 'Ze heet Branna en ze is niet echt Jill. Dat moet je onthouden. Ze is nog een heel jonge vrouw en ze is getrouwd met de jongeman die vroeger Nevyn was.'
'Mooi zo.' Rori knikte goedkeurend. Voordat hij weer iets zei, keek hij om zich heen en tuurde in het gras alsof hij verwachtte dat zich daar iemand schuilhield. 'Ik heb ook gezocht naar Raena.' Op fluistertoon vervolgde hij: 'Ik vermoedde dat ze onder het Paardenvolk herboren zou worden en daar had ik gelijk in.'
'Sidro, de priesteres?' vroeg Salamander.
'Juist. Als ik de kans krijg, vermoord ik haar.'
'Nee, Rori, niet doen!' riep Dallandra uit. 'Je weet toch wel dat je door zoiets in deze situatie terecht bent gekomen? Doordat je wraak wilde nemen?'
Rori draaide zijn enorme kop naar haar toe en knipperde met zijn

ogen alsof hij het niet begreep. 'Als ik haar niet had gedood, zouden Carra en het kind nooit meer rust hebben gehad,' zei hij.
'Het was mijn strijd, niet die van jou. Bovendien kunnen we niet weten wat er zou zijn gebeurd als Raena was blijven leven. Om te beginnen zouden de volgelingen van Alshandra het dan zonder hun belangrijkste getuige moeten doen, zoals ze haar noemen. De dood van Raena was brandhout op het vuur van Alshandra's leer.'
De draak gromde zacht. Dallandra zette haar handen in de zij en keek hem strak aan, met net zo'n kille blik als de zijne en haar tengere gezicht vlak voor zijn enorme kop. Toch was hij de eerste die zijn hoofd afwendde.
'Dat was nog niet bij me opgekomen.' Hij klonk voor een draak zo zacht mogelijk. 'Ik weet het niet, Dalla. Ik weet niets meer. Wie ik ben, wat ik ben... De enige zekerheid in mijn leven is Vrouwe Dood. Ik verlang altijd naar haar. Maar ik heb het gevoel dat ze me opdracht heeft gegeven haar zo veel mogelijk Paardenvolkers te sturen voordat ze bereid is me te bevrijden.'
'Vrouwe Dood?' herhaalde Salamander. 'Bedoel je Alshandra?'
'Natuurlijk niet!' Rori bulderde van het lachen en legde in het Deverriaans uit: 'Mijn Vrouwe Dood, mijn ware liefde, de vrouw die ik al die jaren als zilverdolk en krijgsheer heb gediend. Want daartussen bestaat geen enkel verschil, nietwaar, broer? Een krijgsheer heeft het aan een stuk door over zijn eer, maar uiteindelijk gaat het ook om de dood. Hij wordt er alleen anders voor betaald dan een zilverdolk.'
'Je hebt gelijk. Maar waarom wil je...'
'Begrijp je het dan niet?' Rori richtte zich op zijn voorpoten op. 'Als ik mijn vrouwe niet dien, zal ze me nooit willen hebben. Dan moet ik nog honderden jaren een draak zijn. Haar eer bewijzen is mijn enige hoop.'
Salamander deed van schrik een paar stappen achteruit. De draak gromde en liet zich weer plat op de grond zakken.
'En Raena? Ik neem aan dat je Vrouwe Dood haar ook wil hebben.' Dallandra sprak weer in de Elfentaal.
'Nee, ik wil zelf dat ze sterft. Tren wil dat ook.'
'Tren?' herhaalde Dallandra. 'Wie is Tren?'
'De broer van Matyc. Degene die ik bij Cengarn heb gedood.'
Salamander begreep er niets van. De enige Matyc die hij kende, was het neefje van Branna. Rori zag dat zijn broer de draad kwijt was.
'Matyc was een heer en een verrader, en ik heb hem in een tweegevecht gedood,' legde hij uit. 'Zijn broer Tren wilde hem wreken, maar hem heb ik gedood in het gevecht bij Cengarn.'

'Ach ja, dat kan ik me vaag herinneren,' zei Dallandra.
'Hij is ook teruggekomen om me te kwellen. Ze doen hetzelfde als mijn wond, die twee. Ze knagen aan me. Ik ben altijd naar ze op zoek. Soms vergeet ik ze een poosje, maar dan weet ik het weer en ga ik weer zoeken. Als ik Sidro dood, zal de wond misschien genezen. Ik weet niet hoe Tren nu heet, maar hij is een gedaantewisselaar en hij heeft me vervloekt.'
'Dat is niet waar!' zei Dallandra fel. 'En als je haar doodt, zul je heus niet genezen, Rori. Ik wil er heel wat onder verwedden dat ze niet eens meer weten wie je bent. Ze zijn gestorven en inmiddels herboren. Misschien zelfs wel voor de tweede keer. Kun je je het gesprek nog herinneren dat we hadden in de dun van Cengarn? Toen heb ik je al verteld dat de meesten als een heel andere persoon terugkomen.'
'Maar zij zijn nog steeds mijn kwelgeesten.'
Dallandra liep naar hem toe en legde haar hand op zijn enorme kaak. 'Ze zijn niet meer degenen die ze vroeger waren, dus waarom zouden ze je nu nog kwellen? Geloof me, alsjeblieft.'
Rhodry keek alsof hij weer iets wilde zeggen, maar toen legde hij zijn kop op de grond zodat Dallandra zijn gezicht kon aanraken. Ze aaide hem alsof hij haar hond was, en langzaam ebde zijn opwinding weg. Salamander voelde tranen opwellen en kon ze niet tegenhouden. Toen er een snik ontsnapte uit zijn keel, draaiden Rhodry's ogen zijn kant op – korenbloemblauwe ogen met een menselijke vorm, een ronde iris en een ronde, zwarte pupil, absoluut geen drakenogen. Door die ogen zag Salamander, ondanks hun grootte en de glans van waanzin, zijn broer naar hem kijken.
'Wil jij Calonderiel gaan halen?' vroeg Rhodry met een vreemd zachtmoedig klinkende drakenstem. 'Ik moet hem een heleboel vertellen.'
Salamander keek Dallandra aan, die geluidloos 'ga maar' zei.
'Dat zal ik doen.' Salamander draaide zich om en rende hard weg, voordat ze van gedachten konden veranderen en hem terugroepen. Na een paar honderd meter was hij buiten adem en ging iets langzamer lopen. Het gras glinsterde wazig door zijn tranen heen.
Toen hij terug was in het kamp, huilde hij niet meer. Hij ging op zoek naar Calonderiel, gaf hem de boodschap door, wees waar hij naartoe moest en ging voor de tent van de banadar op de grond zitten. Zijn kleren roken nog naar de draak alsof het een soort vergif was, bedacht hij, en dat dwong hem na te denken over de afschuwelijke situatie van zijn broer. Een poosje later – Salamander had geen idee hoe veel later het was – kwam Clae hem vertellen dat tieryn Cadryc hem wilde spreken.
'De edele heer wil een brief naar huis schrijven nu het nog kan.'

'Ik kom eraan.' Salamander krabbelde overeind. 'Dat doet mijn hart vreugd.'
Clae keek hem niet-begrijpend aan.
'Dan kan ik aan iets anders denken dan aan die zilveren draak,' legde Salamander uit.
Tegen zonsondergang, lang nadat boodschappers met de brief waren vertrokken, zag Salamander Rori over het kamp vliegen, in westelijke richting. Hij vloog zo hoog dat hij leek op een grote witte vogel die in het strijklicht van de namiddagzon glansde als zilver. Salamander liep het kamp uit om Dallandra en Calonderiel tegemoet te gaan.
'Hij heeft Zakh Gral gevonden,' zei Calonderiel. 'Ik moet de krijgsraad bijeenroepen.'
Hij beende weg over het pad van platgetrapt gras terug naar het kamp. Salamander en Dallandra volgden langzaam en Salamander zweeg om Dallandra de gelegenheid te geven na te denken over wat ze hem zou vertellen. Ten slotte keek ze hem aan.
'Misschien kan ik die wond genezen,' begon ze, 'maar daar heb ik bloedzuigers voor nodig. Als bloedzuigers tenminste drakenvlees eten en drakenbloed drinken.' Haar stem was omhooggegaan, maar ze haalde diep adem en vervolgde op normale toon: 'Ik kan me vergissen, maar ik geloof niet dat het een dweomervloek is, Ebañy. Dat zou een te eenvoudige verklaring zijn. Hij heeft het zelf gedaan; hij likt en knaagt al ruim vijftig jaar aan die wond. Hij was aan het genezen, zei hij, en het begon te jeuken, en toen is hij begonnen eraan te likken en zo werd het natuurlijk weer erger. Nu is de ontsteking zo erg dat de randen bestaan uit dood vlees.'
'Heeft het rot zich door zijn bloed verspreid?'
'Ik denk het niet, maar ik weet het niet zeker. Als hij nog een man was en de wond was zo erg als nu, zou hij dood zijn. Maar hij is een draak en ik weet niet hoe ik een draak moet genezen. Ik weet alleen dat ik wat hij bij die wond heeft aangericht, moet schoonmaken.'
'Waar halen we bloedzuigers vandaan?'
'Hier? Ik heb geen idee. Ga op zoek naar langzaam stromend water, zoals waar de Delonderiel uitmondt in zee.'
'Als we dat hier nergens kunnen vinden, zijn we een heel eind bij de kust vandaan.'
'Inderdaad. Het is afschuwelijk.' Ze slaakte een zucht.
Salamander besloot dat hij beter niets meer kon zeggen. Toen ze het kamp bereikten, liepen ze langzaam door naar het deel van de Rode Wolf. Gerran zat op de grond voor de tent die hij met Salaman-

der deelde en hakte samen met Kov blokken hout aan splinters om vuur te maken. De staf van de gezant lag op een opgevouwen deken naast hem. Dallandra bleef naast Gerran staan en de krijger kwam op zijn knieën overeind en maakte een buiginkje voor haar.
'Wat is het laatste nieuws, Wijze?' vroeg hij.
Dallandra deed haar best om te glimlachen. 'Nou, nou, je klinkt al als iemand van het Westvolk!'
'Dat is een hele eer, maar ik vraag me af...'
'Cal zal je straks op de hoogte brengen,' viel ze hem in de rede. 'Ik weet niet zeker of ik alles goed heb begrepen. Maar Rori heeft ons verteld dat het onmogelijk is een verrassingsaanval op Zakh Gral uit te voeren.'
'O, daar ging ik al van uit, vrouwe,' zei Gerran. 'Afgezien van andere redenen kunnen ze een leger zo groot als het onze al op grote afstand horen aankomen.'
'O, en ik dacht nog wel dat het een enorme tegenvaller was.'
'Nee, hoor. Maar het is wel belangrijk wannéér ze ons horen aankomen. Als ze worden gewaarschuwd, moeten we al bij de doorwaadbare plaats in de rivier ons eerste gevecht leveren.'
'Jullie eerste gevecht.' Dallandra herhaalde het alsof ze geen ander antwoord kon bedenken.
'Ze blijven heus niet achter hun vestingmuur staan wachten tot wij die beklimmen.'
'Nee, dat begrijp ik.' Dallandra klonk zo ijl dat Salamander haar bij haar elleboog pakte om haar te steunen. Ze keek hem aan en zei in de Elfentaal: 'Je bent bleek geworden.'
'Ik ben misselijk,' antwoordde Salamander in dezelfde taal.
'Ja, het is allemaal even vreselijk, nietwaar?' In het Deverriaans vervolgde ze tegen Gerran: 'Neem me niet kwalijk, Gerro, en u ook niet, gezant. Het is niet mijn bedoeling geheimzinnig te doen, maar ik ben erg moe.'
'Dan moet ík me verontschuldigen, want ik had u niet moeten ophouden,' zei Gerran. 'Ongetwijfeld hoor ik straks precies hoe het zit.'
'Neemt u mij ook niet kwalijk, vrouwe,' zei Kov. 'Ga alstublieft een poosje uitrusten.'
Toen Dallandra wegliep, wilde Salamander haar volgen. Maar ze draaide zich om en stak een hand op. 'Ik kan op dit moment niet meer over Rhodry praten,' zei ze in de Elfentaal. 'Ik wil helemaal niet meer praten. Begrijp je dat?'
'O ja, heel goed,' antwoordde Salamander. 'Maar wil je me nog één ding zeggen? Wat gebeurt er met Sidro?'

'Ik weet niet of hij haar voortaan met rust zal laten.' Ze keek hem met een scheefgehouden hoofd onderzoekend aan. 'Ik veronderstel dat jij ook liever hebt dat ze dood is.'
'Nee, ik heb medelijden met haar gekregen. Daarom vraag ik het.'
'Nou, dan is tenminste een van jullie tweeën verstandig geworden.'
Met een glimlach draaide ze zich weer om en liep met grote passen weg. Salamander ging zitten om naar het dobbelspel te kijken. Even later kwam Clae aanrennen met de mededeling dat de prinsen graag wilden dat Kov de krijgsraad kwam bijwonen. De gezant van de dwergen krabbelde overeind, pakte zijn staf van de deken en draafde achter de schildknaap aan. Gerran raapte de dobbelstenen op en hield ze Salamander voor.
'Ik weet niet of mijn brein nog wel in staat is om de stippen te tellen,' zei Salamander.
Gerran knikte en stopte de stenen terug in het leren zakje. Hoog boven de tent was de lucht parelmoerachtig blauw, met hier en daar een wolk die door de ondergaande zon in een gouden gloed werd gezet. Salamander keek naar de lucht, maar hij zag iets anders. Voor zijn geestesoog zag hij weer Rori's ogen, die hem vanuit zijn reptielenkop zo wanhopig hadden aangekeken.

Nu ze niet bij het leger hoefden te blijven en het niet regende, konden de boodschappers – twee mannen te paard, twee extra rijpaarden en een lastezel – in hoog tempo terugrijden naar de dun van de Rode Wolf. Stoffig, bezweet en doodmoe liepen ze een paar uur voor zonsondergang de grote zaal binnen, waar Neb, Branna en vrouwe Galla aan de eretafel zaten. Met een zucht van opluchting knielde Daumyr naast de vrouwe neer en haalde de zilveren brievenkoker uit zijn hemd.
'We hebben er maar vier dagen over gedaan, vrouwe,' zei hij. 'We hebben natuurlijk wel flink doorgereden. We hadden ieder twee paarden, ziet u, dus konden we steeds wisselen.'
Alwyn, zijn metgezel, wierp met een opgetrokken wenkbrauw en een vermoeide grijns een blik op Neb.
'Vanavond zullen jullie lekker slapen, jongens, en morgen geven we jullie andere paarden mee,' zei vrouwe Galla. 'Ga nu maar iets eten en drinken.'
'Dank u, vrouwe.' Daumyr stond op en moest zich aan de punt van de tafel vasthouden om niet te vallen. 'Een kroes bier zal me goeddoen.'
Alwyn knikte instemmend en stond ook op. Samen liepen ze vlug naar de andere kant van de zaal, waar bewakers op hen stonden te

wachten. Neb trok de brieven uit de koker en liet er zijn blik overheen glijden.
'Tot dusver is het goed nieuws, vrouwe,' zei hij tegen Galla. 'Eigenlijk is er helemaal nog geen nieuws, behalve dat de zilveren draak met de zwarte draak mee is gekomen en ook heeft beloofd te helpen.'
'Daar ben ik in elk geval blij om,' zei Galla. 'Er gebeuren de laatste tijd zo veel rare dingen dat het me niet meer zou verbazen als er op een dag een god voor de deur staat die aankondigt dat hij graag wil mee-eten.'
'Dat ben ik met u eens, vrouwe. We leven in een rare tijd.'
'Staat er verder nog iets in over die draak?' vroeg Branna. 'De zilverdraak, bedoel ik.'
'Nee, alleen dat hij met zijn metgezellin is meegekomen.' Het drong tot Neb door dat hij jaloers was op dat schepsel, die Rori. Want waarom had Branna zo veel belangstelling voor hem? Je bent niet goed wijs, maande hij zichzelf. Jaloers op een wild dier, alle goden!
De rest van de avond had Neb het druk met het voorlezen van de brieven aan de edelen en het schrijven van antwoorden. De volgende morgen stonden Daumyr en Alwyn met nieuwe paarden en een andere muilezel, beladen met voorraad voor onderweg, al bij de poort te wachten toen Neb met de opnieuw gevulde brievenkoker naar hen toe kwam en uitlegde voor wie de brieven bestemd waren.
'Weten jullie wel hoe je terug moet?' vroeg hij.
'Wees daar maar niet bang voor,' antwoordde Daumyr grinnikend. 'Het leger heeft een spoor van afdrukken en vuil achtergelaten zo breed als een rivier.'
Toen de boodschappers waren vertrokken, ging Neb aan het werk in de tuin. De kokkin kweekte er een aantal keukenkruiden, zoals salie, tijm, mosterd en rozemarijn. De mosterdplant kon ook worden gebruikt om iets een rode kleur te geven. Wat later zocht Neb in de omringende velden en tussen de hagen naar nog meer geneeskrachtige kruiden en hij vond klein hoefblad, smeerwortel, moederkruid, malrove en bij de omheining van een leeg weiland valeriaan. Toen hij de valeriaan uitgroef om in de tuin te zetten, bracht de vieze geur een vage herinnering bij hem boven. Opeens wist hij weer dat hij deze wortel vroeger met een zilveren sikkel aan stukjes had gesneden, maar hij wist niet waarom. In Jills boek over geneeskunde, zijn leidraad, werd de sikkel niet genoemd.
'Waarschijnlijk is hij samen met Nevyn begraven,' zei hij later tegen Branna.
'Waarschijnlijk wel,' antwoordde Branna. 'Hij wilde niets mee heb-

ben in zijn graf, maar Jill kon het niet over haar hart krijgen hem in een kaal graf achter te laten.'

Ze waren in hun slaapkamer. Branna zat op de vloer bij het licht van twee kaarsen op haar bruidskist te lezen, Neb stond voor het raam zijn handen schoon te borstelen in de waskom. Pas toen de zeep op was, vond hij dat ze schoon genoeg waren.

'Ik begrijp niet waarom je je zo uitslooft in de tuin,' zei Branna. 'Je kunt die planten toch ook door een knecht laten verplaatsen?'

'Ik moet iets te doen hebben om de tijd door te komen. Jij brengt het grootste deel van de dag met je nichtje en de kinderen door.'

'Vind je dat niet goed?' Ze keek hem geschrokken aan.

'Ach, natuurlijk wel. Ze hebben je nodig, en de tuin heeft mij nodig.' Neb spoelde zorgvuldig de zeep van zijn handen. 'En ik wil ook niet bij de tieryn aan tafel zitten zonder dat ik er iets voor doe. Dat ik je man ben, is een vreugde, geen werk dat iets oplevert.'

Ze lachte blij, zo klonk het tenminste. Hij schudde zijn handen droog en draaide zich met een glimlach naar haar om. Heel even leek het alsof hij haar niet kende. Hij had verwacht Jill daar te zien zitten, die langer en magerder was dan Branna en grijze strepen in haar haren had. Waarom zaten Jill en hij niet samen in hun huis midden in Brin Toraedic te lachen om de kunstjes van het Natuurvolk? Toen herinnerde hij zich weer wie hij in het heden was.

De momenten waarop het verleden zijn bewustzijn overnam kwamen inmiddels zo regelmatig voor dat hij er niet langer bang voor was. Het werk in de tuin, het ritme van lichamelijke arbeid, de warmte van de zon en de geuren van de kruiden hadden tot gevolg dat de grens in zijn geest die het besef van de werkelijkheid van herinneringen en dromen scheidde, vervaagde. Wanneer hij daar bezig was, dacht hij ook na over de mazrakraaf, zoals Salamander had voorgesteld. Maar dat kostte hem moeite. Hij werd elke keer afgeleid, zo leek het althans. Steeds weer kwam het beeld bij hem op van de jonge priester die hem en Clae na de dood van hun ouders had meegenomen op de grote weg naar het westen, wat zijn meditatie verstoorde.

'Ik begrijp het niet,' zei hij op een avond tegen Branna. 'Ik denk alleen maar aan die priester wanneer ik probeer mijn aandacht bij die akelige mazrak te houden, anders nooit.'

'Misschien is dat een aanwijzing,' zei Branna.

'Bedoel je dat hij op de een of andere manier iets met de mazrak te maken heeft?'

'Inderdaad. Je hebt me ooit iets verteld over een priester in die tempel in het noorden, een priester van wie Arzosah koeien had gesto-

len. Hij wist toch iets van dweomer? En Dalla en jij vroegen je toen toch af wie hem dat had geleerd?'
'Alle goden!' Neb begreep niet hoe hij zo dom kon zijn. 'Natuurlijk! En die man, hij zei dat hij Tirn heette, was heel anders dan de andere priesters van Bel. Om te beginnen keek hij graag naar vrouwen en zat hij onder de tatoeages.'
'Tatoeages? Ik heb nooit gehoord van een priester van Bel met tatoeages.'
'Precies, mijn lief. Ze waren blauw en zijn hele gezicht zat er vol mee, en zijn hals ook, voor zover ik kon zien. Hij zei dat ze littekens bedekten van brandwonden die hij als kind had opgelopen.'
'Kon je die littekens ook zien?'
'Daar heb ik eigenlijk nooit goed naar gekeken. Mijn moeder was kort daarvoor overleden en ik was nog behoorlijk in de war.'
'Mijn arme lief! Je hebt veel verdriet gehad.'
'Net als de helft van de andere mensen in Trev Hael. Ik hoef geen medelijden met mezelf te hebben.' Neb haalde hoofdschuddend zijn schouders op om het verdriet van zich af te laten glijden. 'Maar die tatoeages leken wel op een soort schrift. Alle goden! Ik heb het destijds niet beseft, maar ze leken op tekens van het lettergrepenschrift van het Westvolk! Die heeft Meranaldar tijdens het beleg van de dun van Honelg voor me opgeschreven, om de tijd te doden.'
'Aha, dat kan erg belangrijk zijn,' zei Branna nadenkend. 'Ik denk dat je er Mirryn eens naar moet vragen. Hij heeft het me lang geleden uitgelegd.'
Heer Mirryn wist inderdaad iets van de betekenis van tatoeages die eruitzagen als lettertekens van de taal van het Westvolk. 'Daar beschrijft het Paardenvolk zich mee,' zei hij.
'Maar dit was een man van ons eigen ras,' zei Neb. 'Zo zag hij er, afgezien van de tatoeages, tenminste uit.'
'Maar ze houden toch al eeuwenlang slaven? Ik denk dat hun vrouwen weinig keus hebben als het erom gaat wiens bed ze warm moeten houden.' Mirryn trok vol afkeer zijn sproetige neus op. 'Het zijn wilden, die Paardenvolkers.'
'Dat zijn ze,' beaamde Neb. 'Maar eerlijk gezegd waren onze eigen voorouders wat de omgang met vrouwelijke lijfeigenen betreft niet veel beter. Dat heeft mijn vader me tenminste verteld.'
'Daar heb je misschien gelijk in. Ik denk dat we dit aan heer Oth in Cengarn moeten vertellen. Een halfbloed Paardenvolker onder de priesters van Bel, dat moet een spion zijn of zo.'
'Dat zou kunnen, heer. Ik zal pen en inkt halen. Hoewel heer Oth voordat de gwerbret terug is waarschijnlijk niets kan doen om de

man op te sporen, moet hij wel gewaarschuwd worden. Maar weet u wat ik vreemd vind? Toen ik met de prins en gwerbret Ridvar in die tempel was, heb ik die man nergens gezien. Terwijl ik wel rond heb gekeken om hem te vinden, want ik wilde hem bedanken.'

'Dat is inderdaad vreemd. Misschien was hij niet eens een priester van Bel. Als iemand zijn hoofd kaal scheert en zo'n soort tuniek aantrekt als zij dragen, wie vraagt zich dan af of hij een bedrieger is? Want als je een priester lastigvalt, loop je de kans dat de god die hij dient boos op je wordt.'

'Dat is zo. Vragen stellen zou te gevaarlijk zijn. Als zou blijken dat hij wel degelijk een priester is...' Neb rilde om duidelijk te maken wat er dan zou gebeuren.

Het duurde een paar dagen voordat Neb de mazrakraaf weer zag vliegen. Hij was al de hele ochtend in de zonnige kruidentuin aan het werk, zijn hemd was nat van het zweet en hij was duizelig van de windstille warmte. Hij haalde een emmer water uit de bron om over zichzelf leeg te gieten, vulde de emmer opnieuw en gebruikte de tinnen kroes die eraan hing om zijn dorst te lessen. Toen hij zich had opgefrist, beklom hij de ladder naar de loopbrug langs de vestingmuur, waar de wapperende vlag van de Rode Wolf een briesje beloofde. Neb snoof de frisse lucht op, ging op de loopbrug zitten en leunde met zijn rug tegen de koele stenen muur.

Beneden op het binnenplein zag hij Branna lopen met Horza, de timmerman. Branna had een grote zak bij zich, een zak voor gekamde wol. Horza droeg een vreemd soort werktuig: een wiel met spaken zoals de dwergen gebruikten op een korte as, met vier pootjes eronder. Op de rand van het wiel zaten houten pennen. Neb vroeg zich af wat ze van plan waren en toen schoot hem te binnen dat Branna tegen hem had gezegd dat ze iets aan het maken waren waarmee ze wol konden spinnen.

Hij had er nauwelijks belangstelling voor. Hij keek omhoog en toen zag hij de mazrakraaf weer boven de dun vliegen. Hij vloog in een grote kring rond en daarna nog een keer. Neb stak een hand in zijn zak en haalde er heel langzaam, zorgvuldig in de schaduw, zijn leren katapult uit. Na de tweede cirkel begon de raaf aan zijn derde. Even langzaam haalde Neb een gladde ronde kiezel uit zijn andere zak. Plotseling kraste de raaf van schrik. Toch vloog hij niet weg, maar steeg hij hoger om boven de dun te blijven cirkelen. Neb kreeg het vreemde gevoel dat hij de raaf iets had horen zeggen en toen drong het tot hem door dat de vogel hem zijn gedachten wilde sturen. Hij stopte de katapult en de steen terug in zijn zakken en de raaf begon te dalen.

'Wil je overleggen?' riep Neb omhoog.
De raaf kraste en kwam nog lager vliegen, waarbij hij de omtrekken van de vestingmuur volgde. Klapwiekend landde hij op een kanteel, terwijl hij met gespreide vleugels naar zijn evenwicht zocht. Zijn ronde ogen, die voor een raaf ongewoon bruin waren, keken Neb pienter aan. Met zijn snavel klapperend probeerde hij iets te zeggen – een reeks krassende en klikkende geluiden die heel vaag klonken als woorden.
'Ik kan je niet verstaan,' zei Neb.
De raaf deed een nieuwe poging, waarbij hij met zijn snavel zijn uiterste best deed om in gebrekkig Deverriaans een paar woorden te uiten: '*Ihr yhdoh een anavod ki.*' Neb begreep eruit dat hij zei 'Ik ken je.'
'Ik ken jou ook,' antwoordde hij. 'Bij onze vorige ontmoeting zei je dat je Tirn heette.'
Neb raadde ernaar, maar hij had gelijk. De raaf knikte instemmend en zei weer een paar woorden, die klonken als 'mijn naam is...' Wat zijn naam was, kon Neb niet verstaan.
Beneden op het plein riep een boze vrouwenstem iets naar boven. Neb keek omlaag en zag Branna staan, met een steen in haar hand. Voordat hij haar kon waarschuwen, zwaaide ze haar arm naar achteren en gooide de steen. De raaf kraste, sprong in de lucht en klapwiekte wild om zo snel mogelijk weg te vliegen. De steen suisde vlak onder zijn poten door. De volgende steen haalde de loopbrug niet.
'Branna, niet doen!' riep Neb. 'Hij wil met me praten!'
Te laat. De raaf steeg snel de lucht in. Neb keek hem na tot hij nog maar een zwart stipje was in het blauw en klom de ladder af naar het binnenplein. Branna stond met haar handen in de zij op hem te wachten.
'Praten!' snauwde ze minachtend. 'Hij wilde je natuurlijk betoveren.'
'O, dat was niet bij me opgekomen,' zei Neb langzaam.
'Was hij inderdaad de priester over wie je me hebt verteld?'
'Ja, het was Tirn. Heeft nog iemand anders hem op de muur zien zitten?'
'Dat denk ik niet. Het is zo afschuwelijk warm dat iedereen binnen blijft.'
'Mooi zo. Je kunt best gelijk hebben dat hij me inderdaad wilde betoveren, maar ik had echt de indruk dat hij alleen wilde praten. Maar ik kon hem nauwelijks verstaan. Dat komt natuurlijk door die snavel. Het is vast erg moeilijk om daar woorden mee te vormen.'
'Dat denk ik ook. Maar...'

'Hij heeft destijds een grote omweg gemaakt om ervoor te zorgen dat Clae en ik veilig waren. Waarom zou hij me dan nu opeens kwaad willen doen?'
'Ik zou het echt niet weten.' Branna klonk niet boos meer. 'Je hebt gelijk, het was dom van me dat ik meteen met stenen gooide. Ik weet niet wat me bezielde, al meteen toen ik hem zag. Verrader! Dat dacht ik. En ik werd woedend.'
'Je dacht toch niet echt dat ik jou zou verraden?'
'Ik bedoelde jou niet, ik bedoelde hem! Hij is de verrader. Wie hij ook is.' Ze keek Neb onzeker aan.
'Dus in onze andere tijd kende je hem. Mogen alle goden je vannacht over hem laten dromen.'
Maar toen Branna de volgende morgen wakker werd, kon ze Neb helaas geen droom over een vorig leven vertellen. Zoals Dallandra haar al had gewaarschuwd, kwamen herinneringen, nu ze daadwerkelijk met dweomer bezig was, niet meer moeiteloos boven.
De boodschappers die heer Mirryn naar Cengarn had gestuurd kwamen terug met een antwoord van heer Oth. Hij zou mannen naar de tempel van Bel sturen om navraag te doen naar de getatoeëerde priester, maar hij betwijfelde dat Govvin zou meewerken. 'Govvin de koppige', zo noemde hij de priester van de tempel, en daar kon Neb het alleen maar mee eens zijn. Toch ging hij ervan uit dat het gebaar iets teweeg zou brengen, al was het alleen maar dat Govvin en Tirn, als Tirn nog steeds in die tempel verbleef, zouden weten dat de gwerbret hen in de gaten hield.

'Die vrouwen van de Lijik zijn wilden,' zei Laz. 'Ze had met die steen mijn hersens wel kunnen verbrijzelen.'
'Welke hersens?' snauwde Sidro. 'Ik begrijp echt niet dat je zomaar op de muur van een vijand bent neergestreken. Waarom heb je dat gedaan?'
'Omdat ik met Neb wilde praten, natuurlijk.'
'Maar de mannen van de Lijik zijn gemene moordenaars!'
'De vrouwen blijkbaar ook. Neb is beslist geen moordenaar, maar die vrouw...' Laz rilde en tilde zijn armen iets op, alsof hij zijn ravenvleugels spreidde. 'Ze kan goed mikken, ze raakte me bijna.'
'Ik heb erg met je te doen,' zei Sidro in het Deverriaans. 'Stomkop!'
'Ik dank je nederig,' zei Laz ook in het Deverriaans en hij voegde er in de Elfentaal aan toe: 'Ach, je hebt gelijk. Het was erg dom van me.'
Ze zaten aan tafel in de hut en hadden net een maaltijd gegeten van koud, in een schaal gebakken brood en een soort pap van gerst en

vleessap. Toen Vek hun daar voor ieder een portie van had gebracht, had Sidro besloten dat ze beter niet kon vragen wat erin zat. Op tafel tussen hen in stonden een van een boerengezin gestolen roodbruin aardewerken bord en een ruwe aardewerken kom, daarnaast lag een keukenmes met een houten heft – al het eetgerei dat Laz bezat.

'Waarom wilde je die Neb spreken?'

'Dat weet ik eigenlijk niet.' Laz stond op en strekte zijn rug. 'Toen ik met hem door het Slavenland trok, mocht ik hem graag.' Hij strekte zijn armen naar achteren. 'Ik ben moe. Zelfs via de astrale poorten is het een heel eind vliegen.' Hij liet zich op het matras vallen en rolde op zijn zij. 'Kom je niet naast me liggen om me te vertroetelen? Ik ben tenslotte de hele dag weg geweest.'

'Nee, dat doe ik niet.' Sidro bleef op de boomstronk zitten, aan de andere kant van de tafel. Ze sloeg haar armen over elkaar en keek hem fel aan.

'Ah, je bent boos op me.' Laz kwam overeind.

'Wat goed dat je dat ziet.'

Zuchtend stond hij op en ging weer aan tafel zitten. 'Wat heb ik nu weer misdaan?'

'Je bent weggegaan zonder het tegen me te zeggen. Je bent gaan vliegen, terwijl de draak in de buurt is. Je bent op de muur bij die rakzan van de Lijik geland. Kun je nog roekelozer zijn, Laz? Of heb je me voorgelogen over die draak?'

'Ik heb je beslist niet voorgelogen over die draak, of liever, draken. De mannelijke en de vrouwelijke draak zijn allebei hier in het Noordland en de kleintjes zijn gelukkig thuisgebleven in hun nest, of waar draken dan ook wonen. Ik ben over het woud gevlogen, zodat ik me tussen de bomen zou kunnen verstoppen als ik ze zou zien.'

'Tussen de bomen? Wat zou dat...'

'Die draken zijn reusachtig groot, Sisi, wel tien meter lang, denk ik. Ze kunnen heus niet door een bos vliegen, hoor, ze zouden zich niet tussen de bomen door kunnen wringen. Bovendien stinkt het in een bos naar dieren. Draken kunnen goed ruiken, maar niet zo goed als wij. Eén mens in een bos ruiken ze niet. Een leger Gel da'Thae wel, maar mij alleen niet.'

'O. Je zult wel gelijk hebben.'

'Natuurlijk heb ik gelijk. Wat zit je nog meer dwars?'

'Ik wil weten waar je die witte piramide hebt gevonden.'

'In de puinhopen van Rinbaladelan.'

'Denk je echt dat ik dat geloof? Ik heb er schoon genoeg van dat je altijd tegen me liegt, Laz.'

'Het is waar, Sisi. Rinbaladelan. Ik ben er geweest.'
Voordat Sidro weer iets kon zeggen, hoorden ze buiten geschreeuw. De diepe stemmen van mannen van het Paardenvolk en een hoge gil die wel eens uit de keel van een mens zou kunnen komen. Er werd op de deur gebonsd.
'Laz, kom naar buiten!' riep Pir. 'Er sloop een dief rond bij onze paarden!'
Sidro dacht meteen aan de draken en haar hart begon wild te kloppen, maar toen ze achter Laz aan naar buiten ging, zag ze twee speerwerpers staan met een jongeman van de Lijik geknield tussen hen in. Pir stond er ook bij; de amuletten in zijn manen glinsterden in het zonlicht. De Lijik had vuile, gescheurde kleren aan, aan zijn haar kleefden zo veel viezigheid en bladeren dat Sidro de kleur ervan zelfs niet meer kon raden en zijn gezicht zat vol modder en blauwe plekken. Hij rilde en keek angstig om zich heen, maar toen hij Sidro zag staan, begon hij te grinniken.
'Priesteres,' fluisterde hij in het Deverriaans. 'Gezegende Sidro.'
Sidro herkende zijn stem. Ze liep naar hem toe en keek aandachtig naar zijn gezicht. Zijn ogen waren lichtblauw en kwamen haar eveneens bekend voor.
'Je komt van de dun van heer Honelg,' antwoordde ze in dezelfde taal. 'Ben je een van zijn krijgers?'
'Dat was ik. Ik heet Bren. Ik ben de enige die nog leeft. Mijn heer had me toestemming gegeven om mijn vader op te zoeken, daarom was ik niet in de dun toen het beleg begon.'
'Het beleg? Wie...'
'De gwerbret had ontdekt dat we onze godin aanbaden. Hij noemde ons verraders. Hij heeft onze dun van ons afgenomen, heilige Sidro. Iedereen is dood, behalve ik.'
Sidro's adem stokte in haar keel en ze kon geen woord uitbrengen van schrik. Ze legde een trillende hand op haar borst om weer kalm te worden.
'Ik heb nog slechter nieuws,' vervolgde Bren. 'De gwerbret is op weg naar Zakh Gral. De gerthddyn heeft hem verteld waar dat ligt. Ze hebben een leger op de been gebracht.'
Achter zich hoorde ze Laz krassen als een woedende raaf. Hij rende langs haar heen terwijl hij zijn mes trok. Bren slaakte een kreet en probeerde op te staan en ook zijn mes te trekken, maar Pir belette hem dat met een welgemikte trap tegen zijn borst en hij viel achterover in het zand. Bren kreunde, ging hoestend op zijn knieën zitten en strekte zijn armen naar Sidro uit.
'Heilige Sidro, laat ze me niet doden! Ik moet u nog meer vertellen!'

Laz liep naar Bren toe, met zijn geheven mes in zijn vuist geklemd, en keek hem dreigend aan. Sidro ging pal voor hem staan en pakte zijn rechterarm vast. Ze voelde dat er iemand achter haar kwam staan, een van Laz' mannen, maar ze liet zich niet afleiden.
'Laat hem met rust!' snauwde ze tegen Laz.
Laz verstijfde, hief zijn hoofd op en keek haar aan, met zijn mond half open van verbazing. Sidro drukte haar nagels zo hard in zijn arm dat ze hem verwondde. Hij trok een grimas van pijn, maar hij gaf geen kik.
'Laat hem met rust,' herhaalde Sidro. 'Bij alle heilige goden van ons volk, Laz, laat hem met rust.'
Ze hield zijn blik vast terwijl ze zijn arm losliet. Hij haalde zijn schouders op, stak het mes terug in de schede en deed een stap achteruit. Sidro zag dat Pir met een vleug van een glimlach toekeek.
'Geef hem te eten, Pir.' Ze wees naar de geknielde krijger. 'Hij spreekt geen woord van onze taal en zolang niemand hem vertelt wie we zijn, zal hij denken dat wij net als hij volgelingen van Alshandra zijn. Hij is niet gevaarlijk.'
'Ze heeft gelijk.' Pir keek naar Laz. 'Ik zal doen wat ze zegt.'
'Ga je gang,' zei Laz, en hij haalde opnieuw zijn schouders op. Even bleef hij staan en toen draaide hij zich om en liep de hut weer in.
Wie was degene die vlak achter haar stond? Sidro keek om en zag niemand, alleen dat de anderen minstens drie meter bij haar vandaan stonden. Vek had zich op zijn knieën laten zakken en strekte met gebogen hoofd zijn armen naar haar uit. Haar nekharen gingen overeind staan.
'Wie heb je gezien, Vek?' vroeg ze.
'Kanz,' fluisterde hij zonder op te kijken. 'Ze kwam naar u toe en bleef boven u hangen, heilige vrouwe.'
Sidro wilde schreeuwen dat hij haar niet zo mocht noemen, maar Bren keek haar met betraande ogen aan. Om zijn leven te redden, kon ze de anderen maar beter laten denken dat ze inderdaad priesteres was, besloot ze. Ze legde een hand op zijn vuile hoofd.
'Moge Alshandra je eeuwig beschermen,' zei ze in het Deverriaans. In de taal van het Paardenvolk vervolgde ze tegen de anderen: 'Luister goed. Wát Laz ook zegt of doet, zorg ervoor dat deze man niets overkomt!'
De vogelvrijverklaarden knikten en maakten met instemmend gemompel een respectvolle buiging voor haar. Met het gevoel dat ze een afschuwelijke bedriegster was, ging Sidro terug naar de hut.
Toen ze binnenkwam, trilde ze zo erg van woede dat ze nauwelijks kon praten. Laz zette zijn handen in de zij en keek haar aan. Het

glimlachje om zijn mond maakte haar nog kwader. Op zijn rechterarm zagen de sneetjes die haar nagels erin hadden gekerfd eruit als rode halve maantjes.
'Dat was wat je voor me geheim wilde houden, nietwaar?' bracht ze ten slotte met schelle stem uit. 'Je zei dat Zakh Gral veilig was, maar dat loog je!'
'Ik heb geen reden om dat te ontkennen. Nu niet meer.'
'Je wilde juist dat ze zouden worden vernietigd, nietwaar?' Ze hapte naar adem. 'Je loog tegen me omdat je niet wilde dat ik ze zou waarschuwen.'
'Daar heb je helemaal gelijk in.' Laz grinnikte. 'Ik wil dat die stinkende vesting en die bespottelijke tempel met de grond gelijk worden gemaakt. Het is al erg genoeg dat die heilige dwazen mijn stad hebben overgenomen en Braemel hebben besmet. Ik wil niet dat hun waanzin zich nog verder verbreidt.'
Sidro griste het keukenmes van tafel en wierp het naar hem toe. Hij ontweek het met een lachje en deed vlug een stap naar voren toen ze het roodbruine bord pakte.
'Nee, nee, nee!' Met zijn ene hand greep hij haar pols vast en met zijn andere pakte hij haar het bord af. 'Aardewerk is hier kostbaar goed. Als je me ermee slaat, breekt het in stukken.'
Ze probeerde zich los te trekken, maar hij draaide haar arm zo hard om dat ze haar tweede wapen met een gil losliet. Hij zette het terug op tafel. Toen ze voelde dat zijn greep om haar pols losser werd, trok ze haar hand terug. Even deed ze alsof ze haar best deed om kalm te worden en toen rende ze om hem heen naar de deur. Hij vloog achter haar aan, pakte haar van achteren bij haar armen en hield haar stevig vast.
'Wat moet dit voorstellen?' vroeg hij. 'Je bent toch niet van plan het fort te gaan waarschuwen?'
'Laat me los! Vuile, verderfelijke tovenaar!'
'Ik denk er niet aan.' Hij liep achteruit terug naar het midden van de hut en trok haar mee. 'Ik kan niet ontkennen dat ik zowel verderfelijk als tovenaar ben, maar ik ben vrij schoon. 's Zomers, tenminste.'
Ze trapte naar achteren en raakte met haar eeltige hiel zijn scheenbeen. Hij gromde, maar bleef haar stevig vasthouden.
'Denk na!' snauwde hij. 'Hoe denk je de weg terug te vinden, Sisi? Weet je precies waar je nu bent? Weet je de weg vanhier terug naar de weg van Alshandra?'
'Ik moet het proberen.'
'Al zul je waarschijnlijk door de bossen dwalen tot je sterft van de

honger? Of nog erger, stel dat die zilverdraak je ziet? Je moet uit het bos tevoorschijn komen om Zakh Gral te bereiken. Al weten we niet waarom die draak je haat, hij haat je hartgrondig, dus stel dat hij ergens op je wacht? Hap, hap. Weg Sisi.'
Sidro verslapte, deze keer van ontmoediging. Laz liet haar los en deed een stap achteruit. Ze draaide zich naar hem om en wreef over haar pijnlijke armen.
'Het gaat om Lakanza,' zei ze. 'Ze is goed voor me geweest. Hoe kan ik haar zomaar laten sterven?'
'Geloof je dan echt dat het leger een oude vrouw zal vermoorden? Als ze een man was of een jonge vrouw, zouden ze haar inderdaad ik weet niet wat kunnen aandoen. Maar de krijgers van de Lijik hebben een zwak voor oude vrouwen.'
Sidro keek hem onderzoekend aan. Hij zette zijn handen in de zij, hield zijn hoofd scheef en keek terug, met zo'n open blik dat ze besefte dat hij voor de verandering de waarheid sprak.
'Misschien doden ze haar niet met opzet,' zei Sidro, 'maar in het vuur van de strijd...'
'Dat zou kunnen.' Laz trok een afkerig gezicht. 'Maar ik dacht dat de heilige dwazen niets liever deden dan sterven voor Alshandra. Hoe noemen jullie dat ook alweer? Getuigen?'
'Juist. Maar nu ik weet...' Net op tijd voorkwam ze dat ze iets opbiechtte wat ze liever voor zich hield.
'Nu je wat weet?' Hij keek haar ernstig aan. 'Wat wilde je zeggen?'
'O, dat weet ik niet meer. Iets, het doet er niet toe.'
'Deze keer ben jij de leugenaar. Nu je wat weet?'
Er ging een golf van uitputting door haar heen en ze leunde met haar rug tegen de tafel. 'Nu ik weet dat Alshandra geen godin is,' fluisterde ze. 'Ik verwens je, Laz! Je hebt me alles wat waarde voor me had afgenomen. Mijn beloften, mijn geloof en nu Zakh Gral!'
'Je mag mij niet de schuld geven van Zakh Gral. De Lijik Ganda zijn degenen die dat fort willen vernietigen. Waarom denk je eigenlijk dat hun dat zal lukken?'
Hoop, slechts één zoete klank van hoop, zong in haar hart. 'Je hebt gelijk,' zei ze. 'Hoewel ze nog lang niet met de bouw van de vesting klaar zijn, hebben ze er genoeg mannen om een beleg te weerstaan. En er zijn er meer op komst, al weet ik niet wanneer. De rakzanir hadden het vaak over versterking uit Braemel.'
'Bovendien zullen ze ten oosten van de rivier ook uitkijkposten hebben. Al ben ik maar een vuile, verderfelijke vogelvrijverklaarde, ik weet wel dat ik mijn kamp voortdurend moet laten bewaken.'
'Je hebt gelijk. Natuurlijk hebben ze die.'

'Zie je wel dat je je onnodig zorgen hebt gemaakt? Je hoeft nu nog niet om Zakh Gral te rouwen, lieve Sisi. Het fort is uitstekend in staat zich te verdedigen. Helaas.'
Ze griste het bord van tafel en gooide het naar zijn hoofd. Hij dook, maakte een halve draai en ving het met zijn rechterhand op. Met een vertrokken gezicht en een vloek liet hij het op het bed vallen.
'Ik hoop dat het pijn doet,' zei Sidro. 'Ik hoop dat de helft van de botten in je hand is gebroken.'
'Bijna.' Laz betastte zijn rechterhand. 'Maar niet helemaal.'
'Jammer!'
'Ik heb je nooit eerder zo boos gezien.' Hij keek haar met een scheef lachje aan. 'Wat vooral zo vreemd is omdat je in al die jaren dat we elkaar kennen heel vaak tegen me tekeer bent gegaan.'
'Hoe langer ik je ken, des te meer erger ik me aan je.'
'O. Maar je moet wel onthouden dat ik je, alleen omdat ik van je hou, niet zal vastbinden om je bij me te houden. Als je terug wilt naar Zakh Gral, moet je gaan. Dan zeg ik tegen Pir dat hij je naar de weg van Alshandra moet brengen, terwijl ik hier blijf en jammerend as in mijn haar wrijf van verdriet om je aanstaande dood in de kaken van een draak.'
'Ach, hou toch op met die onzin! Hoe kan ik met wat ik nu weet nog teruggaan? Eerlijk gezegd, zou ik dat niet eens willen, behalve om Lakanza. Ik wou dat ik Alshandra kon smeken haar te beschermen, zoals toen ik nog in haar geloofde.'
'Ga je nu huilen? Het zal je goeddoen.'
'Zelfs dat kan ik niet meer opbrengen. Ik ben te moe.' Met een zucht liet ze zich op een boomstronk zakken.
Laz knielde naast haar neer en legde zacht een hand op haar dijbeen. Ze legde haar hand eroverheen, maar ze was er nog niet aan toe hem van zo dichtbij aan te kijken.
'Als Alshandra geen godin was, Laz, wat was ze dan wel? Kun jij me dat vertellen? Er doen allerlei verhalen de ronde over wonderen die ze heeft verricht en die kunnen toch niet allemaal gelogen zijn? Was ze alleen maar een tovenares?'
'Nee. Voor zover ik weet, was ze een soort geest. De Ouden noemen ze Wachters. Vandar was er ook een. Ze zijn net zo sterfelijk als jij en ik, maar ze hebben veel meer macht dan wij ooit zullen hebben.'
'En zij zijn niet de enigen.'
'Bij lange na niet, volgens Hazdrubal. Ik herinner me nog een paar andere. Een man met een hertenkop en iemand die door de Ouden Onze Vrouwe van de Beesten werd genoemd. Dat zijn twee bosgeesten. Er is ook nog een geest die half vos, half man is; hij is eer-

der kwaadaardig dan machtig. En o ja, een soort harig zeeschepsel, mannelijk, en een vrouwelijke geest die door de Ouden Onze Vrouwe van de Golven werd genoemd. Ze wonen in het astrale vlak en zijn allemaal even bizar. Blijkbaar doen ze hun best om er net zo uit te zien als schepsels in het fysieke vlak, maar hun drogbeelden zijn vaak nogal gebrekkig.'
Sidro's gezicht vertrok van afkeer en ze rilde.
'Sisi, wat is er?'
'Een lachwekkende, sterfelijke geest, en ik was bereid om voor haar te sterven.' Nu keek ze hem aan. 'Ik schaam me diep.'
'Het spijt me voor je.' Hij keek terug en ze zag geen spoor van een glimlach of spot in zijn blik. 'Wat kijk je bedroefd,' vervolgde hij. 'Ik wou dat ik iets kon doen om je te helpen.'
'Het enige wat zou helpen, is dat Lakanza wordt gewaarschuwd, maar dat is onmogelijk.'
'Ja. Of... Wacht even! We weten dat de witte piramide in verbinding staat met de zwarte. Was jij de enige van de priesteressen die regelmatig in de zwarte keek?'
'Nee. We probeerden allemaal of we iets van de heilige getuige Raena in die steen konden zien. Het gerucht ging dat ze er een boodschap in had achtergelaten.'
'Misschien was het meer dan een gerucht. Misschien kan ik er een voorspelling van maken.'
'Maar je wilt dat ze doodgaan. Waarom zou je ze dan willen waarschuwen?'
'Uit liefde voor jou, dat is alles.' Laz staarde bedachtzaam naar de vloer. 'Mijn liefde voor jou is allesomvattend.'
Sidro wilde meteen weer 'lieg toch niet altijd tegen me!' schreeuwen, maar hij keek haar zo liefdevol aan dat ze haar mond hield. Hij had ontelbare keren vol wellust naar haar gekeken en bijna net zo vaak vol genegenheid, maar nooit eerder met zo veel oprecht gevoel. Toen ze een hand uitstak om zijn haar te strelen, pakte hij die vast en kuste haar vingers.
'Laat me er een poosje over nadenken,' zei hij. 'Ik herinner me dat er in de *Pseudo-Iamblichos Rol* iets over voorspellende kristallen staat.'
Terwijl Laz in het boek zat te lezen, liep Sidro naar buiten. Ze wilde met Bren, de krijger van de Lijik, gaan praten, maar toen zag ze Faharn op een paar meter afstand voor de hut staan.
'Je mag niet naar binnen,' zei ze. 'Laz zit te studeren.'
Faharn draaide zich om en liep zonder iets te zeggen weg. Sidro voelde aandrang om hem iets onaardigs achterna te roepen, maar ze deed

het niet en ging op zoek naar Bren.
Hij zat samen met Pir op een omgevallen boom en at koude pap, die hij met zijn vingers uit een gebarsten kom schepte. Ze zag dat hij zich had gewassen, want zijn brigga was kletsnat, zijn haar was schoon en zijn hemd hing aan een tak te drogen. Ze kon zijn ribben tellen, een bewijs dat hij lange tijd door het bos had gedwaald. Toen ze dichterbij kwam, wilde hij de kom neerzetten en opstaan, maar ze zei dat hij door moest gaan met eten.
'Je hoeft niet meer te knielen of zo,' vervolgde ze in het Deverriaans. 'En eet niet te snel of te veel tegelijk, want daar krijg je als je lang honger hebt geleden alleen maar buikpijn van.'
'Ik zal eraan denken,' antwoordde Bren. 'Veracht u me omdat ik niet net als de anderen in de dun ben gesneuveld, heilige vrouwe?'
'Nee, want jij bent op je eigen manier een ware getuige van onze godin.' Hoe kun je dat zeggen, Sidro, dacht ze bestraffend. Gemene bedriegster! 'Wat wilde je me nog meer vertellen?' vroeg ze.
'Ik heb me schuilgehouden tot ze de dun hadden ingenomen,' zei Bren. 'Toen heb ik net gedaan alsof ik een van de knechten was. Er waren een heleboel edelen met het leger meegekomen en die hadden allemaal bedienden bij zich, dus als iemand vroeg voor wie ik werkte, noemde ik gewoon een van hun namen en zei dat ik pas sinds kort voor hem werkte. Ik moest mijn zwaard natuurlijk verstoppen en ik kreeg niet de kans om het voor mijn vertrek op te halen. Maar goed. Ik hoorde bewakers met elkaar praten en zij zeiden dat de gwerbret boodschappers naar de Eerste Koning van Deverry had gestuurd en ook naar het Bergvolk, hun vazallen en hun bondgenoten. Volgens de edelen hebben volgelingen van Alshandra in het grensgebied boeren vermoord en hebben zij daarom het recht Zakh Gral te vernietigen. Maar dat liegen ze toch? Van die plunderingen?'
'Ik zou tot in het diepst van mijn ziel willen dat ze dat hadden gelogen, maar dat is niet waar,' antwoordde Sidro. 'Sommige van onze mannen zijn door het dolle heen. Ze vermoorden onschuldige boeren en nemen hun vrouwen mee om slavin te worden. Onze meerderen willen ook het Westvolk uitroeien en hun land stelen. Iedereen in dit kamp betreurt dat, en ook dat sommige priesters verkeerde ideeën onder de gelovigen verspreiden. Daarom zijn we bannelingen.'
Bren slikte moeizaam en staarde lange tijd naar de grond. Toen hief hij zijn hoofd op en zei: 'Ik was van plan het fort te waarschuwen en als u me dat opdraagt, zal ik het nog steeds doen. Maar nu met een kil hart.'
'Nee, nee, nee! Ik heb een andere opdracht voor je.' In de taal van

het Paardenvolk vroeg ze aan Pir: 'Kunnen we hem wapens en een paard geven?'
'Dat is geen probleem. Movrae heeft in de Dodenwereld zijn spullen niet meer nodig.' Pir keek bedachtzaam naar Bren. 'Movrae had het nieuwe soort sabel, maar als Bren ermee oefent, zal hij er wel aan wennen.'
'Met een beetje geluk hoeft hij het niet te gebruiken.' Tegen Bren vervolgde ze in het Deverriaans: 'Luister goed naar me. Eerst moet je uitrusten en goed eten. Als je aangesterkt bent, geef ik je een paard en een zwaard en stuur ik je met boodschappen naar de mannen van het Zwijn. Weet je wie dat zijn? Ze wonen ten oosten en ten noorden van de dun van heer Honelg, een klein eindje over de grens van Deverry.'
'Ik weet wie het zijn, heilige vrouwe,' zei Bren. 'Zijn zij ook volgelingen van onze godin?'
'Inderdaad. We moeten ze waarschuwen. Wil jij dat doen? Ik zal je uitleggen hoe je de heilige weg van Alshandra kunt herkennen. Die leidt naar hen toe.'
'Ik zal het doen.' Hij glimlachte door vermoeid zijn mondhoeken op te trekken.
'Eet nu maar door,' zei Sidro. 'Ik zegen je.'
Toen Sidro wegliep, kwam Pir haar achterna. Hij begon pas te praten toen hij zeker wist dat Bren hem niet meer kon horen. 'Dat heb je slim bedacht,' zei hij in het Deverriaans. 'Nu brengt hij niemand meer in moeilijkheden.'
'Hoezo?' vroeg Sidro in hun eigen taal. Toen begon ze te lachen, eerder van schrik dan van plezier. 'Ik wist niet dat jij ook de taal van de Lijik sprak!'
'O, ik heb mijn best gedaan om alles te leren wat ik moet weten.' Pir zuchtte en wendde zijn hoofd af. 'In de loop der jaren.' Hij draaide zich om en liep terug naar Bren.
Sidro keerde terug naar de hut. Laz zat nog aan tafel. De witte piramide stond onder een dweomerlicht naast het opengeslagen boek. Laz leunde op over elkaar geslagen armen naar voren en bestudeerde beide aandachtig. Er viel een schaduw over zijn ogen en hij zat zo ingespannen te turen dat de tatoeages om zijn ogen als borduursel op zijn huid leken te liggen.
Sidro ging tegenover hem zitten, legde haar gevouwen handen in haar schoot en wachtte. In haar tijd als priesteres had ze in elk geval geleerd geduld te oefenen. Zo nu en dan sloeg Laz een bladzijde van het boek om of sprak hij geluidloos een paar woorden. Buiten ging de zon langzaam onder en ten slotte zaten ze omringd door

het donker in de zilveren kring van het dweomerlicht, maar hij las nog steeds door, met een uitdrukking van diepe concentratie op zijn scherp gesneden gezicht. Plotseling wierp hij zijn armen omhoog en lachte – een lange, schorre kreet van triomf.
'Ik denk dat ik het nu begrijp,' zei hij grinnikend. 'Sisi, kijk in de schouwsteen. Zeg het me als je ziet dat een van de heilige dwazen terugkijkt.'
Sidro leunde ook op haar armen naar voren en staarde in de steen. Door het rokerige kristal van de zwarte piramide heen zag ze opnieuw de tempel van Zakh Gral. Op het altaar brandden twee olielampen, een teken dat er iemand stond te bidden. Laz leunde tegenover haar naar voren en keek in de andere kant van de steen. Zo bleven ze onder het dweomerlicht heel lang zitten, tot Sidro eindelijk een vrouw naar zich toe zag komen. Het was Rocca, en ze knielde voor het altaar. Haar mond bewoog toen ze een groet uitsprak tegen de heilige getuige Raena.
'Rocca kijkt in de zwarte piramide, Laz,' zei Sidro.
Laz mompelde iets en liet zijn kin op zijn armen zakken. Met zijn ogen wijd open en zijn lippen iets uiteen raakte hij in een diepe trance. Sidro was altijd weer bang voor het gemak waarmee hij magie bedreef, zowel wanneer hij zich veranderde in een raaf als wanneer hij zijn bewustzijn overbracht naar een ander bestaansvlak. In één hartenklop kon hij ophouden Laz te zijn, de man van wie ze hield, en veranderen in iets anders. Het gevoel dat ze daarbij kreeg, grensde aan walging.
Toen ze haar aandacht weer op de witte piramide vestigde, kon ze Rocca niet meer zien. De priesteres ging schuil achter een zilveren krul, die flakkerde als een kaarsvlam in de wind. Tegenover haar lag Laz zo stil half over de tafel dat Sidro vreesde dat hij dood was, maar hij kreunde zacht en zijn lippen bewogen terwijl hij onhoorbaar woorden prevelde. Even later knipperde hij met zijn ogen, grinnikte en richtte zich op, waarbij hij zijn rug strekte alsof die pijn deed.
'Kijk nu nog eens,' fluisterde hij.
Opnieuw zag ze Rocca, die met grote angstige ogen opstond en eer bewees aan het altaar. Ze leek iets te roepen, draaide zich om en rende weg.
'Ze heeft beslist iets gezien,' zei Sidro. 'Ze schrok vreselijk.'
'Laten we hopen dat ze zag wat ik wilde dat ze zou zien. Ik heb haar een beeld gestuurd van het leger van de Lijik bij de doorwaadbare plaats.'
'Hè? Weet je dan hoe dat leger eruitziet?'

'Natuurlijk. Ik vlieg er al wekenlang overheen.'
'Dus daar ben je steeds naartoe gegaan en daarom wilde je het me niet vertellen!'
'Inderdaad. Ze trekken naar het noorden, naar de doorwaadbare plaats.'
'Weet je dat zeker?'
'Lieve Sisi, hoe denk je dat ze anders de rivier kunnen oversteken?'
Laz wilde opstaan, maar hij wankelde en ging weer zitten. 'Alle goden, ik ben kletsnat van het zweet en vervloekt nog aan toe, ik heb gekwijld op mijn mouw!'
'Zal ik een beker water voor je halen?'
'Graag.' Zijn stem klonk schor.
Sidro stond op en haalde de emmer met schoon water die op de vensterbank stond en hun enige beker. Hij dronk gulzig, met tussen de slokken door een glimlach voor haar op zijn van uitputting ontspannen gezicht.
'Je moet slapen,' zei ze.
'Je hebt gelijk. Laten we hopen dat die heilige dwazen van je de waarschuwing begrijpen.'
Deze keer kon hij opstaan en naar het matras strompelen. Hij liet zich op zijn rug vallen, legde een arm over zijn gezicht en viel meteen in slaap. Sidro doofde het dweomerlicht, trok haar overkleed uit en ging naast hem liggen.
Vlak voordat ze in slaap viel, schoot het haar te binnen dat Laz haar had verteld dat hij de witte piramide had gevonden in de ruïnes van Rinbaladelan. Alsof ik dat geloof, dacht ze. Opeens werd ze weer klaarwakker toen ze zich afvroeg of het inderdaad een waarschuwing was geweest die hij naar Zakh Gral had gestuurd. Waarom zou hij dat doen? 'Uit liefde voor jou, dat is alles,' had hij gezegd. Het was een erg zwakke reden voor hem om de mensen te vergeven die hadden geprobeerd hem te doden. Ze zag zijn gezicht weer voor zich toen hij haar zo vol liefde had aangekeken en wilde niets liever dan dat hij oprecht was geweest. Had hij dat daarom tegen haar gezegd en haar daarom op die manier aangekeken, alleen maar om ervoor te zorgen dat ze hem zou geloven?
Maar waar was Rocca dan zo van geschrokken? Sidro lag die avond nog heel lang wakker terwijl ze probeerde te bedenken wat Laz al dan niet had gedaan en of hij haar dat ooit eerlijk zou vertellen. Uiteindelijk kwam ze tot de slotsom dat ze hem, of hij de vesting nu wel of niet had gewaarschuwd, niet kon geloven. Zakh Gral en Rinbaladelan gleden in haar gedachten in elkaar over en die nacht droomde ze over een stad die door een bos, alsof het golven waren,

werd overspoeld, en over een raaf die hoog boven het leger zweefde dat op weg was om die stad te vernietigen.

'Ebañy, wacht even! Als je zo vriendelijk wilt zijn.'
Het was de stem van Kov, de gezant van de dwergen. Hij sprak de Elfentaal met ongewone keelklanken. Salamander keek achterom en zag hem aankomen terwijl hij zich met zijn staf in de hand een weg baande door het luidruchtige kamp van de krijgers uit Deverry. Het leger had zojuist halt gehouden voor de nacht. Een deel van de knechten en krijgers was druk bezig met het opzetten van de tenten, het pletten van gras en het graven van vuurkuilen, anderen draafden af en aan met voedsel en beddengoed. Salamander wachtte op een rustig plekje naast een van de wagens tot Kov hem had ingehaald.
'Ik zou graag de Wijze Vrouw, Dallandra, willen spreken,' zei Kov. 'Zou dat kunnen, denk je?'
'Ik denk het wel,' antwoordde Salamander. 'Vind je het erg als ik vraag waarom?'
'Nee, nee, helemaal niet. Het gaat om deze staf. Er staan heel oude runen op en ik dacht dat een geleerde vrouw zoals zij misschien zou weten wat ze betekenen. Ik weet dat het niet belangrijk is.'
'Oude runen zijn nooit onbelangrijk.'
Even later zagen ze Dallandra staan, die toezicht hield op haar helpers terwijl zij haar tent opzetten. Toen Salamander haar riep, gaf ze haar rechterhand, Ranadario, enkele instructies en kwam naar hen toe. Nadat ze even boven het lawaai van het kamp uit tegen elkaar hadden staan schreeuwen, nam Dallandra hen mee terug naar haar tent, waar het binnen rustiger was. Het rook er naar kruiden en wortels, een pittig mengsel in de warme zomerlucht, doordat er overal zakjes geneesmiddelen lagen opgestapeld. Ze gingen onder het rookgat staan, waar het zonlicht naar binnen viel.
'Het gaat over deze staf.' Kov schudde ermee ter verduidelijking. 'Ik vroeg me af of jij bekend bent met de runen die erop staan. De staf is heel oud, minstens duizend jaar.'
'Mag ik even kijken?' Dallandra stak haar handen uit.
Kov gaf haar de staf en ze bestudeerde vol aandacht de twaalf runen, waarna ze de staf doorgaf aan Salamander om er ook naar te kijken.
'Ik ken de tekens voor rots en goud,' zei Kov en hij wees ze aan. 'Deze en die. Dit is misschien een heel oud teken voor stof. En helemaal aan het begin staan twee Deverriaanse lettertekens.'
Dallandra knikte met haar ogen gevestigd op de staf. Haar lippen

bewogen alsof ze woorden sprak. Ten slotte schudde ze haar hoofd en gaf Kov de staf terug.
'Twee tekens die ik herken, behoren tot een oeroude versie van ons lettergreepalfabet,' zei ze. 'Ik herken ze omdat ze op een rol staan die Aderyn me heeft nagelaten toen hij stierf. Het teken dat volgens jou misschien stof betekent, is het elfenteken voor wolk, en het vierde teken is de hemel.' Ze wees de tekens met een vingertop aan. 'Twee andere horen bij het schrift van de Gel da'Thae, de rest ken ik helemaal niet.'
Kov hield met grote ogen zijn adem in. Dallandra keek opnieuw aandachtig naar de runen. 'Twaalf tekens,' zei ze even later. 'Twee in de taal van het Bergvolk, twee in de Elfentaal, twee in de taal van de Gel da'Thae, twee in het Deverriaans en vier die ik niet kan thuisbrengen. Als rots en goud los van de andere naast elkaar zouden staan, wat zou dat dan betekenen?'
'De aarde,' antwoordde Kov. 'De aarde in de wezenlijke betekenis.'
'Heel goed, want wolk en hemel samen betekenen lucht. Die tekens van de taal van de Gel da'Thae... Ik ken er een paar woorden van en hoewel ik ze niet kan lezen, heb ik ooit een uitleg van hun schrift gelezen. Als ik het me goed herinner, betekenen deze tekens samen vuur. En de Deverriaanse letters...' Ze keek Salamander aan.
'Die zouden samen ether kunnen betekenen,' zei Salamander. 'Dat woord heeft in het Deverriaans vier lettertekens, maar als je deze twee hardop achter elkaar uitspreekt, klinkt het als ether.'
'Aha!' Dallandra's ogen straalden. 'Dan moeten de tekens die we niet kennen, in weer een andere taal water betekenen. Zou het Bardeks kunnen zijn?'
'Nee,' zei Salamander. 'Hun schrift lijkt precies op Deverriaans en hun woord voor water is veel langer. De Drakentaal?'
'Dat zou kunnen, hoewel draken niet veel met water te maken hebben. Als Arzosah terug is, kun je het haar vragen, Kov.'
'O ja?' piepte Kov. Hij kuchte om zijn normale stem terug te vinden. 'Ja, dat kan ik doen.'
'Dan ga ik wel met je mee.' Salamander deed zijn best om zijn gezicht in de plooi te houden. 'Wees maar niet bang, ze doet mensen die ze nuttig vindt geen kwaad.'
'Dan hoop ik maar dat ze mijn aanwezigheid waardeert. Volgens een legende vormen deze runen samen een dweomerspreuk. Is het niet dwaas dat dit soort bijgeloof steeds weer de kop opsteekt?'
'O ja?' Dallandra keek hem met opgetrokken wenkbrauwen aan. 'Ik ben ook van mening dat deze runen iets met dweomer te maken hebben. Ten eerste zou het hout van de staf, als hij echt zo oud is als je

zegt, anders allang zijn verrot.'
'Wát zeg je nu?' Kov staarde haar met open mond aan. 'Daar heb ik... Ik bedoel... Alle goden, dat is een heel verstandige opmerking, Wijze Vrouw. Ik eh... Nou ja, hm...'
Salamander onderdrukte opnieuw een lach. Kov keek van de een naar de ander. Ten slotte maakte hij een buiging voor Dallandra. 'Dank je wel, Wijze Vrouw. Ik stel je hulp erg op prijs.'
Hij maakte nog een buiging, deed een paar stappen achteruit en liep met zijn staf over zijn schouder weg. Salamander wilde nog iets grappigs zeggen, maar opeens moest hij vreselijk gapen. Dallandra keek hem met samengeknepen ogen aan.
'Heb je erg vaak gescryd?' vroeg ze.
'Te vaak. Ik had moeten weten dat ik dat voor jou niet geheim kon houden, o meesteres van machtige magie. Het probleem is dat ik Sidro niet meer kan vinden.' Dat was niet helemaal waar, maar het was waar genoeg om Dallandra tevreden te stellen, hoopte hij. 'Of liever, ik kan haar wel vinden, maar ze heeft een schild om zich heen gezet en het kost me erg veel tijd om daardoorheen te breken.'
'Als ze aan dweomer doet, is ze geen priesteres meer,' zei Dallandra. 'Van wie zou ze dat kunstje hebben geleerd?'
'Misschien van onze mazrakraaf. Hij volgde haar toen ik haar voor het laatst duidelijk kon zien.'
'Ja, je hebt me verteld dat ze de tempel had verlaten en hem weer had ontmoet.'
'Inmiddels woont ze ergens in het bos. Zijzelf lijkt nu op een mistwolk, zo'n dot wol die 's zomers vaak boven Cannobaen hangt, maar ik kan een glimp opvangen van bomen en schaduwen om haar heen. Ik vermoed dat de raaf een schuilplaats heeft in het bos.'
'Dat zou best kunnen. Het is een boeiende situatie. Verdorie, ik wou dat ík haar in het echt had gezien, dan zou ik haar ook kunnen scryen. Rori is ervan overtuigd dat ze in haar vorige leven, of in een vorig leven, Raena is geweest, en dan moet ze inderdaad een gave hebben voor dweomer.'
'Ik denk dat alle priesteressen die hebben, alleen willen ze het niet toegeven. Rocca kan bijvoorbeeld het Natuurvolk van Ether oproepen om licht te maken, maar ze houdt vol dat Alshandra haar dat licht stuurt en dat zij er niets mee te maken heeft.'
'Dat zei Raena ook, maar in haar geval was het waar, hoewel ze zelf ook wat eenvoudig dweomerwerk kon doen. Ik vermoed dat Sidro in dit leven bepaalde gaven heeft omdat Alshandra in een vorig leven gebruik van haar heeft gemaakt. Maar ik weet het niet zeker.'
'Het klinkt logisch. Misschien zul je haar op een dag ontmoeten en dan weten we het zeker.'

Toen Salamander terugkwam bij zijn tent, wachtte hem een ander vraagstuk. Gerran had Clae alles wat hij wist over het Paardenvolk verteld en toen was er een vreemde gedachte bij hem opgekomen.
'Toen we nog in de dun van de Rode Wolf waren, gerthddyn,' begon hij, 'heb je ons een keer een verhaal verteld over de brand in de Rozenvallei.'
'Dat herinner ik me, ja. Het was een vertaling van een lang gedicht dat mijn vader zo nu en dan opzegt. Ik heb die vertaling niet op rijm gezet, want dat gaat mijn bescheiden kennis te boven.'
'Nou ja, er schoot me zojuist iets te binnen. In dat verhaal waren de Paardenvolkers klein van stuk, een soort duivels, en klampten ze zich vast aan de hals van hun paard.'
'Inderdaad, dat is waar. En nu je het zegt, vraag ik me af waarom. Want Paardenvolkers zijn helemaal niet klein van stuk.'
'Zou de schrijver van prins Dar het antwoord weten?'
'Misschien wel. Zullen we naar hem toe gaan?'
'Dat is goed.'
Meranaldar zat bij de tent van prins Daralanteriel. Toen hij hen zag aankomen, stond hij op en maakte een buiging voor Gerran, maar Salamander kreeg alleen een koel knikje. Wel luisterde hij aandachtig toen Salamander het vraagstuk beschreef.
'Er is niets gebeurd waardoor ze zijn gaan groeien,' zei Meranaldar. 'Ze zijn altijd groot geweest. Hen beschrijven als klein was dichterlijke vrijheid.'
'Toch begrijp ik niet...'
'Ze waren de vijand, dus moesten ze worden beschreven als lelijk en verachtelijk, zoals hun naam, de Meradan, wat duivels betekent, aangeeft. Want ze konden natuurlijk niet als gelijken van het Volk worden afgebeeld.'
'Waarom niet?' vroeg Gerran. 'Dan hadden we ons kunnen voorstellen hoe ze er in werkelijkheid uitzagen en dat zou vervloekt nuttig zijn geweest toen ze weer kwamen opdagen.'
'Ah.' Meranaldar knipperde met zijn ogen. 'Dat was nog niet bij me opgekomen, heer. Maar u moet toegeven dat het verhaal spannender is zoals het is.'
'Dat doet er niet toe! We hebben veel meer aan feiten!'
'Sagen vertellen symbolische verhalen. Het was onmogelijk die afschuwelijke, bloeddorstige schepsels even groot en elegant af te schilderen als wij.' Meranaldar legde een hand op zijn borst. 'Vanbinnen is hun ziel gekrompen en behaard, dus had de dichter daar hun uiterlijk bij aangepast.'
'En dat is alles?' zei Gerran bars. 'Hij heeft dus gelogen.'

'Nee, hij heeft een diepere waarheid beschreven.' Meranaldar keek Salamander aan en vervolgde: 'Jij bent gerthddyn. Jij kent de verhalen. Jij hoort te begrijpen dat het gedicht goed is zoals het is.'
Dat begreep Salamander absoluut niet, maar hij wilde er niet over redetwisten. Hij ving Gerrans blik op en zei: 'Ik geloof dat we een antwoord hebben gekregen op onze vraag, nietwaar?'
'Inderdaad,' zei Gerran. 'Dank je wel, beste schrijver. Nu moeten we terug naar onze tent.'
Later die avond was Salamander te moe om in slaap te vallen, terwijl hij niets liever wilde dan slapen. Hij maakte een wandeling door het kamp en liep een eindje de vlakte op tot waar het stil was. De nieuwe maan stond laag aan de hemel en hij kon de verleiding niet weerstaan zich erop te concentreren om te scryen. Hij zocht naar Rocca en zag dat ze op een laag stro op de vloer lag te slapen. Wat zou ze tegen hem zeggen als ze elkaar weer zouden ontmoeten? Als ze tenminste blijft leven, dacht hij erachteraan. Als ze haar in leven laten. Ongetwijfeld zou de prins de vrouwen in de vesting de kans geven om ongedeerd te vertrekken, maar zouden de rakzanir hen laten gaan? Hij kon alleen maar afwachten.

'Laz,' zei Pir, 'het enige wat we nog te eten hebben, is vlees. De mannen beginnen te klagen. En ik heb het laatste graan voor de paarden aan Bren meegegeven, anders haalt hij de dun van het Zwijn niet. Je moet op rooftocht gaan en gauw ook.'
'Je hebt gelijk,' gaf Laz toe. 'Ten noorden van ons ligt dat boerendorp, daar zijn we sinds het voorjaar niet meer geweest.' Hij wierp een blik op Sidro. 'Heb je soms zin om met mij en de mannen mee te gaan?'
'Ik moet er niet aan denken,' antwoordde Sidro. 'Ik vind het al erg genoeg dat ik gestolen voedsel moet eten, dus wil ik er beslist niet bij zijn terwijl jij het steelt.'
'Dan niet. Pir zal bij je blijven, hij heeft net zulke nobele gedachten als jij. Eigenlijk verbaast het me dat hij niet net als jij tot een tempel is toegetreden.'
De paardenmagiër keek naar Laz met een blik die Sidro niet kon ontcijferen. Waarschijnlijk ergerde hij zich aan het plagerijtje, maar er glinsterde nog iets anders in zijn donkere ogen. Was het minachting?
'Vek gaat ook nooit mee, maar dat komt omdat hij nog te jong is,' vervolgde Laz. 'We blijven een paar dagen weg. Maak je niet ongerust, Sisi. Dat dorp zal het ons niet moeilijk maken.'
Faharn zou het bevel voeren over de troep mannen te paard, terwijl

Laz in zijn vogelvorm aanwijzingen zou geven vanuit de lucht. De toverraaf joeg de dorpelingen zo veel schrik aan dat ze zich nooit verzetten, zei Laz tegen Sidro. Sidro vermoedde dat de vijftien met speren gewapende Paardenvolkers hen nog meer schrik aanjoegen, maar dat zei ze niet. Pir deed de troep uitgeleide, maar alleen om de lastpaarden op te halen die hij hier en daar op een open plek in het bos had gestald.

Nu Sidro haar geloof in Alshandra had afgezworen, vond ze schoon zijn weer net zo belangrijk als haar vroeger als slavenkind was bijgebracht. Nadat Laz was vertrokken, nam ze zijn kleren en haar linnen onderkleed mee naar de beek om ze met behulp van een steen te wassen en op lage takken te drogen te hangen. Vervolgens maakte ze de hut schoon, al was het zonder haar onderkleed erg oncomfortabel dat haar leren overkleed over haar huid schuurde. Ze bond twijgen bijeen om een bezem te maken en veegde het vuile stro en de dennennaalden naar buiten. Langs de beek groeide riet in overvloed; ze sneed een dikke bos en spreidde die uit voor de hut om te drogen.

Voor de dennennaalden had ze iets scherpers nodig dan het keukenmes. Ze doorzocht het kamp en vond een bijl en een grote mand, waarmee ze het bos inliep om enkele dunne dennentakken af te hakken. Het viel niet mee om daarna de naalden van de kleverige takken te schrapen en toen ze ermee bezig was, hoorde ze achter zich iemand aankomen. Met een gil sprong ze op en greep de bijl, maar het was Pir, die de anderen uitgeleide had gedaan.

'Zal ik dat voor je doen?' bood hij aan.

'Graag.' Ze reikte hem de bijl aan. 'Ik denk dat jij hier beter in bent dan ik. Heb je soms nog ergens een hemd dat ik als dank voor je kan wassen?'

'Nee.' Hij zette de bijl tegen een boom en trok het hemd uit dat hij droeg. Zijn borst, rug en armen waren bedekt met zacht, donker haar. 'Maar ik zou het op prijs stellen als je dit hemd een wasbeurt wilt geven. Het eh... stinkt, om, zoals Laz zou zeggen, het kind bij zijn naam te noemen.'

Het stonk inderdaad. Sidro liep er vlug mee naar de beek en legde het in het water in de week, met stenen erop. De stof, geweven van dikke, op een boerderij gesponnen wol, was hier en daar zo dun geworden dat ze de vlekken er niet met stenen uit wilde slaan. Wat doen we straks als het winter is, vroeg ze zich af. Niemand hier heeft een mantel of zo, we hebben alleen dekens om warm te blijven. Toen het tot haar doordrong dat ze aan de groep bannelingen dacht als 'wij' in plaats van 'zij', schoten haar ogen vol tranen.

Ze waste het hemd zo goed mogelijk schoon en hing het bij de andere kleren te drogen. Daarna liep ze terug naar de plek waar Pir de dennennaalden van de takken riste langs de scherpe kant van de bijl en ging op de grond zitten.
'Ik wil je al een poosje iets vragen,' zei Pir. 'Zou jij voor Vek het ritueel willen uitvoeren voor de overgang van jongen tot man? Zijn baardgroei is al maanden geleden begonnen, maar we hadden geen vrouw in de buurt voor het ritueel.'
'Daar heb ik geen enkel bezwaar tegen. Geloof jij nog in de oude goden, Pir?'
'Nee, en ook niet in de nieuwe god.'
'Toch hecht je waarde aan dat ritueel?'
'Ik niet, maar Vek wel. Het hoort bij zijn opvoeding.'
'Ah, dat is waar. Goed dan. Kun je je nog iets van je eigen ritueel herinneren?'
'Ja, het meeste wel, als je wilt dat ik hem begeleid.'
'Graag. Je weet dat Laz zal weigeren, bovendien zou hij er alleen maar spottende opmerkingen over maken.'
Pirs mond vertrok tot wat bij hem een glimlachje betekende. Hij ging een poosje aandachtig door met zijn werk voordat hij weer opkeek en zei: 'Vek heeft me nog iets gevraagd. Hij zei dat hij een ware profeet van de oude goden wil worden. Ik heb hem erop gewezen dat niemand meer naar de voorspellingen van dat soort profeten wil luisteren, maar dat vindt hij niet belangrijk. Weet je soms ook hoe je het ritueel dat daarbij hoort moet uitvoeren?'
'Nee, daar weet ik helemaal niets van. Bovendien zou dat veel te gevaarlijk zijn, hier op deze afgelegen plek en zonder dat er een heelmeester in de buurt is. Stel dat er iets misgaat?'
'Dat heb ik ook tegen hem gezegd, maar hij zei dat hij het risico wilde nemen.'
'Weet hij hoe pijnlijk het is?'
'O, ja hoor. Dat heeft hij me precies verteld.' Pirs mond vertrok van afkeer. 'Je krijgt een snee in je eh... je mannelijke deel en daar wordt een steen in gestopt en zo. Ik moet er niet aan denken. Maar Vek heeft me uitgelegd dat hij zowel mannelijk als vrouwelijk moet worden, anders weigeren de godinnen hem te erkennen.'
'Hij boft dat ik hem niet kan helpen.'
'Misschien wel. Soms benijd ik Vek. Hij is alles kwijt: zijn mach-fala, zijn thuis, zijn geboorteplaats... Alles wat hij had. Maar hij lijdt er niet onder. Hij heeft zijn goden en hij is vast van plan ze te dienen. Hij zegt dat dat genoeg is.'
'Dat dacht ik vroeger ook.'

'Maar nu heb je de waarheid over je Alshandra ontdekt.'
'Ja, en dat was een grote teleurstelling voor me. Ik moet bekennen dat ik gelukkiger was met de leugen, maar het is beter de waarheid te kennen.'
'Echt waar?' Pir keek nadenkend naar de mand met dennennaalden. 'Dat vraag ik me zo langzamerhand af. Denk bijvoorbeeld eens aan onze rakzanir. Zullen die, zonder dat ze Alshandra of net zo iemand hebben om in te geloven, ooit Gel da'Thae worden, echte Gel da' Thae? Vroeger vochten ze met elkaar, nu vechten ze tenminste met anderen.'
'Ja, ja. Ze zijn van plan de Ouden af te slachten en ze hun land af te pakken. Zijn het dan geen wilden meer? Ik begrijp niet hoe je dat vooruitgang kunt noemen.'
'Ach ja, je hebt natuurlijk gelijk. Hm, nou ja. Hm.' Hij zuchtte en stond op. 'De mand is vol. Als jij hem gaat legen, zal ik nog meer takken halen.'
Toen de avond viel, maakte Pir een vuur in de kuil waarin Movrae was gestorven. De mannen die in het kamp waren achtergebleven kwamen er met hun speer in de hand omheen staan om Vek na de plechtigheid als hun gelijke te verwelkomen. Het ritueel was eenvoudig en duurde niet lang. Pir leidde de jongen naar voren en beval hem voor de priesteres te knielen. Sidro streek met haar vingers door Veks haar, vlocht de langste pluk en knoopte er een amulet van Laz aan vast die ze tussen de rommel op de vloer van de hut had gevonden.
'Je hebt je uit de armen van je moeder losgemaakt,' zei ze. 'Wat is nu jouw plaats tussen de andere mannen? Draai je om en kijk naar Pir,' fluisterde ze erachteraan.
Vek deed wat ze zei en Pir deed een stap naar voren. Zijn hemd was schoon en hij had ook zichzelf gewassen, zijn haar gekamd en het opnieuw gevlochten. Zijn manen hingen op een indrukwekkende manier over een kant van zijn hoofd, terwijl het haar op de andere kant kort was afgesneden. In het flakkerende licht van het oplaaiende vuur glom zijn gezicht net zoals de amuletten die hij in zijn haar had gevlochten. Zijn jachtmes, dat hij uit de schede trok en met de punt omhoog voor zich hield, schitterde met lange flitsen.
'Antwoord naar waarheid of sterf,' zei hij.
'Dat zal ik doen.' Vek glimlachte zo oprecht gelukkig dat Sidro vermoedde dat hij achter Pir een van zijn goden zag staan.
'Zul je tot de krijgers behoren?' vroeg Pir.
'Nooit.'
Een voor een noemde Pir keuzes op die een man kon maken. Vek

gaf een ontkennend antwoord op elke vraag.
'Wat ga je dan doen?' vroeg Pir ten slotte.
'Ik stel mijn leven in dienst van de godinnen en goden,' zei Vek. Hij glimlachte nog steeds, maar tranen verstikten zijn stem. 'En ik sterf wanneer zij dat willen.'
'Het zij zo.' Pir pakte Veks linkerhand en maakte er met de punt van zijn mes een sneetje in. 'Bloed en vuur zijn getuige van je gelofte.'
Vek stak zijn hand op en liet iedereen zien hoe het bloed over zijn arm stroomde. De mannen die in een kring om hem heen stonden, hieven hun speren en riepen: 'Hai! Hai! Hai!' Vek stond op, nog steeds met een glimlach alsof hij een zee van vreugde voor zich zag liggen, en draaide zich om naar Sidro.
'Loop van nu af aan als een man,' beval ze. 'Reis altijd als een man.'
Opnieuw klonk de oude jubelkreet: 'Hai! Hai! Hai!' Sidro stampte driemaal met haar voet en de plechtigheid was afgelopen.
Hoewel Sidro vanwege de snee in Veks hand uit voorzorg een reep stof als verband had meegebracht, had Pir ervoor gezorgd dat het geen diepe snee was. Toen Sidro ernaar keek, bloedde hij al niet meer. Toch verbond ze de wond om die tegen het vuil in het kamp te beschermen voordat ze Vek toestond met de andere mannen mee te gaan. Pir bleef samen met haar achter bij het vuur.
'Dat was mooi,' zei hij.
'Dank je. Ik heb het afschuwelijke gevoel dat ik het middelste deel van de toespraak vergeten ben, maar Vek leek erg blij met het ritueel en daar gaat het om.'
'Het was een heel saaie toespraak.' Pir dacht even na. 'Ik kan me er niet veel meer van herinneren. De priesteres hamerde erop dat je nooit je mach-fala mocht verloochenen, maar eh... Nou ja, dat heeft hij eigenlijk al gedaan, hè? Die heeft hij verloochend door zijn gave voor magie, bedoel ik.'
'Misschien hebben ze hem eerder verloochend door hem om die gave te haten.'
'Ah.' Pir keek haar scherp aan. 'Daar had ik nog niet aan gedacht.'
Sidro hield zijn blik vast en vergat wat ze wilde zeggen. Opeens vroeg ze zich af hoe het zou voelen als ze met haar vingers door het korte deel van zijn haar zou strijken, of door zijn borsthaar. Hij keek lange tijd terug, met een ernstig gezicht en zonder iets te zeggen, en doordat zijn geur veranderde, wist ze dat hij zich eveneens bewust was van de onverwachte aantrekkingskracht tussen hen beiden. Maar een paardenmagiër had geleerd ook zijn geur onder controle te houden en na de eerste, onmiskenbare vleug seksuele begeerte rook hij meteen weer zoals een man die op een warme avond dicht

bij een vuur staat. Hij wilde iets zeggen, slikte zijn woorden in en liep abrupt weg. Sidro bleef staan tot twee andere mannen ieder met een schop terugkwamen om het vuur te doven.
Toen ze terugliep naar de hut, vroeg ze zich af wat haar eigen geur had onthuld. Het kwam door de plechtigheid, stelde ze zich gerust. We hebben samen een soort magie bedreven. Ze had het ritueel dat de overgang naar volwassenheid markeerde nooit eerder als magisch beschouwd, maar toen ze erover nadacht, kwam ze tot de slotsom dat Vek met zijn diepgewortelde magische gaven iets wat meestal alleen een sociaal gebeuren was een bepaalde uitstraling had gegeven. Toen zij en Pir na afloop samen bij het vuur waren achtergebleven, had die uitstraling ook uitwerking gehad op hen. Die nacht droomde ze over de paardenmagiër, maar als hij ook over haar had gedroomd, liet hij daar de volgende morgen niets van merken.
In de namiddag van die dag kwam Laz met zijn troep van de strooptocht terug. Triomfantelijk juichend renden de achterblijvers hen tegemoet om de lastpaarden te ontdoen van de buit. De raaf landde voor de deur van de hut en hipte fladderend naar binnen om op zijn stok te gaan zitten. Sidro bleef buiten en keek toe terwijl Pir de paarden verzamelde om mee te nemen, tot Laz in zijn menselijke gedaante naar buiten kwam. Hij droeg het hemd en de brigga die ze voor hem had gewassen en hij had zijn bruine haar zodanig gekamd dat het leek op een verentooi waar de wind doorheen blies.
'Dank je wel,' zei hij en hij gaf een paar klapjes op het linnen op zijn borst. 'Maar ik had het ook zelf kunnen wassen.'
'Ik moest iets te doen hebben toen je weg was,' antwoordde ze. 'Ik neem aan dat alles goed is gegaan.'
'Inderdaad. Ik heb trouwens ook een lap linnen voor jou meegebracht, afkomstig van een tamelijk welgestelde vrouw die volgens de boeren erg gierig is en niet beter verdient.' Hij glimlachte een beetje wrang, niet omdat hij loog, maar als een soort verontschuldiging. 'Ik denk dat er toch nog wel ergens een vonkje fatsoen in me brandt.'
'O, dank je wel. Ik moet toegeven dat ik nog best een overkleed kan gebruiken. Je hebt er waarschijnlijk niet aan gedacht ook een paar naalden en garen voor me te stelen.'
Laz vloekte zacht.
'Nee, dus,' zei ze. 'Nou ja, misschien kom je binnenkort in het bos een rondreizende koopman tegen, dan kun je die ook nog een paar dingen ontfutselen.'
'Aha, een grapje! Eindelijk ga je weer normaal doen! Ik kan een benen naald voor je maken. Dat linnen is vrij grof geweven.'
'Doe dat dan maar. Dan kan ik wat draden uit de stof trekken of de

lappen met leren bandjes aan elkaar zetten.'
'Mooi zo. Ik heb in het bos geen koopman gezien, maar wel iets heel eigenaardigs. Toen ik terugvloog, zag ik een groepje Gel da'Thae, onze landgenoten, te voet vanuit het noorden deze kant op komen.'
'En je hebt ze niet eens door je mannen laten beroven?'
'Ik heb er wel over nagedacht, want ze hadden een muilezel bij zich die zwaar was bepakt. Maar ik herkende hun leider en daarom heb ik ze met rust gelaten.'
'O ja? Wie was dat dan?'
'De Hoogverheven Moeder Grallezar, het hoofd van de stadsraad van Braemel.'
Sidro staarde hem sprakeloos aan. 'In het bos?' bracht ze ten slotte uit. 'Niet op de weg naar Braemel?'
'Strompelend tussen de bomen door, inderdaad. Volgens mij willen ze zich voor iemand verbergen.'
'Besef je wat dat waarschijnlijk betekent?'
'Dat je heilige dwazen Braemel hebben ingenomen.'
'Precies. Ik betreur dat ik het moet toegeven, maar ik vind het een verschrikkelijk idee.'

Dallandra had van Grallezar zelf gehoord wat er met Braemel was gebeurd, toen de leider van de Gel da'Thae haar in gedachten eindelijk had kunnen bereiken en haar om hulp had gevraagd. Begeleid door dertig boogschutters te paard was ze Grallezar tegemoet gereden en ze vond haar aan de rand van het woud, vlak onder het klif. Ze had extra paarden meegenomen, omdat Grallezar haar had gewaarschuwd dat twee van haar vier trouwe metgezellen gewond waren. Een van de mannen was met een speer tussen zijn ribben gestoken, de ander had een harde klap met een zware knuppel gekregen, waardoor zijn arm op meerdere plaatsen was gebroken. Toen de Gel da'Thae de groep elfen over de grasvlakte zagen aankomen, hielden ze halt en wachtten met gebogen hoofd tot de elfen hen bereikten. Grallezar kon nauwelijks meer staan. Ze leunde tegen de muilezel, die er net zo uitgeput uitzag als zij.
De mannen van het Westvolk slaakten kreten van herkenning en gingen in een kring om de Gel da'Thae heen staan voordat ze afstegen en de gewonden te hulp schoten. Dallandra steeg ook af en rende naar haar vriendin toe om haar te begroeten. Net als de meeste vrouwen van het Paardenvolk was Grallezar groter dan veel mannen in Deverry en even gespierd, maar op dat moment maakte ze een verzwakte indruk. De groene tatoeages op haar gezicht waren besmeurd met stof van de reis. Ergens in het bos had ze het leren kapje waar-

mee ze haar kaalgeschoren hoofd meestal bedekte verloren, en nu was haar schedel begroeid met een laagje bruine stoppelhaartjes. Haar kleed van prachtig hertenleer was gescheurd en bevlekt. Toen Dallandra Grallezar omhelsde, voelde ze hoe haar vriendin trilde.
'Alle goden zij dank dat je nog leeft!' zei Dallandra.
'Ik neem aan dat ik daar blij om moet zijn, hoewel ik niet weet wat ik eraan heb,' antwoordde Grallezar. 'Ik ben met ruim twintig trouwe volgelingen en evenveel paarden uit Braemel vertrokken, en deze vier mannen en de muilezel zijn de enigen die het hebben overleefd.'
'Ach goden!'
'We moesten ons een weg de stad uit vechten,' legde Grallezar uit, 'en slaagden erin onze aanvallers te doden. Het Licht zij dank dat ik die smerige priesterhonden kon scryen. Ik kon zien dat ze op de terugkeer van hun soldaten wachtten en tegen de tijd dat ze beseften dat die nooit meer terug zouden komen, waren wij ervandoor.'
'Ik kan je niet zeggen hoe blij ik ben dat je bent ontsnapt.'
'Ze waren van plan om onze boeken te verbranden, Dalla. Alle kennis over dweomer die we in de loop der jaren met zo veel moeite hadden verzameld... Ze wilden het allemaal verbranden.'
'En jou erbij, neem ik aan.'
Grallezar haalde haar schouders op alsof ze wilde zeggen dat zij niet belangrijk was. 'Maar we hebben alles kunnen redden.' Haar stem brak, maar ze slikte en vervolgde op vaste toon: 'Elk boek dat ik had meegenomen en alle kopieën.' Ze aaide de muilezel over zijn neus. 'Hij draagt het allemaal op zijn rug.'
'Gelukkig. We nemen jullie mee naar ons kamp en daar zal ik de gewonden behandelen.'
In het kamp nam Dallandra Grallezar mee naar haar eigen tent, waar ze haar iets te eten gaf en haar beval uit te rusten. Daarna ging ze kijken wat ze voor de twee gewonde mannen kon doen. Ze zouden allebei genezen, zei ze later tegen Grallezar, toen die na een lange middagslaap wakker werd. Wanneer ze alleen waren, spraken ze met elkaar in een vreemd mengsel van de Elfentaal en de taal van het Paardenvolk dat ze bij hun diverse ontmoetingen hadden leren gebruiken.
'Het leger blijft vannacht hier, dus hoeven we ze niet meteen weer te verplaatsen,' zei Dallandra. 'We wachten op de terugkeer van onze verkenners.'
'Dat is goed.' Grallezar wreef met haar handen over haar gezicht. 'We zijn toch echt hier, hè Dalla? Ik droom dit niet en we zijn elkaar ook niet in het astrale vlak tegengekomen?'

'Nee. Je zit veilig hier in mijn tent.'
Grallezar liet met een diepe zucht haar handen zakken. Even staarde ze voor zich uit en toen zuchtte ze opnieuw. 'De dag dat mijn stad zijn poorten opende voor die woeste bende was een verschrikking,' zei ze.
'Is het zo gegaan?'
'Ja. Volgelingen van Alshandra kregen het voor elkaar dat ze voor de stadsraad werden gekozen en toen hebben ze gestemd voor een bondgenootschap met de noorderlingen, de mensen die Taenalapan hebben gesticht. Toen ik bezwaar maakte, hebben ze hun mensen tegen mij opgezet.' Plotseling glimlachte ze haar lange, tot punten geslepen tanden bloot. 'Weliswaar ben ik mijn stad kwijt, maar ik hoop dat Zakh Gral daar de prijs voor zal betalen. Ik smeek alle goden ervoor te zorgen dat jullie leger die vesting in de as legt en dat de bewoners tot de laatste man zullen worden gedood.'
'Als het meezit, zal dat ook gebeuren, daar hoef je niet bang voor te zijn.'
Dallandra wilde Grallezar nog een heleboel vragen stellen, maar de aanvoerders van het leger popelden ook om met haar te praten. Een schildknaap onderbrak hun gesprek met een beleefd verzoek. Dallandra ging met Grallezar mee naar de spitse tent van prins Voran, waar gwerbret Ridvar, prins Daralanteriel, krijgsheer Brel en gezant Kov op haar stonden te wachten. Achter de mannen stonden herauten met hun banieren – de gouden draak, de rode roos, de stralende zon van Cengarn en de bijl van de dwergen – die klapperend wapperden in de avondbries. Toen Grallezar het zag, pakte ze Dallandra's hand en gaf er een kneepje in.
'Hou moed,' zei Dallandra zacht. 'Ze doen je echt geen kwaad, niet nu ik bij je ben.'
En inderdaad gedroeg prins Voran zich uiterst hoffelijk. Hij liet voor vrouwe Grallezar, zoals hij haar noemde, zijn canvas krukje brengen en een beker Bardekse wijn, die hij haar zelf aanreikte. Maar Dallandra zag dat de andere heren de vrouw van de Gel da'Thae met een mengeling van ontzag en argwaan bekeken, alsof ze een reusachtige leeuw uit Bardek was die in een kooi voor hen stond. Dat gold zelfs voor Daralanteriel, en Dallandra nam zich voor hem daarover later de les te lezen.
Prins Voran knielde met een vriendelijke glimlach naast Grallezar op de grond. Iemand moest hem hebben verteld dat ze een soort Deverriaans sprak, want hij sprak haar in die taal aan. 'Als u uitgerust bent, vrouwe, zou u mij een genoegen doen als u mij uw verhaal wilde vertellen.'

'Dank u,' zei Grallezar. 'Hier in het Noordland is het een bekend verhaal, maar dat is het denk ik niet voor degenen die uit het oosten komen. Vroeger bezaten de Gel da'Thae zes steden, waarvan Taenalapan en Braemel de grootste waren. Nu zijn die zes steden in handen van het woeste Paardenvolk. Braemel was de laatste van onze steden die door die verachtelijke honden van priesteressen en profeten is veroverd. De prijs die ze voor de steden hebben betaald is hoog, een bloedprijs. Niet dat die woestelingen zich druk maken om een aantal doden.'
'Die woestelingen, zijn dat stammen uit het hoge noorden?' vroeg prins Voran. 'Daar hebben we van gehoord.'
'Sommige wel, maar hun leiders zijn als Gel da'Thae binnen stadsmuren opgegroeid. Uiteindelijk bleken ze net zo gewelddadig te zijn als de noorderlingen, en dat allemaal in naam van hun godin. De giftige leer van Alshandra is ontstaan bij de stammen op het platteland, maar heeft zich verspreid naar de steden. Zo zijn die een voor een aan volgelingen van Alshandra ten prooi gevallen. Mijn stad was de laatste. Hun leiders hebben onze troepen besmet en bekeerd tot hun geloof.'
'Dus ze hebben goed bewapende, geoefende legers?'
'Inderdaad, aangevoerd door onze eigen rakzanir. Valse profeten die in de waan verkeren dat die Alshandra nog steeds leeft, hebben hun met beloftes van buit en graasland het hoofd op hol gebracht.'
De mannen om haar heen keken elkaar met uitdrukkingsloze ogen aan, maar hun gezichten stonden grimmig.
'Ik veronderstel dat u niet weet, vrouwe, hoe groot dat leger is,' zei prins Voran.
'Waarom zou ik dat niet weten? Ooit was ik zelf aanvoerder van de troepen waarmee Braemel ten strijde kon trekken.'
Voran trok een spijtig gezicht om zijn vergissing, knikte en zei vlug: 'Neem me niet kwalijk. Ik ben nog niet op de hoogte van uw gewoonten.'
'Dat kan ik me voorstellen.' Grallezar glimlachte om haar welwillendheid te tonen, maar toen de prins haar puntige tanden zag, vertrok zijn gezicht opnieuw. 'Elke stad had een leger van duizend gewapende mannen,' vervolgde Grallezar. 'Dan reken ik de burgers niet mee die zich in oorlogstijd aanmelden om mee te vechten. Maar dat was voordat in de ene na de andere stad de inwoners zich tegen elkaar keerden. Daarbij zijn velen gestorven, hoogheid, en de rakzanir hebben een deel van hun garnizoenen gebruikt om Zakh Gral te bouwen.'
'Alle goden zij dank!' mompelde Ridvar. Toen Kov hem waarschu-

wend aankeek en zijn hoofd schudde, was hij zo fatsoenlijk om te blozen. Grallezar deed alsof ze het niet merkte, maar Dallandra zag dat haar ogen naar de jonge gwerbret flitsten.
'Mag ik u nog één vraag stellen?' zei Voran. 'Zullen de stammen uit het noorden naar Zakh Gral trekken om te helpen die vesting te verdedigen?'
'Ze zijn er al aangekomen, hoogheid. Zodra een stad tot het geloof in Alshandra was bekeerd, lieten de nieuwe leiders mannen uit het noorden komen om het leger aan te vullen, ter versterking voor het geval dat de volgende stad zich zou verzetten. Maar hoewel de troepen worden aangevoerd door echte krijgers, is een deel van de soldaten tot niet meer in staat dan zich op de vijand storten en met elk wapen dat ze maar kunnen grijpen om zich heen slaan.'
'Aha.' De prins stond op en boog voor Grallezar. 'Ik dank u nederig, vrouwe. Ga nu alstublieft met uw vriendin mee terug naar haar tent om uit te rusten. Kom morgenochtend naar me toe en laat me weten wat u nu wilt doen: bij het Westvolk blijven of uw toevlucht zoeken in Deverry.'
'Mijn toevlucht zoeken in het Slavenland?' Grallezar stond op en glimlachte opnieuw haar spitse tanden bloot. 'Mijn toevlucht zoeken in het Slavenland... Die twee dingen gaan volgens mij niet samen, hoogheid.'
'Dat kan ik me voorstellen, als ik denk aan de wrijving tussen onze volken in het verleden. Maar ik bied u graag een toevluchtsoord aan in Dun Deverry. Ik denk zelfs dat mijn vader, de Eerste Koning, zal overwegen u een leger te lenen waarmee u uw stad terug kunt nemen.'
'Denkt u dat?' Grallezar was even groot als de prins en ze keek hem met een glimlachje recht in zijn ogen. 'De kinderen van mijn volk hebben speelgoed dat bij uw volk misschien ook voor kinderen wordt gemaakt. Twee stokjes met op een uiteinde een krijger met een speer. De kinderen bewegen de stokjes op en neer zodat de krijgers met hun armen en speren zwaaien. Het is een knap stukje speelgoed, hoogheid, maar eerlijk gezegd heb ik zelf nooit iets dergelijks willen zijn.'
Voran opende zijn mond en deed hem weer dicht. Dallandra keek voorzichtig naar Kov en zag dat hij openlijk grinnikte van bewondering.
'Mijn vriendin Dallandra heeft me onderdak aangeboden, hoogheid,' vervolgde Grallezar. 'Daar zal ik dankbaar gebruik van maken. Ongetwijfeld kan ik me op een eerzame manier verdienstelijk maken door voor haar paarden te zorgen.'

Grallezar maakte een kniebuiging voor de prins, draaide zich om en liep met grote passen weg. Dallandra moest achter haar aan rennen om haar in te halen. Terwijl ze terug liepen naar Dallandra's tent, hield Grallezar haar blik strak op de grond gericht. Alle mannen, zowel van het Westvolk en het Bergvolk als uit Deverry, keken haar na. Dallandra zou hun het liefst toeschreeuwen dat ze best wat beleefder mochten zijn.

Toen ze veilig terug waren in de tent, liet Grallezar zich op een stapel leren kussens vallen. Dallandra ging met gekruiste benen op het grondzeil zitten. Ze wilde Grallezar een aantal belangrijke vragen stellen, maar het waren ook moeilijke vragen. Ze zaten zwijgend tegenover elkaar tot Dallandra besloot dat ze er geen doekjes om moest winden.

'Ik móét je iets vragen,' begon ze.

'Ik weet wat het is,' zei Grallezar. 'Waarom heb ik je jaren geleden niet verteld dat die woestelingen Taenalapan hadden overgenomen?'

'Dat was een van de vragen.'

'Ik was bang dat jullie er met een leger naartoe zouden gaan en de stad zouden vernietigen. Ons bestaan, dat van de Gel da'Thae, werd toch al nauwelijks geduld. Als jullie hadden geweten dat de noorderlingen op weg waren naar het zuiden, hadden jullie ons allemaal willen afslachten.'

'Zo had het inderdaad kunnen gaan.'

'Bovendien was Taenalapan, toen Moeder Zatcheka al die jaren geleden dat bondgenootschap sloot met jouw volk en de mannen van de Rhiddaer, nog maar een stadje, of liever een dorp, geen grote stad. Pas een paar jaar geleden drong het tot me door hoe groot die stad eigenlijk was geworden.' Grallezar leunde opgewonden naar voren. 'Dat kwam door de stammen, Dalla. Een jaar of twintig geleden streken er duizenden nieuwkomers in Taenalapan neer. Ze brachten slaven mee om het land te bewerken en paarden om te verhandelen, en stukje bij beetje namen ze de stad over.'

'Net zoals het met jouw stad is gegaan.'

'Inderdaad. Nu wou ik dat ik het je had verteld.' Grallezar staarde met een treurige blik in de verte. 'Ik wou dat jullie krijgers waren gekomen en Taenalapan hadden platgebrand. Als ik een gave voor helderziendheid had, als ik had gezien wat er zou gebeuren, dan zou ik er met mijn eigen troepen naartoe zijn gegaan om te helpen.' Grallezars stem trilde en moeizaam besloot ze: 'Maar nu is het te laat.'

'Ik wil nog graag iets weten,' zei Dallandra. 'Waarom heeft jouw volk zich bekeerd tot het geloof in Alshandra? Ik weet heus wel dat het een troostrijke gedachte is dat je na je dood naar een heerlijk

land gaat, en ook dat de rakzanir landen willen veroveren, maar ik vermoed dat er meer achter steekt.'
'Dat is natuurlijk ook zo. Wil je de waarheid horen? Je zult het niet prettig vinden.'
'Ik vind een heleboel dingen in het leven niet prettig, maar ik heb ze tot nu toe allemaal overleefd.'
'Goed dan. Kun je je onze eerste ontmoeting nog herinneren, al die jaren geleden in Cerr Cawnen? Mijn volk dacht toen dat jullie kinderen van de goden waren en was doodsbang voor jullie. Prins Dar maakte het nog erger door de rakzan te vernederen, hoe heette hij ook alweer... Ik ben zijn naam vergeten.'
'Krag, Kraal, zoiets was het. Ik weet nog wel dat de mannen in het gevolg van je moeder voor ons knielden. Je stiefbroer Meer knielde ook altijd voor mij, al zei ik nog zo vaak dat hij dat niet moest doen.'
'Na die ontmoeting in Cerr Cawnen deed de waarheid als een lopend vuurtje de ronde. Inderdaad, ons volk had jouw volk iets vreselijks aangedaan, maar jullie waren stervelingen, net als wij, geen goden. Jullie waren net zomin gunstelingen van de goden als wij. Onze schuld aan de Grote Brand was een loodzware last geweest om te dragen, Dalla, al duizend jaar. De priesteressen hadden al onze rituelen, gebeden en offers gebaseerd op die schuld. En opeens mochten we die last van ons afgooien.'
Er liep een koude rilling over Dallandra's rug en ze voelde dat haar nekhaar overeind ging staan.
'Ah, je begint het te begrijpen, nietwaar?' zei Grallezar. 'Ik zie het, je rilt ervan.'
'Laat me eens raden. De priesteressen van de oude goden werden opeens bestempeld als leugenaars en dwazen.'
'Juist. We gingen op een andere manier kijken naar wat er in het verleden was gebeurd en begonnen ons te herinneren hoe we hadden geleden. Niet door jullie, maar door de Lijik Ganda.'
'En nu willen jullie wraak nemen.'
'Weer juist. De rakzanir hebben iedereen op een heel sluwe manier aan die vroegere verschrikkingen herinnerd. De verhalen zijn minstens duizend jaar oud, maar o, wat komen ze nu goed van pas! Na de grote onthulling begonnen we jullie volk de Ouden te noemen, want jullie waren niet langer de kinderen van de goden. Maar we waren allemaal van mening dat we ontzag voor jullie moesten hebben, tot de rakzanir besloten dat jullie een beletsel vormden.' Grallezar zweeg en ontblootte glimlachend haar spitse tanden. 'Een beletsel dat de weg versperde naar een vruchtbare grasvlakte, dat wel. Opeens raakte de naam "Vandars Gebroed" in zwang. Die zoge-

naamd heilige vrouwen... Alle goden! Zien ze dan niet in hoe ze worden misbruikt? Ze hebben de mond vol van Alshandra's liefde, maar ze zijn wapens van de rakzanir, daar komt het op neer.'
Het angstige voorgevoel van Dallandra hield haar steeds vaster in een koude greep en ze rilde weer. 'Ik moet dit allemaal aan Cal vertellen, ik hoop dat je dat beseft,' zei ze.
'Waarom denk je dat ik het jou vertel? Ik kon het niet opbrengen hem of die sluwe prins van de Lijik deze uitleg te geven, maar jij kunt dat wel.' Ze keek Dallandra indringend aan. 'Dat is ook een reden waarom ik destijds niets over Braemel heb gezegd. Ik besefte dat je je eigen volk trouw zou blijven. Ik vermoedde niet dat ik me ooit aan jullie kant zou scharen.'
Grallezars gespreide handen trilden van verdriet. Zwijgend wachtte ze op Dallandra's oordeel. Terwijl Dallandra terugdacht aan de afgelopen tien jaar, herinnerde ze zich dat Grallezar soms een afstandelijke indruk had gemaakt of haar zelfs had ontweken, maar ook dat zij zich wel eens iets had laten ontvallen wat erop duidde dat er iets mis was. Dat ze een opmerking of een zinspeling had gemaakt die Dallandra aan het denken zou hebben gezet of waarvan ze uitleg zou hebben gevraagd als ze had beseft hoe belangrijk het was. Alsof haar vriendin had gehoopt dat ze dat zou doen.
'Nou ja, het verleden ligt achter ons,' zei ze ten slotte. 'Ik vergeef het je.'
Grallezar liet haar adem als een diepe zucht ontsnappen. 'Dank je.' Ze pakten elkaars hand vast, maar met een ernstig gezicht.
'En nu?' vroeg Grallezar. 'Wat moet ik doen, bedoel ik. Mijn mannen willen met jullie leger meevechten, maar ik ben daar te oud voor. Mijn haar wordt steeds bruiner, elke keer dat ik het laat groeien. Ik weet bijna niets van geneeskunde, maar er is vast wel iets anders wat ik kan doen. Ik wil best voor de paarden zorgen, zoals ik al tegen de prins heb gezegd.'
'Dat is eigenlijk niet nodig.'
'Nou ja, dan moet je mij maar je zware spullen laten dragen en zo.'
'Eh... Waarom?'
'Weet je dat niet?' Grallezar snoof, dacht even na, snoof weer en knikte alsof ze iets voor zichzelf bevestigde. 'Je bent zwanger.'
'O nee! Niet nu! O nee, nee, nee!'
'De godinnen houden nooit rekening met omstandigheden, niet-waar?'
'Blijkbaar niet. Ik kan me geen slechter moment voorstellen. Wil je het alsjeblieft tegen niemand zeggen? Want Cal zal proberen me weg te sturen en er zijn een heleboel redenen waarom ik moet blijven.'

'Ik zal niets zeggen.' Met een aarzelend glimlachje vervolgde Grallezar: 'Jullie mannen weten eigenlijk niet wat hun plaats is, hè?'
Tot haar verbazing moest Dallandra daarom lachen en Grallezar lachte mee.
'Je bent nog niet ver.' Grallezar snoof nog een keer. 'Ik kan nog niet ruiken of het een mannelijk of vrouwelijk kind is. Hoe lang dragen jullie je borelingen?'
'Een jaar en soms een maand langer.'
De goden zij dank daarvoor, dacht Dallandra. Cal hoeft het nog lang niet te weten.
De volgende morgen bij zonsopgang kwamen Arzosah en Rori terug naar het leger met het bericht dat de Galan Targ niet ver meer was. Dallandra besefte met een kilte rond haar hart dat de strijd om Zakh Gral binnenkort zou beginnen.

Terwijl het leger langzaam optrok naar de doorwaadbare plaats in de Galan Targ, reden de twee prinsen, de avro en de gwerbret voorop en waren ze voortdurend aan het overleggen. Heren van lagere rang zoals Gerran reden verder naar achteren, waar ze hun bevelhebbers niet konden horen, maar Gerran zag wel dat ze het niet met elkaar eens waren. Hij zag ook dat Kov, Grallezar en Calonderiel vlak achter de aanvoerders reden, dicht genoeg bij hen om af en toe naar voren te leunen en luidkeels een bijdrage aan het gesprek te leveren. Toen omstreeks het middaguur de rivier in zicht kwam, werd er halt gehouden voor een maaltijd en om de paarden rust te gunnen. De draken vlogen vooruit om het gebied te verkennen.
Gerran en Salamander liepen naar een lage heuvel een paar honderd meter bij het kamp vandaan, vanwaar ze de doorwaadbare plaats konden zien. De rivier was er breed en ondiep, misschien wel vijftig meter breed en nog geen anderhalve meter diep. Grote grijze rotsblokken markeerden de plek waar het veilig was om het water over te steken.
'Ik wil wedden dat iemand de rivier hier doorwaadbaar heeft gemaakt,' zei Gerran. 'Ze hebben hem verbreed om het water meer ruimte te geven.'
'Dat zou je wel zeggen,' beaamde Salamander. 'En ik denk dat slaven het zware werk hebben gedaan.'
Gerran snoof afkeurend.
Aan de overkant van de rivier was over een afstand van ongeveer honderd meter naar het westen de ruwe grond begroeid met wild gras en allerlei onkruid. Erachter lag een rommelig uitziend bos met jonge bomen. Verderop, dacht Gerran, begonnen de zwaar beboste

heuvels. Het was een warme zomerdag; de rivier ruiste en insecten zoemden boven de oever. Verder was het stil. Opeens voelde Gerran dat zijn nekharen overeind gingen staan. Iemand keek naar hen. Hij hield zijn hand boven zijn ogen, tuurde naar de lucht en begon te lachen. Salamander keek ook omhoog.

'Een raaf,' zei Gerran. 'Hij vliegt af en toe een stukje met ons mee.'

'Het is inderdaad een raaf,' beaamde Salamander, maar hij klonk zo geschrokken dat Gerran hem niet-begrijpend aankeek.

'Raven vliegen wel vaker met een leger mee,' zei Gerran. 'Ze weten blijkbaar wanneer ze een feestmaal kunnen verwachten.'

'Dat is zo.'

Salamander klonk onzeker, vond Gerran, maar zijn gezicht verried niet wat hij dacht. Gerran keek weer omhoog en volgde de raaf met zijn blik. Hij is wel erg groot, dacht hij. Plotseling kraste de raaf luid en vloog klapwiekend hard weg naar de bossen in het noorden. Toen hoorde Gerran een soort tromgeroffel dichterbij komen.

'Die vogel heeft scherpe oren,' zei hij. 'En hij houdt blijkbaar niet van draken.'

'Heel verstandig van hem,' zei Salamander grinnikend. 'Zullen we teruggaan?'

De draak was Arzosah, die kwam melden dat Rori het fort was gaan verkennen en wat later zou komen vertellen wat hij had gezien. Gerran hoorde dat Kov aan Salamander vroeg of hij hem aan de zwarte draak wilde voorstellen. Omdat hijzelf ook graag met haar kennis wilde maken, liep hij achter hen aan naar de zonnige plek waar Arzosah lag uit te rusten. Ze begroette hen vriendelijk en luisterde aandachtig toen de gezant haar zijn staf liet zien.

'Er staan geen runen in de Drakentaal bij,' zei ze. 'Maar die vier vreemde tekens daar... Ik heb ooit iets gezien wat er veel op leek, gekerfd in een rots in het noorden.'

'Denkt u niet dat het een versie van het schrift van het Paardenvolk is?' vroeg Kov.

'Nee, want het Paardenvolk dat zo ver in het noorden woont, kan niet lezen of schrijven. Alleen de Gel da'Thae kunnen schrijven. Laat me even nadenken. Waar was het... O ja, bij een rivier. Meer kan ik me helaas niet herinneren. Ergens in de wildernis, bij een brede rivier die naar het zuiden stroomt. Het spijt me dat ik u niet verder kan helpen.'

'Toch dank ik u nederig dat ik u lastig mocht vallen,' zei Kov.

'Ah, wat een hoffelijke man!' Arzosah draaide haar grote kop naar Salamander toe. 'Die banadar zou iets van hem kunnen leren.'

'Wat belangrijker is,' zei Salamander en hij onderdrukte een grijns, ‘is het oversteken van de rivier die we nu kunnen zien. Later zullen we tijd hebben om ons te bekommeren om een rivier die we niet kennen, als de goden zo vriendelijk willen zijn ons lang genoeg in leven te laten.’

Het leger kon de rivier zonder moeilijkheden oversteken. Hoewel het Bergvolk mopperde omdat het water zo diep was, slaagden ze erin hun wagens droog naar de overkant te brengen door ze elk door zes mannen te laten dragen. Toen de lange stoet de overkant had bereikt en zich weer had opgesteld, stond de zon laag aan de westelijke hemel. Ze ontdekten dat er langs de rivier een redelijk goede weg liep, met een dek van steengruis en aarde vermengd met een bindende substantie die de Deverrianen noch het Westvolk kende. Maar gezant Kov wist wat het was.

‘Wij noemen dit spul Rhwmanisteen,’ zei hij tegen Gerran. ‘Ik weet niet waarom, maar zo noemen we het. We maken het zelf ook, en ik ben stomverbaasd dat de Gel da’Thae het geheim kennen.’

De Rhwmaniweg maakte het reizen met paarden en wagens een stuk gemakkelijker. Maar al na enkele kilometers kwam de zilveren draak aanvliegen en bleef hoog boven het leger rondcirkelen. Een van zijn enorme klauwen bungelde onder zijn lijf.

‘Is hij gewond of zo?’ vroeg Gerran aan Salamander.

‘Nee, hij heeft iets bij zich. Waarschijnlijk zijn avondeten.’

Rori landde een heel eind bij hen vandaan tussen het struikgewas in het westen. Toen het bevel werd doorgegeven dat ze hun kamp voor de nacht zouden opslaan, steeg Salamander af en riep naar Gerran dat hij met de draak ging praten. Gerran sprong ook uit het zadel, wierp Clae zijn teugels toe en liep nieuwsgierig achter de gerthddyn aan.

Toen ze de draak naderden, zag Gerran dat zijn prooi geen hert of koe was, maar een krijger van het Paardenvolk. Hij lag voor de zilverdraak op de grond. Er liep een straaltje bloed uit zijn mondhoek, er zaten bloedvlekken op zijn lichtbruine brigga en ook een paar druppels op zijn linnen hemd. Salamander begon te rennen en riep iets in de Elfentaal tegen de draak, die als een reusachtige kat rechtop zat met zijn staart om zijn voorpoten gekruld.

‘Is hij dood?’ vroeg Gerran aan Salamander.

De draak antwoordde in uitstekend Deverriaans: ‘Nee. Hij is buiten bewustzijn, maar niet dood. Jullie zouden er verstandig aan doen als je zijn wapens van hem afpakt voordat hij bijkomt.’

De Paardenvolker droeg zijn zwaard niet aan een riem om zijn middel, maar aan een schouderriem. De schede, in de vorm van een ruit en met koperen banden langs de rand, hing voor zijn dijen. Een

vreemde plaats voor een wapen, dacht Gerran, tot hij besefte dat het als de man stond of te paard zat horizontaal zou hangen met het heft vlak voor zijn hand en de punt op veilige afstand van zijn been en zijn stijgbeugel. Hij maakte het zwaard los, legde het naast zich op de grond en nam ook de dolk van de man over. Toen hij opkeek, zag hij dat de draak hem scherp in de gaten hield.
'En wie ben jij?' vroeg Rori.
'Gerran van de Goudvalk. Het is een eer u te ontmoeten.'
Rori keek hem met zijn korenbloemblauwe ogen nadenkend aan – trieste ogen, dacht Gerran – en zei: 'Je weet niet meer wie ik ben. Ach, nou ja. Bekijk dat zwaard eens, Gerran, dan zul je verbaasd zijn.'
Gerran trok het zwaard uit de schede en vloekte luidkeels. 'Zoiets heb ik nog nooit gezien,' zei hij.
Het wapen was ruim een meter lang en het gevest was een vierkante ijzeren lus, die op een van de hoeken was versierd met een zilveren paardenkop. Het blad was niet alleen gebogen, maar verbreedde zich vlak voor de punt tot een scherpe hoek en liep dan weer spits toe. Toen Gerran voorzichtig zijn vinger langs de randen liet glijden, merkte hij dat de buitenste rand bot was, maar de binnenste vlijmscherp. Hij stak zijn hand door de lus en zwaaide voorzichtig met het wapen. Door het extra gewicht bij de punt zwiepte het met extra veel kracht. Als je een vluchtende man achtervolgde, besefte Gerran, en met het zwaard naar zijn nek zwaaide, zou je hem met één slag zo goed als onthoofden.
'Ze noemen zo'n zwaard een *falcata*,' zei Grallezar achter hem. 'Het zijn akelige dingen, maar ze zijn erg handig als je op een paard zit.'
Met de falcata in zijn ene en de dolk in de andere hand richtte Gerran zich op en maakte een stuntelige buiging voor haar. Dallandra, die met Grallezar mee was gekomen, knikte tegen Gerran en liep naar de gewonde Paardenvolker toe. Ze knielde naast hem neer en op dat moment kwam hij met enkele gemompelde woorden bij bewustzijn.
'Een verkenner,' zei Rori. 'De anderen zijn ontsnapt. Ik wilde dat jullie z'n sabel konden bekijken. Arzosah is op jacht en zal het kamp van de vijand ook in de gaten houden.'
De Paardenvolker kreunde en probeerde overeind te komen. Hij keek om zich heen, zag Dallandra en de draak, en viel opnieuw flauw.
'Hij heeft heel wat bloed verloren,' zei Dallandra. 'Dat komt door je klauwen, neem ik aan.'
'Ik heb mijn best gedaan om hem niet te doden, maar zonder duimen valt het niet mee om voorzichtig iets vast te houden.'
'Hij geneest wel weer en voorlopig kan hij niet ontsnappen.'

'Daar moet ik waarschijnlijk blij om zijn.' Rori slaakte een weemoedige zucht. 'Helaas heb ik mijn duimen vroeger nooit gewaardeerd. Wat je niet allemaal leert als het te laat is!'
Hoewel Gerran Salamander wel degelijk had geloofd toen die hem had verteld dat de draak ooit een man was geweest, was het niet tot hem doorgedrongen wat dat voor de draak zelf moest betekenen. Nu hij erover nadacht, werd hij er misselijk van. Hij verdoezelde zijn emotie door zich om te draaien en Salamander te roepen.
'De prinsen willen deze falcata vast ook graag bekijken,' zei hij. 'Ik ben vervloekt blij dat we nu weten wat ons te wachten staat. Wil jij hun dit wapen laten zien?'
'De prinsen en de gwerbret zijn onderweg hierheen om te horen wat Rori te vertellen heeft,' zei Dallandra. 'Gerran en Ebañy, laat die wapens maar achter bij Grallezar en ga terug naar het kamp.'
Tegen zonsondergang riepen de bevelvoerders alle heren met de rang van tieryn, Calonderiel en avro Brel bijeen voor een krijgsberaad. De zon was al lange tijd onder toen Cadryc terugkwam naar het kamp van de Rode Wolf en naast Gerran bij het vuur ging zitten. Tijdens hun gesprek bleven ze opletten of de gwerbret of een van zijn volgelingen er niet aankwam.
'Ze verwachten ons, dat staat vast,' zei Cadryc. 'Ze hebben overal verkenners rondlopen. De zwarte draak heeft twee ruiters gezien die reden alsof de hellevorst ze op de hielen zat. Vanochtend vlak na zonsopkomst bereikten ze het fort. Kort daarna kwam er een legertje naar buiten, dat onze kant op komt. De laatste keer dat Rori het zag, bevond het zich een kilometer of vijftien bij ons vandaan.'
'Het verbaast me niet, edele heer,' zei Gerran. 'Je kunt een leger zo groot als het onze niet achter een paar grassprieten verstoppen.'
'Dat is zo. Maar Ridvar, dat arrogante ventje, was wel verbaasd, of hij deed alsof. Hij waagde het te suggereren dat een van ons een verrader is.' Cadryc snoof luidruchtig. 'Hij keek mij zelfs recht aan, dat vermaledijde rot...' Hij slikte de rest in en snoof nogmaals. 'Maar de draak zette hem meteen op zijn nummer. Zei dat het Paardenvolk volgens hem blind noch stom was en beslist niet allebei tegelijk.'
'We hebben het wat uw kleinzoon betreft van Ridvar gewonnen en dat heeft hem in zijn eer gekrenkt, dat zal hij nooit vergeten. Maar uiteindelijk zal de prins of zijn raadsman hem wel op zijn vingers tikken.'
'Dat hoop ik dan maar, want anders weet ik werkelijk niet hoe ik met hem als mijn opperheer de volgende jaren door moet komen.' Cadryc kauwde nadenkend op de punten van zijn snor. 'Hoe dan ook, jongen, er werd op die bijeenkomst meer geschreeuwd dan ver-

standig overlegd. Het komt erop neer dat als we de aanval te paard willen doen, de draken ons niet kunnen helpen. Want het is niet mogelijk dat ze de paarden van het Paardenvolk de stuipen op het lijf jagen en de onze niet. Begrijp je wel?'
'Dus moeten we te voet verder.'
'Inderdaad, maar een paar heren deden het bijna in hun brigga bij het idee. Vooral Gwivyr, die begon meteen te wauwelen over edelen en hun eer en dat alleen het volk te voet gaat en zo.'
'Hebt u de falcata gezien?'
'Ja.' Cadryc keek grimmig. 'Dat was het enige argument om Gwivyr gelijk te geven. Als we geen paarden bij ons hebben en de draken er niet in slagen de troepen van het Paardenvolk op de vlucht te jagen, nou ja, dan zitten we straks allemaal bij de hellevorst aan tafel, nietwaar? Of dienen we, aan plakken gesneden, als het hoofdgerecht.'
'Dat zou kunnen. Dus wat doen we, edele heer? Wachten we op ze of gaan we ze tegemoet?'
'Allebei. Morgenochtend verplaatsen we het kamp een paar kilometer naar het zuiden, versterken het met greppels en de wagens, stellen ons erbuiten op en wachten. De banadar zegt dat we de paarden achter de hand zullen houden. Zijn mannen weten precies hoe ze die zo snel mogelijk naar de frontlinie moeten brengen.'
Het leger werd bij zonsopgang wakker en het kamp werd zo snel mogelijk een eind naar het zuiden verplaatst. Terwijl het Bergvolk en de knechten uit alle macht werkten aan de bouw van een versterking om het nieuwe kamp tegen het naderende vijandelijke leger te beschermen, liepen prins Voran en gwerbret Ridvar door het gedeelte van de Deverrianen om de krijgers te vertellen waar ze hun gevechtspositie moesten innemen. Bij het Westvolk deden prins Dar en Calonderiel hetzelfde.
Gerran zag heel wat edelen hun hoofd schudden zodra de bevelvoerders doorliepen. Uiteindelijk kreeg tieryn Gwivyr voor een deel zijn zin, want hij mocht een peloton ruiters aanvoeren dat niet meteen zou meevechten. Het zou pas aan het eind van het gevecht in actie komen om af te rekenen met achtergebleven Paardenvolkers of om een eventuele terugtrekking van de Deverrianen te bewaken. Hoewel Gwivyr mopperde dat hij dan het belangrijkste deel van de strijd zou missen, moest hij toegeven dat hij zichzelf deze rol had toebedeeld.
Omstreeks het middaguur kwam de zwarte draak terug met slecht nieuws. Het leger van het Paardenvolk was de vorige avond tot diep in de nacht doorgelopen en was inmiddels veel dichterbij dan ze hadden verwacht.

'Hooguit drie kilometer hiervandaan, volgens Arzosah,' zei Cadryc. 'Of we er klaar voor zijn of niet, jongens, de strijd gaat beginnen.'
Geen enkele krijger in het Deverriaanse leger was ooit te voet ten strijde getrokken en dat gold ook voor de zwaardvechters van het Westvolk. Toen ze het kamp verlieten, deden ze dat twee aan twee min of meer in de rij, maar tegen de tijd dat ze het Paardenvolk zagen, waren ze een rommelige groep. De steenhouwers van de dwergen marcheerden gedisciplineerd achter hen aan, terwijl de boogschutters van het Westvolk aan weerskanten meeliepen. Gwivyrs ruiters volgden op ongeveer vierhonderd meter. De twee prinsen, krijgsheer Brel en gwerbret Ridvar reden met Gwivyr mee, maar het viel Gerran op dat banadar Calonderiel zich bij zijn mannen had gevoegd.
De vijand stond op een lage, rotsachtige heuvel te wachten, in een colonne tussen de rivier aan hun rechterkant en het met kreupelhout begroeide land links van hen. Vooraan in het midden stonden rijen speerwerpers en ze hielden hun schild met hun linkerhand zodanig vast dat degene die links van hen stond ook deels werd afgeschermd. Hun speren wezen schuin omhoog en vormden een glinsterende, dodelijke haag. Gerran schatte hun aantal op ongeveer vijfhonderd man en het waren voor het merendeel mensen – de beroemde slaafsoldaten van de Gel da'Thae. Aan weerskanten van de speerwerpers stonden krijgers te paard, met een rond schild aan hun linkerarm en de falcata in hun rechterhand. Gerran had geen tijd meer om hen te tellen of zelfs maar naar hun aantal te raden.
Een meter of vijftig voor de frontlijn van de Gel da'Thae stonden de Deverrianen stil om een zo goed mogelijke aanvalspositie in te nemen. Enkele vijandelijke speerwerpers grinnikten toen ze de rommelige formatie van hun tegenstanders zagen, anderen grinnikten mee en even later brulde het hele leger van de Gel da'Thae van het lachen. Maar tijdens het minachtende geschater zagen ze niet dat de steenhouwers van de dwergen achter hun grotere medestrijders wegslopen naar het bos in het westen.
Gerran hoorde de mannen om hem heen woedend mompelen, maar ze bleven staan, zoals hun was opgedragen. Hijzelf glimlachte kort, want het Paardenvolk had de fout begaan hun vijanden kwaad te maken. Plotseling werd er door de vijand op koperen hoorns geblazen. De speerwerpers verroerden zich niet, maar de ruiters kwamen in beweging. Blijkbaar had hun bevelvoerder besloten dat ze die ongeordende troep boerenkinkels uit Deverry en jagers van het Westvolk maar eens moesten aanvallen om geen tijd meer te verspillen.
Vanuit de verte naderde het geluid van reusachtige, klapwiekende

vleugels. De paarden begonnen wild met hun hoofd te zwaaien, te briesen, te trillen en te dansen. Het gelach van het Paardenvolk verstomde. Gerran keek omhoog en zag de draken vanuit het zuiden naderen. De hoorns van het Paardenvolk schalden opnieuw. De speerwerpers werden naar voren geduwd terwijl de ruiters zich probeerden om te keren of achterwaarts een uitweg te zoeken, maar de ruimte tussen de rand van het klif en het kreupelhout was te smal. De paarden begonnen te steigeren en wilden ervandoor gaan, terwijl hun berijders zich inspanden om ze in bedwang te houden.

Met donderend gebrul maakten de draken een lange duikvlucht boven de legers. De paarden werden wild van angst en trapten, bokten en wierpen hun berijders van zich af. Ze drongen zich tussen de speerwerpers en schopten en beten iedereen die in de weg stond. De speerwerpers vloekten, schreeuwden en doken weg om aan trappende hoeven te ontkomen. Hier en daar gilde een man vlak voordat hij door een paard werd verpletterd. De draken vlogen een paar meter boven de speerwerpers over hen heen, stegen op, keerden een eindje verder om en begonnen aan een tweede duikvlucht vanuit het noorden. Enkele ruiters slaagden erin hun paard van een gevallen speerwerper af te trekken, maar van hun ordelijke opstelling was niets meer over.

Terwijl de draken een bocht maakten, schoot het Westvolk zijn eerste lading pijlen af. Sissend vlogen ze in een lange, dodelijke boog door de lucht. Ze drongen zich door de maliënkolders van de vijandelijke ruiters heen en verwondden de onbeschermde paarden. De dieren gilden, steigerden en vielen, waarbij ze hun berijders van hun rug wierpen. De speerwerpers van de Gel da'Thae hieven hun schilden om zich te beschermen. Straks rekenen wij met hén af, dacht Gerran. Samen met het Bergvolk.

Boven het geschreeuw van het Paardenvolk en het angstige gehinnik van de paarden uit klonk wanhopig geschetter van hoorns. Gerran had geen idee wat de vijand vervolgens van plan was, maar het leek erop dat de ruiters probeerden hun plaats weer in te nemen. Helaas voor hen waren de draken intussen omgekeerd. Het Westvolk beëindigde de pijlenregen. De twee draken maakten hun tweede duikvlucht en de wil van de vijandelijke ruiters was gebroken. De enkelen die nog op hun paard zaten, gaven het op en lieten hun dier in galop langs de rivier ontsnappen. De zilverdraak maakte een scherpe bocht en zette met driftige vleugelslagen de achtervolging in, terwijl de zwarte draak de laatste paarden van het slagveld verdreef. Ze vloog zo hoog dat de speerwerpers niets anders konden doen dan kwaad met hun opgeheven wapens schudden.

Toen klonk boven al het geschreeuw uit de zilveren hoorn van prins Dar. De zwarte draak maakte dat ze wegkwam om het Westvolk de gelegenheid te geven om opnieuw de ene na de andere lading pijlen af te schieten. De ruiters zonder paarden probeerden zich achter hun ontoereikende schild zo klein mogelijk te maken terwijl ze zich onder de voetsoldaten probeerden te verspreiden. Opnieuw gaf Dar een teken. Onder het brullen van strijdkreten draafden de zwaardvechters uit Deverry en het Westland de heuvel op om op hun beurt het verbrokkelde leger van de vijand aan te vallen. Gillend als duivels uit de hel stormden de steenhouwers van de dwergen het bos uit en vielen de vijand van opzij aan.

Bekneld tussen twee groepen aanvallers raakten de speerwerpers in verwarring. Ze waren opgeleid om zich in rijen opgesteld tegen een even ordelijk leger te verdedigen. Nu stonden ze aan een kant tegenover mannen met lange bijlen die met één zwaai van omlaag door hun beenplaten kliefden, en aan de andere kant tegenover zwaardvechters, zowel mensen als elfen, die zich met hun eigen schilden konden beschermen tegen vijandelijke speren. Het peloton speerwerpers viel uiteen en die fout werd hen fataal. Degenen die zich omdraaiden naar de dwergen, werden neergesabeld door de zwaardvechters. Van degenen die zich probeerden te verdedigen tegen de zwaardvechters werden de benen afgehakt door de dwergen. Na nog een signaal van de zilveren hoorn stormde Gwivyr met zijn ruiters naar voren om zich in de strijd te mengen. Intussen stonden de boogschutters van het Westvolk klaar om steeds wanneer ze de kans kregen een welgemikte pijl af te schieten.

Gerran kreeg niet meteen de gelegenheid om ook mee te vechten. Net als de boogschutters sloop hij, zoals 's winters een wolf om een ommuurd schapenveld, om het slagveld heen op zoek naar een opening. Ten slotte kwam er een van zijn paard geworpen ruiter zijn kant op rennen. Hij was zijn schild verloren, maar de helm die als een gladde kap om zijn hoofd zat en zijn borstplaat, allebei van dik leer met bronzen knoppen, zaten nog op hun plaats. Gerran versperde hem de weg, maakte een schijnbeweging en stapte naar opzij.

De onhandige zwaai van zijn vijand maakte Gerran duidelijk dat de man alleen gewend was zijn wapen te gebruiken als hij op een paard zat, maar hij was wel een hoofd groter. Gerran dook naar rechts, de man draaide zich een slag om en zwaaide opnieuw met zijn sabel, van rechts naar links. Doordat de punt van de falcata was verzwaard, raakte hij iets uit zijn evenwicht. Gerran weerde de slag af met zijn schild, haalde uit met zijn zwaard en trof de man van opzij, vlak on-

der zijn borstplaat. Zijn zwaard gleed door het leren hemd dat hij eronder droeg heen en de wond begon te bloeden.
Met een kreet draaide de man zich weer om naar Gerran en zwaaide tegelijkertijd opnieuw met zijn falcata, achterwaarts van onderen naar boven. Weliswaar was de buitenste rand van de sabel zo bot als een knuppel, maar hij had er Gerrans kaak mee kunnen verbrijzelen. Gerran sprong net op tijd achteruit. De Paardenvolker wankelde terwijl hij als een danser met zijn armen wapperde om niet te vallen. Hij zakte door zijn knieën en toen zijn hoofd even hoog was als Gerrans borst, zwaaide Gerran met zijn zwaard en raakte de man dwars over zijn ogen. De man viel brullend op zijn knieën terwijl hij beide handen voor zijn gezicht sloeg.
Gerran stak hem in zijn hals en stapte vlug achteruit terwijl hij om zich heen keek om te zien of er nog meer vijanden in de buurt waren. Maar inmiddels klonk er geschetter uit de hoorns van het Paardenvolk dat maar één ding kon betekenen: de aftocht. De van hun paard gevallen ruiters renden weg om hun hachje te redden, maar daardoor werden ze een gemakkelijk doelwit voor de boogschutters van het Westvolk. De speerwerpers wierpen hun schild op de grond en renden stroomafwaarts langs de rivier met hen mee.
De helft van de boogschutters van de elfen draaide zich om en rende naar de paarden die de Deverrianen voor hen hadden achtergelaten. De rest bleef staan om de vluchtende vijand met pijlen te bestoken. Mannen gilden en vielen. Gewonden vielen van het klif in de rivier en verdronken. Anderen lagen bloedend op de grond en stierven ter plekke. Deverrianen en dwergen trokken op en doodden de gewonde vijanden die ze tegenkwamen, of vochten met de ruggen tegen elkaar met de enkele speerwerpers die nog overeind stonden: twee of drie speerwerpers tegen een meute gewapend met zwaarden en bijlen.
Toen Gwivyr met zijn ruiters kwam aangalopperen om het terugtrekkende vijandelijke leger nog zo veel mogelijk uit te dunnen, lieten de laatste boogschutters ook hun wapen zakken. Gerran hoorde Calonderiel zowel in de Elfentaal als in het Deverriaans roepen: 'Laat de rest van die rotzakken maar aan de anderen over! Daar komen onze ruiters!' Terwijl prins Voran op zijn paard kwam aanstormen, brulde hij tegen zijn voetsoldaten en het Bergvolk: 'Uit de weg! Ga terug! Laat me door!'
De zwaardvechters gaven het op en liepen terug naar de prins. Gwivyr en zijn mannen keerden hun paarden om en reden ook terug. Een van de vluchtende ruiters van de vijand draaide zich om en wierp zijn dolk alsof het een speer was en raakte Gwivyr midden in

zijn rug. Gwivyr liet zijn zwaard vallen en zakte voorover. Hoewel het paard steigerde, kon hij zich aan de hals van zijn rijdier vastklemmen, maar twee speerwerpers renden naar hem toe en toen het paard zijn voorbenen weer op de grond zette, stak een van hen zijn speer zo hard mogelijk in Gwivyrs rug. Brullend van woede gingen de krijgers van de tieryn als honden om een vos om de speerwerpers heen staan. Gerran nam aan dat ze de twee mannen als een vos in stukken zouden rijten. Twee ruiters grepen de teugels van Gwivyrs paard en namen het mee. Toen het met zijn gewonde berijder langs Gerran liep, viel de speer met een stroom bloed uit Gwivyrs rug en buitelde over de flank van het paard heen naar de grond.

'Breng hem naar de chirurgijn!' schreeuwde Voran.

Gerran wierp een blik stroomopwaarts en zag paarden aankomen. De boogschutters die ze bereden, leidden hun dier met hun knieën en hadden ieder twee onbereden paarden bij de teugels. Maar dit kon nieuw gevaar opleveren, want als het Paardenvolk zich weer opstelde voor een tegenaanval terwijl de Deverrianen opstegen, zou het gevecht wel eens een ongunstige wending kunnen nemen. Het Bergvolk rende naar voren om alvast een barrière te vormen, maar die bleek niet nodig te zijn.

Gerran pakte het eerste paard dat hem bereikte bij de teugels en sprong in het zadel. Vlakbij zag hij tieryn Cadryc veilig op zijn paard zitten terwijl hij met een bebloed zwaard zwaaide en bevelen schreeuwde. Prins Voran deed hetzelfde, en de inmiddels opgestegen Deverrianen vormden een levende muur om de rest van het leger heen.

'De draken zijn hen nog steeds aan het opjagen!' Calonderiel zat nu ook op een paard en reed heen en weer om het nieuws luidkeels door te geven: 'Hier blijven en wachten!'

Gerran ging in de stijgbeugels staan en tuurde stroomafwaarts. Hij zag een grote stofwolk en twee vlekken in de lucht die op en neer deinden. Even later waren de vlekken niet meer te zien. Toen Voran op zijn zilveren hoorn blies, liet Gerran zich weer op het zadel zakken en draaide zich om naar de prins.

'Terug naar het kamp!' schreeuwde Voran. 'We moeten onze gewonden wegbrengen!'

Er bleken niet veel gewonden te zijn, iets wat Gerran niet verbaasde. In het kamp werd het bevel doorgegeven dat ze zich moesten klaarmaken om verder naar het zuiden te trekken en daar opnieuw een versterkt kamp op te slaan. Hoewel heel wat mannen mopperden omdat ze dan weer greppels moesten graven, begreep Gerran waarom de prins dit wilde en legde hij dat aan elke mopperaar uit.

'We zijn een vervloekt eind van huis, jongens,' zei hij. 'Als we onze voorraden te ver achter ons laten, kunnen we geen kant meer op.'
Het gemopper hield op alsof hij met een toverstaf had gezwaaid.
Het liep tegen zonsondergang toen het leger bijna tien kilometer dichter bij Zakh Gral klaar was met het nieuwe kamp. Hoewel ze een vlak stuk grond hadden gevonden met genoeg grasland voor de paarden, stroomde de rivier er door een diepe kloof, die aan de oostkant de grens vormde. Maar aan de westkant was het kreupelbos gekapt en het terrein bezaaid met boomstronken en takken, bladerhopen, twijgen die van gekapte bomen waren afgehakt, stukken schors, dode bruine varens en kale struiken – als een dik, rottend kleed.
'Ze moesten een heleboel bomen omkappen voor de houten muren in en om Zakh Gral,' legde Salamander uit. 'Maar nu kunnen ze zich tenminste niet in het bos verstoppen.'
'Dat is zo, maar hun voetsoldaten kunnen ons hier wel vanuit de flank aanvallen en ons vanaf het klif de rivier in drijven,' zei Gerran.
Salamander gromde van teleurstelling.
'Het zal geen prettige rit worden naar Zakh Gral,' vervolgde Gerran. 'Hou die Westvolkse ogen van je dus alsjeblieft goed open.'
De draken hadden beloofd dat ze die nacht niet ver bij hen vandaan zouden uitrusten. De op de vlucht gejaagde ruiters van het Paardenvolk hadden zo veel dode paarden achtergelaten dat ze niet op jacht hoefden naar voedsel. Gelukkig maar, dacht Gerran. Hij vond dat ze het eerste gevecht te gemakkelijk hadden gewonnen en vermoedde dat het Paardenvolk nu een plan beraamde om op een onverwachte manier wraak te nemen. Hij had het knagende gevoel dat er ergens een gevaar dreigde waaraan nog niemand had gedacht.
Prins Voran voelde dat blijkbaar ook, want hij plaatste een kring van schildwachten om het kamp, die bestond uit telkens twee zwaardvechters: een Deverriaan en een Westvolker. Zoals altijd bood hij zichzelf aan voor de ergste tijd, midden in de nacht, en tot zijn verbazing kwam Calonderiel hem gezelschap houden.
'Ik dacht dat een banadar niet op wacht hoefde te staan,' zei hij.
'Dat hoeft hij ook niet, net zomin als een heer, maar we staan hier toch,' antwoordde Calonderiel.
Ondanks de volle maan was het licht zo wazig dat Gerran niet ver om zich heen kon kijken. Calonderiel had daar natuurlijk geen last van. Met zijn getrokken zwaard wees hij naar het zuiden.
'Volgens vrouwe Grallezar loopt er een paar kilometer verderop een weg naar het westen, naar Braemel. Als ze versterking krijgen, komt die daarvandaan.'

'Dan moeten we oppassen dat we niet klem komen te zitten tussen die nieuwe troepen en de vesting,' zei Gerran.
'Inderdaad. De draken zullen verkenningsvluchten naar het westen maken, de stergodinnen zij dank. Maar we moeten alvast een plan bedenken voor als ze nog een leger zien aankomen.'
'Dat is zo.' Gerran keek naar het westen en liet zijn blik speurend over het veld met boomstronken en houtafval glijden, maar het was te donker om het goed te kunnen zien. Had ik maar een fakkel, dacht hij, dan kon ik... 'Wel verduiveld!' riep hij opeens. 'Nu weet ik wat me dwarszit!'
'Waar heb je het over?'
'Twijgen en brandhout, banadar. Naast ons kamp ligt ruim een kilometer twijgen en brandhout. Stel dat het Paardenvolk daar een paar fakkels in gooit?'
Calonderiel liet in de Elfentaal een reeks vloeken horen en trok zijn zilveren hoorn uit zijn gordel. 'Je hebt gelijk,' zei hij kalm. Hij hief de hoorn en blies de drie alarmtonen, steeds weer, tot het kamp met veel geschreeuw wakker werd.
Vloekend en mopperend rolden de mannen uit hun dekens, trokken hun laarzen aan, pakten hun wapens en kwamen aanrennen. Calonderiel wees hun in groepjes plaatsen aan waar ze op de uitkijk moesten gaan staan. Westvolkers moesten met getrokken zwaard of met pijl en boog in de aanslag de voorhoede vormen, Deverrianen strompelden achter hen aan. Krijgsheer Brel verzamelde zijn steenhouwers en nam hen mee stroomafwaarts, waar ze zich over het veld met houtafval verspreidden. Omdat Gerran nauwelijks iets kon zien, draafde hij achter Calonderiel aan langs de halvemaanvormige linie heen en weer. De laatste schildwachten bereikten de rand van het veld en stelden zich op op plaatsen waar ze het groene, vochtige bos in konden kijken.
Net toen Gerran en Calonderiel na een laatste inspectie van de nieuwe reeks wachtposten weer op de weg stonden, hoorden ze geschreeuw: de diepe stemmen van het Bergvolk en een gil die uit de keel van een mens of een Paardenvolker zou kunnen komen. Calonderiel brulde iets in de Elfentaal en enkele boogschutters en zwaardvechters kwamen naar hem toe rennen. Het groepje rende zo snel de Rhwmaniweg af dat Gerran zich moest inspannen om het bij te houden. Toen ze bij het Bergvolk aankwamen, was hij buiten adem.
In het maanlicht zag Gerran een ondiepe rivier of brede beek oostwaarts stromen, parallel aan de Rhwmaniweg die naar de bergen in het westen liep, de weg naar Braemel, veronderstelde hij. Het water

kruiste de weg naar het zuiden en stortte over de rand van het klif in de Galan Targ, ver in de diepte. De weg maakte een scherpe bocht stroomopwaarts, over een houten brug, die op dat moment vol stond met Bergvolkers. Calonderiel blafte een paar bevelen tegen de boogschutters, die gingen kijken wat er aan de hand was. Twee Bergvolkers kwamen naar de banadar toe, en even later zag Gerran dat een van hen avro Brel was.
'Dat was een verstandig idee, banadar,' zei hij in het Deverriaans. 'We waren net op tijd om een stel Paardenvolkers te vangen die de brug in brand wilden steken. De vonken zouden naar het noorden zijn gevlogen.'
'Het was een idee van Gerran.' Calonderiel wees met zijn duim. 'Hij besefte opeens dat we lagen te slapen naast genoeg hout om ons allemaal te roosteren.'
'Goed zo, jongen,' zei Brel tegen Gerran. 'Ik zal je bij de prinsen aanbevelen.'
'Dat hoeft niet, want ik zou zelf ook geroosterd zijn,' zei Gerran.
'Dat is waar, maar ik zal toch je naam noemen.' Brel draaide zich weer om naar Calonderiel. 'We hebben nog steeds een probleem. Denk je dat dat sprokkelveld doorloopt tot aan het fort?'
'Waarschijnlijk wel en zelfs verder, denk ik,' antwoordde Calonderiel. 'Ze moeten heel wat hout hebben verspild om erop te verspreiden. Ik vraag me af waarom.'
'Dat zul je nog wel merken.' Brel liep weg. 'Ik moet met onze gezant praten,' zei hij met een blik over zijn schouder.
Vanuit het westen hoorden ze met luide vleugelslagen een draak komen aanvliegen. Gerran keek naar de lucht en zag de zilveren wyrm hoog een bocht maken, als een witte vogel in het maanlicht. Rori zette de daling in, brulde een paar woorden in de Elfentaal en vloog door naar het zuiden.
'Hij gaat het fort verkennen,' zei Calonderiel. 'Om erachter te komen of ze nog meer slimme valstrikken hebben bedacht.'
Omdat niemand meer zou kunnen slapen, verplaatsten ze het kamp stroomafwaarts naar een plaats langs de goed begaanbare weg naar Braemel. Toen de zon opkwam, groeven ze zich in vlak ten noorden van de brug, waar ze die en ook de weg in het oog konden houden voor het geval dat er versterkingstroepen van de Gel da'Thae aan zouden komen. Niet lang daarna kwam Rori terug en verzamelden de bevelhebbers zich om hem heen om nieuwe plannen te maken.
Gerran ging in het kamp op zoek naar Salamander, die Dallandra hielp met het verzorgen van de gewonden van het Westvolk. Dallandra liep van de een naar de ander en Salamander volgde haar met

een mand met schoon verband.
'Gerthddyn, waarom heb je ons niet verteld van die weg en die brug?' vroeg Gerran aan Salamander.
'Omdat die er toen nog niet waren,' antwoordde Salamander. 'De priesteres en ik zijn dat riviertje stroomopwaarts overgestoken door het water. Het is erg ondiep, al is voor een leger een brug waarschijnlijk gemakkelijker. Ik denk dat ze intussen meer mannen en slaven naar het fort hebben gestuurd. Sinds mijn verblijf hier zijn er alweer een paar maanden voorbijgegaan, besef dat wel.'
'En sindsdien heb je deze plek niet meer gezien? Met behulp van dweomer, bedoel ik.'
'Je weet nog niet hoe scryen werkt, Gerro. Stromend water maakt het bijna onmogelijk. Ik kan het je uitleggen...'
'Nee, laat maar,' zei Gerran vlug. 'Ik geloof je graag.' Hij keek naar Dallandra en vroeg: 'Wijze vrouw, weet jij soms hoe het met tieryn Gwivyr gaat?'
'Hij leeft nog en dat verbaast me,' antwoordde Dallandra.
'O, nou, dan hoop ik er het beste van.'
De soldaten waren inmiddels zo moe dat ze niets liever wilden dan weer een poosje slapen, maar iedereen wist dat het Paardenvolk liever een slapend leger zou aanvallen dan mannen die op hun hoede waren. Dus hielden ze hun wapenuitrusting aan en gingen met hun wapens binnen handbereik op de grond zitten om wat te doezelen, tot de hoorns hen zouden oproepen voor de strijd. Tegen het middaguur kwam Arzosah terug naar het kamp met het bericht dat voetsoldaten van het Paardenvolk over de weg langs de kloof in noordelijke richting marcheerden.
'Ze hebben hun les geleerd, jongen,' zei tieryn Cadryc tegen Gerran. 'Deze keer zullen de draken niet veel kunnen uitrichten, verdomme.'
'Mooi zo, dan kunnen wij te paard vechten,' zei Gerran.
'Dat is waar, en de prinsen hebben ook een verdraaid slim idee gekregen.' Cadrycs gezicht klaarde op. 'We steken de brug over en wachten aan de andere kant. Deze keer drijven we ze terug naar Zakh Gral.'
'En het kamp, edele heer?'
'We zullen genoeg mannen achterlaten om het te bewaken. De draak heeft ons ervan verzekerd dat wij met meer zijn dan de troep die naar ons toe komt.'
Nadat Cadryc Gerran de bevelen van de bevelhebbers had doorgegeven, riep Gerran de krijgers van de Rode Wolf bijeen om hen zo goed mogelijk van de situatie op de hoogte te brengen. In het gedrang van mannen en paarden kwam Clae aanlopen met Gerrans

gezadelde roodbruine ruin, die al heel wat gevechten had doorstaan. Gerran steeg op en boog voorover om het schild met de valk van zijn schildknaap aan te nemen.
'Wanneer denkt u dat ik goed genoeg ben om mee te vechten, heer?' vroeg Clae.
'Dat duurt nog wel een paar jaar, jongen,' antwoordde Gerran met een glimlach. 'En wees daar maar blij om. Jij moet in het kamp blijven. Ga op je paard zitten en wees erop voorbereid dat jullie je moeten terugtrekken als het gevecht slecht voor ons afloopt. Dat beveel ik je, onthoud dat goed.'
'Ik zal eraan denken, heer.' Clae keek teleurgesteld. 'Het spreekt vanzelf dat ik doe wat u zegt.'
'Mooi zo.'
Gerran hing het schild over zijn linkerarm, trok zijn zwaard uit de schede en nam zwierig de leiding van de krijgsbende van de Rode Wolf. Ze reden kletterend de brug over, waar tieryn Cadryc aan de overkant te midden van zijn edelen en bondgenoten eveneens te paard stond te wachten.
'Kom op, mannen!' riep Cadryc. 'Denk aan wat je bevolen is en strijd uit alle macht voor Deverry en de Eerste Koning!'
De krijgers juichten hem toe.
Toen de rest van het leger ook stond opgesteld, zette het zich over de weg langs de kloof in beweging. Het terrein was vanaf het klif aan hun linkerkant tot aan het eind van het rommelige terrein met het gerooide bos tamelijk vlak – en ongeveer anderhalve kilometer breed, schatte Gerran, tot waar de heuvels begonnen. Hij maakte zich geen zorgen meer over een bosbrand. Als het Paardenvolk het hout zo dicht bij Zakh Gral in brand zou steken, zou het daar zelf meer last van hebben dan de vijand. Maar de rommel zorgde wel voor overlast, omdat het terrein moeilijk begaanbaar was voor de paarden en het zelfs gevaarlijk zou zijn als erop gevochten zou moeten worden. De boogschutters waren er als enigen blij mee.
Toen de weg omhoog begon te lopen, gaven de aanvoerders het bevel om halt te houden. De boogschutters, die te voet waren, verspreidden zich door het veld. De Rode Wolf en zijn bondgenoten namen op de rechterflank hun plaatsen in. Het viel Gerran op dat alle boogschutters een kleine bijl aan hun gordel hadden hangen. Hij nam aan dat het een wapen was om zich in het ergste geval te kunnen verdedigen, tot hij zag dat ze hem gebruikten om van dode takken paaltjes te maken, die ze met de achterkant van de bijl steeds met een aantal op een rij in de grond sloegen. Achter elk tot hun middel reikende hekje gingen drie mannen staan, in een halve cir-

kel, als een gebogen arm die naar de vijand wees.
Midden in het leger van de Deverrianen schalde een zilveren hoorn. Gerran ging in de stijgbeugels staan en keek in zuidelijke richting, waar hij een stofwolk naderbij zag komen. Hij liet zich weer in het zadel zakken en haalde een van zijn drie werpsperen uit de koker onder zijn rechterbeen. Hij hoorde metaal rinkelen toen zijn krijgers zijn voorbeeld volgden. De stofwolk kwam steeds dichterbij en bleek een colonne speervechters te zijn, die in rijen van tien noordwaarts marcheerde. Gerran hoorde in de verte hun koperen hoorns bevelen schetteren. Ze hebben ons gezien, dacht hij.
De colonne hield een paar honderd meter voor hen halt, net buiten bereik van hun pijlen. De Gel da'Thae op de achterste rijen draaiden zich een kwartslag om en marcheerden bewonderenswaardig in de maat het rommelige veld in. Een voor een volgden de andere rijen, tot hun hele leger zich vijf man diep in een lange rij tot ver in het veld had opgesteld. Hun voor de aanval geheven speren vormden een puntige, metalen haag. Maar omdat de boogschutters van het Westvolk een bedreiging vormden, gingen ze niet meteen tot de aanval over, precies zoals de prinsen hadden verwacht.
Zo bleven de legers star tegenover elkaar staan, waardoor Gerran de tijd kreeg om de goed bewapende en uitstekend geoefende troepen van de Gel da'Thae zorgvuldig te bekijken. Achter de voorhoede stonden nog meer speervechters, voornamelijk mensen, en een troep Paardenvolkers gewapend met zwaarden. Ze hadden zowel ronde als ovale en bijna rechthoekige schilden, waarmee ze een zo goed als ondoordringbare muur konden vormen. De achterhoede stond in rijen van drie of vier mannen wat losser opgesteld. Gerran zag dat hun wapenuitrusting van leer was, versterkt met glinsterende bronzen banden en knoppen. Tussen hen in stonden mannen in rode mantels met een lange zweep – het Westvolk noemde hen de Ordebewaarders en zij waren de belangrijkste doelwitten.
Aan de kant van de Deverrianen trappelden de paarden en wierpen het hoofd omhoog. Berijders gingen verzitten en mompelden een paar geruststellende woorden. De speerwerpers van de Gel da'Thae verroerden zich nauwelijks en slikten hun vloeken in, maar Gerran zag dat de Paardenvolkers van de achterhoede onrustig en ongeduldig werden en heen en weer begonnen te drentelen. Maar wanneer een van hen een stap naar voren deed, knalde er een zweep en sprong hij vlug weer achteruit.
Plotseling schalde de zilveren hoorn van prins Voran als sein voor de eerste aanval. De voorste rij ruiters stormde onder het brullen van strijdkreten voorwaarts, de heuvel af naar de Gel da'Thae, die met

opgeheven speren stonden te wachten. Onderweg naar de glinsterende haag zag Gerran dat hun bevelhebbers gelijk hadden, dat ze nooit in staat zouden zijn geweest om op een andere manier door de vijandelijke linie heen te breken. Hij gaf een schreeuw en wierp zijn speer zo hard mogelijk over de hoofden van de voorhoede van Gel da'Thae heen naar de achterhoede. Zijn krijgers deden hetzelfde en reden achter hem aan toen hij een meter of twintig voor de troepen van de vijand omkeerde en naar hun uitgangspositie terugreed, tussen hun eigen kameraden door om zich weer achteraan aan te sluiten. De tweede rij ruiters schoof naar voren, wachtte en liet ook het Paardenvolk wachten.

Nog tweemaal voerden de krijgers van de Deverrianen en het Westvolk een dergelijke aanval uit, waarbij ze vlak voor de eerste rij van de Gel da'Thae speren wierpen naar het Paardenvolk in de achterhoede. Na de derde aanval, toen Gerran en zijn mannen weer vooraan stonden, zag Gerran dat de Paardenvolkers naar voren drongen, tussen de Gel da'Thae door, en dat de Ordebewaarders hen met hun zwepen vloekend dwongen weer achteruit te gaan. Opnieuw schalden de hoorns van de Deverrianen. Gerran galoppeerde met zijn rij mee naar voren en wierp zijn tweede speer, waarna hij nog net kon zien dat een van de Ordebewaarders met een speer in zijn borst wankelde en omviel.

Achter zich hoorde hij de woedende kreten die hen werden nageschreeuwd. Hij spoorde zijn paard aan om zich weer zo snel mogelijk bij zijn eigen leger te voegen, waarna hij zich omdraaide en zag dat onder de vijand het tumult losbrak. De Paardenvolkers liet zich niet langer tegenhouden en drongen naar voren, waarbij ze de speervechters omver duwden. Voor de Gel da'Thae zat er niets anders op dan tot de aanval over te gaan, om de opdringende troepen achter zich te ontwijken. Met geheven speren renden ze op de boogschutters van het Westvolk af.

Suizend en fluitend vloog een regen van pijlen in een boog naar hen toe. De speervechters hieven hun schilden om zich te beschermen, maar de tweede pijlenregen werd lager gericht om hen onder hun dak van leer en hout te kunnen raken. Krijgers op de eerste rij zakten getroffen in elkaar, wat hun aanval nog meer verzwakte. Paardenvolkers en Gel da'Thae renden door elkaar heen om elkaar te ontwijken en zich op de vijand te richten.

Koperen hoorns schetterden in paniek. Overal werden Ordebewaarders in hun felrode mantels neergeschoten en door aan hun gezag ontsnapte speervechters vertrapt. Het gedisciplineerde leger van het Paardenvolk veranderde in een losgeslagen bende. De Gel da'

Thae trokken zich terug en lieten hun bondgenoten de pijlenregen tegemoet gaan.
Toen Gerran de hoorns van zijn eigen bevelhebbers opnieuw hoorde schallen, was dat het sein waarop hij had gewacht. Hij trok zijn zwaard, zag dat zijn mannen hetzelfde deden, en wachtte op het laatste sein van Calonderiel op zijn elfenhoorn. De boogschutters hielden op met schieten en de ruiters namen het werk van de pijlen over. Gerran reed af op een zwaardvechter van het Paardenvolk, passeerde hem links, leunde ver over de hals van zijn paard heen en zwaaide met zijn zwaard alsof het een sabel was. Hij raakte de man in zijn nek en zag hem vallen voordat hij zich naar links boog om de speer op te vangen die net zijn schild had geraakt. Zijn paard volgde zijn bewegingen, zodat hij zich aan de speervechter kon wijden. Hij hakte de speer in tweeën, de man liet zijn helft vallen en sloeg op de vlucht.
Gerran ging aan de kant van de weg staan om zijn paard even te laten uitrusten. Tussen de doden en stervenden lagen schilden van de Gel da'Thae, die door de ruiters werden verbrijzeld. Schreeuwend en met hun wapen zwaaiend denderden de krijgers uit Deverry en het Westland langs hem heen en maaiden zowel Paardenvolkers als Gel da'Thae neer. Vijanden renden voor hun leven, naar adem snakkend in de hete zon, terwijl ze door ruiters werden ingehaald. Zwaarden flitsten, troffen doel en zwaaiden bebloed omhoog en weer omlaag. Het oneerlijke gevecht gaf Gerran een misselijk gevoel, tot hij aan de boeren uit het dorp van Neb dacht, die voor de raven op een rij waren gelegd. Hij spoorde zijn paard aan om weer mee te doen. Maar de paarden raakten uitgeput en de troep ruiters begon zich in een gevaarlijk dunne rij langs de weg te verspreiden. Hier en daar draaiden wat speervechters zich om en vormden rug aan rug wanhopig nog een nieuwe verdedigingslinie. Schetterende zilveren hoorns riepen de Deverrianen en Westvolkers terug naar hun bevelhebbers. De speervechters renden, liepen of strompelden in zuidwaartse richting terug naar hun voorlopig nog veilige vesting. Gerran keerde eveneens om, zag Calonderiel en reed in draf naar hem toe.
'Kun jij je de vesting ook zien?' Calonderiel wees met zijn bebloede zwaard naar het zuiden. 'Daar ligt hij.'
'Ik heb andere ogen dan het Westvolk,' antwoordde Gerran.
'Ach ja, neem me niet kwalijk.' Calonderiel zweeg om op adem te komen. 'De draken vliegen daar ook ergens rond en als ruiters van het Paardenvolk het wagen om naar buiten te komen, zullen ze die meteen terugsturen.'
'Mooi zo. Wat doen we nu?'

'We verplaatsen het kamp. Het is tijd voor de belegering van Zakh Gral.'
De boogschutters verwisselden hun grote boog voor een kleinere jachtboog die ze in het zadel konden gebruiken en stegen ook op. Terwijl Gerran ernaar keek, schoot hem iets te binnen.
'Die vervloekte Paardenvolkers moeten ook een soort pijl en boog hebben,' zei hij. 'Waarom gebruiken ze die niet?'
'Een goeie vraag,' zei Calonderiel. 'Ik vermoed dat ze niet genoeg pijlen hebben. Je kunt altijd meer schachten maken, maar als je een gevecht verliest, houdt de vijand de op hem afgeschoten pijlpunten. Ik wil er heel wat onder verwedden dat het Paardenvolk zijn pijlen voor het laatst bewaart.'
Nadat het leger zich in marsorde had opgesteld, trok het over de weg langs de rivier verder naar het zuiden. Ze passeerden de doden die tijdens de aftocht van de vijand waren gevallen en ook gewonden, die naar de kant van de weg waren gekropen om te wachten tot ze eveneens het leven zouden laten of gevangen werden genomen. De rest van de weg naar Zakh Gral werd hun geen strobreed in de weg gelegd. Toen ze de vesting bereikten, was de grote ijzeren poort, die breed genoeg was om vier ruiters naast elkaar door te laten, gesloten.
Zoals Salamander het had beschreven, lag Zakh Gral aan de rand van de kloof, maar nu stond er een stenen muur, nog niet hoger dan anderhalve meter, om de van aan elkaar gebonden boomstammen gemaakte, zes meter hoge houten vestingmuur heen. Naast de enorme hoofdpoort bevond zich een veel smallere poort, die met ijzeren banden was versterkt om vijandelijke bijlen te kunnen weerstaan. Bij een aanval zou de smalle poort ongetwijfeld met stenen worden geblokkeerd. Er staken drie torens boven de muren uit, zag Gerran. Een ervan was van hout, de andere waren van steen.
'We zijn net op tijd,' zei Calonderiel. 'Als we een week later waren gekomen, was die stenen muur helemaal klaar geweest.'
Aan de binnenkant van de houten muur liep een loopbrug, want op een afstandje van elkaar stonden Paardenvolkers op de uitkijk. Hun helmen staken net boven de rand uit, en Gerran zag hier en daar iets wat op de punt van een boog leek. Hij maakte Calonderiel erop attent.
'Je hebt gelijk, het zijn bogen,' zei de banadar. 'We zullen er gauw genoeg achter komen of ze ermee om kunnen gaan.'

Vlak voor zonsondergang haalden de bevoorradingswagens, de knechten, de gewonden en de chirurgijns de gevechtstroepen in, maar

zij sloegen op veilige afstand van de vesting hun kamp op. Terwijl ruiters hen bewaakten tegen een eventuele aanval van de Gel da' Thae, groeven de uitgeputte mannen greppels en zetten de wagens in een beschermende kring om de tenten en de goederen heen. Het was zo'n heldere, zoele avond dat niemand de moeite nam om meer tenten op te zetten dan voor de zwaarst gewonden nodig waren.
Salamander hielp mee tieryn Gwivyr naar een van de ronde tenten van de elfen te dragen. Dallandra's helpers hadden hem op zijn buik vastgebonden op twee met touwen aan elkaar bevestigde planken en zijn hoofd naar opzij gedraaid zodat hij kon ademen. Gwivyr lag zo slap als een stel ongedragen kleren, en hij stonk naar bloed en urine. Dallandra stelde vast dat de speer zijn ruggengraat vlak boven zijn nieren had gebroken.
'Hij heeft geen controle meer over zijn water,' zei ze, 'of over wat dan ook. Als hij blijft leven, zal hij nooit meer kunnen lopen.'
Een van Gwivyrs ogen ging open – het oogwit was rood doorbloed en de blauwe kleur was dof – en meteen weer dicht. Had hij het gehoord? Salamander hoopte het niet.
De hele nacht werd er zowel binnen de vestingmuur als daarbuiten wacht gelopen. De krijgers sliepen met hun wapens en wapenuitrusting binnen handbereik, maar ze werden niet gestoord.
De volgende morgen reden krijgers te paard voor de poort van Zakh Gral heen en weer. De overige mannen zetten op veilige afstand van de vesting meer tenten op en groeven langere greppels. Salamander ging op zijn hurken achter de tenten van de chirurgijns zitten en hoopte dat niemand kon zien dat hij scryde. Het kostte hem geen moeite in het fort te kijken, maar hij kon alleen de plekken zien die bij zijn korte bezoek al hadden bestaan. Overal stonden of drentelden groepjes gewapende mannen, druk pratend of om zich heen starend alsof ze zich afvroegen hoe lang de muren nog overeind zouden staan.
Toen hij zich concentreerde op Rocca, zag hij haar in het schemerdonker in een stenen gebouw. Voor het eerst kon hij het grootste deel van de Binnentempel bekijken, omdat ze geknield zat tussen een groep priesteressen en dienstmaagden die hij bijna allemaal in werkelijkheid had gezien. Voor het altaar stond Lakanza met opgeheven armen voor de beeltenis van de godin. Op het donkere steen van het altaar stonden brandende olielampen en de zwarte piramide glinsterde naargeestig.
'Daar zit hij!' De stem van Calonderiel bracht hem abrupt tot bewustzijn.
Het visioen trilde en verdween. Salamander keek op en zag Calon-

deriel haastig naar zich toe komen. Maelaber draafde met een met linten omwonden staf in zijn hand achter hem aan.
'Wat moet dit voorstellen?' Salamander stond op en liep hun tegemoet. 'Het ziet ernaar uit dat je vader je tot heraut heeft benoemd, Mael.'
'Zijn geheugen is er goed genoeg voor,' zei Calonderiel, voordat Maelaber kon antwoorden. 'Ebañy, je moet doen alsof je een bard bent.'
'Eh... Hoe bedoel je?'
'Grallezar heeft ons een van de wetten van de Gel da'Thae uitgelegd,' zei Maelaber. 'Ze mogen alleen onderhandelen in het bijzijn van een bard, en slechts de goden weten of ze daar in Zakh Gral over kunnen beschikken.'
'De enige andere mogelijkheid is Meranaldar.' Calonderiel spuugde op de grond. 'Dus hebben we geen keus. Jij moet het doen.'
'Ik dank jullie nederig.'
'Bij de zilveren stront van de Stergoden!' Calonderiel zette zijn handen in de zij. 'Als je erop staat dat we het je beleefd vragen, verspillen we tijd!'
'Wie op beleefdheid staat, trapt die de grond in.' Salamander zou Calonderiel het liefst een paar dreunen verkopen, maar hij besefte dat hijzelf dan tot moes zou zijn geslagen voordat hij voor de tweede keer had kunnen uithalen. 'Wat moet ik precies doen om een bard voor te stellen?'
'Geen idee,' zei Calonderiel. 'Bedenk zelf maar iets.'
Maelaber ging vlug tussen hen in staan en hief zijn staf. 'Wacht even!' zei hij bars. 'Vader, wilt u dit verder aan mij overlaten?'
Calonderiel haalde zijn schouders op, draaide zich om en liep terug naar het kamp van de krijgers. Mael zal een goede heraut zijn, dacht Salamander. Als we dit tenminste overleven.
'Waar zal de onderhandeling over gaan?' vroeg hij.
'De prinsen willen de vrouwen bescherming bieden en hun een veilig vertrek uit de vesting beloven.'
'De goden zij dank! Voor dat doel doe ik graag alsof ik nooit anders dan een bard ben geweest.'
'Het is vast niet moeilijk. Grallezar heeft me verteld hoe een bard zich bij hen gedraagt. Het enige wat je moet doen, is de trommel dragen die ik voor je heb gevonden en met een ernstig gezicht voor je uit kijken, en het zou helpen als je af en toe een paar plechtige versregels zingt.'
'O, dat zal me wel... Wacht even, waar vindt de onderhandeling plaats?'
'Op neutraal terrein.'

'Waar de mannen op de muren me kunnen zien? Stel dat ze me herkennen? Ik ben een keer in dat fort geweest, vergeet dat niet. Ik heb er geen behoefte aan om als beloning voor mijn spionagewerk een pijl in mijn rug te krijgen.'
'O.' Maelaber kauwde op zijn onderlip terwijl hij nadacht. 'Aha, ik weet het al! Weet je nog dat Danalaurel een paar jaar geleden een wolf heeft gedood? Daar is hij zo verduiveld trots op dat hij de vacht overal mee naartoe neemt. Wat vind je ervan als we die over je hoofd leggen? We kunnen er ook nog een lap omheen doen, als halsdoek, als de vacht niet genoeg van je gezicht bedekt.'
'Dat lijkt me een goed idee. Vooruit dan maar. Gaat je vader met ons mee?'
'Denk je dat ik de onderhandeling wil laten mislukken? Natuurlijk niet!'
Salamander vond het niet erg dat hij een kleine trommel moest dragen, maar de wolvenvacht was heet, hij stonk en hij kriebelde. De kop, zonder schedel, lag boven op zijn hoofd, de rest hing op zijn rug. Maelaber had de voorpoten om zijn hals geknoopt en er nog een ketting van mooie Bardekse kralen, een geschenk van Calonderiel aan Maelabers moeder, omheen gehangen. Toen Grallezar naar hen toe kwam om mee te gaan, zei ze dat Salamander zijn rol eer aandeed en onherkenbaar was.
'Ik ga met jullie mee,' legde ze uit, 'omdat er iemand bij moet zijn die de taal van de Gel da'Thae spreekt. Prins Voran heeft een heraut van de Lijik aangewezen om het woord te voeren. Hij heet Indar.'
'Een uitstekende keus,' zei Salamander. 'Het is hem eerder gelukt een volgeling van Alshandra ervan te overtuigen dat hij de vrouwen in zijn dun vanwege een beleg moest laten gaan.'
Ze reden het kamp uit en legden in draf de ongeveer anderhalve kilometer af naar waar het leger zich had opgesteld. Knechten namen de paarden van hen over en brachten hen naar de bevelvoerders, die aan de rand van het veld tussen hen en het fort met Indar stonden te praten, ver buiten het bereik van eventuele pijlen vanaf de vestingmuur. Indar begroette zijn metgezellen met een strak glimlachje en een knikje.
'Zullen we gaan?' stelde hij voor. 'Laten we hopen dat de vesting wordt bestuurd door Gel da'Thae en niet door Paardenvolkers, want ik wil niet al voordat ik mijn mond open heb gedaan aan een pijl worden geregen.'
Toen het groepje de poort van de vesting naderde, staken de twee herauten hun staf hoog de lucht in om de linten te laten wapperen in de wind, wat in Deverry en het Westland een verzoek om te on-

derhandelen betekende. Salamander hoopte van harte dat dit ook in het land van de Gel da'Thae de gewoonte was. Hij keek omhoog naar de bovenkant van de donkere houten omheining en zag er de schildwachten met hun handbogen lopen. Een meter of dertig voor de poort bleven ze staan, daar waar ze al binnen bereik van de pijlen waren. De helmen van de mannen op de loopbrug leken op glanzende kevers die over de rand van de omheining kropen.
In het fort klonk hoorngeschal. De deur naast de grote poort ging knarsend open. Salamander sloeg snel een roffel op zijn trommel om het bonken van zijn hart te overstemmen. Er kwamen twee Paardenvolkers naar buiten, van wie één een met linten omwikkelde staf droeg. De deur werd meteen weer dichtgedaan. De heraut, een reusachtige kerel met een wilde bos lichtrood haar dat was versierd met amuletten en rolletjes perkament, droeg de normale bruine brigga en het lichtbruine hemd van de voetsoldaten van de Gel da'Thae. Zijn gezicht en hals waren bedekt met blauwe en paarse tatoeages. De andere afgezant, een slanke jongeman, droeg een lang leren hemd met franje aan de mouwen en de schouders en beschilderd met allerlei patronen over een effen grijze brigga. Hij had kort zwart haar en een melkwit gezicht met maar één tatoeage, de pijl en boog van Alshandra, op zijn linkerwang. Hij had een trommel bij zich die net als de staf van de heraut was omwonden met blauwe linten. En hij had littekens waar zijn ogen hadden gezeten.
'Volgens hun wet moeten wij hen tegemoet gaan,' zei Grallezar zacht en ze ging het groepje voor. De heraut van de Gel da'Thae staarde haar aan, boog even zijn hoofd en zei iets in de taal van het Paardenvolk. Ze antwoordde in dezelfde taal en ging vervolgens over in het Deverriaans.
'Spreek je de taal van de Lijik ook nog, Minaz?' vroeg ze hem. 'Of heb je daar volgens de wetten van je valse godin alleen nog maar minachting voor?'
De heraut liet zijn bovenlip omhoog krullen en gromde diep in zijn keel. 'Inderdaad, Grallezar, maar als je erop staat, zal ik hem gebruiken. Mits je geen spottende opmerkingen maakt over dingen waar je niets van weet.'
Grallezar snoof en wenkte Indar. 'Vertel hem, waarde heraut, wat onze bevelhebbers hem willen laten horen.'
Indar, zo mager als Minaz gezet was, deed een stap naar voren.
'Ik ben gestuurd door het leger van de twee prinsen,' zo begon hij, 'om u te vragen barmhartig te zijn en de vrouwen in uw vesting te laten gaan. We hebben er geen behoefte aan hen te laten lijden. We beloven dat ze veilig mogen vertrekken en dat we hen daarbij zul-

len helpen. Ze mogen met ons mee terugreizen naar Deverry, als ze dat willen, of terugkeren naar uw steden.'
'Ik heb het begrepen,' zei Minaz. 'Wat biedt u daarvoor als vergoeding aan?'
'We hebben ruim zeventig van jullie krijgers, voor het merendeel speervechters van de Gel da'Thae. Een aantal van hen is gewond, de meesten kunnen weer meevechten. Wellicht willen jullie graag dat ze meehelpen het fort te verdedigen.'
Grallezar haalde met een scherp geluid adem. Minaz staarde zijn tegenhanger aan en knipperde, alsof hij zijn oren niet kon geloven, een paar maal met zijn ogen, maar hij herstelde zich snel.
'Ik zal de rakzanir van uw ruimhartige aanbod op de hoogte stellen,' zei hij. 'Maar wees niet verbaasd als ze het minachtend afwijzen.' Hij zei bars een paar woorden in de taal van het Paardenvolk tegen de bard en beende terug naar de vesting. De bard draafde achter hem aan. Ze verdwenen door de deur, die met een klap en gerinkel achter hen werd gesloten.
'Dat was dan dat,' zei Salamander.
'Inderdaad,' beaamde Indar. 'Ik had nog veel meer te zeggen, over de wensen van Alshandra wat haar priesteressen betreft en zo, maar blijkbaar hebben ze genoeg gehoord.'
Grallezar kneep haar lippen opeen en gromde. Ze reden terug naar het leger, waar de twee prinsen, gwerbret Ridvar en gezant Kov op hen stonden te wachten. Toen Indar hun vertelde wat er was gebeurd, trok Ridvar een kwaad gezicht, vloekte Daralanteriel zacht en begon Voran te lachen.
'Het verbaast me niets,' zei hij. 'Nu kunnen we twee dingen doen. We kunnen proberen hen ervan te overtuigen dat een beter aanbod er niet in zit, of we kunnen iets bedenken om dit aanbod aantrekkelijker te maken.'
'Juist,' beaamde Indar. 'Ik kan me vergissen, maar ik kreeg de indruk dat ze denken dat ze een goede reden hebben om het af te slaan. Ik weet niet zeker of het een teken van zelfvertrouwen of van hoogmoed was.'
'Misschien verwachten ze dat er hulptroepen komen,' zei Voran voordat Salamander iets kon zeggen. 'Het is nog niet zo lang geleden dat Braemel zich bij hen heeft aangesloten, dus denken ze misschien dat die stad nu ook een leger zal sturen.'
'Dat zal ongetwijfeld gebeuren, hoogheid,' zei Salamander, 'maar dat is niet de reden voor hun zelfvertrouwen. Ze verwachten dat Alshandra hen een handje zal helpen.'
'Ah.' Voran keek Salamander verbaasd aan. 'Misschien heb je ge-

lijk, waarde Evan. Ik ben geneigd dat soort dingen te vergeten. En er kan ook nog een andere reden zijn, iets wat nog niet bij ons is opgekomen.'

Iedereen keek naar Grallezar, die haar schouders ophaalde. 'Heren,' zei ze, 'als u me eerder van uw aanbod aan de vijand op de hoogte had gesteld, had ik u de moeite kunnen besparen. Bij het Paardenvolk is een man die zich overgeeft geen man meer. Krijgers die heelhuids uit gevangenschap terugkeren, worden met een werpspeer ter dood gebracht, want zij zijn van geen enkel nut meer. Zwaargewonden kunnen op vergiffenis rekenen, maar zij hebben ook geen waarde meer.'

'Vrouwe Grallezar, ik bied u oprecht mijn verontschuldigingen aan,' zei Voran. 'Van nu af aan bent u bij elk krijgsberaad aanwezig.' Hij wierp een blik op de anderen. 'Ik vrees dat we al bij het begin van de onderhandelingen een ernstige fout hebben gemaakt.'

'Dat ben ik met u eens,' zei Daralanteriel. 'Dank u zeer, herauten, en jij ook bedankt, Ebañy.' Hij grinnikte en vervolgde: 'Je mag die belachelijke vos nu wel van je hoofd halen, maar houd hem wel bij de hand, als Danalaurel hem tenminste nog een poosje kan missen.'

'Dank u, hoogheid,' zei Salamander. 'Het ding kriebelt alsof er een zwerm vliegen over mijn hoofd kruipt.'

Nadat de herauten verslag hadden uitgebracht, ging Kov snel naar het kamp van de dwergen. Hij vroeg krijgsheer Brel en wapenmeester Larn met hem mee te gaan een eindje verder het veld in, waar ze konden praten zonder te worden afgeluisterd. Zo dicht bij het fort lagen er alleen bergen dode takken waar de wind dorre bladeren, stukjes bast en houtsplinters naartoe had geblazen, net als naar de verspreid staande boomstronken die te groot waren om uit te graven. Waarschijnlijk hadden knechten uit Zakh Gral het brandhout er allang weggehaald. Kov schopte wat rommel voor zijn voeten weg en joeg een nest spinnen de stuipen op het lijf. Larn sprong met een vloek achteruit.

'Ze zien er niet giftig uit,' zei Brel.

'Giftige spinnen zien er nooit giftig uit,' zei Larn. 'Hoe weet je of ze giftig zijn of niet?'

'Hou op!' zei Kov streng. 'Willen jullie weten wat de herauten te vertellen hadden of niet?'

Ze keken hem allebei verontwaardigd aan, maar luisterden aandachtig toen Kov hen op de hoogte stelde.

'De heren willen het beleg nog een poosje voortzetten, daar komt het op neer,' eindigde Kov.

'Het heeft geen zin om hier rond te hangen terwijl we al het meegebrachte voedsel opeten,' zei Brel. 'Waar wachten ze op?'
'Ze hopen toch nog dat de vrouwen veilig mogen vertrekken,' antwoordde Kov.
Brel snoof. 'Die willen blijven, dus moeten ze dezelfde risico's nemen als de mannen.'
'De meesten zijn slavin.'
'O, dat is iets anders. Denk je dat de kans bestaat dat dat ellendige Paardenvolk hen laat gaan?'
'Nee, dat denk ik niet. We hebben ze beledigd en als het tot ze doordringt dat we niet zullen aanvallen zolang de vrouwen er nog zijn, hebben ze geen enkele reden om die te laten gaan.'
Larn knikte en schopte tegen de grond om zijn voeten. Toen hij geen spinnen zag, liet hij zich op zijn hurken zakken en betastte de aarde met beide handen.
'Bij de kwijlende trollen in de hel, wat doe je nou?' vroeg Brel.
'Ik voel hoe vochtig de grond is.' Larn kwam overeind en veegde zijn handen af aan zijn broek. 'Hij is tamelijk droog. Het heeft hier de laatste tijd niet geregend.'
Ze keken alle drie omhoog naar de strakblauwe lucht.
'Als we de boel in brand steken,' vervolgde Larn, 'gaat het vonken regenen. Wat we nodig hebben, is een regenbui die lang genoeg duurt om de grond te bevochtigen, maar niet lang genoeg om de vesting te doordrenken.'
'Vraag dan de goden alsjeblieft om wat je nodig hebt,' zei Brel grinnikend. 'Dan kunnen zij het uitvechten met Alshandra.'
'Jammer dat we geen tovenaar bij de hand hebben,' zei Larn.
Ze lachten erom, maar Kov herinnerde zich dat hij met zijn staf naar Dallandra was gegaan om haar te vragen of ze hem iets over de runen kon vertellen. Haar opmerking dat zijn staf allang zou zijn vergaan als hij niet op een magische manier werd beschermd, deed hem plotseling denken aan de oude verhalen van het Bergvolk over het Westvolk en hun magische krachten.
'Wat is er?' vroeg Brel. 'Je kijkt alsof je in een perzik heb gebeten en ziet dat een wesp je voor is geweest.'
'Er schoot me iets te binnen wat me niet bevalt,' antwoordde Kov.
'Dat gebeurt hier nogal gauw.'
'Daar heb je gelijk in.' Larn staarde uit over het rommelige veld. 'Als het hele leger nu eens meehelpt om deze vermolmde troep weg te halen,' vervolgde hij.
'Maar hoeveel tijd zou het kosten om een strook land schoon te maken die breed genoeg is?' vroeg Brel. 'We zouden het veld tot voor-

bij de legerplaats moeten ontruimen, denk je niet?'
'Dat hangt van de wind af. Als die naar het kamp toe waait, zijn we er minstens een maand mee bezig.'
Ze liepen een paar stappen in de richting van Zakh Gral. Aan de stenen toren wapperden strijdbanieren. Aan een kant van de houten toren hing een enorme banier met de gouden boog en pijlen van de godin, die zo nu en dan iets opwaaide. De wind kwam pal uit het zuiden, onveranderd sinds de komst van het leger, recht over het fort en stroomopwaarts naar de legerplaats.
'Ik heb nog een idee,' zei Brel. 'Stel, wapenmeester, dat we ons aan de andere kant van de rivier bevonden, het hele leger, bedoel ik. Zou je vanaf die plek het fort in brand kunnen steken? Ik weet dat het een brede kloof is, maar...'
Larn viel hem met een spottende schaterlach in de rede.
'Ach, laat maar,' zei Brel boos. 'Ik neem aan dat we de tunnelgravers en mijnwerkers via de rivier de vesting in kunnen sturen. Zandsteen laat zich gemakkelijk verkruimelen.'
'Niet als je vanaf een boot met je pikhouweel moet zwaaien,' zei Larn. 'De rivier stroomt recht onder de rotswand. Brandstichting is hier onze enige mogelijkheid, krijgsheer.'
Het vreemde gevoel dat Kov had bekropen, groeide uit tot een idee. Een volkomen onmogelijk idee, te dom om uit te spreken. Toch bleef hij er de hele middag over nadenken, tot hij uiteindelijk een besluit nam en op zoek ging naar Salamander.
De gerthddyn zat samen met heer Gerran en Gerrans jonge schildknaap voor zijn tent. Kov ging erbij zitten en luisterde een poosje naar hun gesprek, dat ging over het fokken en verzorgen van paarden – een onderwerp dat alle mannen in Deverry na aan het hart lag, was Kov opgevallen. Ten slotte keek Salamander hem aan en vroeg: 'Is er iets, gezant? U kijkt bezorgd.'
'Er is inderdaad iets. Ook wij, de afgevaardigden van het Bergvolk, hebben nagedacht over dit beleg. We hebben materiaal bij ons waarmee we de vesting in brand kunnen steken, maar als de wind de vonken deze kant op blaast, is de kans groot dat onze legerplaats ook in brand vliegt.'
'De vestingmuren in brand steken, bedoelt u?' Gerran leunde naar hem toe. 'U bent niet goed wijs. Die omheining zal niet zoals brandhout meteen vlam vatten. Eerst zou je er een groot vuur naast moeten stoken, en al die tijd zou het Paardenvolk ons beschieten en waarschijnlijk met stenen bekogelen.'
'Dat is waar.' Kov kon een lachje niet onderdrukken. 'Daar hebben we aan gedacht, heer. Maar stel dat we een soort aanmaakmateri-

aal bij ons hebben dat blijft plakken waar het terechtkomt? Net zoiets als teer, maar nog beter?'
Gerran wilde iets zeggen, maar gebaarde dat Kov verder moest gaan. 'Het probleem is onze tenten en zo. Als een stuk brandende bast op tentdoek valt... Nou ja, dat hoef ik jullie niet uit te leggen.' Kov keek vanuit zijn ooghoeken naar Salamander. 'Helaas bestaat er geen manier om het even te laten regenen, net lang genoeg om die rommel te bevochtigen die de houthakkers van het Paardenvolk hebben laten liggen toen ze die bomen hebben gerooid. En de tenten. Als dat zou gebeuren, zouden we heel wat voor elkaar kunnen krijgen.'
Gerran tuitte zijn lippen tot een 'o' en ook hij keek naar Salamander. De gerthddyn bestudeerde aandachtig de nagels van zijn rechterhand, wreef ermee over zijn hemd en keek op.
'Wat bijvoorbeeld?' vroeg hij.
'Nou ja, stel dat we die houten toren in brand steken, die met die enorme banier eraan.'
'Ah, die zou ik graag zien afbranden.' Salamander slaakte verlangend een zucht. 'Daar hebben ze me opgesloten toen ik hun vesting kwam bekijken.'
'O ja? Nou, dat kunnen we vanaf veilige afstand doen. Daarna zijn de bevelhebbers van dat fort vast wel bereid om ons wat de onderhandelingen betreft tegemoet te komen, denk je niet? Om de prinsen de gelegenheid te geven om in ruil voor de invrijheidstelling van die vrouwen een ander aanbod te doen.'
'Het zou inderdaad een overtuigend argument zijn,' gaf Salamander toe. 'Een grote aanmoediging, een duwtje in de rug of zelfs een lokmiddel om nog eens te komen praten.'
'Ik vraag me af of de Wijze Vrouw dit ook graag zal willen horen,' ging Kov verder. 'Niet dat ik zo ongemanierd zou zijn om haar zelf lastig te vallen.'
'We hebben zelfs twee wijze vrouwen bij ons,' zei Salamander. 'Men zegt dat de Verheven Moeder Grallezar enige kennis heeft van het weer. Misschien zouden ze samen kunnen eh... voorspellen wanneer we zo'n regenbui kunnen verwachten.'
'Dat zou geweldig zijn.' Het kostte Kov moeite om op kalme toon te blijven praten.
Salamander glimlachte, stond op en rekte zich met een lome geeuw uit. Clae keek van de een naar de ander, met open mond van verbijstering. Gerran keek hem aan en trok een wenkbrauw op.
'Is dit weer een van die dingen die ik zal begrijpen als ik ouder ben, heer?' vroeg Clae.
'Inderdaad. Je hoeft er nu niet over in te zitten,' antwoordde Gerran.

Salamander schonk de anderen een vage glimlach en slenterde de kant op van het kamp van het Westvolk. Kov stond eveneens op en vertrok. Onderweg naar zijn tent had hij het gevoel dat er twee mannen een gesprek voerden in zijn hoofd: de een zelfvoldaan omdat hij op een goed idee was gekomen, de ander ervan overtuigd dat Salamander Dallandra alleen maar was gaan vragen of er kruiden bestonden tegen waanzin.
De discussie eindigde toen het midden in de nacht begon te regenen en Kov wakker werd van het gekletter op zijn tent. Hij stak zijn hoofd naar buiten om de koude druppels op zijn gezicht te voelen en te weten dat het echte regen was. Omdat zijn tent met de ingang naar de kant van het fort stond, zag hij dat er een nog groter wonder gebeurde. Zonder erbij na te denken liep hij haastig naar buiten om het, naakt in de regen, beter te kunnen zien. Ja hoor, boven Zakh Gral stonden de sterren nog helder aan de nachtelijke hemel. De rand van de regenwolk hing zo scherp als een snede boven het open veld tussen het kamp en de vesting.
Nu hebben ze iets om over na te denken! dacht hij grinnikend, en hij liep vlug de tent weer in om zich af te drogen. Hij deed zijn best om weer in slaap te vallen, maar hij bleef naar de regen luisteren tot het ochtend werd en die abrupt ophield. Toen dommelde hij in en schrok niet veel later wakker toen hij Larn zijn naam hoorde roepen. De wapenmeester sloeg het doek voor de ingang van de tent open en stak zijn hoofd naar binnen.
'Heb je de regen gehoord?'
'Jazeker,' antwoordde Kov. 'Heb je die wolk gezien?'
Larn knikte terwijl hij Kov onderzoekend aankeek. Kov glimlachte onschuldig en de wapenmeester wendde schouderophalend zijn hoofd af.
'Laten we dan nu de wagens maar afladen,' zei Larn. 'De muren zijn binnen ons bereik, vooral voor onze Grote Jongen.'
'Denk je dat je die houten toren kunt raken?' vroeg Kov. 'Die met die enorme banier? Salamander heeft me verteld dat die banier een aandenken is aan een gebeurtenis die de Gel da'Thae als een heilig wonder beschouwen.'
'Laten we dan maar eens zien of we hem in wonderbaarlijke vlammen kunnen laten opgaan. Een uitstekende keus, gezant! We willen één groot vuur, nietwaar? Het kan zijn dat we het een paar keer moeten proberen, maar we zullen ons best doen.'
Toen het nieuws de ronde deed dat het Bergvolk eindelijk hun geheime lading zou onthullen, gingen ook de prinsen en de gwerbret kijken. Er verzamelde zich zo'n grote menigte om de wagens dat Kov

zijn rang gebruikte om ruimte te maken. Omdat hij de prinsen en de gwerbret natuurlijk niet weg kon jagen, stond Larn met tegenzin toe dat ze mochten blijven. Kov zorgde er wel voor dat ze van een afstand toekeken, door te benadrukken dat de lading van deze wagens gevaarlijk was.

'Zo meteen zult u zien waarom ik me zorgen maak om uw veiligheid, hoogheden,' zei hij.

Een groepje tunnelgravers onder leiding van ene Grosh zette twee wagens zo neer dat ze tegenover de houten toren stonden, die ruim tweehonderd meter verderop stond. De kisten werden eruit getild en de mannen begonnen door ijzeren pennen te verwijderen de wagens uit elkaar te halen. De zijkanten werden op de grond gelegd om een vlakke bodem te maken. Van de lange houten disselbomen, vierkant gehakte balken, werd een raamwerk gemaakt voor een lange, smalle houten kist, die werd vastgezet met een uiteinde naar de toren.

Kov begreep nog steeds niet wat de bedoeling was, want niemand had het hem ooit uitgelegd. Toen de edelen hem naar hun geheime wapen hadden gevraagd, had hij eerlijk kunnen antwoorden dat hij er niets over kon vertellen. En nu bleven de tunnelgravers en machinebouwers met opzet dicht om het wapen heen staan om te beletten dat de omstanders precies konden zien wat er gebeurde. Van een afstandje zagen Kov en de anderen alleen dat Grosh zich druk maakte om de juiste positie van het raamwerk en de kist, dat er hier en daar pennen in werden gehamerd en touwen werden vastgemaakt. De mannen gaven Grosh spullen aan wanneer hij erom vroeg.

'Veren,' zei Kov plotseling. 'Die gedraaide touwen en zo noemt hij torsieveren. Maar ik weet niet wat dat betekent.'

De tunnelgravers trokken de derde wagen dichterbij en Grosh onthulde de Grote Jongen, zoals ze het ding noemden: een buikboog van hoorn en pezen, die zijn kracht ontleende aan strak opgewonden bosjes haar en pezen in de hoeken van de boog. Grosh legde hem voorzichtig, met een streling, op de kist en bond hem vast. Bij normaal gebruik zat de gebogen metalen band aan het eind van de schacht om de buik van een boogschutter om het wapen op zijn plaats te houden terwijl hij het spande, maar deze band werd om het houten raamwerk bevestigd.

'Het is een indrukwekkend wapen, hoogheden,' zei Kov. 'Maar de boog is zo zwaar dat zelfs twee Bergvolkers hem niet kunnen spannen. Daarom heeft Larn deze methode bedacht. Hij is met ijzerdraad bespannen en er zit een haak aan die ergens bevestigd wordt, en dan draaien ze aan een hendel om de draad naar achteren te trekken enne... Nou ja, meer weet ik er niet van.'

Larn richtte de Grote Jongen op de toren. Terwijl hij daarmee bezig was, kon iedereen de boog beter bekijken, maar liet de werking ervan nog steeds naar zich raden.
'Alle goden, wat een prachtig wapen,' zei Ridvar zacht.
'Nietwaar, edele heer?' Kov straalde.
'Het moet enorme kogels kunnen afschieten.'
'Inderdaad, edele heer, en heel ongewone kogels.' Kov overwoog hoeveel hij kon vertellen voordat Grosh hem hardhandig de mond zou snoeren. 'Ze zijn hol en er zit een geheim in dat ik niet mag verklappen. Maar ik verzeker u dat u er zo meteen zelf achter zult komen.'
De geheime inhoud was uitgevonden door dwergvrouwen, die altijd op zoek waren naar betere methoden om hun ondergrondse steden te verlichten dan blauwzwammen in een mand. Maar dit mengsel, bestaande uit bitumen, zwavel, rotsolie en vlasdraden om het te binden, had een te heftig resultaat opgeleverd. Bij de proefnemingen waren er twee dwergen overleden en toen hadden de krijgsheren het spul in beslag genomen. Het was zo gevaarlijk dat ze het in afgesloten en verzegelde aardewerken potten vervoerden. Kov vermoedde dat er een ramp zou gebeuren als ze vroegtijdig werden geopend. Zo beleefd mogelijk verzocht hij de bevelhebbers nog een paar stappen achteruit te gaan.
'We zijn er klaar voor,' kondigde Grosh in de Dwergentaal aan. 'Nu moeten we de kogels laden. Steek een kaars aan, maar op een afstandje, alsjeblieft. Anders lopen we gevaar dat wijzelf de lucht in worden geblazen.'
Kov en de bevelhebbers gingen van schrik nog verder achteruit. Grosh had wekenlang nagedacht over hoe hij deze ongeschikte lichtbron voor zijn eigen doeleinden zou kunnen gebruiken. Tenzij het mengsel in de kogel voor het afvuren vlam vatte, was de brandende lont vaak vroegtijdig gedoofd. Helaas was het mengsel diverse keren te hevig ontbrand, waarbij Larn een keer zijn baard en zijn hoofdhaar had verloren en de machine moest worden gerepareerd. Nu hadden de lange houten kogels met een ijzeren punt gaten aan de onderkant om tijdens de vlucht lucht bij het mengsel te laten komen, en meerdere lonten in de zwarte, kleverige inhoud. Bij proefnemingen had dit goed gewerkt en Kov wilde er niet aan denken dat het nu zou kunnen mislukken. Terwijl de machinebouwer en de wapenmeester bespraken hoe ze de Grote Jongen het beste konden richten, keek Kov naar de vesting. Opnieuw staken de glimmende helmen van de mannen die de vijand in de gaten hielden boven de muur uit.

Eindelijk was de Grote Jongen klaar voor zijn werk. Larn draaide aan de hendel op de kist en knarsend en piepend draaide de binnenste schacht van de glijkist mee. Het zweet droop van Larns gezicht en doordrenkte de kraag van zijn hemd. Hij leunde met zijn volle gewicht naar achteren om zijn greep op de hendel niet te verliezen. Grosh kwam naar voren, legde een kogel op zijn plaats, stak de lonten met een brandende houtsplinter aan en sprong achteruit toen Larn de hendel losliet.
De schacht draaide, de haak maakte zich los van de draad, de kogel verliet de boog en vloog de lucht in. Fluitend trok hij een zwarte rookstreep door de blauwe lucht. De mannen op de vestingmuur draaiden zich om om de kogel met hun ogen te volgen. Larn begon weer aan de hendel te draaien toen de kogel begon te dalen in de richting van het raam in de toren. Even later vloog de tweede kogel door de lucht. Grosh legde de derde in de machine. In het fort waren de Paardenvolkers doodstil, eerder in de greep van onbegrip dan van angst. De eerste kogel sloeg met zo'n klap in de toren dat het hele bouwwerk trilde. Heel even gebeurde er niets, toen volgde de ontploffing. Glanzend gouden strepen van het brandende, smeltende bitumenmengsel liepen langs de toren omlaag. Rook kringelde omhoog, vlammen laaiden op. De tweede kogel verdween in de vlammen en de toren spuugde vuur. Ook de derde kogel was raak. Met donderend geraas vloog het bovenste deel van de toren in brand. Het Deverriaanse leger antwoordde met gejuich toen de enorme banier van Alshandra ook vlam vatte en het gebrul van paniek van het Paardenvolk met de rookwolken mee opsteeg.
'Hij werkt, hij werkt!' brulde Larn in de Dwergentaal, met zijn armen omhoog.
'Knap gedaan, wapenmeester!' Brel lachte, waarschijnlijk voor het eerst in vijftig jaar. 'Heel knap gedaan. We zullen ze allemaal wreken, al onze doden! Onze wraak is zoet!'
In het fort klonk hoorngeschal. De toren begon in te storten, brandende stukken vielen naar beneden. Overal binnen de muren klonk geschreeuw en Kov kon zich de paniek goed voorstellen: slaven die met emmers water heen en weer renden, anderen die met een schop de vlammen probeerden te doven, ronddravende rakzanir die bevelen schreeuwden...
'Het zal niet meevallen die brand te blussen,' zei prins Voran. 'Helaas hebben ze overvloedige bronnen.'
'Laten we hopen dat ze inderdaad water gebruiken, hoogheid,' zei Kov, 'want dat mengsel blijft drijven en brandt gewoon door.'
Een poosje leek het erop dat de hele vesting het na de eerste aanval

zou begeven. De prinsen en heren schreeuwden tegen hun eigen mannen dat ze zich moesten klaarmaken voor het gevecht, voor het geval dat het Paardenvolk naar buiten zou komen om aan het vuur te ontsnappen. Het laatste stuk van de houten toren stortte in en verdween achter de muren en een zwarte, vette rookwolk steeg op en dreef weg over de rivier. Hij nam vonken mee, die meteen doofden. Er kwamen ook vonken neer op het natte kamp van de Deverrianen, maar die gingen sissend uit. De rookwolk omhulde hen met een stank van brandende zwavel. Hoestend en kokhalzend liepen de prinsen en de gwerbret terug naar hun krijgers.

Maar de rook trok al gauw op. Het hoorngeschal en geschreeuw van het Paardenvolk stierf weg. Kov vermoedde dat iemand in de vesting had ontdekt dat het beter was het vuur met zand te doven dan het met water te verspreiden. Op de muren verschenen de helmen weer, maar nu waren ze roetzwart.

De deur naast de poort ging open en Minaz, de heraut, kwam naar buiten, zwaaiend met zijn staf.

'Een wonderbaarlijk resultaat,' mompelde Brel en toen drong het tot hem door wat hij had gezegd. 'Ach welnee, die verdraaide regenbui was gewoon geluk. Geen dweomer, dat bestaat niet.'

Larn, Grosh en de tunnelgravers keken strak een andere kant op.

Uitgedost in zijn wolfsvacht en met zijn trommel in de hand draafde Salamander achter Indar en Maelaber aan toen die naar de heraut van de Gel da'Thae liepen. Hoewel Minaz stonk naar rook en er een laagje as op zijn stijve rode manen lag, bleef hij fier rechtop staan toen hij hen begroette.

'We willen uw prinsen een aanbod doen,' begon hij. 'We sturen u al onze slavinnen en schenken u een hoeveelheid goud als u zich uit ons grondgebied terugtrekt. We hebben volgens uw gewichtsberekening een centenaar aan goud voor u, dat u op uw wagens mag laden voordat u vertrekt en ons verder met rust laat.'

'We willen geen geschenken,' antwoordde Indar. 'Het is de wens van uw godin dat vrouwen die in haar geloven een lang leven leiden om haar leer te verbreiden. Wij bieden hun de gelegenheid om dit te doen, omdat we van mening zijn dat hulpeloze vrouwen niet voor de zonden van het manvolk horen te sterven. We bieden zowel uw priesteressen als uw slavinnen een toevluchtsoord aan.'

'Misschien kunnen we de priesteressen overhalen te vertrekken. En het goud? Is een centenaar niet genoeg?'

'We zijn hier niet gekomen om jullie te beroven. We verzoeken jullie uit Zakh Gral te vertrekken, zodat we ook de restanten ervan

kunnen platbranden zonder dat jullie erbij omkomen. En we eisen dat jullie een eind maken aan de rooftochten naar onze boerendorpen.'
Maelaber deed een stap naar voren. 'Prins Daralanteriel voegt hier een boodschap aan toe: we staan niet toe dat jullie een dolk op onze keel zetten. Zakh Gral moet de laatste vesting zijn die jullie bij de Galan Targ hebben gebouwd.'
Minaz dacht na. De jonge bard sloeg met zijn lange vingers een onsamenhangend ritme op zijn trommel terwijl hij zijn blinde gezicht heen en weer draaide. Salamander begon in de Elfentaal te zingen, de paar regels die hij zich herinnerde van 'De brand in de rozenvallei'. Toen Minaz zijn staf hief, zweeg hij en hield de bard op met trommelen.
'Ik hoor de naam van Ranadar uit de mond van uw bard,' zei Minaz. 'De boodschap is duidelijk. Ik zal hem aan de rakzanir overbrengen.'
De bard en de heraut liepen iets te snel om waardig te zijn terug naar het fort. Indar en Maelaber keken Salamander boos aan.
'De boodschap luidt, dat vermoed ik tenminste, dat we belust zijn op wraak,' zei Salamander. 'Hun voorouders hebben de stad van Ranadar platgebrand en daarbij iedereen die ze te pakken konden krijgen vermoord. Vrouwen, zuigelingen, iedereen.'
'Nou ja, dan klopt het wel ongeveer.' Indar tuitte zijn lippen terwijl hij erover nadacht. 'Maar waarschuw me de volgende keer alsjeblieft voordat je iets gaat zingen wat van grote betekenis is.'
Ze liepen terug naar het leger om verslag uit te brengen aan hun leiders. Terwijl Indar het woord voerde, ging Salamander naast Grallezar staan.
'Mag ik u iets vragen?' zei hij.
'Dat mag, al geef ik misschien geen antwoord.'
'Minaz de heraut... Kende u hem al?'
'Inderdaad. Hij was jaren geleden een trouwe inwoner van Braemel en maakte me destijds het hof. Ik was bijna met hem getrouwd, maar mijn moeder, moge zij in het Dodenrijk rusten in vrede, verbood het me. Ik heb erom gehuild, maar nu weet ik dat ze gelijk had. Hij is een slappeling, een verrader van zijn stad.'
Toen Indar klaar was met zijn verhaal, riep prins Voran Grallezar om krijgsberaad te houden. Salamander ging op de grond zitten, maar hij had zich nog maar net geïnstalleerd toen Minaz en de bard weer naar buiten kwamen en hen wenkten om de onderhandeling voort te zetten. Opnieuw liepen de twee herauten en Salamander haastig naar het terrein tussen het fort en de legerplaats in.

'De rakzanir hebben gezegd dat ze de vrouwen weg zullen sturen als uw prinsen ons als mannen wil laten vechten en sterven,' zei Minaz. 'Neem de vrouwen mee en laat ons naar buiten komen voordat jullie de rest van het fort in brand steken.'
'Is dat alles?' vroeg Indar.
'Onze rakzanir kunnen geen beloften doen namens alle andere krijgers van de Gel da'Thae. Maar als jullie deze veldslag winnen, hoeven jullie niet bang te zijn dat degenen die hier aanwezig zijn, ooit weer jullie boerderijen zullen plunderen. Ik heb nog nooit gehoord dat iemand opstaat uit de dood om opnieuw met zijn sabel te zwaaien. Als jullie verliezen, zien we wel wat er gebeurt. De toekomst is een duistere plek, beste heraut. Niemand kan ernaar kijken en beweren dat hij duidelijk heeft gezien wat eraan komt.'
'Dat is waar.' Indar glimlachte wrang. 'Ik zal de prinsen vertellen wat u hebt gezegd.'
Voordat de bevelhebbers van het Deverriaanse leger en de rakzanir het met elkaar eens werden, moesten de herauten nog driemaal met elkaar overleggen. Toen de zon zijn hoogste punt allang was gepasseerd, kondigde Minaz aan dat de vrouwen zodra ze hun bezittingen hadden ingepakt naar buiten zouden komen. Inmiddels was Salamander zich ervan bewust dat hij trilde van uitputting die voortkwam uit hoop en vrees. Nog even en hij zou Rocca weerzien, als alles tenminste goed ging en het Paardenvolk hen niet bedroog. Toen hij met de herauten meeliep terug naar hun eigen terrein struikelde hij en viel bijna op de grond. Maelaber greep hem net op tijd vast om hem overeind te houden.
'Haal die vacht van je hoofd!' riep Grallezar, die hen tegemoet kwam. 'Je hebt last van de warmte. Je gezicht is zo rood als de ondergaande zon.'
Salamander deed wat ze zei en liet zich door haar meenemen, want hij was zo verblind door de hitte dat hij nauwelijks meer kon zien dan de bard van de Gel da'Thae. Ze haalde water in een leren emmer en gaf hem een schepje aan om mee te drinken. Hij ging op de grond zitten en dronk zo veel mogelijk, en goot de rest van het water over zijn hoofd. Toen het waas voor zijn ogen optrok en hij om zich heen keek, zag hij dat de krijgers zich bewapenden en hun paarden zadelden.
'Wat betekent dit?' vroeg hij. 'Gaat het gevecht meteen beginnen?'
'Nee, nee, nee, dat hopen we tenminste niet.' Grallezar lachte haar lange snijtanden bloot. 'Jullie prinsen zijn zo verstandig om de rakzanir niet te vertrouwen, daarom zorgen ze ervoor dat het leger klaarstaat voor de strijd. Maar ik denk dat de Gel da'Thae in Zakh Gral

het Paardenvolk ervan zullen overtuigen dat het zijn woord moet houden.'
Toen de herauten werden opgeroepen voor een nieuwe onderhandeling, voelde Salamander zich weer goed genoeg om mee te gaan. Net toen Maelaber hem hielp met het omslaan van de wolvenvacht kwam er een jonge Deverriaan aandraven, die zich voor Indar op zijn knieën liet vallen. Het was een magere jongen met een onopvallend gezicht en naar achteren geborsteld dik bruin haar, hij droeg geen maliënkolder of helm en ook geen zwaard.
'Beste heraut, mag ik u iets vragen?' smeekte hij.
'Wat dan?' zei Indar. 'Wie ben jij?'
'Ik heet Tarro, heer. Ik ben een van gwerbret Ridvars krijgers, maar ik heb mijn wapenuitrusting niet aangetrokken om met u mee te gaan, nou ja, als u dat goedvindt. Ik vermoed dat mijn zuster slavin is in die vesting. We woonden vroeger langs de grote weg naar het westen, in het dorp dat ze in het begin van de zomer hebben platgebrand.'
'Ik begrijp het al,' zei Indar. 'Goed, kom dan maar mee.'
'Ik dank u nederig, heer.' Tarro stond op. 'Ik kan nauwelijks wachten. Ze is de enige familie die ik nog heb.'
Salamander wist precies hoe Tarro zich voelde, want hijzelf kon zijn ongeduld ook nauwelijks bedwingen. Op het open veld moesten de twee herauten met geheven staf heel lang wachten tot de deur naast de toegangspoort van het fort openging. Eerst kwam Minaz naar buiten, eveneens met zijn staf omhoog. Hij werd gevolgd door een lange rij vrouwen, onder aanvoering van hogepriesteres Lakanza en de twee priesteressen van de Gel da'Thae. Ze zagen er zo ernstig en waardig uit alsof ze op een feestdag ter ere van Alshandra deelnamen aan een heilige processie. Maar waar was Rocca? Salamander ging op zijn tenen staan om de rij slavinnen in vuile kleren beter te kunnen bekijken.
Plotseling slaakte Tarro een triomfantelijke kreet en rende naar voren. Een mager meisje met bruin haar verliet de rij en rende hem tegemoet, regelrecht in zijn armen, waar ze in snikken uitbarstte. Ze was nog heel jong, zag Salamander, beslist niet ouder dan twaalf zomers.
'Ik wist dat je zou komen,' zei ze steeds weer. 'Ik wist dat je me zou komen halen.'
Tarro kon alleen haar kort afgesneden haar strelen en met haar mee huilen. Minaz keek met een verbijsterd gezicht toe.
'Ze is zijn zuster,' legde Indar een beetje geërgerd uit. 'Zijn familiebanden bij jullie dan niet belangrijk?'

'Juist wel, erg belangrijk.' Minaz schraapte zijn keel. 'Dacht u echt van niet? Ik vroeg me alleen maar af wat dat meisje voor hem betekende.'
Indar en zijn ambtsbroeder keken elkaar ijzig aan. De dunne draad van wellevendheid tussen de herauten stond strak gespannen tot Minaz schouderophalend zijn hoofd afwendde. 'Dit zijn alle vrouwen die willen vertrekken,' zei hij. 'Hebt u nog boodschappen voor mijn rakzanir?'
De rij vrouwen was hen inmiddels voorbijgelopen. Salamander had zich na de mededeling van Minaz dat dit alle vrijgelaten vrouwen waren, ontsteld omgedraaid. Rocca zag hij nergens. Hij wilde niets liever dan achter de vrouwen aan lopen en Lakanza vragen waar Rocca was, maar zijn aandeel in de ingewikkelde onderhandelingen tussen de herauten was nog niet afgelopen. Hoewel de vrouwen uit Zakh Gral nu veilig waren, stonden de mannen van beide legers nog aan de rand van de dodelijke afgrond. Ze waren het aan hun eer verplicht voorwaarden te stellen, al dan niet vergezeld van dreigementen, al wist iedereen dat woorden de strijd niet zouden voorkomen.
Toen de onderhandelingen waren afgelopen, stond de zon vlak boven de horizon. Salamander en de twee herauten liepen haastig terug naar de legerplaats, waar de krijgers nog steeds volledig bewapend op de grond naast hun paarden zaten te wachten. Toen de herauten doorliepen naar de bevelhebbers, bleef Salamander achter en vroeg zich af of zijn aanwezigheid nog gewenst was. Gerran, in maliënkolder en met zijn zwaard omgegespt, kwam naar hem toe.
'Ga maar naar het kamp,' zei hij. 'Ik heb Clae er ook naartoe gestuurd. Als ik sneuvel, wil jij dan voor hem zorgen?'
'Dat zal ik doen, maar ik zal voor je bidden.'
Ze schudden elkaar de hand, misschien voor de laatste keer. Een knecht bracht Salamanders paard en hij steeg op en reed weg. Toen hij een eind verder stilstond en zich in het zadel omdraaide, stond Gerran nog op de weg om hem na te zwaaien, met zijn rode haar als een baken in het strijklicht van de ondergaande zon.
De duisternis viel toen Salamander het kamp binnenreed. Hij gaf zijn paard aan een knecht en liep door zwermen muggen in de warme avondlucht tussen de tenten door. Hier en daar brandde een vuurtje, eromheen zaten mensen te eten en zacht te praten. Hij zocht Clae, die bij een vuurtje voor de tent van Grallezar bleek te zitten.
'Ah, ben je daar,' zei Grallezar. 'Kom erbij zitten en eet met ons mee.'
'Ik moet eerst met de hogepriesteres praten.' Maar zijn maag knorde hoorbaar. 'Wil je een stuk brood voor me bewaren?'

'Dat zal ik doen,' beloofde Clae. 'Ze hebben de heilige vrouwen die grote tent daar gegeven. Zal ik de schildwachten vragen of ze je door willen laten?'
'Het lijkt me nog beter als je een van hen vraagt met me mee naar binnen te gaan, want die vrouwen hebben een goede reden om me te haten.'
In de tent stonden enkele kaarsen op de haardsteen onder het rookgat. Tussen de bundeltjes eigendommen zaten de priesteressen en hun dienstmaagden op de grond, behalve Lakanza. Zij zat op een opgevouwen deken op een houten kist, die iemand speciaal voor haar moest hebben gebracht. Aan haar voeten zat een lange, magere Deverriaanse vrouw met vuil rood haar. Toen Salamander en de schildwacht binnenkwamen, ging ze na een minachtende blik op Salamanders gezicht op haar knieën zitten. De andere priesteressen keerden hem vol afkeer hun rug toe en schoven zo ver mogelijk bij hem vandaan. Lakanza leunde naar voren en legde kalm een hand op de arm van de roodharige vrouw.
'Het is goed, Mauva,' zei ze. 'Ik wil graag even met Evan praten.'
'Mauva?' herhaalde Salamander. 'Bent u de tante van Neb?'
'Niet meer, maar ik was inderdaad de vrouw van zijn oom,' antwoordde de roodharige vrouw. 'Nu heb ik een beter leven.' Ze wierp een aanbiddende blik op Lakanza. 'Hare heiligheid heeft me de weg gewezen.'
Lakanza leunde opnieuw naar voren en mompelde iets wat Salamander niet kon verstaan. Mauva knikte en stond op om bij de andere vrouwen te gaan zitten. De schildwacht was met zijn hand op het gevest van zijn zwaard bij de ingang van de tent blijven staan. Salamander knielde naast de hogepriesteres.
'Ik ben gekomen om u te vragen het me te vergeven,' begon hij. 'Ik moest mijn volk beschermen tegen uw krijgsheren, anders zou ik u nooit hebben verraden. We zijn niet het gebroed van Vandar, uwe heiligheid. We zijn sterfelijke wezens, net als u en de uwen. Dat zweer ik u.'
Lakanza keek hem zwijgend aan, met bedachtzame, intelligente ogen, ondanks het netwerk van rimpels eromheen.
'Ik zie Rocca nergens,' ging Salamander verder. 'Waarom is ze niet met u mee naar buiten gekomen?'
'Verbaast je dat echt?' vroeg Lakanza met bevende stem. 'Ze heeft het volste vertrouwen in Alshandra en wil haar en onze heilige relikwieën tot het laatst toe beschermen of, als dat Alshandra's wil is, in haar tempel sterven. Ik heb de twee draken gezien en jullie dwergen gebruiken duivelse magie tegen ons, dus volgens mij is dit de

laatste oorlog voor het einde van de wereld, precies volgens de voorspelling.'
'Dat is het niet, heiligheid. Het is alleen maar een gevecht van mijn volk tegen degenen die onze bondgenoten als schapen hebben afgeslacht.'
'Dat heeft jullie prins der duisternis jullie natuurlijk verteld, maar daarom is het nog niet waar. Ik wil iets weten. Je bent niet naar het land van Alshandra gegaan, dus hoe ben je uit die toren ontsnapt? Was het tovenarij?'
'Inderdaad, heiligheid. Het was geen wonder.'
Lakanza zei niets en staarde met haar gerimpelde handen losjes op schoot voor zich uit. Ten slotte schudde ze zuchtend haar hoofd. 'Wat ik het ergst vind, is dat ik Sidro zo slecht behandeld heb. Ze heeft geprobeerd me op allerlei manieren te waarschuwen dat je een tovenaar was, maar ik was te trots om naar haar te luisteren. Ben je soms een mazrak?'
'Inderdaad, heiligheid. Ik heb u voorgelogen om ervoor te zorgen dat u me in de toren zou laten opsluiten en toen ben ik weggevlogen.'
'Evan, Evan, hou alsjeblieft op met die duivelse praktijken, dat smeek ik je, voordat het te laat is! En vraag me niet het je te vergeven. Vraag het háár, dan zal zij het je vergeven. Je zou hier niet op je knieën naast me zitten als je niet diep vanbinnen wist dat tovenarij een duivelskunst is.'
'Dweomer heeft niets met de duivel te maken. Daar zit ik ook helemaal niet over in. Het doet me alleen verdriet dat ik u en Rocca heb bedrogen.'
'En die waarschuwing in de zwarte steen dan? Rocca heeft daar een afschuwelijk visioen in gezien. Een beeld van onze godin in de hemel, maar ze werd aan stukken gereten door onzichtbare beesten. Ze stierf boven een doorwaadbare plaats in een rivier, en onder haar juichte het leger van de Lijik van triomf en leedvermaak. Heb jij ons dat beeld gestuurd om ons te kwellen?'
'Wat? Nee, dat heb ik niet gedaan, ik zou nooit op zo'n manier de spot met u drijven. Geloof me, alstublieft.'
'Ik geloof je.' Lakanza dacht even na en slaakte een zucht. 'Dan weet ik niet wie het wél heeft gedaan. Misschien Vandar zelf, maar ik ben erg blij dat jij het niet was. Ik ben ervan overtuigd, Evan, dat je ware aard op een dag boven zal komen en dat je dan naar ons terugkeert, waar je thuishoort. Ik zal er onze godin om vragen.'
Salamander keek naar haar gezicht en haar donkere ogen, zo meelevend, zo oprecht vriendelijk en diep bezorgd om hem en zijn ziel,

ondanks het leed dat hij haar en haar volk in de vesting had aangedaan. En Rocca. Hij probeerde iets te zeggen, maar hij begon te huilen en terwijl hij snikte als een kind, legde ze haar handen op zijn hoofd en zegende hem.

'In het kamp van de Ouden is Lakanza veilig,' zei Laz. 'Ik zei toch dat ze een oude vrouw niet zouden doden? Je andere zusters in Alshandra zijn trouwens ook buiten gevaar, voor zover ik kon zien.'
'Als goden bestaan, dank ik ze,' zei Sidro. 'Als je me tenminste de waarheid vertelt.'
'Over zoiets zou ik niet liegen, Sisi.'
'O nee? Je loog wel toen je me vertelde dat je hen had gewaarschuwd dat het leger van de Lijik in aantocht was. Het kon de rivier oversteken zonder dat iemand het tegenhield.'
'Wat? Om te beginnen, heb ik je verteld dat ik een ingewikkelde toverformule wilde uitproberen, die ik nooit eerder had gebruikt. Ten tweede moesten die heilige dwazen van je, als ze in de steen konden zien wat ik hun wilde laten zien, de waarschuwing ter harte nemen. Geef mij er dus niet de schuld van dat ze dat niet hebben gedaan.'
'Ach ja, je hebt gelijk. Het spijt me.'
Hij trok een verongelijkt gezicht maar vervolgde: 'Het was deze keer een boeiende vlucht naar Zakh Gral. Ik was er niet de enige raaf, hoewel de andere of gewone vogels waren of anders heel kleine mazrakir.' Hij lachte om zijn grapje. 'Nee, ik denk het eerste. Raven lijken altijd te weten wanneer de oorlogsgoden op het punt staan ze te voederen. Gek genoeg joeg ik ze geen angst aan. Meestal doe ik dat wel. Waarschijnlijk omdat ik veel groter ben dan zij, of ze weten dat ik geen echte raaf ben. Maar waarschijnlijk waren ze dapper bij het verrukkelijke vooruitzicht op een bloedige strijd.'
Met zijn handen op de rug en zijn ellebogen opgezet als vleugels stond Laz naar haar te kijken. Ineens vroeg Sidro zich af of zijn tovenarij ertoe zou leiden dat hij op een dag in een echte raaf zou veranderen. Ze herinnerde zich enkele vreemde waarschuwingen in de perkamentrollen die Hazdrubal van de Zwarte Eilanden had meegebracht, maar nee, het idee was te bespottelijk om serieus te nemen.
'Wat is er?' vroeg hij.
'Ach, niets. Maar al dat bloedvergieten... Ik moet er niet aan denken.'
'Hm, ja, ik zal er niet langer over doorgaan, of over andere ellende. Ik moet even met Pir praten, ik ben zo terug.'
Toen hij weg was, ging Sidro aan tafel zitten om Lakanza te scryen

in de witte steen. Deze keer had Laz de waarheid gesproken. Ze zag Lakanza in een tent zitten met voor zich een knielende man. Evan! De slang! Wat een lef om met Lakanza te gaan praten! Ze zag de andere priesteressen ook in de tent, behalve Rocca. Ze verplaatste haar gedachten naar haar vroegere rivale en toen verscheen Rocca's beeld voor haar geestesoog: alleen in de tempel, languit voorover op de vloer voor Alshandra's altaar, biddend met gevouwen handen. Maak dat je daar wegkomt, sufferd! dacht Sidro. Rocca hoorde het blijkbaar niet. De piramide van obsidiaan stond op het altaar hoog boven haar hoofd. Hoewel Sidro lange tijd in het witte kristal staarde, stond Rocca niet op om in de zwarte steen te kijken en zonder dat kon Sidro haar niet bereiken. Toen ze merkte dat ze onverwachts tranen in haar ogen had, gaf ze het op.
'Ik haat haar niet meer,' zei ze hardop. 'Ik vraag me af hoe dat komt.'

Salamander sliep die nacht slecht en werd lang voor zonsopgang wakker. Hij stond op, pakte zijn kleren en liep ermee naar buiten om Clae niet te storen. Hoewel hij wist dat hij in het betrekkelijk veilige kamp kon blijven zonder dat iemand dat oneervol van hem zou vinden, was hij al op weg naar de paarden toen de lucht in het oosten een parelmoergrijze kleur begon te krijgen. Hij zadelde zijn roodbruine ruin en leidde hem aan de teugel naar de weg.
'Het spijt me, jongen,' zei hij tegen het paard, 'maar ik kan hier niet blijven rondhangen terwijl ik me afvraag wat er met Rocca is gebeurd. Laten we dus hopen dat onze vrienden de strijd winnen, anders eindigen we misschien allebei als slaven van het Paardenvolk.'
Hij steeg op en reed naar Zakh Gral. Hoog boven zijn hoofd zweefden de draken in cirkels door de lucht, een zwarte en een zilveren, als voortekens in een nachtmerrie.

Toen de zon opkwam, ontwaakten de krijgers van de twee prinsen. Vlug aten ze het beschikbare voedsel en maakten zich klaar voor het gevecht. Gerran, die was aangewezen om de tweede aanval te leiden, zadelde zijn paard. De bevelhebbers hadden een eenvoudig krijgsplan bedacht. Laat het Paardenvolk naar buiten komen, zoals was beloofd, en laat vervolgens de draken en de boogschutters verwarring stichten onder de ruiters terwijl het Bergvolk de rest van de vesting in brand steekt. Daarna... Gerran glimlachte bij de gedachte. Niemand kon voorspellen wat er daarna zou gebeuren, al werd er nog zo lang gewikt en gewogen.
Aan de rechterflank van het leger namen de boogschutters achter de palenhekjes hun plaats in. De bijlvechters van het Bergvolk en de

zwaardvechters van de Deverrianen en het Westvolk, voetsoldaten, stelden zich op in de voorste rijen, met het gezicht naar Zakh Gral, en de ruiters schaarden zich achter hen. Aan de linkerflank hielden de machinebouwers van de dwergen zich bezig met de Grote Jongen en zijn broertjes, nog vier buikbogen op een houten standaard. De laatste schoten alleen normale kogels af en hadden tot doel een aanval van het Paardenvolk tegen te houden.
In de vesting klonk hoorngeschal. Gerran hoorde het in de verte als ijle kreten, zoiets als het gejank van jonge honden. Hij ging in de stijgbeugels staan en zag dat de enorme poort van de vesting langzaam openging. Er kwamen paarden naar buiten zonder ruiters. Hij vloekte zacht toen het tot hem doordrong wat er zou gebeuren. In het fort klonk geschreeuw, tromgeroffel en het gekletter van zwaarden. De paarden raakten in paniek en galoppeerden recht op de voetsoldaten op de eerste rij af.
De boogschutters schoten hun pijlen af naar de paarden. De voorste steigerden met pijlen in hun borst en vielen gillend en trappend op de grond, maar de rest sprong over ze heen en bleef komen. De tweede pijlenregen suisde door de lucht en terwijl het bloed op de grond droop, gleden er dieren op uit en vielen ook. Toch bleef de kudde naar buiten stromen. In de lucht klonk donderend geraas en de draken maakten brullend een duikvlucht van opzij. De paarden verspreidden zich in paniek en lieten zich luid hinnikend alle kanten op drijven.
Uiteindelijk denderde nog een klein groepje strijdrossen recht op de zwaardvechters af. De rijen weken uiteen en mannen vielen gewond op de grond. De Gel da'Thae maakten van de verwarring gebruik door dicht opeen te komen aanmarcheren, met hun vechtsperen in de aanslag, als een enorme zeis om het geknakte graan te maaien.
'Aah, paardenstront!' schreeuwde Gerran. 'Naar de duivel met het krijgsplan! Rode Wolf, volg me!'
Hij spoorde zijn paard hard aan en galoppeerde naar het slagveld. Strijdkreten brullend reed zijn krijgsbende achter hem aan. Ze wrongen zich tussen de zich terugtrekkende zwaardvechters door naar de flank van de Gel da'Thae, voordat de speervechters zich konden omdraaien om hen met hun schilden af te weren. Gerran zwaaide en hakte terwijl hij het uitschreeuwde met zijn zwaard naar elk hoofd of elke arm die hij zag. Zijn paard steigerde, trapte met zijn voorbenen en landde op een gevallen speervechter. Toen zijn paard voor de tweede keer steigerend boven de kletterende massa schilden en speren uitsteeg, ving Gerran een glimp op van de bijlvechters van het Bergvolk, die de andere flank hadden aangevallen. Hij hoorde

pijlen suizen en hoopte dat ze over hem en zijn mannen heen zouden vliegen, en hij hoorde Ridvars krijgers schreeuwen 'Cengarn! Cengarn!' toen de tweede golf krijgers te paard zich op de speervechters stortte.

Een Gel da'Thae wilde zijn speer in de hals van Gerrans paard steken, maar Gerran leunde naar voren, greep de speer net op tijd vast en sloeg er in één beweging hard mee tegen de helm van zijn aanvaller. De man viel op de grond en kwam onder de hoeven van een ander paard terecht. In de warboel van stervende paarden en mannen op de van bloed doordrenkte grond strompelden de speervechters wanhopig rond. Hun verdedigingsmuur van schilden was onherstelbaar verbroken en dat kostte velen van hen het leven.

Gerran vocht onvermoeibaar door. Hij weerde speren af met zijn schild, zijn paard trapte en beet en drong moedig naar voren. Hij zag de vijand alleen nog als gezichten, schouders, glimmende helmen en spuitend bloed wanneer een zwaard doel trof. Aan de strijdkreten achter zich hoorde hij dat zijn mannen hem op de voet volgden. Opeens rook hij een zware rooklucht en toen zag hij dikke rookwolken langsdrijven waar vuurflitsen doorheen schoten. De speervechters gaven de strijd op; ze gooiden hun schild op de grond en renden weg, maar kwamen tegenover het Bergvolk met hun bijlen te staan. Zo zaten ze klem tussen ruiters en dwergen en werden aan mootjes gehakt.

Uiteindelijk slaagde Gerran erin door de vijandelijke linie heen te breken, waarbij hij bijna in een pijlenregen van de boogschutters van het Westvolk terechtkwam en zijn paard nog net op tijd kon wegtrekken. Hier en daar op het veld stonden groepjes radeloze speervechters van de Gel da'Thae. Ruiters cirkelden om hen heen om hen uit elkaar te drijven, terwijl bijlvechters schreeuwden dat de ruiters uit de weg moesten gaan. Zwaardvechters uit Deverry en het Westland waren in hevig gevecht gewikkeld met razende Paardenvolkers, die brullend in het wilde weg met hun wapens zwaaiden.

Op de achtergrond stond Zakh Gral in lichterlaaie. As dwarrelde neer op de stervenden en de overwinnaars, witte as en zwarte roetvlokken, en ook stukjes brandende boombast of stof. Mannen die door iets wat nog schroeide werden getroffen, begonnen te vloeken. De houten palissade ging in vlammen op. Boven het geknetter en gesis van het brandende hout uit hoorde Gerran het knallen en scheuren van stenen die door de hitte in tweeën spleten of op de grond vielen wanneer er een brandende dakspant brak.

Het is bijna voorbij, dacht Gerran, en we hebben gewonnen. Aan de rand van het slagveld sprong hij van zijn briesende, met schuim bedekte paard om het te laten uitrusten voordat ze hun overwinning zeker zouden stellen, en hij zette zijn helm en dikke muts af om het zweet uit zijn haren te schudden. Toen hij iemand hoorde kreunen, keek hij om zich heen. Vlakbij lagen twee dode paarden, een schimmel met zwaardwonden en een vos met een paar pijlen in zijn lijf die over de schimmel heen was gevallen. Opeens stond er achter deze dekking een soldaat van het Paardenvolk op die een gewonde kameraad overeind trok. De laatste leunde kreunend op zijn vriend terwijl hij zijn gebroken been meesleepte. Er stroomde bloed uit een wond in zijn zij.

De soldaat die niet gewond was, keek Gerran met trillende lippen aan. Gerran zette zijn helm weer op en trok zijn zwaard, maar de man kwam niet naar hem toe en staarde hem alleen maar aan alsof hij zijn ogen niet kon geloven. Zijn helm was van zijn hoofd gevallen, door zijn verwarde haardos liepen grijsbruine strepen en de getatoeëerde huid om zijn ogen was diep gerimpeld. Hij droeg ook geen borstplaat, maar Gerran zag aan de groeven in zijn leren wambuis dat hij dat wel had gedaan.

'Jij teruggekomen,' zei de Paardenvolker in gebrekkig Deverriaans. 'Jij terug uit Dodenrijk.' Zijn stem brak.

'Wat?' Gerran wist van verbazing niet wat hij moest zeggen.

'Jij teruggekomen,' herhaalde de man. 'Rood haar. Ik weet nog.'

Plotseling begreep Gerran wat hij bedoelde. 'Jij hebt mijn vader gedood. Ik ben de zoon.'

De Paardenvolker liet zijn gewonde kameraad weer achter de dode paarden glijden. Hij trok zijn falcata, deed een stap achteruit, bukte zich zonder zijn ogen van Gerran af te wenden en kwam met een schild in zijn linkerhand overeind. Gerran maakte zijn eigen schild los van zijn zadel en stak zijn linkerarm door de riemen. Elk onderdeel van het tafereel – de oude krijger, de dode paarden, het bloed en de klodder ingewanden op de grond – stond, beschenen door een vreemd licht, hem scherp voor ogen, omrand door lijnen zo scherp als krassen in metaal.

Gerran liep om de dode paarden heen. De krijger draaide zich naar hem toe, maar deed geen poging om hem aan te vallen. Gerran aarzelde – de man had geen helm op en geen borstplaat voor – maar in zijn hoofd hoorde hij zijn moeder weer gillen toen mannen het in een deken gewikkelde lijk van zijn vader van zijn paard trokken. Hij maakte een schijnbeweging naar rechts. De Paardenvolker draaide zich met opgeheven falcata en schild iets naar opzij. Gerran maakte nog een schijnbeweging en stapte snel naar voren. Zoals hij had gehoopt, deed de Paardenvolker een stap achteruit, gleed uit in de

darmen van het paard en viel op de grond.
Met een grote stap stond Gerran met geheven zwaard over hem heen gebogen. De Paardenvolker probeerde zijn zwaard op te tillen en zijn schild over zijn borst te trekken, maar Gerran schopte het schild weg en stak zijn zwaard diep in de borst van zijn tegenstander. Het leer scheurde, kraakbeen knapte en bloed stroomde naar buiten.
'Als je in de Andere Wereld mijn pa tegenkomt, zeg dan dat ik hem gewroken heb,' zei Gerran.
Hij draaide naar links en sneed met een achterwaartse zwaai de keel van de Paardenvolker met het gebroken been door. 'Dit is voor mijn moeder,' fluisterde hij. 'Zeg dat er maar bij.'

Twee knechten kwamen aandraven met een bewusteloze man. Ze legden hem op de laadklep van de wagen en draafden weer weg. Ranadario liep naar de man toe en pakte hem bij zijn benen om hem stevig op zijn plaats te houden. Het was een magere, nog erg jonge man; zijn bruine haar kleefde van het bloed en het zweet en hij lag zo stil dat Dallandra eerst dacht dat hij dood was. Maar toen gingen zijn ogen open en vertrok zijn mond van pijn. Zijn linkerarm had een rare knik – twee rare knikken, zag Dallandra: een tussen zijn pols en elleboog en een tussen zijn elleboog en schouder. Ze pakte het mes dat tussen allerlei andere benodigdheden in de wagen lag en sneed de restanten van zijn dikke wambuis en zijn hemd weg, die doordrenkt waren van het bloed. Splinters bot staken tussen de rafelige spieren van zijn bovenarm door naar buiten.
'Ik moet je arm eraf snijden, anders ga je dood,' zei ze.
Zijn mond maakte geluidloos bewegingen die ze als toestemming opvatte.
Vlak achter zich hoorde ze een snik, die meteen werd ingeslikt. Ze keek om en zag een mager meisje in een vuile jurk naar de gewonde man staan kijken.
'Dat is mijn broer, Tarro,' zei het meisje. 'Mag ik helpen?'
'Houd zijn gezonde arm vast en zorg ervoor dat hij stil blijft liggen,' zei Dallandra. 'Denk je dat je dat kunt? Misschien word je misselijk als je toekijkt.'
'Heus niet. Ik heb veel ergere dingen gezien toen de plunderaars ons dorp overvielen.'
'Vooruit dan maar. Hij moet heel stil blijven liggen, denk eraan.'
De patiënt had opnieuw het bewustzijn verloren, wat een zegen was. Dallandra klemde haar scherpste mes tussen haar tanden, pakte met haar rechterhand een naald met een draad erin en ging aan het werk. De arm was tot op het bot opengehakt door een falcata. Met de vin-

gers van haar linkerhand tastte ze naar de roze pezen tussen het witte kraakbeen. Tarro kwam schreeuwend bij. Hij welfde zijn rug van de ondraaglijke pijn, maar Ranadario en het meisje duwden hem uit alle macht plat en hielden hem in bedwang. Dallandra hielp mee door met haar linkerelleboog op zijn borst te leunen. Hij bleef gillen en rolde met zijn hoofd heen en weer, maar de drie vrouwen slaagden erin hem stil genoeg te laten liggen om Dallandra haar werk te laten doen.

Eerst hechtte ze de slagaderen boven het schoudergewricht, waarna ze de naald weglegde. Ze liet het mes in haar hand vallen en sneed de pezen door. Met haar linkerhand scheidde ze het kraakbeen in het gewricht en sneed de arm van zijn lichaam af alsof het een schapenbout was, maar rondom liet ze een reep huid zitten. Uit de adertjes druppelde bloed in plaats van te stromen. Tarro brulde van pijn en verloor opnieuw het bewustzijn.

Ranadario wierp de arm op de berg levenloze lichaamsdelen die al in de wagen lag. Dalla drukte met haar linkerhand een dikke dot linnen tegen de wond, pakte met haar rechterhand een waterzak met een aftreksel van kruiden, haalde het verband weg en maakte de wond en de losse huidflap met de vloeistof schoon. Het zusje van de patiënt was zo kalm alsof ze zelf chirurgijn was. Waarschijnlijk was ze verdoofd van schrik, maar Dalla had geen tijd om daar nu bij stil te staan.

'Ga alsjeblieft niet dood,' fluisterde het meisje tegen haar broer. 'Tarro, ga alsjeblieft niet dood.'

'Hij gaat niet dood,' zei Dallandra. 'Hij bloedt minder erg dan ik had verwacht.' Vermoedelijk omdat hij al half dood is gebloed toen hij hierheen werd gebracht, dacht ze erachteraan.

Half dood, niet helemaal. Nadat ze de huidflap als het uiteinde van een worst bij elkaar had getrokken en aan elkaar had genaaid, legde ze een hand op Tarro's gezicht. Het was koud en bleek, maar niet bloedeloos, hoewel zijn oogleden blauwachtig wit waren. Als de wond niet zou ontsteken en goed zou genezen, zou hij het waarschijnlijk wel redden. Ze maakte de wond aan de buitenkant ook goed schoon en bond er een schoon verband om.

Een paar knechten kwamen hem ophalen. 'Hoe heet je?' vroeg Dallandra aan het meisje.

'Penna, vrouwe. Dank u wel dat u hem hebt geholpen.' Ze rende haar broer achterna.

Ranadario pakte de emmer met water die al klaarstond en gooide die leeg over de van bloed doordrenkte laadklep van de wagen. Dallandra liep een paar stappen achteruit om de opspattende viezigheid

te ontwijken. Ze keek om zich heen en zag Salamander met zijn blik omlaag langs de rijen gewonde krijgers lopen. Ze kon wel raden wie hij zocht.
'Rocca is er niet bij, Ebañy!' riep ze.
'Weet je dat zeker?' Hij hief zijn hoofd en keek haar kant op. 'Ach ja, natuurlijk. Dan ga ik in de vesting kijken.'
'Nu nog niet, stomkop! Dat is veel te gevaarlijk!'
Maar Salamander rende al weg in de richting van het slagveld.
'Zal ik hem achternagaan?' vroeg Ranadario.
'Nee.' Dallandra haalde haar schouders op. 'Hij luistert toch niet en de gewonden hebben je meer nodig.'

Salamander had geprobeerd Rocca te scryen, maar door de rook en de enorme etherische storing van de veldslag was hem dat niet gelukt. De etherische dubbelgedaanten van de zojuist gesneuvelde mannen hingen hulpeloos boven het veld. Hun weggevloeide bloed wasemde nog levenskracht uit. Als gevolg van de grote brand was de lucht gevuld met wervelende spiralen astrale energie. Salamander had het opgegeven. Maar omdat hij niet langer kon wachten, sloop hij nu langs de rand van het slagveld in zuidelijke richting.
Om hem heen vlamde het gevecht nog hier en daar op, zoals een vuur dat gedoofd lijkt soms opvlamt wanneer een knecht in de as prikt. Een enkele Paardenvolker probeerde zich nog te verdedigen tot hij werd geveld door twee of drie Deverrianen. Er suisde een pijl vlak langs hem heen en hij riep de naam van prins Dar in de Elfentaal om de boogschutters te laten weten dat hij niet de vijand was. Toen hij struikelde over een stervende krijger verontschuldigde hij zich onwillekeurig voordat hij vlug doorliep.
De houten muur om Zakh Gral stond nog in lichterlaaie toen Salamander de vesting naderde. De hitte dwong hem ertoe weer een eind achteruit te gaan, als een verschroeiende tweede muur die nog ondoordringbaarder was dan een muur van hout of steen. Een beeld van zijn korte verblijf binnen de vesting flitste door zijn hoofd. Hij rende naar de rand van de kloof aan de noordkant ervan en vond daar wat hij zich herinnerde: een opening in de nog niet voltooide stenen muur, die wellicht was bedoeld voor een kleine poort. De rotsblokken lagen gebarsten en rokend op de grond, en voorzichtig baande hij zich er een weg doorheen. De hitte was verpletterend, maar snakkend naar adem dwong hij zich door te lopen.
Toen hij ten slotte in de vesting stond, wachtte hij even en vroeg zich hijgend af waar Rocca kon zijn. Uiteindelijk zou ook zij moeten vluchten, maar hij wist dat ze eerst de relikwieën veilig zou ver-

stoppen. Hij rende door naar de kleine stenen tempel, die in puin bleek te liggen. De verkoolde dakspanten waren gebroken en het dak was ingestort. De mooie stenen muren waren gebarsten en zwartgeblakerd.

Overal eromheen lagen dode en stervende Gel da'Thae. Onder de pijlenregen van het Westvolk hadden ze hun best gedaan om de tempel van hun godin te redden. Degenen die meteen waren gedood, waren het beste af. De anderen lagen hulpeloos op de grond met pijlen die, doordat ze in een bitumenmengsel waren gedoopt, als snijtanden in hun lichaam bleven hangen. Op sommige van de geblakerde gezichten dansten nog vlammetjes, en armen waren aan het verkolen. Een van de stervenden tilde zijn verschroeide hoofd op en riep tegen Salamander: 'Dood me! Dood me! In háár naam!' Maar Salamander rende langs hem heen. Hier en daar lag een emmer in een plas water of dreef het zwarte vuur nog steeds brandend in een diepere poel.

In de rook en de asregen, en achtervolgd door kreten van doodsangst en pijn, vond Salamander eindelijk Rocca. Met een vuile, oude mantel om zich heen had ze zich in een hoek tussen een paar stenen geperst, en ze zat zo stil dat hij eerst dacht dat ze dood was. Maar toen hij voor haar neerknielde, trilde de mantel bij een beweging van haar arm. Op haar schoot lag een gevulde linnen zak.

'Ik ben het, Evan,' zei hij in het Deverriaans. 'Ben je gewond?'

Langzaam hief ze haar hoofd op en nog langzamer hief ze een hand om de kap van de mantel van haar hoofd te trekken. Op haar gezicht zat een dikke laag roet en vuil, en op elke wang hadden tranen een patroon getekend. Op de hand naast haar gezicht zat opgedroogd bloed.

'Ja, je bent gewond! Waar?'

Plotseling glimlachte ze hem stralend toe.

'Evan!' fluisterde ze. 'Je bent teruggekomen! Dat betekent dat je me meeneemt naar onze godin, nietwaar?'

'Vertel me eerst eens waar je gewond bent.' Toen zag hij de bloedvlek op haar mantel, een grote rode vlek op de zijkant. Hij duwde de mantel weg en zag ook bloed op haar kleed, dat gescheurd was en een vleeswond onthulde. Voor zover hij het kon beoordelen, was er iets scherps en zwaars boven op haar gevallen, dat de meeste schade had aangericht toen ze eronder vandaan was gekropen. Zo voorzichtig mogelijk tilde hij haar op. Ze slaakte een kreet van pijn, maar hij drukte haar tegen zijn borst. Wankelend onder haar gewicht liep hij terug naar de opening in de stenen muur.

De rook was zo dik geworden dat hij een ogenblik bang was dat hij

de verkeerde kant op liep. Hij kon nauwelijks genoeg adem krijgen en terwijl hij het met haar gewicht in zijn armen steeds benauwder kreeg, strompelde hij door de verzengende hitte. De ene voet voor de andere, zo klein werd zijn wereld... Weer een voet en weer een voet, tot hij eindelijk toch de opening in de muur ontwaarde. Hoestend en kokhalzend liep hij erdoorheen naar buiten. Een paar meter verder kon hij niet meer.
Ze kreunde toen hij haar op de grond legde. Hij knielde naast haar neer en besefte meteen dat hij te laat was gekomen. Haar kleed was doordrenkt van het bloed en ook zijn hemd, waar ze tegen hem aan had gelegen. Haar gezicht was doodsbleek geworden.
'Zal ik haar binnenkort ontmoeten?' vroeg ze heel zacht.
'Dat zul je, heus.' Al word ik opnieuw waanzinnig, dacht hij, dit schenk ik je.
Hij spande zich tot het uiterste in om met behulp van dweomer in gedachten het beeld van Alshandra op te roepen, levensgroot en terwijl ze glimlachend haar handen uitstrekte alsof ze haar priesteres verwelkomde. Met al zijn wilskracht plaatste hij haar buiten zijn hoofd en liet haar boven hen in de lucht zweven. Eerst was hij bang dat hij zich vergist had in de latente dweomergave van Rocca, maar opeens verscheen haar stralende glimlach en reikte ze met een hand naar het beeld.
'Beminde,' fluisterde ze. 'Mijn leven en mijn hoop...'
Salamander riep zijn lichtgedaante op – een zilveren, vlamvormige gloed. Snel liet hij er zijn bewustzijn in overglijden, te snel, maar haar etherische lichaam was al gescheiden van haar fysieke lichaam en hij had geen tijd meer om voorzichtig te werk te gaan. Samen zweefden ze weg naar het blauwe licht, hoog boven de wervelstorm boven het slagveld. Het beeld van Alshandra zweefde voor hen uit, reusachtig groot en glimlachend, met haar handen uitgestrekt naar de jonge vrouw die haar aanbad.
'Ga met haar mee,' zei Salamander in gedachten tegen Rocca. 'Laten we met haar meegaan naar de levensrivier.'
Omdat Rocca nooit les in dweomer had gehad, was ze niet in staat om hem in begrijpelijke gedachtetaal te antwoorden. Maar hij voelde haar vreugde, zo puur als het zonlicht in de vroege morgen, toen ze samen door de paarsblauwe wervelingen opstegen naar het astrale vlak. Voor hen lag het veld met witte bloemen die, bleek onder violet licht, heen en weer wiegden in een niet voelbare bries. Achter de bloemenzee kon Salamander nog net de witte rivier zien, waarvan het water nooit door land of naar zee was gestroomd. Hij gaf het beeld van Alshandra een laatste duw om het naar de grens

tussen leven en dood te sturen. Nog steeds glimlachend zweefde Rocca er gewillig achteraan.
Plotseling voelde Salamander een scherpe pijn. Door een ruk aan het zilveren koord werd hij abrupt van Rocca gescheiden. Met het bulderende geluid van een waterval viel hij terug in zijn aardse lichaam, en hij slaakte een kreet van pijn toen zijn etherische dubbelgedaante met een smak landde in botten, bloed, spieren en huid. In zijn armen lag Rocca nog steeds te ademen, maar heel zwak en na een paar hartenkloppen hield ze ermee op. Haar hoofd viel achterover en haar longen liepen met een rochelende snik leeg. Hij pakte haar bij haar schouders en tilde haar half op.
'Rocca!' schreeuwde hij. 'Rocca!'
Ze kon hem in geen enkele wereld meer antwoorden. Voorzichtig legde hij haar neer en drukte haar niets ziende ogen dicht. Toen hij opkeek, leek het alsof de lucht zich had verdikt en was gaan trillen. Omdat zijn ogen vol tranen stonden, besefte hij, niet omdat hij weer waanzinnig was geworden. Hij boog zijn hoofd en moest zo hard huilen dat hij niet merkte dat er een man met opgeheven zwaard naar hem toe kwam rennen.
'Salamander!' schreeuwde Gerran. 'Gerthddyn! Ben je nou helemaal gek geworden? Maak dat je hier wegkomt! Dat hele vervloekte veld staat in brand!'
Salamander greep de zak met relikwieën en stond op, maar hij viel bijna weer op de grond. Gerran pakte hem bij een arm en trok hem overeind. Om hen heen knisperde het gras van het vuur dat vanaf de gebroken spanten en muren was overgesprongen naar het veld. Vette zwarte rook steeg op naar de lucht. In elk geval heeft ze een brandstapel, dacht Salamander. En ik kan niets meer voor haar doen.
'Kom, schiet op!' schreeuwde Gerran. 'Zit er soms paardenstront waar je hersens hebben gezeten? Rennen!'
Doordat Gerran hem meetrok, kon Salamander net op tijd wegkomen. Samen strompelden ze door het zich verspreidende vuur naar de krijgers van de Rode Wolf, die aan de rand van het slagveld met paarden stonden te wachten.

'Het is voorbij,' zei Calonderiel. 'Prins Voran en zijn mannen zitten achter de harige schoften aan die denken dat ze aan ons zijn ontsnapt. De rest van de mannen is bezig het vuur buiten het kamp te houden.'
'Mooi zo,' zei Dallandra.
'Is dat alles wat je te zeggen hebt?'
'Cal, ik heb net een been van een boogschutter afgezet, onder de

knie. Maar de kans bestaat dat hij nog steeds doodgaat. Ik ben niet in de stemming om je te bejubelen of wat je dan ook van me verlangt.'

Dallandra zat op de grond tussen twee tenten uit te rusten, ze was doodmoe. Calonderiel zat gehurkt voor haar. Hij stonk naar zweet en rook, en zijn gezicht en hals waren besmeurd met een mengsel ervan. Langs zijn rechterarm druppelde bloed door zijn maliënkolder heen.

'Je bent gewond,' zei Dallandra.

'Een beetje maar,' zei hij. 'Ik kan mijn arm nog gebruiken, dus het is vast niet erg. Je ziet er uitgeput uit.'

'Dat ben ik ook.' Ze keek naar twee Deverrianen die met een gewonde tussen hen in voorbij strompelden. 'Hij is er niet al te erg aan toe, hem kunnen de chirurgijnen wel behandelen.'

'Gelukkig.' Calonderiel zette zijn pothelm af en streek met beide handen zijn kletsnat bezwete haar naar achteren, waarna er een veeg bloed op zijn voorhoofd zat. 'Waarom ga je niet naar onze tent om je een poosje terug te trekken? Je hebt de ergste gewonden gehad of ze zijn inmiddels gestorven.'

Dallandra liet zich door hem overeind helpen, maar hoewel ze in de verleiding kwam om tegen hem aan te leunen, ontweek ze zijn omhelzing. 'Zo moe ben ik nu ook weer niet,' zei ze. 'Ik moet terug om te zien of... Wacht even, daar komt Ebañy aan!'

Met een met bloed besmeurde zak in zijn hand kwam Salamander op een drafje naar hen toe. De mouwen en de voorkant van zijn hemd zaten vol bloedvlekken.

'Je vriendin?' vroeg Dallandra in de Elfentaal.

'Ze is dood.' Salamander wierp met een rukje zijn hoofd naar achteren en kreeg een hevige hoestbui, die ophield toen hij zwart slijm uitspuugde. Hij veegde met de achterkant van een hand zijn mond af en zei: 'Alsjeblieft, de zogenaamde relikwieën.'

Hij duwde haar de zak in haar armen en draafde weg, andere mannen ontwijkend.

Hij hield echt van haar, dacht Dallandra. Ze keek hem na tot hij uit het zicht was verdwenen.

'Dalla!' Calonderiel pakte haar bij een arm. 'Ga alsjeblieft terug naar onze tent.'

'Alleen als jij meegaat.'

'Je weet best dat ik dat niet kan doen.' Met een droevige blik wendde hij zijn hoofd af. 'We hebben te veel mensen verloren. Het minste dat ik nu nog kan doen, is een praatje maken met de gewonden.'

'En ik moet voor ze doen wat ik kan. Kom, dan gaan we samen.'

Wat Calonderiels wond betrof, had hij gelijk. Toen Dallandra eindelijk de gelegenheid kreeg om ernaar te kijken, zag ze dat een klap met een falcata hard genoeg was aangekomen om door zijn maliënkolder en dikke hemd heen te snijden, maar dat de snee niet diep was en gemakkelijk kon worden gehecht. Maar aan zijn stemming kon ze niets doen. Woedend zwoer hij dat elke dode en elke gewonde van zijn krijgers zou worden gewroken, en hij wond zich zo op dat hij na een poosje bijna barstte van razernij.

Omdat Dallandra voor Calonderiel moest zorgen en een groot aantal gewonden moest verplegen, had ze die avond geen tijd om de zak met relikwieën te openen. Inmiddels waren alle branden geblust en had het leger alle vluchtelingen uit de vesting die ze hadden gevonden gedood, zowel mensen als Paardenvolkers. De volgende morgen stuurden de bevelvoerders boodschappers naar Deverry met het nieuws van de overwinning. Dallandra had al op een magische manier een boodschap van prins Daralanteriel naar Valandario gestuurd, om door te geven aan prinses Carra en de anderen in Mandra.

Terwijl Dallandra en de chirurgijnen hun best deden om het leven van de gewonden te redden en de krijgers degenen begroeven die niet gered konden worden, hielden de prinsen, de gwerbret en al hun heren een krijgsberaad. Die avond, tijdens een karige maaltijd in hun tent die bestond uit oud brood, schimmelige kaas en een paar stukken gekookt paardenvlees, vertelde Calonderiel Dallandra wat ze hadden besloten.

'De Rondoren zitten er waarschijnlijk nog over te ruziën,' zei hij. 'Prins Voran heeft een uitstekend idee geopperd, maar dat zat Ridvar niet lekker, omdat het hem belastingopbrengst zal kosten.'

'Laat me eens raden,' zei Dallandra. 'Volgens de prins is de dun die van Honelg is geweest onverdedigbaar.'

'Heel goed, mijn knappe lief! Hij wil dat het Bergvolk die dun overneemt.'

'Dat zou ik nooit hebben geraden. Het Bergvolk?'

'Waarom niet? Niet eens zo ver ten oosten ervan liggen een paar van hun boerendorpen, en daarmee of met een van hun ondergrondse forten kunnen ze de dun verbinden om een noordelijke verdedigingslinie te vormen.'

'Maar waar moet Gerran dan met zijn nieuwe clan naartoe?'

'Daar moet belastingopbrengst aan worden besteed. Hij zou een vazal van tieryn Cadryc kunnen worden en een nieuwe dun kunnen krijgen ergens aan de rivier de Melyn. Dat gebied moet hoognodig tegen plunderaars worden beschermd en wij zouden er ook baat bij

hebben, want dan hebben we bondgenoten vlakbij op wie we in de toekomst kunnen rekenen.'
'Dat is waar. Wil je nog brood?'
'Graag, dank je. Waar Ridvar zijn brigga van bevuilde, is dat Voran wil dat Cadryc vazal van prins Dar wordt in plaats van vazal van de gwerbret. Het spreekt vanzelf dat Cadrycs vazallen dan met hem meegaan.'
'Ik kan me ook niet voorstellen dat Ridvar dat goed zou vinden.'
'Hij zal wel moeten.' Calonderiel grinnikte. 'Anders zal de Eerste Koning een nieuw gwerbretrhyn stichten, vlak ten zuiden van dat van Ridvar, althans volgens Voran. Wat zou betekenen dat Ridvar een rivaal krijgt langs zijn grens. O ja, hoor, hij zal Cadryc heus wel laten gaan.'
Dallandra merkte dat ze nog steeds kon lachen. 'Grallezar zegt altijd dat Voran een sluwe man is en dat klopt precies.'
'Inderdaad.' Calonderiel lachte met haar mee. 'Morgen trekt het hele leger zich terug naar waar de weg naar Braemel de rivier kruist. Overmorgen zal een deel zich nog verder terugtrekken, naar een paar kilometer ten oosten van de doorwaadbare plaats.'
'Alleen een deel?'
'Ja. We sturen de gewonden terug, onder zware bewaking. De rest blijft wachten.' Hij schraapte groene schimmel van een stuk kaas.
'Waarop?'
'De versterkingstroepen van het Paardenvolk. De draken hebben enkele vijanden gedood die wij niet konden vinden en die probeerden terug te gaan naar hun steden, maar ik weet zeker dat er nog meer zijn ontsnapt, kerels die erin zijn geslaagd het woud te bereiken. Daar kunnen de draken ze niet volgen en kunnen wij ze ook niet achternagaan.'
'Wat gebeurt er als ze erin slagen hun steden te bereiken?'
'Ik kan me niet voorstellen dat ze niet onmiddellijk versterking sturen.' Hij keek haar met een vrolijke lach aan. 'Dit wordt onze kans om hun een nederlaag te bezorgen die ze in geen jaren zullen vergeten, Dalla. En hoe meer vijanden we ombrengen, des te meer tijd zullen we hebben om de duns langs de Melyn te versterken. Als het Volk wil overleven, moet het een plaats hebben waar het zich kan terugtrekken voor het geval dat... Nee, wannéér die strontlelijke woestelingen opnieuw oprukken naar de vlakte.' Hij prikte het van schimmel ontdane stuk kaas aan zijn tafeldolk en zwaaide ermee om zijn argument kracht bij te zetten. 'Dat weet je heel goed.'
'Ja, je hebt gelijk. Blijf jij ook hier?'
'Natuurlijk, ik ben de banadar.'

Dallandra verbeet zich om tranen van woede in te houden. Ze had gedacht dat, nu de vesting was verwoest, het ergste voorbij was, maar daar was blijkbaar geen sprake van.
'Dan blijf ik ook,' zei ze. 'Misschien vallen er onder onze mannen nieuwe gewonden en dan hebben jullie een heelmeester nodig die weet welke behandeling ons volk nodig heeft. Ik kan twee van mijn helpers met de anderen meesturen.'
'Mooi zo, want we hebben je nodig.'
Het verbaasde haar dat ze zo dankbaar was omdat hij de waarheid bedaard aanvaardde. Ze kon niet tegen overdreven loftuitingen of dankbetuigingen. Toch kon ze opeens geen hap meer door haar keel krijgen, vooral het taaie vlees stond haar tegen. Ze gaf haar portie aan Calonderiel, maakte een bol dweomerlicht en hing die naast het rookgat van de tent.
'Waar hebben we die voor nodig?' vroeg Calonderiel met volle mond.
'Ik heb de heilige relikwieën uit Zakh Gral nog niet bekeken.'
'Misschien zijn ze ons van nut. Ongetwijfeld willen die vreselijke priesteressen ze terug hebben en dan kunnen we ze als onderhandelingstroef gebruiken.'
'Misschien. Maar een paar dingen moeten vernietigd worden.'
Dallandra pakte de zak en ging ermee onder het licht zitten. Ze opende de zak en haalde er een bultige bundel uit, die weer was verpakt in een banier die was gemaakt van een oud hemd van Salamander.
'Ik kan gewoon niet geloven dat ze ervan overtuigd waren dat die wauwelende dwaas een wonder had verricht,' zei Calonderiel.
'Ze verlangden wanhopig naar een wonder, daarom dachten ze dat.'
Heel voorzichtig pakte ze de voorwerpen uit en legde ze op het leren kussen naast zich. In het dweomerlicht glinsterden de gouden boog en bijbehorende pijl met een metaalachtige glans, maar meer ook niet.
'Dit wil ik je wel geven, als je denkt dat je er iets aan hebt,' zei Dallandra. 'Het zijn gewone voorwerpen. Dat is dit trouwens ook.' Ze pakte een houten kistje met een ingelegd spiraalpatroon op het deksel, opende het en zag het zogenaamde drakenmes erin liggen. 'O nee, dit is de zilveren dolk van Yraen.' Ze gaf het kistje aan Calonderiel. 'Deze dolk krijgen ze niet terug, die hebben ze gestolen. Geef hem maar aan Gerran, dat lijkt me het beste. Wij kunnen hem niet aanraken zonder dat hij begint te vlammen als een vuur.'
'Is dat niet handig in een donkere nacht?'
'Ik denk niet dat hij geschikt is om als toorts te gebruiken. Ik weet niet zeker wat hij ons kan aandoen, maar ik vermoed dat hij levensenergie uit ons zuigt om die vlammen te maken.'

'Vooruit dan maar, dan geven we hem weg.' Calonderiel keek teleurgesteld in het kistje. 'Ik zal Gerran vragen of hij hem wil hebben, hoewel de Rondoren een zilveren dolk als een soort belediging beschouwen.'
'Jammer genoeg weten we niet waar Yraen begraven is, anders hadden we de dolk in zijn graf kunnen leggen. Anders weet ik ook niet wat we ermee moeten doen. Het kan zijn dat iemand van het Bergvolk hem wil hebben om het metaal te gebruiken.' Ze hield de benen fluit omhoog. 'Hier heb je dit vreselijke ding, maar ik wil niet dat het Paardenvolk het weer in handen krijgt. Het heeft een vreemde macht over draken. Ik zal het aan Arzosah geven, dan kan zij het vernietigen. Hm. Als ze Salamanders hemd terug willen hebben, heb ik daar geen bezwaar tegen, maar dat betwijfel ik.'
Dallandra vouwde de laatste punt van de doek open. Op de vlekken en gerafelde borduursels lag de zwarte piramide van obsidiaan. Hij ving het dweomerlicht op en weerkaatste vonken die leken op zwarte vuurspetters met een gouden randje. Calonderiel leunde naar achteren alsof hij bang was dat ze hem zouden schroeien.
'Ze doen geen pijn,' zei Dallandra. 'De vonken zijn een uiting van de geest die in de piramide gevangenzit. Hij is razend, zo te zien.'
'Dat zou ik ook zijn als iemand me ergens gevangen zou zetten.'
'Dat denk ik ook, maar nu moet je even stil zijn. Ik zal proberen hem te bevrijden.'
Ze ontspande zich tot ze bijna in trance was en opende haar etherische zicht. Om de piramide heen zag ze een kooi van geweven blauw licht, de zichtbare tekenen van het verbindingsritueel. De maker van de kooi moest een bijzonder sterke dweomerwerker zijn geweest omdat de blauwe lichtlijnen ook door de piramide heen liepen, alsof de kooi tentakels in de steen had gestoken. Diep in het zwarte hart van de steen ontwaarde ze vaag een spiraal van zilverkleurig licht, die rondwervelde in een kleine cel. De gevangen geest.
Ze visualiseerde een pentagram en duwde die vanuit haar hoofd naar de etherische kooi. Er gebeurde niets. Met een rukje van haar hoofd vestigde ze haar zicht weer op de fysieke wereld.
'Moge degene die dit heeft gedaan, rottend vergaan,' zei ze fel.
'Dus je kon hem niet zomaar zijn vrijheid teruggeven.'
'Nee, zo eenvoudig is het niet. Cal, zou jij Ebañy willen halen? Ik denk dat ik hier zijn hulp bij nodig heb.'
'Je bent nog doodmoe. Kan het niet een poosje wachten?'
'Hoe zou jij het vinden als degene die jou uit gevangenschap zou kunnen bevrijden eerst een dutje ging doen?'
Calonderiel slaakte een zucht en stond op. 'Goed, ik zal hem gaan

zoeken. Iemand zal me wel kunnen vertellen waar hij is.'
Calonderiel verliet de tent en kwam even later terug met Salamander. De gerthddyn zag spierwit en had paarse kringen onder zijn ogen.
'Onze geëerde banadar zei dat je mijn hulp nodig hebt,' zei hij. 'Aha, ziedaar de zwarte steen!'
'Inderdaad,' zei Dallandra. 'Ik wil naar het astrale vlak gaan om de geest die erin zit te bevrijden, en ik wil dat jij erbij bent voor het geval dat er iets fout gaat.'
'Ik kan in elk geval levensenergie naar je toe sturen.'
'Als je daar nog wat van overhebt. Je ziet er uitgeput uit, Ebañy.'
'Ach, dat komt alleen maar van verdriet. Het heeft niets met dweomer of zo te maken.'
'Doe er alsjeblieft niet zo luchtig over, dat kan ik niet verdragen.'
'Ik kan het helemaal niet verdragen.' Salamander begon bijna te huilen, maar hij slikte en knielde bij Dallandra neer. 'Wil je volledig in trance gaan?'
Als Dallandra niet zo bezorgd was geweest over de gevangen geest zou ze Salamander hebben laten uithuilen, maar nu zei ze: 'Ja. Ik heb het zojuist op een eenvoudige manier geprobeerd, maar dat is niet gelukt.'
Ze ging op haar rug liggen, met haar handen op haar borst. Salamander plaatste de zwarte piramide tussen haar handen en ging geknield bij haar hoofd zitten, terwijl Calonderiel naar buiten liep om de wacht te houden voor de ingang van de tent. Dallandra haalde zich haar lichtgedaante voor de geest, een stralend zilveren vlam, en bracht haar bewustzijn erin over. Toen ze uit haar lichaam was getreden, keek ze omlaag naar de piramide met de blauwe lichtstrepen eromheen die ze in haar bleke handen hield. Anders dan normale stenen, die er vanuit het etherische vlak doods uitzagen, glansde deze steen met een gouden gloed.
Zo kon ze vanboven werken aan de val waarin de geest gevangenzat. Nadat ze het Licht dat voorbij alle goden schijnt had aangeroepen, concentreerde ze zich op de steen. Ze zag de geest als een gouden streep tegen de tralies van zijn kooi slaan. Zo nu en dan kronkelde hij zich in bochten van ellende.
'Sta stil!' gebood ze in gedachten. 'Ik ben gekomen in naam van het Licht.'
De gouden streep zette zich ter begroeting uit en kromp ineen tot een stip. In haar vlamvorm hief Dallandra haar etherische handen en begon energie te verzamelen uit het blauwe licht dat om haar heen kolkte. Ze kneedde het in de vorm van een bijl en pakte met beide

handen de steel vast. Opnieuw riep ze het Licht aan, zwaaide de bijl omhoog en hakte er zo hard mogelijk mee op de tralies van de kooi. Met een zwarte vonkenregen werden ze verbrijzeld.
Op een golf van vreugde schoot de gouden streep uit de steen. Toen groeide hij aan tot een soort speer van metaalachtig licht en bleef trillend voor Dallandra hangen.
'Ik dank je voor eeuwig,' zei hij in gedachten. 'Je bent mijn verlosser. Wat kan ik doen om je te dienen?'
Dallandra was zo verbaasd dat ze bijna haar concentratie verloor. Ze had een soort geest verwacht zoals die van het Natuurvolk, maar deze kon gedachten zenden in de vorm van woorden en moest dus van een veel hogere orde zijn.
'Ik vraag niets anders van je dan dat je het Licht altijd zult dienen,' antwoordde ze.
'Dat zal ik vol vreugde doen.'
'Wie heeft je eigenlijk in deze steen vastgezet?'
'Ik weet niet hoe hij heet. Als ik dat wel had geweten, had ik hem driemaal vervloekt. Zijn uiterlijk... Kijk zelf maar.'
De gouden streep flakkerde, zwol op en veranderde in de vage, maar herkenbare vorm van een man uit Deverry. Iemand uit Cerrmor, oordeelde Dallandra, met licht haar en hoge jukbeenderen. Het beeld smolt zo snel als een ijspegel voor de haard en alleen de geest bleef over.
'Meer kan ik je niet laten zien,' zei hij. 'Maar als je die man ooit tegenkomt, wees dan heel erg op je hoede.'
'Dat zal ik doen. Dank je wel voor de waarschuwing.'
'De man droop van slechtheid. Om te beginnen kocht hij mijn gevangenis van een moordenaar, in ruil voor een goudstuk. Vervolgens bouwde hij de kooi en joeg hij achter me aan tot ik geen kant meer op kon. Toen hij me gevangen had gezet, zei hij spottend dat het enige schepsel ter wereld dat me kon bevrijden, de moeder van de moordenaar was. Razend van wanhoop dacht ik dat ik nooit meer vrij zou komen.'
Dallandra voelde zo'n steek van verdriet door zich heen gaan dat het zichtbaar werd. Een schreeuw van pijn, een snerpende jammerkreet, doorkliefde het wervelende blauwe licht. Ze voelde de verwarring van de geest om zich heen draaien.
'Je bent mijn verlosser,' herhaalde de geest. 'Ik wilde je geen verdriet doen door de leugen van die duivelse dwaas te herhalen.'
'Het was geen leugen,' zei Dallandra. 'Ik ben die vrouw. Ik ben de moeder van de moordenaar.'
De geest verstijfde tot een strakke gouden lijn, als bevroren energie.

Even bleef hij zo voor haar hangen terwijl hij probeerde het te begrijpen, toen schoot hij als een pijl uit de boog omhoog, de blauwe mistwolken in. Veel langzamer daalde Dallandra langs het zilveren koord af naar haar aardse lichaam.
Kreunend van pijn kwam ze tot bewustzijn, op haar rug en met de piramide van obsidiaan in haar vingers geklemd. Salamander nam de steen van haar over en stond op om Calonderiel te gaan halen. Dallandra schudde haar handen los om er weer gevoel in te krijgen. Ze was net rechtop gaan zitten toen Cal haastig de tent binnenkwam.
'Dus deze keer ben je rustig blijven liggen,' zei hij. 'Ik kan je niet vertellen hoe blij ik daarom ben.'
'Ik ook,' zei ze. 'Blauwe plekken zijn erg vervelend.' Ze keek naar Salamander. 'De geest is vrij.'
Salamander glimlachte, maar de tranen stroomden over zijn wangen. Hij gaf haar de piramide terug en probeerde iets te zeggen. Maar schouderophalend gaf hij het op en liep de tent uit.

'Sisi, kom eens kijken!' zei Laz.
Hij zat aan tafel met de witte piramide voor zich. Sidro ging tegenover hem zitten en leunde naar voren om ook in de steen te kijken. Meteen slaakte ze een kreet en boog zich er nog verder naartoe. In plaats van de Binnentempel zag ze een rokerig beeld van een vrouw van de Ouden. Ze zat in een tent, beschenen door goudkleurig licht. Ze had zilvergrijze ogen en zilverbleek haar, ze praatte en wees naar de piramide. Het beeld draaide zo snel weg dat Sidro er bijna duizelig van werd en even later doemde het gezicht op van de Verheven Moeder Grallezar, die in het rokerige waas tuurde. De vrouw van de Ouden had de steen blijkbaar aan de Gel da'Thae gegeven.
'Rocca heeft de heilige relikwieën op de een of andere manier kunnen redden.' Met tegenzin wendde Sidro haar blik van de steen af en keek Laz aan. 'Anders zou de andere piramide nu niet in bezit zijn van de Gel da'Thae.'
'Je hebt gelijk. In haar domme leven heeft ze in elk geval één keer iets goeds gedaan.'
'Ach, hou je mond! Je mag de doden niet bespotten.'
'Waarom niet? Denk je dat ze terug zal komen om me te vervloeken als ik dat doe?'
'Natuurlijk niet! Het is gewoon stom en onaardig.' Sidro wendde haar hoofd af, geschrokken van haar reactie. Ze had Rocca jarenlang gehaat, maar nu was Rocca dood terwijl zijzelf nog leefde. 'Mijn zuster in Alshandra,' fluisterde ze. 'Dat was ze echt, weet je, ondanks alles. Een zuster. Ik zal haar missen.'

Laz staarde haar verbijsterd aan.
'Ik was altijd vreselijk jaloers op haar,' vervolgde Sidro. 'Haar geloof stroomde krachtig, als een gezwollen rivier, terwijl het mijne meer weg had van een straaltje water uit een modderige bron. Maar nu zie ik in dat ze aan godsdienstwaanzin leed. Ze was volkomen verblind, en ze zal nooit meer de kans krijgen om te waarheid onder ogen te zien. Ik benijd haar niet meer en ik vind het erg dat ze dood is. Echt waar.'
'Ik denk dat ik het wel begrijp,' zei Laz zacht. 'Maar ik denk ook dat ik het niet hoef te begrijpen.'
'Dat is zo.' Ze glimlachte moeizaam. 'Dat hoef je helemaal niet.'
Hij glimlachte terug en richtte zijn blik weer op de witte piramide. Die straalde van binnenuit, als om vreugde te tonen dat de geest uit zijn donkere tegenhanger was bevrijd.
'Wat ik wel zou willen begrijpen, is hoe deze steen werkt,' zei Laz. 'Ik vraag me af of hij me ook andere dingen kan laten zien en ik wil weten hoe die verschillende beelden erin terechtkomen. Maar wat ik nog veel liever zou willen weten, is of iemand die in de tweelingsteen kijkt ons ook kan zien.'
Sidro sloeg geschrokken een hand tegen haar hals.
'Geen prettige gedachte, hè?' vervolgde Laz. 'Vooral als het die minstreel is. Het lijkt me beter dat jij dit kristal voortaan met rust laat, Sisi.'
'Je hebt gelijk. Misschien geldt dat trouwens ook voor jou.'
'Ik zal hem meteen wegbergen. Ik wil Grallezar niet nog meer verdriet doen door haar mijn verwerpelijke gezicht te laten zien. Maar ooit zet ik hem weer voor me neer, want hij boeit me mateloos.' Hij pakte de steen met zijn ene hand op en gleed er met de wijsvinger van zijn andere hand overheen. 'Hij heeft nog veel meer geheimen voor me, dat weet ik zeker.'
Sidro voelde een koude rilling over haar rug gaan. Een magische waarschuwing, dacht ze. Maar ze kende Laz te goed om te hopen dat hij alleen vanwege een voorteken ergens mee zou stoppen.

Salamander voelde zich zo bedroefd dat het eindelijk tot hem doordrong dat hij van Rocca had gehouden. Verbitterd besefte hij steeds weer dat hij pas had ingezien hoe groot zijn liefde voor haar was toen ze als gevolg van zijn verraad was gestorven. Hij wist dat hij geen keus had gehad, dat hij, ongeacht welke prijs hijzelf of zij daarvoor had moeten betalen, zijn volk tegen het Paardenvolk had moeten beschermen. Ze was de vijand, prentte hij zich steeds opnieuw in. Ze wilde het Westvolk uitroeien. Maar elke keer antwoordde een verraderlijke stem in zijn hoofd dat hij haar op andere gedachten had kunnen brengen, dat hij haar had kunnen overtuigen van de waarheid. Toen hij die nacht niet kon slapen, sloop hij zonder Gerran en Clae wakker te maken de tent uit en wandelde urenlang rondom het tot rust gekomen kamp. Af en toe stond hij stil om naar de sterren te kijken die koud en ver boven hem stonden, en dan huilde hij om Rocca. Ten slotte was hij zo moe dat hij geen stap meer kon zetten en strompelde terug naar zijn tent, waar hij zich op zijn bed liet vallen en eindelijk in slaap viel. Maar bij zonsopgang schudde Gerran hem wakker.

'Je moet opstaan,' zei Gerran. 'We gaan ons kamp verplaatsen.'

Salamander mompelde een paar verwensingen en kroop uit de dekens. Hij trok zijn laarzen aan – hij had zijn kleren aangehouden – en strompelde naar buiten om iets te eten te halen. De bedienden hadden alle voorraden al ingepakt, maar hij kon een van de bevrijde dorpsmeisjes overhalen hem een stuk koud sodabrood en een half vet worstje te geven. Kauwend liep hij door naar de kudde om zijn voskleurige ruin te halen.

Terwijl het leger zich min of meer in marsorde opstelde, staarde Salamander op de rug van zijn paard naar de overblijfselen van Zakh Gral. Een bries nam wolkjes as en zand mee en verspreidde ze voordat ze weer ergens neerdaalden. Daar, tussen de verkoolde balken en afgebrokkelde stenen, lag ook de as van Rocca, die eveneens door de wind zou worden uitgestrooid. En dan zou haar as met de regen mee naar de rivier stromen en zou de rivier die meenemen naar zee.

'Ebañy!' Dallandra's stem klonk zo duidelijk dat het even duurde voordat hij besefte dat hij die alleen in zijn hoofd hoorde. 'Ebañy, kom terug!'

'Ik kom eraan!'

Hij draaide zijn paard om en draafde terug naar het leger, dat zich al in beweging had gezet. Dallandra zat op haar grijze ruin op hem te wachten. Hij bleef naast haar staan en keerde zich in het zadel naar haar toe.

'Je hebt gedaan wat je moest doen,' zei Dallandra. 'Als Rocca samen met de andere vrouwen de vesting had verlaten, had ze nog geleefd. Ze heeft voor de dood gekozen, Ebañy. Haar dood is niet jouw schuld.'

'Maar ik heb haar wel gedwongen die keus te maken.'

Haar zilvergrijze ogen namen hem op met net zo'n koele blik als wanneer ze een gewonde krijger moest behandelen. 'O ja?' zei ze. 'Alle goden, ben je echt zo verwaand? De prinsen, de rest van je volk, de heren uit Deverry tot hun Eerste Koning aan toe en in de eerste

plaats de rakzanir die het besluit hebben genomen om dat ellendige fort te bouwen... Hun daden hadden er helemaal niets mee te maken? Het kwam alleen door jou?'
Salamander kon haar wel vermoorden. Dallandra bleef rustig in het zadel zitten, maar haar paard wierp plotseling zijn hoofd omhoog alsof het van Salamander was geschrokken.
'Heb ik gelijk of niet?' vroeg ze.
Salamander slikte een reeks verwensingen in en liet zijn woede ontsnappen in een lange zucht, wat hem in staat stelde op normale toon te antwoorden: 'Natuurlijk heb je gelijk. Ik zou niet zo kwaad zijn als je ongelijk had.'
'Aha, dus je begrijpt het. Mooi zo.'
'Je wordt net zo kil als Nevyn was. Ik hoop dat jij dát begrijpt.'
'Misschien komt dat door de ouderdom.' Ze glimlachte. 'Laten we nu het leger volgen. Straks praten we verder.'
Die dag trok het leger zich terug tot aan de naar het westen lopende weg naar Braemel, halverwege tussen Zakh Gral en de doorwaadbare plaats in de rivier. Wat later lieten Dallandra en Salamander het lawaai en de drukte achter zich en reden een eindje in westelijke richting. Achter de beboste heuvels zagen ze de donkere vormen van de bergen oprijzen. Ooit moet het Volk daarnaar terugkeren, dacht Salamander. Wat het Paardenvolk ook mag doen.
'Voel je je al iets beter?' vroeg Dallandra. 'Wat Rocca betreft, bedoel ik.'
'Het schuldgevoel knaagt nog steeds aan mijn hart, als je daarop doelt,' antwoordde Salamander, 'maar met tanden die korter en botter zijn geworden. Ik wou nog steeds...' Een brok in zijn keel belette hem de zin af te maken.
'Elk verdriet heeft zijn eigen tijd nodig,' zei Dallandra. 'Ik vind het erg voor je dat je haar hebt verloren.'
'Ik ook. Heel erg.'
Na een paar honderd meter hielden ze halt en stegen af bij een beek, die uitmondde in de Galan Targ. Ze maakten het bit van hun paarden wat losser om ze te laten drinken en vonden een zitplaats tussen de rommelige resten van het gekapte woud. Dallandra zette de zwarte piramide tussen hen in, op Salamanders oude hemd. Nu de geest eruit was, verwachtte Salamander dat hij weer als een normale halfedelsteen zou glanzen, maar het weerkaatste licht had nog steeds een vreemde gloed.
'Hij bezoedelt het licht dat erop schijnt,' zei Salamander. 'Of wordt het gedoofd? Nee, geen van beide. Ik weet het niet.'
'Ik ook niet, althans niet helemaal,' zei Dallandra. 'Deze piramide

is niet op dezelfde manier in deze wereld aanwezig als normale stenen. Hij is de schaduw van iets in een hoger vlak.'
'De wat? Daar heb ik nog nooit van gehoord.'
'Evandar heeft het me jaren geleden uitgelegd. Toen hij Rhodry een mes met dezelfde eigenschappen had gegeven. Dit soort voorwerpen heeft een ware vorm in een ander bestaansvlak – in dit geval het lagere astrale, vermoed ik – die een schaduw werpt in het fysieke vlak. Een schaduw van tastbare stof.'
'Zoiets als het Natuurvolk.'
'Niet helemaal. Wanneer het Natuurvolk zich manifesteert in onze wereld, bevindt het zich niet meer in zijn eigen wereld. Je zou kunnen zeggen dat het hiernaartoe is gereisd. Maar bij deze dingen' – ze tilde de piramide van obsidiaan een stukje op – 'bevindt alleen de schaduw zich hier. Het werkelijke voorwerp bevindt zich nog steeds in zijn eigen wereld.'
'Toch voelt de steen solide aan.'
'Hij is ook solide, al is het een schaduw. Je kunt hem vasthouden, gebruiken en verplaatsen, maar dat heeft allemaal een gevolg in zijn ware wereld. Welk gevolg weten we niet.'
'Dus daarom kon zo'n sterke geest erin vastgehouden worden.'
'Precies.' Even keek ze met verdrietige ogen voor zich uit. 'Loddlaen heeft hem verkocht aan de man die dat heeft gedaan.'
'O.' Salamander probeerde iets te bedenken om haar te troosten, maar hij gaf het op. 'Wie was die man?'
'Dat kon de geest me niet duidelijk maken. Hij liet me wel een beeld van hem zien, volgens mij typisch een man uit Cerrmor. Het kwaad droop van hem af, zei de geest.'
'Duistere dweomer dus.' Salamander dacht na. 'Er was een man in Cerrmor die duistere dweomer had geleerd in Bardek. Hij heeft geprobeerd de Grote Steen van het Westen te stelen. Alastyr, zo heette hij. Nevyn heeft hem in de val gelokt en de leerling van die schoft heeft hem toen vermoord. Volgens Nevyn had die Alastyr een soort band met Loddlaen.'
'En blijkbaar grote belangstelling voor magische stenen. Nou, dan moet hij het zijn geweest.'
Haar gezicht noch haar stem verried wat ze voelde, maar Salamander wist dat de gedachte dat haar zoon iets met duistere dweomer te maken had gehad haar diep had geschokt.
'Zullen we teruggaan naar het kamp?' vroeg hij.
'Nog niet.' Ze keek hem kalm aan. 'De anderen kunnen wel voor de gewonden zorgen. Ik wil nog even hier op deze rustige plek blijven zitten.'

'Zal ik in de steen kijken?'
'Ja, waarom niet? Ik hoop dat hij je dan de rest van de boodschap van Evandar doorgeeft. Ooit kon ik zijn naam zelfs niet uitspreken omdat ik hem zo miste, maar dat is voorbij. Deels dankzij Cal natuurlijk, maar ook omdat het al zo lang geleden is. Dat is een van de gaven van het Volk: dat we tijd genoeg hebben om oude liefdes te laten wegglijden. Dat geluk hebben de Deverrianen en de Gel da' Thae niet.'
'Dat is jouw boodschap aan mij?'
Ze glimlachte alleen maar.
Salamander pakte de zwarte piramide met beide handen vast en keek door de vierkant afgeslepen bovenkant naar binnen, maar hij zag alleen iets wat eruitzag als een deel van een houten plank. Hij boog zich verder over de steen heen en toen kon hij zien dat het een deel van een ruwe houten tafel was, met daarop de rand van een rood aardewerken bord. Voordat hij het Dallandra kon vertellen, veranderde het visioen en kwam er een herinnering bij hem boven.
Hij zag een eiland en besefte dat hij het eerder had gezien. Hij herinnerde zich zelfs dat hij toen bij Nevyn op schoot had gezeten en verbaasd had gekeken naar beelden die nergens vandaan leken te komen. Nu hij een man was, kon hij door zijn geoefende geest te gebruiken begrijpen wat hij zag.
'Ik zie een eiland met een lange houten steiger,' zei hij. 'Er ligt een boot afgemeerd met een drakenkop op de voorsteven. Het is geen groot eiland en de helft ervan is bebost. Midden in het bos staat een hoge, vierkante stenen toren. Ik denk dat er voor de toren een soort huis staat. Er staat iemand op de steiger. Alle goden, het is Evandar, met zijn gele haar en turkooizen ogen!'
Dallandra boog zich naar hem toe. 'Heeft hij iets in zijn hand?' vroeg ze zacht. 'Val heeft me verteld dat hij, toen je hem eerder zag, iets in zijn hand had.'
'Een boek, een in wit leer gebonden boek. Met op de voorkant een zwarte draak – dat moet Arzosah zijn! Hij slaat het boek open en ik zie dat er iets in geschreven staat. Het zijn aanwijzingen voor de een of andere dweomerhandeling. Vervloekt nog aan toe, het visioen vervaagt! Ik kan ze niet lezen.' Hij keek Dallandra aan.
Dallandra staarde voor zich uit. 'Haen Marn,' zei ze.
'Eh... Wat zeg je?'
'Niet wat, maar waar. Dat eiland in dat meer heet Haen Marn. Dat heeft Rhodry me jaren geleden verteld. Aan het begin van de oorlog in Cengarn woonde daar een vrouw van wie hij hield. Haar zoon Enj was degene die hem hielp zoeken naar Arzosah, maar toen ze

terugkeerden naar de plek waar het eiland lag, was het verdwenen.'
'Verdwenen?'
'Ja, helemaal verdwenen, en het meer ook. Blijkbaar kan het in gevaarlijke tijden zichzelf verplaatsen.' Dallandra keek Salamander weer aan. 'En er brak inderdaad een gevaarlijke tijd aan, want er was een leger Paardenvolkers naar op weg. Niemand heeft ook maar het flauwste idee waar het is gebleven.'
'Dus niemand weet ook waar dat boek is gebleven.'
'Helaas heb je gelijk. Ik vraag me af wat je met die aanwijzingen kunt doen. Het moet zo belangrijk zijn dat Evandar de moeite heeft genomen om dit kristal een magische boodschap mee te geven.'
'Waarom kon hij, bij de hellevorst, niet gewoon zeggen wat hij bedoelde? Je hebt me vaak verteld dat hij dol was op raadsels, grapjes en allerlei soorten ingewikkelde voorspellingen, Dalla, maar waarom, bij de zilveren stront van de sterrengoden – als ik je geachte en geliefde banadar mag aanhalen – kon hij die vervloekte aanwijzingen dan niet rechtstreeks doorgeven?'
'Omdat hij bang was dat hij zich vergiste.' Dallandra glimlachte zwakjes. 'Hij kon niet echt in de toekomst kijken, niet volledig, bedoel ik. Ik heb er jaren over gedaan voordat ik dat begreep. Hij zag flitsen van de toekomst – beelden, stemmen, gedeeltelijke visioenen – maar niets was duidelijk omschreven. Daarom gaf hij dat wat hij zag door als raadsels.'
'Raadsels met drie of vier mogelijke oplossingen.'
'Juist. Maar op die manier kon hij geen ongelijk hebben of anderen misleiden.'
'En eigenlijk wáren het ook raadsels, zowel voor hem als voor anderen.' Salamander schudde zuchtend zijn hoofd. 'Goed beschouwd...' Abrupt zweeg hij.
In de piramide van obsidiaan doemde een beeld op. Toen hij goed keek, dacht hij eerst dat het zijn spiegelbeeld was omdat hij recht in een paar ogen keek, maar toen besefte hij dat die ogen bruin waren. Langzaam werd het beeld helderder en ten slotte ontwaarde hij het gezicht dat bij de ogen hoorde. Het was scherp gesneden en moest van een slanke man zijn, en het was half bedekt met blauwe tatoeages. Salamander slaakte een kreet van verbazing, en heel in de verte hoorde hij een soort echo die klonk als het gekras van een raaf. Het gezicht verdween. Salamander zette de piramide neer.
'Ik geloof dat ik zojuist de mazrakraaf heb gezien,' zei hij. 'Hij is half mens, half Gel da'Thae.'
Dallandra pakte de steen, tuurde erin en schudde geërgerd haar hoofd. Ze mompelde een spreuk, verklaarde hem ongeldig en pro-

beerde een andere spreuk, met haar ogen strak op de piramide gericht. Ten slotte zette ze hem weer neer, met een vloek die ze beslist van Calonderiel moest hebben geleerd.

'Hij is weg,' zei ze. 'Of waarschijnlijk heeft hij een doek over zijn schouwsteen gelegd, want ik ga ervan uit dat hij ook een kristal heeft. Maar het kan natuurlijk een spiegel zijn of een ander voorwerp dat hij gebruikt om te scryen.'

'Ik denk dat je gelijk hebt,' zei Salamander. 'Misschien is hij op zoek naar mij. Of wacht even, misschien is hij op zoek naar ónze steen, als het waar is dat Sidro bij hem is. Zij weet wat er op dat altaar in die tempel heeft gestaan.'

'Inderdaad. Heb je me niet een keer verteld dat Valandario wil dat deze piramide vernietigd wordt?'

'Uiteindelijk wel, maar ze zei erbij dat dat pas mocht gebeuren nadat ik alles wat erin zat, had ontrafeld.'

'Dat klinkt verstandig.' Dallandra woog de steen op haar handpalm zoals een huisvrouw dat bij de bakker deed met een brood. 'Als deze piramide inderdaad een verbinding vormt met de mazrakraaf, dan kan hij ons helpen. Ik heb een idee. We bestuderen hem tot we Valandario weer ontmoeten. Dan geven we hem aan haar terug en mag zij hem met genoegen kapotslaan.'

'Een goed plan, o prinses van perileuze potenties! Ik twijfel er niet aan dat ze vol genoegen naar de scherven zal kijken.'

Dallandra gaf Salamander de steen terug en hij wikkelde die weer in zijn oude hemd. Daarna bond hij het bundeltje met een leren riempje stevig dicht en stopte het in zijn zadeltas. Als de steen vermoedde hoe slecht het met hem zou aflopen, gaf hij daar geen enkel teken van.

'Ze gaan hem vernietigen, de schuimbekkende dwazen!' Laz keek op van het witte kristal. 'Ze zijn van plan de zwarte steen te verbrijzelen, ze denken dat het een duivels ding is.'

'Als ze dat denken, dan is het misschien waar,' antwoordde Sidro. 'Ze weten net zo veel van tovenarij als jij en zij hebben die steen in bezit.'

'Maar ík wil die steen hebben, Sisi! Ik móét hem hebben!'

Laz stond op en begon opgewonden heen en weer te lopen in de kleine hut.

'Waarom?' vroeg Sidro.

'Hoezo waarom?' Hij stond stil en keek haar fel aan. 'Omdat die steen grote toverkracht heeft, daarom!' De felheid verdween uit zijn blik en hij vervolgde aarzelend: 'En er is nog iets, maar ik schaam

me het te bekennen. Ik ben ervan overtuigd, en ik kan niet zeggen waarom, dat hij van mij is. Dat is natuurlijk niet zo en dat weet ik. Toch voel ik diep in mijn binnenste dat het wél zo is. Ik heb er een klein fortuin voor betaald en ik wil hem terug hebben. Je hoeft me niet te vertellen hoe stom ik ben.'
Sidro liet de witte steen weer in de stoffen zakjes glijden en trok de touwtjes dicht.
'Dat het bovendien een heel krachtige steen is, is de verklaarbare reden dat ik hem terug wil hebben,' vervolgde Laz. 'Wil jij dat niet?'
'Laz, die steen is in bezit van een heel leger. Wat denk je dat wij daaraan kunnen doen? Erheen rijden en die tovenaars vragen of wij hem mogen hebben omdat zij hem toch niet kunnen gebruiken? Of langs honderden gewapende mannen sluipen om hem te stelen?'
Hij ging tegenover haar aan tafel zitten, zette zijn ellebogen op tafel en leunde met zijn kin op zijn handen. 'Er moet een manier zijn om hem te behouden,' zei hij ten slotte. 'Het is verschrikkelijk oneerlijk. Ik zal de witte steen nooit kunnen begrijpen als ik de zwarte niet terugkrijg. Je hebt natuurlijk gelijk als je zegt dat we hem niet kunnen stelen.' Opeens begonnen zijn ogen te stralen en ging hij grinnikend rechtop zitten. 'Wij kunnen hem natuurlijk niet stelen, maar stel dat een raaf het doet? Als ze de rivier zijn overgestoken, zijn ze vlak bij het woud. Ik kan een astrale tunnel bouwen, daar wachten op het juiste moment en met een duikvlucht de steen weggrissen en meenemen.'
'Je bent gek geworden! Heb je aan de draken gedacht?'
'De draken, mijn dierbare beminde, maken op dit moment een verkenningsvlucht om te zien of de wrekers van Zakh Gral al in aantocht zijn.'
'Hebben ze alle boogschutters meegenomen?'
Laz' gezicht betrok. 'Ach ja, de boogschutters.'
'Inderdaad, de boogschutters.'
'Ik moet er nog eens goed over nadenken.' Laz stond op en begon weer heen en weer te lopen. 'Ik kan vast wel een manier bedenken om die geeststeen in handen te krijgen.'

Die avond gaf gwerbret Ridvar zijn bevelen door aan de mannen die rechtstreeks onder zijn bevel stonden. Omdat hijzelf bij de twee prinsen zou blijven, had hij besloten dat tieryn Cadryc bij de terugtocht van de gewonden naar de overkant van de rivier de leiding zou krijgen over alle vazallen en bondgenoten van de Rode Wolf, met inbegrip van de clan van de Valk en Salamander. Gerran, op de voet gevolgd door Clae, beende door het kamp op zoek naar de tieryn.

'Waarom moet ik ook vertrekken?' vroeg Gerran aan Cadryc toen hij hem had gevonden. 'Is de edele heer van mening dat ik minder goed vecht dan anderen?'
'Absoluut niet,' antwoordde Cadryc. 'De reden is dat jij de enige heer bent in de clan van de Valk. Het heeft geen zin een nieuwe clan in het leven te roepen en die meteen weer te laten uitsterven.'
'Inderdaad.' Calonderiel kwam naar hen toe, met een houten kistje in zijn hand. 'Bovendien gaan er ook honderd boogschutters met je mee, plus alle mannen van het Bergvolk. Niemand van hen voelt zich beledigd.'
'En je moet goed bedenken dat' – Cadryc keek om zich heen en ging op zachtere toon verder – 'als iemand een reden zou hebben om zich beledigd te voelen, ik dat ben, en ik voel me niet beledigd. Ik denk dat de gwerbret vindt dat hij alweer lang genoeg tegen me heeft moeten aankijken. Ha! Tegen Samaen hoeven we ons niets meer van hem aan te trekken.'
'Dat is inderdaad iets om ons op te verheugen.' Gerran dacht plotseling aan Solla, die thuis op hem wachtte. Hoewel hij dat nooit aan een andere man zou toegeven, zag hij bij de gedachte aan haar in dat het besluit van de gwerbret ook een goede kant had. 'Neem me niet kwalijk dat ik zo opgewonden reageerde, heer.'
'Natuurlijk niet,' zei Cadryc. 'Wat heb je daar bij je, banadar?'
'Iets voor Gerro.' Calonderiel hield Gerran het houten kistje voor. 'Een deel van de buit, als je het wilt hebben. Dalla dacht van wel, maar als het niet zo is, was het niet haar bedoeling je te beledigen.'
'Waarom zou ze denken dat ze me zou kunnen beledigen?' Gerran pakte het kistje aan en klapte het deksel open. 'Een zilveren dolk! Ah, nu begrijp ik het. Maar zeg tegen haar dat ik dit niet als een belediging opvat. Salamander had al gezegd dat er op dat schamele zogenaamde altaar ook een zilveren dolk lag.'
'Dit is hem.' Calonderiel spuugde op de grond. 'Een van hun niet erg heilige relikwieën.'
'Mag ik hem zien, heer?' vroeg Clae.
Toen Gerran het geopende kistje aan zijn schildknaap gaf, staarde Clae lange tijd naar de dolk voordat hij heel voorzichtig met een vinger het draaksymbool op het lemmet streelde. Gerran kreeg de indruk dat de jongen bijna moest huilen, maar Clae sloot het kistje en gaf het met een moeizaam glimlachje terug.
'Wat is er?' vroeg Cadryc aan Clae.
'Ik weet het niet, edele heer,' antwoordde Clae. 'Toen ik naar die dolk keek, kreeg ik een heel raar gevoel. Ik weet echt niet waarom.'
'Wil jij hem hebben, jongen?' vroeg Gerran. 'Het metaal zal niet ge-

noeg opleveren om een bijdrage te leveren aan onze clan en ik ben niet van plan om hem te gebruiken.'
'Dat denk ik ook niet, heer.' Aarzelend vervolgde Clae: 'Ik begrijp er niets van, maar ik wil hem inderdaad erg graag hebben. Meent u het?'
'Ik meen het. Bewaar hem maar als herinnering aan de eerste oorlog die je hebt meegemaakt. En als het er ooit naar uitziet dat ik de clan van de Valk in een vete wil betrekken, laat je me die dolk zien om me erop te wijzen hoeveel me dat zal gaan kosten.'
Met een verlegen lachje drukte Clae het kistje tegen zijn borst en draafde weg om het op te bergen. Tieryn Cadryc schudde verbaasd zijn hoofd.
'Een vreemde jongen, onze Clae,' zei hij. 'Vooral als je bedenkt dat zijn vader schrijver was.'
'Al komt hij uit een familie van briefschrijvers, edele heer, volgens mij zal hij later, als de goden ons beiden lang genoeg laten leven, een uitstekende hoofdman van de krijgsbende van de Valk worden. Hij heeft ijzer in zijn ziel.'
'Dat heeft een man tegenwoordig inderdaad nodig. Eh... Morgenvroeg wil ik alvast boodschappers naar huis sturen. Waar is die verduivelde gerthddyn nu weer? Dan kan hij het nieuws opschrijven om het Neb in de dun te laten lezen.'
'De laatste keer dat ik hem zag, was hij samen met vrouwe Dallandra. Ik zal hem wel even gaan halen,' antwoordde Gerran.
'Ik ga met je mee,' zei Calonderiel. 'Ik wil graag weten waar ze is, vooral als ze met die wauwelende dwaas op pad gaat.'
Gerran keek hem vragend aan.
'Vanwege het gevaar waarin we ons bevinden,' zei Calonderiel nors. 'Dat ziet zij niet, maar ik zie het wel.'
Gerran gromde vaag iets dat klonk als begrip, maar toen hij achter de banadar aan liep, vroeg hij zich af hoe Calonderiel jaloers kon zijn op de gerthddyn en hoe iemand kon denken dat Salamander een dwaas was.

Toen Salamander en Dallandra in het legerkamp terugkwamen en knechten hun paarden van hen overnamen, hield Salamander zijn zadeltassen bij zich. Hoewel hij niet onder woorden kon brengen waarom dat zo was, had hij sterk het gevoel dat hij de zwarte piramide moest bewaken. Met de tassen over zijn arm liep hij met Dallandra mee naar de tenten voor de gewonden, waar Grallezar naar hen toe kwam. Ze was bezig de medicamenten en andere geneeskundige spullen uit de wagens te halen, zo veel als ze kon dragen per keer.

'Ik leg alles in die tent,' zei ze in de Elfentaal en ze wees. 'Ik moet nog één lading overbrengen.'
Ze liep haastig weg in de richting van de goederenwagens, maar voordat Dallandra de tent in kon gaan, kwamen Calonderiel en Gerran eraan. De banadar wierp Salamander zo'n ijskoude blik toe dat de troubadour een paar stappen achteruit deed en een dom lachje op zijn gezicht toverde.
'Ha, ben je daar,' zei Calonderiel tegen Dallandra. Omdat Gerran erbij was, sprak hij Deverriaans. 'Ga je de gewonden verzorgen, mijn lief?'
'Inderdaad,' antwoordde Dallandra in dezelfde taal. 'Sommigen kunnen misschien morgen weer rijden. Op een paard zijn ze beter af dan in een schuddende wagen.'
'Dat denk ik ook. Ik moet prins Dar even spreken, maar ik ben zo terug. Ebañy, tieryn Cadryc wil dat je berichten voor hem schrijft.'
'Ik zal naar hem toe gaan nadat ik mijn tassen naar mijn tent heb gebracht.' Salamander gaf een paar klapjes op de zadeltassen.
Calonderiel gromde iets en beende haastig weg, tot Salamanders grote opluchting. Gerran maakte een buiging voor Dallandra.
'Ik heb gehoord, vrouwe,' zei hij, 'dat u bij het grootste deel van het leger achterblijft. Ik vertrek, dus wil ik u alvast bedanken voor uw goede zorgen voor de mannen van de Rode Wolf. En voor de zilveren dolk.'
'Geen dank,' antwoordde Dallandra. 'Het doet mijn hart vreugd dat u het geschenk niet als een belediging opvat.'
'Absoluut niet. Ik hoop dat ik niet in uw achting daal omdat ik met de gewonden meega.'
'Wat? Waarom zou dat zo zijn? Ik kan me niet voorstellen dat u liever hier zou willen blijven.'
Gerran keek haar verbijsterd aan. 'Nou ja,' zei hij, nadat hij even had nagedacht, 'ik zou het niet erg vinden om die vervloekte barbaren nog een keer een lesje te leren. Ik zal die gevangene van wie ze destijds het hoofd op een spies hebben gestoken, bij de dun van Samyc, nooit vergeten. We zouden ze allemaal moeten uitroeien: mannen, vrouwen, hun jongen... Allemaal.'
'Helaas vrees ik dat een groot deel van mijn volk dat met je eens zou zijn,' zei Salamander. 'Calonderiel, om te beginnen.'
'Dus zij zijn barbaren?' zei Dallandra. 'Hoe durven jullie dat, na wat onze mannen met Zakh Gral hebben gedaan, nog te beweren?'
'Zo gaat het in een oorlog,' antwoordde Gerran. 'Ze zouden met ons hetzelfde hebben gedaan.'
'Natuurlijk, dat bedoel ik juist. Jullie hebben hun vesting in brand

gestoken om hen op die manier, zoals een houtvester dassen uitrookt, te dwingen naar buiten te komen. En toen hebben jullie hen afgeslacht. Zijn jullie dan niet net zo goed barbaren?'
Gerran wilde antwoord geven, maar hij hield zijn mond.
'Bovendien,' vervolgde Dallandra, 'begrijpen jullie niets van hen. Weten jullie wat de grootste angst is van de Gel da'Thae?'
'Nee, waarom zou ik dat moeten weten?' zei Gerran.
'Omdat ze jullie vijand zijn en jullie zo veel mogelijk van hen zouden moeten weten.'
'Dat is waar. Neem me niet kwalijk.'
'Nee. Hun grootste angst is dat ze achteruit zullen gaan, dat ze het beschaafde leven waarvoor ze zo hard hebben gewerkt zullen verliezen en terug zullen keren naar hun barbaarse staat.'
'Dat duurt niet lang meer. Denk maar eens aan de gespietste hoofden van vermoorde gevangenen die aan het volk worden getoond, de lange speer, dat soort dingen. Die kan ik alleen maar barbaars noemen.'
'De priesters zeggen dat de goden het eisen. Was het niet zo dat jullie priesters vroeger ook hoofden en offers eisten?'
'Volgens de barden wel, maar...'
'Maar wat?' viel Dallandra hem bits in de rede. 'Hoe lang is het geleden dat jullie volk nog hoofden afhakte? Ik begrijp dat het zelfs nu nog af en toe gebeurt. Herinner je je nog dat Ridvar de gevangenen uit de dun van Honelg met opengereten buik wilde ophangen voor het volk? En als jij en Neb hem niet hadden tegengehouden, had hij de kleinzoon van Cadryc in koelen bloede vermoord.'
Gerran staarde Dallandra met open mond aan. Dallandra keek fel terug, tot Gerran hoofdschuddend zijn blik afwendde.
'Ik begrijp wat u bedoelt,' zei hij toen kalm. 'Het komt op hetzelfde neer.'
'Precies.'
Salamander blies als een zucht van opluchting langzaam zijn adem uit en vroeg zich af waarom hij die ingehouden had. Had hij verwacht dat ze slaande ruzie zouden krijgen?
'Ik heb ooit een van hun barden gekend, een zeer geleerde man,' vervolgde Dallandra. 'En vergeet niet dat ik een keer in Braemel ben geweest. Het merendeel van hun volk leidt een vredig leven. Ze hebben ambachtslieden en handelaars, gerechtshoven en tempels.'
'O.' Gerran dacht na. 'Ach, misschien is het wel erg gemakkelijk om je vijanden als duivels uit de hel te beschouwen,' gaf hij toe. 'Salamander, hoe noemde die schrijver ze ook alweer? De naam die jouw volk voor ze gebruikt.'

'Meradan,' antwoordde Salamander. 'In het Deverriaans betekent dat "demonen". Maar je moet ook weten dat de Gel da'Thae jouw volk de Rode Rovers noemen.'
Gerran keek hem oprecht verbaasd aan.
'Denk daar maar eens over na,' zei Dallandra. 'Maar ik ontken niet dat hun krijgers zich als barbaren kunnen gedragen. Ze leven voor de dood en ze klampen zich vast aan de oude tradities. En dat zijn vreselijke, bloeddorstige tradities, met inbegrip van dat afschuwelijke ritueel met de lange speer.' Ze rilde.
'Ik heb nog een vraag, Wijze Vrouw,' zei Gerran. 'Wat zou er gebeuren als de gewone mensen in de steden tegen de krijgers van het Paardenvolk zouden protesteren?'
'Dat hebben Grallezar en degenen die het met haar eens waren geprobeerd.'
Gerran glimlachte wrang. 'Dat vermoedde ik al. Dan zullen we zo veel mogelijk vijandelijke krijgers doden en zal ik daar genoegen mee nemen.' Hij boog voor Dallandra, wuifde opgewekt en liep weg. Dallandra keek hem met verdrietige ogen na.
'Ik weet wat je denkt, o meesteres van machtige magie,' zei Salamander in de Elfentaal, 'maar hij is op zijn manier een goed mens.'
'Dat geldt ook voor Cal,' zei ze. 'En hij zou het woord voor woord met Gerran eens zijn.'
Ze liep de tent in en Salamander volgde haar om zijn zadeltassen met de zwarte piramide veilig weg te bergen voordat hij naar de tieryn ging. Er lag al een grote stapel zakken en andere zadeltassen, netjes geordend, met de dekens en verbandmiddelen aan de ene kant, de kruiden aan de andere kant en Dallandra's weinige instrumenten ertussenin. Toen Dallandra alles had bekeken, ging ze met een lange zucht zitten. Salamander knielde naast de stapel neer en verstopte zijn tas tussen de andere.
'Het was aardig van Grallezar dat ze dit allemaal heeft gedaan,' zei Dallandra.
'Dat is zo,' beaamde Salamander. 'Het verbaast me eigenlijk dat iemand met een vooraanstaande positie zoiets doet, hoewel ze op dit moment helaas geen enkele positie heeft.'
'Weet je waarom bij de Gel da'Thae vrouwen de leiders zijn?'
'Nee, maar dat heb ik me wel eens afgevraagd.'
'Dat is na de Grote Brand en de builenpest zo geworden. Toen ze tot het besef kwamen wat ze hadden vernietigd door ons te vernietigen, besloten de overgeblevenen dat vanaf dat moment hun aanvoerders vrouwen zouden zijn – hun raz-kairen, zoals ze hun leiders destijds noemden – omdat de mannen hadden gefaald.'

'Waarschijnlijk dachten ze dat vrouwen van nature meer naar vrede zouden streven en meer oog hadden voor beschaving.'
'Nee, zo dom waren ze niet.' Dallandra glimlachte om haar woorden te verzachten. 'Ze wilden een groep die afschuwelijke beslissingen had genomen, vervangen door een groep die dat niet had gedaan, dat was alles. Bovendien zouden vrouwen, omdat ze niet ten strijde zouden trekken, langer leven dan mannelijke leiders hadden gedaan.'
'Wat ook goede redenen waren.'
'Maar het is waar dat vrouwen in een oorlog meer te verliezen hebben dan mannen.'
'O ja? Wat dan?'
'Hun kinderen, natuurlijk. Hun kinderen zijn immers degenen die moeten vechten?' Dallandra's glimlachje verstrakte en opeens sloeg ze haar handen voor haar gezicht en begon te huilen.
Salamander zat even geschrokken naar haar te kijken en legde toen aarzelend een hand op haar schouder. 'Dalla? Zal ik Cal halen?' vroeg hij.
'Nee.' Ze vocht tegen haar tranen. 'Hij zal het alleen maar erger maken.' Ze draaide zich om, trok een zadeltas naar zich toe en haalde er een stuk verband uit om haar gezicht mee droog te vegen. 'Het spijt me, ik weet niet wat me overkwam.'
'Ach, we maken een zware tijd door.'
'Inderdaad.' Ze staarde naar de lap die ze in haar hand hield. 'Dat is zo.'

De volgende morgen zette het deel van het leger dat de terugtocht zou aanvaarden zich noordwaarts in beweging, in de richting van de doorwaadbare plaats in de rivier. Net toen de achterhoede uit het zicht was verdwenen, kwamen de draken terug. De bevelhebbers liepen ze haastig tegemoet, nieuwsgierig naar hun verslag. Nu de gewonden weg waren, had Dallandra niets anders meer te doen dan zich afvragen wat ze hadden ontdekt. Af en toe waagde ze het te hopen dat het Paardenvolk geen nieuwe troepen zou sturen, maar ze was niet verbaasd toen ze te horen kreeg dat die hoop vergeefs was.
'Ze zijn al onderweg,' zei Calonderiel. 'Maar het is geen enorm leger en er is maar een kleine troep ruiters bij. Die grote paarden van hen zijn moeilijk te krijgen en we hebben er heel wat van gedood. Te veel. Jammer, maar zo gaat het in een oorlog.'
'Zijn de draken er nog? Ik moet naar Rori's wond kijken.'
'Dat lijkt me een goed idee, want hij stinkt als brandende wolvenstront.'

Dallandra's helpers hadden bij elke beek of poel gezocht naar bloedzuigers. Ranadario was er wat eerder die dag nog naar op jacht gegaan. Toen Dallandra haar ging zoeken, stond ze gebukt tussen het struikgewas langs een beekje dat traag naar de Galan Targ stroomde.

'Dalla! Dalla, kijk eens!' Ranadario kwam met een grote aardewerken kan in haar handen haastig naar Dallandra toe. 'Ik heb er weer een paar gevonden!'

In het water onder in de kan lag wat eruitzag als een hoopje grijs slijm. Toen Ranadario de kan schudde, splitste het slijm zich op in een flinke handvol zoetwaterbloedzuigers die, te oordelen naar de bleke kleur van hun langwerpige lijven, flink honger moesten hebben.

'Geweldig!' zei Dallandra. 'Het zijn mooie exemplaren. Nu moet ik onze draak nog zien te vinden.'

Rori was maar al te bereid een behandeling te ondergaan. Hij ging met Dallandra mee naar een platgetrapt stuk gras, waar Ranadario met de kan met bloedzuigers, kruiken met kruidenaftreksel en waswater en de benodigde instrumenten en smeersels stond te wachten.

'Ga op je zij liggen,' beval Dallandra. 'Ik wil niet dat de bloedzuigers van je af in het gras glijden.'

'Kunnen ze uit het water in leven blijven?' vroeg Rori.

'Niet lang. We houden ze nat terwijl ze zich voeden. Als ze dat willen doen.'

Rori strekte zijn vier poten en liet zich op zijn zij vallen, waarbij Dallandra de grond onder haar voeten voelde trillen. Vervolgens hield Ranadario haar de kan voor en viste ze er met een houten tang een bloedzuiger uit, die ze op de zwarte rand van de wond legde. Kronkelend drukte de worm zijn grote bek in het zwarte vlees en klampte er zich met zijn kleinere bek aan vast. Even later begon hij een roze kleur te krijgen. Dallandra zuchtte van opluchting. Blijkbaar vond het beestje de draak lekker smaken.

'Kun je het voelen?' vroeg ze aan Rori.

'Nee.'

'Dan is het dood vlees. Laten we maar eens proberen hoe hongerig deze bloedzuigers zijn.'

'In die beek zitten er nog veel meer,' zei Ranadario. 'Toen ik deze aan het zoeken was, werd ik door een heel grote gebeten en moest ik hem met zout doden om hem van me af te krijgen.'

'Dat is jammer.' Dallandra doopte een doek in de kruik met schoon water en wrong die boven de etende bloedzuiger uit. 'Ga hiermee door en als hij op het punt staat eraf te vallen, doe hem dan in die

andere kan.' Ze gaf Ranadario de tang. 'En zet de volgende een eindje verder op het zwarte deel van de wond.'
Dallandra liep naar Rori's kop om beter met hem te kunnen praten. Hij opende zijn vreemd menselijke ogen en keek haar nadenkend aan.
'Owaen is gestorven aan wondrot,' zei hij. 'Heb ik dat ook?'
'Gelukkig niet. Wie was Owaen? Een ander lid van je krijgsbende?'
'Inderdaad, in de Tijd van Troebelen. Ik was toen bard, de bard van een zilverdolk, maar als het nodig was, kon ik ook een zwaard hanteren. Owaen raakte gewond en het was een diepe snee die zwart werd, net als bij mij. Ik raakte ook gewond, maar ik heb het overleefd, ik weet niet waarom. Ik weet nog dat ik daar lag, met hoge koorts, en hoorde dat Owaen ook nog leefde, maar later die dag is hij overleden. Ik vermoed dat Nevyn me toen het leven heeft gered, al was ik absoluut niet belangrijk.'
'Wat hoor ik nu? Rori, begin je je vorige levens te herinneren?'
'Een groot aantal. Draken kennen hun verleden, al leven ze zo lang dat ze zich daar maar een of twee levens goed van kunnen herinneren. Ze weten een heleboel vreemde dingen, wist je dat?' Hij staarde voor zich uit. 'Sommige dingen schieten me zomaar te binnen. Andere dingen komen later nog wel eens, denk ik.'
'Wil je blijven leven als draak?'
'Heb ik een andere keus?'
'Op dit moment niet, maar de kans bestaat dat we erachter kunnen komen hoe we je je menselijke lichaam terug kunnen geven.' Plotseling dacht ze aan de boodschap van Evandar in de zwarte obsidiaan en aan het geheimzinnige boek. 'Ik denk dat Evandar ons misschien de sleutel in handen heeft gegeven om zijn werk te ontsluiten, als we het kunnen vinden.'
'Ons? We?'
'Jill en ik. Verdorie, ik bedoel Branna! Toen Jill nog leefde, heeft ze me een keer verteld dat ze een waarschuwing had gekregen dat er ooit iets heel ergs met jou zou gebeuren en toen heeft ze gezworen dat ze je zou helpen. Maar omdat ze is gestorven voordat ze zich aan haar belofte heeft kunnen houden, is die overgegaan op Branna.'
'Waar is die sleutel?'
'Vermoedelijk in een boek dat blijkbaar ergens op Haen Marn ligt.'
'Dan is hij voorgoed weg.'
'Daar zou ik maar niet te zeker van zijn. De kans bestaat dat het eiland op een dag terugkomt. Ben je ooit teruggevlogen om Enj te zoeken?'

'Vaak. Hij houdt 's zomers nog steeds de wacht in de wildernis en gaat 's winters terug naar Lin Serr. Zijn vertrouwen is groter dan het mijne.' Abrupt hief hij zijn kop en keek achterom naar Ranadario. 'Voorzichtig, meisje! Dat kon ik voelen!'
'Neem me niet kwalijk!' zei Ranadario verschrikt. 'Maar we moeten ervoor zorgen dat de wond goed schoon wordt.'
'Je mag mijn helpster niet opeten,' zei Dallandra streng. 'Wees dus een brave draak en blijf stil liggen.'
Rori gromde iets, maar hij liet zijn kop weer zakken. Wel sloeg hij een keer met zijn staart op de grond.
'Goed zo,' prees Dallandra. 'Heb je, toen je op Haen Marn was, soms ergens boeken gezien?'
'Nee, maar dat zegt niets. Haen Marn heeft me alleen laten zien wat het me wilde laten zien.' Hij zuchtte diep. 'Ben je gelukkig met Cal?'
'Ja.'
'Mooi zo. Ik wist dat hij van je hield. Dat was een van de redenen dat ik terug wilde naar Haen Marn, bij jou vandaan. De andere reden was natuurlijk Angmar. Alle goden, ik hoop dat ze me nooit te zien krijgt zoals ik nu ben.'
'Waarom niet? Na alles wat je me over haar hebt verteld, denk ik dat zij de enige vrouw in alle werelden is die het zal begrijpen.'
Rori staarde haar even aan en begon toen te lachen, met een diep, bulderend geluid. Ranadario slaakte een kreet van verontwaardiging.
'Je schudt de bloedzuigers van je af,' zei Dallandra. 'Je moet echt stil blijven liggen.'
Rori draaide ongeduldig met zijn ogen, maar hij hield op met lachen. 'Hoe lang moet dit duren?'
'Geen idee, ik heb nooit eerder een draak behandeld. Een paar dagen, denk ik. Als we alles wat ontstoken is kunnen weghalen, heeft de schone wond een kans om te genezen. Ik zal hem regelmatig spoelen met een aftreksel van kruiden, maar ik kan hem niet hechten. Daar is je huid te dik voor.'
'Een paar dagen is te lang. Het Paardenvolk zal voor die tijd bij de afgebrande vesting aankomen.'
'Dan doe ik nu wat ik kan en maak ik de behandeling later af. Maar het belangrijkste deel hangt van jou af. Je mag niet meer aan de wond likken.'
'Dat zegt Arzosah ook steeds.'
'Ze heeft gelijk. Hou ermee op. Je mag niet likken, niet krabben en niet bijten. Als er vuil in de wond komt, moet je naar me toe komen, dan zal ik hem weer goed schoonmaken.'
Rori gromde iets en staarde aandachtig in de verte.

'Ik kan proberen of ik de wond iets kan verdoven zodat hij minder pijn doet.'
'Hij doet eigenlijk geen pijn, hij schrijnt en hij jeukt. Maar dat is niet het ergste. Het ergste is dat hij me eraan herinnert.'
'Bedoel je aan de transformatie?'
'Dat ook. Weet je zeker dat Raena geen vloek over die dolk heeft uitgesproken?'
'Heel zeker. Daar waren haar kracht en haar kennis niet groot genoeg voor. De enige toverformule die over de dolk is uitgesproken is die van de zilversmid die hem voor Yraen heeft gemaakt.' Ze zweeg even omdat haar iets te binnen schoot. 'Toen je ermee werd gestoken, riep je dat het een brandend gevoel was.'
'Dat is waar.' Ongemerkt ging hij over in het Deverriaans. 'Ik was wel eens eerder gewond geraakt en erg ook, maar zo'n brandende pijn had ik nog nooit gevoeld. De vorige keren was de pijn zo erg dat ik mijn tong er bijna af beet en nauwelijks meer op mijn benen kon staan, maar voelde het niet alsof er een gloeiend stuk ijzer in mijn vlees werd gedrukt. Bovendien is deze wond zo zwart als houtskool.'
'Inderdaad. Toen ik hem voor het eerst zag, dacht ik meteen aan koudvuur, maar het heeft zich niet verspreid. Als het echt wondrot zou zijn, zou je allang dood zijn.'
'Wat jammer dan.'
'Rori, als je echt dood wilt, bedenk dan in naam van alle goden een manier om jezelf van het leven te beroven.'
'Nee, nee, nee, ik maak maar een grapje, vrouwe. Ik maak grapjes om mijn beide vrouwen te vermaken: jou en Vrouwe Dood. Ik zal je uitleggen wat de moeilijkheid is. Wat is een fatsoenlijke manier om te sterven, als ik dat zou willen? Wie zou me willen doden? Wie zou me kunnen doden?' Hij sloeg hard met zijn staart op de grond. 'Iedere krijger heeft wel eens gewenst dat hij onkwetsbaar was. Nou, die wens van mij is in vervulling gegaan en alle goden, wat een ellende! Moet ik in zee duiken of in een vuurspuwende berg en sterven zonder een greintje glorie of eer? Dat is geen fatsoenlijke dood. Dus leef ik verder en vecht net als vroeger voor de Eerste Koning, hier langs de grens.' Hij zuchtte met een zacht, rommelend geluid. 'Alleen daar ben ik nu geschikt voor, denk ik. In elk geval houdt het me bezig.'
Dallandra wist niet meer wat ze moest zeggen. Hij hief zijn kop en keek haar recht aan.
'Bestaat er echt een kans dat je Evandars dweomer zult kunnen ontcijferen?' vroeg hij.

'Die bestaat, maar hij is erg klein.'
'Dat is goed genoeg.' In de Elfentaal vervolgde hij: 'Is dat meisje met haar slijmerige wormen nog steeds niet klaar?'
'Ik ben klaar,' zei Ranadario. 'Alle bloedzuigers zijn inmiddels lekker dik en donkerrood.'
'Mooi zo,' zei Dallandra. 'We hebben ook een kruidenaftreksel meegebracht, Rori, en daar wil ik de wond nog mee schoonmaken voordat je wegvliegt.'
Toen hij weg was, schoot het Dallandra te binnen dat hij 'dat is goed genoeg' had gezegd. Goed genoeg waarvoor? vroeg ze zich af. Waarschijnlijk om verder te leven.
Later die dag kwam Arzosah terug om de prinsen en de gwerbret opnieuw verslag uit te brengen. Daarna ging Dallandra het drakenfluitje halen dat op Alshandra's altaar had gelegen. Toen ze het voor Arzosah omhooghield, liet die langdurig een hard gesis horen.
'Eindelijk!' zei ze ten slotte.
'Ik neem aan dat je het herkent,' zei Dallandra.
'Natuurlijk herken ik het. Het is gemaakt van een bot van mijn vorige metgezel. Ik wil het in het gat van mijn vuurspuwende berg laten vallen, zodat er tenminste een klein stukje van hem terugkeert naar huis. Wil jij het voor me bewaren tot deze oorlog voorbij is?'
'Met genoegen.'
'Dank je wel. Over metgezellen gesproken, ik ben Rori tegengekomen en die wond ziet er duizendmaal beter uit. Daar ben ik je eveneens dankbaar voor.'
'Graag gedaan. Ik denk dat hij uiteindelijk helemaal zal genezen.'
'Alle goden van vuur en stoom zijn geprezen! Had hij die verschrikkelijke Raena maar met rust gelaten, dan... Maar nee, hij moest en zou wraak nemen.' Arzosah slaakte een diepe zucht. 'Jij en ik hebben allebei de neiging om ongeschikte metgezellen te kiezen. Jij eerst die walgelijke Evandar en nu weer die arrogante banadarman...'
'Hou nou toch eens op met het beledigen van...'
'Het ligt er natuurlijk dik bovenop waarom dat zo is,' vervolgde de draak, alsof ze de bitse onderbreking niet had gehoord. 'We zijn er allebei op gesteld tijd voor onszelf te hebben, en een geschikte man zou ons de hele dag voor de poten... eh... voor de voeten lopen.'
Dallandra opende haar mond om te protesteren, maar ze bedacht zich. 'Je hebt gelijk,' zei ze ten slotte. 'Een man die regelmatig weg is, heeft zijn voordelen.'
'Ik heb altijd gelijk.' Arzosah geeuwde haar enorme tanden bloot. 'Wat ik je ook nog wilde vertellen, is dat ik op weg hiernaartoe over

het andere deel van het leger ben gevlogen. Ze zijn veilig aangekomen bij de doorwaadbare plaats. Het viel me op dat een paar knechten een graf aan het graven waren, maar niet groter dan voor één man.'
'Ik was al bang dat sommige gewonden het niet lang meer zouden maken. Nou ja, ik hoop dat dit de laatste dode is.'

Het deel van het leger onder aanvoering van tieryn Cadryc had vroeg in de middag halt gehouden om tieryn Gwivyr te begraven en de gewonden te laten uitrusten. Nadat enkele knechten Gwivyr in het graf hadden gelegd, sprong Gerran erbij om Gwivyrs zwaard op zijn borst te leggen en zijn handen om het gevest te vouwen. Salamander trok Gerran eruit en ze bleven naast het graf staan terwijl de knechten het dichtgooiden.
'Ik vind het erg verdrietig voor onze Branna,' zei Gerran. 'Hij was tenslotte haar vader.'
'Inderdaad,' beaamde Salamander. 'Maar hij is niet de enige dappere krijger die we in deze oorlog hebben verloren.'
'Als er alweer een leger Paardenvolkers op weg is naar Zakh Gral, zal hij ook niet de laatste zijn.' Gerran draaide zich schouderophalend om. 'Laten we onze portie eten gaan halen.'
Daar waar de paarden waren uitgespannen, deelden bedienden vanaf een open wagen voedsel uit. Toen Gerran en Salamander ernaartoe liepen, zag Salamander een mager meisje met bruin haar staan dat geduldig op haar beurt wachtte.
'Dat is de zuster van Tarro,' zei hij tegen Gerran en hij wees haar aan. 'Ze was meegenomen uit het dorp waar ook Neb vandaan komt. Ik denk dat ze eten voor haar broer komt halen, ik heb gehoord dat hij zwaargewond is.'
Toen de andere mannen Gerran zagen aankomen, weken ze achteruit om hem te laten voorgaan, maar Gerran keek naar het meisje.
'Hoe heet je?' vroeg hij. 'En hoe gaat het met je broer?'
'Ik heet Penna, heer.' Ze maakte beleefd een kniebuiginkje. 'En mijn broer geneest zo goed als maar mogelijk is. Hij is zijn linkerarm kwijt. Maar ik zorg voor hem, dus zal hij gauw beter worden.'
'Zeg tegen hem dat ik hem het beste wens.' Tegen een van de knechten op de wagen vervolgde Gerran: 'Geef eerst dit meisje genoeg voor haarzelf en haar broer. Het is niet veilig voor haar als ze hier lang moet wachten. Geef haar voortaan haar portie zodra ze komt.'
De knecht keek beduusd, maar hij antwoordde beleefd: 'Goed, heer Gerran. Zoals u wilt, dat spreekt vanzelf.'
Penna schonk Gerran een stralende glimlach en maakte nog een knie-

buiging. Met haar armen vol etenswaar draafde ze weg en verdween tussen de tenten.
'Tarro was een van de krijgers van Ridvar,' zei Salamander. 'Alleen de goden weten wat er nu met hem en zijn zuster zal gebeuren.'
'Ze zijn welkom in mijn dun, als ze dat willen.' Gerran keek Salamander met een wrang glimlachje aan. 'Zodra ik een dun krijg, natuurlijk. Ik zal Clae naar ze toe sturen om hun dat te vertellen.'
Nadat ze hun voedsel, dat na de lange reis nog nauwelijks eetbaar was, in ontvangst hadden genomen, merkte Salamander dat hij eigenlijk geen trek had. Toen hij het droge stuk brood en het ranzige gezouten vlees in zijn zadeltas stopte, viel zijn blik op de bundel met de zwarte piramide. Nader onderzoek van de steen zou hem afleiden van zijn verdriet, besloot hij. Hij nam de bundel mee een eindje het kamp uit naar een comfortabel plekje op het gras – niet ver van de rand van het woud, maar dicht genoeg bij het leger om zo nodig om hulp te kunnen roepen. Hoewel hij geen enkel voorteken had ontvangen, zou het natuurlijk best kunnen dat ruiters van het Paardenvolk opeens voor zijn neus stonden.
Hij ging in kleermakerszit op de grond zitten, wikkelde de piramide uit de van zijn oude hemd gemaakte banier, spreidde die uit op de grond en zette de steen erop. Opnieuw zag hij Evandar met het boek in zijn handen op de aanlegsteiger van Haen Marn staan en vervolgens vervagen. Salamander gaapte en leunde naar voren in de hoop dat er een nieuw beeld zou verschijnen, maar de zon scheen warm op zijn rug en hij was uitgeput van alles wat hem onlangs was overkomen. Hij was al half in slaap toen hij in de piramide iets zag bewegen.
Hij tilde de schouwsteen op, tuurde door de afgeplatte top naar binnen en zag bruine ogen terugkijken. Vaag zag hij ook de rest van het gezicht van de mazrak, even scherp gesneden als het in zijn geheugen stond geprent. De bruine ogen staarden hem wijd open en zonder te knipperen aan. Alle goden, dacht Salamander, hij probeert me via de steen te betoveren!
'Zo lukt het niet,' zei hij in gedachten tegen de mazrak. 'Je moet lichamelijk bij iemand in de buurt zijn, sukkel!'
In zijn hoofd hoorde hij de raaf krassen. De ogen verdwenen. Salamander vermoedde dat de mazrak in elk geval een deel van zijn dweomerkennis domweg uit zijn hoofd had geleerd in plaats van dat hij met de grondbeginselen was begonnen.
Hij wikkelde de piramide weer in de lap, bond die dicht en legde het bundeltje naast zich op het gras. Hij keek naar de horizon, stelde vast dat de zon over ongeveer een uur zou ondergaan en vroeg zich

af wat Dallandra aan het doen was. Hij overwoog of hij zich met haar in verbinding zou stellen, maar zijn maag rommelde onheilspellend en herinnerde hem aan het eten dat hij in zijn tent had liggen. Hij stond op en net toen hij zich bukte om de steen op te rapen, hoorde hij achter zich luid gefladder.
De mazrakraaf vloog keihard tegen hem aan en hij viel voorover in het gras. Hij rolde op zijn zij, kwam op zijn knieën overeind en graaide naar de steen, maar de mazrak had hem al in zijn sterke klauwen. Klapwiekend steeg hij op. Salamander krabbelde razendsnel overeind, rende achter hem aan en maakte een luchtsprong om te proberen het bundeltje uit de klauwen van de vogel te grissen. Maar hij sprong niet hoog genoeg en viel nogmaals op de grond. De raaf kraste triomfantelijk en vloog weg naar het woud. Salamander stond weer zo vlug mogelijk op en rende een eindje achter hem aan voordat het tot hem doordrong dat hij het moest opgeven.
'Vuile aasgier!' schreeuwde hij de mazrakraaf na. 'Smerige, schunnige zwarte kraai! Ellendige...' Hijgend hield hij op. Hij zou zichzelf kunnen transformeren om achter de raaf aan te vliegen, maar tegen de tijd dat hij zijn kleren had uitgetrokken en de magische handelingen had uitgevoerd, zou de mazrak hem zo ver voor zijn dat hij hem nooit meer zou inhalen. Er zat niets anders op dan de raaf na te kijken terwijl hij een stip werd in de lucht en vervolgens verdween.
Vanuit de richting van het kamp hoorde hij iemand zijn naam roepen. Hij draaide zich om en zag dat Gerran met getrokken zwaard naar hem toe rende.
'In naam van de hellevorst, wat was dat?' riep Gerran. 'Ben je gewond?'
'Ik ben niet gewond!' riep Salamander terug. 'Alleen mijn trots is gekrenkt. Wat dat was? Een roofvogel.'
Gerran stond stil om zijn zwaard weer in de schede te steken. Hij sloeg zijn armen over elkaar en wachtte tot Salamander naar hem toe kwam.
'Een roofvogel?' herhaalde hij. 'Dan was het beslist de grootste die ik ooit heb gezien.'
'Nou ja, wat kan het anders zijn geweest?' Salamander glimlachte moeizaam.
'Dat zou ik graag willen weten. Het leek niet op een jonge draak. Rook er ook niet naar.'
'Wat ben je toch een schrandere kerel, Gerro. Je hebt scherpe ogen, een scherp verstand, scherpzinnige...'
'Zo is het wel genoeg, gerthddyn. Wat was het?'
'Vooruit dan maar. Het was een dweomermeester die zich in een vo-

gel kan veranderen en hij heeft zojuist een toversteen van me gestolen.' Salamander grinnikte toen Gerran hem met open mond aanstaarde. 'Ziezo, nu weet je het.'
Salamander beende weg in de richting van de paarden. Met grote stappen haalde Gerran hem in.
'Wat ga je doen?' vroeg hij.
'Mijn paard halen. Ik ga achter hem aan.'
'Geen sprake van. Het is bijna donker en je kunt niet in het donker door een onbekend bos rijden. Ga terug naar het kamp.'
'Wie denk je dat je verduiveld nog aan toe bent om mij te bevelen...'
'Toevallig ben ik de hoofdman van de krijgsbende van tieryn Cadryc en ben jij een van zijn dienaren. Je doet wat ik zeg of ik sla je tegen de grond en draag je terug naar het kamp.' Gerran had op bedaarde toon gesproken en hij keek Salamander met een kalme blik aan. 'Aan jou de keus.'
Salamander overwoog of hij zich tegen Gerran zou verzetten. Maar hij zag in dat hij geen schijn van kans maakte en haalde diep adem om tot bedaren te komen.
'Ik ga terug naar het kamp,' zei hij. 'Maar als ik je kon veranderen in een kikker, zou je nu wegspringen naar het dichtstbijzijnde beekje.'
Gerrans mond vertrok tot wat op een glimlachje leek. Onderweg terug naar het kamp zwegen ze allebei. Hoewel Salamander overwoog of hij naar Dallandra zou gaan om haar alles op te biechten, schaamde hij zich te diep om het te doen. Morgen is het vroeg genoeg voor de volgende vernedering, besloot hij.

Tegen de tijd dat Laz terugkeerde naar de hut was de avond gevallen. Het bundeltje bungelde aan het leren riempje aan zijn snavel. Hoewel Sidro hem wat eerder had gescryd, ging er een golf van opluchting door haar heen toen ze hem weer in levende lijve zag staan. Hij liet het bundeltje op tafel vallen en sprong op zijn stok.
'Ik zal me omdraaien,' zei Sidro.
Ze zag de blauwe lichtflits en toen ze zich naar hem omdraaide, stond hij weer in zijn menselijke vorm voor haar. Hoewel hij stonk naar zweet en uitputting, had hij een triomfantelijke grijns op zijn gezicht. Hij raapte zijn brigga op van de grond, trok hem aan en ging op een boomstronkkruk zitten.
'Ga je me nu vertellen hoe stom het van me was om mezelf op die manier in gevaar te brengen?' zei hij.
'Ik ben alleen maar blij dat je nog leeft.'
'Eerlijk gezegd, ik ook. Maar de boogschutters waren te ver weg om

me te kunnen raken, als ze hadden gezien wat er gebeurde.' Hij grinnikte en bukte zich om zijn laarzen aan te trekken. 'Waar is mijn hemd? Ik wil er netjes uitzien om dit te vieren.'
Sidro schudde berustend haar hoofd en gooide hem zijn hemd toe. Hij trok het aan en draaide zich om naar de tafel met het vreemd ingepakte voorwerp erop. Ernaast stond de witte piramide in de zijden zakjes. Eerst pakte hij die uit en zette hem voorzichtig op de laagjes stof. Daarna legde hij een hand op het bundeltje met de zwarte steen.
'Zo te zien heeft onze vriend de minstreel zijn schat verpakt in een oud hemd,' zei hij.
'Dat lag vroeger op het altaar. Rocca heeft er een banier van gemaakt. Ze was ervan overtuigd dat hij een wonder had verricht en zich bij het leger van de heilige getuigen had gevoegd.'
Laz sloeg minachtend zijn ogen ten hemel en sneed vervolgens het leren riempje door. Even later stond de zwarte piramide onder het dweomerlicht zacht te stralen.
'De geest is verdwenen,' zei Sidro. 'Toen hij op ons altaar stond, zat er een geest in opgesloten.'
'Dan heeft een van de Ouden die waarschijnlijk bevrijd,' zei Laz. 'Gelukkig maar. Wie zou hem erin hebben gedaan?'
'Geen idee. Misschien de heilige getuige Raena. Ik weet niet anders dan dat er een geest in die steen zat.'
'O. Nou ja, ik denk dat de bevrijding van de geest ervoor heeft gezorgd dat de stenen weer in volle glorie bij elkaar zijn. Kijk toch eens hoe ze naar elkaar fonkelen. Je hoeft niet eens je Zicht te gebruiken om het te kunnen zien.'
Inderdaad kon Sidro met haar normale zicht de zachtblauwe gloed zien die, zwaarder dan lucht maar minder substantieel als water, glinsterend tussen de twee piramiden hing. Toen Laz de witte iets dichter naar de zwarte toe schoof, werd de gloed sterker en begon te knetteren als brandend jong hout.
'Wat zou er gebeuren als ik ze tegen elkaar aan zou schuiven?' Laz tilde er met elke hand een op.
'Niet doen!' Plotseling voelde Sidro zich zo koud en misselijk dat ze nauwelijks meer iets kon zeggen. 'Laz, niet doen! Dat is gevaarlijk! Kijk dan, dat zie je toch wel?'
Met een uitdagende blik lachte hij haar stralend toe voordat hij zijn handen naar elkaar toe bracht. Toen de toppen van de piramiden nog maar een heel klein stukje bij elkaar vandaan waren, begonnen ze als kleine, vuurspuwende bergen zilveren vlammetjes uit te braken.

'Hou op!' siste Sidro. 'Alsjeblieft!'
Te laat. De toppen raakten elkaar. Laz verdween in een uitbarsting van zilveren vlammen. Sidro werd verblind door het blauwachtige licht. Een geluid als een donderslag rolde door de hut. Ze hoorde een vrouw gillen, besefte dat zij die vrouw was en gilde opnieuw terwijl ze blindelings haar handen naar hem uitstak. Ze voelde alleen nog de rand van de tafel.
'Laz! Laz!'
Met gespreide handen draaide ze zich om. Opeens rook het vreemd schoon in de hut en het licht tintelde na. Buiten hoorde ze voetstappen naderen, en mannenstemmen. Vek brulde alsof hij pijn leed. De deur vloog met een klap open. Terwijl Sidro niets anders kon zien dan zwarte duisternis met een zilveren schijnsel richtte ze haar blik op de deur.
'Sidro!' Dat was Pir. 'Wat is er gebeurd?'
'Dat weet ik niet. Waar is Laz? Ik kan niets meer zien! Is hij dood?'
'Hij is niet hier. Wat is er gebeurd?'
Alleen doordat ze zich vastklemde aan de tafel lukte het haar overeind te blijven. Ze begon te huilen en de tranen wasten haar ogen tot het donker overging in een roodgouden licht, dat als een masker voor haar bleef hangen. Pir sloeg een arm om haar heen en ze legde haar hoofd tegen zijn borst om uit te huilen voordat ze haar best deed om zich te beheersen. Het roodgouden masker kromp ineen tot een stip en verdween, en toen kon ze weer zien. Pir liet haar los en deed een stap achteruit, waarna hij met grote ogen om zich heen keek.
'Wat is er dan toch gebeurd?' vroeg hij weer.
Een aantal mannen verdrong zich in de hut en ze staarden haar aan, zag Sidro opeens. Faharn drong zich tussen hen door en kwam met samengeknepen, woedende ogen voor haar staan.
'Wat heb je met hem gedaan?' vroeg hij.
'Ik?' Sidro deinsde achteruit. 'Niets! Hij heeft juist...' Tranen verstikten haar stem.
'Laat haar met rust!' snauwde Pir. 'Ze probeert het ons uit te leggen.'
Faharn sloeg zijn armen over elkaar en keek woedend, maar gelukkig hield hij verder zijn mond. Vek trilde zo hevig dat Sidro bang was dat hij een aanval zou krijgen. De hut zag er verder weer normaal uit. Tussen de restanten van hun middagmaal lag de verpakking van de twee stenen nog op tafel. Er was niets verschroeid of gebroken, niets was van zijn plaats verdwenen. Behalve Laz, natuurlijk.
'Ik wéét niet wat er is gebeurd,' fluisterde ze. Ze vermande zich en

vervolgde met vastere stem: 'Het kwam door de twee geeststenen. Laz had ze allebei gevonden. Hij had ze op tafel gezet, en toen hij ze met de bovenkant tegen elkaar aan drukte, volgde er een soort ontploffing. Zojuist zat hij hier nog en nu is hij weg.'
Faharn vloekte zacht.
'Geloof je me niet?' vroeg Sidro aan hem.
'Natuurlijk wel,' antwoordde Faharn. 'Hij praatte al dagenlang over niets anders dan die verduivelde stenen.' Zijn stem trilde en hij kon nauwelijks meer uit zijn woorden komen toen hij vervolgde: 'Het is echt iets voor hem om zoiets te doen.'
De mannen mompelden iets en wierpen elkaar steelse blikken toe. Sommigen legden hun hand op het gevest van hun dolk alsof ze steun zochten.
'Denk je dat hij dood is?' vroeg Pir aan Sidro.
'Ik weet het niet, echt niet.'
Vek liet een snik ontsnappen, begon te kuchen en bracht een diep, grommend geluid voort. Iedereen draaide zich naar hem toe. Zijn hoofd begon heen en weer te schudden, zijn armen vlogen omhoog en zijn hoofd viel naar voren. Hij wankelde en zakte op zijn knieën op het stro op de vloer.
'Hij leeft,' stamelde hij. 'Hij leeft maar is weg, weg. Leeft, maar...' Toen verloor hij het bewustzijn en viel voorover.
De twee mannen die het dichtst bij hem stonden, pakten hem vast en hesen hem overeind. Zijn hoofd viel achterover en er liep kwijl uit zijn mond.
'Breng hem terug naar zijn schuilplaats,' beval Pir, 'en blijf bij hem tot hij bij is gekomen.'
Toen Vek weg was, vertrokken ook de andere mannen, met een paar tegelijk en zacht met elkaar pratend. Faharn was de laatste; hij probeerde nog iets te zeggen, maar opeens draaide hij zich om en rende naar buiten. Sidro ging op een boomstronk zitten en deed haar best om niet weer te gaan huilen. Pir leunde tegen de tafel en bleef nog een poosje zwijgend naar haar kijken.
'Jij bent nu onze leider,' zei hij. 'Tot we Laz vinden, dat spreekt vanzelf.'
'Dat spreekt vanzelf? Denk je dan echt dat we hem ooit zullen vinden? Hij leeft, maar hij is weg. Weg. Wat betekent dat? Wat zou dat in vredesnaam kunnen betekenen?' Sidro hief haar handen, zag dat ze trilden en verborg ze op haar schoot. 'Hoe kunnen we zelfs maar naar hem gaan zoeken terwijl die draken hier rondvliegen?'
'Draken? Ik maak me meer zorgen om die krijgers uit Lijik. Zonder Laz en zijn toverkracht kunnen we ons hier niet langer schuilhou-

den. En we kunnen niet vertrekken zonder een spoor na te laten dat alleen een blinde kan missen.'
'Ai, mogen de godinnen ons helpen, we hebben ze allemaal nodig! Hoe kan ík jullie leider zijn? Ik ben helemaal kapot, ik kan niet meer nadenken, ik...'
'Stil nou even!' Pir stak een hand op en liet een geur naar haar toe drijven. 'Ik heb nagedacht.'
De geur rook naar paarden, scherp en zweterig, maar had vreemd genoeg een kalmerende invloed. Sidro haalde diep adem. Haar handen lagen roerloos op haar schoot en haar gedachten kwamen eveneens tot rust, al had haar verdriet zich schrijnend genesteld in haar ziel. O Laz, hoe kun je me opnieuw verlaten? Een kinderachtige gedachte, belachelijk zelfs, dat wist ze, maar als het de waarheid was geweest, had het niet meer pijn kunnen doen. De stem van Pir deed haar uit haar zelfmedelijden ontwaken.
'Wat vind je ervan als we ons zouden overgeven aan de Ouden in dat leger?'
'Wat?' Sidro staarde hem geschokt aan.
'Waarom zijn we hier? Omdat de volgelingen van Alshandra ons haten. Waarom zijn de Ouden en hun bondgenoten hier? Omdat ze de volgelingen van Alshandra haten. Zij hebben een aantal tovenaars bij zich, onze tovenaar is verdwenen. De zwarte steen was van hen, die willen ze vast wel terug hebben. Wij willen Laz terug hebben en hij heeft die steen waarschijnlijk bij zich.'
'Als ze hem vinden, vermoorden ze hem.'
'Niet als we een overeenkomst met ze sluiten.'
'Ze vermoorden ons voordat we daar de kans toe krijgen.'
'Nee, dat denk ik niet. Het zijn Gel da'Thae, ze hebben een andere manier van denken en leven. De draken gehoorzamen hen, weet je dat? Ze kunnen de draken wegsturen.'
'Maar wat zouden we als onderhandelingstroef kunnen gebruiken?'
'Wij haten hun vijanden ook en we kunnen hun vertellen wat er met de zwarte steen is gebeurd. Bovendien kan ik gewonde paarden genezen.'
Sidro stond op en liep naar het venster dat uitzicht bood op het woud. Ze leunde op haar onderarmen naar buiten om de nachtlucht in te ademen, de kalmerende geur van dennen en varens, kabbelende beken en de zachte wind.
'Ik ken een paar eenvoudige tovertrucs, meer niet,' zei ze.
Pir kwam achter haar staan. 'Dat weet ik,' zei hij. 'We hebben hulp nodig als we hem willen vinden.'
'Dat is waar, maar dat bedoelde ik niet. Ik kan jullie niet leiden. Niet

alleen omdat ik een vrouw ben, maar ik kán het niet. Ik zou niet weten hoe ik dat zou moeten doen, en de anderen jagen me angst aan. Een kudde volgt geen zwakke, oude merrie.' Ze richtte zich op en draaide zich naar hem om. 'Zeg nu eens eerlijk: denk jij dat ze mij zullen gehoorzamen?'
Pir wendde zijn hoofd af en dacht lange tijd na. 'Om te beginnen wel, tot je iets doet wat ze niet bevalt.'
'Bijvoorbeeld voorstellen dat we ons overgeven?'
'Hm.' Weer dacht hij na. 'Zoiets, ja.'
'De enige die dit jammerlijke idee van een kudde kan leiden, ben jij.'
Pir sloeg zijn ogen neer. Hij stond met zijn rug naar het dweomerlicht boven de tafel en zijn gezicht bevond zich in de schaduw, waardoor Sidro de uitdrukking erop niet kon lezen. Net toen ze hem een vraag wilde stellen, keek hij weer op.
'Je hebt gelijk,' zei hij. 'En het zal helpen als ze weten dat jij het leiderschap aan mij hebt overgedragen.'
'Dat zal ik hun vertellen, als je denkt dat ze naar me willen luisteren.'
'Ik hoop het.' Maar hij klonk twijfelachtig.
Sidro vroeg zich af waarom hij opeens aarzelde. Als vrouw van het Paardenvolk – al had ze menselijk bloed – en zelfs als slavin van de Gel da'Thae had ze er altijd op vertrouwd dat een man haar nooit seksueel zou aanvallen tenzij haar eigenares het goedvond, en Borgren zou het nooit goed hebben gevonden. Ze dacht aan Movrae en rilde. De mannen hier in het bos waren bannelingen, gevlucht voor de Gel da'Thae, even wetteloos als de barbaarse stammen in het noorden. Ze had meer bescherming nodig dan haar eenvoudige tovertrucs haar konden bieden. De oeroude tradities zouden haar te hulp moeten komen.
'Je weet dat Laz altijd mijn Eerste Man zal zijn,' zei ze.
'Dat weet ik.' Pir liet niet blijken wat hij daarvan vond, maar ze rook dat zijn geur veranderde.
'Jij zou mijn Tweede Man kunnen worden, dat zou alles een stuk eenvoudiger maken.'
'Ik hoopte al dat je dat zou voorstellen.' Hij glimlachte kort. 'Ik ga het vuur aansteken. De mannen moeten weten wat er aan de hand is.'
Sidro bleef in de hut tot ze in de vuurkuil vlammen zag oplaaien. Tegen de tijd dat ze genoeg moed had verzameld om naar buiten te gaan, stonden de mannen om het vuur. Pir was druk aan het praten; af en toe schudde hij met een vuist of gebaarde met een hand. Het merendeel van de mannen luisterde aandachtig en steeds weer lie-

pen er een of twee naar hem over om naast of achter hem te gaan staan, tot hij een groepje van negen had weten te overtuigen. De anderen bleven met boze gezichten bij Faharn staan.
Sidro haalde diep adem om haar zenuwen in bedwang te houden en liep naar de mannen toe. Pir stak een arm naar haar uit en ze ging dankbaar naast hem staan. Toen ze dat zagen, klaarden de gezichten van vier van de mannen die nog bij Faharn stonden op en voegden ook zij zich bij de aanhangers van Pir.
'Jullie mogen doen wat je wilt,' zei Pir tegen het groepje van Faharn. 'Jullie hebben tot morgenochtend om eh... Nou ja, om erover na te denken.'
'Ik kan nauwelijks geloven dat je met zo'n onzinnig plan bent gekomen, Pir,' zei Faharn. 'En Laz dacht nog wel dat die vrouw van hém hield, maar kijk eens hoe vlug ze hem in de steek laat! Of was je al een hele tijd van plan haar van hem af te pakken?'
'Als dat zo was,' antwoordde Pir bedaard, 'dan had ik beslist jullie hulp ingeroepen, die jullie maar al te graag zouden hebben geboden. Jullie waren tot alles bereid om Laz weer voor jezelf te hebben.'
Pirs aanhang brulde van het lachen en zelfs degenen die zich achter Faharn hadden geschaard, begonnen te grinniken. Faharn wilde iets zeggen, maar hij werd rood en keek Pir nors aan. Hij probeerde het opnieuw, maar ten slotte wapperde hij alleen met zijn handen en beende zo waardig mogelijk weg. Zijn aanhangers volgden schoorvoetend, maar ze knikten vriendelijk voordat ze in het donker verdwenen. De anderen bleven bij Pir en Sidro staan om nog wat meer geruststellende woorden te horen.
'Ik zal als eerste naar de Ouden gaan,' zei Pir. 'Als Vek ertoe in staat is, mag hij mee. Hij kan dingen voorvoelen en dat zou goed van pas komen.'
De mannen, van nu af aan zijn mannen, knikten instemmend.
'We zullen de voorwaarden afspreken waaronder we ons zullen overgeven,' vervolgde Pir. 'Als het ernaar uitziet dat ze ons willen bedriegen, gaat het niet door. Als Vek en ik gevaar lopen, zal Sidro dat weten.'
'Dan komen wij jullie redden,' zei een van de mannen.
'Nee, dat moeten jullie niet doen, dat zou geen zin hebben. Zij zijn met veel meer dan wij. Dan moeten jullie Sidro meenemen naar een veilige plek, meer vraag ik niet van jullie.'
Met hun handen op het handvat van hun mes beloofden ze het hem met de oeroude roep: 'Hai! Hai! Hai!'
Vervolgens doofden ze het vuur en slenterden weg, in groepjes met elkaar pratend. Pir bracht Sidro terug naar de hut. Toen Sidro het

dweomerlicht zag dat Laz had opgeroepen, voelde ze een steek van verdriet in haar hart. Zwijgend bleef ze ernaar kijken, terwijl Pir met een uitdrukkingsloos gezicht naar haar keek. Ten slotte dwong ze zich haar hoofd af te wenden en naar het raam aan de boskant te lopen. Ze leunde naar buiten en haalde diep adem.
'Sidro?' zei Pir na een poosje. 'Zal ik mijn spullen gaan halen of wil je vannacht liever alleen zijn?'
'Ik weet het niet.' Ze draaide zich om en leunde tegen de vensterbank. 'Ik ben uitgeput, maar ik ben bang om alleen te zijn.'
'Dan zal ik mijn dekens halen en buiten slapen, voor de deur. Dan kun jij uitrusten.'
'Daar ben ik aan toe. Het spijt me.'
Maar toen ze in bed lag, kon ze niet slapen, al wist ze dat ze met Pir voor de deur veilig was. Haar gedachten vlogen heen en weer tussen de zekerheid dat Laz dood was en een even grote zekerheid dat hij de volgende morgen weer voor haar neus zou staan. Ze hield zich voor dat hij de magie van die twee piramiden beslist zou doorgronden en in staat zou zijn zich uit welk gevaar ook te redden. Of niet? Niet als hij dood is, bracht het logisch denkende deel van haar geest spottend naar voren. En zo maalden haar gedachten door haar hoofd. Toen ze eindelijk in slaap viel, droomde ze dat Laz in een meer dreef, met blinde ogen gericht op de sterren. Bij zonsopgang werd ze schreeuwend wakker.
Ze zat rechtop in bed, met haar handen voor haar mond, toen Pir met alleen zijn brigga aan haastig de hut binnenkwam.
'Wat is er? Heb je een nachtmerrie?' vroeg hij.
Ze knikte en liet moeizaam haar trillende handen zakken. Pir geeuwde en wreef met de rug van zijn handen zijn ogen uit.
'Het spijt me,' zei ze. 'Ik heb je wakker gemaakt.'
'Dat hindert niet.' Hij geeuwde nog een keer. 'Ik ga me aankleden en Vek roepen. We moeten naar de grasvlakte rijden om onze overgave te regelen.'

De zon was aan het opkomen toen Salamander naar de beek ging om te scryen. Hij knielde neer op de oever en staarde in het door de zon vergulde water terwijl hij zich concentreerde op de zwarte piramide. Niets. Hij voelde niets, hij zag niets. Hij kreeg geen enkele aanwijzing over de verblijfplaats van de steen. Hij stond op, draaide zich om en staarde naar het donker golvende woud aan de noordelijke horizon. Weer dacht hij sterk aan de piramide, en weer gebeurde er niets.
'Hoe heb ik zo dom, dwaas en door en door stompzinnig kunnen

zijn? Alle goden, wat moet ik tegen Dallandra zeggen?'
De beek gaf geen antwoord, maar onbewust onthief tieryn Cadryc hem van de afschuwelijke plicht om de waarheid te vertellen door Clae naar hem toe te sturen.
'De tieryn zegt dat we zo gauw mogelijk moeten vertrekken,' zei Clae. 'Maar eerst moet u een brief schrijven om aan de boodschappers mee te geven.'
'Dat is goed. En ik moet zelf een briefje schrijven om Branna op de hoogte te brengen van de dood van haar vader. Wil jij daar soms nog iets aan toevoegen?'
'Alleen dat ik het heel erg vind dat haar vader gestorven is. Ik weet hoe dat voelt.' Claes stem trilde.
Tegen de tijd dat Salamander alle berichten had geschreven en met de boodschappers had meegegeven, stonden de gewonden en hun verzorgers klaar om te vertrekken. Ze staken zonder moeilijkheden de rivier over en reden naar het oosten, waarbij ze in tegengestelde richting het spoor van wielgroeven in het zand, platgetrapt gras, afval en latrinekuilen volgden dat ze op de heenreis naar Zakh Gral hadden achtergelaten. Ze maakten de rit niet te lang en sloegen een kilometer of twaalf na de oversteek het kamp op, waar ze op de rest van het leger zouden wachten. Salamander ontsnapte aan de drukte door een eindje het veld in te lopen om opnieuw te scryen.
De zomerbries streek door het hoge gras zodat het leek op een golvende groene zee. Toen hij zijn blik erop richtte en zich Dallandra's beeld voor de geest haalde, voelde hij meteen haar aanwezigheid, maar ze stelde zich niet met hem in verbinding. Wel ontving hij een indruk van waar ze mee bezig was: ze liep daadkrachtig heen en weer om bevelen te geven, terwijl ze haar afschuw en angst onderdrukte.
'Het gevecht is hervat,' zei hij hardop.
Hij verbrak zijn concentratie, opende zijn Zicht en dacht opnieuw aan Dallandra, en toen zag hij haar terwijl ze de laadklap van een wagen afspoelde met water om zich voor te bereiden op de patiënten die ze binnenkort zou moeten behandelen. Vervolgens ging hij in gedachten naar Calonderiel en het leger, en toen zag hij opnieuw hoe boogschutters een dodelijke regen van pijlen lieten neerdalen op speervechters van de Gel da'Thae, die daar net als de eerste keer hevig van in verwarring raakten. Ze hieven tevergeefs hun schilden om de pijlen af te weren die zich door hout en leer heen drongen. De regen stopte toen de draken aan hun duikvlucht begonnen. Strijdrossen steigerden in paniek en wierpen hun berijders af tussen de speervechters, waarna ze in wilde galop en om zich heen trappend probeerden te ontkomen aan de enorme vleeseters die ze vanuit de

lucht bedreigden. Toen kwam de volgende pijlenregen. Paarden en mannen sneuvelden.
Achter de boogschutters maakten zwaardvechters zich klaar voor de genadeslag. Salamander verbrak het visioen. Hij was er zo misselijk van geworden dat hij dacht dat hij moest overgeven. Hij spoelde zijn gezicht af met het koude water uit de beek tot hij de beelden had verdreven, en toen pas stond hij op en schudde het water uit zijn haar. Vergeleken bij wat hij zojuist had gezien, leek de zwarte piramide helemaal niet belangrijk meer.
'Dat duivelse ding brengt trouwens alleen maar ellende met zich mee,' zei hij hardop. 'Je mag het hebben, wie je ook bent. Maar ik weet zeker dat het je niets anders zal brengen dan ongeluk, onheil en tegenslagen.'
Hij liep naar de rand van het woud om zijn voorspelling kracht bij te zetten door voor alle zekerheid nog een vloek over de steen uit te spreken. Maar voordat hij daar de kans toe kreeg, zag hij een man en een jongen van het Paardenvolk met hun paarden aan de teugel van het beboste tafelland naar de open vlakte komen. De jongen had een lange stok in zijn hand, met daaraan een vuil grijs hemd als vlag ten teken van overgave. Ze konden Salamander blijkbaar zien, want ze kwamen rechtstreeks naar hem toe. De man had zijn haar tot een donslaag afgeschoren, behalve de gevlochten manen als van een paard die over het midden van zijn schedel liepen. De man en de jongen kwamen steeds dichterbij en Salamander zag dat het paard van de man hem zonder hulp van een leidsel volgde toen hij zijn handen om zijn mond legde en riep: 'Ben jij Evan, de minstreel?'
Salamander keek om in de richting van het legerkamp. Het lag dicht genoeg bij om hem te kunnen horen als hij om hulp zou roepen.
'Dat ben ik!' schreeuwde hij terug. 'Wat willen jullie?'
'Ons overgeven. We willen onderhandelen en ons overgeven.'
'Kom dichterbij, dan zal ik naar jullie luisteren.'
Toen de twee Paardenvolkers hem naderden, besefte Salamander dat het beslist geen krijgers waren. Om te beginnen was hun enige wapen het jachtmes van de man. Hun kleren waren smerig en gescheurd, hun paarden waren geen strijdrossen en het tuig was een samengeraapt zootje. Boeren die de oorlog waren ontvlucht, vermoedde hij, hoewel de man absoluut geen angst voor hem leek te hebben. De jongen keek hem met grote ogen behoedzaam aan, maar eveneens niet bang.
'Ik heet Pir,' zei de man. 'De jongen heet Vek.'
'Goedendag,' antwoordde Salamander. 'Hoe wisten jullie mijn naam?'

'Van Sidro.' Pir glimlachte kort. 'Ze heeft gescryd om erachter te komen waar ik je kon vinden. Een groepje van ons woont in het woud, we zijn met z'n vijftienen. We zijn uit Braemel gevlucht toen volgelingen van Alshandra de burgers tegen ons opzetten. Vanwege onze gaven vreesden we dat de priesteressen ons een voor een zouden doden.'
'Bedoel je dat jullie allemaal een gave voor dweomer hebben?'
'Niet allemaal. Enkelen van ons. De rest is om andere redenen met ons meegegaan. Ik ben paardenmagiër, als je weet wat dat is, en Vek kan voortekens herkennen.'
Voor het eerst sinds vele jaren wist Salamander niet wat hij moest zeggen. Hij staarde de man en de jongen stomverbaasd aan. Toen vermande hij zich en keek Pir recht in zijn ogen om zich ervan te vergewissen dat hij niet loog. De paardenmagiër keek rustig terug en opeens wist Salamander weer wie hij was. Na zo veel jaren kon hij zich de naam van de verachtelijke persoon die met zijn instinctieve dweomergave Jill had betoverd en die hijzelf destijds ook had ontmoet, niet meer herinneren, maar het was hem wel. Pir deinsde achteruit.
'Wees maar niet bang,' zei Salamander. 'Ik neem aan dat je bent wie je zegt te zijn.'
'Ik kan niet goed liegen,' zei Pir. 'In tegenstelling tot anderen van ons. Ik ben eerst naar jou toe gegaan om je te vragen of we ons veilig kunnen overgeven. Sidro heeft bijvoorbeeld een goede reden om bang te zijn voor jullie draken.'
'Alleen de zilveren draak heeft haar bedreigd en hij heeft al opdracht gekregen om haar met rust te laten. Maar mag ik iets vragen? Woont die mazrakraaf ook bij jullie?'
'Tot voor kort wel, maar nu niet meer en dat is een heel vreemd verhaal.' Pir schudde verbijsterd zijn hoofd. 'Voor zover we weten, is hij uit onze wereld verdwenen. Die zwarte piramide die hij van jou heeft gestolen, heeft hem op zijn beurt van ons gestolen.'
Salamander was opnieuw sprakeloos. Hij zou niets liever doen dan Dallandra om raad vragen, maar op dit moment werd zij natuurlijk in beslag genomen door gewonde krijgers. Dus besloot hij de vluchtelingen een veilige schuilplaats aan te bieden en verder niets meer te doen voordat hij er met haar over had gesproken. Ach heden, dacht hij opeens, maar Gerran is er ook nog. Hij kan behoorlijk bloeddorstig zijn.
'Wachten jullie hier even,' zei hij, 'dan ga ik ervoor zorgen dat jullie bij ons veilig zijn voordat ik jullie meeneem naar ons kamp.'
'Dat is goed. Dan laat ik de paarden grazen.'

Salamander liep haastig terug naar het kamp, maar Gerran kwam hem halverwege tegemoet.
'Wie zijn dat?' vroeg hij. 'Nog meer dweomermannen?'
'Inderdaad, en ze willen zich overgeven.'
Gerran zuchtte alsof hij de last van de hele wereld op zijn schouders droeg. 'Nog meer dweomermannen,' herhaalde hij. 'En?'
'Zijn ze veilig bij ons, Gerro? Of zal de tieryn het bevel geven ze te doden?'
'Als hij dat zou willen, zou ik hem meteen overhalen zijn verstand te gebruiken. Geloof je nou echt dat Cadryc hulpeloze gevangenen zou vermoorden of dat ik zou toestaan dat hij zich zo oneervol zou gedragen?'
'Maar onlangs hoorde ik je zeggen dat...'
'Doden tijdens een veldslag is iets heel anders. Als iemand me nodig heeft om ergens voor te vechten, sta ik meteen klaar. Maar iemand doden die zich overgeeft...' Gerran legde zijn hand op het gevest van zijn zwaard. 'Wat denk je eigenlijk wel van me?'
'Je bent een man van eer, dat weet ik.' Salamander stak beide handen op en deed vlug een stap achteruit.
Gerran begon te lachen, alweer gekalmeerd. 'Ik ga wel met ze praten,' zei hij.
'Mooi zo. De groep bestaat uit vijftien man – de rest moet nog komen – en ze hebben niet allemaal een gave voor dweomer.'
'O. Eh... Ik wilde je nog vragen of de slag bij de weg naar Braemel al is begonnen.'
'Waarom denk je dat ik dat weet?'
Gerran keek hem met een zuur lachje aan.
'Eh... Nou ja, inderdaad, die is begonnen, en het ziet ernaar uit dat het leger van de twee prinsen weer aan het winnen is.'
'O, dat is geweldig. Hoewel ik niet anders had verwacht. Die troep wilden had geen idee wat ze te wachten stond.'
Samen liepen ze naar Pir en de jongen. Hun paarden stonden niet ver bij hen vandaan te grazen. Salamander zag dat ze in plaats van leren teugels alleen maar een halster van touw om hun nek hadden. Gerran bekeek de dieren aandachtig en liet vervolgens zijn blik over Pirs gevlochten manen glijden.
'Dit is heer Gerran van de Goudvalk,' zei Salamander.
'Goedemorgen, heer,' zei Pir. 'Kunt u me beloven dat mijn groep een veilig onderkomen zal hebben in uw kamp?'
Gerran moest wennen aan Pirs eigenaardige uitspraak. 'Dat kan ik en dat wil ik graag doen,' zei hij ten slotte. 'Salamander had me al verteld dat jullie met vijftien man zijn.'

'Inderdaad, en mijn vrouw is er ook bij.'
'Kun je de anderen meteen gaan halen?'
'Dat kan, dan zijn we voor zonsondergang terug.'
'Afgesproken.' Gerran stak zijn hand uit. 'Ik beloof je op mijn erewoord dat geen van jullie iets van ons te vrezen heeft, tenzij iemand zich misdraagt.'
'Ik zal iedereen achterlaten van wie ik niet zeker ben, heer. Voor degenen die ik meebreng, draag ik de verantwoordelijkheid.'
Pir schudde Gerran de hand. Omdat Salamander geen enkel voorteken waarnam, was hij ervan overtuigd dat de overeenkomst geen duistere kanten had. Samen met Gerran keek hij toe terwijl Pir en Vek op hun paard sprongen en wegreden naar het hoger gelegen woud. Geen van beiden gebruikte een leidsel.
'Ik heb wel eens verhalen over dat soort lieden gehoord,' zei Gerran. 'Worden ze niet paardenmagiërs genoemd?'
'Inderdaad. Ik denk dat we heel wat over ze te weten zullen komen.'
'Mooi zo. Zou hij onze paarden kunnen leren dat ze niet bang hoeven te zijn voor de draken? Dat zou erg goed van pas komen.'
'Alle goden, daar had ik nog niet eens aan gedacht! Inderdaad!'
'Misschien kunnen we die barbaren voortaan een heel eind bij ons vandaan houden,' zei Gerran opgewekt. 'Voorgoed, bedoel ik.'
'Misschien wel.'
In elk geval tot de volgelingen van Alshandra alle barbaren hebben bekeerd, dacht Salamander. Maar die gedachte sprak hij niet uit.

Dallandra had een groot deel van de dag op gewonden van het Westvolk gewacht, maar uiteindelijk was haar enige patiënt een boogschutter met een vleeswond in zijn dijbeen, die per ongeluk was veroorzaakt door een pijl van de man die achter hem had gestaan. In plaats van een toevloed van gewonden kwam er af en toe een Deverriaanse krijger zich melden voor een behandeling die een chirurgijn hem kon geven.
'De Meradan stoven als ratten weg, Wijze Vrouw,' zei de gewonde boogschutter tegen Dallandra. 'De draken hebben het grootste deel van het gevecht geleverd, vooral die zilverdraak. Hij ging als een dolleman tekeer. Hij voerde de ene na de andere duikvlucht uit en heeft die harige zwijnen bij bosjes gedood.'
'Hij kan inderdaad door het dolle heen raken,' beaamde Dallandra. 'Nu even stilzitten.' Net toen ze de laatste hand aan het verband legde, kwam Calonderiel naar haar toe. De bevelvoerders hadden besloten wat ze met de priesteressen van de Gel da'Thae zouden doen, en met de weinige krijgsgevangenen die het hadden overleefd.

'Ik neem aan dat Ridvar ze stuk voor stuk wilde vermoorden,' zei Dallandra.
'Behalve de vrouwen,' zei Calonderiel. 'We moeten wel eerlijk blijven. Hij was het er oprecht mee eens dat we de vrouwen paarden en voedsel zouden geven voor de terugreis naar Braemel.'
'Dat doet me genoegen.'
'Zij zullen de gewonde Gel da'Thae meenemen en verzorgen. Voran geeft brieven mee voor die waanzinnige priesteressen en rakzanir van Alshandra in Braemel.'
'Brieven? Waarom?'
'Met onze eisen, natuurlijk. Als zij deze vesting weer opbouwen, zullen wij hem weer platbranden. Zo eenvoudig ligt het.'
'Ah, nu begrijp ik het. Ik hoop dat zij het ook begrijpen.'
'Grallezar heeft de brief vertaald. Ze zei dat ze er nog een paar dingen aan toe had gevoegd.'
'Dreigementen, bedoel je?'
'Precies. Zelfs Ridvar durfde daar niets van te zeggen.'
Tegen zonsondergang ging Dallandra scryen om van gedachten te wisselen met Ebañy. Toen ze hem in zijn eentje aan de rand van het andere kamp zag zitten, met zijn blik op de noordelijke horizon gericht, riep ze hem op. Hij reageerde meteen.
'Ha, ben je daar, o prinses van perileuze potenties! Is alles goed bij jullie?'
'Zo goed als mogelijk is,' antwoordde ze. 'En bij jullie?'
'Eh... Ik moet je iets vertellen.'
Hij vertelde een erg verward verhaal. In gedachten flitste hij heen en weer tussen de verdwenen obsidiaan, Pir de paardenmagiër en Sidro, vermengd met zijn zorgen om het groeiende aantal gevangenen van de Gel da'Thae. Uiteindelijk onderbrak Dallandra de woordenstroom, vooral om er even over na te kunnen denken.
'Als die Pir zich heeft overgegeven,' zei ze ten slotte, 'kun je hem niet als gevangene beschouwen. Ik denk echt niet dat hij een opstand wil veroorzaken, daar moet je je geen zorgen meer om maken. Grallezar heeft me uitgelegd dat als een Gel da'Thae zich heeft overgegeven, hij geduldig wacht op wat het lot hem verder zal brengen. Dat heeft met zijn eergevoel te maken. Wat die schouwsteen betreft, verbaast het me eigenlijk niet dat je hem kwijt bent. Op die steen heeft altijd een vloek gerust.'
'Ik ben hem niet zomaar kwijtgeraakt, die raaf heeft hem van me gestolen!'
'Het komt erop neer dat hij verdwenen is.'
'Hm, dat is zo.'

'Morgen gaan we op weg naar de doorwaadbare plaats in de rivier. Volgens Cal kunnen we die in één dag bereiken. De dag daarna kunnen we bij jullie zijn. Doe alsjeblieft je best om tot zo lang uit de problemen te blijven. Vandaag zal een van de draken wat berichten naar tieryn Cadryc brengen...' Dallandra's gedachten stopten omdat ze een onheilspellend voorgevoel kreeg. 'Dat zal Rori doen,' vervolgde ze even later. 'Ik hoop wel dat hij op de terugweg hierheen is voordat Sidro daar bij jullie aankomt.'

'Wat ga jij doen?' vroeg Sidro.

'Ik blijf hier tot Laz terugkomt,' antwoordde Faharn.

Hoewel hij tegenover haar stond, keek hij langs haar heen, met zijn hoofd uitdagend omhoog en zijn blauwe ogen strak gericht op iets in de verte.

'Stel dat hij niet terugkomt?' zei ze.

'Hij komt wel terug. Misschien heb jij geen vertrouwen in hem, maar ik wel.'

'Ik hoop dat je gelijk hebt.'

Hij bleef in de verte staren. Sidro slaakte een zucht en liep naar Pir. Hij hielp haar op de zwarte merrie en riep de twaalf mannen bijeen die hem als hun nieuwe leider hadden aanvaard.

Ze reden achter elkaar aan naar de rand van het bos, waar ze zouden wachten terwijl Pir en Vek naar het kamp van de Ouden reden. Pir had voor iedereen die in het kamp was achtergebleven een paard achtergelaten, maar hij had de rest van de paarden en ook de lastezel meegenomen. Sidro had de eigendommen die ze inmiddels had vergaard – de boeken, het rode aardewerken bord, het keukenmes en de gestolen lap linnen – meegenomen, zowel omdat die haar aan Laz deden denken als om hun waarde.

Terwijl ze wachtten, hield Sidro zich zo veel mogelijk afzijdig. Een eindje bij de open plek waar de anderen stonden vandaan vond ze een omgevallen boom. Ze schopte er een paar keer hard tegenaan om slangen en spinnen te verjagen en ging erop zitten. Het was stil in het bos. Zo nu en dan scryde ze Pir en zag dat hij met Evan praatte. Er kwam nog een man bij, maar omdat ze die nooit in werkelijkheid had gezien, bleef zijn beeld vaag. Hij had rood haar, dat was het enige wat ze duidelijk kon zien. Haar gedachten dwaalden af van het visioen. Ze had al sinds ze wakker was geworden geprobeerd om Laz te scryen, maar behalve in haar onbetrouwbare droom had ze geen spoor van hem kunnen ontdekken.

Eindelijk, toen de zon laag aan de hemel stond, kwamen Pir en Vek terug, zwaaiend en triomfantelijk roepend.

‘De overgave is geregeld,’ zei Pir even later. ‘Als iemand zich alsnog wil bedenken, kan dat. Dan mag je teruggaan naar ons kamp.’
Niemand bedacht zich. Sidro twijfelde nog even, maar ze besefte dat ze geen keus had. Zakh Gral was vernietigd, Lakanza was gevangengenomen, Laz was verdwenen en waarschijnlijk voorgoed... Het lot gunde haar Pir en haar leven, maar dat was alles. Toen hij naar haar toe kwam, dwong ze zich tegen hem te glimlachen, al voelde ze dat ze trilde. Hij pakte haar hand en trok haar overeind.
‘Kun je dit echt opbrengen?’ vroeg hij.
‘Natuurlijk. We kunnen niet eeuwig in het bos blijven.’
‘Zo is het. En nu moeten we er het beste van hopen.’
Met hun haveloos uitziende volgelingen achter hen aan leidden ze hun paarden het steile pad naar de grasvlakte af, waar ze weer opstegen. Voor hen lag het legerkamp als een opbollende grijze wolk in het veld. Toen Sidro naar de lucht keek, zag ze daar heel hoog een witte vogel rondzweven, als een voorteken. Het laatste stuk van de rit naar het kamp van de vijand liet de gedachte haar niet met rust dat er gevaar voor haar dreigde, maar ze meende te begrijpen waarom. Het sprak vanzelf dat overgave aan de Lijik Ganda gevaar met zich meebracht. Enkele honderden meters voordat ze het kamp bereikten, liet Pir halt houden. Ze stegen af en met hun paarden aan de teugels liepen ze hun overgave tegemoet.
Uit verschillende tenten kwamen mannen naar buiten om hen te verwelkomen: een magere man met dun grijs haar en een dikke grijze snor, de roodharige man die Sidro had gezien toen hij met Pir stond te praten, een man bij wie zo te zien zowel het bloed van de Ouden als dat van de Lijik door de aderen stroomde met een herautenstaf in zijn hand, en een groepje armoedig geklede mannen die waarschijnlijk knechten waren. Sidro bleef eerst achter Pir lopen, maar toen besloot ze dat ze zich gedroeg als een angstig kind en haalde hem vlug in. Hij pakte haar hand vast, maar zei niets.
De heraut kwam als eerste naar hen toe. ‘Welkom,’ zei hij. ‘Jullie weten al dat heer Gerran heeft beloofd verantwoordelijk voor jullie veiligheid te zijn, maar tieryn Cadryc heeft daar zijn belofte aan toegevoegd. In ruil daarvoor wordt jullie verzocht je wapens in te leveren, behalve natuurlijk jullie tafeldolken en dergelijke.’
‘Dat begrijp ik.’ Pir draaide zich om en vertaalde het verzoek in de taal van de Gel da’Thae. Sommige mannen mompelden een protest, maar Pir legde hun met een felle blik het zwijgen op.
Langzaam en met tegenzin knoopten de mannen hun schouderriem los en legden hun falcata of oude kromzwaard voor de heraut op de grond. Enkelen van hen haalden ook een kort zwaard of ijzeren

speerpunten uit hun zadeltassen en legden die op de steeds hoger wordende berg. Toen ze al hun wapens hadden ingeleverd, raapten knechten van het leger ze op en namen ze mee. Daarna liepen de bannelingen die zich hadden overgegeven achter de heraut aan naar het kamp. Sidro liet Pir voorgaan en bleef heel even achter om nog een laatste blik op het woud te werpen waar Laz en zij korte tijd gelukkig waren geweest.
Maar die laatste blik bleek gevaarlijker te zijn dan duizend wapens. Opeens hoorde ze hoog in de lucht een geluid dat klonk als slagen op een reusachtige trommel, gevolgd door het ruisen van enorme vleugels in zweefvlucht. Toen ze omhoogkeek, daalde de zilveren draak en landde een meter of zes voor haar. Sidro stond als aan de grond genageld en gilde van angst. Met een gebrul dat door haar hoofd daverde trok de draak zijn vleugels in en waggelde naar haar toe.
'Nu heb ik je!' siste hij. 'Raena! Merodda! Weerzinwekkende feeks!'
'Wie zeg je?' stamelde Sidro. 'Zo heet ik niet! Waarom haat je me? Dood me niet, alsjeblieft!'
Ze viel op haar knieën en strekte smekend haar armen uit. Zijn zure drakenstank was zo sterk dat ze er bijna door werd bedwelmd en nauwelijks meer helder kon denken. Ze hoorde Pir schreeuwen en rennende voetstappen, maar ze wist dat de mannen niet snel genoeg bij haar konden zijn om te voorkomen dat de draak haar iets aandeed. Ze haalde diep adem en vermande zich. Ze zou haar dood moedig onder ogen zien, besloot ze, en zich in haar laatste ogenblikken waardig gedragen. De draak kwam nog een stap dichterbij, liet zijn kop zakken en gromde als een lawine die in de verte van een berg rolde.
'Achteruit!' Met zijn zwaard in de hand stapte heer Gerran tussen Sidro en de draak in. 'Je mag haar niet doden!'
'Wat kan jou dat schelen?'
'Ik heb op mijn erewoord beloofd dat niemand haar kwaad zal doen.'
'Denk je soms dat je me kunt tegenhouden?' siste de draak woedend.
'Natuurlijk niet,' antwoordde Gerran kalm. 'Maar voordat je haar doodt, zul je mij moeten doden.'
De zilveren draak sperde zijn bek open en liet tanden zo groot als zwaarden zien. Gerran wachtte met de punt van zijn zwaard op de grond, alsof de razernij van het dier hem onberoerd liet. Zijn rode haar vlamde in het zonlicht, de schubben van de draak glinsterden met de zilveren glans van de volle maan. Sidro vroeg zich af of ze Laz in de Dodenwereld zou ontmoeten en wachtte wat een eeuwigheid leek. Plotseling slaakte de draak een zucht die zo menselijk klonk

dat ze een gilletje van verbazing slaakte.
'Ik kan jou geen kwaad doen,' zei de draak tegen Gerran. Hij ging zitten en legde zijn kop op de grond. 'Vooruit dan maar, dan dood ik haar niet, als jij dat niet wilt.'
'Zweer je dat?' vroeg Gerran.
'Dat zweer ik.' De stem van de draak klonk opeens als die van een man. 'Ik geef je mijn erewoord als draak, Cullyn, omdat ik geen mán van eer ben geweest.'
'Dat is goed.' Gerran stak zijn zwaard in de schede en keek de draak plotseling vragend aan. 'Hoe noemde je me?'
De draak begon bulderend te lachen. 'Neem me niet kwalijk! Hij was een man die ik ooit heb gekend, meer niet. Vóór een gevecht zette hij zijn zwaard precies zo neer als jij net deed en toen moest ik aan hem denken. Ik beloof je, heer Gerran, dat ik die vrouw niet zal doden. Dat beloof ik je op de vuurberg die ik als mijn thuis beschouw.'
'Dank je,' zei Gerran. 'En ik beloof je dat zij jou geen kwaad zal doen. Alsof ze dat trouwens zou kunnen.'
De draak bewoog zijn kop op en neer ten teken dat hij de overeenkomst aanvaardde, draaide zijn enorme lichaam om en waggelde weg, zo stuntelig op de grond als hij behendig was in de lucht. Zijn enorme staart zwiepte heen en weer. Sidro krabbelde overeind en was verbaasd dat ze kon staan op benen die aanvoelden als sneeuw onder een warme zon. Gerran keek met een glimlachje toe en ze rook geen vleugje angst. Hij stond erbij alsof hij niet meer had gedaan dan een vlieg wegjagen die om haar heen had gecirkeld.
'Dank u wel!' stamelde Sidro. 'Ik dank u uit de grond van mijn hart! Ik weet niet hoe ik u ooit terug zal kunnen betalen...'
'Dat is ook helemaal niet nodig, uwe heiligheid.'
'Noem me alstublieft niet zo. Ik ben geen priesteres meer.'
'Goed, vrouwe.' Gerran maakte een buiging voor haar en liep achter de draak aan.
Pir rende naar haar toe en sloeg zijn armen om haar heen. Ze voelde dat hij trilde en rook zijn angst, die langzaam wegebde. Ze drukte zich tegen hem aan en koesterde zich in de warmte van zijn omhelzing en tastbare veiligheid. Even konden ze geen van beiden iets zeggen. Hij streelde haar haren en toen kuste hij haar op haar mond.
'Laten we nu maar gauw naar de anderen gaan,' zei hij ten slotte. 'De Ouden hebben zich over hen ontfermd.'
De Ouden hadden zich blijkbaar voorgenomen hun gevangenen als gasten te behandelen. Toen ze de legerplaats bereikten, trokken de Lijik zich terug en lieten het aan de Ouden over de groep van Pir

mee te nemen naar hun grote vuur midden in hun deel van het kamp. Omdat Sidro hun taal niet sprak en geen van de Ouden de hare, gebruikten ze de taal van de Lijik. Een boogschutter met net zulk licht haar als dat van Evan kwam naar hen toe en stelde zich voor als Danalaurel, en de heraut zei dat hij Maelaber heette.

'Eet met ons mee,' zei hij. 'Drinken jullie mede? Dat kunnen we jullie aanbieden.'

'Ik niet,' antwoordde Sidro, 'maar de mannen zouden het erg op prijs stellen.'

'Mooi zo.' Hij keek Pir aan en vervolgde: 'Ik heb gehoord dat jij paardenmagiër bent, dus wil ik je graag de ereplaats geven. Wilt u hem vergezellen, vrouwe?'

Pir haalde glimlachend zijn schouders op. 'Hm, dit is een verrassing,' fluisterde hij in hun eigen taal tegen Sidro.

'Inderdaad,' antwoordde ze. 'Ik wil wedden dat zo'n prettige overgave als deze nooit eerder is voorgekomen.'

'Ik denk dat ze iets van ons willen, dus laten we eerst maar eens afwachten wat dat is.'

Toen ze door het kamp liepen, keek Sidro om zich heen op zoek naar Evan, hoewel ze zich afvroeg waarom ze hem terug zou willen zien. Hij was er de oorzaak van dat ze alles wat ze liefhad, had verloren. Nee, verbeterde ze zichzelf, Lakanza is veilig, Laz is zelf verdwenen en Alshandra heeft nooit echt bestaan, dus... Even later zag ze hem een eindje verderop staan. Hij riep een groet naar Danalaurel, kwam naar hen toe en bleef abrupt staan toen hij Sidro zag.

'Evan!' riep ze. 'Kom alsjeblieft even hier om te praten!'

Hij aarzelde, maar kwam toen met zijn handen in zijn zakken aan slenteren. 'Gaat u me de huid vol schelden, uwe...' begon hij in de taal van de Lijik. 'Ach nee, ik heb gehoord dat je jezelf niet meer als een priesteres beschouwt.'

'Dat is juist en dat zou onze orde ook niet meer doen, als ik terug zou willen. Een paar dagen geleden heb ik je gescryd en gezien dat je met Lakanza praatte. Ik zou dolgraag willen weten wat ze zei.'

'Vreemd genoeg heeft ze me alles vergeven. En ze zei dat het haar erg speet dat ze niet naar jou had geluisterd. Dat ze wist dat ze je onrechtvaardig had behandeld en dat ze je dat graag wilde laten weten.'

Sidro's ogen werden vochtig terwijl ze glimlachte. 'Daar ben ik blij om,' zei ze zacht. 'Maar ik heb het haar nooit kwalijk genomen.'

'Je had wel gelijk,' zei Evan. 'Ik behoor inderdaad tot het Gebroed van Vandar, ik ben een tovenaar, enzovoort, enzovoort. En ik hield van Rocca, dat had je ook goed gezien.'

'Dan vind ik het erg dat je haar hebt verloren.'
'Echt waar?'
Verbaasd over zichzelf knikte Sidro. 'Echt waar. Ga in vrede, Evan, dan doe ik dat ook.'
'Dat is goed.' Hij stak een hand uit en raakte de hare met zijn vingertoppen aan voordat hij zich omdraaide en wegliep, tot hij in de avondschemering tussen de tenten was verdwenen.
De Ouden boden hun eten en drinken aan, en na de maaltijd haalden enkele Westvolkers hun harp uit hun tent. Pir en Sidro zaten naast elkaar en luisterden, terwijl ze af en toe een paar woorden wisselden, naar de onverstaanbare liedjes die door het kamp klonken. De rest van hun groepje zat verspreid voor de tenten om hen heen. Sidro had zich zorgen gemaakt om Vek, maar Danalaurel had haar verteld dat twee heelmeesters zich over de jongen hadden ontfermd. 'Een van de mannen van jullie groep zei dat Vek zo nu en dan een toeval krijgt,' had Danalaurel erbij gezegd. 'Onze heelmeesters hebben kruiden waarmee ze hem misschien kunnen helpen.'
'Dat doet mijn hart vreugd,' had Sidro geantwoord. 'Ik ben altijd bang dat hij een keer valt en zich erg pijn doet.'
Wat later op de avond legde Sidro haar hoofd op Pirs schouder, en nog wat later leunde ze voluit tegen hem aan en spande zich in om wakker te blijven. Uiteindelijk zei Pir tegen hun gastheer dat ze naar bed moest.
'Ach, neem me niet kwalijk!' Danalaurel sprong op. 'Ik zal even overleggen met onze heraut.'
Nadat hij was geroepen, kwam Maelaber aan met een Lijik-jongen die zei dat hij Clae heette.
'Hij zal je naar een tent brengen,' zei de heraut. 'Die staat aan de rand van het kamp, waar het rustiger is, vlak bij de tent van heer Gerran.'
'Met heer Gerran in de buurt hoeft u nergens bang voor te zijn,' zei Clae.
'Je acht heer Gerran blijkbaar erg hoog,' zei Pir glimlachend tegen hem.
'O ja, hij is de beste heer van heel Deverry, maar ik denk dat ik de enige ben die dat weet.'
'Zal ik je eens iets vertellen, jongen?' zei Sidro. 'Ik weet het ook, en dat zal ik tegen iedereen zeggen die ernaar vraagt.'
De tent bleek niet meer dan een slaapplaats voor krijgers te zijn: een lap canvas die over een strak gespannen touw tussen twee palen hing en aan weerszijden met pennen in de grond was vastgezet, maar ze konden er alleen zijn. Sidro spreidde hun dekens op het grondzeil,

waar plaats was voor twee personen naast elkaar. Als het regende, moesten ze ervoor zorgen dat ze het tentdoek niet aanraakten om lekkage te voorkomen. Ze trok haar leren overkleed uit, vouwde het op en legde het neer om als hoofdkussen te gebruiken. In haar linnen onderkleed knielde ze op de dekens. Pir kwam gebukt binnen en ging op zijn knieën tegenover haar zitten.

'Je bent vast doodmoe,' zei hij. 'Het is droog en warm buiten, dus ik kan wel...'

'Nee. Ik kan het niet over mijn hart krijgen je oneerlijk te behandelen.' Meteen had ze spijt van de manier waarop ze zich had uitgedrukt. Er drong niet genoeg licht van de kampvuren naar binnen door om de uitdrukking op zijn gezicht te kunnen zien, maar ze hoorde hem zuchten. 'Dat klinkt erg kil,' zei ze vlug, 'en zo bedoelde ik het niet.'

'Ik beschouw je niet als... Nou ja, hoe zal ik het zeggen? Als een maaltijd die je me verschuldigd bent omdat ik je paarden heb verzorgd.'

'Dat weet ik. Het spijt me, vergeef het me, alsjeblieft.'

'Ik zal weggaan.'

'Nee.' Ze legde haar hand plat op zijn borst. 'Maak dat ik naar je verlang, Pir.'

'Dat kan ik niet. Dat druist in tegen elke belofte die ik mezelf ooit heb gedaan.'

'Niet waar. Ik wíl het graag. Dat is het verschil.' Ze liet haar hand langs zijn borst omlaag glijden. 'Alsjeblieft?'

Even zei hij niets meer, maar toen pakte hij haar hand, hief hem naar zijn mond en kuste eerst haar pols en toen haar handpalm. Ze rook zijn begeerte, ze rook Begeerte zelf, die als een geurgolf om haar heen spoelde, haar longen vulde en haar overweldigde. Opeens was hij de meest begerenswaardige man ter wereld en met een zucht van genot strekte ze zich uit. Hij ging op zijn zij naast haar liggen. Ze sloeg haar armen om zijn hals en trok hem naar zich toe om hem te kussen.

Het afgematte leger deed anderhalve dag over de tocht terug naar de rivier, het oversteken van de doorwaadbare plaats en de laatste kilometers naar de groep gewonden en hun begeleiders die vooruit was gegaan. Dallandra reed achteraan heen en weer om op de gewonden van de tweede veldslag te letten, van wie er al zes waren gestorven. Elke keer had het leger halt gehouden om een dode te begraven en meteen kapotte wagenwielen te repareren. Toen uiteindelijk het tentenkamp van hun kameraden in zicht kwam, als vale bloemen in hoog gras, kreeg Dallandra het gevoel dat het beloofde land in zicht was, al wist ze dat het een bedrieglijke veiligheid was. Niemand wist nog hoe de leiders van de Gel da'Thae in Braemel en Taenalapan op de eisen van de twee prinsen zouden reageren.

'Ze zullen razen en tieren,' zei Grallezar. 'Echt waar, daar kun je op rekenen. Razen, tieren en dreigen. Maar ten strijde trekken... Nee, ik denk dat het heel lang zal duren voordat ze dat weer zullen doen.'

'Ik hoop dat je gelijk hebt,' zei Dallandra. 'Dat het heel lang duurt.'

Aan de rand van de legerplaats kwam Salamander hen op een drafje tegemoet. Omdat hij de afgelopen dagen heel vaak met Dallandra van gedachten had gewisseld, had hij weinig nieuws te vertellen, wat hem niet belette oud nieuws te herhalen. Het belangrijkste was dat hijzelf noch Sidro erin geslaagd was met scryen ook maar een glimp van de zwarte piramide of de mazrakraaf op te vangen.

'Ik heb Sidro verteld dat je eraan kwam,' zei hij ten slotte. 'Wil je haar meteen ontmoeten?'

'Natuurlijk,' antwoordde Dallandra. 'Ik neem aan dat ze jouw aanwezigheid inmiddels kan verdragen?'

'Inderdaad, en vreemd genoeg komt dat doordat ze wat mij betreft gelijk had.'

Sidro zat voor de tent die ze deelde met de paardenmagiër, een man die Dallandra ook graag wilde ontmoeten. Toen ze hen zag aankomen, stond ze op en bleef met haar handen gevouwen voor haar lichaam staan wachten. Haar ravenzwarte haar was sinds haar rituele vernedering weer gegroeid en hing tot op de halsuitsnijding van haar leren kleed, dat was beschilderd met groene en gele motieven. Een ervan, een pijl en boog, was zo verbleekt dat Dallandra begreep dat Sidro had geprobeerd het eraf te boenen. Dallandra herkende haar meteen: het was Raena, maar een andere, waardige Raena.

Hoewel Dallandra had verwacht dat ze haar zou herkennen, had ze niet verwacht dat Sidro haar ook zou herkennen. Maar nadat Sidro haar even onderzoekend had aangekeken, hief ze een hand alsof ze een klap wilde afweren.

'Neem me niet kwalijk,' stamelde ze blozend. 'Ik dacht even dat ik je kende en daar schrok ik van, maar we hebben elkaar nooit eerder ontmoet.'

'Het geeft niet,' zei Dallandra met een glimlach. 'Het is voor ons allemaal een heel zware zomer geweest, dus begrijp ik dat je niet helemaal jezelf bent.'

'Dat is waar, Wijze Vrouw.' Sidro glimlachte terug. 'De Westvolkers hebben me verteld dat ze je Wijze Vrouw noemen, is dat zo?'

'Dat is zo. Wil je dat ik jou aanspreek als priesteres?'

'Dat nooit meer!' Sidro schudde heftig haar hoofd. 'Ik heb een geest aanbeden omdat ik dacht dat ze een godin was. Ik zal me nooit meer zo laten bedriegen.'
'Dat begrijp ik ook. Mag ik nu kennismaken met Pir?'
'Hij is bezig met de paarden, maar ik kan hem gaan halen als je...'
'Nee, doe maar geen moeite. Ik zie hem straks wel.'
Tegen zonsondergang kwam Meranaldar Dallandra gezelschap houden toen ze de ronde deed langs de gewonden. Ze had haar helpers opdracht gegeven haar tent op te zetten bij die van hen, aan de rand van het kamp van het Westvolk. De meeste gewonden zouden min of meer beter worden, ook Tarro, de jonge krijger uit Deverry. Toen Dallandra naast zijn bed knielde, hielp zijn zuster hem zijn hemd uit te trekken voordat ze als een bewaakster aan het hoofdeinde ging zitten. Iemand moest Penna zeep hebben gegeven, want ze had zowel haar haren als haar bruine kleed gewassen. Haar korte dikke haar, dat laag boven haar borstelige wenkbrauwen groeide, lag als een glanzende bontvacht om haar smalle schedel.
Dallandra zag dat Tarro hetzelfde haar en dezelfde wenkbrauwen had als zijn zuster. Hoewel hij nog te jong was voor baardgroei, waren de plukjes bruin haar boven zijn mondhoeken het begin van een snor. Belangrijker was dat hij, ook al was hij nog erg zwak, er niet meer uitzag alsof hij tussen leven en dood zweefde. Toen Dallandra het verband om zijn schouder verschoonde, zag ze tot haar opluchting dat de huidflap niet aan het afsterven was, maar dat er zich al littekenweefsel begon te vormen – iets wat ze bij zo'n vreselijke wond niet zo snel had verwacht.
'Het geneest al,' zei ze. 'Mooi zo.'
'Dat komt door Penna,' zei Tarro. 'Ze verzorgt me alsof ik een zuigeling ben en dat is maar goed ook.'
'Ik laat hem niet doodgaan,' zei Penna met kalme vastberadenheid. 'Dat heb ik tegen hem gezegd en dat gebeurt niet.'
'De wond is niet gaan ontsteken, dus heb je het tot nu toe uitstekend gedaan,' zei Dallandra. 'Wat denk je te gaan doen, Tarro, nu je niet meer bij een krijgsbende kunt horen?'
'Heer Gerran heeft me gevraagd of ik poortwachter wil worden in zijn nieuwe dun, wanneer die klaar is. En intussen zal hij ons niet laten verhongeren, zei hij.'
'Dat is geweldig!' zei Meranaldar. 'Dat betekent dat jullie uiteindelijk vazallen van prins Daralanteriel zullen worden. Wisten jullie dat? Heer Gerran zal trouw beloven aan tieryn Cadryc en Cadryc zal als rechtstreekse vazal van de prins een bondgenoot van het Westvolk worden.'

'Wat de heren ook besluiten, ik vind het best,' zei Tarro. Hij haalde zijn schouders op, maar meteen vertrok zijn gezicht van pijn en werd hij doodsbleek. Penna leunde naar voren en legde haar handen tegen zijn slapen. Zijn gezonde gelaatskleur kwam zo snel terug dat Dallandra Penna onderzoekend opnam. Het meisje keek kalm en ernstig terug, met een ondoorgrondelijke blik in haar glanzende donkere ogen.
'Onthoud dat je dat beter niet meer kunt doen,' zei Dallandra tegen Tarro. 'In elk geval de komende twee weken. Uiteindelijk zul je eraan wennen dat je die arm moet missen, jongen.'
'Dat hoop ik,' zei Tarro. 'Maar ik voel hem nog steeds, Wijze Vrouw. Hij tintelt en doet soms pijn en pas als ik erover wil wrijven, merk ik dat hij er niet meer is.'
'Helaas is dat normaal, maar dat gevoel zal overgaan.' Dallandra keek Penna glimlachend aan en vroeg zo achteloos mogelijk: 'Kun je de schaduw van die arm nog zien?'
'Bedoelt u dat blauwe schijnsel?'
'Inderdaad.'
'Een beetje. Maar hij wordt steeds kleiner.'
'Mooi zo. Wanneer hij helemaal verdwenen is, zal hij de arm niet meer voelen.'
Meranaldar keek alsof hij zijn tong had ingeslikt van schrik. Dallandra stond op, stak haar arm door de zijne en nam hem mee de tent uit.
'Dat meisje!' fluisterde Meranaldar in de Elfentaal. 'Is ze menselijk?'
'Natuurlijk niet. Maar ik weet niet wat ze dan wel is en dat geldt ook voor haar broer. Ik zal er diep over nadenken. Zeiden ze dat ze uit een boerenfamilie komen? Ik vraag me af of dat waar is.'
Ze wandelden terug naar Dallandra's tent en toen ze voor de ingang nog even napraatten over allerlei beslissingen die door de raad van de prins waren genomen, kwam Calonderiel naar buiten. Hij legde een hand op Dalla's schouder en zei: 'Ah, ben je daar. Ik vroeg me al af waar je bleef.' Nors keek hij Meranaldar aan en voegde eraan toe: 'Je kunt gaan.'
'O ja?' antwoordde Meranaldar. 'Ik was nog met Dallandra aan het praten en stond niet te wachten op een bevel van jou.'
Calonderiel liet Dallandra los, deed een stap naar voren en sloeg de schrijver zo hard in zijn gezicht dat Meranaldar wankelde en bijna viel. Toen Calonderiel hem nog een klap gaf, op de andere wang, viel hij wel, achterover, met zijn handen voor zijn gezicht. Bloed stroomde tussen zijn vingers door. Calonderiel bukte zich en strekte een arm naar hem uit, maar Dallandra greep hem bij de rug van

zijn tuniek en trok er zo hard aan dat hij naar adem hapte en zich weer oprichtte.
'Hou op!' beval ze fel. 'Hou onmiddellijk op!'
Er klonk geschreeuw en snel kwamen er allerlei mannen aan rennen. Dallandra duwde Calonderiel naar Danalaurel en twee boogschutters toe. Ze gingen om hem heen staan en mompelden verontschuldigingen, niet tegen de schrijver, maar tegen de banadar omdat ze zich ermee moesten bemoeien. Intussen kwam Calonderiel tot bedaren. Hij schudde zich als een natte hond en keek kwaad naar Meranaldar, die als een hoopje ellende op de grond zat, met zijn hoofd achterover om het bloeden van zijn gebroken neus te stoppen.
'Wat is hier aan de hand?' Prins Daralanteriel kwam haastig naar hen toe. 'Ach, bij de Zwarte Zon zelf! Hij heeft het ten slotte toch gedaan, nietwaar? Cal!'
'Het spijt me, hoogheid,' zei Calonderiel.
'Ik ben niet degene aan wie je spijt moet betuigen.'
Calonderiel sloeg zijn armen over elkaar en zei niets meer. Daralanteriel zuchtte van ergernis.
'Help mijn schrijver overeind en breng hem naar Ranadario, een van jullie,' zei hij. 'Het lijkt me niet verstandig als Dallandra hem behandelt.'
Calonderiel gromde instemmend.
'Cal, ga naar binnen.' Daralanteriel wees naar de tent. 'Mannen, zorg dat hij daar blijft. Wijze Vrouw, wil jij met mij meegaan?'
Daralanteriel nam Dallandra mee naar een rustig plekje een eindje verderop. Hij stak zijn duimen achter zijn gordel en staarde naar het noorden, waar het woud in het laatste zonlicht van de dag op een donkere wolk aan de horizon leek.
'Ik ben dan wel de prins,' zei hij ten slotte, 'maar Cal heeft net zo veel gezag als ik. Misschien zelfs wel meer.'
'Niet meer, maar evenveel.'
'Wat betekent dat jij de enige bent die iets aan die jaloerse aanvallen van hem kunt doen,' vervolgde Dar. 'Daar benijd ik je niet om. Maar het is mijn plicht Meranaldar te beschermen.'
'Dat is waar.'
'Tijdens de laatste raadsvergadering besefte ik ineens dat we, als we willen voorkomen dat we door de Rondoren worden opgeslokt, als groep moeten groeien. Ik weet dat prins Voran alleen goede bedoelingen heeft en dat, voor zover ik weet, niemand langs de westgrens van Deverry ons kwaad wil doen, maar uiteindelijk zullen aantallen beslissend zijn.' Hij keek haar met een strak glimlachje aan. 'Ik stuur Meranaldar terug naar het zuiden om meer eilandbewoners hier-

naartoe te laten komen. We hebben deze zomer nog net genoeg tijd om de oversteek te maken, als we tenminste zo gauw mogelijk naar Mandra gaan.'
'Dan zal ik Valandario waarschuwen dat er een schip voor hem moet klaarliggen.'
'Doe dat.' Dar schudde zuchtend zijn hoofd. 'Dat is toch het allerbelangrijkste, nietwaar? Dat we in aantal toenemen. Iedereen die zich hier bij ons wil voegen, is welkom. We zullen de nieuwkomers land moeten toewijzen, zoals de Rondoren doen, en we zullen gemeenteraden moeten oprichten, net als in de Rhiddaer. Het opslokken is al begonnen, Dalla. We kunnen het alleen nog vertragen.'
'Je hebt gelijk, dat weet ik. En de tijd zal uitwijzen of het op een ramp of een triomf zal uitlopen.'
'Heb je een voorgevoel?'
'Nee, dat zegt mijn gezond verstand.'
Ze keken elkaar met een wrang glimlachje aan.
'De nieuwe mensen zullen ook een Wijze nodig hebben,' vervolgde Dallandra. 'Gavantar zou met ze mee moeten komen. Ik zal Meranaldar een brief meegeven.'
'Wie? Ik ben vergeten...'
'De laatste leerling van Aderyn. Hij is jaren geleden naar de Eilanden gegaan om te studeren, zei hij, maar eigenlijk was het uit respect voor mij. Hij moet thuiskomen.' Er schoot haar nog iets te binnen. 'Wíl Meranaldar wel terug?'
'Waarschijnlijk niet, maar na wat er zojuist is gebeurd, zal hij zich niet verzetten. Bovendien kwelt hij zichzelf alleen maar door op zo'n hopeloze manier bij jou in de buurt te blijven.'
'Wat?' Dallandra besefte dat ze Dar dom aanstaarde. 'Bedoel je dat hij verliefd op me is?'
'Was je dat nog niet opgevallen?'
'Nee, echt niet.' Ze voelde haar gezicht gloeien toen ze bloosde. 'Ach goden, de arme man! Geen wonder dat Cal... Niet dat hem dat het recht geeft zich zo te gedragen... Maar alle goden! Ik zal mijn best doen om Meranaldar te ontwijken tot we in Mandra zijn.'
'Dat is goed, dat lijkt me verstandig.'
'Dan kan ik nu maar beter gaan kijken of ik Cal tot bedaren kan brengen.' Ze wilde weglopen, maar de prins riep haar terug.
'Ik wilde je nog iets vertellen,' zei hij. 'Vanavond na het eten wil ik Pir spreken. Zo heet hij toch?'
'De paardenmagiër? Ja, hij heet Pir.'
'Goed. Ik wil hem vragen of hij onze strijdrossen kan behandelen. Als onze paarden leren dat ze niet bang hoeven te zijn voor draken

terwijl die van het Paardenvolk dat wel zijn, staan we nog meer in het voordeel.' Hij zweeg even en voegde er nadrukkelijk aan toe: 'Een voordeel dat niet afhankelijk is van werktuigen van het Bergvolk.'
'Je verlangt heel wat van hem.'
'Dat weet ik. Dus moeten we hem daar heel wat voor teruggeven. Wil jij bij ons gesprek aanwezig zijn?'
'Natuurlijk. Maar nu moet ik naar Cal.'
Toen Dallandra haar tent binnenging, waren Cals drie bewakers maar al te blij dat ze haar met de banadar alleen mochten laten. Ze maakte een gouden dweomerlicht en zond het naar de nok van de tent, naast het rookgat. Calonderiel lag op zijn rug op de dekens, nog steeds met zijn armen strijdvaardig over elkaar geslagen op zijn borst. Met een zucht ging ze naast hem zitten.
'Dacht je nu echt dat ik op die saaie slapjanus verliefd zou kunnen worden?' zei ze. 'Ik voel me beledigd!'
Calonderiel glimlachte, ontvouwde zijn armen en ging ook zitten. 'Ik heb me weer eens belachelijk gedragen, nietwaar?'
'Nee, hoor. Je hebt ons alleen de stuipen op het lijf gejaagd.'
'Dat was ook mijn bedoeling, nu ik erover nadenk. Hou je echt van me, Dallandra? Soms denk ik dat dat niet mogelijk is.'
'Soms denk ik dat ook, maar het is echt waar.'
Toen hij een hand naar haar uitstak, pakte ze die met beide handen vast. 'Ik wilde je al een poosje iets vertellen,' zei ze. 'Ik ben in verwachting.'
Langzaam verscheen er een brede, voldane glimlach op zijn gezicht. 'Ben je er blij om?' vroeg hij.
'Erg blij, nu de oorlog afgelopen is.'
Zijn gezicht betrok en hij wendde zijn hoofd af.
'Is de oorlog dan niet afgelopen?' vroeg Dallandra. 'Cal...'
'Voorlopig wel. Meer kan ik je niet beloven.'
'Voorlopig. Hoe lang...'
'Dat weet ik niet. Jij bent de dweomermeester, niet ik.'
'Dat is waar.' Dallandra liet zijn hand los. 'Voorlopig. Daar moet ik dan maar tevreden mee zijn, nietwaar?'
'Helaas wel.' Hij leunde naar haar toe en gaf haar een kus op haar mond. 'Wil je het me vergeven dat ik zo jaloers ben geweest? Vergeet niet dat ik vijfhonderd jaar tevergeefs van je heb gehouden en dat ik soms niet kan vergeten dat het wachten voorbij is.'
'Het wachten?'
'O, ik wist dat je uiteindelijk voor me zou vallen, maar ik had niet verwacht dat het zo lang zou duren.'
'Je bent een verwaande kerel, weet je dat wel?'

'Heb ik dat ooit ontkend?'
Ze begon te lachen en lachte door tot hij haar met zijn kussen het zwijgen oplegde. Maar zelfs in zijn armen voelde ze een koude wind waaien, vanuit een toekomst die nog te versluierd was om te kunnen zien.

Sidro en Pir hadden de gewoonte aangenomen hun maaltijden te gebruiken bij de krijgers van het Westvolk, zoals Sidro de Ouden had leren noemen. Ze was te lang bang geweest voor de Lijik om als vanzelfsprekend met hen om te gaan, ondanks het feit dat Gerran haar in bescherming had genomen tegen de zilveren draak. Bovendien was het haar opgevallen dat de Lijik zich bewogen binnen een web van beleefdheden, een manier van doen waar Pir noch zij iets van begreep, terwijl de omgangsvormen van het Westvolk veel losser waren en bij hen een heleboel werd weggelachen. Het Gebroed van Vandar, dacht ze soms. Ze noemden hen het duivelse Gebroed van Vandar en wij geloofden dat. Af en toe trilde ze van woede als ze aan de leugens terugdacht.
Pir had zelfs belangstelling gekregen voor de muziek van het Westvolk. Allebei luisterden ze 's avonds graag naar het gezang, maar Pir was bijzonder geboeid door de harp. 'Hij maakt zo'n puur, helder geluid,' zei hij. 'Wat jammer dat ik niet kan zingen.'
'Ik wist niet dat je graag bard had willen worden,' zei Sidro grinnikend.
'Niet toen dat betekende dat mijn ogen uit mijn hoofd zouden worden gesneden. Bovendien hadden de goden een andere bedoeling met me.' Hij staarde nadenkend voor zich uit. 'Of wat er dan ook een andere bedoeling met me had.'
Een van de harpisten, Adariel, was Pir aan het voordoen hoe hij een harp moest vasthouden toen prins Daralanteriel kwam aanlopen. Niemand van degenen die om het vuur zaten sprong op, niemand knielde voor hem, maar Adariel zweeg en legde de harp neer.
'Pir, de Wijze Vrouw en ik willen graag met je praten,' zei Daralanteriel. 'Sidro, als je erbij wilt zijn, ben je van harte welkom.'
De prins nam hen mee naar de tent die Dallandra deelde met de banadar. Calonderiel wekte altijd de indruk dat hij langs de zijlijn van een gebeurtenis stond – deze keer zat hij – en zijn woede nauwelijks in bedwang kon houden terwijl hij de een of de ander fel aankeek. Als een goede gastheer bood hij Pir een kroes mede aan, maar zijn paarse ogen hadden dezelfde kille, sombere uitdrukking als anders. Gelukkig luisterde hij alleen maar toen prins Dar in de taal van de Lijik het woord nam.

'Jij en je vrouw mogen net zolang bij ons blijven als je wilt, Pir,' begon Dar. 'Ik wil graag van je horen of je daar blij om bent.'
'Erg blij, hoogheid,' antwoordde Pir. 'We kunnen nergens anders naartoe, behalve naar de Rode Rovers, en daar willen we liever niet heen. De Verheven Moeder Grallezar leeft ook onder u, en mijn mannen zijn met ons meegekomen. Als u bereid bent ons allemaal onderdak te bieden, hebt u heel wat Gel da'Thae die u vragen kunt stellen over uw vijand.'
'Dat is zo, en jullie zijn allemaal welkom. Maar er is iets wat ik graag wil dat jij voor ons doet. Je bent paardenmagiër, en hier in het Westland hebben we van zulke mensen gehoord. We weten dat je een zeldzaam en ontzaglijk belangrijk talent hebt' – hij zweeg even toen hij Pirs niet-begrijpende blik zag – 'een heel waardevolle gave, bedoel ik.'
Pir knikte met een nauwelijks merkbaar glimlachje.
'Denk je dat je onze paarden zou kunnen leren wennen aan de aanwezigheid van draken? Als je dat zou kunnen, zouden we je daar goed voor belonen.'
'En met die paarden wilt u dan nog meer leden van ons volk afslachten?' vroeg Pir.
Daralanteriel wendde zijn hoofd af, maar niet vlug genoeg om de schuldige uitdrukking op zijn gezicht te verbergen.
'Dat dacht ik wel,' vervolgde Pir. 'Ik mag dan een banneling zijn, maar ik ben geen verrader van mijn volk.' Hij zweeg en het was duidelijk dat hij ergens over nadacht. 'Hoewel ik eigenlijk een Gel da' Thae ben en niet behoor tot een woeste stam in het noorden, terwijl het die noorderlingen waren die onze steden hebben verwoest en hun valse godinnen boven alles hebben gesteld. Voor hen ben ik de vijand.'
'Dat zijn wij ook,' zei Daralanteriel.
'Dat was al bij ons opgekomen.' Pir keek naar Sidro. 'Wat vind jij?'
'Je moet doen wat je zelf wilt,' antwoordde Sidro in hun eigen taal. 'Ze hebben behoefte aan jouw gave, niet de mijne, dus vind ik niet dat ik het recht heb me met je beslissing te bemoeien, wat die dan ook mag zijn.'
'Dank je.' In de taal van de Lijik vervolgde Pir: 'Als ik doe wat u vraagt, hoogheid, wat is dan mijn beloning?'
'Je eigen kudde Westvolkse jachtpaarden, had ik gedacht,' antwoordde Dar. 'Een goudbruine hengst, twee goudbruine fokmerries, nog vier merries en tien ruinen in elke kleur die je wilt hebben.'
'U weet wel hoe u iemand in verleiding moet brengen.' Pir dacht heel lang na voordat hij vervolgde: 'Als de noorderlingen Sidro en mij

zouden vangen, zouden ze ons doden. Ze haten tovenarij.'
'Hier hebben we er ontzag voor,' zei Dalla.
'Dat hebben we gemerkt.' Pir knikte tegen haar, wendde zijn ogen af en staarde naar de tentwand alsof hij tussen de zakken die er hingen een visioen zag. 'Wijze Vrouw,' vroeg hij toen, 'kent u het verhaal van de zwarte steen en Laz Moj?'
'Het verhaal over de verdwijning van jullie mazrakraaf?'
'Inderdaad.' Hij wachtte tot ze bevestigend had geknikt en vervolgde: 'Hebt u enig idee waar hij naartoe kan zijn gegaan?'
'Nee. Ik zou het erg prettig vinden, Sidro, als ik daar met jou over kon praten, omdat jij erbij was toen het gebeurde.'
'Dat is zo.' Sidro's hart werd koud van verdriet. 'Het was een vreselijk schouwspel.'
Pir keek naar Sidro terwijl hij ervoor waakte dat er iets op zijn gezicht stond te lezen en ze zijn emoties kon ruiken. De anderen keken naar hem. Hij zei niets en dacht op zijn eigen rustige manier na. Ten slotte slaakte hij een zucht en knikte tegen niemand in het bijzonder.
'De beloning die ik verlang voor het werk met jullie paarden,' zei hij, 'is dat jullie ons helpen Laz te vinden.'
Sidro slaakte een kreet en sloeg een hand voor haar mond om haar opvlammende hoop te temperen. De prins en de banadar keken de Wijze Vrouw aan.
'Op dit moment verwacht ik een kind,' zei Dallandra. 'Maar na de geboorte kan ik jullie helpen. Intussen zijn er bij ons ook anderen die de dweomerkunst meester zijn, zoals Ebañy – jullie noemen hem Evan. En de dweomermeesteres Valandario wil de zwarte piramide graag terug hebben om hem te vernietigen. Zij werkt met stenen zoals niemand anders dat ooit heeft gedaan en zij is de aangewezen persoon om die steen te vinden. De kans is groot dat we, als we de piramide vinden, ook Laz zullen vinden. Ik kan niets beloven, maar dat mogen we wel hopen.'
'Daarnaast geef ik je toch de paarden,' zei de prins. 'Dan heb je aanzien bij ons. De mannen die je hebt meegebracht, krijgen schapen. Hier op de vlakte zijn schapen en paarden ons goud.'
Opnieuw dacht Pir na, terwijl hij eerst, met zo nu en dan een hoofdknik, voor zich uit en vervolgens naar de grond staarde. Ten slotte stond hij op en maakte een buiging voor de prins.
'Afgesproken,' zei hij. 'Ik stem toe. Ik denk dat ik uw strijdrossen inderdaad kan leren wat u wilt, maar dan moet een van de draken me een handje helpen.'
Met een ernstig gezicht stond Daralanteriel ook op en stak een hand

op met de palm naar buiten. Pir legde er zijn handpalm tegenaan.
'Ik zal doen wat ik heb beloofd,' zei de prins. 'De goden van mijn volk zijn mijn getuigen.'
'Dat geldt ook voor mij,' was het enige wat Pir nog kon bedenken, maar de prins knikte tevreden. 'Het zij zo.'
'Ga morgenvroeg met me mee om de ruinen voor je nieuwe kudde uit te zoeken,' vervolgde de prins. 'Dan zal ik je later in het bijzijn van de rest van mijn volk en mijn kudden beloven dat ik je ook de hengst en de fokmerries zal geven.'
'Ik had echt niet verwacht dat u fokdieren zou meenemen als u ten strijde trok, hoogheid.'
Pir glimlachte en de anderen glimlachten ook, maar Sidro rook een bitter vleugje verdriet in zijn geur. Ze vermoedde dat hij zich toch een verrader voelde, net als zij, ook al wisten ze heel goed dat hun eigen volk zich al lang voor hun verbanning tegen hen had gekeerd. En hij heeft ook verdriet om mij, dacht ze. Hij weet natuurlijk best dat ik altijd Laz' slavin zal blijven. De herinnering aan de avond dat Vek volwassen was geworden kwam bij haar boven. Elke andere vrouw van de Gel da'Thae zou Pir meteen mee naar bed hebben genomen, maar zij had zich kuis gedragen, zoals een goede slavin dat hoorde te doen.
De mannen vierden de overeenkomst met een flinke hoeveelheid mede, maar toen Sidro en Pir weer alleen waren, vroeg ze hem waarom hij om die beloning had gevraagd.
'Wil je dan echt dat Laz terugkomt?'
'Ik voel me verscheurd,' antwoordde Pir. 'Ik wil weten dat hij veilig en gezond is, want hij is tenslotte mijn vriend. Hij heeft me verborgen toen ik werd achtervolgd. Hij heeft me meegenomen toen hij ging vluchten.'
'Daar had ik niet aan gedacht.'
'Aan de andere kant denk ik aan jou. Ik wil je voor mezelf houden. Als hij ooit terugkomt, zal ik me tevreden moeten stellen met de korrels die hij in zijn voerbak laat liggen.'
'Maar waarom...'
'Als je hem nooit meer ziet, blijf je ongelukkig, nietwaar? En dan zul je me vroeg of laat toch in de steek laten. Je zult iets willen hebben wat ik je niet kan geven en hoewel je het zonder Laz nooit zult vinden, zul je er wel naar blijven zoeken.'
Sidro was zo verbijsterd dat ze een tijdlang niet wist wat ze moest antwoorden. Ze zag zich al van de ene man naar de andere gaan, zowel mannen van de Gel da'Thae als van het Westvolk, terwijl haar wanhoop steeds groter en zij steeds ouder werd.

'Je hebt net zo veel inzicht in vrouwen als in paarden,' zei ze ten slotte.
'Dat is niet waar, maar ik ken jou. En ik ben liever je Tweede Man dan dat ik je verlies. Het is een bedelaarslot, maar ik kies ervoor. Tenslotte ben ik nu toch al een bedelaar omdat ik afhankelijk ben van de liefdadigheid van de prins.'
Opnieuw rook Sidro zijn verbittering.
'Je hoort een van de groten van ons volk te zijn,' zei ze. 'Als die barbaren van Alshandra er niet waren geweest, was je dat ook geworden.'
Hij gromde iets wat zowel instemming als twijfel kon betekenen. 'Maar dat is nu niet belangrijk meer, hè?'
'Nee. Helaas is dat nu absoluut niet belangrijk meer.'

Nadat het leger in zijn normale, trage tempo al een week op weg was naar huis, kondigden de Bergvolkers aan dat ze zich niet langer bij de slakkengang wilden aanpassen. In de ochtendschemering, toen iedereen zich klaarmaakte voor het volgende deel van de reis, namen ze met een stortvloed van wederzijdse beloften afscheid om in hun eigen tempo door te reizen naar het noorden. Dallandra en Kov zeiden elkaar eveneens vaarwel.
'Het spijt me dat we niet alle runen op uw staf konden ontcijferen,' zei Dallandra.
'Ach, daar hoeft u zich heus niet voor te verontschuldigen,' antwoordde Kov. 'Ik weet er al veel meer van dan eerst en daar ben ik u dankbaar voor. Dat zal Garin ook zijn, dat weet ik zeker.'
'Doe hem alstublieft de groeten van me. Ik herinner me hem van het beleg van Cengarn en heb veel respect voor hem.'
'Hij spreekt ook met achting over u, Wijze Vrouw. Misschien komen we elkaar ooit weer eens tegen. Dat hoop ik.'
'Dat zou best kunnen. Ik zou graag met Enj praten over Haen Marn.' Dallandra legde haar handen op haar buik. 'Maar daar moet ik nog een poosje mee wachten, tot het kind geboren is en oud genoeg is om te reizen.'
Brel Avro kwam met een geërgerd gezicht naar hen toe.
'Ik weet dat je me komt vertellen dat iedereen op me staat te wachten,' zei Kov.
Dallandra keek de dwergen na toen ze in stevige pas met hun wagens de weg namen naar huis. Daarna ging ze op zoek naar Salamander, die zijn dekens aan het oprollen was. Knechten hadden zijn tent al opgevouwen en meegenomen. Ze knielde bij hem neer.
'Ebañy, wat doen we met Neb en Branna?' vroeg ze. 'Tieryn Cad-

ryc is een bijzonder aardige man, maar zijn dun is niet de juiste plaats om dweomer te leren.'
'Je hebt gelijk, o meesteres van machtige magie. Over een paar dagen splitst het leger zich opnieuw op. Jij gaat naar het zuiden, naar Mandra, en ik kan met de Rode Wolf mee naar het oosten rijden en onze twee leerlingen ophalen.'
'Als ze toestemming krijgen om met je mee te gaan.'
'Wees daar maar niet bang voor.' Salamander glimlachte triomfantelijk. 'Ik heb al een prachtig plan bedacht, een lovenswaardige list. Omdat Meranaldar zal afvaren naar de Zuidelijke Eilanden, zal prins Dar een nieuwe schrijver nodig hebben, en kun je een betere voor hem bedenken dan een Rondoor om het bondgenootschap tussen onze twee volken te bezegelen, enzovoort, enzovoort?'
Dallandra lachte. 'Soms komt je aanleg voor wauwelen goed van pas. En Branna moet haar man natuurlijk volgen.'
'Volgens de wet van Deverry heeft ze geen keus. Denk jij dat onze prins dit met tieryn Cadryc zal willen regelen? Want dan is het een veel formeler voorstel.'
'O ja, dat kan ik wel van hem gedaan krijgen. Het komt voor elkaar, zoals ze in Deverry zeggen.'

Toen de boodschappers in de dun van de Rode Wolf aankwamen, brachten ze naast het nieuws over de dood van de andere mannen voor Galla en Branna het bericht mee dat tieryn Gwivyr was overleden. Branna schrok van haar reactie. Terwijl Galla huilde om het verlies van haar broer, voelde zij enkel medelijden met haar tante. Het raakt me niet, dacht ze. Mijn vader is in een vreemd land naast een vreemde rivier begraven. Maar toen de dagen voorbijgingen en ze er nog steeds geen traan om kon laten, drong het tot haar door dat de dood een heel andere betekenis voor haar had gekregen. Ze zat op de vensterbank in haar kamer en herinnerde zich hoe het voelde om te vliegen, en toen dacht ze voor de laatste keer aan haar vader. Als het nodig is, zal ik hem terugzien, dacht ze. Of als het nodig is dat hij mij terugziet. In een ander Wanneer.
Twee weken na de boodschappers kwam het leger terug naar de dun. Toen Branna en Solla de hoorn van de tieryn hoorden schallen om hun aankomst te melden, renden ze de vrouwenzaal uit en de trap af naar het binnenplein. Vrouwe Galla volgde wat langzamer en riep wel een paar keer dat ze hun manieren niet mochten vergeten.
Het binnenplein vulde zich met mannen en paarden. Dienstmaagden van wie de man erbij was, kwamen aansnellen om hem te begroeten, terwijl de vrouwen die hun man hadden verloren met be-

traande ogen doorgingen met hun werk. Branna en Solla vonden een plekje naast de ingang van de grote zaal, bij de grootste drukte vandaan.
'Ik zou meteen naar Gerran toe willen vliegen,' zei Solla, 'maar stel dat hij van gedachten veranderd is en niet meer met me wil trouwen? Hij heeft het me nooit met zoveel woorden gevraagd, weet je.'
'Ach, Solla,' zei Branna glimlachend. 'O kijk, daar komt hij aan!'
Gerran kwam haastig naar hen toe. Hij had zijn uiterste best gedaan om er zo netjes mogelijk uit te zien, zag Branna, vooral voor iemand die lang weg was geweest om oorlog te voeren. Hij was redelijk schoon, hij had zich geschoren en zijn haar geknipt en zijn hemd zag eruit alsof het ergens door een beek was gehaald om het ergste vuil eraf te spoelen. Hij had Solla's blauwe sjaal om zijn linkerarm geknoopt. Branna ging een eindje van Solla af staan om de ontmoeting gade te slaan.
'Het doet mijn hart vreugd dat ik u weer zie, heer Gerran.' Solla maakte een kniebuiginkje voor hem.
'Het doet mijn hart vreugd dat ik ú weer zie, vrouwe Solla.' Gerran begroette haar met een buiging. 'Ik heb nieuws voor u dat van groot belang is. De clan van de Valk krijgt een nieuwe dun, in het dal van de rivier de Melyn. Ik zou het een grotere eer vinden dan ik verdien als u de vrouwe van mijn dun wilt worden.'
'Heer Gerran,' fluisterde Solla, 'ik ben de dochter van een krijgsheer en de zuster van een gwerbret, maar ik ben degene die het een eer vindt uw vrouw te worden.'
Gerran pakte haar handen vast. 'Dan zal dat gebeuren, vrouwe.'
Nog even deden ze krampachtig hun best om zich waardig te gedragen, maar toen begon Solla te schateren van geluk en sloeg ze haar armen om zijn hals. Hij legde zijn armen om haar middel, kuste haar en kuste haar nog een keer, terwijl iedereen op het binnenplein begon te juichen. Branna veegde haar tranen van ontroering af aan haar mouw en ging naar binnen.
Cadryc en Galla zaten al aan de eretafel en Mirryn zat er, nog steeds een beetje mokkend, bij. Branna keek rond op zoek naar Neb en zag dat hij bij de erehaard met Salamander stond te praten. Ze liep erheen, kuste in het voorbijgaan haar oom op zijn kale schedel en voegde zich bij de twee mannen.
'Ik heb net een heel verleidelijk aanbod gekregen,' zei Neb met een knipoogje tegen haar. 'Prins Daralanteriel wil dat ik zijn schrijver word.'
'Zouden we dan bij het Westvolk gaan wonen?' vroeg Branna. 'Dat klinkt erg boeiend.'

Galla slaakte een kreetje, draaide zich om en wierp zowel Neb als Salamander een verwijtende blik toe.
'Niet boos worden, lieverd,' zei Cadryc. 'Ik heb al tegen Neb gezegd dat hij, als hij het aanbod wil aannemen, vrij is om dat te doen. Ik word over een paar maanden een vazal van de prins, dus moeten we rekening houden met zijn wensen.'
'Ach ja, dat is zo,' zei Galla. 'Maar als je zo ver bij ons vandaan gaat wonen, Branni, zal ik me zorgen om je maken.'
'Ik zal heus niet eenzaam zijn, tante Galla. De prins reist altijd met een groot gevolg. Maar ik zal u wel missen.'
'Ik zal jou missen, kind. En ik hoop dat je dat spinnewiel van je bij ons achterlaat.' Ze keek naar Salamander en vervolgde: 'Vraag haar maar eens of ze het je wil laten zien. De kans is groot dat de vrouwen van het Westvolk er ook een willen hebben.'
Salamander maakte glimlachend een buiging. Waarschijnlijk had hij geen idee waar ze het over had.
'Natuurlijk laat ik het achter,' zei Branna. 'En Adranna en de kinderen wonen nu bij u, en Solla blijft hier tot Gerrans nieuwe dun klaar is. U zult niet alleen zijn.'
'Dat is waar.' Maar Galla slaakte een diepe zucht. 'En de prins zal vast wel af en toe op bezoek komen en jullie meebrengen. Heb je al een besluit genomen, Neb?'
'Dat heb ik, vrouwe. Ik ben oprecht dankbaar voor alles wat u voor me hebt gedaan – u hebt Clae en mij onderdak geboden, mij met Branna laten trouwen – maar in dienst treden van een prins... Dat is een grote eer. Hebt u niet ooit tegen Branna gezegd dat ik nog eens zou dienen aan het hof van een vooraanstaand man?'
'Aha!' Galla trok een spijtig gezicht. 'Nu heb je me in mijn eigen val laten lopen.' Ze dacht even na. 'Maar ik moet toegeven dat het waarschijnlijk erg nuttig zal zijn familie aan het hof van onze nieuwe opperheer te hebben.'
'Dus dat is in de gauwigheid al bij je opgekomen,' zei Cadryc grinnikend tegen zijn vrouw. 'Maar wie moet dan mijn schrijver worden? Vervloekt nog aan toe, ik was juist aan een schrijver gewend geraakt!'
'Solla kan lezen en schrijven,' zei Branna. 'En het zal nog wel een tijdje duren voordat de nieuwe dun van de clan van de Valk klaar is.'
'Een vrouw als schrijver?' Cadryc staarde Branna verbluft aan. 'Nou ja, waarom eigenlijk niet? Een pen is niet zwaar, een vrouw kan hem ook vasthouden...'

Tegen de tijd dat het leger van het Westvolk de velden rondom Mandra bereikte, bracht de avondbries al een vleugje van de naderende herfst met zich mee en was Dallandra zich er duidelijk van bewust dat ze zwanger was. Calonderiel bleef zo veel mogelijk bij haar in de buurt; hij zag erop toe dat ze lekkere dingen at en op een zacht bed sliep. Soms ergerde zijn bedilzucht haar zo dat ze het liefst zou schreeuwen dat hij haar met rust moest laten. Gek genoeg was het Sidro die tegen haar zei dat ze dankbaar moest zijn dat Cal er zo blij om was.

'Ik heb ook een keer een kind gebaard,' vertelde Sidro. 'Van een man die er helemaal niet blij om was. Hij was zo jaloers dat hij me wegstuurde uit het huis van zijn moeder.'

'Bedoel je dat hij dacht dat het niet zijn kind was?' vroeg Dallandra.

'Nee, nee, nee, hij was jaloers op het kind! Hij wist dat ik net zo veel van het kind zou gaan houden als ik van hem hield en hij wilde geen rivaal.'

'Heb je het over Laz?'

'Inderdaad.' Sidro wendde haar hoofd af en even dacht Dallandra dat ze zou gaan huilen. 'Maar het kind was ziekelijk en ging dood. Daarna wilde Laz me terug hebben, maar toen ben ik een dienares van Alshandra geworden.'

'Nu begrijp ik waarom je dat hebt gedaan. Wat een zelfzuchtige schoft!'

Sidro staarde Dallandra bedachtzaam aan en glimlachte, maar haar ogen stonden verdrietig. 'Dat was hij. Maar in de loop der jaren is hij wel verbeterd' – ze dacht even na – 'in sommige opzichten.'

'Ik heb de indruk dat Pir een veel betere man voor je is.'

'O, dat is hij, Dalla. En daar zal ik aan moeten denken als we Laz zouden vinden. Mijn hart is altijd van Laz geweest.'

'Hij heeft je toch niet betoverd?'

Sidro schudde ontkennend haar hoofd. 'Nee, alleen als liefde ook tovenarij is, en soms denk ik dat het net zo gevaarlijk is.'

'Dat ben ik met je eens,' zei Grallezar. 'Ik beschouw het als een zegen dat ik er nooit onder heb hoeven lijden.'

'Maar u hebt wel kinderen gebaard, Verheven Moeder,' zei Sidro.

'En van die kinderen heb ik gehouden. Hun vader' – Grallezar haalde haar schouders op – 'had ik uitgekozen vanwege zijn mach-fala en het land dat ze bezaten. Hij rook ook goed.' Ze wierp een blik op Dallandra. 'Op dat land, ver van Braemel, zijn ze nu veilig, dus geloof ik dat ik een goede keus heb gemaakt.'

Sidro glimlachte instemmend en rook aan de lucht. Ze zaten in de tent van Dallandra terwijl het buiten stroomde van de regen, ook weer een voorbode van de herfst. Om iets te doen te hebben, had Sidro zich aan Grallezar aangeboden als een soort dienares. Dallandra was er nog steeds niet aan gewend dat de twee vrouwen van de Gel da'Thae voortdurend hun hoofd ophieven om hun omgeving te ruiken, al moest ze toegeven dat het soms een handig hulpmiddel was.

'Denkt u ook niet dat het kind van Dallandra een meisje is, Verheven Moeder?' vroeg Sidro.

Grallezar haalde nadenkend diep adem. 'Ik denk dat je gelijk hebt. Ik ruik niets mannelijks.'

'Ach, wat heerlijk!' zei Dallandra, alleen maar omdat ze wist dat de twee vrouwen verwachtten dat ze er blij om zou zijn. 'Dat vind ik erg fijn.'

Maar ze zou net zo blij en net zo bezorgd zijn als het een jongen was, en zelf had ze eigenlijk gedacht dat het een jongen zou zijn. Toen ze wat later met Grallezar alleen was en ze in de taal die alleen zij met elkaar gebruikten over dweomer praatten, liet ze zich ontvallen dat het haar verbaasde dat ze een dochter zou krijgen.

'Ik dacht dat het de ziel van Loddlaen was,' zei ze. 'Hoe meer ik erover nadacht, des te meer raakte ik daarvan overtuigd.'

'Dat kan toch nog steeds het geval zijn?' zei Grallezar. 'Dweomer maakt geen onderscheid tussen mannelijk en vrouwelijk.'

'Ach ja, je hebt natuurlijk gelijk. Al dat gepraat over Gel da'Thae, het Bergvolk, het Volk en de Rondoren... Ik ben weer echt aards gaan denken.' Ze gaf een paar klapjes op haar buik. 'Maar ik weet zeker dat het dezelfde ziel is. Heel zeker.'

'Dan zul je wel gelijk hebben. Ach, arme Loddlaen. In elk geval krijg je nu de kans om het goed te maken, met haar.'

'Wat? Ik vind niet dat ik iets goed te maken heb! Ik heb gedaan wat ik doen moest. Hij was maar één ziel, terwijl veel meer zielen me heel erg nodig hadden. En nu gaan we opnieuw door zo'n moeilijke tijd dat ik zal moeten doen wat er deze keer op mijn pad komt. Maar als ik haar ook achter zou moeten laten, zou ik regelen dat er heel goed voor haar werd gezorgd. Bovendien zal zij dankzij haar beide ouders tot het Westvolk behoren, wat haar leven een stuk gemakkelijker zal maken dan dat van Loddlaen is geweest.'

'Dat is waar. Ik krijg ineens een idee. Ik vraag me al een tijdje af wat ik voor je kan doen om je te bedanken dat je me zo gastvrij hebt onthaald en...'

'Daar hoef je me niet voor te bedanken.'

'Dat weet ik, maar Gel da'Thae vinden het niet prettig van iemands

gastvrijheid te profiteren. Kijk maar naar Sidro, die me van alles uit handen neemt, mijn kleren en dekens wast en zo, terwijl ze ook een gave voor dweomer heeft. Na de geboorte van je kind zal ik je helpen het groot te brengen.'
'Dat is geweldig! Dan begint ze haar leven goed.' Dallandra lachte. 'Vooral als ze later bevelhebber van het leger wil worden.'
In de namiddag van de volgende dag kwamen Salamander, Neb en Branna aan in het kamp. Omdat iedereen al wist dat de twee Rondoren waren gekomen om leerlingen van Dallandra te worden en ook wanneer dat nodig was brieven voor prins Dar te schrijven, was er aan de rand van het kamp een tent voor hen opgezet, in de buurt van die van Dallandra en Calonderiel. De leden van de koninklijke alar kwamen hen vol welwillende nieuwsgierigheid begroeten, zodat Dallandra de eerste avond nauwelijks de gelegenheid had om met hen te praten. Ze besefte dat Neb en Branna minstens een paar dagen nodig zouden hebben om aan het Westvolk te wennen. De volgende morgen verzekerde ze hun dat ze in de lange winter, wanneer ze in de tent moesten blijven, meer dan genoeg tijd zouden hebben om zich aan de studie van dweomer te wijden.
''s Winters kan het erg saai zijn in ons kamp,' zei Dallandra, 'maar jullie zullen genoeg te doen hebben.'
'Dat geloof ik graag,' zei Branna. 'Gaat de zilveren draak met ons mee, Dalla?'
'Niet met ons kamp, nee, maar als het ophoudt met regenen, zal hij zich vast wel laten zien. Ik moet weer naar zijn wond kijken.'
'O.' Branna aarzelde voordat ze vervolgde: 'Ik heb steeds het gevoel dat ik hem iets moet vertellen of liever, dat we ergens over moeten praten, maar ik weet niet wat het is.'
'Misschien moet je me alleen maar helpen hem van zijn dweomer te bevrijden en hoef je helemaal niets te zeggen. Ik heb ervaren dat zwijgen soms meer betekent dan woorden. Niets zeggen kan ook een boodschap zijn.'
Branna keek Dallandra verbijsterd aan, maar Dallandra glimlachte en zei niets meer. Evandar had haar geleerd dat de waarheid soms een raadsel moest blijven, zodat degene die de waarheid wilde weten de oplossing zelf moest zoeken. De speurtocht is belangrijk, het antwoord niet, wist ze nu. Ze keek Neb aan omdat ze van hem wél meteen antwoord wilde hebben, over Penna en Tarro.
'Ik kan me Penna herinneren uit het dorp,' zei Neb. 'En Tarro heb ik een keer ontmoet toen de hoofdman van de gwerbret hem toestemming had gegeven om een bezoek te brengen aan zijn ouderlijk huis. Penna was een vreemd meisje, maar ik ben erg blij dat ze uit

handen van het Paardenvolk is gered.'
'Wat bedoel je met "vreemd"?' vroeg Dallandra.
'Ten eerste waren het stiefkinderen. Hun echte vader was visser en hij is verdronken. Daarna trouwde hun moeder met een boer, ene Gutyn, die haar kinderen grootbracht alsof ze van hemzelf waren. Hij was een fatsoenlijke man. De moeder stierf voordat Clae en ik bij onze oom Brwn gingen wonen, dus haar heb ik nooit ontmoet.' Ned zweeg abrupt. 'Nu ik erover nadenk, besef ik dat Gutyn ook door die rovers moet zijn vermoord. Ach goden, ik vind het nog steeds te afschuwelijk om bij stil te staan.'
'Dat spreekt vanzelf. Ik geloof dat Penna er ook nog niet overheen is, want het verdriet is duidelijk in haar ogen te lezen.'
'Dat geloof ik graag.' Neb fronste zijn wenkbrauwen. 'Ze was doodsbang voor de rivier.'
'Haar vader is erin verdronken, dus kan ik me dat voorstellen.'
'Natuurlijk, maar het kwam ook door iets anders. Op een dag kwam ik langs en zat ze te huilen omdat ze de koeien naar de rivier moest brengen om ze te laten drinken. Ooit zal de rivier me meenemen, zei ze toen tegen me. Ik dacht dat ze bedoelde dat zij ook zou verdrinken, maar dat was het niet, zei ze.' Neb haalde met gespreide handen zijn schouders op. 'Ze kon het niet uitleggen. Dus heb ik de koeien naar de rivier gebracht en daarna heeft haar stiefbroer die taak op zich genomen.'
De stiefbroer zou bij de overval ook wel zijn vermoord, vermoedde Dallandra. Toen ze Neb opeens bedroefd voor zich uit zag staren, wist ze het zeker.

De draak lag ontspannen op een comfortabele plek in het hoge gras. Zijn zilveren schubben met hier en daar een vleugje blauw – alsof hij de van een dweomermetaal gemaakte, mooiste maliënkolder ter wereld droeg – glinsterden in de zon. Alleen het roze vlees van zijn oude wond verstoorde het beeld. Branna zag waar Dallandra het dode vlees had weggehaald, maar desondanks wilde de wond niet genezen. Toch leek hij er geen last meer van te hebben. Zijn oogleden zakten over zijn ogen en hij geeuwde, en Branna stelde vast dat zijn tanden langer waren dan haar armen.
'Ben je wakker, Rori?' vroeg ze.
'Nu wel,' antwoordde hij en hij hief zijn enorme kop op.
Zijn stem riep herinneringen op die zo diep in haar begraven lagen dat er geen beelden of woorden naar boven kwamen, alleen het pijnlijke besef dat ze die eerder had gehoord. Salamander had haar gewaarschuwd voor Rori's ogen en net als hij begon ze bijna te huilen

toen ze de menselijke uitdrukking zag die gevangenzat achter het uiterlijk van een schepsel van een heel andere soort. Rori nam haar met een verlangende blik aandachtig op.
'Je bent Jill niet meer,' zei hij. 'Dat heeft Dalla me duidelijk gemaakt. Ik wil het liever niet geloven, maar ik weet dat het zo is.'
'Goed. Ik wil Jill niet zijn. Jill is dood.'
'Dat is waar.' Met een zucht legde hij zijn kop op zijn reusachtige voorpoten. Zijn klauwen groeven zich in de aarde, maar even later ontspanden ze zich. 'Het doet mijn hart vreugd dat je hierheen bent gekomen om met me te praten. Ik hoopte al dat je dat zou doen, zodra je eraan toe was.'
'Je bent hier pas een halve dag.'
Zijn lach klonk als zacht gerommel. 'Ik ben altijd ongeduldig geweest.'
'Je had Dalla een boodschap kunnen meegeven toen ze je wond kwam bekijken.'
'Dat zou het bedorven hebben.' Hij hief zijn kop om haar beter te kunnen aankijken. 'Ik wilde dat je... Ik móést afwachten of je uit jezelf zou komen.'
'En dat heb ik gedaan.'
Branna bleef geduldig staan terwijl hij haar met zijn griezelig menselijke, donkerblauwe ogen van top tot teen opnam. Dit was het moment waarop ze had gewacht, het moment waarop ze de zilveren draak eindelijk zou ontmoeten en met hem zou praten. Maar het bleef stil tussen hen terwijl ze tot het besef kwam dat ze nog steeds niet wist wat ze tegen hem moest zeggen. Er moet toch iets zijn, dacht ze. Of heeft Dalla gelijk? Ten slotte slaakte hij zo'n diepe zucht dat het op een bulderende windvlaag leek.
'Sinds die avond in Cengarn,' zei Rori opeens, 'toen je naar me riep dat je terug zou komen, denk ik voortdurend aan wat ik tegen je zou moeten zeggen. Zoals een bard heb ik allerlei mooie woorden en frasen door mijn hoofd laten gaan. En nu we tegenover elkaar staan, slaan die woorden nergens meer op, omdat je niet Jill bent. Dat zie ik nu ook, dat weet ik niet alleen omdat Dalla het heeft gezegd.'
'Eerlijk gezegd heb ik hetzelfde gedaan, maar omdat ik niet weet wie je voor Jill bent geweest, heb ik niets kunnen bedenken.'
'Weet je dan helemaal niets meer?'
'Nou ja, ik weet wel dat ze een vriendin van je was. Als jullie meer voor elkaar hebben betekend, neem me dan niet kwalijk dat ik dat niet meer weet.'
'Een vriendin? Ja, dat was ze ook.' Hij zuchtte met een lang, sissend

geluid. 'Je weet het echt niet meer.'
'Is het dan nog belangrijk? Dalla heeft me verteld dat je van de dweomervloek wilt worden bevrijd. Ooit zal ik weten wat Jill wist, ongeacht of ik haar ben of niet. En ik beloof je, Rori, dat ik zal doen wat ik kan om de dweomer teniet te doen.'
'Echt waar? Dank je wel.'
Zijn ogen, die bijzondere, donkerblauwe ogen, vulden zich met tranen. Draken kunnen toch niet huilen? dacht Branna. Ach natuurlijk, de man ín de draak is degene die verdriet heeft...
Rori hief zijn kop en schudde zijn tranen weg. Vervolgens had hij een ogenblik al zijn aandacht nodig om zijn voorpoten te verleggen. 'Binnenkort vertrek ik om de winter te ontvluchten. In dit lichaam kan ik niet tegen kou. Zelfs op koele dagen zoals vandaag word ik loom.'
'Dat is goed. Dan zie ik je in het voorjaar terug.'
Hij knikte, liet zijn kop op zijn voorpoten zakken en sloot zijn ogen. Ze bleef nog even staan, omdat ze niet wist of hij in slaap was gevallen of dat hij op zijn manier afscheid van haar had genomen. Ten slotte liep ze weg, terug naar het kamp en naar Neb.
Ze had iets heel moois vernietigd, besefte ze. Waarschijnlijk de diepe liefde die ooit had bestaan tussen Jill en de man die Rori was geweest. Ze kon het zich niet meer herinneren en ze rouwde er ook niet om, maar toch moest ze erom huilen. Een paar tranen, om alle eer en liefde die weg stroomden in de meedogenloze rivier van de Tijd.

Opmerking van de auteur

Als er lezers zijn die meer willen weten over de vuurkogels van de dwergen, die zijn gebaseerd op echte wapens, kunnen ze *Het overleven van een beleg* van Aeneas de Tacticus erop naslaan. Gedetailleerder beschrijvingen zijn te vinden in naslagwerken zoals *Griekenland en Rome in oorlog* van Peter Connolly. Ook de falcata was een echt wapen, dat in Spanje werd gebruikt door de Spaanse troepen in de strijd tegen het Romeinse leger, toen Rome na de Carthaagse oorlogen een zuiveringsactie uitvoerde. De mens verspilt al heel lang tijd en middelen op zoek naar betere manieren om elkaar te doden.

Woordenlijst

Alar – (Elfentaal) Een groep elfen, al dan niet familie van elkaar, die voor onbepaalde tijd met elkaar rondtrekken.

Alardan – (Elf.) Ontmoeting van verschillende alarli, gewoonlijk aanleiding tot een dronkenmansfeest.

Astrale, het – Het bestaansvlak direct boven of binnen het etherische (zie daar). Wordt in andere magische stelsels vaak het Akasisch Denken of de Schatkamer van het Denkbeeldige genoemd.

Banadar (Elf.) – Krijgsheer; in het Deverriaans *cadvridoc* (zie daar).

Betoveren – Een handeling uitvoeren die door rechtstreekse manipulatie van iemands aura lijkt op hypnose. Bij echte hypnose wordt alleen iemands bewustzijn gemanipuleerd, wat betekent dat men zich daar gemakkelijker tegen kan verzetten.

Blauw Licht – Andere naam voor het etherische vlak (zie daar).

Cadvridoc (Dev.) – Legeraanvoerder, maar geen generaal in de moderne betekenis van het woord. Hoewel hij wordt geacht de adviezen en opmerkingen van de edelen onder zijn bevel in overweging te nemen, heeft hij het laatste woord.

Deosil – Met de draaiing van de zon of de wijzers van de klok mee. De meeste dweomerhandelingen waarbij een cirkelvormige beweging wordt gemaakt, gaan deosil. Het tegenovergestelde, de beweging tegen de draaiing van de zon in, wordt beschouwd als een teken van duister dweomer en de ontaarde soorten tovenarij.

Dweomer (Dev.: *dwunddaevad*) – In de strikte betekenis van het woord een wijze van toveren gericht op persoonlijke verlichting door harmonie met het natuurlijke universum op al zijn vlakken en in al zijn vormen. In de algemene betekenis: magie, tovenarij.

Etherische, het – Het bestaansvlak direct boven het fysieke. Met zijn magnetische substantie en stromen houdt het de fysieke materie in een onzichtbare matrix en is het de ware bron van wat we 'leven' noemen.

Etherische gedaante – De wezenlijke vorm van een mens, de elektromagnetische structuur die het lichaam bijeenhoudt en de werkelijke zetel van het bewustzijn is.

Falcata (Latijn) – Gebogen, verzwaarde sabel, voortgekomen uit de falx, een oeroud wapen dat in de derde en tweede eeuw v. Chr. werd gebruikt door Spaanse stammen. Los daarvan is het ontwikkeld door wapensmeden van de Gel da'Thae.

Gerthddyn (Dev.) – Letterlijk 'muziekman', een rondtrekkende minstreel en entertainer met een veel lagere rang dan een bard.

Gwerbret (Dev., van het Gallische *vergobretes*) – Hoogste rang van de adel onder de koninklijke familie. Gwerbrets (Dev.: *gwerbretion*) zijn de hoogste gezagsdragers van hun gebied. Zelfs koningen aarzelen hun besluiten te herroepen vanwege hun eeuwenoude privileges.

Hoofdman (Dev.: *pendaely*) – Onderbevelhebber van de krijgsbende van een edelman. Het is interessant dat het woord *taely* (de wortel van *–daely*) afhankelijk van de context zowel 'krijgsbende' als 'familie' kan betekenen.

Lichtgedaante – Kunstmatige gedachteverschijning gevormd door een dweomermeester, opdat hij of zij door de binnenste bestaansvlakken kan reizen.

Lwdd (Dev.) – Zoengeld. Het verschil met 'weergeld' is dat het bedrag niet letterlijk is vastgesteld, maar dat er onder bepaalde omstandigheden over onderhandeld kan worden.

Mach-fala (Gel da'Thae) – De clan van moederskant, de basis van de familiegroep in de cultuur van de Gel da'Thae.

Malover (Dev.) – Voltallig gerechtshof, waarin zowel een priester van Bel als een gwerbret of tieryn zitting heeft.

Rhan (Dev.) – Staatkundige gebiedseenheid. Een *gwerbretrhyn* of een *tierynrhyn* is een gebied dat wordt bestuurd door een gwerbret of een tieryn. De grootte van de diverse rhans (Dev.: *rhannau*) verschilt sterk en wordt eerder bepaald door een erfenis of de uitkomst van een oorlog dan door de wet.

Scryen – De kunst om door middel van toverkracht afwezige mensen of andere plaatsen te zien.

Tieryn – Tussenrang bij de adel, lager dan gwerbret en hoger dan heer (Dev.: *arcloedd*).

Wyrd (Dev.: *tingedd*) – Het lot, de onontkoombare problemen die een bewust levend wezen meeneemt uit zijn vorige incarnatie.

Zegel – Abstract, magisch teken, meestal het symbool van een bepaalde geest, energie of kracht. Deze tekens, die eruitzien als een soort geometrische krabbels, zijn volgens bepaalde regels ontleend aan geheime magische diagrammen.

Incarnatielijst

643	696	718	773	835-863	918	980	1060	1100	1150
Brangwen	Lyssa		Gweniver	Branoic		Morwen	Jill		Branna
Madoc		Addryc	Glyn	Caradoc			Blaen van Cwm Pecyl	Drwmyc	Voran
Blaen	Gweran		Ricyn	Maddyn	Maer	Meddry	Rhodry	Rhodry	Rori
Gerraent	Tanyc	Cinvan	Dannyn	Owaen	Danry	Gwairyc	Cullyn		Gerran
Rodda	Cabrylla		Dolyan				Lovyan		
Ysolla	Cadda		Macla	Clwna	Braedda		Seryan		Solla
Galrion	Nevyn	Nevyn	Nevyn	Nevyn	Nevyn	Nevyn	Nevyn		Neb
Rhegor							Caer		
			Dagwyn	Aethan	Leomyr		Gwin		Warryc
			Saddar	Oggyn			Ogwern		Oth
				Anasyn				Kiel	
Ylaena				Bellyra	Glaenara			Carramaena	Carramaena

643	696	718	773	835-863	918	980	1060	1100	1150
				Lillorigga		Lanni		Niffa	Niffa
				Beyvan				Dera	Galla
				Merodda		Mella	Mallona	Raena	Sidro
Adoryc				Burcan			Sarcyn	Verrarc	Aethel
			Mael		Pertyc Maelwaedd		Rhodda	Vrouwe Rhodda	
				Olaen				Jahdo	Jahdo
				Maryn				Yraen	Clae
				Elyssa			Alaena	Marka	
							Rhys		Ridvar
							Sligyn	Erddyr	Cadryc
				Brour		Tirro	Alastyr	Tren	Laz Moj
							Perryn		Pir

M.R.C. KASASIAN was raised in Lancashire. He has had careers as varied as a factory hand, wine waiter, veterinary assistant, fairground worker and dentist. He lives with his wife, in Suffolk in the summer and Malta in the winter.

MARCH MIDDLETON, born 5th November 1862, was raised by her widowed father, a doctor, in Lancashire. She accompanied him on postings to India and Afghanistan, working as a nurse. Following his death she went to live with her godfather, Sidney Grice, at 125 Gower Street.

SIDNEY GRICE, born 26th September 1841, attended Trinity College, Cambridge. Following a mysterious personal tragedy he disappeared for a number of years. After losing his right eye foiling an assassination attempt on Crown Prince Wilhelm, Grice returned to London to establish himself as its foremost Personal Detective.

The Mangle Street Murders

The Curse of the House of Foskett

Death Descends on Saturn Villa

The Secrets of Gaslight Lane

Dark Dawn Over Steep House

DARK
DAWN
OVER
STEEP
HOUSE
M.R.C. KASASIAN

HEAD
of
ZEUS

First published in print in the UK in 2017 by Head of Zeus Ltd.

9 7 5 3 1 2 4 6 8

A catalogue record for this book is available from the British Library

ISBN (HB): 9781784978099
ISBN (E): 9781784978082

Printed and bound by CPI Group (UK) Ltd, Croydon, CR0 4YY

Head of Zeus Ltd
First Floor East
5–8 Hardwick Street
London EC1R 4RG

WWW.HEADOFZEUS.COM

FOR

Andrew who found me
Ed who rescued me
Laura who took me in
Maddy who nurtures me
And
Tiggy who provides the love.

Introduction

I WAS APPROACHED BY a man from the London County Council yesterday. They want to put a blue plaque on the front of 125 Gower Street, commemorating Sidney Grice's many years and countless triumphs here. I can only imagine how my guardian would have revelled in such glorification, especially as his detested rival Sherlock Holmes, being fictional, will never qualify for one.

I told the official that I understood such luxuries have been suspended for the duration and he agreed, but they were anxious to consult me on the wording while they still could. I asked where they were going but it was obvious from his embarrassment that I was the one not expected to be around for very much longer. I showed him the door.

I am an old woman now and, whilst I flatter myself that my memories have not faded, they are increasingly all I have got. So many people have gone – Sidney Grice, Inspector Pound and Molly – almost all my friends and those I loved.

For the best part of an hour, after the man left, I felt very sorry for myself. But a stiff gin soon bucked me up, and the fact that my doctor has strictly forbidden tobacco made the cigarette I smoked with it all the more pleasurable.

The official had made me feel redundant – I who had assisted in bringing so many wicked people to justice and single-handedly captured the awful Shadow Man of Shanklin, as the press had so fatuously dubbed her. But I would not be consigned to the scrapheap so easily. I can still put my memories to good use, as I hope will be evinced in this account.

I am coming to accept now that I cannot live long enough to recount all of my guardian's and my investigations. Some of these are quite well known already and do not need further repetition. I doubt that there are many people not familiar with every detail of *The Mountain of Fear* and thousands have seen the stage production of *The Mystery of the Breathing Horse*.

I catch my reflection in the mantle mirror. Could this slightly sozzled old lady really have been the young woman who battled with malevolence made flesh in that harrowing summer of 1884?

M.M., 19 February 1944
125 Gower Street

1

The Silver Locket

February, 1884

THERE WAS A message engraved in the locket.

To my darling Siddy with all my heart.

The glass was cracked, but I did not need to read the flowing *Connie* to know that the picture was of my mother. And – not for the first time – I wondered that I did not look like either of my parents.

'Give that back.'

I hardly heard the words but, when I looked up, I saw the curl at the corner of his mouth that I had seen in our twin reflections. 'Dear God in heaven,' I cried. 'Are you my father?'

'Where did you get that locket?'

'It fell on the steps when you were stabbed.'

'You had no right to keep it.'

'I forgot about it with everything else going on.' I clipped the locket shut. 'And you had no right to keep it from me.'

This was the closest that I had ever seen my guardian to panic. He lunged over the table, catching it with his knee and scattering our afternoon tea.

'What?' I closed my fist around the locket. 'Will you prise it from my fingers like a clue from a corpse?' I pulled back just in case. 'Why did you take me in?' I struggled to control my voice. 'By your own admission you are not a kind man.'

'You are my goddaughter.'

'You do not even believe in God and why would my mother be sending you love tokens?'

Sidney Grice sank back into his chair. He closed his eyes. 'I am not your father,' he said quietly. 'Your father was your father.'

I had never known Sidney Grice to tell a lie and I could not believe that he was doing so now. 'What are you hiding from me?' I looked at him.

My guardian's right eyelid was losing its tone and he had trouble closing it properly. His glass eye stared blindly back at me. 'No more than I am hiding from myself,' he answered carefully.

His plate lay in the ashes, broken from when he had dropped it, all those long minutes ago when I thought perhaps I knew him.

2

Death among the Dead

THERE ARE SO MANY threads in the tangled skein of events that I scarce know where to start. Some threads were spun whilst I was away but others stretch even further back to before I came to London, and the longest to before Sidney Grice became a personal detective.

And so I shall begin with what became known as *The Case of the General Surgeon*, for that is where the threads began to weave together.

In the early evening of Saturday 2 July 1881 – the same day that President James A. Garfield was shot in Washington DC – Mr David Anthony Lamb, a retired surgeon, was visiting his family plot in Brompton Cemetery. He had had the reputation of being a kind man – devoting two days a week to tending those unable to pay for medical treatment – with a sympathetic manner and great skill. He had been unable, however, to save his wife and six children during an epidemic of typhoid and, in the end, he was unable to save himself.

Two other mourners, twelve-year-old brothers at their mother's grave, some fifty yards away, heard what they took to be the sobs of a bereaved man and chose not to intrude. It was only when they heard thumping and sounds of a scuffle that they became concerned.

A man's voice was raised above the cries, repeating hoarsely

Lies, they were lies, with something unintelligible in between. There was a final crash and the sounds of running. Both boys glimpsed the back of a man's dark coat as he rushed away, becoming lost from sight between the towering monuments and behind a mock Greek temple.

Anthony Lamb had been attacked with a marble funerary vase. His face had been pulverized. And, when he managed to turn away, the blows had fractured his skull so severely that his brains exuded from his bald pate.

Inspector Quigley was asked to advise on the investigation a fortnight later, but could give no real assistance. There had been unseasonably heavy rain for several days after the murder and the first police on the scene, then hordes of sensation seekers, had trampled all around the area. To frustrate him further, the cemetery board had decreed that the site be tidied as soon as possible. Quigley had instructed that the vase be sent to his office at Marylebone but, due to a misunderstanding, it had been thoroughly cleaned before it reached him. He was also frustrated by his application to have the body exhumed being successfully opposed by John Box's sister and last remaining relative. The boys, having repeatedly embellished their story for the benefit of their friends, no longer knew exactly what they had seen or heard. And a man reported covered in blood, running away down nearby Hortensia Road, turned out to be the victim of a violent robbery.

For a while there were calls for extra watchmen in the graveyard but, as the trail grew cold, memories faded. There is never a shortage of fresh horrors to thrill the public in London.

Quigley dropped the case and promptly forgot about it.

Sidney Grice was not called upon to investigate the murder but, ever the assiduous archivist, he filed all his newspaper clippings of the case in his study at 125 Gower Street under L for *Lamb*, B for *Brompton* and cross-indexed under twelve other categories, including S for *Still to be Solved*.

3

The Hockaday Legacy

ON THE NIGHT of Monday 4 February 1884, whilst British officers were being slaughtered in far-away Soudan, Geraldine Hockaday was raped. Geraldine was the daughter of Sir Granville, a high-ranking official in the War Office, and the case was hushed up as much to protect his own reputation as hers. For not only was the offence itself a stain on the family reputation, but it had taken place in a notorious location, an alleyway behind the Waldringham Hotel in the East End of London, where she had gone with friends in search of adventure.

Sir Granville intended to marry his daughter off to a respectable but impoverished gentleman from Braintree, who – for a generous dowry and the prospect of a parliamentary seat – was prepared to overlook the fact that she had been despoiled. Geraldine, however, had lost nothing of her independent spirit and neither her father's threats nor her mother's pleas could persuade her to enter into the marriage or stop her from reporting the matter to the police.

The police had no difficulty in finding a suspect. Two night watchmen and a member of the public had come across and overpowered a man who was half-carrying and half-dragging Geraldine down the alley. But Granville Hockaday was more than a match for his daughter when it came to being stubborn and she had reckoned without his ruthlessness. He made it clear that if Geraldine tried to testify in court against her attacker, as her father he could have her certified as a moral delinquent and put into an asylum. The case was dropped.

And so the detained man, His Illustrious Highness, Prince Ulrich Albrecht Sigismund Schlangezahn, second cousin to the German Kaiser and one of the wealthiest landowners in Prussia, was released without charge. And Geraldine Hockaday's attacker was free to prowl the streets of London and strike again without fear of the consequences of his actions – that is, until Geraldine's brother, Peter, back from fighting Egyptian rebels at Kassassin and outraged at his younger sister's treatment, took her to share his lodgings in Gosling Lane and sought the help of London's most famous and expensive personal detective, Mr Sidney Grice.

With his help, Geraldine identified the man who had lured her down the alley, a mean and petty criminal with multiple aliases but known throughout the area of Limehouse as Johnny 'the Walrus' Wallace.

4

The Girl on the Bridge

SIDNEY GRICE WAS humming contentedly as he arranged several rows of clear glass wide-mouthed corked bottles on his desk.

'What is it today?' I asked and he crooked his left eyebrow.

'What is what?' he enquired amiably enough.

'Your experiment.'

'It is what it was yesterday and the day before,' he replied and went back to humming again, under the impression that he had satisfied my curiosity.

'Yes, but what is it?'

I wended my way over the scattered newspapers and between the piles of books, some opened face down on the oak-planked floor, many bookmarked with scraps of paper, pencils, twigs, parts of a rabbit's skeleton – whatever came to hand. A braid of black hair had been inserted into Mr Edward Wilson's *A Brief History of Doorstep Whitening in Preston*. That marker came from a victim of Frances Forrester, the Featherstone Flayer.

'I am making a comparison of the rates of dissolution of human tissues in various concentrations of Oil of Vitriol, Aqua Fortis and Acidum Salis.'

'Sulphuric, nitric and hydrochloric acids,' I translated for the benefit of Spirit, my cat, but mainly to prove to Mr G that he had not baffled me – yet.

Spirit was stretched over the back of my armchair, watching the proceedings with interest. Perhaps she thought the bottles contained snacks, but even Mr G would never think of feeding her with these specimens – nineteen of them bobbing about in various stages of corrosion, as my godfather stirred the liquids with a long, clear glass rod.

'Where on earth did you get all those?'

I had seen Mr G's extensive collections of fingers and bones and various other body parts – he was especially proud of his pickled hand of Charlotte Corday, the one with which she had stabbed Jean-Paul Marat during the French Revolution. But I had not known that he had amassed so many human ears.

'Oh, I came across a notice for them in *The Anatomist's Monthly*,' he said airily. 'They came with all the internal organs of a noble bachelor but I have given those to my mother.'

He struck a pair of eight-inch tweezers like a tuning fork against the side of a bottle, listening intently to something only he could hear.

'But why would she want them?'

'Exactly what she asked me.' He held a bottle up to the light. 'This is the nineteenth time since we met that I have reflected that you bear more similarity to my mother than your own.' He shook the bottle. 'I am often struck by how complex is the construction of our auditory organs and how negligently most people use them.'

He fished out an almost intact ear and placed it to drain on a sheet of blotting paper, where it fizzed lazily. And I gave my attention to a copy of the *Daily Telegraph* which had so far escaped Mr G's habitual ripping out of anything that interested him and shredding of the many articles that aroused his righteous anger.

There were the usual advertisements on the front page – Mr Clapper, a barrister-at-law who had not slept for sixteen months until he tried Du Barry's Food to decongest his brain;

a Great Firework Display at Crystal Palace, one shilling, to include a re-creation of the great device of the bombardment of Dover; a woman who learned to play the pianoforte in three days having never attempted such a feat previously. I cast a quick eye over a report about a delegation from the Berlin Conference visiting London to decide how to divide Africa between the European powers.

And then an article entitled *Tragedy on Westminster Bridge*:

An unhappy and sordid event which is becoming all too common in our modern age occurred on Westminster Bridge in the early hours of Sunday morning.

We are reliably informed that Father Roger Seaton, a curate at nearby St Mathew's Roman Catholic Church, was taking his habitual constitutional bicycle ride along Westminster Bridge when he spotted the figure of a woman standing precariously upon the parapet on the downstream side of the bridge.

When Fr Seaton stopped to ask if the stranger needed any assistance, she wailed, 'I am beyond any earthly help now.'

Fr Seaton dragged his Rover safety bicycle on to the pavement and hurried towards the woman. She was young, not much more than a girl, he noticed in the dawn light, and he was of the opinion that she might have been handsome had her features not shown the signs of violent acts upon her person, not least of which was a laceration on her brow. He implored the unfortunate lady to take care and not to do anything rash, but his pleas were futile.

It was too late, the stranger insisted. She gave him to believe that she had been outraged against her will and spent the night running through the streets of London in blind terror of being abused similarly again.

Fr Seaton cautiously approached the young lady, trying to reassure her that another's sins would not be heaped upon her on the Day of Judgement.

'I shall find out soon enough,' she vowed as her would-be saviour drew close to the barrier between them and, at that point, the wronged girl let out a piteous cry and plummeted from her precarious perch.

Fr Seaton expressed his hope that the young woman had slipped as she edged away, for suicide, he explained to our correspondent, is a mortal sin in the eyes of the Roman Catholic Church, condemning the offender to eternal damnation. On questioning, however, he was forced to admit he thought it more likely that she had jumped.

As the inhabitants of and visitors to our great capital city cannot help but be aware, there had been heavy unseasonable rainfall for three days before the tragedy and the River Thames was swollen. A lighterman and his mate heard a cry and saw the troubled girl enter the water near their barge but despite their efforts to rescue her with their boat hooks, the torrents swept her quickly beyond their reach and she was lost from sight and must be presumed to have succumbed to the rushing waters.

The identity of the girl remains a mystery, though Fr Seaton has given a detailed description of her to the Thames River Police. It is believed that she had long dark hair, was aged between sixteen and twenty years and wore an expensive dark blue dress but no hat.

It would appear that she was yet another victim of the violent, licentious and lewd behaviour which bedevils our society and makes the streets unsafe for any lady of good standing to travel unaccompanied without fear of violence upon her person.

We cannot help but question what the Metropolitan authorities are doing to ameliorate the situation.

'How sad,' I commented.

'Indeed,' Sidney Grice agreed. 'It makes one ponder why most people are given two ears to begin with. Oh, that.' He glanced at what I was reading. 'If you would care to use one of the eyes which fate has thus far permitted you to retain, it refers to events on the morning of the third of this month.'

'Why is it still out then?'

He placed the ear in the left-hand dish of his scales. 'There is an announcement on page five, at the top of column two, which I thought might be of interest to you.' He balanced scales with a series of weights decreasing in size until they were pentangles of foil. 'I have encircled it in a noose of my secret formula Startling Sapphire Ink.'

I leafed through the *Telegraph* until I found it. '*Hints for a Lady on keeping her coiffure fresh and hygienic*,' I read out indignantly.

'Unless of course you do not wish to do so.'

Sidney Grice hummed again as he replaced the ear in a bottle labelled *Vitriol, seven per cent solution*.

5

The Wages of Sin

I HAD HEARD TALK of Hagop Hanratty. He ran an empire. Its boundaries were mainly, but not exclusively, within the East End of London, from the Limehouse Basin along the Thames through the docklands to Pennyfields, where it existed in an orderly alliance with neighbouring Chinatown.

Born of an Armenian mother, Alidz née Sarafian, Hagop never knew his father, Joseph, who was killed in a brawl in Crumlin Road Prison, halfway through an eighteen-year sentence for extortion.

With his father's viciousness and mother's business acumen, Hanratty built up a string of businesses, starting with a jellied-eel stall and terrorizing other costermongers until he had a near monopoly of that highly lucrative trade, expanding into the supply of other foods and alcohol, buying and building his own premises. By the time I arrived in the city, Hanratty owned – by Sidney Grice's reckoning – a sizeable portion of the Whitechapel area. His activities were multifarious and nefarious for Hagop did not care what he was involved in so long as it was profitable.

Hanratty was no uncouth thug, however. He had a reputation for being a man of cultured tastes and great charm. His three gin palaces glittered, his music hall – The Hallows – attracted the most famous acts in England, and his theatres put on a range of plays and spectacles to rival anything produced in the more opulent West End. The Waldringham Hotel was one of

Hanratty's pet projects. Whilst its reputation was risqué, its seeming immunity from the unwanted attentions of the police and criminals alike made it an attractive proposition to those wishing to feel secure in their escapades. He began to attract the fashionable, wealthy and powerful to his entertainments, catering for a wide variety of tastes, not all of them legal.

Most importantly, Hanratty kept an iron grip on his empire. The only crimes committed were at his behest and it was his boast that a woman could walk unaccompanied down any of 'his' streets at any hour of the day or night without fear of molestation. He did not take kindly, therefore, to being proved wrong. So, when Johnny 'the Walrus' was brought to trial – contrary to Sidney Grice's advice – for complicity in the attack on Geraldine Hockaday, and released to general dismay, Hanratty let it be known that Wallace was no longer under his protection and he would not be overly concerned if his former minion were to be quietly and quickly removed.

6

The Empty House

Friday 1 August 1884

THE WINDOWS WERE boarded over and the house had obviously been empty for a long time. Dust had made heavy curtains of the cobwebs draped across the hallway and none of them had been disturbed before Sidney Grice sliced our way through with his cane.

I made to follow but he stopped with one foot on the step and his other on the threshold, and put out his arm. 'You promised to wait outside.'

A grey mouse scuttled along the gully by my feet. 'I *have* waited,' I reminded him, 'while you picked the lock.'

'I shall not allow you to risk your safety.'

'But you are risking yours,' I pointed out, 'and your life is worth much more than mine.'

It was rare that an appeal to my guardian's vanity failed and I could see that he was swayed by that argument.

'Nevertheless—' He tipped the brim of his soft felt hat.

'Besides which, you cannot mean to leave me outside here without a chaperone.' I waved my furled parasol to indicate the dilapidated filth-strewn street. It was deserted and we both knew that I had been unaccompanied in far worse places than this. Mr G clicked his tongue.

'Very well,' he decided as the mouse doubled back and

scrambled on to the roadside by my feet. 'But you will stay close by and do *exactly* as I say.'

The mouse rose on its hind legs like a puppy begging titbits.

'Probably and possibly,' I responded to the two instructions.

I found a few stale breadcrumbs in my cloak pocket – left over from feeding the pigeons – and sprinkled them on the ground. The mouse wandered away.

Sidney Grice went inside and I followed into an unfurnished, narrow, uncarpeted hallway, running alongside the wooden stairs and straight to a frosted glass-panelled door that stood a few inches ajar. The dust lay thick and gritty and there was a strong musty smell. The walls bulged with lathes breaking through the thin damp plasterwork and the ceiling sagged in the middle, bursting like a lanced boil.

'Somebody has come in the back way.' I pointed to the faint cleated marks on the floor, coming towards us before going off and away to mount the stairs.

'Those are very like our man's footprints.'

'How can you tell?' They seemed unremarkable to me.

'See how they are twisted and are blurred at the edges by a slight hobbling shuffle? He is preternaturally vain about his undersized feet and squeezes them into the tightest boots possible,' Sidney Grice murmured. 'At least he appears to be alone.'

I closed the front door and there was only a pale glimmer through the boarded windows to light our way.

'Do you have your revolver?' I asked.

He tapped his satchel. 'I shall not get it out unless I have to. A man who sees a firearm pointing at him is more likely to use his own.'

I bobbed to retie my bootlace and he paused.

'The back door is still open. I can feel the breeze.' The whole hall felt draughty to me but I had come to accept that my guardian's senses were more finely attuned than mine. 'Listen.'

We stood noiselessly. 'I can hear nothing.'

'When do you ever?' Mr G did not wait for a reply. 'There is a hansom waiting in the alley. Whoever came wants to leave in a hurry and is willing to pay for the privilege. It is not difficult to hail a cab on the main thoroughfare.'

'Shall we go up?'

He nodded. 'Keep behind me and to the side. The boards are less likely to creak.'

The treads were still quite solid.

'I am surprised they have not been torn out for firewood,' I whispered.

'The locals would not dare. They know who owns this street,' Sidney Grice responded. 'Stop chattering.'

We climbed to the top and here the footprints scattered. Their creator must have been up and down the corridor. Some went to our left and through an open doorway, the rest to a half-closed door of the next room to the right and a shut one at the end.

'The open one?' I suggested and we edged towards it.

We stopped and Mr G pointed. There was a faint shadow on the wall, the silhouette of a seated man.

'Not a good idea to take him by surprise.' Mr G cleared his throat. 'Lord,' he boomed, 'I would welcome a cup of tea.'

'So would I,' I yelled as we approached. 'Let us seek a kettle in here.'

I knew he was in there, but I still jumped when I saw the man who sat facing the doorway and pointing a pistol straight at us.

'Good afternoon, Johnny.' I struggled to keep my voice steady.

The room was bare and unlit except for a pallid slopped rectangle where a board had been torn from a grimy window. Dusk was already falling.

Johnny 'the Walrus' Wallace uncoiled to rise a full five or six inches over us, and spreading almost as much to either side. His trousers were crumpled and he had been a few days in need of a shave.

'You two.' He was breathing heavily. His eyes, watery and red-threaded, were darkly underscored and congested. 'I fought it might be someone 'ere to kill me.'

He pitched to his right, rising on to his left toe to peer past us into the passageway.

'Oh, we may one day,' my guardian assured him cheerfully, 'but by judicial means.'

Johnny Wallace cackled and dropped back on to his heels. 'Leave it awt.' He leaned against the wall, distemper powdering the shoulder of his patched, grey cloth coat and black, low, curve-brimmed hat. 'You ain't got a ragman's scratch to 'old against me.'

The Walrus was not an attractive man. His skin was lifeless and pocked. His nose was twisted and snubby. His upper teeth were so splayed that he could never pull his lips together and there were red streaks from saliva leaking into the creases that ran down from the corners of his mouth.

Sidney Grice took one step forward. 'I am very sorry, Wallace—'

'I shall consult my s'licita over this.' Johnny wagged the barrel reprovingly. 'You can't not keep 'arrassin'—'

'That you have drawn such a conclusion,' my guardian continued smoothly. And Johnny Wallace paused and scratched his armpit, but 'Eh?' was all he could manage.

'Because I intend to harass you into the dock of the Old Bailey,' Mr G explained.

Johnny the Walrus slurped. 'Look – that girl, she wasn't not nuffink to do wiv me.'

'Miss Hockaday recognized you,' I reminded him, 'when we and her brother took her back to the Waldringham Hotel.'

Johnny Wallace did not flinch. 'I gave her directions,' he argued. 'I ain't never denied that. The Barnaby—'

'The what?' I interrupted.

'Barnaby Rudge / Judge,' Mr G translated.

'The geezer wiv a'norchard on 'is loaf.' Johnny rummaged through his poorly scythed marmalade thatch.

'I know what a judge is,' I said irritably, and I understood that *loaf of bread* meant *head*. But I could only guess what he meant by an *orchard*.

'Said there was no case to answer,' Wallace concluded smugly. 'Don't know what all the fuss was anyway. She was pro'lly lookin' to get it when she got it.'

'You disgusting toad.' I stepped forward unthinkingly and Johnny the Walrus turned the muzzle towards me.

'No funny business.'

'I shall not hurt you,' I breathed, wishing that I could, 'yet.'

'You?' Johnny Wallace put out his chest. 'Why, you ain't big enough to 'urt a —'

'Oh, for heaven's sake,' Sidney Grice burst out. '*Ain't? Ain't?* You are worse than my maid and she is very bad indeed. If you mean *are not,* just say it, man.'

'You *are not*,' Johnny Wallace corrected himself, ''ardly big enough to—'

'No, no, no,' Mr G broke in again, pacing the floor and waving his stick like an irate schoolmaster. 'Either Miss Middleton *is not* big enough or she *is hardly* big enough to hurt whatever feeble creature you—' his cane whipped down and the gun flew to Johnny Wallace's tiny feet – 'were going to mention.'

Johnny Wallace bent but Sidney Grice flicked the revolver back over the floor towards me and I cautiously scooped it up. I do not like guns. The last time I had handled one, I almost killed a constable.

'I shall give you a receipt for it later,' I promised and popped it into my handbag, having very gingerly lowered the hammer first.

'Damn,' Johnny Wallace cursed. 'Damn, that frobs. Dammit.'

'Ladies,' my guardian reproved.

'Sorry.' Johnny Wallace rubbed his wrist. 'But I still don't not understand. Eeva she aren't 'ardly big enough or she are and I don't not fink she are.'

'You explain,' my guardian told me, but I had had enough of that game.

'Perhaps later.'

Johnny Wallace sucked his teeth while he considered the situation. 'If you was goin' to arrest me the place'd be crawlin' with bluebokkles long before now,' he decided. 'So what's your game?'

'We have another witness, Mr Walrus,' I told him for I knew that he hated being called that. 'A lady of excellent repute.'

'What was she doin' round the Waldy then?' Wallace sneered.

'Trying to save women from vermin like you,' I replied. 'This lady will swear in a court of law that she saw you follow Miss Hockaday down that alley before the gaslight was smashed and our client was attacked.'

'So?' Wallace shrugged. 'You can't try a man for the same crime twice.'

'That is true,' I agreed, 'but only if you are found not guilty. Your trial never went that far.'

My godfather seemed to have lost interest in us and was rooting about the room, though there was precious little to poke around.

'There weren't no lady.' Johnny pushed the tip of his tongue between front teeth. 'What lady?'

'Me.'

'You're makin' it up.'

'I most certainly am,' I agreed. 'But whose evidence is a court more likely to believe?'

'That ain't nice.' Johnny's voice took on a wheedling tone. 'Even if I did send her down the back way, it wasn't me what did 'er.'

'Then who did?' I demanded and Wallace coughed and his face twitched with fear.

'I'll take my chances in any court any day before I'd go against 'im.'

Mr G lowered his head and considered the statement. 'Very well,' he decided. 'If you will not tell us the attacker's name, at least give me that of your companion.'

Johnny Wallace scratched his groin and growled. 'Wha' companyun?' And, for the first time, Johnny Wallace seemed genuinely puzzled.

'In that case,' Mr G said quickly, 'I suggest you step smartly aside.'

Johnny Wallace laughed throatily. 'I don't not know what you're playing at.'

Sidney Grice leaped towards him and as he did so there was a snap like a twig breaking and I looked up to see a narrow metal pipe withdrawing though a hole in the ceiling and there were footsteps and the ceiling bowed, splintering into fissures.

Johnny Wallace doffed his hat. 'Funny,' he said wonderingly.

'Stand back,' my guardian commanded me.

I obeyed automatically, my eyes fixed on Johnny as he put a hand into his hat and poked a thumb through the crown.

'What has happened?' I watched the cracks speed overhead.

Sidney Grice ripped his satchel open and brought out his ivory-handled revolver. 'He has been shot.'

'Shot?' Johnny Wallace sniggered and tossed his hat aside. It flopped comfortably into a corner.

Mr G raised the revolver in both hands high above his head, pointing to where the ceiling was rupturing near the far wall. I put my fingers in my ears but the two detonations still made my head ring. A three-foot section of plaster disappeared, showering a fog of powder and splinters of wood all over us.

Sidney Grice was miraculously unsoiled. He lowered his gun and I hurried to Johnny Wallace. Johnny was patting his chest, not to clean the debris off his waistcoat but checking himself against my guardian's claim, oblivious to the dark pool appearing on his forehead. He blinked as it trickled over his eyes and, as he bent, I saw a cavity, the shape and size of a half-penny, just above his hairline. I ripped off my scarf, intending to stem the flow, but Johnny skilfully dodged past me. The blood was pumping now, bubbling like mud over a leaking water mains, and Johnny staggered sideways in a grotesque novelty dance, tricky little steps with crossed feet, one knee bending and then the other, limbo dancing with arms thrown out, then everything buckling as he went down. I tried to catch him, but Johnny was wrenched through my fingers by the heaviness of his fall.

The back of Johnny Wallace's head smacked on the bare boards and bounced twice.

'Blimmit,' he said.

I kneeled beside him and pressed my balled-up handkerchief uselessly over the cavity, the silk instantly saturated.

'You are – to all intents and purposes – a dead man,' Sidney Grice informed him chattily, leaning on his stick to contemplate the spectacle. 'So you had better hurry if there are any last-minute confessions you wish to make.'

Johnny drifted and I thought he had gone, but he rallied and made an effort to sit up. 'That woman—'

'Which woman?' Sidney Grice demanded

The wounded man's eyes were lost already but he sagged back and managed to raise a hand to beckon me. I put my ear to his mouth. Five words. I heard them sough and then a short faint cough, and then nothing.

I stood up and wiped my face but my hands were as bloody as my cheeks.

Sidney Grice dashed to the door.

'Look out of the window,' he rapped. And from the corridor he called, 'I shall look out of the front. Shout if you see him.'

I hurried to the window, grasped at one of the planks and heaved it, but it was solidly nailed into place. The gap was just about large enough to squeeze my nose and one eye through, and I was still unpinning my bonnet to do so when I heard two sets of crashes – one from the front room, where my godfather seemed to be having more success with the boarding, and a series from behind me and then above. The ceiling bowed and there was a loud cracking as it gave and a boot broke through.

'Gah!' somebody exclaimed, wrenching at his leg, snared in a tangle of lathes.

'Quickly,' I shouted and heard footsteps approach, then Sidney Grice burst in just as the boot pulled free.

He raised his revolver and I braced myself. But another bulge near the wall showed that the intruder was already over the adjacent room. Mr G was out in the corridor and through the next door, just in time to see another series of splits disappear into the neighbouring house.

'Either he gashed his leg or I got him.' Sidney Grice pointed to a dark stain above our heads. 'I shall have the hospitals and medical practices questioned. If he seeks help, there may be an honest doctor somewhere, though I have yet to meet him.'

We went back to Johnny.

'He said the *Empress of Cathay, ten thirty*,' I told my guardian.

'I doubt it.' He put his gun away.

'I heard him.'

Sidney Grice crouched and rifled through Johnny Wallace's pockets. 'As you wish.'

'Perhaps it is the name of a horse he had backed.'

Mr G tossed a rag aside. 'His watch has been broken.'

'Or a greyhound.'

My godfather whistled quietly, content in his work. 'But not recently.'

'Can we not get into the loft?' I asked, shocked by his inaction.

'We could.' My guardian stood up, brushing the dust from his knee. 'But, first, the killer might still be up there and will have had plenty of time to reload his – assuming it is a man – device. Would you care to be the first to introduce yourself into his line of fire?'

I admitted that I would not and Sidney Grice continued calmly, 'And, since my head is of much more use than yours, neither would I.' He fluttered his eyelashes. 'Second, as even you should know, the roof spaces of these terraces interconnect.' He peered out of the window. 'He could have climbed down into any of twenty-two houses to effect his escape.' He beat the plaster from his Ulster coat. 'What a nuisance.'

'Is that all you care about – the dust on your clothing?' I cried. 'A man is dead.'

My guardian blew sharply out between closed lips.

'And the world,' he swept his hand to indicate the whole of the humanity, for which he had very little regard, 'is a safer and better place without him.'

'Why was the shot so quiet?'

'It was an air gun,' he told me.

'An air gun?' I repeated incredulously. I remembered shooting crows with one in Parbold and even a direct hit did not always kill the bird immediately.

'A point four five two judging by the size of the wound.' Sidney Grice made a ring with his thumb and first finger to demonstrate the size. 'People think of air rifles almost as toys now, but I have seen a Bavarian wild boar brought down from five hundred yards with a Windbusche.' He ambled round the corpse. 'Whoever it was had the sense not to take the hansom and risk me seeing him gaining ingress.'

We went down to the kitchen where I pumped out a gush of brown water that stank so foully that I dared not use it.

'Do you ever think of the pity,' I beat the dust off my cloak but the cloud quickly settled down on me again, 'that these men must have been babies at their mothers' breasts once?'

Mr G winced at my coarseness but only said, 'Oh, March, of

course I do…' he handed me a cloth from his satchel, 'not.' He looked about him. 'There is a cab going to waste out there. Come, goddaughter. It is quite two hours and four minutes since we consumed a cup of tea.'

*

'Man wott I brung 'ere? Dark coat and muffler. Must 'ave bin boilin' in this 'eat. Collar up, big-brimmed titfer down,' was the best description we could get from our driver.

'What sort of accent did he have?' I enquired.

'Dunno.' He tightened the right rein to turn us into the thoroughfare. 'Passed me a note sayin' *Chase Street and wait.*'

'I am only surprised he can read.' Mr G made no attempt to lower his voice as he raised an impatient hand. 'Show me.'

But the cabbie snorted. 'Took it back orf me.'

'Did you see his hand?' Sidney Grice asked.

'Levva glove.' He edged us into a steady stream of traffic. 'What's this all abart?'

We passed a hearse, the undertaker sleeping in the back, his brushed-to-a-gleam top hat rising and falling on his chest.

'Did you not find his behaviour strange?' I asked.

He double-clicked his tongue at the mare. 'Get all sorts in this job.'

'Of course,' I realized out loud. '*Orchard pig/wig.*'

'Not none so strange as you two, though.' The driver closed his hatch.

*

I could smell the blood on me when we returned to Gower Street, and I would never get used to that.

'Regarding your threat to Wallace, I would not have permitted you to perjure yourself.' Mr G rapped on the door.

'I was bluffing,' I admitted and he permitted me to witness the figure of a smile.

'It can be convenient sometimes,' Sidney Grice conceded, 'to work with a liar.'

Molly opened the door and I followed my guardian in with some satisfaction. I already knew he regarded me as untruthful, but I had never known him before to acknowledge that we worked *together*.

7

The Letter

Dear George
I almost started this letter My Darling George for that is what you are and always shall be to me.

I have been miserable since you went away. I pretend to have headaches to excuse my moodiness but it is my heart that really hurts. You cannot pretend that you do not love me and, if you did, I should not believe you. I saw the anguish in your eyes when we last parted.

So what is keeping us apart? The geographical distance between us can be breached in a matter of hours. I could be in Ely and in your embrace the very day that I hear from you.

The gulf that separates us is my money and I can do little about that at present, but I made an offer before and I am making it again. When I am twenty-five and can take control of my late father's estate, I shall assign every penny that I have inherited to you. We can live on that or, if your pride is really so delicate, you can give the money to any worthy cause of your choosing and we shall manage on your income. What use is my money to me when it keeps me from the man I love, who I know loves me in return?

I have lived too long with memories and ghosts. I want to cast them aside and live for the living.

Oh, George

I screwed up the letter and rammed it in my mouth to stifle a sob. I was not weak and I would not give way to weakness.

> *Dear God, George, I prayed, how can you look at the sun and know that I am under it too? How can you be so cruel? I am being crushed like this letter, shredded like the dozens more that I have written and never sent.*
>
> *If I thought that death would bring us together or end my suffering, I would take it without a second thought.*

And it was only that night, after I had written in my journal, that I remembered the name of a new coffee house in Montague Place and realized that, infuriatingly, Sidney Grice had probably been right yet again, and that I *had* misheard Johnny Wallace's last words.

8

The Empress Cafe

'WHAT *EXACTLY* DO you hope to achieve by all these visits?' Sidney Grice demanded.

I clipped the chain around my neck. It was my lightest cloak, yet still too heavy for the oppressive summer heat. But I might as well have run naked down Oxford Street for the way my godfather would have reacted if I had set foot outside without one.

Molly was sitting on the floor, dusting the undersurface of the hall table where her employer had been furious to discover a flake of a suspect's dandruff that had gone missing six weeks ago.

'I do not know.' I picked my bonnet off the hall table and he shook his head. 'But if you only looked for clues where you expected to find them you would never find any.'

I put the bonnet back.

My guardian tossed his head to flick back his thick black hair. 'On the contrary, eighty-four and one quarter per centum of the clues I seek are exactly where I expect them to be. It is only the remaining fifteen and three-quarters per centum that make my job interesting.'

'I aintn't not never had a clue,' Molly said wistfully. 'Everybody says so – even people. Do they taste good?'

'Not usually.' I put on my other bonnet, and my guardian treated me to a that-will-have-to-do shrug.

Ignoring Molly, he continued, 'Of course, the real challenge lies in calculating what the clues mean.' He turned his back on me and twisted the handle of his periscope stick to view me through it.

'Dontn't not you know neither?' Molly lunged at a cobweb on the gas mantle and it floated out of reach unscathed.

'Ox-brained sloven,' Mr G growled irritably.

Molly grinned. 'Ox's is very clever, aintn't they, sir?'

'They are not famous for it.' I selected a parasol from the stand and Mr G edged back uneasily.

But Molly was undeterred by my information. 'And that's where London is – aintn't it not? In Sloven England.'

Sidney Grice clipped the ferrule back over the lens of his cane. 'I am talking about the deductive process,' he snapped.

'You are not the only one who can do that.' I opened the door, disappointed to find no cooling breeze. 'For instance, I can deduce that you have recently acquired a navy-blue cravat with paler blue polkas.'

My godfather cocked his head to one side and then the other like an intelligent terrier. 'How on earth can you know that?'

'By doing what you are always trying to persuade me to do – using my senses.' He followed my gaze and saw Spirit coming down the stairs, dragging a frayed length of silk as proudly as if she had caught a rat.

'That dratted animal.'

The sun blazed and, because there was no need for domestic fires, the sky was almost blue through the factory fumes hanging in the atmosphere.

'Ladies,' I reminded him, and stepped out into the filthy acridness that Londoners call *air*.

'I shall get rid of that creature once and for all,' he threatened, shutting the door firmly, and I might have believed him if I had not occasionally caught him playing with her.

It was not far to Montague Place and I liked to walk,

watching the children racing with the hoop of a barrel in the street, listening to the vendors peddling their wares – beef sandwiches, coloured bottles, linnets in willow-wicker cages – and little Betty, from whom I purchased a sprig of lavender, at her usual patch on the corner of Torrington Place.

The Empress Cafe was quite a large establishment and almost always busy. If truth be told, I was half-convinced that my guardian was right. I had no idea who or what I was looking for, but, if it was important enough for Johnny Wallace to use his dying breath, I thought I should at least try. Besides, I rather liked it there. The decor was cheerful and modern with green floral tiles and paintings of Paris on the walls. It was difficult to imagine that the City of Lights had been in the grips of starvation and terror scarcely more than a decade ago.

The manager may have been sullen but his employees were quick and amiable, and ladies who sat away from the windows were allowed to smoke. I was shown a table in the far corner, and ordered a pot of coffee before settling down to survey the other customers and try, as always, to work out what constituted suspicious behaviour. The unshaven man immersed in a broken-backed novel – he had been at the same table by the cake counter every day – was he waiting for Johnny? The woman in grey with a brown paper parcel – she was obviously ill at ease – was she going to deliver something? Mine was a fruitless task.

My coffee had just arrived when the doorbell clanked and two women came in – a petite, pale young lady struggling on crutches, with her companion, slightly taller, statuesque and heavily veiled, arms linked to support her. The companion was engaged in an animated conversation with the waitress and I saw that they were being turned away.

I hurried over. 'Is there a problem?'

The woman on crutches was clearly having considerable difficulty standing up. 'Apparently they are full,' she said hoarsely.

She was in her mid-twenties, I guessed, and her face was badly scratched and bruised.

Her friend's veil puzzled me. It was Lincoln green and I had never seen one so impenetrable except in black for deepest mourning.

'It is too bad,' emerged a light feminine voice from behind the gauze.

The waitress was pink. 'The manager says I mustn't push people on to tables that are already occupied. Customers don't care for it.'

'These ladies are my guests,' I said. 'If you can make it to the back there.'

'For a half-decent beverage I could make it on to the roof,' the woman with crutches avowed, and struggled between the chairs and parcels on the floor to flop exhausted but triumphant at my table. 'This is very good of you.' She propped her crutches against the wall.

'Two coffees and iced buns,' her companion ordered, and the waitress hurried away.

'March Middleton,' I introduced myself. 'March.'

The lady with the crutches held out her hand. She had masses of curly blonde hair, topped by a neat periwinkle-blue bonnet, and a sweet face, but, the more I looked at her, the more damage I saw. Her right cheekbone was indented and she had a healing split in her upper lip.

'Bocking,' she said in her croaky voice. 'Lucy Bocking.'

'I am pleased to meet you.' I turned to her companion.

'Might as well get it over with.' She lifted the veil up over her hat, and I am ashamed to confess that I shot my hand to my mouth. It was difficult to judge her age for her face was shrivelled, not by time, but partly eaten as if by acid. Her eyebrows and eyelashes were missing and part of her upper left eyelid. And her skin was yellowed by streaks of scar tissue between angry scarlet pools of tissue-paper skin. 'Freda Wilde.' She gazed straight at me, daring me not to look away. 'Friends call me Freddy.' Her right hand looked normal as it extended towards me and her grip was strong.

'How do you do, Freddy? Do you mind if I smoke?'

She smiled lopsidedly. 'I would mind more if you did not.' And she delved into her voluminous handbag.

'Have one of mine.' I held out my father's silver case. 'If you do not mind Turkish. I find they have more flavour.'

Freddy took one, but Lucy shook her head. 'Not for me – but please do not let me stop you.'

Freddy was already lighting hers and held out the Lucifer for me.

'Is there a greater pleasure than your first cigarette of the day?' I sucked deep into my lungs.

'None that I can think of,' Freddy agreed, 'but this is at least my sixth.'

The waitress returned with more cups and another pot, and she was taking them off her tray when she caught sight of Freddy and slopped coffee on the tablecloth. 'Oh, I'm so sorry. Shall I change the cloth?'

'Do not trouble.' Freddy waved her away and added, 'At least she did not scream.'

I did not know what to say to that. 'Have you never smoked?' I asked Lucy. 'Like Woking Crematorium,' she replied, 'but I find tobacco irritates my throat at present.'

'You have a cold?'

Lucy's white face coloured and something struggled its way across it – a mixture of hate and fear that fought its way into her mouth as she choked out the words.

'You think a cold did this?' She indicated her crutches and her broken cheek. 'A man did this.' She cried out as she touched her throat. 'Or a vile creature posing as one.'

9

The Terror of Ferns

'IF I HAD wanted to do house calls,' Sidney Grice grumbled as he stretched to step over a damp patch, 'I would have become a plumber.'

'I am not sure Lucy could get up our steps,' I told him.

'What then?' he enquired. 'Am I to have them removed and my house lowered?'

He buttoned his coat collar. 'And now it is raining.'

I had not brought my umbrella, as my guardian had what he described as *a rational fear* of anything that flapped. He gave me his arm and I skipped out of our cab on to the kerb.

'It is not too heavy.' I held out my hand, palm upwards.

'*All* rain is too heavy,' he decreed. 'If it were not, it would not fall from the clouds.'

'Perhaps it will clear the air.'

'London air is never clear, nor is it meant to be.'

I looked about me. Grosvenor Square was one of the most exclusive developments in Mayfair, one of the most expensive areas of London and, therefore, the world. It was built round a large gated garden and was unusual in that most of the houses were individually constructed rather than the more conventional uniform terraces. It was no less imposing for that, though, and the property we faced on the north side was a splendid four-storey Regency villa with high arched windows. Carved into the white stone facade, and highlighted in ebony to match the front door, was the name: Amber House.

Mr G tapped the steps with his cane. 'She managed to ascend these.'

'There are only two and we have six,' I pointed out. 'I should have thought you would have observed that.' And, before he could retaliate, I added, 'At least this gets you out of the house.'

'I do not wish to be *got* out of my house. If I did I should never have gone into it.' He forced the wide brim of his soft felt hat down over his eyes. 'I trust you have not familiarized these women with Miss Hockaday's case.'

'For once your trust in me is not misplaced.' I knew better than to discuss another client's business, especially in so sensitive a matter. 'Do you think the crimes are connected?'

Sidney Grice prodded the foot scraper with his toe. 'All crimes are connected,' he proclaimed unhelpfully, 'if only by the fact that they are crimes.'

I stepped back to look up, narrowly avoiding a collision with a passing cobbler's handcart.

'Make your shoe good as noo,' he bellowed in my ear as I skipped clear. 'Fix the 'oles in your soles.'

'Be quiet,' my guardian snapped.

'I ain't done the bit abart 'ow you nevah saw shinier levvah,' the bootmaker grumbled as he trudged by. His lips, I noticed, were stained brown, and I wondered if he sucked his blacking.

I craned my neck to admire the house's decorative capitals. 'It does not look like Miss Bocking will have any trouble paying your fees.'

Mr G slid a shrivelled worm out of the way with his cane. 'Clorrence Bocking, her father, was reputed to have been the one hundred and nineteenth richest man in England.'

I went up to the door. 'Where did his wealth come from?'

'From stealing the design of a safety pencil sharpener and patenting it whilst the true inventor, his younger sister, was recovering from an accident with her self-tightening corset.'

'There was a court case about that, was there not?' I racked my brains for something that a detective should be doing but came up with nothing.

'Indeed.' My guardian ran a gloved finger down a railing. 'But, since it was a civil action, I have no record of it. I shall peruse the details before the week has expired.'

The door was opened by a neat maid in a rigidly starched hat and gleaming white apron, with a welcoming 'Good afternoon'. She spoke to us pleasantly. 'Can I help you?'

'Mr Grice and assistant to see Miss Bocking.' Mr G thrust his card at her.

'Please come in. Miss Bocking is expecting you.' We stepped into a rectangular hall, the pale marbled floor inset with an apron of green squares and the pale cream walls with a faint bamboo pattern, brightening it even in the weak daylight that seeped through the windows to either side of the door. 'If you could wait here one moment,' she requested after taking our overcoats and hats.

'If we could wait here, what?' Sidney Grice resisted her attempts to relieve him of his cane.

And the maid bobbed in confusion. 'I am sure I don't know, sir.'

'I am partially mollified to learn that you are sure of something, if only your ignorance.' He shooed her off with the back of his hand. 'Go.'

The maid bobbed. 'Yes, sir.' And she scurried away.

We watched her go down the hall and turn right.

It was a pretty entrance, I thought, periwinkle wallpaper and a marble floor veined in a hint of pink, and the stairs had a cheerful rose runner.

Sidney Grice swallowed noisily.

'Assistant?' I turned on my guardian. 'I have a name.'

'So does your cat,' he replied, and I was about to respond that he actually used hers, when a voice came from inside the room.

'I will deal with this, thank you, Aellen.'

The maid came out and turned back up the hall, and Freddy appeared in a dark blue dress with darker blue trim, and walked straight towards us. Her movements were graceful and, with her slender figure, she could have been a striking woman were it not for her injuries. Her face was as scarred as I remembered and, without her hat, I saw that she had short, sparse, straw-yellow hair.

'It is good to see you, March.' She took my hand briefly. 'Good afternoon, Mr Grice. I have read so much about you.'

'How much is so much?' My guardian stood on tiptoe to peer over her shoulder.

'A great deal.' Freddy looked edgily behind herself but there was nobody there.

The famous detective showed no interest in furthering that conversation, but appeared to have taken an avid one in Freddy Wilde's bosom, bowing until his long thin nose seemed about to be buried in it. Freddy leaned back, uncomfortably, but his crooked finger came up and tapped something metallic.

'That is an unusual amulet.' He straightened and I glimpsed an ornamented silver cylinder inset with a few bright rubies hanging from her neck. 'What does it contain?'

'Perfume.'

'Then please do not allow the aroma to escape.' Sidney Grice clasped his hands in supplication. 'It may make the webs of my toes tingle and I have little appetite for that experience.'

'It was my mother's.' Freddy fingered the chain. 'From Turkey, I believe.'

'Persia,' he corrected her. 'Safavid dynasty from the Herat region. The filigree style is unmistakeable to the tutored eye.'

Freddy looked impressed. 'March told me that your powers are quite miraculous.'

Mr G examined himself in the ornately gold-framed mirror. 'My senses are extraordinarily acute.' He removed a minuscule smut of soot from his nose. 'And my intellect without parallel. But I leave miracles to the Bible, shabby conjurors, shabbier politicians and miracle workers.'

'Very well.' Freddy stepped forward into the weak rays coming through the fanlight. 'How did I get this face?'

My guardian surveyed her briefly and expressionlessly.

'It is the face with which you were born,' He drew out a red paisley handkerchief. 'That it was hideously disfigured by fire is obvious.'

Freddy winced at his choice of words and tipped her head back. 'Go on.'

Sidney Grice shone the lenses of his pince-nez but did not clip them on. 'Not quite so obvious to lesser beings, perhaps, are the twin facts that you were unconscious while the heat wreaked most of its havoc and that you must have been about twelve years old.'

Freddy looked at him suspiciously. 'You have prior knowledge.'

'I have not.' He straightened the cuffs of his coat. 'That you were unconscious is witnessed by the conditions of your hands, eyes and lips.'

Freddy touched her cheek. 'How so?'

Mr G licked a finger to arrange his eyebrows.

'When a conscious person is caught in a fire they do one or both of two things. They try to beat out the flames, burning the palms of their hands and/or they cover their faces, so that the back of their hands takes the brunt of the damage. The skin on your hands is as unblemished as that of your face must once have been. That your eyelids were closed is demonstrated by the degree of damage that they suffered whilst your eyeballs – bar a wisp of scarring in the left cornea – are relatively unscathed.'

Freddy's eyes glistened. 'Go on,' she said unsteadily.

'The epidermis was seared off most of your face, including

your lips, except for those areas on the lower.' I looked and saw that he was right. Between the scars and raw areas were several straight-edged patches of clear vermilion border and small areas of undamaged skin for about an eighth of an inch below, the two middle marks being almost rectangular.

'And so?'

'Your upper teeth are proclined some thirty to thirty-five degrees from what is considered aesthetically pleasing by those of a more trivial disposition than mine, and you have a tendency to slip your lower lip behind them. They protected those covered parts from the full effects of the fire. Teeth are remarkably resistant to heat, as witnessed by many a murderer's attempts to incinerate his or her victim's corpse. If you had been awake during the conflagration your mouth would not have been relaxed. You would have been calling for help or screaming, with your mouth wide open.'

'And my age?' Freddy asked quietly.

'The patch in the left corner is almost twice the width and length of the right,' Mr G put his handkerchief away. 'The left was clearly a permanent tooth and the right a deciduous. As a rule the permanent dentition of girls develops before that of boys, especially wealthy girls – which you undoubtedly were from your unfeigned accent – and the permanent canines erupt between the ages of eleven and thirteen. You were in a transition stage – hence I estimated that you were approximately twelve years old.'

Freddy touched her left jaw with the tips of her fingers. 'It was my thirteenth Christmas and my parents had lit the candles on the tree. They left them burning. I do not know why. My mother and father were killed, along with Lucy's brother and our two maids.' She swallowed. 'People tell me I was lucky.'

I took her hand. 'How cruel life is.'

Freddy wiped her eyes. 'Your ward did not exaggerate your powers, Mr Grice.'

My guardian ran a hand through his thick black hair. 'Perhaps I can put them to profitable use now – if you have finished your amble down memory lane.' Freddy gasped and I rounded on him.

'You could teach life a trick or two when it comes to callousness.'

But Freddy stopped me. 'I am sorry to waste your time, Mr Grice.' She blew her nose and composed herself. 'Lucy must be wondering what we are up to. I have left her in the fernery.'

'What terrors are contained within that final word,' Mr G mumbled.

We passed through a nice duck-egg blue drawing room into a vast conservatory that had been transformed into a miniature jungle. I had rarely seen such a profusion of ferns: mossy plants grew out of a tree trunk, which stopped just short of the lofty glass roof; two of the walls were made of boulders, creating cliffs – some twenty feet or more high – from which projected and hung larger plants; and free-standing bushes grew from peat beds round the sides and in the middle of the room.

'Green.' Mr G recoiled.

'I see you are exercising your detective's skills already,' a voice said.

And we peered between the masses of vegetation to find Lucy Bocking, quite tiny and dressed in dusky pink, in a high-backed cane chair at the far end of the room, her feet on a wicker footstool.

'Mr Grice does not like the colour,' I told her, and parted some fronds to make my way down a limestone path towards her.

'I loathe it.' He followed reluctantly. 'It is evocative of meadows and pastoral poetry.' He shook her hand. 'Good afternoon, Miss Bocking.'

'Please call me Lucy.' Her hair was pinned back by an ivory

comb carved into an intricate latticework, but the front still fell into a fringe.

'No,' he said. 'I am known as a casual fellow, but I dislike familiarity with my clients.'

'So I cannot call you Sidney?' she teased.

She had a choker around her neck with a cream-coloured button at the front.

'Even my mother never called me that.'

'What did she call you then?'

'The same as she does now.' He raised a puzzled eyebrow. 'Grice.'

Lucy's mouth twitched. 'So what did she call her husband?'

'Why, Mr Grice, of course.'

He wiped his hand on a handkerchief monogrammed mysteriously with the initial Q, and I bent to kiss her cheek. 'How are you, Lucy?'

'I am well,' she assured me, though clearly she was not. Her voice was still hoarse. Her cuts were scabbing and the bruises fractionally fading, but her right eye was still almost closed and her arms trembled when she held them up to me.

Sidney Grice and I sat in two bamboo chairs facing her, he with his satchel on his lap.

'Given the unsavoury nature of your case, if I am to believe – as I do occasionally – what Miss Middleton has told me…' he toyed with the strap buckle, 'I shall be obliged to say things which you will find embarrassing and I deeply so.' Mr G wrapped the strap loosely around his wrist. 'So I shall commence with a medical enquiry.' Was it the light or had he gone a tint of pink? He pulled the strap tight. 'Does your right acetabular-femural joint hurt very much?'

'My hip?' Lucy half-smiled at his circumspection and half-frowned in puzzlement. 'But how did you know?'

'Your foot is turned forty-eight degrees medially, and the only joint capable of rotating axially that far in that direction, without dislocation or fracture, is in your pelvis.' He pulled on the strap, taking his reluctant left hand for a walk. 'If it were your knee or ankle you would be in traction.'

'How do you know I was not born pigeon-toed?' she challenged, as he loosened his leash.

'Those bovine epidermal boots, though in keeping with modern stylistic fads, are not especially new. If you were in the habit of walking in such a manner, the soles would have been more unevenly abraded.'

'Bravo.' Lucy clapped like a little girl at a magic show. 'And, in answer to your question, yes it does. I can hardly walk on it.'

'Good.'

'I am glad you think so.'

Sidney Grice slipped his hand out of the noose. 'Are you literate, Miss Bocking?'

'What?' Lucy laughed uncertainly. 'Yes, of course.'

And he thrust a blank postcard at her with a stumpy black pencil.

'Then kindly write neatly – though not in block capitals for I am not in the mood to look at those today – the names of your solicitor, if you have one, accountant, if you have one, and doctor, of whom you must have at least one.'

Lucy took them from him. 'Why do you need those details at this stage?'

'I do not.' Mr G laughed mirthlessly. 'And I might never, but I have a sick fancy to see their names in your hand.'

Lucy took the items silently and began writing.

'Shall I ring for coffee?' Freddy asked from behind us.

'Tea,' he instructed.

'I am not a servant,' she muttered and tugged a rope just inside the sitting room.

'What exactly are you?' Sidney Grice challenged as she returned.

'A companion.' Freddy said quietly.

'Freddy is my best friend, almost my sister,' Lucy began, but Mr G silenced her with a raised hand.

'One cannot *almost* be a sister,' he corrected her. 'Sorority is an absolute relationship between females, which has been created either by mutual genetic parentage or the legal process of adoption. To put it simply enough for you to comprehend, either one is a sister or one is not.'

'Lucy means that we feel like sisters to each other,' Freddy sought to explain, but my guardian shushed her also.

'If I had required one I should have employed the services of a professional interpreter, but I am hopeful that Miss Bocking will manage to express her thoughts more articulately.' He turned back to Lucy. 'Have you finished writing?'

'Yes.'

'Then pass the result of your labours to me.'

'Have you ever heard of the word *please*?' Lucy held the card out and he rose to take them back.

'I have,' he assured her gravely, 'indeed. Pray resume your exordium.'

Lucy clicked her tongue. 'Miss Wilde and I lived next door to each other as children. My parents were her godparents and her parents were mine. We played together and after the accident—'

'I have told them all about that,' Freddy broke in.

'Not *all*,' Mr G interjected. 'Merely a synopsis.'

Lucy patted her arm. 'Freddy came to live with us and has remained ever since, and now there are just the two of us.' She laughed croakily. 'And what a fine pair we make, me crippled and—'

'Stop,' Freddy hissed. 'Your wounds will heal and one day you will walk as though nothing has happened.'

'One wound will never heal,' Lucy struggled to get up on her elbows and Freddy put an arm under her shoulders, 'until I am avenged of the animal who did this to me.'

'I take it you use the word *animal* metaphorically.' Mr G

hauled out his hunter by the chain. 'I am not, *exempli gratia*, expected to search for a tortoise.'

'Is that a joke?' Freddy seemed ready to pounce through the fronds of bracken drooping between them from a terracotta amphora.

'You may infer the answer from two pieces of evidence.' My guardian's face had a mysterious aura in the dappled light. 'First, my demeanour and, second, the brief extract from my memoirs which I shall relate immediately.' An umbra fell across his eyes. 'I was approached five over two thousand days ago by a woman of good repute, who gave a lurid and graphic account of being molested by an escaped an-a-con-da. Her credibility was somewhat tarnished, however, by her description of what it did with its hands.'

Notwithstanding – or perhaps because of – the grave way Mr G delivered this information, the three of us burst out laughing.

'Oh.' Lucy put her hands protectively over her midriff. 'I really should not do that with cracked ribs.' She shifted in pain. 'I mean a man, of course,' she croaked. 'He ruined me for life, Mr Grice, and I want my revenge.'

'Vengeance,' Sidney Grice ruminated. 'I am not much interested in facilitating that, but the capture and punishment of criminals is something to which I devote every waking and many a sleeping moment of my life.' His face shone with a zeal that is normally only seen in paintings of visionary saints. 'Thank heavens,' he cried. 'I hear the clatter of bone china on a Japanese oak tea trolley with brass wheels approaching this miserable lair.'

10

Gretna Green and Garibaldi

A DIFFERENT AND YOUNGER maid brought the trolley, negotiating her way nervously along the meandering paved pathway through the undergrowth into the clearing. She had an anaemic face with the big, soft and timid eyes of a doe.

'Miss Wilde will pour,' Lucy told her, and the maid chirruped nervously as she left. 'The other servants have been teasing Muriel that you have come to arrest her, Mr Grice.'

My guardian leaned over the pot, lifted the lid and sniffed. 'I have little doubt she will end in penury with or without my help.' He replaced the lid. 'Any maid who serves morning tea in or after the first quarter of the post-meridian is either morally degenerate or a simpleton or both.'

'I think we only stock one kind of tea,' Lucy told him, and his cheek ticked twice.

'The stuff of nightmares.' He pulled his coat around him.

'Would you care for a Garibaldi?' Freddy held out a plate of golden glazed wafers of pastry filled with currants, and I took one.

'I would prefer to be offered information.' Mr G rattled his fingerplates on the lid of his hunter watch but did not open it.

Lucy licked her lips nervously. 'Perhaps I should start at the beginning.'

My guardian unclipped his satchel. 'You will start where and when I instruct you to.' He brought out a black cloth-bound notebook.

'You are the rudest man I have ever met,' Lucy complained and he smiled thinly.

'More ill-mannered than the man you allege assaulted you?'

Lucy gasped. '*Allege?* How dare you?'

'Once we become comfortable in each other's presence, you will marvel at what I have the courage to say.' Sidney Grice shook his pencil as if driving the mercury down a medical thermometer. 'But let me ease you on to that halcyon path by informing you that I am obliged to consider the possibility that you may be a liar.'

Lucy battled to keep calm. 'I did not get these injuries falling downstairs.'

'Perhaps you paid somebody to assault you in order to implicate somebody else against whom you have a grudge or wish to blackmail.'

Again it was Freddy who flared in indignation. 'If you live to be a hundred, and I hope you do not, you will not find anyone more honest than Lucy.' She crossed her arms. 'Why, she was so religious as a girl that she went to a convent for a year and nearly became a nun before the fire.'

'Which?' Sidney Grice rolled the pen close to his ear like a connoisseur appreciating a good cigar.

'The one that destroyed Steep House, my parents' home.' Freddy gripped her own sleeves.

Mr G listened to his pencil intently.

'Why was it called Steep House?' I asked.

'It was named after Mr Shorrow Steep,' Freddy explained. 'He built our house and Lucy's parents'.'

'He built Miss Bocking's parents?' Sidney Grice threw up his left hand like a schoolboy asking to be excused. 'Surely you are being whimsical?'

'I cannot think of anyone with whom I would be less likely to share a jest.' Freddy touched her temple.

'I can,' he assured her, a folded knife appearing in his left hand.

'Freddy meant her parents' house,' I explained, not sure if I really had to. 'Were the two houses of a similar design?'

'Identical.' Freddy viewed Sidney Grice warily. 'Except that our house was rendered.'

'Rendered what?' He tensed his thumb and the blade shot open.

'With stucco.'

'And did you sleep near your parents?' He tossed the knife high into the air to crash through the greenery overhead.

Freddy shook her head. 'My parents preferred the opposite wing to mine.' She paused as the knife hung at its zenith before hurtling down. 'They liked to watch the sunrise.' Freddy cringed as Mr G closed his eyes and caught his missile by the blade. 'But I always thought Lucy and I had the best rooms,' she battled on. 'We could spy on people coming and going, and our side windows looked straight into each other's across the hedge. In fact we used to put our favourite dolls on our window ledges to watch over each other.' She looked sideways at her friend in embarrassment. 'All very childish, I know.'

'Very,' Mr G agreed heartily. 'If we might return to our monstrously neglected client and my unhappily misinterpreted question.' He clinked the tip of the blade against his false eye. 'My *which* – if you can cast your agile mind back through the miasmas of time – pertained not, as you so recklessly assumed, to which house, but to which convent?'

'St Philomena's,' Lucy answered sharply.

'I shall write and ask if they would like a charitable donation.' He ran the blade repeatedly under his chin in a shaving motion.

'I did not think you liked nuns.' I was puzzled, especially as he was not in the habit of giving to any charitable cause.

'I liked one nun very much.' He flicked the steel up his

hairless philtrum. 'So much so that I went to watch her being garrotted.' The knife disappeared as mysteriously as it had arrived. 'I only know one completely truthful person and I inhabit his body – for I have no choice in the matter. Pray continue with your dubious account.'

Lucy folded her arms. 'I do not think we are compatible, Mr Grice,' she said, and he surveyed her coldly.

'If you mean that we will never be friends or become romantically attached and elope to Gretna Green, then I am forced to agree.' My godfather extruded a tiny length of lead from his pencil and somehow made that action look almost as dangerous as his antics with the knife. 'But I see no reason why we cannot have a professional relationship. I am the finest personal detective in the empire and you are wealthy and clever – two excellent attributes for a client.'

'Why *clever*?' Lucy asked uncertainly.

'Because there are four hundred and nineteen men masquerading as independent detectives for hire, many of them fictional, all of them charlatans, and yet you chose to consult me,' he said, and she coughed in amusement.

'Very well, Mr Grice. Where shall we begin?'

'With a simple yet pregnant question. Why—' Sidney Grice pressed a finger into his chin, moulding the dimple that it already had—'have you not reported the assault to the police?'

Lucy flushed. 'Do you think I want another brute mauling me?'

'Not all of the officers are brutes,' I assured her, though there were a few I would not expect much sympathy from.

'I am talking about the police surgeon,' Lucy explained. 'I have heard talk—'

'Most women have heard very little else,' Sidney Grice interrupted.

'Lucy meant—' Freddy began, but he silenced her with an upheld hand.

'You may go now.' He flexed the ankle of his raised foot.

Freddy bristled. 'I am not a slavey for you to command,' she retorted, and he shrugged.

'You may go nonetheless.'

Freddy put down her cup. 'I shall not be spoken to in this way.'

'I am afraid he speaks to everybody like that,' I told her.

'Then he needs to learn some manners.'

'I have created my own manners.' Mr G threw back his head. 'And I am overweeningly proud of them. They are not agreeable, nor are they intended to be. There are things I need to discuss with Miss Bocking. Go away.'

Lucy glowered at Sidney Grice, but he surveyed her as if he were watching an unamusing play.

'It might be best,' she said at last. 'I will tell you all about it later, dear.'

'That would be foolish but, being female, you probably will,' Mr G forecast.

'I am sorry he did not put it more nicely,' I apologized.

'He could not have been more obnoxious,' Freddy fumed.

'I promise you he could.' I pushed something spikey out of my ear.

'Goodbye.' My guardian wiggled his fingers in farewell and Freddy jumped up and stormed out.

'That was not very nice of you,' Lucy complained as the spike crept back in.

'Quit the effeminately adorned drawing room,' he called playfully.

And Freddy stamped away and slammed the door.

'You did not have—' she tried, but he hushed her again and called more loudly. '*Go.*'

And the door handle rattled and there was a crash so violent that an ornament fell to the floor.

I nibbled at a corner of my Garibaldi.

'I am sorry I evicted her now,' Mr G broke the silence, 'before she had the chance to pour me another tea.'

I refreshed our cups as he proceeded.

'Now, Miss Bocking.' My godfather rubbed his left temple with the heel of his left hand. 'Regale me with your account of that eventful night. Give equal weight to that which you judge to be significant or trivial, pedestrian or dramatic. Tell me only what your youthful senses told you and not what you imagined, and do not waste time crying. You may weep to your heart's despair when I have departed.' He bowed towards her. 'Tell me what you believe to be the truth, Miss Bocking, and I shall put almost all my efforts into resolving this matter once and for all.'

His fingers danced in all directions and, surreptitiously, I slipped the stalk down the side of my cushion.

11

The Hollow Shepherd

SIDNEY GRICE PALMED the spoon from his saucer as if trying to pilfer it.

'Freddy and I were bored,' Lucy began.

'Why?' he demanded, and Lucy shifted uncomfortably.

'The life of a modern girl in London out of season is tedious in the extreme. There are no balls, nothing new at the theatre, no dinner parties, no—'

'I know what *tedious* means.' Mr G chipped at his tea as if the meniscus were a thin sheet of ice. 'I have to converse with Miss Middleton daily and I once sat through an entire production of *Hamlet* without being allowed to interrupt it once. This tea, incidentally, is horrid. And so what remedy was proposed for this insipid languorousness and by whom?'

'Freddy had been to a few opium dens in the past. They sounded terrifically racy and she had never come to any harm in them – except once when she had her purse taken on the way home – and so we decided to give it a go.'

Mr G took his spoon by the tip of the handle between his thumb and fourth finger, and stirred his black tea with great attention.

'So it was Freddy's idea?' I clarified.

'Well, yes, I suppose it was.' Lucy stretched her arms as if about to dive off rocks into the sea. 'But I did not need persuading.'

'You went by cab?' I asked, trying to ignore my guardian's sigh at my use of another leading question.

He shook the spoon dry and hid it under the corner of a napkin.

'It was the coachman's night off,' Lucy confirmed, 'and besides we did not want the servants to know what we were up to. It sets such a bad example.'

'Who instructed the driver and what instructions was he given?' Sidney Grice fingered the jackal ring on his watch chain.

'I said *Limehouse, if you please,* but,' Lucy let her arms drop heavily into her lap, 'he did not please in the least until Freddy offered to double his fare, and then he seemed quite pleased after all.'

'How did you decide which opium house to go to?' I asked.

'Luck really.' Lucy pulled a wry face. 'Rotten luck as it turned out. The cabby was getting nervous – beggars were crowding round us and children were climbing on the back for free rides, people were shouting coarse remarks and somebody threw dung at his horse. We came to the top of an alley that looked quite well-lit with lanterns in some of the windows or over the lintels, so we told him to stop there. We got out, but nothing would persuade him to wait or come back for us.'

'From which side did you disembark?' my guardian asked.

'The left.' Lucy touched her broken cheekbone gingerly. 'Why do you ask?'

'Because it is immaterial.'

Lucy tilted her head to the right. 'I am confused.'

Mr G mirrored her action. 'People inventing stories do not expect to be cross-examined on irrelevancies.' He straightened his neck and she followed suit. 'It flusters them to be diverted from their rehearsed versions with details they are unlikely to have considered. In many cases their whole account will instantly unravel and even the best of actors tend to direct their eyes to the left whilst their brains sift through plausible responses.'

Mr G drew a squiggle. He and she blinked simultaneously.

'So you know I am telling the truth?' Lucy curled a tress around her finger but he did not.

'It is not an infallible test.' Sidney Grice tapped a line of dots down the page. 'But, in future, if you decide to create a fiction without notice in my presence, you will fix your eyes in an unnatural manner.' He joined the dots in a sweeping curve. 'Beside which there are seven other signs which I stalk.' He underlined the squiggle. 'Continue.'

'We made our way down the alley. A group of ragged children followed us but Freddy got rid of them by tossing a handful of coppers over their heads into the court where we had been dropped off. They all chased after them and we ducked through one of the lit doorways.'

'Who chose which one?' I asked and Lucy hesitated, nonplussed.

'We saw a name on the wall written in Chinese, and under it in English *The Golden Dragon*, and we just dashed in.'

'What was the place like?' I asked.

'Seedy,' Lucy said. 'Gloomily lit and frowsty. There was an outer room with a tall Chinaman sitting on a stool. Freddy took charge. She asked if they sold poppy dreams and he nodded and smiled. He was very polite and formal. She asked how much and we gave him a guinea each.'

'Oh, I would only have paid ten shillings,' I said. 'Clearly you look more prosperous than I.'

My guardian's lips worked silently.

'Or more stupid,' she said. 'A boy showed us through.'

'Describe,' Mr G commanded.

'The boy?'

'I am not interested in your grandmother's wart at present,' he rejoined and she stifled a giggle. 'It is no laughing matter,' he reproved and Lucy's face stiffened.

'I do not need you to tell me that, Mr Grice.' She licked her lips again. 'The boy was about ten years old, I would say, Chinese in his features, dress and accent.'

'What did he say?' I asked and she put her hands together.

'Velly good evening, madams. Pleasee come this way. Ahh, so you likee—'

'Oh dear,' Mr G butted in. 'I was unprepared to hold an audition for an amateur production of one of Miss Middleton's melodramas.' I thought this rather unfair, as I had written my plays when I was a child and he had come across the jottings during a search of my room. He clipped his pince-nez on the tip of his long thin nose to scrutinize her over the gold wire frame. 'Where did he take you?'

'Through a secret door,' she said, 'though not very secret. The wall was covered with bamboo screens and they just slid one aside. It led down some wooden steps into a cellar.'

'Lit how?' He circled a symbol four times.

'By oil lamps hanging from the ceiling.'

'Were you not scared?' I asked.

'Terrified,' she admitted, 'but I was dashed if I was going to show it.'

'What was the room like?' I asked.

'Save that for your memoirs,' Mr G snapped. 'Let us cut to the chase. Presumably – correct me if I am uncharacteristically wrong – it was decorated in lurid pictures of an indecent nature and had couches round the walls. How many?'

'Four.'

'Occupied?' He scribbled *dashed* and fenced it into an ellipse.

'Only one of them – by a man.'

'Describe.' He pointed at her with the blunt end of his Mordan mechanical pencil.

'It was too dark to see him really well – average height and solidly built.'

'Could you see what he was wearing?' I asked and my guardian indicated towards me proudly.

'See how well I am training her – a relevant question at last.'

Lucy shook her head in mild amusement. 'No, but he was well-dressed.'

'How could you tell?' I smoothed down my dress and wondered if Mr G's pernicketiness was contageous.

'I heard his boots creak,' Lucy explained. 'So they must have been new. Old leather does not make a noise like that.'

'*Wunderbar*.' Mr G clapped his hands together. 'What an excellent client you are evolving into.' His hands flew apart as if they repelled each other magnetically. 'With your exemplary perspicacity we have travelled one thirty-fourth of our journey towards the resolution of this matter.'

Lucy wrinkled her brow. 'Because I noticed that a man had new boots?'

'Precisely so.' Sidney Grice's hands seemed drawn by the same power towards his knees, but he resisted the force and left them hovering a few inches above his immaculately pressed lilac trousers. 'The Putney Pickle Purifier might never have been caught had he parted his hair less carefully.'

Lucy tossed me a bemused glance, but it was not a case with which I was familiar. Mr G permitted his hands to rest on his knees, gradually and one at a time.

I struggled to get back on track. 'Who showed you how to smoke opium?'

'Freddy.'

'How many pipes did you have?'

'I think I only had one. I was unused to it and the effects were very powerful, and the next thing I knew—' Lucy made a fist and crammed it between her teeth.

Sidney Grice shook his watch and put it to his ear. 'Time has not stopped. Why have you?'

Lucy fought back the tears.

I rounded on him. 'Can you not see how painful this is for her?'

'Of course I can,' he said. 'And I have reconsidered my position.' He slipped his watch away. 'I shall have a Garibaldi after all.' Sidney Grice reached over and helped himself. 'I hope I shall not regret it.' He bit a crescent out of one of the long sides and chewed meditatively. 'I am happy to say that my hopes were dashed.'

'Happy?' I echoed automatically.

'It will be a sad day that my hopes are satisfied by an adhesive confection.'

'Why are you rambling about Garibaldis when Miss Bocking is on the verge of nervous collapse?' I demanded.

Lucy took her hand from her mouth and said, 'It is all right, March. He has brought me back from that brink.'

Mr G put the part-eaten biscuit on an empty plate with such care it might have been a unique piece of exquisite porcelain. 'I have already remarked that our client is that rarest of creatures – an intelligent woman.' He pushed the lead back into his pencil. 'I shall return tomorrow, Miss Bocking, at nineteen minutes to eleven in the morning since you have no tea fit to brew after that hour.'

Mr G snapped his notebook shut and put it into his satchel. Lucy opened her mouth and closed it before gasping, 'But we have not finished.'

'What on earth gave you that idea?' He sprang to his feet. 'You have become attached to a botanical specimen, Miss Middleton.'

I rose and saw that the broken stem had caught by one of its hooked leaves to the side of my dress.

'We *can* see ourselves out.' He pressed the bell button. 'But we shall not.'

I looked at Lucy, shocked and desolate in her chair.

'I am sorry about this.' I detached the stalk and placed it guiltily on the table. 'But we *will* bring the man who hurt you to justice.'

'Just catch him.' Lucy looked up at me, a new fire in her eyes. 'You can leave the justice to me.'

Lucy's head dropped and she did not react as I touched her arm in farewell and, when I looked out, my guardian was creeping across the drawing room round a hollow shepherd that lay in three segments and a hundred shards. He put a finger to his lips and signalled at me to stand back, wrenched the china handle round and threw open the door.

'By Jupiter,' he cried as it crashed against the display cabinet, upsetting a powder-blue shepherdess on to her back, 'has that woman no shame?' He exuded indignation. 'She is not even eavesdropping.'

'No need to frow 'em 'cause I'm 'ere to sew 'em,' the cobbler chanted from across the road as the maid showed us out of Amber House.

He had hung a sign with a picture of a shoe on the railings and pushed his cart into the bushes overhanging the railings.

'A poet laureate in waiting.' Sidney Grice opined, knocking against the sign so it fell, bent, to the ground. He sniffed, then stepped delicately over an earwig before brushing it carefully aside. 'I am so very sorry,' he apologized to it.

12

The Great Flood

I DID NOT speak to my guardian until after I had unbent the sign as best I could, rehung it and given the owner a shilling.

'What on earth was that all about?' I asked as calmly as I could.

An unoccupied hansom went by, but Sidney Grice made no attempt to hail it.'Did you not understand any of it?' He set off in the opposite direction to home. 'At your suggestion Miss Bocking contacted me by letter to request that I attend her house to—'

'I am not a complete idiot,' I cut in.

'Work in progress.' He unscrewed the handle of his cane.

'I am talking about the way you marched out of that poor woman's house before she even had a chance to tell you what had happened to her.'

'First, I hardly marched,' he protested. 'If you can strain your memory all the way back to six and one third minutes ago, I actually crept from that frighteningly herbaceous vitreous construction through that revoltingly tasteful sitting room.'

'That is not the point.'

'Second, Miss Bocking did not give the impression of being poor – though she might be – and if you have information to that effect, perhaps you would like to divulge it. I do not have poor clients.' He reinserted the handle upside down.

'I meant poor in the sense of unfortunate.'

'A strange interpretation,' my godfather mused, 'since the poor are not unfortunate.' He clipped on his pince-nez to look at a dial in his modified stick. 'They are lazy. Just as I thought.'

'What?'

'According to my new barometer, Grosvenor Square is one foot lower than marked on the 1879 Ordinance Survey map. We are sinking into the sea, March.' His tone implied that he thought I might have something to do with it.

'Thank heavens I invested in the Trafalgar Square Gondola Company,' I quipped to a blank stare.

Mr G reassembled his cane. 'I think we have waited long enough.'

'For what?'

'Look and listen.'

I did both. 'What?' I repeated when I became bored, which happened very quickly.

'This is my city,' he declaimed. 'London in all its grandeur and its filth, this heaving heap of magnificent squalid stinking avarice that rules the world's oceans and vast swathes of its unsatisfactory continents. Countless millions are in thrall to us, March, and what do you see?'

I surveyed the bustling traffic and watched a pigeon land on top of a policeman's helmet. 'Nothing unusual.'

'Excellent.' Sidney Grice clapped his gloved hands together. 'I shall forge a detective yet from the shabby material with which you present me. And what do you make of your observation?'

The policeman shooed the pigeon away.

'Nothing,' I said, and he frowned.

'You should always make something of everything, but, forgive me, I am overtaxing your feminine brain.' He twirled round. 'Look about you, March. We are not even being followed. Do you not find that rather strange?'

I stepped to the kerb and hailed a cab. 'But to the best of my knowledge we have never been followed.'

The hansom pulled alongside.

'Precisely.' Mr G leaped aboard and held open the flap for me. 'And what could be more normal than that? Yet it is in the ordinary that the most extraordinary events are to be discovered. That is Grice's sixth law and therefore immutable.' He raised his voice. '125 Gower Street, driver.'

'Drop me off at Gosling Lane,' I called.

Our driver was bareheaded and wore no coat or neckerchief, and I envied him that, and the breeze that he must be enjoying on his lofty perch.

'Goslink?' He tossed his hands. 'That's not on my way.'

'It is now,' I asserted and he yanked his horse's head to the left.

'Miss Hockaday?' Sidney Grice enquired.

'Yes,' I replied, and he edged away from the rim of my new blue bonnet, which was brushing embarrassingly against that of his old soft felt hat.

13

Turkish Cigarettes on Gosling Lane

GOSLING LANE DID not live up to the rustic promise of its name. With not a goose to be seen, it was a short narrow thoroughfare north of Oxford Street and occupied by thin houses, many converted into sweatshops producing cheap shirts to be sold in the nearby bazaars. And I had hardly set foot on the befouled pavement before Sidney Grice tipped his head back. 'Drive on.'

I was glad that he did not think the man sharpening a carving knife on the kerbstone presented a threat, but I could not help remembering how George Pound was stabbed once, and I was relieved when the door opened a crack.

'Oh, it's you,' Mrs Freval said and I resisted retorting, as Mr G might have, that I was already aware of that.

I could sympathize with Mrs Freval's annoyance for none of her tenants ever responded to visitors. She lived on the ground floor alone but for a balding mongrel called Turndap because, she once told me, he just *turndap* on her doorstep.

'I am sorry to disturb you.'

Turndap poked his speckled nose through the gap, sniffing eagerly, and I rummaged for thruppence in my purse.

'I ain't a bleedin' doorman.' She pulled back affronted.

I leaned over to scratch behind the dog's ear and his back leg paddled the air. 'A present for Turndap.'

Turndap drooled blissfully on to my hem.

''E could do wiv a noo cap,' Mrs Freval conceded. 'The uvva dogs larf attis old one.'

A black dot landed on the back of my hand but then, I was relieved to see, jumped straight back to rejoin its friends in the greasy coconut-matting that served Turndap as fur. I dropped the coin into an outstretched apron. Mrs Freval never touched money, being convinced that the wren on a farthing had given her *glangula feeva* twenty years ago. And Turndap slumped mournfully as I mounted the stairs.

Geraldine Hockaday and her brother Peter lived in the three-roomed attic of number 8. By local standards this was luxurious. The four lower floors were divided into single rooms, some of which housed entire families, and one old woman appeared to have set up home on the lower landing. She was sprawled out, slurping from a jam jar and dribbling some taupe coagulum down herself. I stepped carefully over her rag-bound feet.

Geraldine was knitting when I went to see her, a tiny pink sock suspended from her needles like a cocoon. She loved to make baby clothes and lay them between sheets of tissue paper in a pine chest at the foot of her bed.

We blew kisses in greeting, her lips puckering like a child trying to whistle.

The small sitting room was simply furnished with a plain wooden dining table on one side and two sagging armchairs facing a bricked-up fireplace on the other. Alongside the only possible source of heating permanently blocked, the floor gave little comfort, with draughts rising between the bare boards. I dreaded to think how cold that apartment would be in the winter.

'I am well,' she responded to my enquiry and she looked healthy enough, though pale from being housebound. But Geraldine's bush-baby eyes flicked about, looking everywhere for the attack she constantly anticipated.

'How did it go?' she asked the moment I sat opposite her.

I drew a breath for I knew that Geraldine had high hopes that something would come of our meeting with Johnny Wallace.

'I am sorry to say that our witness was murdered before he could tell us anything.'

Geraldine had a pointy pink nose and a pointy chin to match. She was a slight girl. I have often been described as *scrawny*, but being near her made me feel huge and ungainly.

'But how?' She mouthed the words in shock before she uttered them and I wished I could have sat beside her and taken her hand, but she disliked being touched by anybody. I had seen her inarticulate with terror when Peter had accidentally bumped into her once.

'He was shot but his killer got away.' I wished I could have told her something else, but I could not break a confidence by mentioning Lucy.

Geraldine went back to her knitting while she digested the news. 'I cannot pretend to feel sorry for Mr Wallace,' she decided, a whiteness floating to the surface of her cheeks, 'for it was he who directed me down that alley.' She shuddered as if being plunged through broken ice on a pond. 'And blocked my escape, but he was the only one who knew.'

'We have not given up,' I vowed, but Geraldine did not seem to be listening. 'Mr Grice will think of something,' I tried, all too aware of how hollow my assurance sounded.

The discs grew until her face was alabaster but still there was no response.

'He always does,' I said helplessly.

'I learned a new stitch yesterday,' she announced, and the needles whirled and clicked in a series of complicated manoeuvres, tucking her wool through and around itself. 'See?'

She held her handiwork up for inspection.

'Lovely,' I said, though one stitch looked much like another to me.

Geraldine put her knitting in her lap with the exaggerated care of somebody who is not really aware of what they are doing. 'Peter pawned his inheritance to pay Mr Grice's fees – everything he had and ever expects to have.'

I watched the ball of wool fall off her knee and down her dress.

'I know and I am sorry.' The ball rolled over the floor to come to rest at my feet. 'If you would like us to give up this case I will get Mr Grice to reimburse you.'

I knew that Sidney Grice would not consider paying her back. In his mind the case was still open and he did not like admitting defeat. But I was quite willing to refund his charges. It was difficult to pretend that we had achieved anything.

'Is that what you want?' Geraldine jumped as if I had sprung at her. 'To desert me?'

'No. I want to catch the man who did this to you.'

Her nose crinkled like an inquisitive mouse. 'This?' she repeated uncertainly, as if I meant the room.

Geraldine picked up her needles and the sock fell off one of them.

'I hope it does not unravel.' I stooped to retrieve the ball.

'It is all unravelled,' she said simply.

14

Of Mice and Moustaches

MOLLY WAS ON her knees, scrubbing the hall floor, but she struggled to her feet, hauling herself up with a soapy hand on my sleeve when I went to see if she was all right. She had been moaning so loudly that I could hear her from my bedroom at the back of the house on the second floor.

'Oh, miss.' Her eyes were even more darkly under-bagged than usual. 'I cantn't not be all right, can I?' She noticed the suds on my dress and gave them a quick rub with her raw wet hand. 'Oh, what a night. I had a terrorable dream.' She dropped her brush in the bucket, splattering my hem with dirty water, and folded her arms in preparation for her narration. 'I was sitting in Mr G's armchair with my feet up by the fire and him feeding me hot butter muffings, and you fetching me a big pot of tea and trying to curtsy like a proper lady's maid, when I felted a scritch and heard restling noises on my head and, when I put my hand up, I undiscoverered a huge teensy mouse making its nest in my hairs and, when I pulled it out by the tail, it bit me.'

She held out her hand to show me two neat puncture marks on her right forefinger.

'Oh, so it was not a dream then,' I remarked, and Molly wrinkled her brow.

'Not a dream when, miss?' She poked her finger towards her eye.

'Not a dream at all,' I said, nearly as confused as she was, and Molly laughed.

'Oh, miss, how can a dream not be a dream?' She rotated the finger horizontally.

I tried again. 'No, I meant the mouse.'

'But...' Molly licked her finger and thought about the taste of it. 'How can a mouse be a dream anyway?' She had another lick and smacked her lips. 'When Mr Grice—' Molly crossed herself—'caught a mouse in his scrungulater, he didntn't not say,' Molly's voice rose in an uncannily inaccurate imitation of her employer, '*Oh by George, I has encaptured a dream.*'

I covered my mouth and pretended to cough. 'So what happened to the mouse?' I asked, still unclear as to whether it had existed outside Molly's unusual brain.

Molly sniffed. 'I thoughted you'd would of been more worried about what happened to me.' She sniffed again.

I glanced at the grandmother clock and wondered if time were going backwards. 'So what *did* happen to you?' I asked reluctantly.

Molly made a noise that I can only describe as a *snurkle*. 'Well, I swallowed it of course,' she told me, it being inconceivable to her that anyone in their right mind would have done anything different.

'Oh.' I had been driven mad by drugs eighteen months ago and Molly was having much the same effect. 'Is it still in your stomach?'

Molly made a sort of *chundling* sound. 'Still? It aintn't anything but still.' She put a hand to her left bosom. 'It's running about in there like a—' She struggled for the apposite word. 'Gravestone.'

I went into the study where Sidney Grice was sifting through his mail.

'An epistle from Pound,' he announced. 'He has wearied of dealing with Fenland creatures in uniform and taken a temporary posting in Limehouse.'

I adopted a casual pose by the fireplace. 'When does he return?'

'On Thursday.'

My guardian put the letter in the top drawer of his desk and my foolish heart turned over. I was so desperate and yet so afraid to meet George again, and I could not help but remember a time when he would have sent that message to me.

Molly answered the doorbell.

'Probably two callers,' Mr G murmured without glancing up.

'How can you tell?'

'By listening to the footfalls.'

'They could be carrying a third person,' I teased, as he filled his Grice Patent Fountain Pen from his Grice inkwell, which he had not patented as he wished to keep the design a secret.

'I considered that possibility and dismissed it.' He wiped the back of the nib on his blotting paper. 'They would be dragging their boots more.'

'Or in their stockinged feet.'

'Which is why I said *probably*.'

Molly entered, bearing a tray and shutting the door, and Mr G inhaled.

'A well-to-do man and a woman,' he declared, 'to judge from the scents of expensive feminine perfume and masculine pomade, which even Molly cannot completely overpower.'

Molly brought the tray over. 'I swallowed a—' she began, forgetting that her employer was apparently able not just to hear a pin drop but – I sometimes suspected – a pin as it was falling.

'Mouse.' Mr G slid the cards off like a poker player.

'Told you.' Molly folded her arms triumphantly.

Sidney Grice titivated his perfectly pinned cravat. 'Bring them in.' He slipped the cards into one of his many waistcoat pockets.

'Mr and Mrs Wright,' Molly announced, to everyone's apparent satisfaction. It was not like her to get even the simplest of names right.

Sidney Grice shook their hands and introduced me. They were a small couple, short and delicately boned, their faces grey and stretched with anxiety.

I ushered Mrs Wright towards my armchair, but she demurred and sat between me and her husband in one of the two upright chairs that he had dragged over, sitting beside Mr G so that we were all in a semicircle round the hearth.

'Thank you for seeing us,' Mrs Wright began.

'The only gratitude I seek is of a monetary nature,' he told her, so softly that he might have making a pleasantry.

'I shall not beat about the bush,' Mr Wright promised.

'But you are already doing so,' Mr G assured him, with an unnerving light smile upon his lips.

'It is Albertoria, Mr Grice.'

'What is?' He tapped his own left knee to hurry things along and it was just as well that I did not make my guess, which was that they were referring to a monument, because Mrs Wright trembled and told us, 'Albertoria is our daughter.'

'Or was,' Mr Wright whispered.

'Do not—' Mrs Wright sobbed and her husband took her hand.

'I pray that I am wrong.'

Sidney Grice opened his mouth but, for once, he paid heed to my warning cough and glare that this was not the time to demonstrate his notorious lack of tact.

'Is she missing?' I asked.

Mr Wright tilted his head right back and his wife lowered hers miserably.

'Since the night of Saturday the second of August,' she said.

'At what time and where did you last see her?' I tried, though the date was horribly familiar and Mr G had perked up on hearing it.

'She was a vexatious girl,' Mr Wright burst out.

'Not bad,' his wife protested mildly. 'Just high-spirited.'

'I do not believe – because I have no reason to do so – that Miss Middleton's interrogation incorporated a supplementary question regarding your incongruously labelled progeny's character,' Mr G remarked, the hand on his knee fluttering rapidly now. 'Perhaps I could entice you to satisfy her curiosity.'

Mrs Wright put her hand into the small satin handbag on her lap. 'At about nine o'clock that night,' she told me, 'she said her wisdom tooth was hurting and she wanted an early night.'

Mr Wright forced his head up as if his neck were rusty. 'At about half past ten, I sent Ann-Jane, our maid, to check if Albertoria was asleep, only to be informed that she was not in her room and her bed had not been slept in.'

'And how did the put-upon Ann-Jane ascertain that last allegation?' My guardian's hand stopped about four inches above his leg.

Mr Wright puzzled for a few seconds. 'Because the sheets had not been disturbed.'

'And your daughter could not possible have straightened them or plumped up a pillow?' Mr G leaped in.

'Well, I suppose—'

'Suppositions are of slight use to me.' Sidney Grice ignored my mouthed entreaties. 'You must approach a greater degree of accuracy if you wish to avail yourself of some of my superlative powers.'

Mrs Wright withdrew a tiny square of white lace from her handbag and dabbed the corners of her eyes, and her husband's jaw muscles bunched angrily.

'Can you describe your daughter?' I asked.

'They would be even poorer parents than they seem if they could not,' my guardian muttered.

'Now see here.' Mr Wright squared up to the detective.

'I see everywhere that can be seen.' Sidney Grice tossed his head.

'Sixteen,' Mrs Wright said, 'about your height and build, but pretty – lovely auburn hair and beautiful green eyes.'

'We shall need some more details if we are to help you find her,' I began.

'And a sweet little freckle here.' Mrs Wright dabbed the left side of her nose and burst out with, 'Oh, I am so afraid.'

Mr Wright leaned over and squeezed his wife's shoulder.

'We must be brave for Albertoria, my dear,' he encouraged her before turning back to the detective. 'You see, Mr Grice, we fear—' His voice cracked but he fought to continue. 'We fear that our daughter may have been found and lost already.'

Sidney Grice seemed lost in thought but his face glowed. I never met a man so entranced by the prospect of death.

15

The Return of the Detective

FREDDY DID NOT come out to greet us on our second visit to Amber House but was sitting defiantly with an open book on her lap at Lucy's side when Aellen, the maid, showed us into another sitting room, across the hall from the blue room.

Lucy was working on a piece of needlepoint. She was in a high-backed armchair beside the front window, her feet on a circular pompom and her legs covered with a Cameron tartan blanket.

'In deference to your loathing of greenery,' Lucy greeted us, 'I thought we would convene in pink today.' Sidney Grice curled up his nose and her warm green eyes crinkled in amusement. 'You do not approve?'

'Pink is the colour of dead salmon and under-cooked mammalian flesh.' My guardian lowered his satchel to the floor, reeling out the strap as if depositing an unstable explosive device. 'It is in the eyes of strangled rabbits. Pink is a colour of death.'

'It is also the colour of roses, sunsets and flamingos,' I pointed out and stepped forward to kiss Lucy.

'Even worse.' He doubled up so suddenly that I feared he had been taken ill. But he was only fiddling with his left bootlace, and I hoped that he was not wearing the pair that had crampons hinged into their soles.

'I should very much like Freddy to stay today,' Lucy asserted as we sat on two shepherdess chairs.

Mr G shot up, his hair falling into a long fringe. 'And so should I,' he agreed, with such alacrity that Freddy, who had clearly built up a head of steam for an argument, looked all at once deflated.

'You will take tea?' Lucy enquired as Mr G flopped down again to finish retying the lace.

'No.' He hinged up in an unnervingly mechanical way and, as Freddy shifted to view his capers, I glimpsed her profile against the bright daylight. It reminded me of a photograph I had seen of the actress, Ellen Terry.

Oh, Freddy, I thought. *You must have been so pretty.*

Freddy caught my gaze and I looked away.

'Is something wrong?' She trained her hair forward across her cheek.

'Nothing.' I smiled unconvincingly.

My guardian smoothed out a wrinkle on his sleeve. 'If that were true I would find myself compelled to reappraise my motives for coming here.' He leaped upon a newly created crease. 'For I was given to believe that a great deal was amiss.' And, ignoring their perplexity, Sidney Grice lowered his long, slim, elegant nose into the crook of his right thumb, and his elbow on to the armrest cover of his chair. 'So, Miss Bocking,' he said, just as I was wondering if he had nodded off, 'have you prepared yourself to give me an account of your interesting experiences?'

Lucy's eyes shadowed. '*Interesting?*'

'You do yourself a grave injustice if you pretend that they were dull.' Mr G collapsed again, arms dangling, but, instead of doing up his laces, tied his left boot to the right like a wayward child playing a prank on an adult.

Lucy put down her needlework and picked up an empty lead-crystal posy vase.

'Where shall I start?' She toyed with the vase, the voile-filtered sunshine glittering off its cut-glass facets.

'We know how you got to the Golden Dragon and how you smoked opium,' I recapitulated. 'Can you bring yourself to tell us what happened next?'

'If not I might as well go home.' Sidney Grice finished an elaborate knot and sat back, exhausted by his endeavours.

Freddy slammed her book shut. 'Perhaps you should.'

And my godfather regarded her coolly. 'From henceforth I suggest that you speak only when you have something intelligent to say – which is rarely, if ever.'

Freddy flung her book on to the floor, where it landed face down, and its spine cracked. *Sylvia's Lovers*, I read sideways on the cover. 'And might I suggest that you leave? I think Miss Bocking has had enough of your outrageous behaviour, Mr Grice, and so have I.'

There was a clatter and I turned to see Lucy picking her vase off the table, mercifully unbroken.

Mr G sipped his tea, rolling it around his mouth before swallowing. 'You are here under sufferance, Miss Wilde, and what you might suggest is of only peripheral interest to me.'

Freddy kicked the book and it skimmed under a lacquered dresser. 'Tell him to go, Lucy,' she urged.

Lucy Bocking touched her friend's wrist and said quietly, 'That might be best.'

'It certainly might be,' Sidney Grice agreed, 'if you wish to spend the rest of your life in suffering from the insult that has been offered to your person, and in ignorance of the identity of your violator, but as long as there is breath in my body and money in your coffers I shall do almost everything within my powers to save you.'

16

The Peacock Weeping Blood

THE SILENCE WAS broken by Freddy. 'Fine words,' she mocked. She had put some ointment on her face and it glistened.

'I do not have to convince *you*,' Sidney Grice responded pleasantly.

'He *will* do it,' I assured them.

'Your loyalty is touching,' Freddy sneered and Lucy patted her wrist.

'Freddy is very protective of me,' she said. 'I only wish you would not keep distressing her.'

'Surely that cannot be your only wish.' Mr G rubbed his wounded shoulder. 'And Miss Wilde has exhibited a great deal of hostility towards me.'

Freddy bristled. 'If you tried to be a bit nicer…'

'One cannot be nicer if one is not nice to begin with.' Sidney Grice balanced the notebook to stand vertically on the arm of his chair. 'And, since I am not, your exhortation to make an attempt is in vain.'

'In that case…'

'If you two are going to squabble all morning I might as well have stayed at home,' I scolded, taken aback at how much like my godfather I sounded, and Freddy and Mr G froze like naughty children. 'But, since we are here, shall we try to progress with the investigation?'

Lucy Bocking passed the needle up through her work, a peacock on an open-weave rectangle of canvas, his fan yet to progress beyond a saffron skeleton.

'What happened that night?' I urged.

Lucy looped the thread down and up again. 'I was very swimmy,' she said at last and Mr G leaned sharply towards her.

'Define *swimmy*.'

'It was like being intoxicated.'

'Is it an American word?' He clicked his fingers and his notebook fell into his hand.

Lucy touched her damaged cheekbone. 'I do not think so.'

'What a relief.' He conjured up his Mordan mechanical pencil. 'Spelled with two M's?'

'I believe so.'

Sidney Grice regarded her dubiously. 'Proceed with your fascinating account.'

'I fell into a kind of stupor.'

TWO M's he printed in block capitals. 'What kind of stu-por?'

'I was almost asleep but still aware of what was going on.'

'Like an evening at the opera.' He shuddered. 'So what *was* going on?'

It was as if Lucy had not heard the question. She turned her attention to her sewing.

'I am sorry,' I commiserated, 'but we must know if we are to help.'

At that moment Lucy Bocking became fragile and vulnerable. Her hand was unsteady as she continued with her work. Freddy pushed the table aside and kneeled before her friend.

'You *can* do it, Lucy,' she reassured her, 'and you must. Is that monster to go free and repeat his crimes with other young women?'

'Stop.' Lucy took a long unsteady breath. 'I felt myself being pushed backwards,' she continued at last, 'and my skirts being pulled up.' She spoke low and quickly. 'And a man got on top of me.'

'Did you struggle?' Sidney Grice asked and Lucy flared.

'I did not encourage him,' she retorted bitterly.

'Sometimes women are too frightened to resist,' he explicated, 'and the men have believed or pretended to believe this signifies consent.'

'And you think that justifies their actions?' Freddy snapped.

Mr G put a finger to his eye. 'I would not be here if I did.'

'Perhaps you just want the money,' she jibed.

'Some of that sentence was true,' my godfather agreed pleasantly. 'I do want the money but I do not *just* want it, for I do not need it and, if that were my only motivation in life, I would be better off murdering my father who has a great deal of it. Forgive your acquaintance's digressions, Miss Lucinda Sephora Bocking, and react appropriately to my enquiry.'

Lucy grimaced. 'I tried to fight him off, but he was too strong and heavy and I was confused. I did not really believe it was happening at first.'

'Did you see him?' I asked.

'No.' The needle was being worked furiously now. 'As I was trying to explain, my skirts were up over my head.'

'Did he speak?'

'Not then.' Lucy pricked herself and Freddy flinched.

'Did he smell of anything – soap, cologne, tobacco, alcohol, coffee, rendered fat, fish, fresh or stale sweat?' Sidney Grice curled his nose as if being assailed by all those aromas at once.

'No.' A red teardrop welled on to her fingertip and the two women watched it in fascination. 'I do not think so… cologne perhaps.'

'I cannot think of a delicate way to phrase this,' I began.

'Did he violate you?' Sidney Grice broke in, 'I assume you know what violation means.'

'For heaven's sake,' Freddy said in disgust and the drop quivered.

Lucy jerked her head briskly and the drop broke free, fell and burst on to her tapestry. 'Yes, I do, and yes, he did.' A bright stain flooded over the peacock's wing.

'Completely?' Mr G pressed and I could hardly hear Lucy's response. 'Speak up.'

'Yes.' She dropped the needle and let it hang by its crimson thread. 'Completely – and I know what that means too – but even that was not enough for him, Mr Grice. He beat me.'

'Was this before or during the act?' I asked tentatively.

'What the hell does that matter?' Freddy demanded fiercely and Mr G cocked his head away from me.

'Before might have been to subdue his victim,' I explained. 'During indicates a pleasure in the act of violence itself.'

'Dear God, what a world you live in,' Lucy said, with something approaching pity.

'We all live in it,' I told her, 'but Mr Grice and I are trying to do something about it.'

I glanced across and my guardian printed *TRYING*.

'It was during and after,' Lucy replied.

'Open hand or closed fist?' Sidney Grice held out both hands to demonstrate the alternatives.

'Open at first – slapping my legs, then my arms, but only two or three times – and then my face with the front and back of his hand many times.'

'In what manner did he strike you?' He ran the end of his pencil across his lower teeth like a stick on railings.

'I do not know what that means,' Freddy protested.

'You do not need to.' Sidney Grice twisted the handle of his cane six times to wind up whatever mechanism it contained. 'Miss Bocking comprehends and will respond accordingly.'

Lucy collected herself. 'Not wildly at first,' she answered. 'Slowly and deliberately like a parent chastising a child.'

'An interesting simile.' Mr G made a note and overlined it.

'Did he pull your skirts down to hit your face?' I asked and Lucy's shoulders shook.

I half rose to go to her, but my godfather raised an arm to halt me.

'Yes.' She motioned Freddy away as if feeling suffocated, and Freddy slid back but stayed on her knees. 'But I still could not see him properly. The lamps had been extinguished.'

'And then?' I pressed as gently as I could.

'Then he started to punch me – in the body, on my breasts and on my face while he was still—' Lucy stroked the peacock's head to brush away its tears but her action only resulted in smearing them. 'Then, after he had finished with me and I thought everything was over, he became angry and more violent, hammering at me with his fists and, while he was doing it, he spoke – more of a whisper with his mouth close to my ear.'

Lucy looked at the floor.

'What did he say?' I asked at last.

'*Dirty*. He said *dirty dirty girl*.'

'Describe his voice and accent.' Sidney Grice pressed a button and his cane whirred, and a pair of curved calipers emerged through the ferule.

'Angry, quite deep, foreign – perhaps German or Dutch – German, I should say.'

'Indeed you have.' Mr G prodded the plate of biscuits with his device. 'Do you know any citizens of Das Deutsche Reich?'

'I have met a few.'

'You did not recognize the voice?' I asked.

'I did not.'

I tried again. 'Did he say anything else?'

'Yes, later.'

'Then tell us when you reach that point.' Sidney Grice pressed the button again and the claws closed smoothly on a Marie biscuit.

'He stopped for a while,' Lucy said wonderingly, 'and I thought he had really finished, but it was only to take his belt off and to whip me with the buckle.' Lucy recoiled at the memory of the blows. 'And then he stopped again.'

'Bother.' The biscuit snapped, showering crumbs over the tray. 'What next?' he asked absently, his attention seemingly fixed on retracting the calipers.

'He put his belt back on.' Lucy hesitated. 'I think. But even then he was not done. He kneeled astride me, his knees pinning my arms.'

'And do you have contusions on both limbs?' My guardian's voice boomed.

'Yes.' Lucy's voice was weak in comparison. 'Mainly on my shoulders.'

'I should very much like to see those.'

'You shall not.'

'I might.'

I spoke when it was apparent that nobody else intended to do so. 'What happened next?'

Lucy held her right arm protectively across her as if it were in a sling. 'He grabbed hold of my hair.'

'Front, back and/or sides?' Sidney Grice asked eagerly. 'One hand or two?'

'His left hand near the front at the top.' Lucy touched the spot. 'He forced my head back and I saw the glint of metal and I thought—' Lucy covered her mouth.

'Do you wish to stop?' I asked and she shook her head.

'I need to say it while I have the strength. I thought he was going to cut my throat.' She put up a protective hand. 'But he dug the tip of the blade into my forehead and cut me.'

Sidney Grice brought his folding magnifier out of his satchel.

'I am sorry to press you,' I said. 'But again, was this a frenzied act or—'

'It was not a wild slash,' Lucy replied flatly. 'He did it slowly – deliberately, like an incision.'

'I shall take this opportunity,' Mr G got up and slid his feet cautiously as if testing for thin ice, his laces still tied together, 'to examine the laceration, the creation of which you so vividly recollect.'

'Lucy is hardly likely to forget it,' Freddy objected, and Mr G twisted his body, feet firmly planted on the spot.

'Do I have to expel you from this disappointing house before I can get some peace from your incessant jibber-jabber?' He flipped open his magnifying glass. 'You may wish to expose your own brow,' he advised Lucy. 'Rather than give me free rein to rummage through your coiffure.'

Lucy parted and raised her fringe. The scar was in the form of a rough X, the top right arm being foreshortened, wide and white with red, raised edges.

Sidney Grice bent over, his nose almost touching hers as he stared through his glass.

Lucy's lips parted. 'I feel like a butterfly pinned on a collector's board.'

'The resemblance is superficial and fleeting.' Sidney Grice inhaled. 'You do not, *per exemplu*, have any visible wings or antennae. In what directions did this disagreeable man draw his blade?'

'My top right down and then the top left down,' Lucy recalled, and Sidney Grice traced the directions on her skin with his thumb like a priest anointing her for the last rites.

'You are certain of that?'

'Yes.'

'Certain enough that a man's life might hang upon your remembrance?'

'Yes,' Lucy repeated firmly.

Mr G ran his forefinger over the scar again and Lucy closed her eyes, seemingly comforted by his touch.

'Does it hurt?' He reversed directions.

'Not when you do that.'

'It is closing cleanly,' he decided, 'and may well heal completely.'

He brushed his finger along the lines a fourth time.

'Do you really think so?' Lucy sank back, mesmerized.

'I have a minuscule quantity of doubt of it.' My godfather scratched a tiny crust with his fingerplate from where the two lines intersected. 'Though, of course, you shall always be scarred.'

He pulled away and Lucy opened her eyes and, to my surprise, merely nodded.

'What else did he say?' I asked, and whatever spell she was under was broken.

'*Remember who did this*,' her voice rasped huskily.

'Prior, simultaneous or subsequent to him cutting you?' Mr G shuffled backwards to his chair like a flunkey taking leave of his monarch.

'At the same time,' Lucy said.

'As if he were making his mark,' I conjectured.

'It was probably the only signature he could manage.' Freddy's voice hardened with contempt, but her friend was lost in that room now, eyes searching the night for what she could not see.

'Did he speak again?' I asked and Lucy jolted back into the living world.

'Twice. First it was *Had enough?* And I think I said *Yes*. I was too stunned to really know what I was doing. Then he ripped open my dress at the top and said *Scream* and so I did, again and again. By then I was on the floor.'

'You were still on the sofa when he kneeled on you?' I asked. That was not how I had imagined it.

'Yes.' Lucy closed her fringe like the curtains of a puppet show. 'And I still have the bruises to prove it.'

Mr G perked up. 'I should very much like to see those,' he said again.

'You shall not,' Lucy repeated even more firmly.

'For what it is worth, I have seen them,' Freddy volunteered, but Sidney Grice did not even acknowledge her.

'At what stage did you quit the comforts of the sofa?' He printed, as he spoke, over two entire pages *I DO NOT REMEMBER* and shut his book smartly.

Lucy dabbed her eyes. 'I do not remember falling, just being kicked and stamped on and curling up, trying to cover my face.'

'You have had enough for today,' I said firmly and prepared to do battle with my guardian, but Sidney Grice was swivelling in his chair to face Freddy. A beam of sunshine scattered from his glass eye, the spectrum caressing on his cheek.

'Whereas you,' he rotated his wounded shoulder which had benefited little from the hot weather, 'have been what some might regard as suspiciously quiet.'

17

The Pipes and the Pendulum

FREDDY JUTTED HER jaw, but it was so delicate that she looked more like a little girl pouting than an angry woman. 'What an impertinence.'

Sidney Grice intertwined his fingers. 'Let us begin, Miss Wilde, with Miss Bocking's possibly slanderous assertion that it was you who suggested visiting an opium den.'

'I suppose I did.'

He inverted his hands to create a bowl. 'Why?'

'I had taken opium before,' Freddy admitted. 'It helps me forget.'

'Forget what?' my guardian asked, and she chewed her lips and burst out, 'How much of my life do you imagine I wish to remember?'

'Had you used the Golden Dragon opium house before, Freddy?' I asked hurriedly.

'Never.'

Mr G peered, mystified, into the bowl.

'Why did you not use a previous haunt?' I asked and Freddy touched her amulet.

'Two of them had tried to fob me off by mixing talcum powder into the resin.' She looked abashed. 'The third had evicted me after I... misbehaved.'

'With a gentleman?' I asked, as tactfully as I could and before my guardian could be more direct, but he was occupied in pulling his bowl apart.

Freddy blushed. 'I thought he would be as... affected as I was and so...' She swallowed. 'I tried to kiss him. He opened his eyes.' She bowed her head at the memory. 'And he screamed.' She exhaled. 'There – now you have it. I am humiliated and how does it help your enquiry?'

I did not have an answer for that, but Sidney Grice patted his left knee twice to comfort himself and said, 'All truth is important and Miss Middleton has accessed information of which I was previously and dismayingly in ignorance.'

'How many pipes did you smoke, Freddy?' I took hold of my saucer.

'Three.' She gingerly touched her inflamed left eyelid. 'And then I fell asleep.'

'You saw nothing suspicious before that?' I tried my tea but it was too cold to drink with any pleasure.

'Nothing.'

'When did you wake up?'

'When somebody put a bag over my head and I heard him saying *That's an improvement* – though it was more like *zats* or *dats* – and I felt a drawstring being pulled round my neck so tight I thought I was being strangled.' Freddy put a hand to her throat. 'Then I was pulled to my feet.'

'How?' Mr G took hold of his elbows.

'By the cord.' Freddy massaged her neck. 'I was dragged backwards and hauled up so that I had to stand on tiptoes.' She pulled at the front of her collar. 'I found out later that the drawstring had been looped over a hook and I was turned to face the wall and my hands were tied behind me. I could not see anything. I could hardly breathe.' Panic darted around her eyes. 'It was so hot. I thought—'

'I am not very interested in what you thought.' My guardian hugged himself. 'Could you hear anything?'

Freddy worked her fingers under her collar. 'Everything was muffled. I heard bumps and crashes and Lucy screaming.'

'Does Miss Bocking have a unique scream?' Mr G's arms flew apart and the notebook disappeared into one of his numerous inner coat pockets.

Freddy scrunched her brow. 'I do not think so.'

'Then am I to take it that you assumed that the screams, which you claim to have heard, came from her?'

'Of course.'

'Of course.' He savoured the sound of the words before adding, 'Most people would agree that it was a reasonable assumption to make.' He puffed out his cheeks. 'However, I have yet to formulate the desire to enter into concord with you about anything. Proceed.'

'I could not struggle for fear of choking. I tried to call out.'

'What?' Sidney Grice dangled his watch on its chain. 'And why?'

Freddy flushed. 'Just Lucy's name. I do not know exactly why.'

'People do call out to each other in crises,' I interpolated.

My guardian greeted that statement quizzically. 'Do you have personal experience of such a situation?'

Edward! I heard it as clearly as the day I cradled his bloodied face.

'Yes.'

The watch swung like a pendulum.

'Then you may expand upon that remark when you are solitary for nobody else is interested.' Sidney Grice pointed at Freddy Wilde. 'Resume your unusual account.'

'I do not know how long I was hanging there...'

'Then do not devastate my time with conjecture.' My guardian slipped his hunter back into his waistcoat pocket. 'I can calculate for my own secret purposes that it was more than a second and less than a decade.'

Freddy clearly struggled to suppress a retort. 'Eventually I was aware of somebody untying my wrists,' she said as evenly as she could. 'The—'

'Wrists?' Sidney Grice pounced on the word like a snake on a rabbit, chewing it over in his mind before digesting it. 'You told me your hands were tied and I transcribed your statement. Am I to believe—' he produced his notebook and rustled though the pages, jabbing a slopping line of squirls with an accusatory knuckle—'that I have sullied my black, cloth-bound, three-hundred-and-eighty-four-ounce quality paper notebook with,' his voice took on a tone of moral outrage, 'a falsehood?'

Freddy slipped her right fingers under her left cuff as if to check the truth of her own statement. 'I meant my wrists.'

Sidney Grice closed his notebook reverently and clutched it to his heart. 'I once met a woman who was capable of saying what she meant.' His expression became dreamy. 'Though, of course, she never did.' He stroked the smooth spine. 'Discontinue your discontinuance.'

'I—'

'You were rudely interrupted after voicing the definite article,' my godfather reminded her gently.

'The,' Freddy recommenced uncertainly.

'Well done,' he encouraged her.

'The blood rushed back into my hands.' Freddy eyed him uneasily. 'They were burning.'

My guardian balanced his notebook on the tip of his left thumb.

'It was me,' Lucy said.

'You were burning her hands?' Mr G gaped in astonishment.

'No, I mean I untied Freddy.'

'Her hands or her wrists?' He leafed through his notes until he came upon an elongated ampersand taking up an otherwise blank sheet of paper. 'Miss Wilde has given scant evidence of being capable of distinguishing between them.'

'Of course she can,' I snapped, tired of whatever game he was playing now.

'For her sake I hope – though not with any great solicitude – that you are correct in that assertion, Miss Middleton.' Sidney Grice drew a second ampersand inside the first. 'For, if she cannot, she must suffer many varieties of inconvenience. How,' he tipped his Mordan mechanical pencil towards our hostess, 'how did you travel to Miss Wilde?'

'I managed to crawl over.'

'On your knees, or your hands and knees, or forearms and knees, or elbows and knees?' Mr G wagged his pencil almost in time with his words. 'And do not distress me by asking why that matters.'

'Hands and knees,' Lucy replied crisply. 'And I wish you showed the same concern about distressing us.'

'I rarely feel, let alone exhibit, empathy and you have taken centre stage for long enough.' Mr G rubbed his hands together vigorously. 'Kindly be quiet and let your strange housemate hold our attention a while longer.'

'I shall not be silenced in my own house,' Lucy protested angrily.

'But dear, nice Miss Bocking, do you not comprehend that that is exactly what is happening,' he explained nicely. 'Pray recommence your narration, Miss Wilde.'

Freddy looked uncertainly at her companion, who threw up her hands in surrender.

'Lucy put a footstool by my feet and I managed to get one foot and then the—'

'Other.' Mr G covered his mouth in an ostentatious yawn. 'And now, pleasant Miss Bocking, since you are so keen to dominate the proceedings, perhaps you would explain why you have lied to me since the marvellous moment that we met.'

18

Dressing Up and the Dissembleologist

I AM NOT SURE which of the three women in that room was most outraged by Sidney Grice's last remark, but it was Freddy, of course, who sprang to her friend's defence.

'Lucy has told you nothing but the truth.'

'Quite possibly.'

'Then how...?' She stumbled for words.

'Mr Barf Regal.' Mr G's fingers set off on a ramble around his palm. 'The dissembleologist has it that there are ninety-eight varieties of lies, but I have invented – though never utilized – another three. Fortunately for Miss Bocking – since she shall be paying excessively for my time – they can be divided broadly into two classes. The first is a deception based upon a false statement – *exempli gratia* if I ask your sex and you tell me you are a man: that is a lie by commission. The second is a deception based upon concealing the truth – *exempli gratia* if you were in fact a man in disguise and neglected to grant me that information: that would be a lie by omission.' Sidney Grice waited for his information to be absorbed before concluding, 'Miss Bocking stands – though seated – accused of the latter offence.'

'I do not know what you are talking about,' Freddy blustered and he tugged his scarred earlobe.

'I am not fascinated by your inability to comprehend unexacting statements,' my guardian told her. 'What is important is that your delightful companion knows *exactly* what I am talking about. Do you not,' his cane lashed out, stopping a quarter of an inch from Lucy's neck, 'Miss so-called *Lucy* Bocking.'

Freddy and I jumped at the swiftness of Mr G's movement, but Lucy only blinked and said, 'I wanted to test your powers of observation.'

'And I your candidness,' he rejoined.

'Would one of you like to explain?' I asked tetchily.

And Lucy's hand went to her throat. 'Your guardian is referring to my choker.'

'You always wear it,' I recalled and crinkled my eyes. 'What did that button come from?'

Sidney Grice lowered his cane. 'You may answer the question.'

And Lucy shifted to take the weight off her right side. 'I trust you are not accusing me of anything else, Mr Grice.'

Sidney Grice's eyes crinkled like those of a kindly uncle playing with his niece. 'Oh, Miss Bocking, pleasant young Miss Bocking, wealthy yet wounded Miss Lucinda Seraphora Bocking, if only you knew how many splendid men and gorgeous women had said that to me just before I handed them over to the Met-ro-pol-it-an Police.'

'You go too far.' Freddy slammed her fist on the table, rattling the crockery and splashing the milk on to the cloth.

My guardian looked at me as if I had made the accusation, but said, 'For once you are right, Miss Wilde, but it is only by going too far that one can hope to come back to one's destination.'

'I think I ripped it off his waistcoat,' Lucy burst out.

'How do you know it was not his coat or his shirt?' Mr G crossed his arms on his chest like a corpse in a wake.

'Because my thumb caught on his watch chain.' Lucy Bocking sucked her finger. 'Besides, look at the size of it.'

'Wonderful.' Mr G whisked his feet apart and the knot he had created earlier separated, leaving his laces tied in their customary neat bows. 'Miss Middleton would do well to take note of your observational processes.'

I resisted the impulse to empty the teapot over his head, and addressed Lucy. 'At what stage was this?'

Lucy rubbed circles just above her hairline, as if to ease a headache, and said huskily, 'I think... as I was falling. I grabbed hold of what I could to try to save myself, and when it had ended I found it clenched in my fist.'

Sidney Grice shot to his feet and, for a moment, I thought he was going to take the button by force, but he only said, 'Cross my palm with dentine.' and Lucy obediently withdrew the four gold pins which she had passed through the holes in the button and dropped it into his hand.

'Please, if it is not too much trouble, might I ask if there was any thread attached?' my guardian enquired meekly.

'I wonder at your sanity,' Lucy said, incredulous at the sea change in his manner, and Sidney Grice looked wounded.

'It was a civil and pertinent question,' he pointed out mildly.

'The answer is no,' Lucy told him.

'Do you mean *no*, I may not ask, or *no*, there was no thread?'

'The latter.'

'Not yes?' he pressed hopefully.

'No.'

'Oh,' he mulled quietly. 'A short word but redolent with meaning. I shall retain this carved and perforated disc.'

'Nobody has given you permission,' Freddy objected.

'I did not seek permission.' He lurched across the room some nine limping paces, to stand between two portraits. 'Therefore it cannot be refused.' His head swivelled from one to the other like a tennis umpire. 'Mr and Mrs Clorence Bocking, your putative progenitors. How—' he spun back—'did they die?'

'Why are you so determined to upset Lucy?' Freddy Wilde raged.

Sidney Grice posed like a blackbird listening for a worm. 'My thirst to bring this matter to a conclusion is unquenchable.' He took one pace to his right. 'And so I must insist upon an answer, and please – for I am ever eager to avoid giving offence – do *not* ask me to explain why my question is pertinent.'

Lucy clenched her needlework. 'I am sure you know the answer already, Mr Grice.'

The detective stretched out his arms to either side until they were parallel to the floor. 'I have perused the police and newspaper reports and am at a loss to know which to disbelieve the most.'

Lucy picked distractedly at the end of a loose red thread. 'My parents were murdered.' She gazed at him steadily. 'It was an act of revenge by Dester Green, the father of Jocinda, a maid.'

'Revenge for what?' I asked and Lucy looked about for an escape route.

'She was caught stealing from Freddy's home and, when her room was searched, it was found that she had taken a lot of our things too, silly trifles really – a napkin ring, silver but not a valuable one, a brass candlestick, one of a matching pair, a hairbrush, lots of little things over a few months. My parents would have let Jocinda go without pressing charges. She had been almost a part of the family, and Freddy's parents agreed – they were kind-hearted people – but her father came to the house and made threats and would not leave, and so the police were called. Jocinda was sentenced to eighteen months in prison and her father was given four months hard labour.'

'But why did he wait so long to retaliate?' I asked.

Mr G was examining Mrs Bocking's mouth in her portrait with his pocket magnifying glass.

'Dester Green attacked a warder in a failed escape bid and was sentenced to another seven years.' Lucy passed her needle up though the fabric.

'Not very bright of him,' I commented.

'He was from the north of England.' My guardian swivelled to meet my glare guilelessly.

Lucy closed her eyes. 'The day after he was released, Dester Green got a skinning knife and attacked my parents on their evening constitutional.'

'I do not remember reading about that,' I puzzled, for I had devoured accounts of gruesome crimes since I was a child, and a double killing like that would normally fill many a yard of newspaper.

Mr G peered into Mrs Bocking's ear. 'The news was swept aside by the floundering of the *Eurydice*.'

And it was not difficult to understand why, for that disaster had dominated the minds of the public for months. A ship manned mainly by young trainees had sped without incident across the vast Atlantic Ocean only to founder off the Isle of Wight in a snowstorm with over three hundred lives being lost.

'So close to home,' Freddy breathed, and I was not sure if she meant the *Eurydice* or the Bockings.

'And, because the investigation was left in the hands of the almost fabulously incompetent Chief Inspector Grundaway,' Sidney Grice turned his glass on to Mr Bocking's neck as if searching for the fatal wound, 'Dester Green was acquitted.'

'But why?' I asked as my godfather limped back towards us.

Lucy Bocking let go of her needlework, leaving it crumpled in her lap.

'It was a dark night and he ran away.' There was such bitterness in her voice now. 'The police traced him through a silver charm shaped like a safety pencil sharpener that he dropped on the scene. It must have been one that Jocinda had stolen. They were so sure they had their man that they did not trouble to search for further clues.'

Lucy lowered her head.

'The defence were able to demonstrate that at least thirty other people had identical charms,' Freddy put in.

'Including one Addrum Droffer, a sacked clerk, who had been heard to threaten Clorrence Bocking in St Lawrence's Church.' Sidney Grice bobbed to pick up the book, without breaking his stride.

I shuffled my feet for I had new boots on and they pinched. 'Do you think Dester Green might have had something to do with the attack upon you?'

'Unlikely.' Sidney Grice tossed his coat up at the back to avoid crushing it as he regained his seat. 'He was axed in the vertebral column in yet another brawl and almost paralysed.'

'I believe he tries to communicate by blinking, but nobody in the poorhouse can be troubled to work out what he is saying.'

I shivered. Wicked though Dester Green undoubtedly was, the idea of being trapped in such a way chilled my blood.

'What did Jocinda steal from your house, Freddy?'

'A yellow dress I had worn to Lucy's parents' garden party the summer before the fire.'

'Shall I continue my account of the circumstances of the assault?' Lucy pressed.

'I have little doubt that you shall,' the detective assured her. 'But kindly do not do so before I have quit the premises.'

He held the book by its spine and shook it vigorously but nothing fell out. I noticed the title, *Endymion*, in pale lettering.

Lucy flushed and wriggled under her blanket. 'If you do not want me to tell you anything else, why have you come?'

Sidney Grice marked a page with an omnibus ticket, though where he got that from I had no idea, for I never knew him to use that means of transport.

'To learn a little of your early lives.' He put the book on his lap. 'Starting with yours, Miss Wilde, since you are usually the one who is cruelly ignored.'

'By you,' Freddy pointed out.

'To whom else would I be referring?' he said reasonably. 'Miss Middleton is almost pathologically kind and Miss

Bocking gives the impression of being overly fond of you.'

'Overly?' they chorused.

'That was nicely listened.' Sidney Grice brushed and slapped his sleeve vigorously as if it were starting to smoulder. 'But, to return to you, Miss Freda Josephina Wilde.' He blew on his left knuckles. 'Prior to the combustion of your parents' reputedly splendid home and its several occupants, did you have a jubilant childhood filled with love and laughter?'

'What on earth has that to do with what happened to me?' Lucy swivelled towards him.

'It might take me days, weeks, months or even years to give that clever enquiry the response which it merits.' Mr G bared his teeth briefly though not cheerfully. 'For I shall not know it until this case is solved and your money snuggling down in my over-stuffed coffers.' He took up the book again, as if about to swear an oath. 'Kindly permit your sometime-irascible companion to answer my question.'

'It was happy enough, I suppose,' Freddy snapped, thereby at least partially justifying my guardian's description of her.

'According to Mr Gringham Heartley, assistant clerk to the Registrar General of the General Register Office of England and Wales in the North Wing of Somerset House,' the detective said, as he replaced *Endymion* on the oval mahogany table at his side, 'you had three brothers, two of whom perished before you were born and one before your first birthday.'

Lucy flared angrily. 'I did not employ you to pry into our private affairs.'

Coffers, he wrote, then said, 'As our ancient foes, the boorish, attenuated and ineffectual French might say, *au contraire*.'

'But only insofar as they concern the attack upon my person,' she argued.

'Oh dear.' Sidney Grice pinched the bridge of his nose. 'Why have so many beautiful women thought they could dictate the course of my investigations?'

Lucy rounded on my guardian. 'I will thank you not to make any more comments about my appearance.'

'I shall not give you grounds for gratitude,' he avowed. 'And so, Miss Wilde, to all intents and purposes, you were reared as an only child.'

'Yes,' Freddy agreed. 'And I believe I nearly died from whooping cough when I was three. I fear that, as a result, my parents spoiled me.'

'I wondered who had,' my godfather murmured. 'You are five months and one day younger than Miss Bocking.'

'Yes, and we have lived almost all of our lives close to each other,' Freddy volunteered.

'That was not a question, but thank you for that unsolicited information,' Mr G said, and she bristled before realizing that he was not being sarcastic. 'Let me direct my attention,' he mimed the washing of his hands, 'to the current employer of some of my unequalled abilities. You lived – did you not? – until shortly after your parents' slaughter, in the unimaginatively and now inappropriately named New House on Abbey Road, adjacent to Steep House, the residence of the menacingly named Wilde family. Mr Gringham Heartley and Miss Freda Wilde separately gave me cause to suspect that you had a brother.'

'Eric.' Lucy pulled her lower lip tightly up. 'He was five years older than me.' Her upper lip forced her lower down. 'Eric died in the fire.'

'Poor Eric.' Freddy took her friend's hand. 'He was a lovely, gentle boy.'

ELTNEG Mr G wrote. 'Oblige me for once by defining *lovely*.'

'Sweet-natured.' Freddy poured milk into three cups.

'And handsome?' I asked, not sure why that was relevant but pleased to hear my godfather humph approvingly.

'Very,' Lucy said without hesitation.

'You have a photograph of him, Lucy,' Freddy reminded her.

And Lucy shifted. 'I am not sure where it is.'

Freddy treated us to a rare brief laugh. 'Lucy is always losing things.'

'That is not possible.' The spring knife appeared in my godfather's grasp but disappeared so quickly that I almost thought I had imagined it. 'Even the most careless person – a title for which Miss Middleton could intermittently compete – must spare the time to perform other tasks.'

All three women groaned.

'And Eric died in the fire,' I recapitulated, shocked at how hard my softly spoken words came out.

Freddy puffed out her lips. 'He broke in to try to save us but was trapped in the front cellar before he managed to rescue anyone.'

'What would have induced him to go down there?' Mr G was trying to balance a gunmetal pen vertically on the tip of his middle finger.

'To escape the flames, I suppose,' Lucy replied. 'And, once he was down there, the only way out was by the stairs into the hall.'

'It was a courageous act,' I mused. 'Was he very attached to your parents, Freddy?'

Freddy avoided her friend's gaze. 'They did not really get on,' she admitted reluctantly.

'Eric's main concern would have been Freddy.' Lucy spoke in a monotone. 'He had a bit of a soft spot for her.'

Sidney Grice caught the pen as it fell.

'It was just a schoolboy thing,' Freddy protested bashfully, 'and I would hate to think that Eric was lost because of it.'

A tear trickled down Freddy Wilde's cheek and Lucy patted the hand that enclosed her own.

'I like to think that he was.' Lucy dabbed her own eyes. 'I like to think that Eric died for love.'

Mr G tried again, the pen teetering on his oscillating finger.

I struggled to ignore his antics. 'How did you get out, Freddy?'

'I do not remember anything between going to bed and waking up in pain.' Her hand hovered over the biscuits. 'Fairbank, the butler, found me unconscious and carried me out.'

She pulled back without selecting anything.

'How...' Sidney Grice glimpsed my expression and put the pen back into his pocket. 'How did brother Eric break in?'

'Through a ground-floor window, I believe,' Lucy said. 'I knew nothing of what happened until I was awakened by the sound of the fire brigade arriving. They said the glass had been smashed from the outside.'

'We shall talk more of this.' My godfather eyed me sulkily for interrupting his game. 'Who has possession of the site now?'

'That is a moot point,' Freddy said wryly. 'My father's affairs were in a terrible state when he died. Apparently he had borrowed money from all sorts of creditors, not all of them reputable, and used our home as security on more than one occasion and so, until the courts make a ruling on who actually owns the property, the insurance company will not pay out.' She plucked at her dress. 'And so Steep House still stands in ruins.'

'Which company?' Mr G walked his fingers through the air.

'If we could actually talk about why I employed you,' Lucy tried.

'Of course you can.' Sidney Grice jumped to his feet. 'You and Miss Wilde may talk about it until your tongues cleave to the roofs of your mouths.' Mr G slouched back, as if about to take a nap, but all at once tipped forward and on to his feet in one smooth movement. 'Come, Miss Middleton, you have given enough offence for one day.' He grasped his startled client's hand. 'How chill your dear little fingers have become. Goodbye, Miss Bocking. I hope we meet again.'

'But I thought...' Freddy pressed the bell in confusion.

'There you go again,' my guardian told her. 'Imagining that I care what you think.'

'I am sorry,' I apologized to them both.

'They are polite ladies,' Sidney Grice told me, 'and if they cannot forgive you they will at least pretend to do so.'

'I was apologizing for—'

'Best not to remind them,' my guardian advised and, shouldering his satchel, made a stiff bow of the head. 'I bid you brace of spinsters farewell.'

Mr G trotted backwards to the open door and, spinning half a circle in mid-air, jumped with both feet, like a child over a puddle, into the hall.

Freddy came racing after us.

'You cannot keep treating my friend like this.' She clenched her fists furiously.

'Oh, Miss Wilde, I can only apologize,' Sidney Grice bowed his head, 'if I have given you grounds to believe that.'

Aellen handed me my cloak. 'If you give me warning in future I can have a cab waiting for you, sir.'

'That is a kind thought,' Sidney Grice remarked, 'and so I decline it.'

'Why?' I asked as we stepped into the square and three hansoms edged past, all occupied.

'The day we accept kindness from our servants we become beholden to them.' Mr G stuck out his cane, but we were beaten to it by an elderly gentleman in a towering beaver-skin topper. 'And that is an egg's eyelash from *equality*. The moment you bridge the gulf between ourselves and the lower orders they will swarm across it and storm the citadels of our privileges.'

'No need ter totter with a good boot on yer trotter,' came from across the square, competing with a girl's 'Buy my lovely fresh flowers'.

She waved a wilted fistful under a frock-coated gentleman's nose but he batted it away, the head flying off in a faded shower.

A gentleman in a green paisley waistcoat and pinstriped grey trousers was stamping his black, side-buttoned boot. 'Now see here, my good fellow.'

An empty hansom came along the opposite side and seemed about to go ten yards on to a young man in a short sand-coloured coat, jumping up and down and waving frenetically.

'Oyah!' I bellowed and the driver hauled on his reins and wheeled his cab across the traffic to pull up alongside us.

'Why, March,' my guardian said, 'when it comes to social bridge-building, you are a veritable Mr Isambard Kingdom Brunel.'

19

The Style Street Slaying

THERE WERE TWENTY-FOUR cadavers laid out on trolleys under formalin-soaked sheets in the dissection room of the anatomy building opposite number 125 Gower Street, but all the living occupants were congregated at the far end of the room when we entered. Professor Duffy was bent, a hooked Pirogov retractor in hand, over a long marble-topped table behind a tin bathtub. And half a dozen students, their long laboratory coats encrusted in dried body fluids, stood round the table, sorting through a selection of human fingers in two kidney dishes.

He glanced up. 'Mr Grice and Miss…' His voice and interest in me trailed away. 'Meet my human jigsaw puzzle.'

There was a man's head on the slab, badly gouged, as were his limbs. The rest of him was still in the tub, a mess of torn bloodied flesh with projecting bones still waiting to be reassembled.

'Style Street?' Sidney Grice picked up a thumb with some tweezers.

He put it under his nose and, for a horrible moment, I thought he was going to pop it in his mouth but he sniffed appreciatively and put it back in the bowl.

'What happened to him?' I asked, hoping I did not look as queasy as I felt in the midst of such masculine company.

'He was passed through a rag shredder.'

'Was he still conscious?'

'Not when he came out of the other end.' A tousle-haired pimply student guffawed and his companions chortled, partly at his joke but mainly at me.

'It is impossible to tell,' the learned professor explained for the benefit of the simple girl who had asked the question.

'Have you considered the possibility that Miss Middleton was merely curious as to whether you had calculated the answer for yourselves?' my guardian enquired with touching, though unjustified, loyalty.

Professor Duffy unsuccessfully suppressed a snigger. 'Indeed?'

'Perhaps you would like to explain your methods for the benefit of these *gentlemen*,' Mr G invited me, mouthing the last word like a bad taste.

No, I damned well would not, I thought, but I forced what I hoped was a confident smile and murmured, 'Surely they have already worked it out for themselves.'

'Not yet,' a reedy, red-eyed youth sneered.

'Well, the patterns of bleeding...' I floundered, and felt my godfather's cane press into my boot. 'Are irrelevant,' I added hastily.

The students folded their arms to watch me make a fool of myself and I obligingly walked slowly round the table whilst I played for time. Sidney Grice wandered away behind the group, leaving me alone.

'I fear your master overestimated your powers.' Duffy smiled patronizingly as Mr G popped up behind him, miming an orchestral conductor, rather unhelpfully, I thought.

'I have no master,' I retorted.

Mr G rolled his eye and repeated the manoeuvre, nodding and shaking his head, arms waving and twirling, and then I realized – he was tying an imaginary rope.

'He was dead or at the very least unconscious,' I declared.

The professor eyed me suspiciously. 'Explain,' he commanded, as if I had joined his unsavoury band.

My mind raced. 'The arms and legs are severely lacerated but there is enough skin visible to be confident that there are no rope marks, and you could not make a conscious man lie still on the conveyor belt to be fed into a shredder without tying him up.'

'Hmmmm.' The professor considered my proposal dubiously and my guardian, still behind him, threw back his head in despair and tried again, this time very slowly. He held out his right hand like a claw and drew it down in a wavy motion, shaking his head. He repeated the process in a straight downward line, nodding vigorously. And then it clicked.

'Let me make it simpler,' I continued, to my guardian's approval. 'The striated wounds, caused by the shredding teeth, run in straight parallel lines. No matter how well you restrained your victim you could not stop a sentient man from writhing in his agonies.'

And, from the back of the room, Sidney Grice applauded silently.

'I was going to let my fledgling colleagues work that out,' Duffy declared unconvincingly. 'What is the purpose of your visit, Mr Grice?'

'Mr Jonathon, alias the Walrus, Wallace,' my godfather announced.

'Oh yes.' The professor indicated a covered mound to his left. 'Haven't had a chance to look at him yet. I had forgotten he was one of yours.'

'I do not and never have possessed Mr Wallace, nor have I constructed a scheme to do so,' Mr G assured him, and we went over and, walking down each side, peeled the saturated sheet back.

Johnny looked smaller than when I had last seen him. It was not just that he was lying down or that he was naked, but there is something about death that diminishes a person – as if the flight of the soul physically shrinks a body. Sidney Grice huffed noisily.

'Some cack-handed fool has already interfered with him,' he snarled, and I looked to see that the dome of the skull had been sawn clumsily so that the neat bullet wound was now a jagged hole some four or five inches in diameter. 'And, from the determinedly innocent look on that pallid Habsburgian boy's face, it is clearly his doing.' Everybody looked at the pale student, who had a projecting lower jaw, though I thought it unkind of my guardian to remark upon it. 'I would advise any gamblers amongst you to wager that it was he.'

The pale youth paled further. 'I was just looking for the bullet.'

Sidney Grice held out his hand and the student reluctantly reached into his laboratory coat and surrendered a grey lump.

'I wanted it as a souvenir,' he mumbled.

Mr G turned the bullet over, a shapeless, squashed lump of lead now.

'With what did you remove it?' he demanded. 'The truth, boy.'

The pale student paled some more. 'My fingers, sir. It seemed easier than poking blindly with forceps.'

'You are sure?'

'Yes, sir.'

'No metallic instruments at all?'

'No, sir.'

'Good boy.' Mr G snapped his fingers and a sixpenny piece appeared between them. 'Here.' He spun it high in the air. 'Use that to induce a barber to relocate the untethered ends of your oleaginous hairs closer to your scalp.'

'I do not know why you are interested in Wallace.' Duffy was clearly discomfited at he and his students being belittled. 'You already know how he died.'

'Oh, Professor.' My godfather went down on his haunches to scrutinize a tattered lung that had been deposited in an enamelled bowl on the floor. 'One of the few things we have in common,' he parted two spongy lobes with a steel spatula, 'is that our interest in people is only increased by their demises.' Mr G poked the instrument into the opening of a large bronchus and scooped around it. 'The man who once possessed this cadaver came recently from a rural area. He had a chronic inflammatory pulmonary condition which I have oft observed afflicts those who deal with hay.'

'We called it *farmers' chest* in Lancashire,' I recalled.

'I suspect it is a reaction to the dust created in the production of fodder. His lungs are choked with it.' Sidney Grice held out the spatula coated in phlegm speckled with off-yellow particles.

An alternative to his theory sprang to mind but I refrained from voicing it amongst such would-be superior beings. Professor Duffy had no such qualms, however.

'Tens of thousands of people in London deal with hay every day,' he objected. 'Ostlers, carters, stable lads and grooms, for example.'

'And inhale the soot-laden air with every breath,' my guardian reminded him. 'You have performed enough autopsies to have observed that their alveoli are clogged with carboniferous deposits. Scalpel, Miss Middleton.'

I passed one handle first – as often I had placed one into my father's hand before the world made me old whilst I was still young – and Mr G sliced deep into the tissue.

'Quite pink,' I vouched. 'So probably not a smoker either.'

'Come, Miss Middleton.' Sidney Grice rose and made for the exit. 'Oh, and that right middle finger does not belong to the same man. It is too short and smells of tobacco tar.'

'Anything else?' Professor Duffy asked tersely.

'I think that will do for today,' my guardian assured him, lifting the corner of a sheet idly to inspect a partly dissected foot.

'Perhaps you would care to give our man a name,' the professor suggested sarcastically.

'Simon,' I said, and he gaped at me. 'It is a nice name,' I continued, 'but not necessarily his.'

'Goodbye, Professor.' Sidney Grice tipped his hat as he ushered me out. 'I cannot agree.' His lips were as immobile as a very good ventriloquist's. 'With your inflated puffery for that appellation. It tastes of pork. Acwellen is a far superior name. It is Anglo-Saxon and means—' we passed back out on to Gower Street—'*Kill*.'

20

The Street of Seven Dreams

THE LIMEHOUSE BASIN was crowded as always and a great steamship was being unloaded, stevedores lowering long full sacks into barges for transfer along the Regent's Canal, thence to be transported throughout the country. Lascars in pantaloons and baggy jackets, heads covered in flat cylindrical skullcaps, dragged a rope as thick as their arms, working it into a giant coil. A gang of perhaps twenty black longshoremen, stripped to the waist, torsos glistening in the blaze of the sun, hauled the *Alice Rose*, a four-mast windjammer, back to the pier that she had overshot. Land and river swarmed with activity, and countless voices in dozens of different languages and accents competed to be heard above each other and the crash of cargo being dumped on the quayside.

'Is it not inspiring,' Sidney Grice shouted above the hubbub, 'to think how many of these creatures could die without anyone caring.'

He threw our fare up to the driver, who put it in a cloth bag under his straw hat.

'They could have someone who loves them,' I argued, taking his arm to clamber on to the cobbles.

There was a strong stale smell coming from the river and I dreaded to think what it must have been like in the days of the Great Stink when the Thames was an open sewer, before Joseph Bazalgette built his drains and pumping stations.

'Nonsense.' Mr G tidied his coat. 'Who, for example, could care about this loathsome specimen?' He poked a ragged but otherwise presentable youth in the chest with his cane.

'Oy!'

'His mother.'

'I doubt he ever had one.' Sidney Grice led me up a narrow street into a short alley with a strong smell of rancid butter, and then into a long one stinking of cats, then a series of passageways, each narrower and less salubrious than the previous, the doors either side of us going from painted to patchily painted to unpainted to broken, to being replaced with sacking hooked over rusty nails. And then we were in a court, deserted except for five women squatting in the corner some forty feet away, shelling peas from a sack into a bucket and dropping the pods into their grubby aprons.

'Never mind 'er, darlin',' one called out. 'I can give you a better time.'

'The only thing you could give him would be infectious,' I called back and my guardian paused to consider my comment.

'Pulmonary tuberculosis and scabies being the least troubling of her afflictions,' he pondered.

'Who you calling scabby?' the woman spluttered chestily, while her companions clucked in sympathy.

'I am unfamiliar with her cognomen and have no desire to familiarize myself with it.' Mr G raised his stick in salutation. 'Goodbye, repellant and plebian females. May your lives be abbreviated.'

He took my arm and we turned left down a winding lane.

'A proper gent,' I heard the woman say as I dodged a piglet scampering straight towards me.

'Gawd, which rag-and-bone man did 'e pick 'er up from?' one of her companions croaked to more cackling than any joke ever told before could possibly have merited.

'There you go, causing trouble again,' my godfather scolded

as we turned down yet another alley, this one hung with lanterns and the first property bearing a sign with red Chinese symbols arranged round the words *Golden Dragon*, also in red.

The front door was painted red too and I was beginning to think the theme somewhat overdone before the door was opened – in response to Sidney Grice's complicated rhythm of knocks – by a Chinaman, very tall compared to those I had seen slaving on the docks, and clad in a red kimono. He bowed and admitted us into a waiting room – the walls, floor and ceiling, the bench and the two armchairs all coloured deep and dark vermilion. Had there been any windows in this lamplit room, I had no doubt what colour the drapes would have been.

'Mr Glice.' the Chinaman put his hands together, hardly visible amongst the voluminous sleeves of his robe.

'And Miss Middleton,' I added, in the unlikely instance of anyone being interested, and the Chinaman bowed so low that I could see the long pigtail braided down his back.

'An honour.' He came up gently. 'What bringee you to my humble home?'

'Save the theatricals for your customers, Jones,' Mr G told him sharply. 'Your humble abode is a thirty-four room mansion in Primrose Hill, and even Miss Middleton would not be taken in by your counterfeit orientalism.'

I had more pride than to admit that I had been.

The apparently fake Chinaman smiled serenely, his moustaches hanging like bootlaces almost to his chest.

'Pleasee, Mr Glice. In Plimlose Hill I may be who I choose. In the Street of Seven Dreams I am Chang Foo.'

'This is Grey Dog Lane,' my guardian pointed out

'To you pah-haps,' Jones/Chang conceded.

'But your eyes,' I looked into them and they returned my gaze placidly. 'They look oriental.'

'I was born with droopy eyes.' Jones gave up his pretence.

'Ocular ptosis,' I realized.

'Is that what it is?' Our host smiled ruefully. 'The other children used to call me names.' His mouth tensed as he remembered. 'There was nothing I could do so I decided to put it to my own advantage. I've always been interested in opium since my grandmother introduced me to the habit, but nobody buys from an Englishman.'

'You are very well spoken,' I observed.

'Another fraudulent device,' Sidney Grice told me. 'Jones was born and raised not thirty yards from here.'

'We are none of us who we pretend to be,' Jones said.

'I think I am,' I objected.

'You probably are,' my guardian conceded. 'Whereas I do not *pretend* to be anyone.' His cane shot up under Jones's chin. 'Miss Bocking.'

Jones jumped but instantly readopted his inscrutable image. 'I don't know nuffink abart that.' He reverted to his native Cockney.

'You must know something,' I reasoned, 'or you would have asked who Mr Grice meant.'

'A rational remark,' my godfather approved.

'Well, I know she came with 'er friend and left with 'er friend, but they nevva said nuffink to me.' Jones flapped his wing-like sleeves and Mr G blanched but held his ground. ''Er friend wore a veil but lots of women don't want to be recognized.' He sniggered breathily. 'Once 'ad a muvvah sittin' next to 'er daugh'a and neevah nevvah knew it.'

'And you did not notice anything unusual on the night Miss Bocking came?'

'Did he not?' Mr G wandered to a red-lacquered table in the corner and tried the drawer.

'That was a question.'

'Then be so charitable as to phrase it as one.' Sidney Grice pulled off his gloves, drawing his breath in sharply as if the process were distressing.

'Did you notice anything unusual?' I tried again.

'Nuffink,' Jones folded his arms inside his sleeves, 'is unusual round 'ere.'

'What about the men who were with her?' I persisted.

'I didn't notice them,' Jones assured me placidly, and glanced over his shoulder. 'That drawer is locked.'

'I have ascertained that already.' Mr G wheeled round. 'We shall look downstairs now and you shall remain, seated.' He rattled the back spokes of an upright wooden chair. 'Here.'

''Ere 'oo said yer could poke around my place?' Jones objected indignantly.

My guardian licked his finger and held it up as if checking the direction of the wind.

'I was not aware that anybody had,' he answered. 'And I certainly did not ask anyone to do so.' He swept off his hat and dropped his gloves one by one into the upturned crown.

I scrutinized a red tassel which dangled from an oil lamp hanging from the ceiling, and sniffed it in an attempt to look as if I was doing something, but neither man was paying me any attention. It smelled, as the rest of the room did, of a sickly perfume.

'How many police officers would you like to visit you tonight, Dr Jones?' Sidney Grice stood on tiptoe to look him in the eye.

'Dr?' I repeated incredulously and, now that I had their attention, examined the tassel again.

Jones shifted his feet. 'This is an easier and more lucrative living,' he admitted bashfully before stiffening his sinews.

'He is not qualified other than in the art of cheap swindling.'

'Cheap?' Jones ruffled his robes. 'That certificate cost me a fortune.' He tightened the wide silk belt around his waist. 'Look, Mr Grice, I pay to be left alone.'

'But you do not and never shall pay me to do so,' my guardian reminded him.

Jones swished his pigtail crossly. 'Oh, very well.' He flapped a wide sleeve. 'Behind the head.'

A golden dragon smiled toothily all along that bamboo-lined wall, carrying the world in its claws in a pose more reminiscent of an underarm bowler approaching the crease. I slid the end screen aside to reveal a door and Dr Jones turned sulkily away. 'The honourable gentleman will not find anything of intelest,' he prophesied in his best cod Mandarin.

'I have only ever been to nineteen places where I found absolutely nothing of interest.' Sidney Grice took a hair off the fabric. 'And in every instance bar one I was asleep.' He compared the hair to mine, put it on his palm and blew it away. 'The last, of course, was Paris.'

I opened the door, to my guardian's unconcealed chagrin. He had a fondness for doing so in theatrical manners, but I had endured more than enough of his public displays recently. A steep narrow staircase, with solid walls to either side, led down away from us.

'You will not lock us in,' I said. 'And that was not a question.'

'Never entered my 'ead.' Jones jerked his neck forward like a strutting chicken.

'Then present me with the key,' my guardian said firmly.

Jones seemed about to protest but, realizing there was no point, brought a hand out of his voluminous sleeve and handed it over.

'One word of warning.' Mr G paused with his foot on the top step. 'If anything unpleasant should befall myself and my assistant down there, it will be very much the worse for us.'

And, with that encouraging thought, I followed him down.

21

Into the Dragon's Lair

THE STAIRS WERE unlit as was the room into which we descended, but Sidney Grice soon had three oil lamps lit and the more my eyes became accustomed to their glare, the more dingy our surroundings looked. True, it was decorated, as my guardian had predicted, in supposedly erotic murals, but they were clumsily drawn and peeling in the damp that infests all London cellars. The four sofas were upholstered in balding velvet with the grease marks of a thousand heads on their backs and arms and peppered with countless burns. Each sofa had a long low table in front of it, the red paint marked and blistered by the heat of innumerable pipes. The furniture stood on a large square rug – red, of course – which looked fairly new but could not disguise the hardness of the stone floor beneath it.

Mr G pulled back another drape in the far left-hand corner to reveal a plain plank door, locked, with the key removed. He pressed his ear to the woodwork and rapped once with his knuckles.

'What are we looking for?' I asked, hoping he would not say something as vague as *clues*.

My guardian glanced at the ceiling, stained with smoke and dotted with hundreds of ochre splots that were probably meant to be suns.

'Oh, for goodness' sake.' He reached into his inner pocket. 'Do I have to write you a list?'

'No,' I replied, taken aback by his sharpness, but apparently he felt he did, for he was scribbling away industriously in his notebook and cringing at the desecration as he tore out another page.

'Take this.' He pressed the folded the paper into my hands. 'And go and read it under that oil lamp.'

He pointed to the one at the foot of the stairs, and I was about to insist that I could read it just as well where I was when I felt his toe tap mine.

'Very well.' I went over and unfolded his missive.

1 Do not say anything.
2 When I say the word 'fascinating' you are to re-enter the reception area as quietly as your ungainly construction permits – remembering as you should have observed during our descent that the ninth tread on your ascent crepitates – so as to present yourself unexpectedly to Mr Thomas David Jones.
3 Pay particular attention to what he is doing. He will be doing something. The Welsh are always doing something.
4 Exercise one of your few skills by devising a convincing untruth for your unexpected appearance.

Mr G dropped on to his haunches and tipped his head like a blackbird listening for worms.

'This is not fascinating,' he said.

I clamped my jaw tight just in time to choke back my instinctive reply and set my foot upon the first step. The stairwell was so narrow that my dresses rustled noisily against the wall.

'The police will not be intrigued by what I have found,' my guardian declaimed, never quite able to bring himself to tell a lie.

I was on the third step as he boomed out, 'For I shall not, having no motive to do so, grant them such information.'

Another step, holding my skirts in as best I could.

'I have not not seen the like of this unenchanting... *thing* in nineteen years,' came after me, by which time I had reached step six of about fourteen.

'Blimmit,' I cursed quietly as my hem snagged on a splinter.

'Language,' my godfather responded automatically, but it was all I could do to restrain my tongue as the lining ripped when I pulled it free.

It was a light blue dress and not new, but it had given me good service and had a useful secret pocket just large enough for my spare cigarette case.

'My word, this is not markedly different from the last one I came across.' Mr G struggled to continue as the stair squealed under me.

'Sorry,' I hissed. I had thought I was on the eighth step.

'Oh, just get a move on,' he rapped, and I galloped up the remaining five steps like a herd of Mollies in full stampede, almost wrenching the screen off its runners as I stumbled through the opening at the top.

Thomas Jones was intent upon his inkwell as I burst into view. 'What are you doing?' he demanded.

'What are *you* doing?' I demanded. 'You are supposed to be in that chair.'

He snapped the lid back down. 'Nobody tells me what to do in my own establishment.' His face was flushed and looking less oriental now.

'Mr Grice does,' I assured him.

Footsteps sounded on the stairs and Jones hastened back to his chair. 'You won't say anything?' he pleaded, now a naughty child trying to do a deal with nanny.

'I always say something,' I told him.

'Oh, be a sport.' Jones hitched up his robes, showing off a rather flashy pair of embroidered pink slippers that I would not have minded for myself.

'He was bent over his desk,' I announced as my guardian appeared.

'Have you even heard of the word "circumspect", Miss Middleton?' Mr G took a constitutional round me, then swayed and dropped to the floor. He could not have tripped and it was not a faint. People who swoon crumble at the knees but my godfather crashed like a statue being toppled from its plinth on to his shoulder. His eyes were still open. Was he having some kind of a fit? I was about to kneel and check when he rolled on to his back, sat up and sprang acrobatically to his feet. 'Indeed,' he told himself, scooped out his gloves in his left hand, whipped up his hat with his right and went to the exit, apparently none the worse for his experience.

'I think it comes from the Latin, *circum* and *specere*,' I told his back, determined not to be as nonplussed as I felt.

'I am elated to find evidence of you thinking at all.' Sidney Grice opened the door in a disconcertingly normal manner.

'Oh,' I said lamely as he marched straight out. 'Goodbye, Mr Jones.' My godfather was five yards away by the time I got outside. 'Wait for me, Mr Glice,' I called after him.

*

There was a message on the hall table when we got back to 125 Gower Street, a letter with the familiar blue eight-pointed Brunswick star crest on the envelope.

'You open it.' My guardian was preoccupied in rearranging his canes.

'A body had been found which might be of interest,' I read out and Sidney Grice jabbed his finger at the missive.

'Why was it not in my tray?' he demanded of Molly and she chewed her lower lip.

'I dontn't not think a body would fit in there, sir,' she decided. 'Ohhhhh.' Molly clutched her stomach.

'Whatever is the matter?' I asked.

Her face was pale and clammy. 'Oh, miss,' she moaned, seeming to think that was sufficient explanation.

'Are you ill?'

'Of course she is ill.' Mr G opened another letter. 'If a servant is healthy, he or she – or, in this wretched creature's case, *it* – is not working hard enough.'

'I think it might be the poising I drank.' Molly staggered towards me but, mercifully, did not collapse into my arms. 'To kill the mouse a bit.'

'You took mouse poison?'

'Only all of it.' Molly flopped her arms weakly.

Her employer headed towards his study.

'But where did you get it?' I considered whether to summon a cab or try to get her up the road to the hospital by foot.

'From that cupboard what Mr Grice told me never to touch what got accidently unlocked.'

'Oh, Molly,' I cried. 'He keeps acids and all sorts of things in there.'

'Not all sorts.' Molly flapped a hand weakly. 'He dontn't not keep no chocolates or beer 'cause I've looked.'

'But what did you take?'

There were beads of sweat on her downy upper lip.

'Look at the lumpen wench's tongue,' came out from the study.

'This.' Molly delved in her apron pocket and handed me a brown bottle.

'Vermilion,' I read from the label.

'Verminions is rats and mice and liberals,' she explained, leaning heavily on the hall table. 'Mr Grice told me that.'

'Dye,' I continued.

'I'm trying,' she retorted irritably.

'It is a stain,' I explained and saw, too late, that her tongue was bright red.

'Oh, bless.' Molly clamped her paws together. 'Mrs Mouse will look ever so pretty now.'

'You have not swallowed a mouse,' I assured her wearily.

'Oh no?' Molly plonked her fists on her substantial hips. 'Well, how come I've stained her red then?'

'Tea,' Sidney Grice barked, and she scurried off, her logic irrefutable.

22

The Body in the Mud

SERGEANT HEWITT WAS a sturdy, weather-beaten man with a slight roll to his gait, as one might expect from a seafaring man, but, though he spent much of his time on the water, Hewitt's duties in the Thames River Police never took him further than the coast.

'Not a pretty sight,' he warned as he came along the quay from where his launch was moored.

'She does her best.' Sidney Grice defended me and the sergeant guffawed, under the impression that my guardian had made what he never made, a joke.

'March Middleton.' I shook his hand, hardened and scarred by a tough outdoor life.

His left thumb was missing. 'Caught on a capstan,' he told me in response to my glance down.

Mr G whipped out his journal to make a note. 'Do you still have it?'

Sergeant Hewitt looked puzzled. 'My thumb? No, why?'

'It might be evidence,' Sidney Grice pondered.

'What of?' the sergeant asked, striding past us and up a ramp towards a tarred wooden shed.

'Of what?' Mr G corrected him.

'Where was the body found?' I asked as the two men stared at each other.

Hewitt shook his head like a swimmer trying to clear his ear.

'Down in the estuary, washed up in the marshes near the Isle of Sheppey.'

'That must be about forty miles away,' I estimated.

'Nearer fifty,' the policeman calculated. 'Miss that and, unless you ground at Margate, you're bobbing about feeding dogfish in the North Sea.'

'By whom and under what circumstances was it rescued?' Sidney Grice whipped out his magnifying glass to examine a curtain of dried seaweed hanging down a wooden post.

'A Squire Boweley from Basingstoke.' Sergeant Hewitt inserted and turned a key in a chunky padlock. ''E was 'untin' lugworms – one of those daft beggars what writes books on 'em – when 'e spotted 'er stickin' out of the mud. Thought it was just an old sack until 'e got close. The eels 'ad taken a few dinners off 'er by then. We only identified 'er by the report of 'er bein' missin' and 'er locket.'

'Do you have the locket?' I asked and the sergeant brought it out of an inside pocket of his cape.

The locket was gold on a gold chain, and it was fortunate that the body had not been found by mudlarks, for they would have been unlikely to have handed in such a treasure. The front was embossed with a rosebud design and the back engraved with the words *To our darling Albertoria with love from Mummy and Daddy*. I pressed the catch and the two halves sprang apart like a clamshell to reveal Mr Wright's face in the left section and his wife's in the other.

Sidney Grice took it from me and handed it back without comment.

'Can I keep it?' I asked. 'I shall be visiting them later.'

Sergeant Hewitt took told of his mutton chops. 'I suppose I can trust you.'

'I wish I had your faith,' my guardian muttered.

'What's that you say?' The sergeant tugged his whiskers.

'Mr Grice wishes he had your face,' I lied.

'Oh.' Sergeant Hewitt simpered. 'Thanks very much.'

I slipped the locket into my handbag. 'Shall we?' I tipped my furled parasol towards our destination.

'Right.' Hewitt opened the lock and hesitated. 'Sure you're up to this, miss?'

'I *have* seen bodies before,' I assured the sergeant and he puffed.

'Not like this, you ain't.' He heaved the right hand of the double doors open and stood back. 'I'll wait out 'ere unless you need me.'

Sidney Grice brought out a black cloth, crumpled it into a ball, sprinkled it with camphor from a dark blue bottle and clamped it over his thin and elegant nose. It was not like my godfather to be squeamish – usually he relished the gruesome – but, as soon as I stepped into the shed after him, I understood why he had done it. The air was thick with decay. I snatched the bottle from his outstretched hand and hastily followed suit.

It was a good-sized shed, perhaps forty feet long and half as wide, and fifteen high at the apex of roof. It must have been a boathouse once, but there was a jig-saw powered by a small steam engine in a far corner and some other machinery covered in sacking against the wall, so it must have been used as a workshop since then, which was why two long skylights had been put into the ceiling for light and ventilation, though they were locked now.

A trestle table had been set up in the middle of the concrete floor and on it was what I could only describe as a *thing*. What we had been told might be the mortal remains of Albertoria Wright was scarcely recognizable as human. A long dark mound bound in rags had been placed upon those boards. At the far end was a tangle of what I took to be hair, but there was nothing resembling a face framed in it. The whole head was a ball of matted brown slush. Most of the mud had been hosed from the body but it still clogged the cavities which would have recently housed the eyes, nose and mouth of a pretty young girl.

Sidney Grice stood at her feet, peering over the top of his cloth, his cane held vertically like a guard shouldering arms, and I edged along the side of the boards, forcing myself to look and to breathe as normally as I could, for the stench of rottenness seeped even through the penetrating mothball vapour. A bare arm jutted over the side but it was so slimy that I could not touch it. The fingers were blackened and fanned out and the whole limb was caked in something like flour.

'What is that powder?' I managed.

'Salt,' came the muffled response, 'to kill the leeches.'

The torso was bloated and bulging through the ripped remnants of a striped dress. I found an intact patch near the hem and cut out a square of it with my nail scissors, dropping it into a pouch that Sidney Grice held out for me.

My guardian set off up the other side of the table, stopping at where her waist might have been to face me over the muck that was once a woman.

'The cadaver is too decomposed to lift, let alone turn,' he stated. 'And corruption is far too advanced to give us any hope of verifying or dismissing her claim of having been despoiled.'

We continued counterclockwise until he was at the head and me at the foot. Her right leg ended at the ankle, the sheared-off ends of the oval tibia and more slender fibula clearly exposed.

'From the cleanness of the de-pedification, the stretching and rips in her clothes, it seems likely that she was caught at some stage on a propeller,' he proposed, his voice more distant than the covering of his mouth seemed to warrant.

'I cannot see any other jewellery on her,' I said. 'No rings or bracelets or earrings.'

'I know what jewellery is,' he said sharply.

'Stop it,' I cried and, to my surprise, he mumbled, 'Very well.'

I turned back to the business in hand and gingerly took a

loose strand of hair hanging over the end, wiped a tarry coating off with my spare handkerchief and raised the tress towards the light.

'I suppose she could have been described as auburn,' I said.

'I would say so,' Mr G concurred.

'Unfortunately, there is no nose for us to find a freckle.'

'Quite.' Mr G puffed his cheeks. It always annoyed him when I observed the obvious but equally when I failed to do so. 'Which leaves us with?' He nodded towards me.

'The wisdom tooth,' I recalled. 'Shall I fetch some water to wash the mud out?'

I surprised myself by the matter-of-fact way I made that suggestion. I might have been offering sugar to a guest.

'Who knows what we might accidentally wash away?' Sidney Grice reached into his satchel and brought out a silver spoon, dipping it into the deposit as a man might sample his dessert. He tapped out his first spoonful on to the table and raked through it with the rim of the bowl. There was nothing recognizable as lips in front of the still-white teeth nor gums around their necks. 'And what is your opinion?'

'It is an adult dentition,' I observed.

He dug a few times more.

'Quite a young adult, I would think,' I continued. 'The crests of bone between the teeth are still quite high and sharp and there is not much sign of abrasion.'

'Good.' He ladled out something like old liver and I realized with horror that it was putrefied portions of tongue. I retched and my guardian looked at me before asking, 'Do you want to go outside for a while?'

'Do you?'

'No.'

'Then neither do I.' I fought my churning stomach. Nothing would induce me to admit that I was more squeamish than he, not even the dizzy swirling in my head. 'Kindly clean the back teeth.'

Sidney Grice grunted. 'Very well.' And he scraped away what he could before wrapping his spoon in a cloth and delving about deep in the cavity. He pulled the soiled cloth out and I peered in. My eyes did not want to focus but I made them.

'The lower right wisdom tooth is tipped forwards and impacted against the second molar.'

'Would that cause pain?'

'Probably. It is half-erupted and that could have made the gum very inflamed, especially as the upper tooth is over-erupted and would have bitten down on it.'

'Anything else?'

I twisted down, trying not to cast my shadow over the cavity and not to focus on that scooped-out root of tongue nestling in the entrance to the throat like a giant slug.

'The left wisdom teeth are completely buried under bone so I doubt they would have hurt her.'

Sidney Grice bobbed briefly and rose slowly, and I reluctantly did another circuit. I did not expect to find anything but I felt I owed it to the dead girl and her parents to try, and I had nearly joined Sidney Grice when I slipped. The liquids of putrefaction had oozed from under the trestle into a greasy puddle on the floor. My godfather's arm shot out and I grabbed it but, with the heaviness of my fall, it bent. My guardian grunted with the effort and stopped me, my face half an inch above hers.

'Oh, dear God!' I choked on my involuntary inhalation.

He rushed round and helped me to regain my balance without touching anything.

'Thank you,' I gasped and stepped carefully away over the slippery concrete to the door, the sunlight and a welcome river breeze.

'Didn't think you'd last that long,' Sergeant Hewitt conceded, openly impressed, until I took the handkerchief from my mouth and saw that it had dipped into the sepia fluid that had bathed Albertoria Wright's rotting flesh. I rushed away and, doubling over the low wall that separated the ramp from a drainage gulley, evacuated the contents of my stomach.

'I did that,' the policeman confessed. 'So did my constables, and we've fished out many a carcass in our time.'

I uncorked my blue bottle of sal volatile and let the ammonia fumes flood my nostrils and their sharpness jolt me out of my giddiness.

'Come, March.' My guardian took my arm and led me gently away and, when we were out of earshot, said, 'If you have your father's flask with you, I would not object to you using it.'

I opened my handbag but no sooner had I found the flask amongst the numberless other essentials than I let it go again.

'I cannot go to see the Wrights stinking of gin.'

'I can go in your stead,' he proposed. 'At least I will not get emotional.'

I took a parma violet and said, 'Which is exactly why I shall do it.'

'Very well.' Mr G accepted my offer of a sweet. 'Then we had better get you home to bathe and change and I shall arrange for the remains to be sealed in a lead coffin.'

'That is a kind thought.'

'I hope Mr Wright concurs with that opinion when I present him with my account.'

Sidney Grice patted my hand and we walked on, clearing our lungs in silence, and we were still arm in arm when we found a cab ten minutes later.

23

The Old Man of Great Titchfield Street

GREAT TITCHFIELD STREET ran long and straight from Greenwell Street in the north – with its excellent George and the Dragon pub – to Oxford Street, with its stalls, stores and bazaars, in the south.

It never ceased to fascinate me how the character of London could change so rapidly, and rarely was this better demonstrated than along this road. Once a pleasant thoroughfare constructed by the Duke of Portland, the desirable houses were gradually broken into rented rooms or cheap clothing shops, driving property prices down and the original residents out.

Now, however, the street was being reclaimed by the well-to-do. Crumbling dwellings were demolished and more salubrious properties built, starting at the Oxford Street end and steadily stretching northwards so that there was no indication, when one approached the smart, well-kept properties, that one only had to continue up the street to find oneself in the midst of appalling deprivation and degradation – malnourished mothers and children, unemployed men and habitual criminals jostling within a short stroll of luxury.

The Wrights, needless to say, lived in the better area – for nobody in the worse could have afforded even a consultation with my guardian – and, twenty yards up the road, I made out a high barred gate and two uniformed watchmen whose sole purpose would be to keep the two worlds apart.

An elderly maid answered the blue-painted front door and admitted me to a pretty hall – a sage oilcloth on the floor and lemon wallpaper with wispy swirls of green foliage.

'Are you Ann-Jane?' I placed my card on a silver tray.

'Yes, miss,' she replied, a touch warily.

She was even more petite than her employers.

'So it was you who found that Miss Albertoria was missing?'

I glanced round the narrow hallway. It had three doors, all painted in a fresh cream colour, two to the left and, just visible as a frame to the right behind a steep cantilevered staircase, the third, which must have led to the domestic quarters for there was no cellar beneath the house.

'Yes, miss.' Ann-Jane looked around nervously. 'But I know nothing else about it.'

Her accent was unusually well-cultivated for one in her employment and I wondered how she had fallen so far in position.

'Did Miss Albertoria ever confide in you?'

In one section of the cherry-wood umbrella stand was a nice Prussian blue parasol with a frilled border, and it occurred to me that it might have matched the muddy shreds barely clothing the remains we had viewed earlier, and that the owner would never set out with it again.

'Nothing of consequence, miss.'

'No gentlemen friends?'

'Not that I know of, miss.'

She shuffled her feet.

'Or girlfriends who might lead her astray?'

Ann-Jane swallowed. 'We never talked about that kind of thing, miss.'

I took a step back and walked a quarter way round the maid. It was something I had seen Sidney Grice do many times to unsettle people and it seemed to work rather too well for me, for Ann-Jane emitted a squeak.

'I mean you no harm.' I hurried back to face her and Ann-Jane was quivering when I put my hand on her arm – a gesture of familiarity that would have appalled my godfather. 'What are you afraid of?'

'Nothing, miss.' But a flick of her eyes told me that whatever frightened her was behind that first door, and almost immediately I saw the white porcelain handle turn.

'Who is it, Ann-Jane?' Mrs Wright poked her head into the hall like a mouse checking if it was safe to venture out of her hole. 'Oh, Miss Middleton, I thought it must be you. Please come through.'

Mr Wright was getting to his feet as I went into the cosy pink and blue sitting room. They had been having tea.

'You have a pretty house,' I began, instantly regretting that my pleasantries might have lulled them.

'All Albertoria's choice.' He shook my hand and guided me into one of the two remaining chairs, my back to the hearth, decorated with a fan of peacock feathers. 'You have news.' He went to stand behind his wife's chair.

'Awful news, I fear,' I began.

'No,' Mrs Wright corrected me mildly.

'You only fear?' A ray of hope came from Mr Wright and I wished I had not put it there.

I reached into my handbag and brought out a white cloth bag. 'Do you recognize this?'

Mrs Wright took the locket from me with trembling fingers and fumbled the catch open. She gasped in pain and cupped her hands around it.

'It is Albertoria's,' Mr Wright confirmed. 'We gave it to her for her sixteenth birthday.'

'Where did you get it?' His wife put the gold locket to her cheek.

'If I might ask you first…' I struggled to proceed. 'You mentioned that your daughter had trouble with a wisdom tooth—'

'Her lower right,' Mr Wright broke in. 'What of it?' He eyed me warily.

'I am very sorry to tell you that we believe a body that was found on the Isle of Sheppey is that of Albertoria,' I told them as steadily as I could.

'No.' The word came more sharply from Mrs Wright this time.

'Because of the locket and her tooth?' Mr Wright pressed me.

'And the dress,' I brought out the scarp of fabric, as clean as I had been able to get it.

'Somebody could have stolen the locket and dress,' Mrs Wright said quickly. 'Describe her.'

'She had long auburn hair,' I tried.

'Plenty of girls match that description,' she burst out. 'Is that the best you can do? We gave you a detailed description of our daughter and that ridiculous little man scribbled it all into his silly little notebook.'

In happier times I would have laughed to hear my godfather so described, but I was beginning to wish I had let him perform this duty.

'As far as we could tell, she matched every detail of Albertoria that you gave us,' I said as confidently as I could.

'Did she have a dimple in her chin and a freckle on her nose?' Mrs Wright asked eagerly.

For once I knew I could not lie. 'I am sorry but her skin has deteriorated from being so long in the water.'

'What colour were her eyes?'

'It was difficult to tell.'

'Difficult?' Mrs Wright's voice rose. 'Difficult to tell what colour a girl's eyes are? You are supposed to be professionals.'

Mr Wright put a hand on his wife's shoulder but she shook him off.

'I am very sorry but the body was that of your daughter,' I insisted.

Mr Wright made a mask of his hands and took in four rapid shallow breaths. 'I knew it,' I heard. 'I knew it but I still hoped.' He pulled the mask down to reveal an older man.

'You are hiding something,' Mrs Wright accused me. 'You are lying. You have not been to see her or you did not look properly. She has such distinctive eyes you could not mistake them.'

'My dear,' Mr Wright said softly, and I knew that he understood, but Mrs Wright was up, her dress sweeping her half-drunk cup and its saucer on to the circular Indian rug, the remaining tea set vibrating on the table.

'I do not believe you, and I shall not believe you, until I have seen her with my own eyes.'

I stood to face her. 'I really do not think that is wise.'

She screwed her body up in a furious grief. 'I am not interested in what you think. You are paid to know and you do not seem to know anything.'

'Her body is being sealed in a lead casket,' I tried desperately and a rage burst out of her.

'You dare? What? I am not allowed to chose my own daughter's casket now.'

'It can be placed inside one of your choosing,' I assured her.

Mr Wright was swaying worryingly. He grasped the back of the chair.

'And how will I know it is her and that I am not paying to bury another woman and mourning at a stranger's grave?'

'It *is* Albertoria,' I insisted. 'I promise you, Mrs Wright.'

'And what is your word to me?' She waved the locket in my face. 'You are grubby professionals feeding off the grief of others. No doubt you are off now to tell some other unsuspecting parent that you have found their daughter too.' She threw her arm out blindly, catching my throat. I stepped back, choking. 'For all I know the casket could be empty.' Mrs Wright stepped clear of the table, cracking the saucer underfoot. 'I *shall* see my beautiful Albertoria. What mother does not know her own child?'

I rubbed my neck and caught my breath. 'She is in no condition to be seen. I am sorry,' I tried desperately.

But Mrs Wright's fury did not so much cool as become an icy rage. 'If you can see her, why cannot I?' she reasoned. 'Do you think I have not seen a body before? I must have seen a dozen, probably two. Albertoria, if it is indeed her, cannot be laid to rest in wet rags. I must put her new chiffon dress on her and her matching pink slippers with buttons and, after I have punished Ann-Jane, she shall help me put up my little girl's hair.'

'I am sorry,' I said gently and put out a hand, but another swing of her arm swept it away and the rage exploded.

'Stop it!' she shouted. 'Stop saying that you are sorry.'

'My dear,' was still all Mr Wright could manage.

'I *shall* see her and if it is her, I *shall* say goodbye to my daughter.' She leaped forward, pushing me aside so violently that I toppled, sprawling with my elbow into the table, narrowly missing sending the whole tea tray flying after that cup.

'Wisporia.' Mr Wright rushed after his wife and grabbed her sleeve as I struggled to my feet. 'Listen to what Miss Middleton is telling you.'

'Let me go.' Mrs Wright wrenched herself free but her husband got hold of her again. 'Albertoria needs me.'

'You cannot help her now, Mrs Wright.' I straightened myself up.

'How dare you?' Mrs Wright made towards the door, dragging her husband with her. 'Who in damnation do you think you are to tell me I cannot see my own daughter?'

'Please listen, Wisporia,' he begged. 'Albertoria has gone and there is nothing we can do except to put her in the earth.'

Wisporia Wright seemed to weaken and her husband tried to turn her to him.

'I *shall* see her,' she said firmly.

'No,' he insisted.

'And you shall not stop me.'

'Do I have to spell it out?' Mr Wright closed his eyes, unable to look at the effects of his words. 'She has been three weeks in that stinking river, Wisporia.'

'Then I will take things to wash her clean.' She raised her chin. 'Soap and those flannels with her initials.'

'For the love of God, woman,' her husband shouted, fists clenched against his temples. 'She is in a lead casket because she is rotting.'

Mrs Wright stopped and was all at once calm. Her fingers went to her right cheek and then to her husband's left. They bent and blanched at the tips as they drew down, nails raking deep into his flesh.

*

'Pour two large brandies,' Sidney Grice instructed after I had described what had happened.

'But you do not take alcohol.'

'I will nurse mine whilst you drink yours.' My guardian finished stacking his correspondence into three piles. 'And then we shall swap and I will stare into the empty glass.'

Waterdale Assurance Co. Ltd, I read on a top envelope.

I went to the sideboard to fetch the decanter. 'Do you never get upset about death?' I pulled out the stopper.

'Only life disturbs me,' he declared. 'Death is nothing.'

'Dear God, when we catch the man who drove her to such despair...' I burst out.

'There are almost innumerable unproven assumptions in that truncated display of emotion.' My godfather crossed his ankles. 'But we shall content ourselves with a brace of them, the first being your need to substitute the adverb *when* with the conjunctive *if*. The second being your unspoken assumption that somebody must be punished for her death.'

'But he—'

'That was your fourth error of logic. We cannot even be

certain that a man was involved.' He flexed his feet one at a time.

I ran silently through my words. 'Very well,' I challenged. 'What were the other mistakes?'

Mr G checked the list off on his long slim fingers. 'We do not know that God exists. We do not know that he is dear. We do not know if there is anyone to be caught, or if he or she or they will be, or if we will be the ones to entrap that person or persons. We do not know that anybody did anything untoward to Miss Wright. She might have been a fantasist. She might have willingly engaged in or even have initiated acts of which she later became ashamed. We do not know that she intended to self-immolate.' He took a breath. We do not even know if that pasty-faced Father Seaton was telling the truth and that he did not murder her himself.'

He took a breath.

'That will do for now.' I jumped into the pause and the door flew open.

'Dinner is swerved,' Molly announced and, for the first time, I was glad that it was vegetarian.

24

Crook and the Tilbury Typewritist

LIMEHOUSE POLICE STATION was as dreary inside as out, with three rows of backless wooden benches facing the desk. I had met the duty sergeant once before when we had captured the Tilbury Typewritist. The policeman had taken exception on that occasion to a female pointing out that he had released the same criminal only a fortnight previously, and he did not seem any the more thrilled to see me this time.

'Good afternoon, Sergeant Crook,' I greeted him. I occasionally wondered if the mockery his surname must arouse had made him such a sour person and, if so, why he had not changed it or his profession. 'We have an appointment with—'

'I know.' The sergeant glowered at us. 'Sit over there, girl.'

I had been about to settle exactly where Sergeant Crook was directing me but I immediately straightened up. 'You have a vivid imagination, Sergeant, to think that you see any girls here.'

'Well, you ain't a bloke.' Crook snickered at his own wit.

'I would have thought all your years of experience in the force would have taught you to recognize a lady when you see one,' I retorted. 'I have no difficulty whatsoever in identifying an obnoxious oaf.'

''Ere,' my good friend bristled. 'Who you calling a noaf?'

'There are three people in this room.' I smiled sweetly. 'So I shall give you four guesses.'

Sidney Grice ambled to the desk. 'From where have you acquired additional income, Crook?' he demanded.

'Dunno what you're talkin' abart.' The sergeant touched his moustaches.

'You have just put your finger on it,' my guardian told him. 'Literally.'

'Eh?'

'Your ridiculous and over-exuberant facial disfigurement has been waxed with Bowtree's Preparation and your sparsely thatched parasitized scalp dressed with Sniff's Macassar Oil, neither of which is to be had legally for under a guinea a bottle, scarcely affordable on your meagre though undeserved salary. Even Miss Middleton is unlikely to indulge in such extravagance.'

I was about to point out that I had no use for either product, especially the former, when a door to my left opened.

'Good afternoon, Mr Grice.' I did not need to turn to recognize the voice as Inspector Pound stepped in.

He took my hand gravely. 'And Miss Middleton.' His clear blue eyes met mine uneasily, I thought.

I had been *March* and even his *Dearest* at one time, but I tried to push that memory aside and returned his greetings politely.

'You are looking very well,' I commented, for George Pound had improved markedly in the nine months since I had last seen him. His posture, which had become stooped under the weight of his injuries, was upright again and he had regained some of the weight he had lost. His once-sallow complexion had taken on a healthier glow. Admittedly his black hair was lightly peppered with grey, but that only made his always-dignified appearance all the more distinguished.

'I am,' he assured me.

'I am very glad to hear it.'

George Pound released his grip.

'Mr Grice.' They shook hands.

'I see you have taken up transporting yourself on at least one of John Kemp Stanley's so-called safety bicycles.' My godfather wiped his hand on a white rectangle of cotton. Often he seemed more squeamish about touching the living than the dead.

The inspector glanced down. 'Do I have oil on my trousers?'

'Not visibly to the naked eye,' Mr G assured him. 'But the faint stretching and traces of a crease above each ankle indicate the wearing of clips to prevent one's apparel becoming entangled in the chain.'

'Come through.' Pound laughed. 'I had a lesson from a salesman who tried to convince me that my constables should ride them.' The office he led us into was cramped, floored with cracked linoleum, and gloomy, as the gas mantle was broken and the window frosted and barred. 'He reckoned that my men could travel much more quickly than on foot and get down alleys too narrow for a mounted policeman to pass along.'

He directed me to the only chair, a simple pine upright behind his desk, but I remained standing with the two men.

'You were not impressed,' I gathered from his manner.

Sidney Grice was leafing, uninvited, through a stack of paperwork.

'A policeman should look dignified.' Pound whipped a file out of my guardian's hands. 'Not like a child on a hobbyhorse.' He went behind his desk. 'Besides which, I don't need to tell you two how potholed the back streets can be.'

'Then kindly do not trouble to do so.' Mr G eyed the file like a boy hoping for a gift.

'And, as one constable proved painfully to another, it just takes a kick at the wheel or a stick between the spokes to send the rider sprawling.' He slipped the file into the middle drawer and locked it, and Sidney Grice made a tiny disappointed noise.

'Miss Albertoria Wright.' My guardian tapped the floor with his cane like a magician I saw once, but, unlike Monsieur

Magico, Sidney Grice did not disappear in a puff of yellow smoke.

Pound grimaced. 'Have you seen her body?'

'Possibly,' Mr G said cagily. 'The corpse matched her description in nine ways – sex, approximate age, build and height; hair length and natural colour; what limited dental information we have; clothing and jewellery – though, of course, those last two are easily changed.' He let the papers he had picked up fall back on the desk. 'I would need at least nine more corroborating factors to make a completely confident positive identification.'

'Have you any idea who drove her to this act?' I asked, and my guardian opened his mouth. 'Yes, I know,' I said hastily, 'that I have made a hundred unsubstantiated assumptions such as that it was Albertoria and that she did commit suicide and that she was driven to it by somebody.'

Sidney Grice yawned. 'You are too hard on yourself, Miss Middleton. You have only made forty-eight errors.'

Inspector Pound scratched his chin. 'Oh, I don't know,' he said. 'I can think of a couple more.'

Mr G considered the statement. 'I assume you are not including any of the ninety-three subdivisions. Oh, I see—'

I was not the only one who had caught what she had never thought to see again, a brief but very welcome twinkle in the inspector's eyes.

'A joke,' Sidney Grice said glumly.

25

The Axminister Axeman

SOMEBODY KNOCKED ON the door.

'Go away,' Sidney Grice called and we listened as the heavy footfalls faded.

'That might have been important,' Inspector Pound objected.

'But not to me,' my guardian pronounced, which, to his way of thinking, should satisfy everyone.

'Actually,' Inspector Pound held up the key to taunt Sidney Grice, 'we do have information about a man she was seen leaving the White Unicorn with.'

'With whom,' my guardian corrected automatically.

'A number of witnesses saw her arguing with him at the bar,' the inspector ploughed on.

'How many?' Mr G demanded.

'We spoke to five.'

'A small but prime number then,' my godfather muttered.

'Enough for us to piece together a reasonable description. It was generally agreed that he was a tall man, a foreigner with military moustaches, middle-aged, close-cropped hair and a scar on his left cheek.'

'Schlangezahn,' I breathed. 'The man who attacked Geraldine Hockaday.'

Sidney Grice put down a stone paperweight with which he had been toying. 'Possibly the prince who was allegedly the man who allegedly committed that alleged crime.' He whisked up a paperknife.

'We have one more piece of evidence that makes one of those allegedlies a bit less alleged.' The inspector took a rectangular taupe envelope from the letter rack on his desk and emptied out six torn pieces of stiff white card.

Sidney Grice flipped two blank pieces over with the knife to show the elaborate printed letterforms.

'A customer picked it up,' George Pound explained. 'Harry Stewart – he used to be in the force.'

'London is becoming devoid of men who did not used to be policemen but are not now,' Sidney Grice commented labyrinthically.

'He became concerned when he saw the man trying to drag her out of the door but, when he intervened, the man became so menacing that Stewart backed off.'

'So he just sat back and let it happen?' I said incredulously.

'The whole pub let it happen.' Pound clearly took my disbelief as a slur on his force. 'Step into the White Unicorn any time and you'll see a dozen women being mistreated. Most of them earn their living that way.'

'Is it the same Harry Stewart who was attacked by the Axminster Axeman?' My guardian clinked his right eye with the tip of the knife. 'He lost both hands and his left leg above the knee.'

'I am sorry,' I said.

'If there are any conclusions to be jumped at,' my guardian explained, 'Miss Middleton is a regular Springheel Jack.'

George Pound brought out his meerschaum pipe. 'Do you like jigsaw puzzles, Miss Middleton?'

'Not since I was a child.' I stepped to the desk. 'But I think I can manage this one.'

Two of the pieces were upside down but I did not need those to work out the name. Ulrich Schlan....

'Have you spoken to him?' Sidney Grice enquired.

'They don't send a lowly inspector to interview a Prussian nobleman.' Pound watched my guardian's antics cagily. 'The Chief Constable had a word and came away none the wiser.'

'The Germans owe Mr Grice a favour,' I recalled. 'So the prince might speak to him.'

'He will be speaking for himself tomorrow.' Pound slipped the keys away. 'He has volunteered to appear at the inquest.'

'Volunteered?' I echoed.

Pound nodded. 'You don't subpoena a cousin to King Wilhelm.'

'Kaiser,' Sidney Grice corrected him.

'Really?' The inspector raised his eyebrows. 'I thought his name was Wilhelm.'

And, turning from my godfather, George Pound gave me a wink.

26

The King of Kings and the African Sun

I WENT TO CHRIST the King. Peter Hockaday had taken a job researching the family history of the elderly Reverend Zedobiath Darwin, who was anxious to prove that he was not even remotely related to the infamous Charles. For a small monthly stipend Peter would go to the vicar's house in Byng Place and trawl through an enormous, disorganized collection of papers, many of which had no bearing on the gentleman's ancestry at all, but Zedobiath was adamant that they had to be checked and filed before he would be satisfied.

The Reverend Darwin always attended an afternoon liturgy at the Church of Christ the King, a few dozen yards away, and Peter would escort him there and walk briskly round the square for twenty minutes before collecting him. For once my timing was perfect and I was just in time to witness Peter handing his enfeebled charge over to a verger before making off.

Geraldine's brother was a tall man, and his military training showed in his erect gait and the way he carried his cane tucked under his arm as a swagger stick.

'Good afternoon, Miss Middleton.' He lifted his hat. 'Are you attending the service?'

'I do not need to go in there to find God,' I said, and he let his hat drop back.

'You are lucky to find him at all,' he told me. 'I lost him under the African sun and I have never quite found him again.'

That was the first time I had known Peter Hockaday to refer even obliquely to his time in the Sudan. I knew from Geraldine that he had been present at the battle of El Obeid, a terrible slaughter with eight thousand Egyptian troops killed by the Mahdists and only a handful of their British officers surviving. He was lucky to escape with only part of his left earlobe missing.

'Perhaps he will find you again one day,' I suggested.

Peter Hockaday did not look convinced. 'But I must not talk like this on hallowed ground.' He tried to look abashed. 'Will you take a short walk with me?'

'It is you I have come to see, Mr Hockaday.' I took his proffered arm. 'I am worried about your sister.'

'You are right to be.' He paused to tickle a stray dog's ear. 'Oh, Miss Middleton...'

'Please call me March,' I urged. 'It saves three syllables.'

'If you will do the same,' he told me and became flustered. 'I mean, call me Peter, of course.'

I laughed and then remembered. 'You were about to say something.'

'Only that I wish you had known Geraldine before... all this.' We turned left into Gordon Square, a pleasant rectangle of greenery surrounded by superior soot-dabbled houses, the dog ambling at Peter's heel. 'She was so *alive*,' he continued. 'Her eyes, I cannot tell you, March. If they could have been mounted they would have graced the Crown jewels. Oh...' Peter stopped and his new friend stopped too, sitting obediently at his feet. 'I hope you do not think I was making fun of Mr Grice's eye.'

'I shall not mention it to him,' I vowed, and we set off again.

Peter had long strides and, though he tried to accommodate his pace to mine, I found myself almost breaking into an intermittent run.

'I hope you do not mind me saying that Geraldine does not

like your guardian,' he told me, as we skirted a group of boys kicking a rag ball. 'And, if truth be told...'

'Neither do you,' I broke in. 'Not many people do.'

Peter hesitated. 'Would it be impertinent to ask...'

'When I was imprisoned Mr Grice came to see me.'

'I should hope so.' He patted the dog.

'He was my one comfort,' I said. 'I know that is difficult to believe.'

Peter squeezed my arm with his. 'He does not seem the most sympathetic of men.'

'He asked me to marry him.' I glanced up and saw that my companion was shocked. 'But that was only so that he could control my money.'

I shut my mouth. It had not been exactly like that, had it?

'Is he making any progress on my sister's case?' Peter asked.

'Very little.' I reached towards the dog but it shied away. 'I did make an offer to Geraldine to refund your money if she wanted us to drop our investigations.'

Peter crushed my arm against him. 'You will not abandon her? You cannot.'

'I do not know what else to do,' I confessed.

'And Mr Grice – has he given up?'

We stepped on to the road to get round an artist chalking a good likeness of Lord Nelson on the pavement.

'Mr Grice never gives up,' I asserted, though I sometimes believed he had given up on me.

We turned right, along the short side of the not-very-square square.

'I shall give him a week,' Peter declared.

A hurdy-gurdy man was jigging wildly as he cranked his instrument. Some of the strings were broken, I noticed, but he still managed to produce such an ear-splitting wailing noise that the dog darted in front of Peter, hackles raised, ready to protect its new master.

'And then you will want your money back?' I clarified.

Peter puffed. 'I shall have no use for money then and neither shall the man who hurt my sister.'

The dog jumped backwards, nearly tripping us both over it.

'What will you do?' I asked in alarm.

'I think you can guess.'

'Stop thief!' We turned to see who was yelling. 'Those two,' an elderly man in a tattered naval uniform bawled from across the road. 'They be stealing my barker.'

The dog, on hearing his true master's voice, cowered and tried to hide behind my skirts, but the old seaman came rolling over, miraculously avoiding being run over by a phaeton weaving round a covered cart.

'I assure you,' Peter began, but the man was reeling a length of rope out of his pocket and looping it around the dog's neck.

The dog crouched.

'How do I know it is yours?' I demanded.

'Well, it ain't yours,' he replied and dragged the dog away, its claws trying desperately to anchor it to the spot.

'You are choking it,' I protested, but the dog gave up the fight and slunk miserably beside him.

I knew this was a trick to make us buy the animal, but neither of us could adopt a dog.

'You will not take the law into your own hands?' I asked anxiously, but Peter did not reply at once.

A cat ran by with a flapping grey pigeon in its mouth and a clock bell sounded far away.

'Geraldine left it in the hands of the police and I placed it in Mr Grice's.' His clear blue eyes darted away from me. 'And what good has it done her, March? If we cannot have justice, we shall have revenge.'

'I may have a better plan.' I saw the pigeon's beak open and close in a silent plea for the mercy it would not receive.

He checked his half-hunter. 'I am sorry. I must return to my employer, but can I meet you to discuss it?'

'Do you know where the Empress Cafe is? Tomorrow at ten?'

'I shall be there. Will you be all right if I leave you here?'

'I came alone,' I reminded him, and Peter Hockaday inclined his head.

I stood for a minute, watching him march away, a good head above the crowd, so tall and strong that I was frightened for him.

27

The Count and the Coroner

I HAD SEEN MORE imposing edifices than Limehouse Town Hall, but there was a modest dignity in its square two-storey exterior with high arched windows and matching pillared portico. The entrance hall was pleasant enough, mahogany fittings and a rosewood grand piano showing that it was not built only for bureaucratic functions.

The inquest was held on the first floor, up a wide, iron, grand staircase, rising to a mezzanine before splitting to continue upwards and back on itself. At home my guardian had a habit of trudging up the stairs like a condemned man to the gallows but, as so often when we were out, he sprinted and was up the right arm two steps at a time, leaving me to climb the left as quickly and elegantly as my garments permitted.

The Grand Assembly Room seemed too cheerfully lit for the occasion by its full-length windows and it was a pity that nobody had seen fit to open them and let in a breeze from the river for, even with no more than a couple of dozen people present, the air was oppressively stuffy.

Sidney Grice brushed by a dark-blue uniformed elderly usher – who was trying to enquire as to his business there – and settled on the front row, dwarfed by the figure of Inspector Pound to his left.

'If miss would care to sit with sir she will be out of the direct sunlight,' the usher told me, his voice rustling like autumn leaves, and I was tempted to follow his suggestion but I slid into a reddish-brown morocco-covered chair in the back corner behind a hefty fellow who looked and smelled like a cowman. If I craned my neck I could just about see the proceedings, but was confident that I was unobtrusive under my wide-brimmed bonnet.

The room itself was pleasant enough, with huge Persian rugs on the polished oak floor. A low dais had been constructed at the front with a desk, behind which sat the coroner, a plump, jolly-looking man, with his clerk, a thin specimen of his sex, whose general demeanour might have led one to believe that it was he who had been bereaved. The clerk's skull fascinated me with its patchworked geometrical shapes like the papier-mâché puppets I used to make as a child.

The coroner gave a preamble about why we were there and the scope of his hearing, and called upon his first witness, Father Roger Seaton, the blonde-haired cherubic curate who had seen and spoken to the girl answering Albertoria Wright's description, on Westminster Bridge. He said little that I had not previously read in the *Daily Telegraph*, expressing his devout hopes for her immortal soul and reiterating that he could not say for certain whether she had fallen by intent or accident. Strangely, for a man used to preaching to hundreds, his voice was low and indistinct and he had to be urged courteously three times to speak up.

Sidney Grice appeared next, very distinguished in his charcoal frock coat with matching cravat. He concisely summed up the reasons for believing the body in all probability to be that of Albertoria and was gracious enough to acknowledge my role in the examination. The coroner expressed his shock that a lady should have performed such a task and I was not called upon to give my account.

Sergeant Hewitt of the Thames River Police could not be present, as he had been crushed when he slipped between his launch and a barge he was about to search for contraband. The coroner expressed his hopes for a speedy recovery and allowed the clerk to read out a short statement about how the body had been found.

Inspector Pound came next, smartly besuited, his moustaches – which I had once ravaged in an attempt to tidy them whilst he was ill – neatly trimmed, his lips full red, his eyes clear blue, his strong square features beautiful in the sunlight.

He gave his evidence clearly and concisely and, though I no longer had any right to be, I was proud of my onetime-almost fiancé. George Pound recounted what he had been told by the customers of the White Unicorn. He was at once authoritative and yet so vulnerable that I wanted to rush up and hug him.

The last witness was a tall, well-built man, stately in his deportment and dressed in a frock coat, and it was no surprise to me when he introduced himself as Prince Ulrich Klaus Sigismund Schlangezahn, Colonel of a regiment of Prussian Hussars. He was a striking man, with close-cropped hair so black that I suspected he encouraged the coloration. His face was precisely and symmetrically carved, with a long, slightly hooked nose, immaculately waxed, upturned military moustaches, pale lips pulled down a little severely and eyes so deep-set under a prominent brow that they flashed almost jet as he directed them round the room. His left face was divided by a clean white scar, running from above his eye and down his cheek to just above the corner of his mouth.

He spotted Sidney Grice and inclined his head a fraction in formal recognition, but my godfather was too intent on the witness to consider what he rarely worried about – social niceties – and his posture remained rigid.

The prince's voice was loud and unfaltering with the authoritative ring of a man used to commanding others. He did not attempt to deny meeting a girl who he now believed to be Albertoria Wright, nor that he had spoken to her, but he declined to reveal what they had spoken about. Yes, he had given her his card and, yes, she had torn it up and, yes, he had taken her arm to lead her from that public house. He called it a *bier keller*, which gave rise to some merriment amongst the scant audience for which the coroner gently admonished them. He had taken her outside, but she had run away and he had not followed. A gentleman does not chase girls along the streets.

His manner was aloof and spoken as if we were all unpleasant aromas.

The coroner listened with polite scepticism. 'Is there anything else you can tell us, Your Highness?'

'No.' Schlangezahn bowed stiffly to the coroner and marched away.

*

'Cold fish,' Pound murmured afterwards. 'Makes you seem the picture of charm, Mr Grice.'

'Charm,' Sidney Grice pushed me out of his way, 'is like a beautiful woman – superficially attractive but, beneath the surface, there is always gristle and offal.'

'What a horrible image,' I objected.

'I see no mirrors,' he said laconically.

28

The Breath of Angels

THE ROOM WAS dark, lit only by four tiny oil lamps, brass with stumpy glass chimneys. I had seen their like before – those long nights in Cabool. The flames were so short that they hardly broke the darkness enough to cast shadows on the low tables where they stood and I could barely make out the two men already reclining on the other couches. One of them leaned forward, dipping his bleached face into the yellow pool. He was a young man with straw-coloured hair and Prince Albert moustaches, and he did not even glance at me with his drooping eyes as he set about his task.

The boy showed me to my couch, velvet-covered with a tartan blanket. 'You need help, mistress?'

'No.' I gave him a shilling and he left. Already my eyes were gathering the gloom. The basement ceiling was low and the walls much as I remembered them – garish scenes of corpulent men and their impossibly curvaceous concubines in awkward and unappealing poses.

A lacquered tray had been set up with its lamp and paraphernalia. I lifted my veil and, turning my attention to a white porcelain dish, selected a tablet from the six arranged round a rampant dragon on the base. The paste was too damp. I impaled it on a long silver needle from an ivory thimble and held it well above the flame, watching the steam rise as I rotated the tablet.

It reminded me of cooking potatoes on a bonfire when I was a child in Parbold so impossibly long ago.

I lowered the tablet and watched it turn from light to dark brown to rich gold. It should be sticky enough now. The pipe lay beside the tray, about two-foot long and made of dark-stained bamboo, ornamented with stamped copper rings. I pressed the softened tablet into the doorknob-shaped clay bowl and lay, propped up on one side, putting the bowl on to the flame, just long enough to vaporize the resin without burning it.

Reclining, I put the open end to my mouth and sucked, drawing the incense deep into my lungs, holding that familiar coolness as long as I could until exhaling through my nose to gather the last of its essence before it wisped into the darkness.

The effect was immediate – a complete unfathomable happiness, an intense sense of hope, a great surge of bliss. I was aware that the men were watching me, but I felt nothing other than the profound wonderment that comes over all indulgers of the sacred flower.

How could I have forgotten how paradise seeps from the bulb of a poppy? I sucked again and let the breath of angels flood into my body, drawing me back into my pillow, sinking me into myself, closing my eyes with such a delicious drowsiness that I hardly heard the key turn in the door.

Somebody spoke. 'Turn up the light.' And as the gas flared I opened my eyes to see silhouettes taking form, blurred shapes coming into focus, one tall and wiry, blond with a tanned complexion, the other even taller and barrel-chested, more mature, both standing looking at me. The second man's lips were full and sensual, the upper carrying waxed military moustaches, his hair black and cropped short, and I tried to tell myself that it was just my pipe and the poor light that made him look handsome. I smiled sleepily.

The second man did not smile back. He walked up and

looked down at me as one might assess a prize pig. '*Mein Gott*, she is a plain one.'

And, all of a sudden, he did not seem quite so attractive, his leer forking off in a livid scar. He prodded my waist with his cane. 'Not much meat on her.' He turned to his companion. 'You vill have to do better than this if I am to use you again.'

The younger man flapped his hands. 'It is like fishing. Sometimes you pull out a Dover sole, sometimes a lamprey.'

'Next time catch me a salmon, something I can get my teeth into.'

The older man sniffed and reached down to stroke my cheek with the back of his hand. I slapped it away.

'Do not touch me.'

He grabbed hold of my hair. 'She has spirit. I like that better than the vilting English roses they usually bring me, who beg and veep and svoon. You will give me a bit of a fight, vill you not, my little one?'

He grasped under my head and pulled me up, his face so close I could smell his cologne. Few Englishmen would have worn that.

'Let go.' I clawed at his face but he grasped my wrist, pulling me easily away.

'That hurt a little.' He dabbed his nostril where my nail had caught it. 'Do you like pain, girl? I can supply it in plenty.' His fingers clawed into my hair and twisted it and I winced, but I would not cry out. He let go and I fell back.

'I think that is enough.' The young man's voice took a hard edge.

The Germanic man blinked like a lizard. 'Getting a fit of conscience?' he mocked. 'Vell it is late for that, my fellow. Your money is on the mantle shelf. Take it and go. Vee shall never do business again.'

The younger man looked at him coolly. 'You will leave her alone *now*.'

The tall man laughed. 'And how vill you make me?'

'Before you start a fight...' I pulled my skirts just above my knee. The younger man averted his eyes in embarrassment but the other appraised me critically.

'Nice legs,' he purred.

I found my garter – 'Thank you' – and whipped out my revolver, the one I had taken from Johnny Wallace.

The German raised his eyebrows and depressed his moustaches. 'Do you know how to use that?'

'Enough to put a bullet through your heart,' I bluffed, and he eyed me with amusement. 'Or brain – if you have one.'

'This is ridiculous,' he said calmly and jerked his head towards the younger man. 'If you vant more we can negotiate.'

I got to my feet, keeping the gun aimed straight at him.

'We can negotiate better at the police station,' the younger man told him.

The tall man frowned. 'You are not looking like a – vot do you call them? – peeler.'

'That is because I am not.'

'Vot then?'

'Your nemesis,' I said.

The German man looked momentarily nonplussed but he recovered quickly. 'My men are up the stairs and they are many and armed. Do you think you can take me out of here and through the streets of London like a valk in Hyde Park – you, a girl and he,' he vibrated his lips, 'hardly more than a boy?'

'Yes,' I said.

The young man clenched his jaw. 'Shall I take the gun now?'

Two of the lamps burned out in quick succession.

'No, thank you, Peter.'

'I had a servant called Dieter.' The older man tipped his head back. 'He displeased me and I had him flogged.'

'Why, you arrogant...' My companion bunched his fist.

'I have a servant called Molly,' I told the older man. 'She is a good-hearted woman and might even visit you in prison.'

'You are making a stupid mistake,' he sneered.

'It is you who have made the mistake,' Peter assured him.

'And if I even think you are signalling to anybody...' I linked my left arm through the German's, pushing the barrel under my cloak into his ribs and trying not to look unnerved by how much he towered. 'I must warn you that I have a very nervous finger, Your Highness.'

The German man's lips drooped. 'You are knowing me? That could be very awkward.' He blinked lazily. 'For you.'

'We have known you for a long time, Prince Ulrich,' my companion said. 'But we never had any proof.'

The prince reappraised me. 'Pity,' he said. 'You may be plain but we could haff had such sport.'

'My sister is still housebound because of your *sport*.' Peter came towards him. 'My God, if I had that gun!'

Which was exactly why he had not.

'Better to let him live,' I reasoned, 'and suffer for what he did.'

'Vich one voz she?' Schlangezahn enquired as one might discuss a mutual acquaintance.

'The one who will put you behind bars,' I told him. 'Now, perhaps you could escort me to the police station.'

The prince's face was impassive and he bowed from the waist. 'The pleasure, dear lady, is all mine.'

'Move, damn you,' Peter urged impatiently.

'Haff some respect,' the prince reproved mildly. 'There is a lady present.'

29

The Stairs to the Stars

THE STAIRCASE PRESENTED our first problem. It was steeper than I remembered and ran straight up a narrow gap between two walls. There had hardly been room for me to pass down in my flounced-out skirts and bustle, let alone walk two abreast.

'I shall go first,' I decided, 'and you shall bring up the rear, Mr Hockaday.'

'Hockaday,' Prince Ulrich mused. 'I rarely know their names but this one caused me trouble.'

'She has hardly begun,' Peter vowed, as I put my foot on the first step.

We moved up crabwise so that I was up three steps before my prisoner was on the first. His face was slightly lower than mine and I could look into his eyes, deep and dark with a hint of amusement.

Muffled voices came down the stairwell.

'I do not believe you vill kill me.' His lips pouted disdainfully.

'There is one sure way to find out.' I edged up another step.

The prince stumbled and I dug the muzzle in.

'I believe you,' he promised hastily.

The talking grew louder, men's voices raised in banter and breaking into laughter. My right shoulder touched the door at the top and I realized that I had a problem. The door had a round wooden handle. Obviously I could not turn that with my elbow and I could not use my right hand.

'Do not put me to the test,' I warned and unlinked my arm from his, keeping the gun firmly in place.

'If you shoot me, my friends will kill you both, and they are cruel men,' Prince Ulrich assured me.

'Then you had better behave,' Peter Hockaday warned, 'or we shall all die.'

I twisted my torso, not taking my eyes off the prince. 'You will speak English.' I found the handle with my left hand. 'Here goes,' I breathed, mainly to myself, and twisted the handle.

The door creaked and I linked my arm through his again.

'Ulrich,' a deep voice cried merrily. Sidney Grice would have been able to translate his next remark but I did not have much German. I think he commented how quick the prince had been, and that another voice asked if he'd had good sport.

'Speak English in the lady's presence,' the prince instructed.

The door swung open and I saw three of them, two sitting, and one standing over the 'Chinaman' at his desk. Foo/Jones stared at me and wet his lips, nonplussed and then amused. He put his hands together and bowed.

'Aber voz…' A striking redheaded young man in a long maroon cloak eyed us in surprise.

'It is all gutt,' the prince assured them. 'Vee are just going for the valk.'

'Aber,' the young man began again, and then some more. I understood none of it but his tone was clearly suspicious.

We shuffled up.

'Nein nein,' Prince Ulrich assured him. 'Vee go alone.'

We were in the room now and it was obvious from their uneasy glances that they were suspicious. Peter Hockaday came up after us.

'Guten abend herren,' he greeted the group cheerily and their puzzlement increased.

I got to the door with my prisoner and he pulled it open. The red-haired man grabbed Peter's arm.

'Vot is going on?' he demanded.

'We are.' Peter tried to shrug him off but the man tightened his grip.

Jones did his best oriental inscrutability, but I saw him slide open a drawer without taking his brown eyes off me and I was not going to wait to find out what he kept in there.

'We are leaving,' I insisted quietly. '*Now*.'

'Release him,' Prince Ulrich commanded his companion and the red-haired man let go of Peter. 'Oh, I nearly forgot.'

He reached into his coat pocket and I dug the muzzle in, but the prince produced a black cloth bag with a drawstring, and I heard the coins clink as Jones/Chang caught it.

The moon glowed full that night and countless stars burned unimaginably far away, but all the lights of heaven could not penetrate the black misery that went by the name of Limehouse.

30

The Old Biscuit Warehouse

I KNEW THAT WE had almost no hope of hailing a cab in that area, which is why I had arranged for Gerry Dawson to take us. Gerry was an ex-policeman and one of the very few drivers I could rely upon completely. My trust was not displaced for, as we rounded the corner to the site of the old biscuit warehouse, I saw his hansom still waiting by the half-tumbled unloading bay, his piebald mare, Meg, in harness. Her back was sagging and she stood with her front left leg raised from a strained hock. It was not that he treated her cruelly – for his wife joked that he loved his horse more than her – but Meg was getting old and a life of hauling heavy loads was beginning to show.

Gerry looked down from his high seat at the back. 'Didn't know you was reelin' in such a big bloater. We'll never get the three of you aboard.'

'We cannot leave Miss Middleton here unaccompanied.' Peter Hockaday hesitated. 'But I am worried about her riding in your cab with him.'

Gerry Dawson pulled the lever to unfasten the flaps. 'Don't you worry about the Frenchy. I can deal with him.'

'I am a Prussian officer,' Prince Ulrich expostulated, 'of noble lineage.'

Gerry shrugged. 'It's all the same to me. Foreigners are Scots or French and you ain't wearing a kilt.' He gestured with his whip handle. 'Hop on.'

I let go of the prince's arm and he heaved himself on to the footboard.

'If anything should happen to Miss Middleton...' Peter warned our prisoner, but Prince Ulrich sneered.

'It is not I who vill be afraid ven my friends find out vot has happened.'

'Those posturing dandies?' I scorned, ignoring the hand he put out to help me aboard and keeping my revolver trained on my captive.

'Is that weapon loaded?' Gerry leaned away.

'It certainly is.'

'Only you won't shoot Meg?' he asked uneasily, having heard about my expertise with firearms.

'I have had lessons.' I scrambled aboard, slightly ashamed at how easily the lies tumbled out.

The prince looked about. 'Who is Meg?''

'Your kind of girl,' I told him. 'Black hair halfway down her back.'

He pursed his lips. 'I prefer blondes.'

I squeezed in beside him, pulling the flap shut after me. Gerry double-clicked his tongue and we edged into the cobbled square.

'Don't go wanderin',' he cautioned Peter. 'Stand under the shelter. You won't be seen there and I'll be back before you can spit.'

'Be careful, March.'

'It is not me who will need protection when we meet again.' I wagged a finger. 'Lamprey indeed.'

'Sorry about that.' Peter grinned boyishly, tipped his hat and disappeared into the shadows.

'Do not worry,' the prince said. 'I shall be making very good care of you both.' And there was nothing boyish or reassuring in *his* smile.

31

The Curious Case of the Coughing Dog

SEARGENT HORWICH WAS on duty as we made our way into Marylebone Police Station.

'Gerry,' he called brightly, though it was after three in the morning by the clock behind his counter. 'Come to rejoin the force?'

'Not likely.' Gerry Dawson grinned. 'I'd rather enjoy a pint with people than arrest them.'

We all knew that Gerry had not touched alcohol since Sidney Grice had rescued him from sleeping in doorways.

'Miss Middleton.' The sergeant greeted me warmly for Mr G and I had kept him from ruin too. He eyed the way I stood arm-in-arm with the prince in surprise. 'Who's the gentleman friend?'

'Neither a gentleman nor a friend,' I replied.

'You will be all right now?' Gerry asked me.

'I am sure Sergeant Horwich will look after me. Thank you for getting us here, Gerry.'

'I'll go back then.' He nodded to his old colleague.

Was there a wistfulness in the way Gerry Dawson viewed his old haunt as he set off? I thought so, but I was busy keeping hold of my prisoner.

'I wish to press charges,' I told the sergeant, 'against this man for attempting to violate me.'

The sergeant studied us both. ''E don't look that desperate.'

'Nor am I,' the prince said coldly. 'I am Prince Ulrich Albrecht

Sigismund Schlangezahn, cousin to Kaiser Wilhelm, Emperor of Prussia, and, if you release me this instant, I shall ensure that you do not lose your job and pension on my account.'

'Blimey, 'e don't 'alf talk funny,' Sergeant Horwich commented and picked up his pen, the wooden handle stained blue but a new brass nib on it. 'Name.'

The prince stood erect. 'I haff already told you.'

Horwich dipped the pen. 'Yeah, but you'll have to spell it for me. All those Rooshan words sound the same to me.'

'Prussian,' Prince Ulrich insisted vehemently.

The sergeant shrugged. 'Same thing.'

There was a commotion at the entrance and a large black dog burst through the door, dragging a disarrayed Constable Perkins by a rope around its neck. They were followed by a ruddy-faced woman, and it did not take my guardian's skills to deduce from her bloodstained apron and the strong aroma that she worked at a fishmonger's.

'What's all this?' Horwich bellowed in his best military manner.

The door swung shut and flew open again, and a thin man rushed in breathlessly.

'Arrest that woman, Constable,' he squealed and the sergeant stiffened indignantly. 'She's poisoned Nero.'

'Poisoned?' the woman shrieked. 'That mangy mongrel snaffled an 'ole cod 'ead and 'e won't pay for it.'

'Snaffled?' The man went purple. 'She fed Nero a rotten fish 'cause 'e nipped 'er bleedin' tabby.'

The dog started coughing.

'Nipped?' The fishwife howled. I was getting bored with their habit of repeating each other, but apparently they were just getting into their stride. 'Nipped? That stinking fleabag near bit my Queenie clear in 'arf last week and today 'e charges in like Nelson at Waterloo and—'

The dog quivered.

'Silence,' Sergeant Horwich bellowed. 'You,' he jabbed his pen, splattering the man's shirt in royal blue ink, 'will buy 'er a new cat if 'er old one can't be mended. You,' the pen shot towards the woman, 'will pay for 'is dog if it pops its paws. And General Nelson was not at Waterloo.' He scratched his head with the pen handle and ended weakly, 'I don't think.'

The dog appeared to be choking.

'See, 'e's dyin',' the man cried. 'I want annuva black one what can sing for the queen. Show them, boy.'

And Nero stretched out his neck, but instead of obliging us with a tune, convulsed and vomited over Constable Perkins's boot.

'Ruddy 'ell.' Perkins shook his foot in disgust.

'There you are!' the man exulted. 'There's your 'ead back.'

'What on earth is that commotion?' Inspector Pound came out of his office.

32

The Hound of Marylebone

THE INSPECTOR WAS not quite his usual dapper self. He must have been working many hours by the time I met him that night for his necktie had been pulled down and his collar unbuttoned, and – though I rather liked the stubble – he was in need of a good shave.

'Miss Middleton,' he greeted me formally. His clear blue eyes looked at my prisoner. 'And Prince Ulrich.' Pound acknowledged him icily.

'Inspector Pound.' The prince touched his own cravat as if to emphasize his sartorial superiority. 'I thought I saw the last of you.'

'I hoped the same,' Pound told him and turned to me. 'What is your business with this man?'

'Is that Eric with a U?' Horwich picked up his pen.

'Prince Ulrich attempted to force himself upon me.' I indicated the prince with a tip of my head and in an instant Inspector Pound's cool blue eyes took on a glow.

'And what have you to say to that?' he asked the prince sharply.

'I am a member of His Imperial Majesty Kaiser Wilhelm's delegation here on diplomatic business,' Prince Ulrich responded contemptuously. 'I do not answer to you.'

Pound's eyes flared. 'I am an officer of the law of this land and no man is exempt from it.'

'However,' Ulrich met his glare insolently, 'since you are clearly acquainted with this peculiar woman, you might ask her to remove her pistol from my person.'

I had almost forgotten that the revolver was still poking into the side of my captive's chest and unhooked my arm from the prince's to bring out the gun.

'Blow me,' the man said and, snatching his dog's lead from Constable Perkins's grasp, scarpered on to the street. The fishwife had beaten him to it.

'Not your usual style.' Pound raised his eyebrows as he eyed my weapon. 'I would be grateful if you could point it at the floor.'

I did so and the inspector took my weapon by the barrel, carefully lowering the hammer and passing it to the sergeant. 'Put that in the safe.'

'It is not loaded anyway,' I assured him.

The prince laughed. He had strong white teeth and was, in an instant, altogether less forbidding.

Inspector Pound greeted my announcement with something close to despair. 'Keep this man here but do *not* arrest him,' he instructed Horwich. 'I will take a statement from Miss Middleton in my office.'

I followed him down the corridor. 'I was not expecting to see you here,' I told his broad back.

'They are very short with injuries and a resignation,' he told me gruffly over his shoulder, and I pondered on the irony of that, for it would have been much easier to have taken my prisoner to the Limehouse Station had I not been trying to avoid this meeting.

I had first entered that room the day after I came to London, when Sidney Grice had questioned William Ashby for the stabbing to death of his wife, Sarah. Inspector Pound had a contempt for paperwork which was to earn him more than a few reprimands from his superiors over the years and the room had been in chaos, but whoever had used it in George's absence had been exemplary in his tidiness for there was not a document on the floor, not a chair piled high with files.

'Take a seat,' he instructed rather than offered and I sat on the edge, my bustle against the back spindles, whilst he perched on the corner of his desk.

'So what is this about?' His tone remained official.

'I am sure you remember Geraldine Hockaday,' I began.

'I am unlikely to forget that case,' he replied grimly. 'Schlangezahn got off without charge and the German ambassador demanded that I was dismissed. If he had not been so high-handed and got the Home Secretary's back up, I would have been looking for another job.'

George Pound rebuttoned his collar.

'Well, you have two witnesses who will not be intimidated this time,' I assured him.

'Two?' He straightened his tie.

'Peter Hockaday was there with me.'

'Her brother?' he clarified in surprise, brushing some dust off his knee.

'He pretended to be a procurer.'

Pound's eyes narrowed and I knew that look. 'This sounds dangerously like entrapment.' His hands rose and for a moment I imagined they might cup my face but he only tugged his coat sleeves down over his wrists.

'He approached Peter.'

'In front of witnesses?'

'None that would come forward,' I admitted. 'It was in the lounge bar of the Waldringham Hotel.'

Inspector Pound exhaled heavily through his nostrils. 'What does Mr Grice think of all this?' He tapped his right heel three times against the desk. 'And why is he not here?'

I swallowed. 'I have not told him yet.'

Pound blew out through his lips and I could not help but

remember how they used to mould to mine. He rocked forward on to his feet.

'When I came into the lobby there was an angry mob baying for Schlangezahn's blood, with a ferocious black hound straining to savage him,' he decided. 'I shall detain Prince Ulrich here for his own protection and to maintain public order. You will go home and return immediately with Mr Grice, and we will see what we can sort out of this mess.' He opened the top drawer of his desk and brought out a full whisky bottle. 'Perhaps he will be a bit more conversational over a drink.' He rooted about for two almost clean glasses.

'I doubt it,' I said.

'So do I.' Inspector Pound huffed. 'Go.'

33

The Nightwatchman and Identical Twins

THE NIGHT WATCHMAN was hurrying down steps to knock on basement doors as I returned to Gower Street. In poorer areas he would have tapped with a bamboo pole on upper windows, but in this part of Bloomsbury it was the servants who were roused, not the householders. The latter could have an extra hour or so in bed while their water was heated and breakfasts prepared. My guardian would not pay the penny a day for this service. He expected our maid to wake herself without the benefit of this or the expense of an alarm clock. After all, he always woke up at exactly whatever time he had decided upon.

Molly did not look like she had been up long when I tapped on the door and she was in the process of pinning on her hat when she answered my call.

'Yes?' She peered blearily though the gap.

'It's me, Molly.'

'But you're in bed,' she objected.

'As you can see, I am not.' It was starting to rain.

Molly wrinkled her nose. 'How do I know you ain't not your own identifical twin like Gasper Square in *The Shade of Merry Murray*?'

'Squire Jasper,' I corrected, as if the name mattered. I had long given up trying to convince her that I had invented the story for amusement. 'If you think I am not me, go and see if I am in my room.'

Molly considered my suggestion.

'All right, I shall abmit you.' The idea of running back upstairs cannot have been attractive to her. 'But, if you aintn't not you, you'll be fearious when you find out.' She took the chain off. 'And you dontn't not want to get on the wrong side of you, I can tell you, miss – if you *are* you.'

'Oh, for goodness' sake.' I rammed my cloak into her arms and marched into the study.

'He's out,' Molly called after me. 'Infestigating why Nelsong's Columns aintn't not been stolled.'

I went upstairs to tidy myself up. It had been a long night and the effects of the opium had still not worn off. I sat on my bed and the next thing I knew, there was a face pressed against mine and Molly was saying, 'If you aintn't not the other one, he wants to see you immediantley and that means without not no delay.'

I got up, straightened my clothes as best I could, and trudged down after her.

Sidney Grice sat at his desk perusing his copy of Jacob Cromwell's *Secreta Botanica*, the infamous book of poisons, which was one of his greatest treasures. There were only four copies known to be in existence.

'Explain,' he said without looking up.

'How much do you know?'

He turned a page with an exquisite float of the fingers. 'You do not imagine you can go in and out of people's lodgings without such visits being drawn to my attention – especially those of Lieutenant and Miss Hockaday?'

'Gerry has spoken?'

My guardian scribbled a note on a sheet of white paper and suddenly I felt like the little girl I had been, on one of the very few occasions her father had scolded her.

'Dawson has nineteen faults of which I am aware.' He leafed back. 'One of which is his loyalty.'

"'Is that a fault?'

'To me, no: to you, no: to you in preference to me, yes.' He ran his white-gloved finger lightly under a line and whispered *helleborus niger*, as if it were sacred.

'I knew that you use street urchins to supply information but I did not imagine that you employed them to spy upon me,' I said indignantly.

'And yet...' Sidney Grice looked up. He had a black patch on, but his good eye seemed to drill into me. 'You have such an invigorated imagination as a rule.' He placed his pencil parallel to his blotter. 'Explain.'

'Peter was set upon killing Prince Ulrich, but I persuaded him that it would be better to bring him to justice.'

Mr G took off his pince-nez and polished both lenses, though only the left was of any use to him. 'Continue.'

'We decided between us that the best way was to catch him in the act.'

'And so you used yourself as bait?'

'Yes.' I looked down.

'It seemed to you that the best way to apprehend a criminal was to trick him into committing another crime?' He clipped his eyeglasses back on to his long thin nose.

'Put like that...'

'Put like that, does it seem foolish?' My godfather slapped his desktop. 'I devoutly hope it does, because it was. It was also reckless and immoral.' He raised his hand to forestall my defence. 'Where is he now? And, if I were a praying man, I would be petitioning God for you to tell me truthfully that he is not in Marylebone Police Station.'

'You prayers would not be answered,' I admitted. 'I left him with Inspector Pound.'

Sidney Grice clicked his tongue meditatively. 'And was he delighted with your actions and the position in which you have placed him?'

'He was not,' I conceded. 'In fact he asked me to fetch you at once.'

'Am I a rubber ball or a stick that I should be *fetched*?' my godfather asked indignantly. 'Do not answer for it should he obvious, even to one as mutton-headed as you, that I am not. Give.' He upturned his palm.

'What?'

'Give,' he repeated firmly, and I took an oval ivory box out of my secret pocket and placed it in his beckoning hand.

There had been three cubes left and it seemed a shame to waste them.

'I only—' I began, but we both knew I had not *only* done anything.

'Proceed instantly into the hall.' Although we were the same height, my guardian somehow managed to tower over me. 'If that is not too challenging for your so-called intellect. Tell Molly to stop eavesdropping and to prepare my Grice Patent Insulated Flask of tea. Run the flag up and await me there. I shall join you in one minute and forty seconds when Mr Cromwell has revealed what he proposes as an antidote.'

The doorbell rang and I heard Molly clatter the short distance to the front door. There was a faint buzz of voices and she clumped into the room.

'You know that man?' she announced. 'It's him.'

'Tell Dawson I shall be with him in one minute and thirty-two seconds,' her employer commanded and returned to his book.

'Leave this to me, Molly,' I said and went out into the hall. Gerry stood on the doorstep in the rain and he did not look happy.

'Where's the guv'ner?' he asked urgently. 'That pal of yours is nowhere to be seen.'

34

The Mexican Tailor

SIDNEY GRICE WAS in the hall before Gerry had finished speaking.

'Flask,' he barked at Molly.

'I've only got two pairs of hands,' she grumbled, thundering into the basement.

'Cloak,' he snapped at me. 'Where did you leave him?' he rapped at Gerry.

'The old biscuit warehouse on the corner of Grady Street…'

'And Durrent Road.' Mr G whipped his Ulster coat off the stand. 'You left him there alone?'

'Not much choice,' Gerry protested. 'I told him to hide and went back soon as I could. Been up and down Limehouse all night, I have.'

My guardian donned his hat. 'Was he armed?'

'No,' I confessed and put on mine.

He pulled on his gloves and selected a cane, which I recognized as one of his sword sticks by the curved gouge along the shaft, caused by his fight with the Mexican tailor in *The Mystery of the Unsmoked Bloater*.

Molly came galloping back with her employer's bottle of tea.

'Marylebone Police Station,' he instructed Gerry.

'But we must go to Limehouse,' I protested.

'Is there something that fascinates you about that area?' He pushed the cork in more firmly. 'Or do you hope to relive your escapade?'

'But that is where Peter is.'

'It is where you left him.' He rammed the flask into his satchel. 'But, if you were listening, you would know that your accomplice has quit his post – whether voluntarily or under duress remains to be established.'

'But we must go to look for him,' I protested.

'Do you know the area better than Dawson?' Mr G demanded. 'Even assuming your accomplice is still there, the courts and alleyways would have to be drastically simplified before they could begin to be classified as a maze, and you cannot buy information there, not even for money.'

I knew that my godfather was right and that we could trawl Limehouse for a month and achieve nothing, but I could not help feeling we should be more actively searching.

35

The Sword of Honours

INSPECTOR POUND LOOKED even more harassed than when I had left him.

'Take a look at those.' He thrust a fistful of telegrams at my guardian.

'Good morning, Inspector,' Sidney Grice greeted him and skimmed the contents.

'Congratulations, Miss Middleton,' Pound snarled. 'I am currently being vilified by Sir William Vernon Harcourt, the Home Secretary, for causing an international incident. You are aware – are you not? – that this man is related to Her Majesty the Queen.'

'Does the German Embassy know that Prince Ulrich is here?' Mr G asked.

'Of course.' The inspector grimaced. 'The envoy has just left and only to fetch the ambassador in person.'

'Has he spoken yet?' I enquired.

'No, nor will he,' Pound replied, 'except to insult my men by telling them they are pigs and dogs.'

'This came as a surprise to them?' Sidney Grice clipped on his pince-nez to decipher a scrawled missive.

'Where is he now?' I asked hastily.

'In an interview room.' Pound bottled up his indignation at my guardian's remark. 'He's so objectionable I'd have throttled him if I'd kept him in here, but it has been impressed upon me that it could be construed as an act of war if I locked him in a cell.'

'He will be in one soon enough,' I forecast.

'Not on the evidence that you have produced, some might say *manufactured*.' Mr G took off his pince-nez but continued reading.

'However Prince Ulrich came to be at the opium den—' I began.

'Opium? Oh, for heaven's sake,' Pound protested.

'He tried to assault me,' I persisted. 'At least he cannot deny that fact.'

'It is a popular – and therefore fallacious – belief that facts speak for themselves.' My guardian let the papers float one by one, some on to the desk but most on to the floor. 'If they did, I would not be obliged to spend many of my conscious hours speaking on their behalf. That you have caught His Highness in a trap is almost indisputable, but there are two obvious escape routes. The first I have already alluded to. He can simply deny everything and then it is just your word against his – especially as your one witness has yet to re-emerge.'

'Do you think he will?' I asked worriedly.

'Of course he shall,' my godfather reassured me. 'One way or another.'

'You do not think he is—' I cried.

'I have no reason to believe that Hockaday is dead,' my godfather hastened to reassure me, 'or alive.'

I stepped back.

'I will send a man to look for him,' Pound promised.

'One man?' I threw up my hands.

'Which is one more than I can spare,' the inspector told me stiffly, and I lowered my arms for I knew the force was overstretched, with officers being seconded to Limehouse and the search for the Soft-Hearted Strangler, who had struck again in Soho. 'And I am tied up at present with a very angry German, and running out of reasons to hold him.'

'Well, I am not afraid to be cross-examined in court.'

'Then allow me to be afraid for you.' Mr G speared a ball of paper. '*I* have a deserved reputation for truthfulness, but you are a girl and what judge in his right mind would take your word against that of a Prussian officer, gentleman and aristocrat?'

'First, I am a woman.' I banged my fist on the wall and wished I had not. 'And, second, my word is as good as any man's any day.'

Mr G looked at me pityingly. 'Shall I give examples of your deceitful behaviour since you lumbered so gracelessly into my home? Shall I mention your clumsy untruths regarding your inhalation of tobacco-leaf smoke, your ingestion of ethyl alcohol, the company you keep? Shall—'

'What is the other way?' Pound broke in.

'Simply denying the facts gives me the opportunity of proving them and, if Prince Ulrich knows anything about me, which he does, he will know that it is my job to prove facts and there is none better at it than I.' He folded the last telegram five times. 'The second route is more elegant and almost unanswerable, and therefore he will take it.' He tossed the paper over his shoulder without troubling to flatten it for inspection.

I looked towards the inspector for clarification but there was none forthcoming.

'And that is?' I enquired.

'He has an excuse.'

'What possible excuse could there be?' I railed at the very idea.

Mr G raised his left eyebrow. 'Why do we not ask the man himself?'

'He will not talk to anybody,' Pound insisted. 'I tried for two hours.'

Sidney Grice pirouetted. 'He will speak to me.' And he marched out of the door.

36

Scars, Scraps and Salvage

THE STAGE THAT was interview room three never changed. Only the actors came and went. The long pine table still stood at right angles to the wall, which was still in need of whitewash. The tall grilled window had been boarded over, though, after – as Inspector Pound had told us on the way – being smashed by an inebriated bottle seller with one of her wares.

Prince Ulrich sat at that table, straight as a broomstick, with a constable behind him.

'Stay seated,' the constable commanded, but the Prussian snapped smartly to his feet and held out his hand, horizontally as if to kiss mine. I did not offer it in return but sat in one of the three wooden chairs facing him.

The men remained standing, sizing each other up – the prince lazy-eyed and the inspector coolly – and my guardian might have been a referee between two prizefighters.

Sidney Grice stepped back, clipped his pince-nez on the bridge of his long thin nose, and looked the Prussian up and down. 'I wonder if you are as false as your duelling scar.'

Prince Ulrich tilted his head in acknowledgement of the observation. 'How can you tell?'

'For the slash of a sabre to have cut such a straight line it would have to have smashed through your zygomatic arch and you would have a permanent indentation,' Mr G explained.

'You have none, therefore the scar was caused by a careful incision.'

'They were quite the fashion when I was a cadet,' the prince admitted. 'But they had to run up to the eye for the correct effect, a dangerous feat and difficult to pull off with a sabre, and zo I haff a bottle of schnapps and my friends perform the operation with a bayonet.'

'I am glad I do not have such friends,' I commented.

'But you haff not introduced me to yours,' the prince reminded me.

'Mr Sidney Grice,' I said shortly.

'I recognized you at the inquest.' The Prussian clicked his heels in a way that I had only seen on the stage before. 'But for us to meet in person is an honour.' He bowed his head stiffly.

'It is,' my guardian agreed.

'For whom?' I enquired, but Sidney Grice waved me to be quiet.

'May I see your hands, Prince Ulrich?' he asked, a great deal more politely than he would of most suspects, and the prince held them out palms up. Mr G bent until he was almost touching them. 'Excellent.'

'I am glad you are approving.'

'And the backs, if you please.' Prince Ulrich rotated his wrists.

'Do you cut your own nails?' Sidney Grice sniffed them.

'Do you?'

'I am not here to be questioned by you.'

'Nor I by you.'

'Kindly expose the soles of your boots to my inquisitive gaze.'

The German flared his nostrils but, nonetheless, turned his back to raise his left foot and then his right.

'Hauenstein leather,' Sidney Grice observed. 'And the left again, please.' He brought out a pencil and scraped a fleck of dried mud on to the cover of his notebook, holding it up to the window and smelling it. 'Pity.' He blew it away. 'Please be seated, Your Highness.'

The prince glided back on to his seat and the other two sat either side of me. 'Pound,' Prince Ulrich said thoughtfully. 'I knew a Herr Pound. He was a vulgar fellow.'

The inspector bristled. 'If...'

But I was used to the prince's trick by now. 'I know a Prince Ulrich,' I put in. 'Odious specimen. He attacks women.'

The prince sniffed. 'A gentleman seeks his pleasure vere he can.'

'So does a street dog,' Pound told him.

Prince Ulrich raised a hand as if to slap the inspector with the back of it.

'My Gott, if you spoke to me like that in my country—'

'Unfortunately for you, this is my country and, if you do not lower your hand immediately, I shall charge you with threatening a police officer in front of three witnesses,' Pound said angrily.

'Schweinigel,' the Prussian hissed, but pulled his arm down.

'Well, this is jolly.' Sidney Grice whipped off his pince-nez and jabbed them to within half an inch of the Prussian's left eye. 'You were apprehended allegedly in the process of purchasing a woman for the purpose of outraging her against her will.' My guardian made a quick note in his own shorthand.

'And what a poor purchase she was,' Schlangezahn sneered. 'I haff seen better scraps thrown to the butcher's cat.'

Inspector Pound drew a sharp breath but I touched his sleeve quickly.

'You thought you had paid for me?' I enquired. 'You have not begun to pay for me yet, Prince Ulrich – nor any of those you have abused.'

The Prussian half lowered his eyelids and he tilted his head back. 'I haff not been charged with any others.'

Sidney Grice snapped his notebook shut. 'You have an excuse.' And the prince eyed him indolently.

'I do not make excuses.'

'Whatever you call it.' Mr G flapped his hand irritably. 'Let us hear it and then we can all go home for a nice cup of tea.'

Prince Ulrich curled his lip. 'Only the English could regard leaves soaked in water as the height of sophisticated pleasure.' He yawned behind the side of his fist. 'Very vell. I too am appalled by the accounts of the fates of your vomanhood. Your police have proved to be impotent and incompetent—'

'This had better be good,' Pound warned. 'For you won't have a comfortable night if we put you in the cells.'

'And zo,' the prince continued, 'I decided to set my own trap, use the services of a...' His long fingers combed the air for a word. 'Procurer. And, once he had taken my money, to hand him over to the authorities. I voz no more to know that the procurer was trying to catch the villain than he voz to know I was doing the same.'

'But you pulled my hair,' I remembered.

'I played my part as you played yours.' The prince batted my accusation away like an annoying bluebottle.

Mr G slipped his notebook away and stood up. 'Good day, Oberst.' He nodded.

'You will wait in my office, Mr Grice?' Pound's voice was icy.

'I shall,' my guardian concurred. 'But not today. Farewell, Inspector.'

'That was not a question.' I had never known George Pound to exhibit such bottled anger.

'I beg to differ.' With a swish of his Ulster overcoat, Sidney Grice was gone, his ward trailing sheepishly back up the corridor.

37

The Feet of Friends and the Power of Steam

LIMEHOUSE DID NOT seem so menacing in the light of day. It bustled with dock life and there was even the consoling sight of a policeman ambling through a group of black sailors, who, to judge from their reeling gaits, had not long been on dry land and, from the way they swayed along in straight lines, had not yet visited a bar.

Gerry Dawson guided Meg up a street leading away from the water and we negotiated a series of sunlit alleys, barely recognizable as those that we had edged along at night.

''Ere we are.' We stopped by the loading bay.

Five urchins tumbled through a doorway across the court. I gave them a penny each and they loitered nearby, watching us curiously.

'Lost yer nosebag, missus?' one called, to his friends' hilarity, making me very glad indeed that I had been kind to them, especially as I could not be so cruel as to mock their wretched appearances. Every one of them had the bow legs and bulging brows of rickets.

'Shove off.' Gerry waved a threatening fist and they backed a pace or so but did not scatter.

'The little rascals,' my guardian said, with a benevolence that he reserved almost exclusively for people who were rude to me.

The bay was no more than a tumbledown rotting wooden

shelter, attached by one long side and one short to a crumbled brick wall, the other corner once supported by a post which was now snapped and hanging loose, so that the roof sagged from about eight feet high at the wall to three feet at the unfixed corner. Old soiled straw on the cobbles indicated that a pony or donkey must have been housed there sometimes.

'Well, he ain't here now,' Gerry observed.

'If only I had an opening for another assistant,' Mr G muttered, 'I could reject you for it without an interview.'

'Not so pretty as your present one,' Gerry said, more gallantly than truthfully.

'Miss Middleton's unfortunate appearance is none of your concern,' my guardian scolded.

The ground was trampled with a jumble of bootprints and hoof marks.

'I suppose it is too much to hope you are capable of recognizing your friend's impressions.' Mr G ran the ferule of his stick round the smudged outline of a heel.

'Would you recognize yours?' I challenged.

'If I ever had a friend I most certainly would.'

'Wouldn't recognize my own in all that mess,' Gerry contributed.

And Mr G dropped his eye into his hand and straight into his waistcoat. 'Yet another reason why I shall not be offering you the imaginary position.'

He raked about in the straw with the ferule of his cane, uncovering nothing other than more muck. 'If you were to kneel and sift through it with your fingers, Miss Middleton—'

'Perhaps you would like to show me what you mean,' I broke in, but neither of us seemed inclined to follow the other's suggestion.

Sidney Grice leaned in as far as he could and puddled his stick around.

'Found anything?' Gerry asked over my shoulder.

'I have found almost innumerable things,' Mr G answered testily, 'most of them being the end products of equine digestive processes, though at least two canine and four feline visitors have made generous contributions, not to mention a difficult to ascertain number of *Mus Musculus*—'

'Who?' Gerry queried.

'Mice,' I translated.

'And *Rattus Norvegitus* visitors.'

'I can guess that one.'

'And,' Mr G's voice rose indignantly, 'the young of a species unworthy of classification as *Homo Sapiens*, indeed scarcely describable as *Homo*.'

If the children knew that he was disparaging them they showed no sign of it, merely calling out helpful suggestions to my godfather not to slip, along with a toothless boy's insistence that any *tin* dropped in there must have been his.

Sidney Grice pulled his head out and straightened up. 'Got a rag, Miss Middleton?'

The filth began to steam and, in places, bubble, slurping and popping with his vigorous stirring.

'I have this.'

'It will have to do.' He wiped his cane clean on my pink silk handkerchief. 'Want it back?'

'No.'

He dropped it in the gutter and leaned in sideways to scrutinize the brick wall to his side.

'Ummm humph,' he said – or words to that effect before repeating the sounds backwards. 'Aha.' He took hold of the corner and leaned in sideways. 'Interesting.' He re-emerged. 'Possibly.' And fiddled with the handle of his cane.

'Is that the cane with your clockwork fingers?' I asked.

They had not been a great success at picking up biscuits.

'A similar but manual device.' Mr G pressed a button, the ferule retracting to expose two flattened prongs which, when he twisted the handle, closed together like miniature fingers, hinging apart with a counter-twist.

'Excellent,' he grunted, and reached in and upwards to something just under the roof. 'Steady,' he instructed himself. 'And... Got you.' He emerged triumphantly with what looked like a piece of fur in the grip of his prongs. 'What colour would you say Lieutenant Peter Lewis James Hockaday's hair was or – to cut to the chase – would you say it matched this?'

I looked over and saw a clump of yellow hairs.

'Very similar,' I said with a sinking feeling. 'Oh dear Lord.'

As Sidney Grice rotated his find I saw that attached to the underside was an area – about the size of a postage stamp – of scalp.

'Looks like he had his head banged good and hard on the wall,' Gerry contributed.

'If we could find a board I can get a proper look without soiling my boots,' Sidney Grice mused. 'It is quite dark in there but I am fairly certain that there are another three pieces and, lower down,' he indicated with his stick, 'are twenty-six stains, six of which bear seven striking resemblances to blood.'

'A violent struggle,' Gerry pronounced gravely.

'I appear to have a new professional rival.' My guardian dropped his sample into a wide test tube.

'Thruppence to the boy who brings us a wide plank,' I called across the court and there was an immediate stampede.

'And a free night in Commercial Road Police Station if I discover that it is stolen,' Sidney Grice called after them.

'Well, they ain't gonna go to the plank shop and buy one,' Gerry Dawson snorted.

'No, but they might be able to borrow one from a carpenter,' I said hopefully.

''Ere you come back wiv that, you likkle bleeders,' a woman shrieked over the clatter of clogs returning at full pelt.

38

The Dancing Needles

Mrs Freval was cheerier when she answered the door that morning and I wished that I could share her mood.

'Ooh, 'e reeely reeely loves 'is noo cap.' She swirled her skirts.

Turndap had something that might have been an old paisley pincushion tied with a tartan ribbon under his chin, and I never believed that a dog actually felt embarrassment until Mrs Freval's mongrel proved me wrong.

'You look very smart,' I said, but he avoided my gaze and backed shamefacedly away.

I climbed to the top floor.

'Is that you, Peter?' Geraldine called in response to my knock.

'It is March.'

'I am coming.'

A floorboard creaked and the door came open a crack.

'Oh, it *is* you.' Geraldine let me in, locking and bolting the door after me. 'I have been knitting,' she announced, as if she did anything else.

'What will it be?'

'A scarf for Peter for when the winter comes.' She settled back into her armchair and picked up the wool. 'He feels the cold more after his time abroad.'

'That is a kind thought.' I sat in the only other armchair.

The drapes were drawn as they often were, especially if Geraldine were alone. She felt safer in a cocoon.

'He is very good to me.' She slid a needle through and looped her brown yarn around it. 'He does not like to wear bright things.'

'A lot of men do not.'

'Mr Grice is very—' Geraldine Hockaday struggled for the right word. 'Colourful.'

'In more ways than one.' I hesitated. 'Geraldine—'

'I have not asked you,' she admitted, 'because I can tell by your face something is wrong.'

'It did not go well,' I confessed as she watched me with her quick nervous eyes. 'We caught Schlangezahn as he was about to assault me.'

'But that is exactly what you hoped to do,' Geraldine cried, her triumph mixed with consternation.

'But we had to let him go,' I said flatly. 'The police were under a lot of pressure and I had no real proof.'

'But you had Peter as a witness, surely, and Peter is an officer and a gentleman. He has three medals.'

I took a breath. 'I am afraid that we do not know where Peter is.'

Geraldine's eyes flickered wildly as if searching for her brother in that stuffy, dark room. 'Why not?'

'We had to leave him in Limehouse.'

'Alone?'

'I am afraid so.'

Geraldine hunched over her work, needles dancing around each other but the scarf not noticeably any longer. 'It is I who am afraid. Have you heard nothing from him?'

'Nothing,' I said, and Geraldine curled herself deeper over.

'Then you must find him,' she said. 'It is as simple as that. Find him.' Her voice rose in pitch but was still low in volume as the words rattled out of her. 'Find-find-find-him.'

'We will do everything we can,' I vowed. But I had no idea what we could do.

39

Snakes, Teeth and Castles in the Air

SIDNEY GRICE SPRAWLED diagonally in his armchair, his feet on the coal scuttle. He was browsing through a thick document. *Bocking* v. *Bocking* I read on the cover.

'Scrutinize this,' he greeted me, delving in a waistcoat pocket to show me something like a small biscuit for a good dog.

'Is this the button you took from Lucy?'

'About which you have shown a singular and eldritch absence of curiosity,' he confirmed accusingly.

I refused to admit that I had forgotten all about it. 'Can I see?'

My guardian spun the button high in the air and I caught it in one hand – cream ivory with some symbols carved on it in cameo.

I squinted. 'It looks like a beer barrel tied in a rope.'

Mr G held out his pince-nez. 'Perhaps you should consider getting a pair of these.'

I got up and helped myself to his silver-handled third-best magnifying glass on the desk and went to the window for the better light.

'Rotate it ninety degrees anti-clockwise,' my guardian advised. 'Where is that slattern? She went up twenty minutes ago.'

'Perhaps she did not hear the bell,' I suggested.

'She heard it. There was a three-second pause in her activities.'

'A castle.' I moved the glass out to sharpen the focus. 'With a snake wrapped around it.'

'In which era and at what location have castles been constructed with twin roots?' He let his pince-nez dangle on its pink cord. 'It represents a lower molar.' He put his fingertips together. 'How is your German?'

'As good as my Japanese.' I replaced the glass, gave him back the button and sat to face him again.

'Tooth translates as *zahn* and snake as *Schlange*.' I could not help but notice how he sat more erect when he spoke German.

'Schlangezahn,' I realized, not very cleverly.

Sidney Grice yanked on the bell pull again. There was a distant cry and Molly came clattering down the stairs.

'Surely that is proof enough that he attacked Lucy?'

'Is it?' Mr G inclined his head.

'I suppose somebody else could have worn his waistcoat,' I conceded, as Molly cantered along the hall.

'That is one of forty possible explanations and only the sixth most likely.'

Molly burst into the room.

'You are late,' her employer scolded.

'Better late than later,' she responded brightly but, seeing that did not go down very well, tried again with, 'I'm sorry, sir, but I was just giving the cat a bath.' She struggled to straighten her apron but managed to twist it more askew.

'You were doing what?' I exclaimed in horror. 'Is she all right? You have not drowned her?'

I jumped out of my chair but Molly slapped her knees in merriment.

'Bless you, miss, I didntn't not put no water in. I gave Splirit the bath to play in with Mr Grice's sock what he don't not know she chewded up last week.'

'I think he does now,' I told Molly, and she clamped her hands over her mouth one at a time.

'Oh, miss, you didntn't not tell him?'

'No, you just did.' I sat back. 'And her name is *Spirit*.'

Molly's arms windmilled, nearly catching her employer in the face as he whisked away.

'Oh, bless you, miss, I know that, but she laughs like a spider when I call her that.'

'You took Molly on,' I reminded my guardian and he rolled his eye.

'So you did, bless you, sir.' Molly smiled affectionately.

'That is three blessings in two minutes,' he complained. 'Any more and I might as well have employed the Pope.'

'I didntn't not think you cared for Roaming Cathlicks.' Molly folded her arms with the air of a doorman who had been instructed not to admit me.

'I do not care for anyone,' he reminded her.

'You liked Mrs Dilligent,' she reminisced, 'and the doctor lady.' Molly rested a hand familiarly on the back of her employer's chair and he flinched, his mouth working towards an explosion of abuse. 'And the Gorestring woman what we stayed with.'

It had been one of the most terrifying nights of my life, but Molly was clasping her cheeks as one might recollect a romantic dinner.

'Tea please, Molly,' I put in hastily, and she looked at me dolefully.

'Me and Mr Grice was having a good old chinwag,' she reproached me, catching her employer's expression as she bent to pick up the tray. 'Oh, and now look, you've gone and upset him and he's so difficult to upset normanly.' She stumbled on the hearthrug. 'Not to worry, sir. We'll catch up later.' She began to curtsy, but thought better of it as the tray tipped thirty degrees. 'Bless him,' she crooned as she left.

'But we do know that the button belonged to Schlangezahn,' I recapitulated.

'It certainly resembles a button which Prince Ulrich Albrecht Sigismund Schlangezahn might wear.' Mr G shook open a folded square of chamois.

'So shall we pay him a visit?' I suggested.

'Not yet.' He polished his eye.

'Why not?'

'There are turnips for dinner.' Sidney Grice reinserted his eye. It was not, but it looked upside down. 'And I have yet another telegram to send to that not especially mysterious, though doubtless parasitical solicitor, Mr Silas Spry.'

He went back to his reading.

'Good heavens,' he cried. 'I have yet to reach the thrilling climax of this account but, from Miss Bocking's testimony of how she invented her safety pencil sharpener, it would appear that the design was indeed stolen.' He waved the report accusingly. 'From me.'

40

The Ruins of Abbey Road

We had a good drive, our horse getting into a steady trot and tossing its head joyfully at the unaccustomed exercise along Marylebone Road past the new Madame Tussaud's with its verdigris dome.

'Perhaps they will put you in their chamber of horrors one day,' I teased.

'I would be in familiar company.' Sidney Grice struggled to extract the cork from his flask. 'Apart from capturing three of the murderers represented therein, I have shaken the hand of both Messrs Calcraft and Marwood, the executioners.'

It was another hot day and I was glad of my new bonnet but, though I had brought a new parasol to complete my outfit, I dared not open it in the presence of my guardian.

Families, gaggles of girls and gangs of youths were heading for Regents Park.

'It is salutary to recall that forty skaters drowned in that boating lake when the ice broke eighteen and half years ago,' my guardian said grimly. 'Yet another example of the perils of seeking frivolous pleasure.'

'You take pleasure in some things,' I pointed out.

'None frivolous,' he parried as we whisked by, the sounds of the city almost too faint to hear. 'And very little pleasure.'

London has always been a city of contrasts – poverty cheek by jowl with opulence – but I never ceased to marvel how the urban bustle of Gower Street could give way to near-rural tranquillity still within the borough of Camden. Gower Street ran largely between two rows of terraces, the only vegetation being in the occasional window boxes. Abbey Road boasted imposing villas set back in large plots. The pavements were dotted with plane trees and the gardens profuse with shrubberies and well-clipped lawns.

Four young men crossed in front of us. They had long and unkempt hair.

'Such poverty even here,' I sighed. 'That one has nothing on his feet.'

My guardian clucked. 'He can afford to smoke cigarrrrettes, though.' He rolled the R's in a distinctly feline purr.

It was not difficult to spot the site of Steep House. The line of precisely trimmed privet hedges to our right was herniated by unkempt bushes bulging into the pavement and overhung by branches.

'Halt,' Sidney Grice commanded and the driver hauled on his reins with a gentle, 'Whoah.'

The horse slowed reluctantly, snorting and stamping its hooves at having its fun curtailed.

'There, you unattractive fool.' Mr G stamped both feet at once and we pulled up. 'Reverse your vehicle immediately.' The horse edged uneasily backwards until we were alongside the gates of the previous property. 'Stop-stop-stop.' My godfather could not have yelled any more urgently if we had been about to reverse over a cliff, and the horse obeyed instantly, slithering slightly on the cobbles.

The name on the brick pillar gatepost had been freshly repainted.

'Finkin' of movin' awt 'ere?' Our driver lowered his hand for his fare. 'You won't find a decent tiger for miles.'

'Is he speaking an obscure Hindoo dialect?' my guardian pushed open the flap. 'If so, it is not one that I have studied.'

'It is rhyming slang for *pub*,' I interpreted. '*Tiger cub/pub*.'

'It is wonderful to know that your time in such establishments has not been entirely fruitless.'

We clambered out and I just had time to give the horse a raw potato before the sting of the whip on its flanks set it off again, wild-eyed and sweating with exertion.

'Pay attention,' my guardian snapped as if I had run off to pick wild flowers, and we stood side by side, gazing through the high railings at the childhood home of Lucy Bocking.

New House stood on a wide raised terrace at the end of a thirty-yard gravelled drive, with a carriage turning circle cut into closely clipped lawns, still lush despite the summer's drought. The house itself was wide and clean-lined and stood three storeys, white-painted with a central door and rounded bays at either end. The long windows were divided into small panes. It was an impressive and elegant building, but the crowning glory of New House was a great dome on the flat roof, an upturned cast-iron basket filled with glass glittering in the August sun.

'Very nice,' I commented.

'It is what it is,' my guardian told me.

'So is everything.' I wondered if the fountain in the circle had any fish in it.

'Except art, money, power, chocolate-coated biscuits and people,' he told me. 'Come.'

We made our way back up the road past the privet hedge, rule-straight on one side, unkempt and ragged on the other. The wrought-iron railings flowed on but were eroded in places and brown with rust, and here the spikes were topped by heavy rolls of viciously barbed wire. The gate was chained and secured by a chunky cast-heart padlock.

Mr G slid the cover up.

'Brass workings,' he remarked in satisfaction. 'So they will not have corroded.'

He set to work with his picks, whistling a short low note over and over again, while I watched a grey squirrel chase itself round the trunk of an elm tree.

Just as I was battling with an urge to beat him into silence with my parasol Sidney Grice stopped chirping.

'Got it.'

There was a clunk and he hinged the shackle away to force the gate open with some difficulty, as the hinges had not been so resistant to the elements and fought noisily to resist him.

The top of Steep House was just visible above a crop of giant cow parsley or *Heracleum mantegazzianum*, as Sidney Grice classified it. The roof had gone, apart from the back left-hand corner where a gable of charred beams supported a patchy tent of grey tiles.

The ground had not been tended for years and we slashed our way through the undergrowth with the vigour of two Stanleys hot on the trail of Dr Livingstone. Any thoughts I might have had were interrupted when I became ensnared in a heavy spider's web. I plucked it off my face, stumbled over a tree root and barked my shin.

'Blimmit,' I cursed and my guardian paused in concern.

'I cannot help feeling that I failed you.' He watched me struggle to my feet. 'By not impressing upon you forcibly enough that profanities are *never* acceptable from the mouth of a lady in any but three circumstances, none of which are pertinent to your situation.'

'But it does not mean anything,' I argued.

'The vilest obscenities never do. Duck.' He let go of a bramble and I moved just in time to save my bonnet from being whipped away.

I brushed myself down. 'You have still not explained why we are here.'

Sidney Grice set off again, hacking his way through a splendid crop of nettles. 'Who owns this territory?' he challenged.

'Freddy Wilde, of course, and all the people her father

borrowed from probably.' A creeper had managed to wrap itself round my ankle and I ripped it away, shaking the cherries off a no longer ornamental tree like a tempest.

'And whose companion is Miss Wilde?'

'I hope this game will not last very much longer.' I inspected the blackberries but they were still green and hard. 'For we both know it is Lucy Bocking.'

'Then I need not enquire if you are aware that Miss Bocking is currently employing our services.' He paused to scrutinize a leaf as if he had never seen one before.

'Indeed you need not,' I agreed. 'But what has this got to do with her case?'

Mr G mumbled about something-*iculae vulgaris* and released the leaf. 'Now you have changed the format of our intercourse from me asking you questions to which we both know the answer, to you asking me questions to which neither of us have a solution.'

He pulled apart a drape of dead ivy dangling from the branch of an ancient oak and there stood Steep House, a blackened shell of once-red brick, scabbed with patches of what had probably been a cream render. It stood full height at the rear to the right where a bay supported itself, the house having fallen away to leave it stranded as a tower, perforated by oblongs where the windows would have been. The other bays had collapsed outwards, the front left sprawling towards us.

We stepped up and the ground became firmer. The raised terrace was buried now and the undergrowth too high and dense to enable us to walk round the sides of the house.

It would have been possible to have seen straight through the ruins were it not for the sycamores and birch trees already established in the interior. Chimney breasts rose only a foot or two above their ground-floor hearths, one near the middle three fireplaces high, and I could not help but note how what must have been the servants' quarters had by far the smallest grate.

'What do you hope to find?' I asked.

'The truth.' Sidney Grice crouched by where the front door had been. 'There are few things more tragic than a dead house.'

'A dead person,' I suggested and he sniffed.

'People must expect to die, but to see a building cut down so cruelly in its prime is a calamity on a par with giving the vote to any coarse commoner with ten pounds to his name.'

Mr G shook his head sadly and, though I could not agree with his priorities, I could not help but share his sadness, not just at the destruction of a beautiful house but more especially since we knew that Freddy Wilde's family and their servants had been lost there during that terrible Christmas.

I had read what I could find about the fire in my guardian's vast repository of newspaper cuttings, but I could not imagine the terror of the occupants that night. Did Mr and Mrs Wilde run through the flames looking for their daughter? Perhaps Lucy's brother Eric did. Were the maids trapped in their attic rooms, begging for help? How badly was Fairbank, the butler, injured when he carried Freddy out?

'I am always surprised how quickly nature reclaims her own,' I said, trying to blot out the memory of another fire at the end of an aristocratic dynasty.

'If you had troubled to peruse Hamish Vixen's *Differential Rates of Soil Incremental Deposition and Colonization* you would be less astonished and better informed.' He selected a broken tile out of the dozens strewn there.

'I think I would prefer to be surprised.'

I paced the frontage of the house as evenly as I could over the rubble and weeds. By my feet was a grating over a light well and behind that the blackened remnants of a window frame, little more than charred marks on the wall. Was this where Lucy's brother, Eric, had been trapped and died? I resolved to find out. Such a site should not go unnoted.

From left corner to right, it was a matter of forty-six strides which, at about thirty inches each, made the width of the house some one hundred and fifteen feet and, as far as I could judge, the depth was even greater.

'One hundred and twelve feet,' my guardian confirmed without looking up. He was rooting through the detritus with the end of his cane.

'How can you tell?'

'There is no point in having distances if you cannot judge them.' He sprang up. 'From Miss Wilde's scanty description where would you say her bedroom was?'

'Well, nobody sleeps on the ground floor from choice and the top floor would have been the servants' quarters and the attics,' I reasoned. 'And Freddy said she could see Lucy's house and the driveway from her room. So I would say the first floor of this left-hand bay.'

'So would I.' He limped towards it. 'And, conveniently for us, it has collapsed.'

'Why *conveniently*?'

He tore a tangle of weeds away. 'Because we can see the damage to every level without having to ascend an unstable structure.'

'But there is nothing left of the floors,' I objected and he bfffed.

'There is always something left of everything. It may be a puff of smoke long dispersed into our soiled atmosphere and therefore untraceable, but for as long as this deformed globe hurtles elliptically round the sun it remains.' He bobbed and scraped the moss from a chunk of bricks and cement lying flat on the ground. 'Nonetheless,' he concluded, some time after I thought he already had.

'So her parents must have slept on the right-hand side,' I calculated. 'Freddy said they liked the sunrise and that must be the east.'

'South-east,' he corrected mildly.

I walked alongside the bay – its structure increasingly scattered as I approached the apex – and glanced back to see Sidney Grice shuffling on his haunches to the footings of the house where the outer wall rose three or four courses high. 'Fascinating,' he cried. 'See how everything is piled up.'

'Well, it would be,' I replied automatically, my eye caught by a leg sticking out from under a stone plinth.

41

The Bucket, the Bat and the Broken Glass

SIDNEY GRICE CAME over.

'What have you found?'

I kneeled. 'A doll.' The plinth had fallen against the edge of a rockery so that it lay tilted about thirty degrees from the ground. I drew back my hand. 'It must be Freddy's, the one she talked about.'

'Possibly,' he conceded. 'Stand clear.'

Mr G bent at the knees and, keeping his back straight, ran his fingers under the propped-up end of the stone. The other end was submerged under a heavy net of undergrowth. He braced himself and strained, the wiry roots ripping as he wrenched the plinth, soil scattering, a herbaceous periwinkle torn from the ground with it, violet-blue flowers tumbling away. He was a small man and not sturdily built but he had great strength.

'Can I help?' I stepped forward.

'You most certainly can.' My guardian's face was purple. 'But you most certainly shall not.' He heaved with all his might – his neck muscles about to burst his starched collar – and the plinth hinged up, reached the near vertical and, with one final strain, toppled diagonally into the long grass of a shallow depression. Mr G breathed and rotated his shoulders.

'What a world exists beneath our feet.' He massaged his right upper arm.

And, craning over him, I glimpsed a myriad of woodlice

scurrying for cover, a fat earthworm contracting indignantly, centipedes and millipedes writhing, tiny round white eggs, a spindle-legged spider strutting its suddenly sunlit domain. The doll was uncovered now, fine porcelain lying supine on the soil, her face towards me, politely listening to our conversation. A few shredded strips of dark dress material were draped around her waist and legs. A disgustingly swollen slug slid lazily over her chest. She must have been pretty once. Her left eye was closed but the other still glinted through a layer of dust and long curling lashes. Her cheeks were rosy and her lips deep ruby despite the earwig ambling in the valley between them. And she had thick cascading hair which I had no doubt would be golden if it were washed – one of the reasons I never liked dolls for, not only were they pretty, but they always looked like they knew it. The only damage I could see was a crater in her left temple, big enough to put two or three fingers in and for the large garden snail that had made its home in it.

'Broken,' Mr G observed, rather obviously for him.

'Are you surprised after it was in a fire, fell so far and was crushed by a block of granite?' I pulled a twig from her hair.

My guardian polished his eye on his sleeve and then on a scarlet cloth from his satchel.

'For your benefit I should have said *only broken*.' He reinserted his eye. 'And it was limestone.' He wiped his hands on a blue handkerchief.

The doll's body was chilled from more than a decade in the shadows and most of the remnants of her dress fell away as I picked her up. In the hollow left by her body, countless creatures burrowed from the light.

I shook the dirt out – thin black beetles scattering with it – and her right eye sprang open, sapphire blue sparkling in the August sun. The snail's shell was empty.

The doll was too big to fit with all the other paraphernalia inside my handbag so I wiped her down and sat her on top of everything else, her arms over the sides of the bag as if she were taking a bath.

'Come, March.' He gave me his hand to help me to my feet and kept holding mine until we were back on level ground.

'Thank you,' I said, touched by his unusual concern.

'I should not like you to fall and sprain or fracture your wrist or ankle,' he told me, 'or burst your nose or crack a rib or concuss yourself on something harder than your skull. It would be almost irritating.'

We reached the house again where his cane stood against a section of wall which was still papered though stained.

'What is the trowel for?' I asked.

'Trowelling,' he replied. 'Where was the main staircase?'

I surveyed the wreckage. 'Over there,' I decided. 'By the central chimney stack. There are the parts of some treads sticking out of the wall and you can see the marks where the rest would have been inserted. It must have gone straight up...' I counted the bricks. 'About four steps to a small mezzanine before it split to the left and right. I can almost make out the rectangular areas where they must have collapsed.'

'Either you can make them out or you cannot,' Mr G said shortly and I narrowed my eyes.

'I can just about, but the outlines are not clear.'

'That which is clear,' he screwed the trowel on to the ferule of his cane, 'is very often not.'

'Patented?' I enquired of his device.

'Pending.' Sidney Grice leaned forward, shovelling an inch-thick layer of debris aside. 'No sign of any rot or woodworm yet,' he decided and tapped the exposed floorboard. 'And, despite being American, the oak sounds solid enough.' He stepped over the wall.

'Be careful,' I warned and my guardian snorted as he inched away.

'According to Biedburger's prolix 1877 edition of *A Study of*

Social Converse in the Western Home Counties that is the fourth most common piece of advice given by women to men.' Mr G raised his right leg like a strutting cockerel. 'In my experience it is the seventeenth, but then most women I have come across would not be distressed.' He placed his heel with great precision. 'In fact they would be delighted if anything adverse happened to me.' He lowered his toe. 'Pay particular heed to the next event.'

A sheet of broken glass shattered under his sole.

'Was that it?'

Sidney Grice went down on his haunches. 'Yes.' And scooped a curved sliver of glass and three samples of speckled dust into four test tubes to tuck them into the special tiny pockets in the canary lining of his coat.

'Shall I pay less particular heed from now on?'

My guardian rose in that effortless hydraulic-power-company way of his and leaned on his front foot to test the next section. 'I expect so.' He edged further out.

'What is that?' I pointed to a metal pipe sticking out of the debris, and he shuffled sideways towards it.

'A splendid tribute to English steel manufacturing.' He pulled out the shaft of a garden shovel with all but a stump of the wooden handle burned away. 'Discoloured by heat but otherwise in excellent condition.' Sidney Grice turned it this way and that.

'But why would it be in here?' I pondered.

He put it back down. 'If I were in the mood for speculation I might cobble together a theory, but I shall leave you to work one out.'

'Thank you.' I swept out my hand in a mock bow.

Mr G stepped over a mound and stumbled.

'Be careful,' I cried, adding hastily, 'I am sorry, that slipped out.'

'Babbage with his difference engine would have been hard-pressed to calculate the number of words that escape unchecked from your lank throat.' Sidney Grice bent to toss two bricks and several smaller fragments aside and dug in with his trowel. 'The boards are distinctly less solid here,' he announced, 'not through the actions of insects, nor mould nor rodents, as far as I can ascertain at a glance, but as a result of aqueous precipitation tending to pool in this area.'

'I shall not repeat my advice,' I promised.

'It might be more pertinent now.' He took another step and wobbled. 'If this gives way and I die, I have left instructions in my study regarding the disposal of my corpse filed under *NDM* for *National Day of Mourning*.'

'Only one day?'

'More would be vulgar.' There was a loud crack and he tipped sideways. 'A prudent man might make a retreat and I may be discovered in that category.' Mr G jumped back over the pile just as it slid forwards in a miniature landslide. The floor where he had been standing collapsed and the rubble crashed through a crater five or six feet in diameter, clattering into the cellar and exploding into dust.

'Are you all right?'

Sidney Grice coughed. 'Of course.' He wafted the air with his wide-brimmed hat and peered into the precipice at his feet. 'Well, that was stimulating.'

'Will you come back now?' I begged.

'I shall return,' he vowed, 'but not immediately.' He stuck out his left leg and tested a joist.

'You are not thinking…' I began as he slid his foot along.

'Thinking and doing,' he said. 'Hush.'

My guardian placed his other foot on the beam but I could not see through the clouds of dust whether it sagged or not. He extended his cane to some six feet or so and held it horizontally, as I had seen in a photograph of Blondin crossing the Niagara Falls.

'What are you doing?' I demanded.

Mr G turned his head to look back at me and I wished he had not, for he wobbled alarmingly. 'I believe that *hush* is generally recognized as an injunction to hold one's tongue but, since you ask, I am crossing a seven-foot-four-inch wide chasm by means of a conveniently affixed oaken beam.'

'But why?'

'Because it is too far for me to jump from a standing start.'

I decided that it was safer to let him concentrate on the task in hand. His shortened right leg did not make his task any easier and he tipped worryingly every time he put his weight on it. At last he neared the other side.

'The floor does not look robust enough to support me,' he announced and dipped so suddenly that I thought he had fallen.

'Be careful,' I squeaked before I could stop myself, but Mr G gave no sign of having heard me. He was on one knee, his cane balanced across the beam, and rooting around in his satchel. He had his knife out and seemed to be scraping at a broken board jutting from the other side a foot or two over the abyss. I could hear scratching noises but he had his back to me and all I could see was his arm going to and fro. A test tube appeared and disappeared.

'Intriguing,' my godfather said and got to his feet, reversing cautiously as he avoided the projecting rusty nail heads.

'Shall I come and help?' I offered.

'You shall not.'

But I had already hitched up my skirts and stepped into the house.

The floor felt less solid than I had expected as I tried to follow my guardian's footsteps. The rubble shifted and I was glad I had my parasol to steady me. I could see the side of his face as I rounded the mound.

'Get back.' He froze.

'What is it?'

I had been with my guardian when people had died in unspeakable agony but had never seen such a look of horror on his face. It drained of blood in an instant and his right eye fell unheeded, bouncing off a lathe and clinking on the cellar floor far below.

'Underneath the beam.' He gasped. 'Bats, dozens of them.'

I craned my neck and saw them. He had not exaggerated their numbers for the whole joist was thick with them, clinging to the undersurface, rats wrapped in leather wings.

'Ninety-six at a glance,' he calculated.

'But why did they not fly away when their ceiling broke and all the light flooded in?' I wondered.

'Perhaps you would like to write a paper on the motivations of chiroptera,' he suggested acidly. 'I can wait here whilst you equip yourself with the requisite materials.'

'I believe they are dead,' I proposed. 'Bats' feet lock so that they do not fall from their perches when they are asleep and the same holds true when they have died.'

Mr G shivered. 'I did not know you were such an expert.'

He took another careful step back and one more until he was within a foot of the edge. Something twitched under the floor close to the plank he had examined.

'Close your eye,' I shouted.

'What?'

But for once Sidney Grice did as he was told. He crossed his arms defensively in front of his face and a solitary bat shook itself free, flying up through the hole, rising through the dust, swooping around his head, and I knew that if he sensed it swirling about him like a moth near a lamp post, my guardian would fall. I darted towards him, flailing with my parasol and caught him on the upper arm.

'What are you doing?' he demanded.

'Defending you.'

'Do *not* tell me from what,' he begged.

I had never known him so helpless, this man who faced death with a calmness that would do credit to a regiment of guards. I waved my parasol again and the bat whirled away.

'You are safe now,' I said.

Sidney Grice opened his eye, swivelled, and took hold of the end of my parasol, and I led him like a blind man off that beam, back across the floor, through the window and out of Steep House.

42

The Terror of Seeming

SIDNEY GRICE WAS shivering as he set foot on the mossy flagstones by the site of the front door, and I would have offered him my flask but I knew that he would refuse it.

'Do you want to sit down for a while?' I asked.

'Why on earth would I be standing if I did?' he replied sharply, evidently having composed himself again.

His hand was steady as he poured out the last of his tea.

'What did you find over there?' I beat some dust off the sleeve of my dress.

Sidney Grice swallowed his beverage and drew the test tube out of his top waistcoat pocket. 'What do you make of that?'

The doll leaned over with me, winking suggestively.

'It looks like shavings of wood.' I wiggled the tube to separate its contents. 'With flakes of dark brown paint.'

Mr G drained his cup. 'Not paint, March.' His voice rang through the forsaken lands and the ruins of Steep House. 'Varnish. Do you not see? The floor near the main staircase had been varnished.'

'But most floors in good houses have been treated with something.' I handed him back his find.

My guardian slipped the test tube into one of the leather sleeves sewn inside his satchel. 'Yes.' He loosened up his shoulders. 'But some of it has been burned off.'

'But it would be – in a fire.' Not for the first time I was baffled.

Mr G raised his hands like an Old Testament prophet. 'Have you learned nothing under my masterly tuition?' His voice fell accusingly. 'It is in the ordinary that most extraordinary is to be found. That is Grice's fourth law.'

'I thought it was the ninth,' I said.

Sidney Grice sniffed. His face was as coated as a miller's at the end of a morning's work. 'I have upgraded it.'

The doll and I looked at each other and her eyes rolled back into her head.

A velocipede stood against the trunk of a chestnut tree. The tyres had perished and ragweed wound between the spokes. Perhaps Eric had left it there carelessly when he had raced to the scene, an unthought of action that lived beyond him and his parents.

Mr G got out a folded patch and tied it.

'You do not have a spare with you?'

'I am tired of wearing it.'

'Does it hurt?' I asked in concern, though the socket looked a great deal less inflamed than I had known it to be.

'Always.' My guardian's head went down, the weight seemingly too great for his neck. 'Come, March.' His head rose slowly. 'Our work here is done.'

Through the poplars on the western boundary I spotted the slate roof and two chimneys of New House, and we deviated from our path to get a better view but could still see no lower than the upper floor.

'So Lucy must have had a bedroom in that corner.' I pointed to the front.

'If their descriptions are to be believed.'

'Shall we call on the way home?'

'I have no craving to do so.'

'Then I shall.'

'As you wish.'

We skirted an ornamental pond. Flame-blue dragonflies

darted and dipped over it and my guardian blenched but forced himself to continue. 'My fear of things that flap is rational,' he explained stiffly as he relocked the gate. 'The fact that you do not share my fear is merely an indication of your irrationality.'

I did not reply, for this was one thing I did not want to argue about. He knew it was a weakness, but the anxiety he had exhibited was nothing to the terror Sidney Grice had of seeming to be human.

43

Heels, Wheels and Lemonade

LUCY AND FREDDY were out, Aellen told me, and I clucked in annoyance. If Sidney Grice had waited a minute he could have given me a lift home.

A whippet was chasing its tail round a man in tails and an opera hat playing 'I Adora Flora. Why Don't She Notice Me?' on the harmonica. The man clicked his fingers and the dog went up on to its hind legs. I often worry how cruelly animals have been trained, but this dog was wagging its tail and looked, if anything, a bit too well-fed.

I reached for my purse and was so engrossed in watching as I left Amber House that I stumbled on the kerb and heard a snap. 'Blimmit,' I cursed as I put out my parasol to stop myself tumbling under the front wheels of a brougham speeding along.

'Take a bit of water with it,' the driver shouted as they clattered past.

'Take a lot and drown yourself in it,' I yelled back, thankful that my guardian was not within earshot. 'Oh blart.' I nearly stumbled again as my heel came adrift.

'This is your lucky day.' The bootmaker materialized at my side. 'And mine.'

He looked so pleased and I felt so stupid that I almost stalked off, but it is difficult to march with dignity when one heel is hanging by a thread.

'Can you fix it?' I asked, and he smirked.

'Well, I ain't a clock mender.'

'Do I need to take it off?'

'Not if you don't mind showing a bit of fetlock.'

It would be a great deal easier than unlacing, taking off, replacing and relacing my boot, I decided.

''Ang on to the lamp post then,' he instructed, and I leaned my parasol against it before taking a grip on the hot green-painted iron. 'Foot up.' I bent my knee and he took my ankle between his knees as a blacksmith might shoe a horse. 'That's lucky. The 'eel is broken.'

'I know it is,' I retorted irritably.

'No, I'm sayin' the 'eel is snapped froo, not orf. If I jest bang a nail in, it'll tide you over nice.' He clinked about in his canvas bag. 'That'll do it.' More clinking. 'Now, this won't 'urt a bit.' He started to tap, whistling along with the verse that went *Oh Flora don't ignora me todaaaaay*, and five knocks later he wiggled the heel about and lowered my foot to the ground. 'That'll get you 'ome if you don't play 'opscotch on the way.' He waved his hammer like a flamboyant auctioneer. 'Bring 'em back when you've got anovva pair on and I'll set you up wiv two noo heels. Those ones are rubbish.'

I did not tell him I had paid six pounds for them three weeks ago. 'How much do I owe you?'

The bootmaker scratched under his cap as if solving a complicated calculation.

'Five spinners,' he decided, and I ran through every possible rhyme in my head. 'Spinnin' Jennies – pennies,' he explained.

'You made that one up,' I accused and he wrinkled his nose.

He was a much smaller man than I had thought, I realized, now that he was close – hardly any taller than me and slightly on the plump side, and his skin was almost as smooth as Sidney Grice's. He still had a brown stain on his upper lip and a trace on his lower, like a child who hadn't had his face washed after eating chocolate – a birthmark, I decided.

'P'raps.' He grinned mischievously. 'But they'll all be sayin' it this time next week, just you wait and see. Like sheep, they are. Baa baa baa,' he mimicked.

'Fivepence for a nail?' I complained mildly. 'I doubt you pay a penny a dozen for them.'

'Great Aunt Edif, you've got a cheap ironmonger,' he countered. 'Give me 'is name and you can 'ave that one for free. Or – tell you what – I'll just take the nail awt and we'll call it quits.'

I gave him a sixpenny piece.

'I ain't got nuffink smaller,' he warned.

I nearly suggested we looked for a cafe, but few places were happy to give change unless I bought something so it hardly seemed worth the trouble.

'You can knock it off my next bill,' I told him, and he threw out an arm.

'Oh fanks, miss, you're an ops-a-daisy.' His hammer went flying out of his hand, skidding along until a flower girl put her foot on it.

'Oh Lor',' she cackled. 'Do anyfink for a giggle, 'e will.' And she toed it back along the pavement towards him.

'We could do wiv you in goal for Spurs, Peggy.' The bootmaker clapped appreciatively and she hooted in merriment.

Most comedians would sell their mothers and throw in their souls for free to have an audience like her, I pondered, as I crossed the square. I would have given a great deal at that moment to be able to jump into the Serpentine to cool off, but instead I had to gently steam under my layers of cotton and be grateful that the Rational Dress movement had banished the corset from everyday wear.

'Ice-cold lemonaayade,' a shaven-headed boy called out. 'Satcha treat in the 'eat. Lovely r'freshin' ice-cold lemonaayaay-aayaayaayade.'

That sounded too good to miss, so I risked and wasted a penny. His product was warm, cloudy and fusty, served in a cracked cup dipped into the sediment at the bottom of a barrel. I handed it straight back.

'I could get better from a horse trough.'

'No, you could'n'.' He flinched from my barb. 'It'd be 'xactly the same.'

44

An Inspector Calls

I WAS CHECKING THROUGH my account of the strange case of the woman who lost a sandal in Bohemia when the doorbell rang. Molly thundered along the hallway and I heard an *Oh it's you*, and I hoped it was somebody who she was entitled to address in that way. She had once spoken to the Prince of Wales's equerry in an even more familiar fashion. I did not have to worry long, however, because she came bursting in with *'Spector Pound*, flinging out her arm as if introducing a trapeze artist.

'Thank you, Molly.' I got up from the desk. 'Good morning, Inspector. If you are looking for Mr Grice, he has been called as a professional witness in the trial of Beryl Cornette.'

The inspector looked uneasy, I thought. Did he have bad news?

'Actually, it is you I have come to see,' he said, and Molly winked.

'Aye aye.' She gave him a big nudge.

'Go away,' I said in my most Gricean tones.

'But he's only just got here.'

'I was talking to you.'

'Ohhhh.' She tangled her fingers.

'And do not eavesdrop,' I warned, waiting for her to ask me what an eave was and if it would break when she dropped it, but she only gave another pained but briefer *Oh*, tied her fingers into granny knots and clumped back towards the lower stairs.

'I have some good news,' he told me.

'You do not look like you have.'

His face was pinched and anxious. Was he going away again? I realized with a pang that it was none of my concern any more.

'I am to be promoted,' he announced, 'in about two weeks' time. Newburgh is retiring at last and I am to take his place.'

'Chief Inspector?' I resisted the urge to throw my arms round him. 'But that is wonderful.'

'I shan't be sorry not to be posted back to Limehouse.' He managed a fleeting grin.

'Quigley must be eating himself,' I crowed. 'He thought the job would be his.'

'He will have to accept it.' Pound shrugged. 'Or leave.'

'The latter would be too much to hope for.' I touched his hand. 'Oh, George, that is marvellous news.'

He smiled again but still nervously. 'I hoped you would be pleased.' His clear blue eyes – the ones that Harriet said she go could boating in – were troubled.

'Are you not?' I asked in consternation, and George Pound cleared his throat.

'I have been a fool, March.' He called me by my Christian name for the first time since we had separated at that graveside. 'A damned fool.'

'What have you done?' I asked, praying that he had not gone off and married some horrible woman.

'Would you like to sit down?'

'No.'

'I let you go, March.' He looked at his feet. 'And when you tried to come back to me, I turned you away. I was a damned fool.'

At this point Mr G would have reminded the inspector that he had already established that point, but I only said, 'What are you telling me?'

'I was worried about the gulf in our affairs but mine are much improved now, though I will never be a wealthy man.' He glanced into my eyes.

'I do not care about that.'

'I know.' George Pound searched my face and his big hand went to my cheek. 'When I thought I had lost you—'

I put a finger to his lips. 'You never lost me.' And for the first time I saw those eyes glisten.

'I love you so much.' He went down on one knee. 'March—'

'Don't,' I said, and he looked at me in bewilderment. 'Do not say it unless you mean it – really mean it – and mean it forever.'

'Will you marry me?'

'Oh, you bloody fool.' I fell down on my knees and cradled his big, wise, strong, gentle face. 'Of course I will.'

And the tears ran down George Pound's cheeks and I kissed each one away until I could not see them for my own.

'Oh Lor'.' Molly materialized with unnerving stealth. 'Has she fallened over again? What a cry baby.'

*

Molly served us tea on the first floor. George did not feel comfortable with the idea of sitting in Sidney Grice's armchair, and there was a sofa in the sitting room where we could sit together and look out on the street, but mainly at each other.

'I shall get you well again,' I promised, toying with the ring on my third finger.

'I am quite well now,' he reassured me. 'My wound burst and it seemed that I would die, but the poison drained and now it has completely healed.'

I should have been there with you.

'I shall make you *very* well,' I told him. 'You have lost weight. I shall feed you up with beef and kidney pies and puddings and foaming pints of stout.'

'It will be me that is stout,' he warned.

'I hope so.' I squeezed his hand. 'And I shall cut and rub your tobacco and fill your meerschaum pipe, and take you back to Parbold and introduce you to my old friend Maudy Glass, and show you all my childhood haunts.'

George snuggled closer. 'I shall ask Mr Grice this evening,' he vowed.

'Let me speak to him first.' I kissed George. 'You know what he is like.'

'All too well,' George agreed ruefully, and pinched his philtrum.

'Strictly speaking, he cannot forbid it,' I said, 'for he is not my legal guardian, but I should like his blessing.'

'And so should I,' George agreed heartily. 'I have a very high opinion of your godfather and I should not like to come between you.'

'Your sister will not be happy,' I predicted.

'Lucinda will come round to the idea.'

'I doubt it very much,' I argued, with some feeling, for I did not care for Lucinda and she detested me, blaming me – and not without reason – for her brother's being stabbed.

He separated his thumb and forefinger to run them under his moustaches. 'She knows that I care for you, and I shall let her stay in our uncle's house. We can find somewhere to rent.'

'I cannot promise to be an obedient wife,' I warned and George Pound put his arms round me.

'I should not believe you if you did.'

'And I still want to be a personal detective.'

'And I shall do everything I can to support you in that,' he said, and I knew that he would.

We sat a while, me nestling into his embrace.

'Shall we have children?' It occurred to me that I did not even know if he liked them.

'Twenty.' He hugged me. 'Well, at least one, I hope.'

'Two would be nice.' I kissed his palm. 'It can be lonely, being an only child.'

'Siblings are not always a blessing,' George told me ruefully. 'But, if you want two, then two it is.'

An omnibus drew alongside with a Sikh in crimson robes and matching turban at the back of the top floor in splendid isolation, a warrior king aboard his chariot.

'I know how desperately you miss your fiancé,' George said carefully. 'Your first fiancé, I mean. But I want you to make a promise to me, March. If anything happens to me—'

'I will not let it.'

'If it does,' he insisted, 'you will not keep a shrine to me.' George put his hands to my face and turned it to look at him, and his gaze searched mine.

'I promise,' I said. 'No shrine. And, whilst we are on that subject, you asked me once what I would do if Edward could return.'

I felt his fingers tighten. 'It was not a fair question,' he mumbled and glanced out of the window.

The Sikh stroked his beard and was gone.

'You had every right to ask it,' I insisted, 'and I told you that I did not know. But I would like to answer it now. You are not a substitute, George Pound. You are not second best. If I had to chose between you, it would be you without hesitation.'

I had thought that I would feel guilty saying that aloud, for I had loved Edward with all my heart, but that heart had been broken and George Pound had mended it, and now it almost burst with love for the man with whom I would share my life.

45

The Broken Seal

SIDNEY GRICE WAS especially irascible when he returned.

'How did the trial go?' I asked, and he dropped his eye into a cupped palm.

'How trials always go.' He shook out a rolled eye patch. 'According to the whims of twelve ignorant men.' He tied the patch behind his head. 'I spent forty-eight minutes explaining how Mr Cornette could not possibly have been in Barnet on the night in question, with the whole box of them nodding along, only for fifty per centum of the exotically named South Sea Songstress Sisters to oscillate her Bactrian eyelashes and snivel *Oh, but I saw him there* for the full dozen to change the remnants of their troglodytic neural ganglia.'

He tossed four letters, unopened, over his shoulder into the bin.

'Oh dear.' I held up my jug of water. 'You would like a cold drink while you wait for your tea?'

'I never like cold drinks.' He threw two more letters into his wastepaper bin. 'They are usually warm.' And then he ripped open a pale rose-tinted envelope. 'That is the second countess who has proposed marriage to me this month.' He dropped that into his wire basket for filing and opened the flap of another to peruse it suspiciously. 'How do so many algebraists manage to get murdered?'

'I have often lain awake pondering that,' I said. 'Speaking of marriage.'

He tore a blue paper letter in four and then one of the quarters in four again. 'I was talking of algebraistocide.'

'Yes, but before that.'

'That is one of our few areas of common ground.' He reassembled the seven torn pieces on his desk. 'Neither of us will ever enter into that ridiculous contract.'

'Well, I might,' I began tentatively, and he dipped his head.

'Oh, March.' He smiled fleetingly. 'Even you are not that stupid. What man would be worth betraying me for, after all the time I have expended in patiently teaching you and all the confidences I have entrusted to you, in the understanding that you wished to follow – however ineptly – in my footsteps?'

'Yes, but surely I could—'

'Knowing that I could never work with another man's...' He paused to give his final word the magnitude of disgust it deserved. '*Wife*.'

Sidney Grice broke the white wax seal of a huge ivory envelope, glared at the card he had extracted and made that odd quick bark that served him as a laugh. 'A princess this time.' He threw it into the basket. 'Well, she shall have to settle for a lesser man.'

I tried to bring the subject back to what I wanted to tell him. 'But I would still—' I managed as the doorbell sounded, but I was not sure what I would still be to him when I was Mrs Pound. 'There is something we must talk about,' I added quickly, but my guardian was reinserting his eye and running his fingers back through his hair.

'There are many things,' he said, 'beginning with why you have a nail protruding from the heel of your left boot, which is scratching my inadequately polished Hampshire oak floor.'

'I broke the heel.'

'Is this relevant to any of our cases?'

'No.'

'Then stop jibber-jabbering about it.'

Molly entered. 'He told me to read it straight out so I wontn't not forget it.' She held the card at arm's length and squinted. 'His,' she managed before bringing it up to her nose. 'His Illustrated Highness Prince Ul-errrrmmm-rich...' She turned back into the hall. 'Is this an April Fool?' she demanded. 'A-L-B-what?' She screwed her eyes tight. 'That's not how you spell Albert. Oh,' she threw up her hands indignantly. 'Sklu-something.' She waved the card accusingly and called over her shoulder, 'You made that last one up.'

'Prince Ulrich Albrecht Sigismund Schlangezahn,' I told her, and she leaned back disbelievingly. 'This is like what they do in that street game when they get you to say things about sea sells she shells, and all laugh and say I got it wrong when I didntn't not.'

I squeezed past the immovable bulk that was my guardian's maid.

'Good evening, Prince Ulrich,' I said coolly. 'Can I help you?'

The prince looked even more splendid than I had remembered, I was chagrined to note, for I would have preferred him to be a shuffling, weaselly man with a bulbous runny nose, but, standing a few inches before me, immaculately attired in a perfectly tailored charcoal coat and trousers and boots that gleamed like black quartz, was one of the most strikingly handsome men I had come across in years.

'Miss Middleton.' He snapped his heels together and put out his hand, but I did not take it.

New boots. I recalled Lucy's account of the opium den.

The prince's face was precisely and symmetrically carved with a long slightly hooked nose over his immaculately waxed, upturned military moustaches. And he had not followed many of his countrymen's predilection for horridly luxuriant side-whiskers. His chin was square and clean-shaven, and unblemished apart from that scar.

'Can I help you?' I repeated firmly, and was about to ask him to leave when my guardian came out.

'Your Highness.' He held out his hand with more bonhomie than I had known him to exhibit for any living human being before. 'Please excuse them. They are females.'

'Zo I am observing,' the prince said in a doomed attempt at gallantry.

He was still a poor second to George, I decided.

'Come through.' Sidney Grice ushered our visitor towards my chair.

'But I cannot sit while the lady stands,' Prince Ulrich protested.

'Oh, I do,' Mr G assured him, and proceeded to demonstrate. But the prince remained standing, his back as straight as his silver-topped walking stick, for it appeared he shared at least one of Sidney Grice's practices – that of carrying one indoors.

'Tea,' Mr G barked, and Molly made her way back down the hall.

'I come for two reasons,' the prince began. 'First, to know that you haff quite recovered, Miss Middleton.'

'From you threatening to assault me?' I enquired, and his immaculately tended moustaches rose like eyebrows in surprise.

'It cannot be you are still believing that after I explained?' His eyes, deep-set under a prominent brow, flashed topaz as he directed them at me.

'It can be,' I assured him, and Prince Ulrich reddened a fraction in the jowls.

'I am an officer in the Imperial German Army, cousin to Kaiser Wilhelm and a gentleman of the highest standing in my country. You are thinking I would outrage a voman?'

'When somebody pays a procurer and pokes me about like a pig in a cattle market, I cannot help but have my suspicions,' I rejoined.

His brow fell and those eyes were almost jet, but still compelling in their gaze. 'You cannot condemn me for acting my part vell.' His lips had a sensual fullness to them that I might have found attractive, if I had allowed myself to do so.

'You are about to find out that I can.'

'But you and your friend were acting it alzo.'

Sidney Grice lay back in his chair, watching us both with mild amusement. 'I think it might be better if you sat, Prince Ulrich. Miss Middleton is in danger of dislocating her cervical vertebrae from trying to look you in the eye at a nine-inch disadvantage.'

The prince shrugged. 'As you vish.'

Our visitor helped himself to an upright chair from the central table and, with his higher vantage and greater height, I was hardly any better off when I settled into my armchair.

'Perhaps you would like to tell Miss Middleton the second reason that you came,' Mr G suggested.

'Indeed,' the prince acquiesced. 'Though I am having doubts as to whether you will give your assent, Mr Grice.'

This sounded disconcertingly as if Schlangezahn were seeking permission to ask for my hand in marriage, and it flashed through my mind that my refusal might be an opportunity to announce that I was already spoken for. But I dismissed the idea even as it floated into my mind.

'For what?' My guardian pressed his fingertips so hard together that the tips blanched.

'I am seeking your dispensation to invite your vord to dinner.' Our visitor grasped the arms of his chair as if preparing to leave.

'Oh, she's just had that.' Molly trudged in with a tray. 'And even little Miss Greedychops dontn't not need two dinners.'

As it happened I sometimes did, sneaking off for proper food after pushing Cook's swill around the plate.

'I have admonished you before about your unsolicited interruptions,' Molly's employer rumbled and she grinned, though less toothily than she used to.

'He do use long words to say thanks,' she told our visitor, and drew back her elbow as if to give him a chummy nudge but, luckily for her employment prospects, instead chose to puggle in her ear.

'I shall not stand in your way.' Sidney Grice shooed Molly away. 'But I doubt that she will accept.'

I smiled sweetly at the Prussian and tried to flutter my eyelashes but, unlike Mr G, I was never much good at that.

'You haff something in your eye?'

'Aqueous humour.'

'Miss Middleton.' Prince Ulrich cleared his throat, doubtless regretting his decision now.

'Yes?'

'I know vee haff had an unfortunate start and I should not like to read in one of your excellent accounts vot a monster I voz.'

'Indeed you would not.' I tossed my head, again an unimpressive manoeuvre with my hair so tightly pinned and tied back.

'So I am hoping you vill accept my invitation to dine viv me at my hotel.'

'Very well,' I replied, in what I hoped was a haughty manner.

'What time,' my guardian blinked slowly like a lizard on a warm rock, 'will you expect us?'

'The two of you?' Prince Ulrich's face was impassive but his voice betrayed his surprise.

'You do not want my maid to come too?'

'*Nein nein*.'

'Friday is convenient for me.' I poured three teas.

'At seven?'

'Oh, very well.' Mr G adopted the tone of a browbeaten husband whilst I set to pondering what I should wear.

The prince declined my silent offer of milk. 'In Berlin we drink our tea with lemon.'

'An improvement on the glandular excretions with which Miss Middleton pollutes her beverages.' Mr G stretched his mouth without exposing any teeth.

'I hope you will not be going to Limehouse again, Miss Middleton.' Prince Ulrich stirred a dab of sugar into his drink.

Sidney Grice clamped his teeth together.

'I shall go where I choose.' I realized that I had put four sugars in my tea, though I normally have only one.

'It is a dangerous place for a man.' The prince tilted his head, the scar flashing towards me like white lightning on his skin. 'Much more zo for a lady.'

'Are you afraid I will arrest you again?' I sipped my syrup.

'I would not put it past her.' Sidney Grice paddled his own tea vigorously in a to-and-fro motion from north to south that I had not seen him use before.

'I was thinking more of the safety.' Schlangezahn's fingerplates were nicely cut, I noticed as he lifted his saucer.

'And you are wise to do so.' My godfather changed course, rowing leisurely from east to west. 'Miss Middleton can be a highly dangerous woman. Before you rush off…' he said, though our visitor had given no indication that he intended to do so. Sidney Grice put a hand to his waistcoat. 'I wanted to ask you about this, Your Highness.'

The prince raised his eyebrows in polite interest as my guardian brought a carved box out of his pocket.

'I do not take snuff, Herr Grice,' Prince Ulrich said.

'Neither does Herr Grice,' I told him, mainly because I wanted a chance to refer to my godfather in that way.

Mr G flipped up the lid to reveal the button nestling in white cotton.

'May I see?' The prince held out his hand and Sidney Grice tipped the button into it, watching him closely.

'It bears my family crest,' Prince Ulrich confirmed. 'Where did you find it?'

'Miss Middleton finds things.' Mr G frosted around the edges. 'Most of the time one might more accurately say she stumbles over things. I seek and discover them.'

The German chuckled. 'You are not telling me.'

'Is it yours?' I asked.

'It looks like one of my vaistcoat buttons,' the prince commented.

'Have you noticed any missing?' I asked.

He shrugged. 'I am not thinking zo.'

'Surely a gentleman who takes such care with his appearance as you clearly do would notice immediately,' I reasoned, and he slapped his head theatrically.

'Maybe I did find one gone last veek, maybe not,' he said vaguely. 'But I did not pay so much attention.'

Sidney Grice leaned back.

'Your valet would know,' I pointed out. 'He must check everything.'

Prince Ulrich grinned. 'You are good at this.'

'It is my profession,' I responded and Mr G pursed his lips.

'I shall get him to check,' Prince Ulrich decided. 'And, if he has slipped up, I shall sack us both for incompetence – him for not noticing and myself for employing him.'

He waited for a laugh and I managed the seed of a smile.

'Perhaps you could explain to Miss Middleton why you did not notice.' Sidney Grice pointed his right thumb down like a Roman emperor condemning a gladiator.

'It was the day some stupid street child spilled a bucket of stinking vaste over me. I voz late for a meeting and I had to return to my hotel to change.' He watched that thumb hover horizontally. 'I might even haff pulled it off myself in my rushing.'

The thumb shot up and the Prussian raised the corner of his lips uncertainly.

'Would you like more unsophisticated leaves soaked in water?' I offered, and Schlangezahn snorted at my reference to his words in Marylebone.

'Of course he would not.' Sidney Grice clamped a hand over the pot. 'He is leaving.'

Our visitor shifted in bemusement. 'Then I shall expect you

both,' he emphasized the last word a fraction tetchily, 'on Friday at seven.'

'Assuming that I have not been murdered in the meantime.' Mr G swirled the dregs of his tea, peering in like a fortune-teller.

'Are you expecting to be?' The prince was all at once a concerned parent. 'I can arrange some protection.'

'There is no need,' I assured him. 'It is just that one must always expect the unexpected in our business.'

'If one could expect the unexpected it would become the expected.' Sidney Grice demolished my claim.

The prince drained his tea and rose. Mr G stretched over the back of his chair and gave the bell rope one pull. I never liked the skull joggling on the end of it.

Our visitor bowed and Sidney Grice wiggled his fingers but did not rise.

Prince Ulrich straightened his coat. 'I am happy to see you are none the vorse for your experience, Miss Middleton.'

'So am I.' I went with him into the hall.

I let him kiss my hand. It was not that I was convinced by his account of what had occurred that night in Limehouse, but I rather liked being kissed by men with moustaches now.

46

Scented Wrens and Recrudescent Swans

THE OUTER OFFICE of Spry and Fitt constituted one small dark room, lit by a smoky gas mantle over the head of a clerk perched on a high stool, his back arched over a lower desk on a wide dais. He was so busily scratching away in a large red-backed ledger that he hardly seemed to notice our entry.

'C. S. Derwent Assurance, first floor, but closed today. Any correspondence in the tray. Good day,' he said, without looking up or pausing from his work.

His head was hairless and the skin wrinkled like newspaper that has been dropped in a puddle.

'As recrudescent swans,' Sidney Grice shot back at him.

'What?' Hair sprouted from the clerk's face like badly sown grass seed.

'Or...' Mr G reflected for perhaps half a second. 'Acarus scented wrens.'

The clerk pulled out the nib of his pen, his hand stained India Black by his employment. 'What are you talking about?'

'They are anagrams of C. S. Derwent Assurance,' my guardian told him.

'How did you do that?' I marvelled, as the clerk pushed a fresh nib into the semilunar slot in his pen and slid the brass ring back over it.

'It is quite simple,' he told me. 'One merely rearranges the letters until they are in the sequence of different words.'

'But you did it in your head.'

'Where else should I do it?'

The clerk dipped his nib.

'Well, most people would need paper and pencil and a good dictionary.'

'It is more convenient to do it in my head.' Mr G ran a finger under the ledger and sniffed the dusty smudge. 'For I always have my head with me and there is no such publication as a good dictionary, though the Oxford comes close.'

The clerk was writing busily when Sidney Grice kicked up his right leg with a litheness that would have done credit to a cancan dancer and plunked his foot on the desk.

'What are you doing?' the clerk cried out, and Mr G turned his glass eye towards him.

'Gaining what we should have obtained the moment we achieved ingress to this shabby sham of a premises,' Sidney Grice told him. 'Namely, your exclusive attention.'

'Is Mr Spry here?' I asked.

My guardian removed his foot with less agility, hopping backwards to retain his balance.

'Who wants to know?'

'I do.'

'And who might you be?' He asked so nastily that I did not feel like telling him.

'I might be anyone,' I responded. 'But I am not likely to be you. If I were, I should have learned better manners.'

Mr G began to stroll round him, climbing the one step on to his dais, cane swinging as if on a pleasant country walk.

'Why are you behind me?' The clerk half-swivelled on his stool.

'First, because I am not on any other side of you and, second, my motivation is that I am not tall enough to read your ledger from down there,' my guardian said. 'And it is unkind of you to remind me of that – not that I look to you for benefaction.'

There was a trap occupied by a mouldering mouse on the unswept hearth.

'How dare you?'

'It is not an especially brave act.' Mr G whacked his cane across the book to stop the clerk slamming it shut and the clerk jumped sideways. 'I once entered a subterranean labyrinth populated by nineteen ret-ic-ul-at-ed py-thons.' He separated the syllables until they were almost distinct words. 'That required a great deal more courage, though the aforementioned acrimonious and ill-mannered serpents were better company than you.' He clipped on his pince-nez and leaned over, lifting the clerk's arm out of the way by the sleeve. '*And that is why I strangled Silas Spry*,' he narrated.

'Oh Lord,' the clerk moaned. 'I knew I wouldn't get away with it.'

47

The Quiet of Graves

I CLAMBERED ON TO the low stage as well and peered over the clerk's head, now buried in his hands, elbows on his heavily used blotting pad.

'*He was a tryant and a Scruge*,' I read. 'I think you mean tyrant,' I pointed out. 'And that last word should be spelled with a double O in the middle instead of the U.'

'It is only a rough draft,' he moaned.

'And there are two S's in confession.'

Sidney Grice lifted his cane away, letting it hover as if about to bestow a knighthood. '*S-L-O-R-T-E-R-E-D*,' he spelled out in horror. 'You are no better suited to being a scribe than you are a murderer.'

'Murderer?' The clerk shot up and caught my chin with the back of his head, clacking my teeth together.

'Blim—' I checked the stream of expletives that sprang to my bitten tongue and satisfied myself with slapping his ear, admittedly much harder than I had intended.

'Blimmid 'eck that stung.' The clerk clearly did not share my scruples. 'I haven't murdered no one, though Lord knows I've been tempted.'

'You are writing a story,' I realized and leafed back to the first page. '*There was a message engraved in the locket*,' I read aloud. 'That is not a very exciting beginning.'

'I know.' The clerk rubbed his head as if it could possibly

be hurting as much as my jaw. 'But I have to fill my time somehow.'

'Business is slow?' I surmised.

'Quiet as a grave,' he confirmed. 'You won't tell Mr Spry, will you? It's not much of a job but I'll never get another with my spelling, and I can't add up.'

'Some graves are far from quiet,' Sidney Grice mused. '*Exempli gratia*, the non-resting place of Miss Thythily Thythe of Hythe whilst being dug up by Canis Lupis Dingos.'

'Do you have nothing to do?' I asked, wondering if it would be decent to check that my upper incisors had not been loosened.

'Not very much.'

'And yet…' Sidney Grice put his mouth two inches from the clerk's unstruck ear and raised his voice to one level below a shout. 'You do not respond favourably to the telegramic requests I have sent using a variety of aliases for an appointment.'

The clerk winced. 'Mr Spry has given me strict instructions not to accept any more clients.'

'How many,' Mr G demanded, 'and I will accept an exact number – clients do you have?'

The clerk scratched his pate with his pen, drawing quite a good likeness of an oxbow lake.

'Assuming none of them have died.' He counted off on his fingers as his lips shaped their names. 'Eight, but I cannot recall when any of them last came in.'

'And what about Mr Spry?' I enquired, as the lake sprang a leak.

'Hardly ever,' the clerk said, 'except to pay me and check that I am here.'

'Does he have far to travel?' I mopped his head with a torn sheet of blotting paper.

'He used to.' The clerk sighed contentedly at my attentions, but did not enquire why I was giving them. 'Until he moved to Berkeley Square about four years ago.'

Mr G pulled open the drawer of a cabinet and rifled through the few files ranged in it, all of them propped upright by a plaster bust of General Gordon in a glossy red fez. 'At last a use for you.' He leafed through them. 'Where, to within one nineteenth of a seven thousand, nine hundred and twentieth of a furlong, are Mr Silas Pother Spry's records apropos of Miss Lucinda Seraphora Bocking?'

The clerk twisted on his stool. 'They are never kept here,' he said.

'Where then?' Sidney Grice patted the clerk's coat, as if expecting to find the records there.

'Well, I can only presume—'

'Never start a sentence with *well* when nothing is,' Mr G advised. 'Never-never *only* do anything when you are not required to do it at all, and never-never-never *presume* anything when I require a fact. The truth is like the fatuously dubbed Cleopatra's Needle in that respect. It towers and you can do a great many things with an Egyptian obelisk but you cannot presume it.'

He took a letter out of an envelope.

The clerk rubbed his eyes like a child waking up. 'I don't know, sir. In fact, I don't even know your name.'

'Then we are on an equal footing in that regard,' my guardian stated. 'For I do not know yours either. Come,' he signalled to me. 'It is never wise to waste more than nineteen minutes with a man whose younger sister will not speak to him.'

'How on earth could you know that?' The clerk gaped and sat back on his stool.

'Goodbye,' I said and he absent-mindedly snapped his pen.

'So you did not think much of my story?' he asked, distracted by my guardian patting him again.

'Instead of making up something about a doctor, you should write about what you know,' I suggested, and he made a noise like a disappointed puppy.

'I only know about being a clerk and not a very good one at that,' he snuffled. 'Who would be interested in the diary of a nobody?'

*

I was halfway down before I realized that Sidney Grice was not following me and, when I craned my neck, I saw that he was heading in the opposite direction.

'Where are you going?' I asked.

'Up.' He sprang away two treads at a time.

'Up where?'

'Up here.'

I sighed and followed, my skirts dragging annoyingly in the dust.

The door on the next landing was closed and, in confirmation of this, a black-lettered sign slid into a board on the wall declared *CLOSED* beneath the words *C. S. DERWENT ASSURANCE CO. LTD.*

'Well, that alters the anagram somewhat,' he said accusingly.

'Colt went to dances.' I struggled but was quite pleased with my effort, until he pointed out, 'You still have seven unused letters.'

'Squidge,' I blustered.

'I shall make enquiries about the lineage.' Mr G brushed his fingertips along and down the words like a blind man reading Braille. 'And marital status of the elusive Spry.'

Underneath the board, affixed by a pair of steel hooks and eyes, another sign read:

IN CASE OF CLOSURE
PLEASE DEPOSIT MAIL
AT GROUND-FLOOR OFFICE

Sidney Grice put his ear to the door and rapped with his knuckles.

'Ahah.' He pulled away with a sharp breath as if he had burned his ear and unscrewed the handle of his cane.

'Which stick is this?'

My guardian tossed his fine head of black hair. 'The Grice Patent-Denied Housebreaking Cane.' And he tipped what looked like an oversized corkscrew out into his hand.

'What is that?'

'A bradawl.' He clipped it into the handle to give himself a grip and put the point to the woodwork, twisting it in deftly.

'But,' I protested, 'this is criminal damage.'

'Exactly one of the nineteen objections the Patent Office made to my invention.' He set to work vigorously, stopping to reverse and pull his drill out. 'One day I shall design a clockwork motor small enough to perform the rotations for me.' He pulled it out again, showering sawdust on to the floor, and put his eye to the hole.

'What is it?' I asked.

'A hole,' he told me.

'Can I look?'

Sidney Grice scratched his chin. 'Very well.' He dismantled his device.

'What's going on up there?' The clerk's voice rose querulously.

'We are looking for the way out,' I called over the bannister as he tramped up.

'The way you came.' His head appeared.

'Thank you.' I went meekly down.

'Our investigations seem to have hit a brick wall,' Sidney Grice grumbled as he refixed the handle.

*

'So how *did* you know about his sister?' I asked, as the eighth occupied hansom trotted by.

Mr G raised his cane to no avail. 'He had a letter from her in his coat pocket.'

'When you patted him? But that was a personal letter,' I protested and blew a shrill blast between my fingers.

'It is just as well that I am a personal detective then.' Sidney Grice growled as another cab ignored us. 'At this rate you shall have to walk home and send a hansom back to me.'

'If I have to carry out the first instruction, I shall not be doing the second,' I warned.

My guardian put out his hand and nearly had it taken off by a speeding empty cab. 'How sharper than a serpent's tooth it is to have a thankless child,' he quoted, readying himself to do battle with a tiny elderly lady in a red dress for the next vehicle to appear.

48

The Message and the Street Fighter

MOLLY WAS OUT on some errands and there was a telegram on the hall table.

'Open it,' Sidney Grice commanded so peremptorily that I was tempted to shred it in front of him, but I complied, not from obedience but nosiness – a useful trait in my future profession, I told myself.

FREDDY OUT PLEASE COME QUICKLY BEFORE SHE RETURNS DO NOT TELL HER ABOUT THIS LUCY

'I like a client who does not waste money on punctuation,' Mr G remarked, and I saw that he was reading it from the hall mirror behind me. 'It leaves them all the better equipped to imburse me.' He slipped his gloves on. 'The flag,' he commanded, and I set to work on the wheel.

*

Lucy sat in the library at a simple birch escritoire. She wore a pretty powder-blue dress, respectably high-collared, and with a thin black belt laced at the front to emphasize her wasp waist. Her hair was tied back, the fringe not entirely hiding the X carved so crudely into her flesh. The lower left arm of it gleamed white with reddened margins.

'Lucy, what has happened?' I hurried to kiss her, and it was obvious that she had been crying. Her eyes were dark and the lids puffy.

'Oh, March, thank you for coming.' Lucy hugged me and returned my kiss. 'And you too, Mr Grice.'

'I trust I am not expected to indulge in such displays of affection.'

'Does he ever?' Lucy asked, though it was clear that her mind was not on what she was saying.

'He is fond of my cat,' I answered automatically. 'Are you all right?'

Lucy laughed hollowly. 'Do I look all right? I look like a street fighter.'

'Which one?' Sidney Grice regarded himself in the mantle mirror.

'The bruising is going down around your eye.'

'And the shattered cheekbone is becoming all the more obvious,' she said bitterly. 'I am sorry. I should not be looking for sympathy.'

'Rest assured that you will get none from me.' Mr G flipped open his empty snuffbox. 'So, rather than await it, you may regale us with a response to Miss Middleton's first and uncharacteristically pertinent enquiry.'

Lucy took a breath.

'You are aware, since I have appraised you of the fact, that I charge by the hour.' Mr G tapped his hunter, still tucked into his waistcoat pocket. 'But, though I hire out my services, my time is worth more than money. Every unused one hundredth of a minute is a wasted tick of my brain.'

'Your brain ticks?' Lucy managed a smile.

'Indeed, though you cannot hear it,' he told her gravely. 'Though, of course, it does not tock. That could drive a man insane.'

'One is tempted to wonder if it has succeeded,' she said mildly.

'Unlike you I rarely submit to temptation.' He slipped his thumbs into the upper pockets of his waistcoat and Lucy's mouth tightened.

'Just when I thought we were beginning to get on.'

'Get on what?' Mr G deposited his satchel on what had been Freddy's chair.

I leaned towards her. 'Why did you telegraph us, Lucy?'

'I teased your guardian,' she conceded, 'but you may wonder if I am the one who is demented.'

'Without my wishing to hurtle precipitously to a definitive and possibly erroneous diagnosis, it may be that what you diagnose as madness is just yet another example of your overly emotional feminine irrationality,' Sidney Grice told her kindly.

I reached out and took her hand. 'What has happened, Lucy?'

'And I think I speak for both of us when I tell you that we would appreciate an answer this time.' Mr G's eye twinkled encouragingly and Lucy chewed her lower lip. 'We have nothing to appreciate yet,' he observed mildly.

'It is Freddy,' Lucy said at last.

'Do you think she has come to some harm?' I squeezed her hand.

Lucy brought out a handkerchief and unfolded it. 'I am not frightened *for* Freddy. I am frightened *of* her,' she said hesitantly.

'Why?' Mr G leaned so far forward that I thought he might topple off his chair.

'Excuse me.' Lucy blew her nose. 'Freddy has changed of late,' she said reluctantly. 'Or perhaps I am seeing her as she has always been.' She took a breath. 'I have always thought of her as my one true friend, the only person who truly... loves me.'

'I have certainly gained that impression,' I agreed.

'Impression,' my guardian snorted.

'Based on my observations of you both together.' I justified my remark more for his benefit. 'And the way she talks about you.'

Lucy crumpled her handkerchief. 'Oh, she always knows the right things to say. *Poor Lucy. You will be better soon. You must rest now.*' Lucy closed her eyes briefly as if about to do so, but when she opened them they were close to tears. 'But I am beginning to think that she hates me.'

'Surely not,' I protested. 'But why would you think that?'

'Little things at first.' Lucy wiped her eyes. 'Silly things like the other night.'

'Which one?' Sidney Grice pressed her. 'All previous nights can faithfully be described as *the other*.'

'Oh, I do not know.' Lucy shook her handkerchief out. 'It does not matter.'

'It does to me,' he assured her. 'I cannot vouch for Miss Middleton, but you are talking to a man who cares.'

'A day or two before I met March,' she guessed. 'I know it sounds trivial but Freddy had just come into the pink room.'

My godfather shivered. 'It sounds very trivial indeed.' He crossed his legs. 'Is that all you brought us here for?'

'Miss Bocking has not finished,' I snapped, and Lucy nodded gratefully.

'I was in the low armchair looking out. It was getting dark.'

'So, more evening than night,' he corrected her.

'What? I suppose so.' Lucy waved her left hand in frustration. 'For a man who is in a hurry to get an answer, you are an expert at delaying its arrival.'

'There is nothing to be gained by hurtling towards an incomplete or inaccurate response,' he informed her. 'Pray continue.'

'I was talking – some inconsequentiality about the glorious sunset we had seen over London once when my parents took us to Primrose Hill. Freddy was behind me, but I saw her reflection in the window pane and she was mimicking me, mouthing my words and copying my hand movements in an exaggerated way – you know the way you do as a child when a grown-up annoys you.'

'No, I did not,' Mr G denied hotly.

'I used to,' I remembered. 'There was a Sunday school teacher in our village who I detested.'

'There you are,' Lucy cried. 'You only do it to people you hate. If it was a joke she would have done it in front of me and I would have thrown a cushion at her.'

'Perhaps she knew you could see her,' I suggested, but Lucy demurred.

'When I asked quite amicably what she was doing behind me, she snapped *Nothing* and stormed from the room.'

'Perhaps you had done or said something unintentionally that annoyed her,' I proposed. 'We all annoy each other sometimes.'

'You are fortunate that you do not have to share a house with Miss Middleton,' my godfather agreed wholeheartedly. 'She once threw her soup at me.'

'It was rotting parsnips and I was trying to demonstrate how it stuck to the bowl,' I defended myself, and turned back to our client. 'There must be more than that.'

Lucy folded her handkerchief. 'Lots of little things,' she said, 'but they mount up. Hiding things that I know I put down in one place and then pretending to find them somewhere else. And breaking things – favourite ornaments – on purpose, or pretending she cannot hear me so I have to keep repeating myself.'

'It all sounds very childish and annoying, but why are you frightened?' I asked.

'A few weeks ago I would have trusted Freddy with my life.'

'I have never completely understood that species of claim.' Mr G slumped back in his chair.

'I meant I thought she would have died for me.'

'Oh.' Sidney Grice put a finger to his eye. 'So you could not have trusted her with her own life.' He folded his arms left over right. 'But we shall adjourn briefly whilst you meditate on how best to justify your asseveration that you have been stricken with a species of friend-who-was-like-my-sister-phobia.'

My guardian bowed his head as if it were he who had provided an explanation.

Lucy drew a breath. 'I tried to pretend that Freddy and I were equally at fault for what occurred that night.' She shifted uncomfortably. 'Partly because I did not want you to judge her badly.'

She held a frilled handkerchief, dyed to match her dress.

'I never judge anyone or anything badly.' Sidney Grice refolded his arms with great precision, right over left. 'It is my job to judge all things well. More than that...' He leaned to his right as if travelling round a sharp corner. 'It is my self-given mission, some might describe it as my mania. What was or were the other part or parts to your motives for withholding or distorting information yet again, Miss Lucinda Seraphora Bocking, daughter of Mr and Mrs Clorence Bocking, late of New House, Abbey Road?'

He rocked to his left.

Lucy screwed her handkerchief between both hands. 'I did not want to believe it. I kept telling myself that I was being unfair, but...' She braced herself against her own words. 'It was Freddy who persuaded me to go to Limehouse. I had heard enough to be frightened of going there, especially at night, but she kept on and on about what fun it would be and what a stick-in-the-mud I was. I had never even thought to try opium before.' Her fingers were blanched with the strength of her twisting. 'And it was Freddy directed the driver and told him where to stop, and who suggested that we went into the Golden Dragon.'

Lucy stopped, her face filled with horror at the accusations she was levelling. I thought about what they implied and could not quite believe it, not of the Freddy who I was getting to know.

'So.' Sidney Grice unfolded his arms and crossed them over his chest. 'Tell us about the lead-crystal posy vase.'

I was about to ask what he meant but Lucy had no doubts. 'It was something Freddy said.' She tugged at her handkerchief.

'*I think Miss Bocking has had enough of your outrageous behaviour, Mr Grice, and so have I,*' my guardian quoted from memory. 'And the reason you dropped the vase was?'

'It brought it back to me and this is why I fear I may be going mad.' Lucy let go of her handkerchief and touched the scar on her forehead. 'But it occurred to me that the voice that said *Had enough?* in that cellar was not my attacker's...' Lucy coughed. 'But Freddy's.'

49

Bedbugs and the Gettysburg Address

SIDNEY GRICE WHISTLED three notes very softly. 'I think this might be an opportune moment.'

'For what?' I asked and he clacked his teeth together.

'For Miss Bocking to show us the evidence.'

'What evidence?' I looked at him and then at her.

Lucy hesitated. 'I know I should not have—'

'Then why did you?' He appeared to be miming the shuffling of a pack of cards.

'I had to be... to be certain.' Lucy stumbled over her words. 'I searched Freddy's room.' She puffed her lips. 'I would never dream of doing such a thing normally.'

'Are you telling us that you dreamed of doing it abnormally?' He dealt us three imaginary cards each on to an invisible table.

'I meant that I would not think of doing it under normal circumstances,' she clarified, lifting a stray lock of hair back behind her ear. 'Why do you keep interrupting me?'

'Because I have yet to hear anything to which it is worth listening.' Mr G turned his cards over expressionlessly.

'You have hardly given me a chance to speak yet,' she complained.

'You have been permitted to manufacture ten sentences.' My guardian dealt himself another card. 'Which is as many as so-called President Lincoln required one score years and one ago for his address at the Soldier's National Cemetery in Gettysburg.'

Lucy had quite pointed ears, I noticed, and they had gone rather pink.

'What did you find, Lucy?' I asked gently, and Lucy leaned backwards to open a drawer of her desk.

'This.' She placed a red-backed book on the flat surface.

'May I?' I picked it up and opened the first page.

The diary was printed in gold lettering on the flyleaf and on a glued-in plate was handprinted *This book belongs to Freda Wilde* and beneath that *If found please return to Steep House, Abbey Road, London.*

All the pages were blackened around the edges. 'Was this rescued from the fire?'

'I assume so.' Lucy locked her fingers. 'This is the first I have known of it.'

'Freddy never mentioned it?'

'If she had done so Miss Bocking would be foolish indeed to have made her most recent assertion.' Mr G collected all the cards from where he had dealt them in mid-air and came close to peer over my shoulder.

I went to the first of January and there was written in violet ink, ageing into brown, *A lovely crisp start to the year.*

'It is the last entry that worries me.' Lucy's voice had a slight tremor. 'I have bookmarked it.'

'For the benefit of idiot detectives,' Sidney Grice mumbled, but she did not react.

Lucy Bocking's eyes were fixed on me as I went to the back of the diary.

The final few pages were blank and crumbling to my touch, and the last entry was badly charred, but I could still make out the words.

I hate Steep House and everybody in it. I shall destroy them all.

'I assume it is Freddy's handwriting,' I said, and Mr G bffffed for he hated anybody, especially me, to assume anything.

'I am positive,' Lucy said. 'As you can see, I have a letter here that she wrote to me a few months before that.' Lucy brought a folded sheet of notepaper from an envelope in a pigeonhole. 'The style is exactly the same – the way she dots her I's with curved lines, for example.'

Lucy unfolded the sheet of paper and held it up for comparison.

My Dearest Friend Lucy,
I trust that you are keeping well.
Things are much the same here but we miss you dreadfully.

'Close the book with exaggerated care,' Sidney Grice instructed and I obeyed, aware that, in his eyes, my extreme caution would just about match his most careless actions. 'Hold it out.'

He took the diary from me as a monk might handle Holy Scripture. 'Where, precisely, did you find it?'

'In the bottom of her linen chest at the foot of her bed.'

'Front? Back? Left? Right? Middle?'

'The front left-hand corner, underneath her petticoats.'

'I should very much like to see those,' my guardian declared.

'I shall not ask why.' Lucy wrinkled her nose. 'Aellen can fetch them for you.'

'That will not do at all.' Mr G placed the book on a nearby table. 'For I absolutely must see Miss Wilde's undergarments without delay. Describe how one might most conveniently gain entry to her room.'

Not for the first time Lucy gaped. 'On the first floor at the front of the house, on the right.'

'What a pity.' Mr G stood, legs akimbo. 'I had a morbid fancy to turn left.' He pointed in the manner of Napoleon urging his army to one final effort.

'You could walk backwards,' I suggested. And then, as he took one step in reverse, 'That was a joke.'

'I am sorry that Miss Middleton finds your predicament hilarious,' my godfather said in all sincerity. 'I have tried to improve her manners but, when all is said and done, she is only a woman.' He raised his stick towards the ceiling. 'Farewell, Miss Bocking. Unless I acquire a compelling motive for tarrying, we shall rendezvous here in five and a half minutes. Come, Miss Middleton. We are already nineteen seconds behind schedule.'

With that he shouldered his cane and marched back into the hall, dipping to his left as if that were his shorter side.

'You will not go into any other rooms?' Lucy called after us.

'Not unless I decide to,' he reassured her.

Sidney Grice had an ability which I have never come across in other men, that of running silently – neither a footfall nor a rustle of his clothes to be heard. The stairs were dog-legged and he had raced to the half-landing before I was even on the first step.

Lucy's voice chased after him. 'But I do not want you to.'

'And your wish is my command,' my guardian yelled, and then more softly, 'though I feel no compulsion to obey it.' He disappeared round the corner only for his head to poke back round it and to whisper, 'Mount the staircase one step at a time and wait on each stair for twenty seconds before proceeding in an orderly fashion to the next.' He shot to the top. 'Sing loudly,' he hissed over the bannister rail, 'but cease to do so when you place your huge foot upon the summit.'

And, before I could protest at yet another insult, Mr G was gone.

With nobody to see, I hitched up my skirts an obscene six inches or so and followed at the leisurely pace instructed. On the first step I cleared my throat and let rip.

'I'm only a cockney sparrer
I live in a chimney pot
My nest is sooty and narrer
But it keeps us nice and 'ot.
My mate said he was nevva leavin'
But now 'e's gorn orf with the flock
Leavin' this poor sparrer grievin'
A hen wivawt no—'

It was only at this point that I remembered what the next word was and concluded, rather unconvincingly, with, 'mate'. The second verse was decidedly risqué, I recalled, and was relieved when Lucy called out, 'Are you all right, March?'

'Yes, thank you. It is just that I am nervous of staircases today and have to sing to keep my courage up.'

'That must be embarrassing.'

'It is for Mr Grice.' I reached the top. 'Especially when we have visitors.'

There was a pretty rose-coloured runner pinned to the white-painted wood by gleaming brass rods and complementing the beautiful, and very expensive, William Morris daisy wallpaper, and I wished my guardian would give me a free rein with his more austere decorations.

The patterns were continued on the landing, lit by a stained-glass skylight at the top of the stairwell and the sun coming from an open door on the right. Sidney Grice was kneeling in a corn-flower bedroom to the side of a white-painted chest, placed, as Lucy had described, at the foot of the bed.

'Just in time.' He stretched out his cane and lifted the hinged lid as if expecting something dangerous to leap out. 'Safe,' he breathed and shuffled on his knees towards it.

The trunk was filled with neatly folded undergarments and he lifted each one aside to lay it carefully on the bed. There was a long ivory chemise on the lowest layer and he took it out to hold up to the light. 'How delicate the needlework is,' he marvelled, though I had never known him to show an interest in such things. He refolded the garment exactly along its creases again. 'Hold out your hands.' He draped it over my arms. 'What can you smell?'

My senses, as my guardian never tired of telling me, were nothing like as highly attuned as his and so I knew that he was testing me rather than seeking my opinion. Feeling more than a little uneasy at this intrusion into Freddy's personal possessions, I lowered my face to within an inch of her undergarment. 'Laundry soap and sandalwood.' The strong resinous aroma of the latter was unmistakeable, the chest having been lined with it as a defence against bedbugs.

'Excellent.' He clapped his hands twice like a sultan summoning one of his harem slaves. 'Comment upon the quality of hygiene of the interior of the chest.'

I kneeled beside him, not wishing to be castigated for missing a speck of dust in a corner or the eye of a flea lodged in a seam. 'It looks clean enough,' I pronounced uncertainly.

'Enough for what.'

'Clean.'

'So your use of the adjective *enough* was superfluous?'

'Yes.'

'I see.' Mr G looked disappointed at that admission as he laid the chemise back and repacked the box, making minuscule adjustments to the line of a crease or frill. He closed the lid with a sigh. 'So what have we learned from this exercise?'

'That Freddy keeps her linen fresh and clean,' I hazarded and my godfather clicked his tongue.

'Sometimes you say some very silly things,' he reproached me. 'That was not one of those times.'

It was always difficult to tell if he was trying to be nice. 'Shall we go down?'

Sidney Grice tugged at his scarred ear. 'I fervently hope so for

I have no wish to languish here for the residue of my corporeal existence.' He got to his feet. 'Come.'

Muriel was on the landing, presumably having been sent to check on us.

Mr G strode to the maid and tipped her chin up with the side of his forefinger, his head bending to hers. 'You have a blemish,' he breathed, as if he were making love to her. 'Which men, myself included, might describe as a freckle.' Oblivious to her blushes he ran his middle finger down the side of her nose. 'And it has increased in diameter by one hundred and twentieth of an imperial inch since fate threw us together.' He turned her head from side to side. 'There are only four things which freckles should do and nine which they should not, and first amongst the latter category is to grow.' He released her with a sigh. 'Tell your mistress to send you at her own expense to Mr Greene, the dermatologist at University College Hospital, on Tuesday ante meridian.'

'Yes, sir.' Muriel looked at him in the same way I imagine young girls must have swooned at Lord Byron.

'Go away now,' Sidney Grice told her sharply and she hurried past us to another room.

50

The Potency of Envy

WE MADE OUR way down, Sidney Grice placing both feet on every step before continuing to the next one.

'Did you find it?' Lucy looked up, her face lined with worry.

'Find what?' He touched the side of his nose as if checking that the freckle had not leaped on to him.

'The room.'

'I should be a poor detective – which I am not – if I had not,' my guardian said severely. 'I also managed – without recourse to Miss Middleton's assistance – to locate the chest you so sparsely described to us.'

Lucy plucked at her cheek. 'And did you find anything in that?'

Mr G brought a flat calico pouch from his satchel.

'Other than what you had already told me…' He placed the pouch and his cane on the table. 'Nothing.'

Lucy pulled her right sleeve down from the quarter-inch it had risen. 'Then you have wasted your time,' she sympathized.

Sidney Grice twiddled his long slender fingers. 'On the contrary, there are times when finding nothing can tell one a great deal.'

He slipped the diary into the cloth bag.

'What are you doing?' Lucy asked. But she had clearly got the measure of the man for she added hastily, 'Well, I can see what you are doing. Why are you taking Freddy's diary?'

'It is...' I am almost certain that Mr G winked at Lucy Bocking as he put the bulging bag into his satchel. 'Evidence.'

'I did not say that you could take it.' Her eyes darted side to side.

My guardian strapped his satchel shut. 'A truthful and pertinent assertion.' He retrieved his cane. 'I should like to see the vessel in which it was contained.'

'It was not in anything,' Lucy said distractedly. 'What if Freddy should look for it?'

'You need have no fear on that score,' he vowed. 'She will not find it.'

'But what would I say?' Lucy looked around for an escape route.

'I imagine that you would lie and deny all knowledge of it.' Sidney Grice ambled to the door. 'Goodbye, Miss Bocking. I anticipate us renewing our acquaintance in the very near future.'

'When is Freddy due back?' I asked and Lucy looked at the clock. 'In about an hour.'

'Are you really afraid of her?' I asked. 'I can stay, or help you to book into a hotel.'

'No.' Lucy waved a hand wearily. 'I do not think she will try anything whilst you are both protecting me.'

'I most certainly am not,' Sidney Grice retorted as if she had made an improper suggestion and, bidding her a fond farewell, ambled from the room.

'I hope he knows what he is doing,' Lucy said as I kissed her goodbye.

'Of course he does,' I said firmly, but thought, *I hope so too.*

*

My guardian was already boarding a hansom when I caught up with him.

'Do you think Lucy is right to be afraid?' I began breathlessly and Sidney Grice gave my question some thought.

'Miss Bocking may have grounds to be very frightened indeed,' he decided at last. 'Though not, one might hope for her sake, petrified. Being petrified does not benefit one in the slightest.'

'I know you are always telling me not to judge people by my feelings about them…' I tailed my own sentence off.

'Good,' he said so abruptly that I knew there was no point in adding *but*. But I truly believed that Freddy Wilde loved Lucy Bocking and that Lucy had been telling the truth when she said they were like sisters.

'Never underestimate the potency of envy to corrupt the human spirit,' my godfather philosophized.

'But surely Freddy—' I stopped, aware that I was again doing what he was always telling me not to do.

'I have made a study of the way people position their bodies.' Sidney Grice orated now in the same manner as I had once heard the Earl of Kimberly make a speech in parliament. 'It is a minor branch of the forensic sciences which I call *Grice's posturology*. And it seems to me that there is a certain tension between Misses Bocking and Wilde.'

'But do you really think it could be envy?'

'Where there are women, there is always envy.' He brought out his coffin-shaped snuffbox and flipped open the skeleton-engraved lid.

'But surely Freddy is grateful to Lucy for taking her in.'

He took a pinch, although the box was empty, and deposited it into the hollow of his thumb web. 'Are you grateful to me?'

'Sometimes.'

'Gratitude,' he closed his right nostril and inhaled sharply through the left, 'is the second shortest-lived and the most easily poisoned emotion known to man. There are few things which people hate more than being constantly in another's debt.'

'Besides which,' I contributed, 'Lucy is rich and will be pretty again whereas Freddy's looks and fortune have been lost forever.'

'At last.' He sucked through his right nostril. 'You are starting to think like a woman.'

He put a finger under his nose to suppress a sneeze.

'Is that a good thing?'

Mr G snapped the lid shut. 'Disgusting habit.' He blew his nose and I was not sure if he meant thinking like a woman or the taking of non-existent snuff.

51

The Maniac Cathedral

I HAD BEEN PAST St Pancras when I first arrived in London. Molly had come to meet me but I was so taken with all the bustle of traffic and the crowds that I hardly noticed many of the buildings.

Attached to the station stood the Midland Grand Hotel, George Gilbert Scott's gigantic Gothic construction. It was described by some as a *maniac cathedral* and one could easily see why. A hundred arched windows punctuated the massive red-brick frontage or jutted like pulpits from the facade, the honey-coloured pillars already greying in the grime of the city. Wherever I looked a different carving caught my eye, but my vision was drawn ever upwards. On the right-hand side a monolithic clock tower stood, topped by a soaring pinnacle, echoing the spires that rose from its corners and from the lower tower to the other side of the entrance.

Saluted by a lavishly uniformed doorman, we passed through the huge portico and I was about to complain that the man who invented revolving doors had never tried negotiating one in billowing skirts when I emerged into the lobby, my guardian pushing impatiently behind me, to find my breath taken away.

The grand staircase ascended magnificently in richly carpeted white stone with intricate iron balusters and a dark wooden rail. Dizzyingly high above was the bottle-green ceiling, glittering with countless painted stars. Polished green and pink limestone adorned the vermilion painted walls stencilled with thousands of golden fleurs-de-lis. Everywhere I looked were carved sunflowers, fruit, peacock tails and myriads of other designs.

'For goodness' sake, March.' Sidney Grice nudged me. 'You are gawking like an American.' There were few worse insults in his exhaustive – and often exhausting – vocabulary.

I tore my eyes away and forced myself to concentrate on our business, as he ignored the long oak reception desk and marched straight to the concierge, who had been commandeered by a tall, podgy, befurred woman accompanied by a pageboy struggling to control three yapping Pekingese dogs snapping at his legs.

'Inform Prince Ulrich Schlangezahn that Mr Sidney Grice has arrived,' my guardian commanded, and the concierge, a well-built middle-aged man with a military bearing, glanced up.

'Certainly sir. I am just...'

'I have not travelled all the way from the exotic occidental wilds of Gower Street to chitterchat about what you are *just* doing,' Sidney Grice scolded, as though our journey had been one to rival Burton and Speke's search for the source of the Nile, 'but to instruct you in your duty to me.'

The concierge was flustered. 'As soon as I have dealt with this lady, sir.'

'Now,' Mr G insisted. 'I am here on unofficial business.'

The way he said *unofficial* made it sound very important indeed and the concierge jumped to his feet immediately.

'Certainly, sir. Prince Ulrich, you say.'

'I do not, but I did.' Mr G leaned on the desk like a drinker at a bar.

'Do you know who I am?' The lady's fur became erect like an angry cat.

'I know who you are not,' Sidney Grice replied nicely. 'For your fake pearls, counterfeit perfume, canine pelt coat and inaccurate diction invite me to venture that you are unentitled to the aristocratic monograms on the luggage being transported this way.'

'How dare—'

'And I suggest that you quit this establishment.' Sidney Grice pinched at something on his Ulster as if she had given him a flea. 'Before I divulge some of my observations to the manager of this garish hostelry.'

We are none of us who we pretend to be, I recalled Jones/Chang asserting.

In an instant the lady threw her hand into the air. 'Take everything away,' she commanded the porters grandly. 'I shall not stay in an establishment that admits such riffraff as this parvanu.'

My guardian blinked slowly. 'Though it is unmerited, I believe the word you are dredging from your truncated vocabulary is par*ven*u.' He articulated the last word precisely and the alleged-lady expanded.

'You frebbing crup.' Her jaw chewed in an elliptical motion like that of a grazing goat. Her head went back and she threw it forward.

Mr G stepped smartly aside.

'*Mein Gott*,' a voice murmured. 'You keep delightful company.'

And I turned to see Prince Ulrich Albrecht Sigismund Schlangezahn, resplendent in his uniform of Prussian blue, adorned with black looped cords and braids, a magnificent golden epaulette on his right shoulder and a pool of spittle at his feet.

52

The Black Prince

PRINCE ULRICH BOWED in a quick formal manner.

'Herr Grice.' He snapped his heels together, his extraordinarily burnished knee-high boots so tightly fitting around his jodhpurs that they might have been painted on to his legs. 'And Miss Middleton.'

I wondered, in a brief moment of frivolity, if I was supposed to curtsy, but he took my hand in his and pressed it to his beautifully trimmed and waxed imperial moustaches, and I decided that I would train George to adopt that habit as soon as possible.

'You look enchanting.'

His voice was so deep and resonant that I resisted the urge to tell him that he did too, or to advise him to consult an oculist. Sometimes I like to be lied to, and this was one of those times. In his civilian clothes the prince had cut an impressive figure. In uniform he was spectacular.

'How do you do?' was all I could manage and I hoped to heaven that I was not simpering.

'A client?' the prince asked.

His eyes flashed the many colours of our surroundings as he surveyed us both.

'We have had worse,' I assured him.

'You must be very proud of your guardian.' The prince released my hand. 'Herr Grice is a hero of the German Confederation. He is probably too modest to tell you that he saved the life of our Crown Prince Wilhelm at great risk to his own.'

Modesty was not one of my guardian's most outstanding virtues but I replied demurely, 'I believe that is how he lost his eye.'

'And gained a Grand Cross.' Prince Ulrich jutted his jaw.

'Not much use for seeing with,' I observed and the prince smiled uncertainly.

'I am always apologizing for Miss Middleton,' Mr G explained. 'She has a sense of humour.'

'But that is delightful,' the prince assured him.

'You like a woman with spirit,' I reminded him and Prince Ulrich inclined his head.

'Tonight, Miss Middleton, with your permission, we make a fresh start.'

'We shall see,' I said non-committally.

The prince offered me his arm and led me across the multicoloured Minton tiles and round a Moorish screen. He was slightly stiff in his right leg, I thought. We passed into an antechamber – a small room by this hotel's standards – mahogany-lined, with long rose drapes matching the carpet and the starred ceiling.

'Are you in England for long, Prince Ulrich?' I asked as he settled me on a sofa.

'Three or four months,' he replied.

'Have you visited before?'

'Many times.' The prince carefully arranged his coat to avoid creasing it as he sat in an upright armchair. 'It is almost a second home for me.'

'I hear you have come from the Berlin conference,' I remarked.

Mr G leaned back in his chair, but Prince Ulrich's back was straight and I could not imagine him ever slouching.

'You might say I am an informal delegate.'

'The scramble for Africa,' I murmured, and the prince turned to me quizzically.

'You are not approving?'

'Miss Middleton has unusual views and never knows when to keep them occult,' Mr G broke in.

The prince laughed. 'I like a voman viv her own mind.'

'She certainly has that, Your Highness,' my guardian assured him.

'Please call me Ulrich, and that applies alzo to you, Miss Middleton.'

'Then you must call me March.'

'I cannot fully reciprocate,' Mr G informed him, 'for though I am immensely pleased with my Christian name, I dislike hearing it spoken almost as much as the squawking of Jenny Lind or the braying of donkeys.'

'I am not sure Mr Grice can tell the difference,' I said, as our host straightened his back again.

'Of course I can,' my guardian retorted indignantly. 'Donkeys have longer ears and rarely wear dresses. Why are you both laughing?'

'Forgive me.' The prince snapped to attention. 'I voz thinking you are making the joke.'

'But why?' Mr G looked uncharacteristically baffled.

The prince and I coughed.

'May I call you *Grice* in that case?'

'You may,' Sidney Grice conceded. 'And I shall throw formality to the winds and address you as *Sir*.'

'Very vell.' The prince showed us each to our own sofas and settled in a third – his cane propped against the side – and, at a click of his fingers, a waiter appeared from the adjacent room, bearing a tray with two deep saucer glasses and one tall tumbler.

'I hope you like vine,' Prince Ulrich said.

I would have preferred a Bombay but I took a sip. 'This is very good.'

'Sekt made with the Riesling grape,' he told me. 'It is similar as champagne but better because it is from the Rhine.'

'Take mine away and evacuate the contents,' Mr G instructed the waiter.

'My apologies,' the prince said. 'I understoot that you always drink vater.'

'Clearly I cannot always drink water,' my godfather told him, in much the same tone as he adopted to lecture me, 'or I should not have time to do anything else. But this water has ice in it and I do not trust ice.'

'It is perfectly clean, sir,' the waiter assured him. He was an elderly man, with a stooped back and a few strands of hair swept sideways on his pate.

The prince sought to reassure his guest. 'I have had ice here vit no problems.'

'I do not trust ice not to clink against the side of the glass,' Mr G explained. 'It unsettles me and I do not like to be unsettled.'

'I shall fetch a fresh glass immediately, sir.' The waiter went away.

'I am interested in how you think vee should solve the African problem, Miss Middleton.' Our host was holding his wine untasted whilst I was halfway through mine.

'But why is it a problem?' I asked, and Mr G shot me a warning glance.

'Vee must to divide the dark continent fairly,' Prince Ulrich explained and raised his glass.

The waiter reappeared with a more satisfactory drink for my guardian.

'Shall we prepare the first course, Your Highness?'

'Do so.' The prince flipped a hand and the waiter drifted away.

'But what right have we to take any of Africa in the first place?' I saw no reason to leave him with the closing remark.

'I should think the same right as the British have in India,' Prince Ulrich replied, unperturbed by my question.

'Having lived in India for three years, I am not sure that we have any right to be there either.' I finished my glass of wine.

Sidney Grice clipped on his pince-nez and inspected his fingerplates.

'Then you have seen how the lot of the ignorant natives is improved by civilization,' Schlangezahn told me.

'They are not ignorant.' I rounded on him with ill-concealed fury. 'The Indians have a culture of literature, art, architecture and music stretching back to when our nations were living in mud huts.'

'The Gascony Le Grices still are,' my godfather contributed.

'There you haff it.' Prince Ulrich clapped his hands together. 'The Indians are half-civilized already and some of them are having quite light skins, but the Africans are a different breed altogether. They cannot read, they eat each other and they haff not even heard of Gott. Most of them are hardly human. Vee cannot leave a whole continent in the hand of vild savages.'

The prince explained that so reasonably that I was tempted to grab his stick and crown him with it, but Mr G was already reaching over.

'Did you ascertain from whence that button came, sir?' He picked the cane up and our host watched uneasily.

'Indeed.' The prince clicked his fingers and called, 'Hans.' And a dignified man in a black frock coat appeared with a bow and carrying a grey silk waistcoat over his arm. 'Hans is my valet,' Schlangezahn introduced him.

'May I see?' I asked.

'*Die fraulein wünscht es zu prüfen*,' Sidney Grice translated and the valet brought it to me.

The lowest button was missing and the threads still hanging, but other than that I could see nothing unusual.

'Oh yes.' Sidney Grice gave it a cursory look. '*Das ist alles*.'

The prince said something else; Hans bowed again and left.

'How long do you expect the conference to last?' I enquired, unwilling to let his remarks on the subject go.

'True craftsmanship,' Mr G commented and banged the cane on the floor like the staff of a town crier.

'Take a care, Grice,' Prince Ulrich warned. 'It is loaded and at full pressure.'

Sidney Grice rested the cane across his knees. 'Is this the safety catch?' He twisted a projection.

'Yes.' The prince put out a hand. 'And you haff just released it.'

'And this the trigger?'

'*Ja* and very—' He searched for the word.

'Sensitive,' I supplied, and saw an index finger poise over a silver button set into the underside of the handle.

'Watch out,' I cried. 'It is pointing straight at me.'

'A straight cane cannot point any way other than straight,' my guardian informed me, and his finger crooked.

There was a sharp snap – I had heard that sound before – and a whacking noise close by. I leaped back and saw that my handbag, on the sofa beside me, had jumped at the same time and that the sage green material, chosen with such care to match my dress, was torn open and trickling clear liquid on to the cushion. You have shot my father's hip flask.' I ripped open the clasp. 'And his cigarette case.'

'Good gracious,' Sidney Grice breathed. 'I had better return your weapon within one hundred and nineteen seconds.'

The waiter reappeared.

'Dinner is served, Your Highness, sir and miss,' he announced, with a wary glance at my guardian peering down the muzzle of the gun.

'Good.' Sidney Grice passed the cane back to our bemused but unruffled host. 'I dislike dining with anybody who has the means to shoot me.'

'And I viv anybody who is careless with firearms.' Prince Ulrich smiled as he offered me his arm.

'Have no fear on that score.' Sidney Grice limped ahead of

both of us. 'I shall not permit Miss Middleton to lay an anthropoidal dactyl upon it.'

I had always thought that my fingers were no worse than anyone else's. They are moderately, though not overly, long and fairly slim, and George Pound had kissed every one of them. I only hoped that my knuckles did not drag too noisily along the carpet.

53

The Black Forest

WE SAT AT a circular table covered with a white tablecloth and set with crystalware that glittered in the light of a gas chandelier suspended over it. Three waiters stood to attention, their backs to the walls, facing the centre, and each came forward to pull out a chair.

'Did you bring your own cutlery?' I picked up a heavy rattail pudding spoon and looked at the intertwined MR design stamped on the spoon. 'Obviously not, but I have never seen anything this good in a railway hotel before.'

'You would not expect a member of the Hohenzollern dynasty to eat off the same quality of implement as a travelling salesman.' Sidney Grice rotated a salt cellar a quarter of a revolution counterclockwise and a few degrees back again.

'I am not so interested in such luxuries as you might think.' The prince signalled for a waiter to pour more champagne, though I noticed he had not touched his own drink. 'I have eaten vild boars off a hunting knife in the Scwarzwald.'

'The—' my godfather began.

'Black Forest,' I butted in before he could belittle me with a translation.

'Penultimate train from Burton-on-Trent is eight minutes late,' he continued over me.

'But how do you know that?' Prince Ulrich raised his glass in a toast and put it down untasted.

I took a good swig of mine and a bottle instantly came over my right shoulder to top me up. I could get used to Sekt, I decided, and being waited upon so attentively.

'Because I heard it pull in at platform six almost nine minutes ago and it is the only service still using that particular combination of locomotive and rolling stock on this line.' Mr G sampled his water and closed his eyes in appreciation of it on his palate. 'I shall meditate upon the advisability of lending you a copy of Radleigh Raddisons's *Railways of the Landlocked Counties*.'

The prince shook his head. 'I can hardly hear the trains at all, let alone distinguish between them.'

I waited for Sidney Grice to explain that the German's senses were in every way inferior to his own but he only said, 'When I was five my father trained my auditory faculties by blindfolding me and tying me to a post. If I could not guess which wood a switch was made from by listening to him tap his way along the stable floor, he would slash me with all his might across the face.'

'How brutal,' I cried, as a waiter ladled soup into my bowl – tomato, not my favourite.

'Not really.' Mr G replaced his glass in precisely the same spot. 'For I never got it wrong.'

'But if you had?' our host asked, in the closest thing to concern I had seen from him yet.

'If I have one cognitive blind spot – and I admit to three – the first is my inability to see the point of getting things wrong.' My guardian sampled his soup. 'Oh, what a shame. It has its own flavour.'

I tried mine and he was right. It was not the usual watery gruel that Cook served up and sometimes poured over our boiled cabbage, under the impression that it was also a sauce.

Schlangezahn dipped in his spoon. 'I believe you haff some experience of military life, Miss Middleton.'

'How did you know that?'

I haff read your excellent book about your father, *Colonel Geoffrey Middleton, His Life and Times*.'

'That places you in a very select group,' Sidney Grice commented drily.

Prince Ulrich dabbed his mouth. 'I voz sorry to learn of his accident, especially as you vere an only child viv no mother.'

I did not tell him that my father had been murdered but said, 'I hope you found it interesting.'

The prince swallowed his soup. 'The descriptions of the battle were excellent. One can almost be imagining that you ver there.'

'My father was a good raconteur and my fiancé had been in a few skirmishes so he was able to give me some idea of what it was like.'

The soup was the colour and consistency of blood. Mr G had unscrewed the cap of a cellar and was trickling salt into his.

'But you are not married?'

'He was killed in an ambush in India.'

I had another secret so dark that I hardly dared tell it even to myself. I had left Edward to die and his life had sprayed into my face as he gasped my name with his last breath. I pushed the soup away, slopping it on to, but not quite over, the rim.

'I am sorry.' Prince Ulrich put his spoon down. 'How long haff you been knowing Mr Grice?'

'Since the nineteenth of May eighty-two, the day I moved in,' I told him.

'Nineteen thousand, seven hundred and fifty-eight hours ago.' Mr G groaned, as if he had suffered torment every minute of every one of them.

'Might I ask if you married?' For some reason I did not feel comfortable using the prince's first name.

He wiped his mouth. 'I am thinking I am married to the Imperial Army.'

'Do you have any siblings?' I picked at a soft white roll.

The prince tore his bread in half. 'I haff four brothers, all younger, and we vere haffing one sister.' For the first time I saw real emotion in the Prussian's face, the mask pierced with pain, but almost immediately he had repaired it.

'Gerda,' he said reverently. 'She died in London four years ago of – I am not knowing what you call it in English. In Germany we call it cholera.'

'We call it that here too.' I had seen countless victims of the disease in an epidemic in Bombay – the profuse rice-water diarrhoea, the clear vomiting, the dehydration, the sunken eyes and the laboured breathing. So few sufferers survived it. 'Can I ask how old she was?'

'Seventeen,' he said, not quite believing his own words.

'So young.'

Prince Ulrich clicked his fingers. 'Take this soup away,' he commanded. 'Miss Middleton does not like it.'

*

The rest of the meal passed quietly. There was turbot and lobster and saddle of mutton and pheasant and ices and cheeses, though Sidney Grice ate next to nothing, explaining politely that he had anticipated the food being muck and eaten before he came. But I did more than justice to whatever was put before me.

Sidney Grice and Prince Ulrich found a mutual interest in philately; the prince sent for his album and the two men spent the rest of the evening poring over it.

There were many excellent wines, though neither man touched them, but I felt I had a duty to try and was so successful in my efforts that I fell asleep and, the next thing I knew, the prince was laughing and assuring me he had lost count of the number of meetings, plays and concerts in which he had dozed off.

'I generally try to pack her off to bed by about ten o'clock,' my guardian declared.

'But he has never yet succeeded,' I vowed, as the prince kissed my hand in farewell.

54

The Lion's Share

A COMMISSIONAIRE PACKED US into a hansom, looking at my shilling as if it were a dog dropping.

'I cannot imagine why Prince Ulrich would need to force himself on women.' I wondered if it was just the motion of our cab making me feel a bit queasy.

'Ours is to reason why.' My guardian sounded uncharacteristically philosophical. 'Explain the grounds for your incomprehension.'

The streets of our capital city were never quiet, but the amount of traffic at night was a fraction of that in the daytime.

'He is rich, titled, handsome and charming,' I reeled off. 'All very desirable attributes.'

Mr G pondered my remarks. 'You might be wise not to set your sights on him as a husband,' he advised, as we swerved round an oyster stall set up illegally on the road.

This was my chance and, emboldened by alcohol and his mellow mood, I decided to take it. 'Speaking of—'

'Motives.' He completed my phrase by substituting his own word. 'Some men do not want women to acquiesce but get a distorted pleasure from the distress that they cause.'

'And you think Prince Ulrich may be one of those men?'

'I have not said so.'

I had almost forgotten my grievance until I reached out to stop my handbag sliding off the seat and felt it still damp. 'You fired that air gun deliberately,' I accused.

'I have never activated a firearm accidentally,' he admitted, elbowing me into giving him his usual lion's share of space.

'To stop me starting another argument with the prince about Africa,' I surmised.

'If that had been my purpose I could have aimed at you,' he reasoned, uncorking his flask, which the concierge had arranged to have replenished for our long journey along two streets. 'But it was a collateral bonus.' Mr G waited until we had passed the new pet shop, where he knew the road would be less potholed, before he poured half a cup of hot tea. 'And how else was I to obtain and retain the missile?'

I opened the clasp and rooted through. Apart from my father's cigarette case and flask and, of course, the bag itself, I could find no other damage as we whisked along through the intermittent pools of gaslight. A misshapen ball of lead had come to a halt after bruising but not piercing my travelling journal.

I reached in.

'Do not scratch it,' my guardian urged anxiously and I was sorely tempted to throw the useless lump out into the gutter.

'There.' I tipped it into his gloved hand and he regarded it fondly. 'Now all I have to do is find a way of restoring it and its fellow to their original shapes.'

'That should be easy,' I remarked, and he glanced at me.

'Was that—'

'Sarcasm,' I said, before he had the chance to ask.

Sidney Grice leaned hard against me. With any other man I might have thought he was making advances, but we were swinging left into Gower Street and he was more interested in preserving his beverage than in my comfort.

'One twenny-fize,' our driver announced.

'It is a different breed,' Mr G muttered, flicking the last of his tea on to the floor and my dress.

'Wottiz?' The cabby hauled open his hatch.

'I am so sorry.' My guardian passed up three coins. 'I only understand eight languages plus a smattering of American. I never troubled to learn Inarticulacy.'

And Sidney Grice was rapping on his own front door before I had pushed my way out though the flaps.

55

The Cat, the Rats and the Clown

SIDNEY GRICE LOOKED almost as tired as Molly, who dragged herself in, having climbed two steep flights of stairs from the kitchen to serve his breakfast from the dumb waiter behind him. His newspapers – usually ripped and strewn by the time I came down – lay untouched in two neat stacks on the floor, but he had compensated for that with dozens of balls of scrawled-on paper, scattered like giant hailstones over every surface.

'What is fifty-five thousand, six hundred and ninety-three and four-sevenths divided by twelve thousand, six hundred and twenty-one and thirty-one thirty-thirds?' he rapped.

I sat at my end of the table and got out my journal.

Molly pushed her hat sideways, spilling a ravel of red hair, whilst she considered the problem. 'Even I aintn't not got not quite enough fingers for that one,' she decided.

'I was not asking you.'

Molly's brow became a badly ploughed field. 'But I dontn't not think Splirit can do addings, sir.' And Spirit, curled up on a chair next to him, opened one eye.

'I think he was asking me, Molly,' I said.

Something moved under Molly's tight uniform like a pack of rats, and I was reminded horribly of when I had been drugged and thought my cell wall was made of them, but I forced myself to concentrate. The thing wobbled up and down and squeaked and I – restraining my own squeak – realized that the writhing mass was Molly.

'Why, Lord bless you, miss, Mr Grice wouldn't not expect you to know something like that.' She slapped her own thigh like she had seen a clown do every time he hilariously soaked his audience of terrified children with buckets of water.

'About four,' I reckoned.

Molly checked her left hand carefully. 'Oh, I've got more than that,' she declared because, of course, she could have done the sum all along.

'Be precise,' my godfather demanded.

'Four and a thumb,' his maid told him, though nobody, other than my cat, was interested.

Spirit plucked Molly's sleeve while I considered the leftover numbers. 'Approximately four and two fifths,' I declared, and Mr G put his pen down like a particularly irascible schoolmaster who has reached the end of his tether.

'My knowledge of history is not much better than that of an above-average Cambridge professor,' he said, with unusual modesty. 'But I cannot recall the date when it was decided that *precise* and *approximate* were interchangeable synonyms.'

'Christmas Day is always a Thursday,' Molly contributed helpfully.

Spirit dabbed the apron string dangling over her head, while I scribbled furiously. 'Four and thirteen thirty-thirds,' I decided.

'But the other is four and seventeen thirty-fifths.' The headmaster glared accusingly.

'I do not even know what the other is,' I told him. 'So that is hardly my fault.'

'Oh, this is futile.' He splotted ink over the tablecloth.

'No, it aintn't not,' Molly whispered to my cat. 'It's a founting pen.'

'If *he* were here with his mighty brains...' Sidney Grice intoned, and I at once knew who was meant. 'He could have solved all these equations in nineteen seconds,' Mr G continued sadly, perhaps regretting that he had blown those brains all over a cage with his revolver. 'Though I fear the calculation is of no use to me.' He raised his face pathetically.

'I assume you are trying to match the two bullets.' I took a slice of something that was closer to bread than toast.

My guardian retied his black eye patch. 'I have made one hundred and fourteen measurements of each projectile.' He whirred through the pages of a thick notebook. 'But the trouble is – as even you might have anticipated – not only have they distorted, but they have distorted in different ways.'

Spirit tugged and Molly's apron came undone.

'Oh, for heaven's sake.' Sidney Grice covered his eyes from the expanse of black dress that greeted them. 'Go away, woman, and get dressed.'

He could not have been more shocked if Molly were dancing naked and singing the Vegetable Song.

Molly cupped her hands on her cheeks. 'Oh, sir,' she said coyly, as if he had just proposed marriage.

'Get out.'

Molly grinned, revealing a recently acquired gap between her upper right central incisor and canine. 'He called me *woman*,' she exalted and skipped from the room, rattling the plates on the sideboard even from the staircase every time she landed.

56

Harriet and the Huntress

I WENT TO Huntley Street and rang the bell three times in quick succession, the code for all members of the Artemis Club, as it had come to be known. It was named after the Greek goddess, huntress and protectress of women. The door was opened not by Violet, the proprietress, but by a tall slender woman aged about thirty. Her hair was long and black and hung freely – something that would have disgusted my guardian, for loose hair was indicative of loose morals as far as he was concerned. Despite prurient speculation, though, the society was run on lines more respectable than some clubs I had heard about for so-called gentlemen.

'Violet is unwell,' she told me. 'And you are...?'

'March,' I said. When I first joined the club we all used false names, a practice that began when the police took an interest in the Artemis, but they had not troubled us for years now. Some wives still stuck to their aliases, though, terrified that their husbands might find out they were relaxing and even enjoying themselves. 'I am a friend of Harriet's.'

The lady smiled brightly. 'Oh yes, she has told us all about you – the famous lady detective. I hope you have not come to arrest us.'

'The only crime that you have committed is allowing the gin to run out, Rosie.' Harriet came out of the sitting room. 'March! I thought I heard your voice.' Harriet hugged me, kissed me on both cheeks and held me out at arm's length. 'You look lovely.' She was the only person apart from George who told me that. 'Amongst March's investigations,' she told Rosie, 'she has come upon the elixir of youth. I swear she looks younger every time I see her. If this carries on, March, they will be sending you back to school.'

'I wish you would sell me some,' Rosie said plaintively.

'Oh, you do not need it, Rosie.' Harriet put a loose tress up behind my ear. 'But I could do with a few gallons. When I see myself in the mirror these days my face looks like a washboard.' She mimicked a scowl at our reaction. 'It is not funny. My husband sharpens his pencils on it.'

Rosie chuckled. 'I will restock the cabinet.'

Harriet and I went to the sitting room. It had seemed quite glamorous when I first arrived in London, but the chintz sofa was getting threadbare on the arms and the cushions were splitting now.

'I hear that Vi has been dipping into our funds,' Harriet whispered. 'Apparently the accounts made no sense at all at the AGM, and she has absconded with this year's membership fees.'

'Then I am glad I have not paid mine yet,' I said.

'Do not tell Rosie, but Vi was so busy fiddling the books she did not notice that I have not coughed up for the last three years.' Harriet sat close to me. 'It is difficult enough getting money for train fares when Mr F makes me keep household accounts and goes through them every month.'

I did not ask Harriet how life with her husband was, for I knew that he was hardly aware of her existence. Rosie returned with a fresh bottle of Bombay, put it on the table in front of us with two glasses, and left us alone.

Harriet poured.

'You are distracted,' she observed as we clinked glasses.

'I am sorry.' I brought out my old cigarette case and we lit two Turkish. Harriet put on a white glove to protect her hand from staining but I never bothered.

'When most girls are distracted it is love. I assume you are still estranged from your gorgeous policeman.' Harriet puckered her lips to puff out a train of miniature clouds.

'Well,' I began cagily and Harriet sat up.

'Oh, March.' She grabbed my arm. 'He has not? You have not?'

'He has.' I laughed. 'And I have accepted.'

'Oh, March.' Harriet flung her arms round me. 'Oh, March.' She burst into tears. 'But that is wonderful. When? How? Why? Well, I know why, but what made him change his mind? What did your guardian say? I bet he was livid.'

'I have not told him yet.' I pulled back to look my friend in the eye. 'And this is our secret until then.'

Harriet blew her nose and dabbed her cheeks and kissed me. 'Is that why you are perturbed?'

I shook my head and we drank for a while without speaking. Harriet was one of the few people I have ever met who knew how to use silence to draw me out. 'I am worried about a case,' I admitted at last.

Harriet put her glass down and topped mine up. 'A murder?' No matter how she tried, Harriet lit up in anticipation of some gruesome details.

'He has not killed anyone directly yet.' I inhaled nervily. 'But it may only be a matter of time. A man is attacking women – forcing himself upon them and beating them brutally.' It sounded very clinical when I put it into words. 'We think we know who he is but we have no proof. His victims never see him clearly enough to identify him.'

'What did you mean by *directly*?' Harriet took up her glass again. I sometimes wondered why she ever put it down.

'One that we know of was driven to suicide and she was only seventeen.'

'Have you no clues?' Harriet asked. 'Not even part of an insect?'

I had told her once how the leg of a woodlouse had helped to solve a murder in Highgate.

'Mr Grice has two lead balls that he wants to prove came from the same gun.' I smiled wryly. 'He got the first from a man's head and the second by shooting my handbag. It passed straight through my cigarette case and hip flask.'

'I noticed that you had a different case.' Harriet clutched her own bag protectively. 'But how can they help him?'

I took a swig of gin. 'The rifling and scratches in a barrel mark bullets when they are fired,' I explained, 'and he believes that the marks for every gun are unique. But the balls are too flattened to be able to match them.'

'A pity they are not footballs,' Harriet remarked. 'Then he could pump them up like I have to do for the boys. Their father is much too busy for such a mundane task. Cricket may be his second religion but, when his sons want to play, yours truly is the one who gets roped in to keep wicket.' She pulled a face. 'And I am absolutely hopeless at it. I am just thinking what I wouldn't do for a smoke when a lump of leather comes smashing into my head. It's a blessing I have not lost any teeth – yet.'

I laughed. 'Oh, Harriet, I wish you could be here all the time.'

'So do I, March. But we must think of a plan.'

'We?'

Harriet pulled at her fingers one at a time, quite hard, as she did sometimes when she was concentrating. 'If you cannot find any clues, then we must find a way to trap him,' she decided at last.

'We?' I stubbed out my cigarette in a blue glass ashtray, though I had not finished it.

'We caught your father's murderer,' Harriet remarked, though I needed no reminding of that night. She dabbed her cigarette out and her shadow on the wall swayed.

'And we made good partners in Scarfield Manor,' I reminisced with a shudder. 'But I tried entrapment with one of the victim's brothers in an opium den.'

'Opium?' For once I thought I might have shocked my friend, but Harriet's expression was dreamy. 'I have not had that since I sneaked out of a Mothers for the Empire meeting in Hull.' She poured us both another gin. 'What happened?'

'The police did not like our methods and now her brother is missing.'

'Killed?' There was no twinkle in Harriet's eye now.

'We do not know but I fear so.'

Harriet paused. 'We shall have to think about this very carefully.'

'If we were to set another trap,' I said cautiously, 'the man who commits these crimes always chooses a young pretty woman.' I paused. 'And neither of us fits into both those categories.'

My friend pouted but knew better than to protest. She would have fitted the bill once, but I never could.

'Come upstairs.' Harriet jumped up so suddenly that I clunked the glass into my teeth. 'It is about time that you met some of the other members.'

57

Dulcie and the Swine

'LADY DULCET BROCKWOOD,' Harriet explained as we went back into the hall. 'Young and very pretty indeed.'

'How young?' I asked warily.

'Eighteen, I think.' Harriet mounted the stairs. 'Unmarried, unengaged and very rich.'

I followed as closely as our dresses allowed.

'Then why has she not been snapped up?' I wondered, for we both knew how the marriage market worked.

'I believe Lady Brockwood refuses to be snapped,' Harriet said. 'She is determined to marry whom and when she pleases.'

'I like the sound of her.' We reached the top. 'But would she be willing to help?'

'When she was fourteen she disguised herself as a cabin boy and boarded a ship to see the world,' Harriet told me. 'They got as far as Trinidad before she was discovered and sent home.'

'I am not sure,' I said, 'that we should be putting someone so young at such risk.'

'Why not let her decide?' my friend suggested. 'She should still be here.'

We went along the corridor to the boardroom at the end. Lady Dulcet Brockwood was playing stud poker and, to judge by the pile of coins at her side and the few that her three companions possessed, doing rather well.

She rose from the table, tall and slim with long golden-blonde hair tied back in a simple chignon, her coral-pink dress pinched in for a waist I could have almost put my hands round, and I should have hated her but she had such a lovely welcoming smile and held out her hand and said, 'March, I have been dying to meet you ever since Harriet told me of your adventures.' Her fingers were long and held on to mine long after Harriet had introduced us.

'I cannot equal your escapades at sea, Lady Brockwood,' I said and she frowned.

'Please call me Dulcie.' And she leaned forward to whisper in my ear. 'I made all that up but don't tell them.' She pulled back and winked. 'I was about to have a G and T. Will you join me?'

'I shall forego the T,' I said as she linked her arm through mine. 'I had more than enough quinine in India.'

'I think I have read all your accounts of your escapades with Mr Grice.' Dulcie poured the four of us a drink.

'He would not be happy to hear them called that,' I told her.

'From what you write, I wonder if he is ever happy at all.'

'I could make him happy,' Harriet said wistfully, never having met him.

'You would eat him alive,' Dulcie prophesied.

I laughed. 'I think you would find him indigestible, Harriet.'

'Cheerio.' Dulcie clinked my glass.

'March and I are planning a little adventure,' Harriet said and I listened warily, for this newcomer was not lacking in confidence but looked very young indeed.

'I think I will call it a day while I still have enough for a cab home,' one of the women at the table called out.

And her companion stood up. 'I have to get back to the swine.'

And only when she had shut the door behind her did I ask, 'Does she mean her husband or does she keep pigs?'

'Both,' Dulcie told me and we laughed.

58

The Eye of the Dragon

THERE WERE TWO other women at that poker game.

Marjorie Kitchener was a sturdy, striking twenty-five-year-old who had been widowed six years ago when her husband committed suicide on their honeymoon. Despite – or, as Harriet whispered later, because of – this she was a jolly, outgoing woman with an athletic physique.

And there was another girl I had not met before, called Sally – fresh-faced and petite, and looking even younger than Dulcie.

'How old are you, Sally?' I asked and she blushed. 'I am twenty-two.'

And before I could make a judgement, Dulcie said, 'Do not be taken in by Sally's diffident manner. I met her at fencing classes. She can out-parry any man and is as brave as a lion.'

'And I can box,' Sally assured me shyly.

I laughed. 'Where did you learn that?'

'Three older brothers,' she told me, 'and a father who taught it at Harrow.' She was so pink-faced and mouse-like that I found it difficult to believe Sally was not joking.

'She can too,' Marjorie vouched. 'Tell them about that Covent Garden porter, Sally.'

'Oh dear me,' Sally began timidly. 'He insulted Marjorie and the beast would not apologize so I had to teach him a lesson.'

'Hulking great brute and she knocked him out cold.' Marjorie laughed.

'Well, you would seem to be a very useful person to have in a fight,' I conceded, 'though I hope it does not come to fisticuffs.'

'Oh, so do I,' Sally assured me nervously. 'If you do not think it showing off, I have one other skill.' She unclipped her handbag. 'Which picture did you say you did not like, Harry?'

I had never heard my friend called that before.

'The one of Baroness Worford.' Harriet pointed to a portrait of a former lady president. 'She was the dragon Saint George was lucky not to meet – terrified all the members into voting for her.'

'And she tried to ban smoking,' Marjorie recalled. 'Luckily for us she died. Unluckily, her husband bequeathed that to the club, so we put it in here out of the way.'

Sally's hand went up and back and flicked forward. 'Right eye,' she said quietly as something flashed from her.

There was a thud and Baroness Worford was impaled through the pupil by a dagger, the horn handle flittering with the quivering blade.

'Bloody hell,' I said. 'Welcome aboard, Sally.'

*

We sat at the table, poring over maps, drinking and planning, but the more concrete our plans became, the more I knew I could never enact them.

'Goodness.' Harriet jumped as the clock struck the hour. 'I am supposed to be helping serve tea for the staff against the old boys' football match, and Mr F thinks I have only popped out to get potted beef.'

'Perhaps we should all call it a day,' I said.

'We must meet again to fix a date,' Dulcie said, so firmly that I decided to argue about it another time. With any luck they would all cool on the idea after they had slept on it.

'Football,' I pondered. 'Harriet, you are a genius.'

59

The Rubber Solution

MOLLY OPENED THE door warily.

'Oh, miss, he's as cross as a pancake,' she whispered. Molly's whispers could have been heard in the gallery of any music hall on a bawdy Saturday night.

'But why?' I whispered back.

'Missss,' she hissed like *The Flying Scotsman*. 'He'll hear you.'

'Why is he angry?' I asked quietly and Molly flapped her arms.

'I dontn't not know.' She looked over her shoulder nervously. 'But he showed me his teeth and threatened to increase my wages,' she struggled to remember the word, 'frorth-width.'

'But that means you are getting more money,' I explained.

'Oh.' Molly's mouth drooped even further. 'But then I'll have to go out and spend it and be married by wicked Sir Gasper.'

'Sir Jasper is a made-up person, Molly.'

'I could see he was made-up,' she rejoined. 'I was right on the front row at the front and I could see his red cheeks running down his neck in the heat of the slimelights, but he was still wicked and ohhhhhh, poor sweet Miss Clara was—'

'What did you do?' I broke in before I heard the entire plot of *The Farmer's Daughter* for the eighth time.

'Well, what could I do?' she reasoned. 'I just sat there and sissed every time he came on.'

I tried again. 'What did you do to make Mr Grice raise your pay?'

Molly screwed up her apron and chewed the hem. 'I just only told him that those things with what he was playing with looked like those toads what had been squashed and couldn't be unsquashed again after I stood on them, and then he got all different and told me I was a stute, and I said I didntn't not know what a stute was and he laughed. Heavens below it was terrorifying, miss. He laughed like a person and then he said he was going to do that thing to my wages what I never get anyway, with breaking things and swearing. I ran out of the room and didntn't not come back until he rang his bell for tea immediantly after, and now I have to go to the fishmongerers.'

'But why?' We both knew that her master would not allow fish in the house.

'On an errant.' Molly watched me hang up my own bonnet and roll my parasol and put it in the stand.

'Then you had better do it.'

'Yes,' she agreed.

Molly stood like a monument. I went round her and into the study, which might have survived an invasion by the Goths, but only just.

Sidney Grice had his coat off and his sleeves rolled up and his cravat pulled open. His face was splattered with something resembling cement and there was something pink clinging in plaques to his waistcoat.

'I have had an idea,' I told him, my excitement deflated like one of Molly's unfortunate toads.

'Good, good,' he replied distractedly. 'In the meantime—' he indicated the carnage on his desk, mixing bowls half-full, some tipped over, clogged-up test tubes, spatulas caked in assorted crusts—'I have had a better one. I have made alginate impressions of both pieces of shot and used those to make precise gymsum replicas of them.' He pointed to two large watch-glasses, each bearing the now-familiar lumps, one whiter than, but apparently identical to, the original grey version, apart from each being attached by a blob of yellow wax to a wide-bored glass pipe with an L-turn at that end. 'So as to avoid abrading or scratching the actual specimens. I have been obliged to deface these models, but I intend to make nineteen copies of each specimen and insert my glass pipe into a different position every time.' He paused and looked at me as if expecting a ripple of applause. 'And now—'

'You are going to coat them with rubber solution,' I chipped in, as he paused again for the ovation that was never to come.

'You guessed.'

'It was also my idea.'

'It was mine first.' He had a beaker of water simmering on a tripod over a spirit burner.

'What time did you have your idea?'

'At fourteen minutes after the hour of two post meridiem.'

'That was before mine,' I admitted. 'But then I did not have the benefit of Molly's technical advice.'

My guardian bridled. 'If you are to laud that calamitous dolt of a skivvy for unwittingly triggering my genius, you might as well credit an apple for the discovery of gravity, though the fruit probably has a greater intellect than the maid.'

'Shall we do one each?' I suggested, and he brought his sense of effrontery under control.

'Very well.' He swept aside an assortment of his equipment with no concern for what was shattering or spilling or crashing to the floor.

Mr G brought out a large brown bottle and removed the cork bung and, like a genie, the smell uncoiled, an invisible cloud filling the room with its fumes.

I coughed. 'Shall I pull up the sash?' The only time I had ever done so in the study before was to clear the air of cyanide coming from the corpse at my feet.

'Certainly not.' Mr G handed me a new stiff-bristled paint-brush. 'An open window is far too much temptation to a mischievous ragamuffin with a ready supply of sunbaked horse droppings at his feet. Besides which,' Mr G inhaled as if it were sea air and he were taking a cure, 'I find it rather invigorating.'

He started to paint his plaster model – the thick black liquid dripping over his already filthy blotter – and I joined in.

'How thick do you want it?'

'One sixteenth of an inch.' He waved his brush, showering his bookcase like a priest with holy water but, fortunately, failing to bless me.

We painted steadily and soon had two glistening blobs like shrivelled toffee apples on the sticks. I rotated mine. 'How long does it take to dry?' I was pleased to see that there were no air holes while Mr G was dabbing some more on one spot.

'According to my earlier experiments, approximately fifteen minutes. Keep turning or it will sag.'

'So I have to stand for all that time just waiting for it to dry?' I was getting bored already.

'Of course not.' He held his up like a lollipop but did not lick it. 'You must wait for the latex to coagulate at the same time.'

I shifted my weight. 'That makes the process so much more interesting.'

'Indeed.' My guardian clipped on his pince-nez with his left hand and watched the process avidly. 'Did we finish our light chat about the differential identification of rodential earwax?'

'We did not,' I confessed.

'Shall I resume my diatribe?'

'Not unless you wish to induce rigor mortis.'

My godfather considered my proposal. 'I do not,' he decided regretfully. 'What would you like to talk about?'

'Something that doesn't involve murder.'

'Everything involves murder.'

'Music does not.'

'Leaving aside the hundreds of operas which depict violent deaths and the number of composers who have killed or been killed illegally, music *is* murder.'

I considered and rejected poetry, art and flower pressing. No doubt he would know of a homicidal collector of omnibus tickets or all about the massacre of a conference of beekeepers.

'Keep turning it,' he said.

'I never stopped.'

'I did not say you had.'

'That is like me telling you to keep breathing.'

'Useful advice if I were in a room which I believed to be full of toxic gases but you knew not to be.'

I dabbed a puddle on the leather top, peeled it off and turned it over. It was dry. My guardian prodded it with a silver toothpick.

'So what do we do now?' I asked.

'We exhale.' He put the pipe to his lips and blew. With his cheeks puffed out, he was all at once a child blowing bubbles.

I tried mine. The rubber was much less stretchy than I had expected. Perhaps my latex was too thick, for I could feel my eardrums bulge as I struggled to expand it, but at last I had something resembling a ball. 'That was more difficult than I expected,' I puffed.

'And now you must do it again.'

Whilst mine had deflated to a large prune, Mr G had a finger over the end of his glass pipe to stop the same happening.

'But it will happen to yours the moment you let go,' I prophesied.

Sidney Grice pfffed. He had five different pfffs and this was his least dismissive one. 'But I shall not let go.' He sidled along his side of the desk and lowered his ball into the beaker of bubbling water. 'Until it has hardened.'

The water splashed over a stack of calculations but that did not seem to perturb my godfather, so intent was he on his task.

I reinflated mine and slipped a finger into my mouth this time. Mr G removed the ball, letting it drip over an open Latin dictionary where I could just make out *Decollavi* – which even

I knew meant *beheaded* – underlined in red ink. He pricked at the rubber.

'Huzzah.' He spoke quietly, an uncharacteristically military ejaculation from a man who had never been in uniform. 'What now?' he challenged, and I realized that I had not thought beyond this stage and that all the information we needed was inside our creations.

'Well.' I immersed my balloon before it had a chance to lose any air. 'We cut them in half, turn them inside out and glue them back together.'

'What an ingeniously stupid idea.'

I tried but failed to hide my indignation. 'What then?'

'We pour melted wax inside.'

'Well, that goes without saying.'

'Clearly,' he murmured, slotting a funnel over the end of the tube. 'Whilst the pipe is still warm.' He took a stick of white modelling wax, held the end of it above the flame, and removed it to drip into the funnel and trickle down into the ball. 'Take yours out and hold this in the water.'

I did as I was bid, so that only the funnel projected above the surface. Mr G repeated the process.

'Another eighty or ninety applications should suffice,' he calculated.

My hand was already uncomfortably warm and my sleeve damp with steam. 'I have a quicker way,' I said, inspired by my own discomfort. 'If you put the wax into a syringe and heat that, then you should be able to inject the wax straight in. It would be quicker and you are less likely to trap any air bubbles.'

'Why, March,' Sidney Grice bobbed behind his desk, 'your technical advice is almost as good as Molly's.'

'I have never met a man more adept at turning a compliment into an insult,' I complained as he yanked open a lower drawer.

'I am not convinced,' he rose as if on a lift, 'that such a man exists.' My guardian waved a syringe – probably the same one he had used to inject me once – pulled the plunger out and forced two sticks of wax into the chamber. Two or three minutes later he had the ball filled. 'And here comes that bootless lumpen wench.'

The front door crashed open and closed, and then the one into the study, and Molly lumbered in, laden with an iron bucket. 'Sorry, sir, but he wouldntn't not let me have any ice without buying an eel so I had to stop on the way back and eat it.'

'You ate raw fish?' I questioned and Molly guffawed.

'Oh, bless you, miss, they aintn't not fishes. Eels are snakes and snakes are always raw. I've seen them at the zoo.' She looked down. 'And now most of the ice has vanished like the invisual elepant I saw in Hyde Park last year.'

'Put it on my desk.'

Molly hauled her load up. 'Oh, sorry, miss, a teeny big lot of it jumped on to your old dress.'

It was a new dress and I was about to tell her so and that I was soaked to the skin, but her master smiled magnanimously.

'Oh, do not worry about that.' He dipped his rubber ball into the icy water. 'Just run along and make some tea.'

Molly curtsied like a puppet whose strings have become tangled, before she departed, while Mr G swirled the ball around, untroubled by the clinking of ice against the sides of the bucket. 'That should do it.'

Sidney Grice whipped a cut-throat razor out of the air and ran the blade rapidly round the ball. 'The time of truth.' He peeled the rubber apart to reveal a perfect white sphere. 'And now for the other one.'

I went upstairs to change into something dry and, whilst I was there, I smoked a cigarette out of the window, overlooking the courtyard garden. By the time I returned, Sidney Grice had two wax balls on a bed of cotton wool beneath two magnifying glasses on brass stands on the round central table, the only uncluttered surface in the room now.

'Take a look at this, March,' he invited me eagerly, and I stood over them.

'They look very similar to me. Which is which?'

Sidney Grice pointed. 'This is my replica of the ball, which – if we are to believe that grotesquery of a medical student – came from Wallace's cranium, and this, your inferior attempt, from your handbag.'

'Why inferior?' I bristled

'Because it is over-inflated.'

'How do you know that yours is not under-inflated?' I asked, knowing full well he would have an answer.

'Because mine is a point four five two calibre, the same bore as Schlangezahn's weapon, which I ascertained by the simple means of inserting my index finger into the barrel – and a man who does not know the exact dimensions of all his digits might as well fritter away his life performing charitable deeds – whereas yours is point six three, not a bore which has been used since bores have been calibrated.'

'And I bet you were one of the first,' I muttered, adding more loudly, 'So do they match up?'

'Judge for yourself.' Mr G traced the course of a long scratch on the first ball with his silver toothpick, a fraction of an inch above it. The line curved one way and then the other, then split and rejoined before breaking up into a delta. I looked at the second ball and it had been scored in exactly the same way.

'There are nine other abrasions which match, or will, when I devise a method of making these replicas exactly the same diameter,' Sidney Grice forecast.

I rotated the balls on their glass pipes. 'There is a large gouge in my one which I cannot see in the other,' I observed.

'I would be desolate if there were not many marks which did not match,' he told me. 'For one ball passed through hair, skin, skull, meninges and brain tissues, whereas the other penetrated the tanned and dyed hide of a cow—'

I completed the list for him. 'My handbag, cigarette case and hip flask.'

'Which is bound to create other blemishes,' he said, oblivious to my sense of outrage.

'So you can prove that Johnny Wallace was killed by Prince Ulrich's air gun,' I concluded.

'Indeed.' He viewed the mess of materials on his shirtsleeve with a wounded sigh. 'It might be slightly more difficult to prove that the prince himself fired the rifle but, bearing in mind the way he tries to avoid putting his weight on to his left toes, I would like to be granted a viewing of his naked foot.'

'When he was running across the ceiling.' I had noticed the way the prince walked but was not about to admit that I had thought nothing of it.

'Possibly.' Sidney Grice placed his hands together in a Namaste – Hindu greeting – pose. 'But no jury would convict on such esoteric evidence.' He scraped some plaster off his cufflink. 'Incidentally, you have a speck of rubber on your collar.'

'Then why go to all this trouble?' I demanded. 'At least I do not have any in my hair.'

'And I hope that is of consolation to you.' He tilted his head back to look at the ceiling. 'Because we have come into possession of something more precious than money or tea itself – the truth, March. I know it, you know it, and I shall make sure that His Illustrious Highness, Prince Ulrich Albrecht Sigismund Schlangezahn, knows it.' He glanced in the mirror. 'Oh,' he said. 'I see what you mean.'

60

The Bridge of Sighs

THERE WAS A long queue for the toll.

'The Bridge of Sighs,' I quoted.

'Is in Venice,' my godfather corrected me. 'This is Waterloo.'

'I was referring to a poem by Thomas Hood about a girl who committed suicide here,' I explained. 'It reminded me of Albertoria Wright.'

'That was Westminster Bridge.' He drained the dregs of tea into his tin cup.

'We are on the move,' I leaned out for a better view.

'I did not think the scenery was slipping backwards,' he remarked acidly, but then perked up. 'When we reach it, I shall indicate the spot where Samuel Gilbert Scott died.'

'How?'

'Probably with a languid droop of my left hand.'

'How did he die?' I clarified, for it was obvious that he was itching to tell me though I was more fascinated, as always, by the great ships arriving from and departing to every corner of the world, and the bustle of boats ferrying goods and passengers across the water.

'He hanged himself.'

'Why?'

'Scott was a foolish American.'

'Is there any other kind?'

Sidney Grice had scant respect for our lost colonies, but he continued to speak over me. 'Who described himself as *The American Daredevil*. He specialized in flinging himself from great heights – masts of ships and, or so he claimed, that silly waste of water, the Niagara Falls. At noon on the eleventh day of January 1841 he leapt from a scaffolding stage at this point.' He indicated as promised. 'And got his neck entangled in a carelessly arranged noose. The crowd, assuming it was part of the act, watched him strangle to death before anybody realized. Bedlam stands to our left.'

Tiring of his role as excursion guide, my guardian spent the rest of the journey entertaining us both by calculating the occupation of anyone I chose to challenge him on.

'Vitreous souvenir paperweight seller,' he diagnosed of a man dragging a large suitcase, as we reached our destination.

I had never been to Clapham Common. Although only five or six miles away from Bloomsbury, the inconveniences of travel on the surface of London and the refusal of my guardian to travel – or allow me to travel – beneath it on the Underground railways meant that I would have needed a good reason to journey there.

Rose Cottage had no roses but plenty of thistles in its untended front garden, yet was a sweet-looking house with trellised windows and pink rendered walls. We went up the short brick path and Mr G rapped on the front door with the handle of his cane.

'One moment,' came from within, and Mr G sniffed. 'How revoltingly fresh the air is here.'

'I think it makes a pleasant change.'

'I like to smell the engines of industry turning,' he said. 'How long can it take a man to button up his shirt?'

'I am not even going to think about it,' I decided. 'How can you possibly know he is doing that?'

'Because,' my guardian crouched to roll an upturned beetle

back on to its legs, 'if you used your ears instead of bombarding mine with mindless wittering, you would have heard him saying *Dash these fiddly shirt buttons*.'

The beetle staggered an inch and toppled back over, waving feebly.

The door opened and an elderly man appeared, still struggling with the stud in his left cuff. He had a chalk-striped long coat on and a beautifully pinned grey cravat.

'Alfred Fairbank?' Sidney Grice demanded, in the tone of an arresting officer.

'Yes?' The man's voice was weak but steady.

Mr G thrust a card at him. 'Mr Sidney Grice, personal detective.'

The old man wired his spectacles around his ears and studied it. 'Order of the Grand Cross,' he read. 'Are you some kind of a Catholic?'

'I am not any *kind* of anything,' my godfather said stiffly.

Alfred Fairbank turned the card over and Mr G whipped it away.

'I have been expecting you,' Mr Fairbank said.

'It would have been a waste of one sheet of notepaper, one hundred and nineteen inches of Dr James Stark's iron gall ink, one envelope, a dab of gum and an outrageously overpriced postage stamp, plus my time and that of my irritating though loyal maid, and all the energies of Her Majesty's General Post Office and the lackeys employed therein, if you had not.'

The old man scratched his high-domed head. 'Had not what, sir?'

'Good afternoon, Mr Fairbank,' I said. 'I am Mr Grice's assistant, Miss March Middleton. May we come in?'

Alfred Fairbank admitted us to a cosy sitting room with two threadbare chintz chairs by the hearth, and settled me into one.

'Mr Grice does not mind standing,' I lied, before the old man was forced to surrender his own seat.

The floor was herringbone brick and the walls distempered.

'We shall not take tea,' Mr G avowed, though none had been offered. 'And – to save my invaluable and your worthless time – I shall break a habit which I have adhered to for nineteen years and commence my interrogation with a leading question.' He cleared his throat. 'You, Alfred Fairbank, were employed by Mr Frederick Wilde at Steep House, Abbey Road, were you not? And you may answer yes or no.'

'For nineteen years, sir,' Alfred Fairbank confirmed.

'A more polysyllabic response than I beseeched you to grant me,' my guardian said pleasantly, 'though nineteen is an excellent number.'

'Were you happy there?' I asked. My seat cushion had virtually no stuffing on the right-hand side, pitching me at an awkward angle.

'Very, miss,' the old man said. 'It was my first position as butler, though. Of course I had been in service for many years before that – and it was a bigger leap in responsibilities than I had anticipated. But Mr and Mrs Wilde were very patient with my early failings and Miss Freda was a delightful child.'

'Did you know the Bockings?' I shifted my weight in an attempt to sit up straight.

'They were frequent visitors, miss,' Alfred Fairbank recalled. His lips were pale and his skin blotched with colourless patches, like a watercolour that had been stored in the damp. 'A more flamboyant couple than the Wildes, but always very pleasant. Miss Freda and Miss Lucy were great friends.'

'What about Eric?' I slid forward in the hope that the front edge might be more level, but it was not.

'A charming young man.' Alfred Fairbank smiled faintly. His lower eyelids sagged redly. 'Devoted to his mother and sister, and I dare say he took a bit of a shine to Miss Freda, not that she paid any attention to that sort of thing. It was all very innocent.'

'Are there degrees of innocence?' Sidney Grice picked up a

toby jug from the mantlepiece – a fat man in a red waistcoat and green tricolour hat.

'Do you remember Jocinda Green, the maid who was sacked?' I asked, and the reminiscent smile died instantly.

'How could I forget?' The old butler fumbled with his cuff. 'Such a lovely girl and such a silly waste to kill herself like that. What on earth did she want all those things for anyway? She never even tried to sell them.' The memory of it all clearly disturbed him still. 'Mr Wilde said some girls are like magpies. They can't stop themselves collecting things, but that dress would not even have fitted her.'

'Did she often help with the laundry?' I asked, and he scratched his jaw where he had missed a tuft when he shaved. 'Every week, as I recall, and Muggy, one of our maids, would regularly help at New House. Neither family entertained on a grand scale as a rule, but if Mr and Mrs Bocking had a large reception I would go with our footman to assist.'

'So the two households got on well?' I twisted round and jammed my bustle against the arm of the chair to steady myself.

'We even had a joint staff party the day after Boxing Day at New House to make it more lively, and because they had a ballroom built on at the back with space for a band.'

'It is just as well I am standing or I might be nodding off.' Mr G replaced the jug. 'Tell me about the fire.'

Alfred Fairbank drew a shuddering breath. 'A terrible night.' He wiped his hand down the side of his face. 'Terrible.'

'As you have already remarked one sixth of a second previously.' Mr G measured out the length of the floor – three long paces and one short. 'Who discovered the fire?'

'I did, sir.'

'How?' he called from the back of the room.

'I smelled smoke.'

'For the sake of brevity I shall amalgamate my next three questions. At what time? Where were you? And what did you do?'

'It was shortly after midnight, sir. The Wildes kept regular hours and were usually in bed by ten thirty. I had just polished my boots – I have always liked to do my own – and was about to undress in my bedroom. I thought perhaps a log had reignited in the main siting room and rolled on to a hearthrug. It had happened once before when a maid swept the hearth and did not put the guard back properly. And so I went to look.'

'And found?'

'The hall filled with smoke and the Christmas tree alight.'

'And your actions were?' The detective went down on to his hands and knees.

'I shouted *Fire! Fire!* And I banged on the dinner gong. Then I ran out of the back door.'

'May I ask why?' I ventured.

'You have just done so.' Sidney Grice scratched at a stain on the floor with his middle fingerplate.

Fairbank's left arm was twitching now like a frog's leg being galvanized. 'There was a pump out there and a bucket.' He dug his fingertips into his cheek. The plates were gnawed. 'I filled it and threw two loads on the tree but it was hopeless. I never knew a tree could burn so fiercely.'

'So what did you do next?' I enquired, as Mr G crawled towards the old butler in full view from the side.

'I banged the gong again and shouted as loudly as I could, but the smoke was choking me. I covered my mouth and nose with my cravat.' Alfred Fairbank touched the one he was wearing. 'And ran upstairs to Miss Freda's room.'

'Oh.' Sidney Grice reached the butler's chair. 'Why hers?'

Alfred Fairbank rubbed both his eyes. 'I suppose—'

'I *hate* suppositions. I bear the very word a grudge and wish it nothing but ill. It tastes of sour earth and smells like a donkey.' My godfather rested his chin on the arm of the butler's chair, like a dog hoping for a treat.

'I suppose,' Alfred Fairbank repeated in confusion, 'that I

thought she was the most vulnerable, being the youngest and a girl and the furthest from the others.' He rubbed his mouth with the back of his hand. 'But I banged on Mr and Mrs Wilde's door and threw it open and shouted, on my way there.'

'How strange you did not mention that before.' The detective began to crawl backwards. 'Especially as they were at opposite ends of the house.'

'It was all very confusing.' The old man trembled. 'There was so much smoke and the flames were rising. You cannot imagine what it is like being in a burning house.'

'I do not need to.' Sidney Grice stood up jerkily. 'For I have escaped eleven conflagrations.'

That made my two experiences seem meagre, I thought.

'And what greeted your nebulous eyes when you reached Miss Wilde's room?' My guardian dusted his knees.

'It was ablaze, sir.' Alfred Fairbank shook. 'Miss Wilde must have woken and tried to get to the landing but been overcome by the smoke. She was lying on the floor by her bed and that was already in flames. Her hair was on fire.' The breath shuddered out of him. 'I carried her out. The fumes were so thick by then that I could not even call out any more. I tried to hold my breath and when I reached the hallway again I saw young Eric climbing in through a broken window. I tried to stop him but he rushed past me. I got to the window and half climbed, half fell out on to the front terrace and passed out. When I came round I had been dragged clear by Miss Lucy. Mr Bocking was tending to Miss Freda. She had been dreadfully burned but, thank God, she was unconscious.'

'And the others?' I hardly dared ask.

'Nobody else got out.' The old butler buried his face in his hands and sobbed.

I half rose but Sidney Grice held out his arm to halt me. He walked backwards to the front door and called to the profile of the bent old man. 'Oh, Alfred, Alfred, Alfred Fairbank, prematurely aged and comfortably superannuated butler, pretender to the title of Miss Freda Wilde's rescuer, why…' Without glancing down, he found the big iron key and turned it in the lock. 'Why – and you shall not leave this quaint sitting room alive until you answer me truthfully – why,' he slipped the key into his trouser pocket, 'are you lying?'

61

The Tangled Earth

ALFRED FAIRBANK SAT up and his hands fell away, and there was no doubt that he had been crying.

'I do not know what you mean, sir.' He found a white handkerchief, dabbed his eyes and blew his nose.

'The last time I collated my figures which, you might be inspired to learn, was Saturday the fifteenth day of April in the year of our Lord eighteen hundred and eighty-two, I calculated that the proportion of people who have told me that they do not know what I mean when it transpires that they do – excluding, of course, waitresses and bank clerks who rarely know what anybody means – it was ninety-two point seven per centum. This is not an encouraging statistic for you, Alfred Maurice Fairbank, especially as it is patently clear that you know *exactly* what I mean.' Sidney Grice was leaning in the doorway like a skirt-scanner assessing a parade of women on The Strand but his voice was fast and compelling.

'Identify the injuries that you bear from your adventure.'

'They have all long healed,' Alfred Fairbank managed.

'After you fought your way into, through and out of a conflagration which, if your account is to be believed – and who am I to doubt it? – tore through a one-hundred-and-twelve-foot-fronted mansion in a matter of minutes?'

'I had many burns and blisters at the time,' the old man said, 'but, as I explained, I covered my face.'

'The average house burns in the region of one thousand of Daniel Gabriel Fahrenheit's elegantly though eccentrically calibrated degrees of temperature,' Sidney Grice took on the drone of a bored professor lecturing equally bored undergraduates on the most boring part of their curriculum. 'And yet you survived your ordeal without so much as one lonely scar?'

'Mr Fairbank was mainly troubled by smoke,' I argued, but Sidney Grice was not to be deflected from his course.

'Unswayed by my assistant's sapless logic, I shall put aside your breathtakingly absurd claims of incombustibility for the present and proceed to your pretence that Miss Wilde's slumberous chamber was conflagrant. I shall not weary you with the fact that the inner surface of the outer wall of her room which now lies supine upon the tangled earth showed none of the twelve signs of scorching known to man, nor of the five additional signs with which I have acquainted myself.'

'If you mean soot, sir, it would have been washed away years ago,' Fairbank protested.

'You are sharp, Alfred Maurice Job Fairbank,' Mr G said with more admiration than he had greeted anything I had ever said. 'Which is also not a point in your favour, for I might have put some errors in your statement as the result of stupidity or senescence, whereas any attempt to feign forgetfulness from henceforth will be met with a degree of scepticism you may find alien to the genial persona with which I have presented you thus far. Putting that evidence also towards the rear of my colossal brain, just starboard of but below my subparietal sulcus, I shall permit Miss Middleton to change the direction of this investigation.'

'Invest…' Fairbank's voice collapsed in alarm.

'Miss Wilde used to sleep with a doll on her window ledge, did she not, Mr Fairbank?' I asked.

'At an age when other children are more usefully employed in coalmines and factories,' Sidney Grice observed.

'Though you did neither,' I remarked.

'I was never *other children*,' he said stiffly.

'Cynthia.' The old butler smiled in remembrance. 'A pretty little thing, made in Germany, I think.'

Sidney Grice chewed his cheek. 'You may wish to remember that morsel of truth, Miss Middleton, but I doubt you will find it brings you comfort in the cold twilight years of your spinsterhood.'

'I found that doll, Mr Fairbank,' I told him, not sure why it mattered.

'Concussed by a conjugation of events – its descent being abruptly interrupted by the cold earth.' Sidney Grice brought his right hand out of his pocket, held up the key and enclosed it in his fist. 'And the section of wall that landed upon it had, in the succeeding years, offered Cynthia some protection from the elements.'

'And what does that prove?' Alfred Fairbank asked, with none of his former deference now.

'The doll's head was made from porcelain.' Mr G opened his hand to show that it was empty. 'And, as anyone will attest, who has accidentally – and who has not? – put their Ming or Tang vase into a furnace, porcelain at high temperatures chars or even melts. More to the point—' My guardian nodded to me to continue.

'She had real hair and a pretty dress on,' I continued. 'None of which showed any signs of damage by fire.'

Fairbank puffed. 'Whatever Mr Grice may say about his numbers, I still have no idea what you are talking about.'

'Miss Freda's room was not destroyed by fire.' I calculated as I spoke. 'It fell into the garden when the lower floors collapsed.'

'Then how do you explain her burns?' the old butler demanded, slapping his chair to drive home his point.

'It is not for me to explain them,' I replied rather lamely, I thought.

But my guardian let out a triumphant '*Ha*' and opened his left fist to reveal the key.

'Nor, apparently, is it for Alfred Maurice Job Cyril Fairbank to reveal.' He threw the key up and it disappeared.

'Why do you keep giving me extra names?' Alfred Fairbank asked peevishly.

'To peeve you.' Sidney Grice smiled thinly. 'Tell me how Miss Freda Wilde achieved her partial cremation, Alfred Maurice Job Cyril Henry Fairbank.' He ambled back towards us, but stopped halfway and stuck out his cane at the old servant. 'Tell me the truth, Fairbank, or does Miss Middleton have to wring it out of you like soapy water from a poorly rinsed grubby brown dish-cloth?'

I tried to look menacing, but I was not sure what wringing the truth out of an old man might entail.

'I do not—'

'I am not listening.' Mr G clapped his hands over his ears and started humming loudly with no tune or rhythm.

'What are you hiding from us, Mr Fairbank?' I asked and he bowed his head. A terrible thought struck me. 'Did you start that fire?'

'No.' The old butler recoiled in shock. 'No, of course not. I loved that house and everyone in it.'

'Then tell us what really happened,' I urged, and Mr G flung his hands from his head.

'I am listening now,' he proclaimed.

'I cannot.' Alfred Fairbank pushed down his twitching arm.

'At last we are getting somewhere,' Sidney Grice said, though I was thinking the opposite.

'You must,' I pressed the old man.

'No.' Alfred Fairbank curled himself up. 'You don't understand, miss. I cannot because I do not know.'

62

The Burning

SIDNEY GRICE SAUNTERED round the old servant, whistling softly between his teeth.

'Why do you not know, Mr Fairbank?' I asked. But he had buried himself into himself, folding his arms in a tight embrace.

'Let me assist you in formulating a reply,' Mr G suggested cheerfully. 'Is it, perchance – and you may remediate my suggestion, should it be fallacious – because you were not there?'

Fairbank said nothing but eventually dipped his head.

'Where were you?' I enquired.

'There was a fellow butler, Crofter Tamley, next door, on the other side to New House – Elderberry House, it was called.' Fairbank's voice rustled so softly that I had to strain my ears. 'His master had a well-stocked wine cellar and left care of it to Tamley. If Crofter said a wine was corked he was never questioned. I fell into the habit of going there – after Steep House was put to bed – and sampling some rare and expensive vintages, almost every night towards the end.'

'Did anybody else see you?' I tried to imagine him doing anything so deceitful.

'Never, and Tamley is dead now, about five years ago, I think.'

'How convenient,' Mr G muttered, stopping behind Fairbank's chair, 'though not necessarily for him.'

'So what happened?' I urged Fairbank on.

'We had drunk about half a bottle of a good claret in his pantry when we saw a light flickering. Tamley went to look out of the window. He couldn't see much from where we were below stairs, but then he said, *Bit late to be having a bonfire, isn't it?* And I was just getting up to see for myself when he said *Hello, that isn't a bonfire. It's Steep House.* I jumped up and he was right. *Send for the fire brigade,* I shouted and ran out.

'There was no doubt about it. The flames were coming through the roof and out of the windows in the south wing where all the Wildes slept. There was a gap in the hedge I used to use. I ran through it and saw that all the front of Steep House was ablaze. Masonry was already crashing down. The heat was so intense I couldn't get to within thirty feet. There could be no hope of getting inside.

'I could see the flames through the below-stairs windows and somebody in the light-well from the cellar – hands reached out through the bars and a face pressed between them. I could not think who it might be for none of the servants lived below stairs, and then I realized it was Eric Bocking. It was just like Master Eric to risk his life for others and I can only suppose that he got lost in the smoke. My first thought was to thank God that he had reached safety. But then I remembered that the grating was padlocked and I saw that his clothes and hair were on fire, and he was begging and screaming... There was nothing I could do. I watched him burn and, when he fell, I staggered backwards, just getting away, and nearly tripped over Miss Freda. She was lying on the lawn.'

'Prone or supine?' Mr G broke in.

'On her back,' the old man said. 'Lying on her back.' It was as though, now that he was telling us the truth, he did not believe it himself. 'I could see straight away she was badly burned and at first I thought she was dead, she was so... charred. But then she made a noise, a whimper, I suppose, and I kneeled down beside her and said *Help is on its way, miss.* And she said,

Daddy, Mummy. And I realized they must still be in there with Bethany and Lisa, the maids, dead or dying – dead, I hoped, after what I had seen.' He coughed violently.

'Would you like a glass of water?' I offered, but he flopped his dappled hand weakly to decline.

'Miss Bocking was the first to arrive. She said *You have saved Freddy, Fairbank*. And, when she came back, she said, *I will see you rewarded for this*.' He coughed again, drily. 'What could I do – deny it and admit that I had neglected my duty when I might have been able to help them? Or take my reward?'

'Which was?' I asked.

'The rent of this house for life and thirty pounds a year through a trust fund that Miss Lucy asked her father to set up.' Alfred Fairbank hugged himself miserably. 'And now, I suppose, I shall lose everything.'

'Back from where?' Mr G pounced.

'I'm sure I don't know, sir. Changing her dress, I suppose. It got covered in ash and singed.'

'Oh, Alfred.' Sidney Grice flung out his arms like a pantomime damsel in distress. 'Rarely was a man less fitted to bear the name of our wise Wessex monarch. I can only recall the names and dates of birth and death of a great many men and women who have been so unfittingly rewarded. But, as far as I am concerned – Al, Alfy, Fred, Alfredo – you may keep your thirty pieces of silver.'

Alfred Fairbank struggled to his feet. He held out his hand and Sidney Grice viewed it in disgust.

'I should like to thank you, sir.'

'When I survey the uncountable things I want in this squalid world,' he said, 'your gratitude is not amongst their number. But do not become too cheerful, Alfred Maurice Job Cyril Henry William Fairbank, for you may be sure that, before the moon has repeated its repertoire, your grievous sins will find you out.'

Sidney Grice spun balletically on his heel and strode back to the door where the key was already in the lock, magically, it seemed.

A tabby cat lay curled in the sunshine. 'Not a cloud in the sky,' I commented.

'There is little hope of finding one elsewhere.' Sidney Grice batted an acorn off the path and came to attention on the kerb. And so he remained, immobile and staring straight ahead, for another forty minutes until a hansom came by.

63

The Bees and the Box

THE TELEGRAM CAME just as Molly was trying to hang her master's coat upside down.

MARCH COME NOW GERALDINE

'Tea.' Sidney Grice headed for his study, knocking on the door before entering.

'I had better go then,' I said wearily, for I had been looking forward to a beverage myself and I had no good news to give her.

'Indeed.' He shut me out and within two minutes I had rejoined the affray optimistically known as traffic.

'I took it orf 'm for stayin' awt,' Mrs Freval said in response to my enquiry about Turndap's hat. 'Lawd she aint 'appy.' She rolled her eyes up. 'Been squalkin' like a cod she 'as. Got muggins to send that message. Missed my callin' as a slavey, I did. At least I'd get paid.'

'Not if you worked for Mr Grice,' I told her.

And she was still complaining as I trudged upstairs. I knocked and heard a yelp.

'Geraldine, it is me, March.'

I heard shuffling and a chair being dragged away, and two bolts being withdrawn and a lock turning. 'Oh, March,' she sobbed.

Geraldine Hockaday's face was more pinched than I had ever seen it and streaked in long red lines like a child who had been playing with greasepaint.

'Are you going to let me in?'

Geraldine unhooked the chain to admit me, slamming and barring the door quickly in my wake.

'What is it?' I asked, but Geraldine was making choking sounds and flapping her hands as if fighting off a swarm of bees.

'What has happened, Geraldine?' I moved towards her, but knew better than to touch her.

Geraldine did not reply. She doubled over, retching, and fluttered her right hand out, and I realized that she was indicating a small cardboard box resting on creased wrapping paper. I went over and lifted off the lid. Inside was a severed ear and I knew at once that I seen it before. There was an unmistakeable old laceration across the lobe.

64

The Destruction of Hope

I CAUGHT MY BREATH. 'When did this arrive?' I asked, as steadily as I could.

'This-this-this morning,' she managed.

'By post?'

'P-pushed through the letterbox... Mrs Freval brought—'

There was a sheet of waxed paper on the table too, the sort you might get your fish or cheese in. It did not smell of anything.

'It is Peter's,' Geraldine cried out.

'Yes.' I unfolded the paper and saw pencilled inside:

IF YOU WANT THE REST OF HIM
PUT £50 THROUGH THE LETTERBOX OF
97 HOPE STREET BEFORE NOON TOMORROW.
NO TRICKS.

I brought out my new hip flask and found two glasses.

'What is it?'

'Gin,' I said.

'I... don't.' Every syllable was a battle for her.

'You do today.' I poured her a tot and put it in her shaking grasp.

'I do not have fifty pounds,' she said and sipped at it like a baby bird dipping in a fountain. 'I cannot even pay the rent since Peter went away.'

'I can get the money.' I swallowed mine in two quick swigs and poured myself another. 'But, Geraldine…' I drew a breath. 'You must realize that these people might not give you Peter back.'

Geraldine Hockaday threw up her hands and sloshed her drink. 'But of course they will, March. They must know that he is not a criminal by now. Peter is no use to them and they will not want to house and feed him forever.'

'I will post the money in the morning,' I decided with a heavy heart.

Geraldine nodded avidly. 'And Mr Grice will not try to follow them and risk frightening them off?'

'He will not,' I vowed and finished my drink. 'Shall I take this?' I put the lid back on the box and made to refold the brown paper.

'No,' Geraldine said urgently. 'Don't. It is all I have of him.'

'I will come back tomorrow,' I said. 'You will keep your door locked, won't you?'

I knew I had no need to ask that last question for she was up immediately and ready to wedge the chair back as soon as I was gone.

*

'What is the nineteenth clause of Grice's nineteenth law?' Sidney Grice demanded when I had told him what had happened.

'Never admonish your goddaughter,' I mumbled wearily, for I was not in a mood to be harangued.

'Never allow the client to retain evidence,' he quoted, without looking up from his latest invention, 'unless the retention is likely to stimulate fresh evidence.'

'Do *you* think he is dead?'

'Kidnapping for ransom is not Hanratty's style.' My guardian turned his latest gadget upside down. I had no idea what it was – a steam engine with no funnel or wheels? 'And most criminals stick more rigidly to their modus operandi than an orthodox

Jew to the Shabbat. He might want some compensation for the trouble of returning a body, though.'

'So you're convinced that his disappearance is Hanratty's doing?'

'If anybody else had committed such a crime in his fiefdom the hounds of Hagop would be baying for blood all over London.' Sidney Grice loosened four screws and levered a panel open.

'So I will be paying fifty pounds for a corpse?'

He fiddled about inside and something whirred. 'From what you tell me...' He replaced the screws. 'I should say that is probably the case.'

I had thought as much the first time that I saw it. A cow's blood may clot but a joint cut from it does not have the necessary chemicals and does not coagulate. The blood in the ear was definitely clotted and so it had been cut from a dead man.

'I shall spend tomorrow with Geraldine,' I decided.

'As you wish.' He turned his invention back up and depressed a lever. Nothing happened. 'Excellent,' he murmured with great satisfaction.

*

Hope Street ran parallel to Oxford Street, but there was no hope for it at present. The houses were being demolished to create space for a new department store and work was well under way. I climbed over piles of rubble and tipped a workman for dragging out the old door so that I could cross a trench, though I knew full well he had probably hidden the door in the first place.

Number 97 consisted of a one-storey facade, but it still had a door with a letter slot in it.

'Ain't none livin' there but rats,' another workman yelled over the smashing of sledgehammers into a wall opposite, as he spotted me about to make a delivery.

'Even rats get hungry,' I called back, wondering if he would be straight over the moment my back was turned, but there was a tug on the envelope as I slipped it through and it was whipped out of my hand so hard that I barked my knuckles on the flap.

I crouched and tried to peer through but saw nothing except more rubble and dust, and a few half-bricks rolling down a mound as the taker of my money scrambled away.

*

George came to see me – a very quick call on his way to Liverpool Street Station. They wanted him back in Ely for a case with which he had been dealing before he left. It should take a week at most.

We kissed surreptitiously for my guardian was upstairs.

'You will take care of yourself.'

'I won't forget to clean my teeth,' he promised.

'I mean it.' I held his face. 'You must come back to me.'

George touched my chin. 'I love you with all my heart.'

And, when he had gone, I burst into tears for I had a horrible premonition that something dreadful was going to happen to him.

65

The Washing of Words

I LET MYSELF IN. Molly was clomping downstairs with Spirit under one arm.

'Been a very naughty puppy, she has.' Molly shook a finger at Spirit. 'Got dust all over your room, she did. So if you think I lied on your bed and had forty blinks instead of dusting, you'd be very much mistakened indeed.'

'So I will not find my pillow flattened?' I asked, as Spirit jumped on to the bottom step.

Molly mimed puffing on a clay pipe. 'Well,' she began uncertainly before gaining speed, 'I know you like it flattered 'cause you flatter it yourself every night, so I flattered it for you.'

I smiled. 'That was thoughtful.'.

Spirit cantered back up the stairs.

'And dontn't you not go making a ring round the bath what I cleaned when I wasntn't not sleeping,' Molly called up and Spirit snaked her tail.

Mr G stood behind his desk like a shop assistant hoping to sell me Freddy Wilde's diary, which lay closed on a clean sheet of foolscap paper. 'I have been considering the pattern of incineration of this tome,' he announced. 'Perhaps you could rouse yourself to do the same.'

I picked the journal up. 'Both covers have been burned.'

'On Grice's Scale of Carbonization, how badly?'

'Four and a quarter,' I guessed.

'And a quarter?' Sidney Grice clipped on his pince-nez and took a closer look. 'I will grant you one eighth,' he conceded.

'And I shall treasure it always,' I promised. 'The edges of all the pages are charred too, and I shall not bore you by putting a figure to that.'

'I should be fascinated,' he told me, 'since I invented the system not three minutes ago.'

'Then that was hardly a fair question.'

'On the contrary.' He tossed his head indignantly. 'It was not fair at all.'

I held Freddy's diary to the light. 'The page looks a bit oily.'

'That is one way of describing it.' He hugged himself. 'So perhaps you would like to tell me whether the book was open or closed whilst being oxidized?'

I leafed carefully through it until I came to the last entry. Mr G had removed the bookmark.

'It must have been at least partly open here for the flames to get in.'

'And lick the recto, or right-hand page – but not the verso, or left?'

'What then?'

'What indeed?' he responded unhelpfully. 'Ink acts in two ways. First it mechanically sticks to a surface – rather as graphite does – but, more importantly, as even you must know, it stains the material one is writing upon, most commonly paper. Hence, and you may have observed this, one can rub away a pencil mark, leaving only a pressure indentation, whilst you cannot erase an inked manuscript without abrading the actual fibres. Why – and you probably know the answer to this if you think very hard about it – do we use blotting paper?'

'To remove excess wet ink before it smudges,' I tried.

He had a way of making me doubt that even the most patiently correct answer would be foolish, but this response seemed to satisfy him for he continued with, 'And for how long does ink stay wet?'

I knew full well that whatever figure I gave would be greeted with scorn and was not going to be entrapped so easily this time.

'That depends,' I said, 'on various factors.' I put my fingers behind my back to count hastily. 'Six of which I shall presently enumerate. They include the type of ink, the type of paper, the amount of ink dispensed by the nib, the temperature of the room and the presence or absence of a breeze.'

'You seem to have ground to a halt at five, thank goodness.' Mr G yawned. 'Excuse me.' He covered his mouth. 'But you have a gift for making even such an attention-transfixing subject almost unbearably tedious.'

'What would your answer be then?' I challenged, and braced myself for a stream of figures and mathematical formulae.

'If I wish – as I always do – to be precise, I should say somewhere in the region of a few minutes.' Sidney Grice picked up his patent self-filling pen and wrote on a piece of fresh notepaper. *This fine work of calligraphy is intended solely as a sample of pigment*. He blotted and blew on the word. 'Is that dry now?'

'I should say so.'

'Then do so.'

'Yes, it is.'

'Give me your hand.'

'In marriage?'

Mr G fought something down and took hold of me, pressing my palm over the word.

'And what do you see?'

'*Ample* in mirror image on the ball of my thumb.' I knew better than to ask why he had not used his own hand for the demonstration.

'And quite clearly too,' he remarked with some satisfaction.

I rubbed it with my handkerchief. 'So ink takes longer to

dry than you might think.' I licked the handkerchief and rubbed harder.

'It takes exactly as long as I anticipated.' My guardian huffed at the very idea of him misjudging anything. 'Oh, and you need not worry about washing that off. It is indelible.'

'Then you must find a solvent.'

'I am not compelled to do so.'

'I wonder if it is dry now.' I grasped his wrist and pushed his hand on to the ink, surprised by his lack of resistance.

'Of course it is.' Mr G shrugged at my childish prank, but I was only disapointed to see that the *pig*, though printed quite clearly on his palm, was written backwards. 'Perhaps I shall search for a solvent after all,' he conceded and handed me his third-best magnifying glass. 'Scrutinize the verso.'

I looked at the left-hand page. About half an inch of the top edge was burned away and the page beneath discoloured. The last entry was still clearly visible:

I hate Steep House and everybody in it. I shall destroy them all.

And below that nothing.

'The surface has not been abraded,' I observed. 'So nothing has been erased.'

'I provisionally accept that interpretation. Regard, if you can, the recto.'

I held the glass over the top of the page. 'It is only singed along the rim.' I screwed up my eyes. 'There are some very faint smudges on the first four lines, the lower two of which...' I viewed both pages at once, 'are exactly in line with the previous entry. You don't think—'

'Do I not?' He pouted. 'I thought I did.'

'So, if the book were closed too soon, the top two lines could be a blotting of the missing words.' I hurried to the window and held the book up, but there was nothing other than the faintest of meaningless marks. 'If it were pencil we could do a rubbing,' I said disconsolately.

Sidney Grice titivated his eyebrows. 'In what colour was this otherwise tiresome juvenile chronicle inscribed?'

'I would think it was violet originally.' I gave him back his magnifying glass and he polished it vigorously on his elbow. 'Though it is turning brown now.'

'Would you violently disagree with me and storm out of our home never to return if I suggested that originally it might have been purple-brown?' he asked meekly.

'You said *our* not *my*, and *home* not *house*.'

Mr G blinked. 'I heard myself.'

'You said *our home*.'

'I am glad to find you paying such close attention to my words.' He retied his patch. 'Though your repetition of them might irritate a man not blessed with my saintly patience, and I think it only fair to inform you that the deeds of this property are in my name.'

'I know that.' I wanted to lean across the desk and kiss the tip of his elegant nose, but I only said, 'Purple-brown sounds about right to me.'

'Thank heavens we navigated that emotional crisis without being cautioned for affray,' he said.

'But why would I have argued about it?'

'You argued about the colour of the drapes in the sitting room.'

I remembered cuddling up to George Pound on the sofa up there and resolved to tackle my guardian on the subject later. For now I satisfied myself with, 'Only because you wanted to change them for black ones.'

'Charcoal,' he insisted before resuming his tutorial. 'Purple-brown inks are sold under the description of Iron gall. They contain – amongst other ingredients – ferrous sulphate, not to be confused with ferric sulphate which is used as a mordent to fix dyes rather than a dye in its own right. A pertinent property of ferrous sulphate is its reaction with sodium carbonate – vulgarly known as washing soda or soda ash – of which I have a bottle here.' He withdrew an unlabelled green bottle which he had lodged in the mummified claw of Ekriel Coy, the Aspic Killer of Merthyr Tydfil. 'The resultant exchange of molecules results in the creation of sodium sulphate and, more relevantly, ferrous carbonate, a precipitate and a serviceable sepia pigment.' He unscrewed the cap and inhaled, though even I know it has no aroma. 'So if I apply this over these marks I may be able to darken them enough to be legible.'

'But, if the ink should be made of another chemical, what will the soda do?'

'There is a chance that it will do what it is purchased in vast quantities to do and remove the stains,' Mr G told me lightly and, before I could object that he might try to think of another means, commanded me: 'Seek and find 19 January, then seek and find the inscription *skating*.'

I did as I was bade and the word sprang immediately, darker and clearer than the preceding *we went* and the succeeding *on the pond*.

'You tested it,' I realized.

'I am not quite the simpleton you portray in your published accounts,' he declared with a toss of his thick, black, backswept hair.

'But I have always emphasized your cleverness,' I protested.

'A performing flea may be described as *clever*.'

He took the book back from me and I sniffed. 'I shall try to do you justice in future.'

'You will fail,' he predicted. 'Pay close attention for there is a chance that it will be washed away and there are occasions when three eyes are better than one.'

Sidney Grice dipped a flat brush into the soda solution, wiping the excess liquid off on the neck of the bottle, and painted it sparingly over the top third of the last page. Nothing much happened. He re-wet the bristles and tried again and, this time, the effect was instant.

'Your head is in the way,' I complained.

'My head is where it always is,' he snapped. 'Firmly, though not rigidly, attached to my first cervical vertebra.' Nonetheless he edged to the side.

And, reading right to left, we narrated in unison: '*he told me, "I hate Steep House and everybody in it. I shall destroy them all."*'

'So that was why Eric was in the cellar,' I realized.

The pigment was watery and starting to trickle down the page.

'I find myself ill-equipped to refute your premise.' Sidney Grice tried to blot the words, but they had already floated away.

66

Footfalls on the Stairs

GERALDINE HOCKADAY LET me in.

'I thought it might be Peter.' She secured the door.

'Geraldine—'

'Do you like my costume?' She had a pretty new dress on, dark pink with a lace trim on the cuffs and around the collar. 'This is the first time I have ever worn it. Papa bought it for me before... all this.'

'It is very pretty and you are looking brighter too.'

Geraldine's face was almost as pink as her clothes and there was renewed life in her eyes. 'I wanted to look nice for Peter. And see – I have set his pipe and tobacco by his chair.'

'Geraldine,' I tried again, 'there is something I have to say. You must prepare yourself for the possibility—'

'What is that?'

There was a scuffling noise. I went over to listen and heard growls and bumping. It came from downstairs.

'Peter.' Geraldine jumped up.

'I do not think so,' I said and opened the door a crack.

'You can't leave it 'ere,' Mrs Freval was saying, 'blocking the entry. Come back 'ere you crebbed-up bleedin' bleeders.'

'Wait here and lock the door,' I told Geraldine and hurried down.

'I told them they can't just leave it 'ere,' Mrs Freval yelled up at me. 'Bleedin' cruck-faced Prikes – not that I could see their poxy faces – silly scrabs with their mufflers on in this wevver. It aint 'xactly snowin'.' She held out her hand to demonstrate the absence of flakes. 'Is it?'

There was a big laundry basket half-filling the hall when I made my way down and I did not like the way Turndap was sniffing it excitedly. 'Perhaps you had better take your dog inside,' I said.

'Your dog?' she parotted in disgust. '*Your dog?* 'E's gotta name as you well know.'

'Please,' I said nervily. 'Please take Turndap away.'

Mrs Freval made several gargling noises and picked her pet up. 'It was a rubbish 'at anyway,' she muttered, though she was the one who had chosen it.

I pushed on the basket but could not shift it. There were two pegs through loops and I pulled them out.

'Is it Peter?' Geraldine was coming down the stairs. 'He might not be able to breathe in there.'

'Stay there, Geraldine,' I warned. But she was hurtling down the last steps and flying into me, flattening me against the wall.

'Peter.' She had hold of the lid.

'Don't,' I cried, but she had flung the lid up and back.

Geraldine Hockaday was all at once frozen, bending down, her face still mixed in concern and joyous expectation. I just managed to catch her as she fell and dragged her on to the one bit of clear floor at the foot of the stairs. She was as light as a child.

I had known in my heart that Peter Hockaday, the brave, tall, fresh-faced young man I had left under that shelter in Limehouse, would be dead. I had feared but did not know that he would be squatting in that basket, his face beaten out of shape. I looked in his open mouth and wished I had not. And never, for one moment, had I imagined that he would be cradling his intestines, long shimmering tubes and folds of white membranes, in his lap.

67

The Ice Houses

I PUT THE back of my fingers to Peter's bruised brow. It was still warm.

'Oh, Peter,' I breathed uselessly.

I shut the lid and told Mrs Freval as little as I could. She took Geraldine in, sat her on the one pine chair and wrapped her in a moth-eaten and very smelly blanket. Turndap got up on his hind legs and pawed her for it back, but I do not think Geraldine knew that either of them was with her. I do not think she even saw them or anything beyond what was in that basket.

I found a policeman just about to finish his shift, but his weariness vanished at the prospect of a good murder.

There was an undertaker's round the corner. I had noticed it before but not paid much attention. I hoped it was not like the last undertaker with whom I had dealings, and was pleasantly surprised at their professional manner and reasonable rates. They would pick up Peter from the morgue as soon as the coroner released his body and they would make sure he had a good coffin at a good price. I gave them my card for the bill.

The basket was already being dragged on to the back of a wagon when I returned. It left a long brown streak on the pavement.

Geraldine rejected my offers to stay with me in Gower Street or for me to stay with her. She had no friends whom she wanted me to contact. She hardly spoke except to say that she needed to be alone.

'I'll check on 'er,' Mrs Freval promised as Turndap licked the floor. She touched my arm. 'Oh and that 'at – it's a dandy one really.'

*

'Cadavers warm up as decomposition sets in,' Sidney Grice told me. 'I hesitate to ask since I know that you are incapable of keeping your feminine emotions in check and it is an unpleasant question.' He put down his book – *The Life Cycle and Mating Rituals of Cornishmen* – open but upside down on his lap. 'Did he—'

'No,' I broke in. 'He did not smell decayed.'

'Hagop Hanratty,' Sidney Grice pronounced the name with great precision, 'has the use of a number of ice-houses. They enable him to provide fresh eels and oysters at a premium price long after the seasons have finished.' He closed the book. 'It is possible that he kept Lieutenant Hockaday's cadaver preserved in one of those until he decided what best to do with it.' He stretched up.

'But what was there to think about?' I queried.

'Hanratty is in the habit of displaying his victims' remains in public as a caveat to others who might be considering infringing upon his territory.' He reached back and dropped the book over the back of his chair, letting it thud to the floor and startle Spirit, who was curled up on his desk. 'In this case he may have decided that the gruesome condition of the cadaver would attract too much attention and frighten his customers away.'

I slumped in my chair. 'You do not think...?'

Sidney Grice looked at me with something approaching feelings. 'Hanratty is a pragmatic man. What would be the point in disembowelling a corpse?'

I held my head. 'I cannot hope to stop a gang the size of his,'

I said eventually. 'But I can try to stop the man for whom we entered such a world.'

Sidney Grice took off his pince-nez and watched me. 'You will not do anything foolish?'

'When?' I demanded. 'When have you ever known me not to?'

And Sidney Grice's lips moved. I knew it would not be, because he did not believe in God, but it was almost like he was praying.

68

The Windows of the Soul

THE STREET WAS almost deserted except for a gawky young man in a brown cotton coat, rolling tar-saturated strands of tobacco into a spill of newspaper.

'We don't want no more deliveries today.' Mrs Freval viewed me suspiciously. 'Turndap was in a right old state after the last one. 'Ad nightmares all night, 'e did, and now 'e's gottanedache.'

'I am sorry,' I said, 'but I did not bring the body here. In fact I arranged to have it removed.'

Mrs Freval prodded a bristle on her neck, apparently trying to push it back in. 'Bring? Remove? It's all to do wiv draggin' bodies round my 'ouse.'

'I shall just leave it here next time, shall I?'

I could hear Turndap snoring inside.

'Oh!' His mistress squalled. 'It's coming back, is it? Well, let me tell you—'

But I never found out what I was going to let Mrs Freval tell me for there was a racket outside of two women fighting, and she hurried away to watch through her net curtain.

I headed upstairs, but there was no reply at Geraldine's door. I knocked again and listened. No doubt Sidney Grice would have heard something significant, but I could only hear the caterwauling outside and Turndap yapping excitedly. There was a dead rat in the middle of the floor, I noticed, and wondered if Mrs Freval would blame me for that too. I rapped harder.

'Geraldine.'

No reply.

I raised my voice and hammered on the bare pine panel with the side of my fist, and rattled the handle, and, to my surprise, the door came ajar.

'Geraldine?'

I pushed it in and stood back. If there was one thing my guardian had taught me – though I did not always remember – it was not to rush blindly into rooms. I could hear a clicking.

'Are you all right?'

Geraldine Hockaday sat in her usual chair knitting frantically. She did not glance at me.

'Your door was not locked,' I told her but she did not respond.

I tried again. 'What are you making?'

The needles whirred against and around each other. 'I am finishing the scarf that I promised to Peter.'

I crouched to try to look into her eyes but they were not focused on me. 'You do understand what happened?'

Geraldine wriggled her nose like the child she often seemed to be. 'I understand what,' she said quite calmly – too calmly, it seemed – 'but I do not understand why.'

'We will catch the people who did it,' I vowed and touched her knee.

Geraldine started another row. 'Just as you caught the man who did this to me?' she asked with chilling politeness. Then her voice sharpened. 'Have you forgotten already that my brother died trying to do your job for you?'

'I cannot tell you how sorry I am,' I said uselessly, and could not bring myself to add that I had been trying to stop Peter committing murder.

Geraldine carried on knitting. It was then I noticed that there was a dried brown crust on the lace sleeve of her pale blue dress.

'Have you tried to sleep?' I asked.

'And what would I dream of?'

'I can get you some laudanum,' I suggested.

'Opium?' Geraldine spat out the word. 'You think that will help?' She jabbed a needle so close to my cheek that I twisted my head away and edged backwards. 'It was opium that got us into this mess.'

Mess seemed a very tame way to describe any of what had happened. I paused. 'Did you go to a den, Geraldine?'

'The Golden Dragon.' Her needles clacked again. 'I was on my way back from it,' she admitted. 'That is why I made such a poor witness. I did not really know what was happening.'

'But nothing happened to you while you were there?'

'The owner would not have let it.' Geraldine puckered her lips. 'He was very worried for me being alone and advised me the safest route to walk back.'

We would have another chat with Jones/Chang, I decided.

'Why did you not tell Mr Grice?' I went down on my haunches, just clear of her boot swinging up and down.

'Do you think he did not disapprove of me enough already?'

'It might have helped his investigations,' I steadied myself on the arm of Peter's chair, 'if you had told him what you saw.'

'Do you want to know what I have seen?' Geraldine put down her knitting but picked it straight up again. 'I have seen my beautiful brave brother, my only support and comfort, made into something disgusting.' She wrenched the knitting off and threw it on the floor. 'And that is all I see now. I see him more clearly than I see you. He is trapped inside my eyes, March.'

'I shall send my doctor to give you something,' I resolved. 'He is a very kind—'

But I never finished my sentence for Geraldine turned those needles to peer closely at the tips. I rose. 'I cannot bear to see him like that,' she cried. 'I would be better blind.' And she plunged the needles in.

The left needle went about an inch and stopped, juddering against the bony back of the socket. Geraldine screamed. I ran towards her, ready to grab her hands but the right needle slid deep. It must have passed through the sphenoidal fissure to penetrate her brain.

Geraldine's mouth gaped and she screamed again. 'Christ God it hurts!'

She pulled.

'No!' I yelled. But Geraldine was beyond hearing. The left needle came out to leave a burst eyeball oozing gel, but the right was clearly jammed. She grasped it with both hands, not noticing that she had pierced her cheek with the freed needle. I got to her and grabbed her wrists, but she had a strength born of agony now and clung to the needle still embedded in her skull.

'Geraldine! Let go.'

Her left hand came away but only to claw at my throat. I choked and pulled her hand away but she was still wrenching at the needle in her eye and wiggling it now, her skewered eye revolving in her frantic attempts to pull the needle free.

'Oh God! Oh God! Oh God!' In one desperate effort she drew that needle out. I heard the bone crack and I saw the eyelids part and stretch and bulge and there was a tearing sound and the needle came free but on it was skewered a horrible bloody white ball haloed in a fringe of meat, the torn cord of the optic nerve dangling at the back.

'Oh dear God, Geraldine. Dear God!'

The door flew open behind me. 'What in heaven's name is all that commotion?' Mrs Freval said, Turndap dancing round her feet. 'Oh cruck.'

She covered her mouth and staggered back against the wall, sliding down it with a bump. And when I turned back I saw that Geraldine Hockaday, mercifully, had fainted also.

*

I dashed next door and, as luck would have it, just caught Dr Goddard coming down his front steps. He fetched his leather bag immediately and followed me in. Geraldine had come round in a frenzy of pain. She could not catch her breath even to scream. I rolled up her sleeve and held her left arm as still as I could, and Dr Altman put her back to sleep with a massive injection.

She looked so peaceful, but, watching Geraldine slumber, it was obvious that we had only postponed her suffering. Too soon she would awaken in dark agony to a world which had savagely mutilated and killed the one man she had loved. And it was then that I made my decision. This could not continue. It was time to go back to Huntley Street.

69

The Unity of Four

WE MET AT the club at ten o'clock sharp. Marjorie was already there with Sally, who was looking abashed as always, when Harriet and I went upstairs and, before we could speak, Dulcie came in. She had a simple yellow dress on, tied around her slender waist, a long saffron cloak and a thin-brimmed velvet hat, jauntily held in place by a ribbon under her chin.

'Dulcie, you look stunning,' I told her to general agreement.

'Wait until you see my accessory.' Dulcie's eyes twinkled as she brought a neat yellow-handled pistol out of her matching handbag.

'Do you know how to use it?' I asked.

'I had a French army instructor,' she told me. 'And I managed to wing my governess from fifty yards with this revolver.'

'Oh, Dulcie, you are worse than Harriet.' I laughed despite, or because of, my misgivings, and she leaned towards me. 'That one is true,' she murmured in my ear.

'I've been in contact with Mr Chang at the Golden Dragon,' Harriet announced, 'and paid a retainer to keep his room free for a group of women, and told him we will be exploring the area first. If March's hunch is correct about that poor girl, Geraldine, the owner will have informed the attacker we are coming.'

'I need to speak to you all,' Marjorie boomed unexpectedly. 'I have been giving this a lot of thought and it seems to me we are being reckless. Anything could happen out there.'

'I think we can all look after ourselves,' Harriet said, with some justification, for she had saved my life once at great risk to her own.

'Well, I think we should leave this man to the police.'

'He has been left to the police for heaven knows how long now,' Sally told her with unexpected spirit. 'How many other girls can he destroy before we stand up to him?'

Marjorie tightened her mouth. 'I am sorry but I cannot be a part of such a foolhardy enterprise.' She tried but failed to stare me out. 'You may toy with danger, Miss Middleton, but we are ladies and unused to such things. I am going to my home now and I hope you all will have the sense to go to yours.'

And with that she brushed roughly past me and down the corridor, slamming the door after her.

'I knew she was unsound,' Harriet said. 'Where did she find that bonnet?'

I tried to smile. 'Well, that has ruined our scheme,' I said ruefully but also half-relieved, for I had a nagging feeling that Marjorie was right.

'Why?' Dulcie demanded. 'I know the plan was for me to be the bait with two at each end of the alley but you and Harriet can still work as a pair and I have every faith in Sally if she does not mind working alone.'

'I cannot allow that,' I protested.

'I would prefer it,' Sally insisted. 'I was never happy being teamed with her – much too jumpy. She would only have got in the way.'

'We are better off without her,' Harriet agreed. 'She would have swooned the moment a man appeared on the horizon.'

'If any of the rest of you would like to pull out now, I shall not blame you,' I said, and we all looked at each other. 'I have no right to ask anyone to endanger her life.'

'You have no right to forbid us,' Dulcie argued, 'not while

there is a chance of putting a stop to this monster before he hurts another girl.'

'I warned them that this might happen,' Harriet told me, for she knew me better than anyone. 'And we have talked about it.' She took my shoulders and held me in her gaze. 'We are going to do this with or without you, March – though, obviously, we would feel much safer if you came.'

'Getting cold feet?' Sally asked, and I glanced at Baroness Worford glowering on the wall, Gricean with her missing eye.

'Not I,' I said.

'Good.' Dulcie breezed over to the sideboard. 'Then that is settled.' And she poured five stiff brandies – not my tipple, but I was never more glad to have one.

70

The Silver Fox

DULCIE'S BROUGHAM WAS waiting on Huntley Street, a maroon four-wheeler, with the Brockwood crest of a silver fox crossed by two swords on the door.

It was a clear, dry night, though a light wind was getting up.

'This is Geoffrey.' Dulcie introduced her coachman with a familiarity towards her servant that would have shocked my guardian.

'You can always rely on a Geoffrey,' I said, for it was also my father's name.

On the back were two burly footmen, both professional pugilists in their day, Dulcie assured us, and the older man, Lenny, grinned almost toothlessly to lend weight to her story.

I sat facing forwards with Harriet at my side, Dulcie and Sally opposite us, holding hands.

'Shall we do that?' Harriet asked and our fingers intertwined.

It was a long, slow journey. Geoffrey was highly skilled at pushing into gaps that looked narrower than our carriage to me, and the footmen had no compunction about lashing out at beggars or urchins who tried to slow us down. But a brougham takes up a lot of road and the streets were increasingly narrow and crowded with pedestrians, and it seemed forever before we pulled up in the square.

Harriet slid towards me. 'Whatever happens, I love you.' I felt her tremble.

'Tell me that when we get back to Huntley Street,' I said softly, and raised my voice. 'Last chance to change your minds.'

'Tosh,' Dulcie said, as the younger footman lowered the steps and opened the door.

'I love you too,' I whispered to Harriet and she kissed me.

The square was deserted. Geoffrey was down from his seat and prowling the peripheries, his whip at the ready. He bestrode the whole area before rejoining us.

'It is not my place, milady,' he towered over his mistress, 'but I would be much happier if me and the men could follow at a discreet distance.'

'And who will look after the horses?' she enquired.

Geoffrey flapped a leather-gloved hand. 'Oh, they can look after themselves. Black Bess would break the skull of any man who came too close.' He scanned the unglazed windows all around us. 'But if you're really worried, Dick can stay. They trust him.'

Dulcie touched his sleeve. 'I appreciate your concern, Geoffrey, and I am truly grateful for the offer, but we are all armed and alert and we have a plan.'

'Your father—'

'Will never know,' she assured him.

'The trouble is, two or three big men like you might frighten our quarry away,' I explained.

'Very well,' Geoffrey agreed reluctantly. 'But at least take this.' He reached behind his head and lifted a cord over his hat to hand her a huge antique silver whistle. 'Any trouble and you give that a blast. Hear it halfway across London on a quiet night like this.'

'Thank you, Geoffrey.' Dulcie hung it around her neck. She craned up and for a moment I thought she was going to kiss her coachman, but she only told him conspiratorially, 'I spotted a nice old pub three streets back.'

Geoffrey broke into a broad grin. 'So did I, milady – the Ship Inn – but we will stay here and wait for your signal.'

'I could go an' fetch a jug,' Dick, the younger footman, offered hopefully.

'We will *all* stay here,' Geoffrey said firmly, ignoring their disgruntled moans.

'Did you remember the lamps?' I asked, and Lenny clambered back up to open the postilion box, handing down four lanterns one at a time for his colleague to light. I had learned one thing from my experiences at Scarfield Manor – the stupidity of stumbling about in the dark. But we might just have managed without them that night, for the moon was full and the sky was the clearest I had ever seen in London. The wind was coming in gusts now, as it often did near the river. It made Dick's task more difficult but it had blown the fumes away.

'We should all keep our handbags undone,' I advised. 'You do not want to be fiddling with clasps in an emergency.'

I had toyed with the idea of taking my father's old service revolver. It was far more cumbersome than Harriet's dainty weapon – the only present her husband had ever given her, she had joked once – but mine was capable, my father had boasted, of bringing down a rhinoceros.

'Not too many of those grazing in Limehouse,' Harriet had told me. She knew I would not carry a gun but pressed a black-handled one on me. 'A starting pistol,' she had explained. 'But it looks like the real thing and makes enough of a bang to get the little devils running on sports day.'

I unclipped my bag and put the gun on top. It was quite light but looked real enough to me.

We went as a group down the road, turning right then left, then through a maze of passageways, some occupied by sleepers, one by a sprawling drunk who clung to Sally's skirt until she twisted his finger back.

We stood at the top of Card Street, really no more than a gap between the long rows of back yards, and chosen as our main route because it was long and straight and we had studied our map at the club until we knew exactly where the all the other alleys crossed or came off it and where they led to. There was no danger of getting lost if we stuck to the main route. A woman lay at the top of the street, curled on the stones with two skinny children in her arms. I put a coin into her outstretched hand and she took it weakly without opening her eyes. Her children were breathing rapidly and I resolved to get them to a doctor upon our return.

Sally turned her wick down. 'I do not want to frighten him off,' she said, 'before he sees our bait.'

'Probably the first time I have been called that.' Dulcie squeezed her friend's shoulder.

'If he is around, the chances are he will try something on our way home when he will expect us to be befuddled with opium,' I forecast. 'But we cannot be sure of that, so take care, stick together and no heroics.'

We all hugged and Sally went ahead, tentative at first but soon getting into a confident stride. A baby cried somewhere and a cat shot out, making Sally jump, but she kept going. There was an unnamed very narrow alley on the left after about thirty yards. She stopped, turned her wick up a fraction and peered down it, stepping just inside before reaching out to wave the lamp in signal that the way was clear. Dulcie stepped round the woman. Sally emerged and started down again and Dulcie blew us a kiss before setting off after her.

'Lord, if I were a man, I would be sniffing round her,' Harriet whispered as Dulcie strolled as elegantly as any woman could along a narrow, cobbled alley with a rubbish-strewn central gulley, and I could see what she meant. Dulcie was not only a beautiful woman but she oozed her beauty in a way that most of us could only dream of.

Sally was going faster now, a dark shape in the darkness, but it did not really matter for she would wait at the next crossroads for Dulcie to get past the first side street. Dulcie paused as she reached it until she saw Sally's lamp flare up, perhaps another thirty yards ahead, and wave to urge her on.

Dulcie carried on. Harriet and I set off after her, with a quick glance over our shoulders. Geoffrey stood watching us uneasily. The surface was more uneven than I had imagined and slippery, probably from a sewage overflow, but we made the first alley without incident, just as Dulcie made the second and Sally stopped to check the third. We all passed on our way. The fourth break was another, very narrow alley, and we had to wait a while before Sally was satisfied it was safe. We turned right at the end towards where we had calculated the Golden Dragon to be, and then left. I had never seen the streets so quiet.

Sally reached another junction and stopped to check it. The lantern swung to signal the way was safe and then went out.

'Damn.' I strained to see. 'I hope she has a Lucifer. Oh, it is all right.'

The lamp reappeared, turned very low, and we could only see it rise and fall like a firefly, so far from us now. Dulcie set off after it, turning her light up to negotiate a pile of filth and to make herself more visible.

'Perhaps we should try a busier street.' Harriet hitched her dress to step over a greasy puddle.

'Yes,' I agreed. 'Nobody is likely to be looking for a victim in such a place. Why is it so deserted?'

Dulcie reached the narrow turn-off and was about to saunter past when she stopped.

'What?' She stepped towards the alley and Harriet touched my arm. We hesitated. 'Sally!' Dulcie put her lamp down.

'What is it?' we called in unison.

'Oh my God, Sally!' Dulcie stepped into the gap and her lamp went out.

'Stay there!' I shouted. 'Wait for us.'

Harriet and I hurtled along the street, slithering and nearly falling over each other in our rush.

'If something is wrong, blow your whistle.' I pushed ahead. It was then I heard a sob and the sound of drumming boots and a scuffle. 'Shoot into the air, Harriet,' I called, skidding so badly that I crashed into the wall as I swung round to the left.

Harriet's gun shattered the silence, the explosion ricocheting in every direction.

Sally lay crumpled. I held up my lamp and saw a darkness frothing from her breast. I kneeled in the pool and Sally wheezed.

'Oh, Sally, darling,' I whispered, and cried out, 'Dulcie. Dulcie, can you hear me?'

There were more scufflings and then from behind me a rush, and the figure of a man hurtling towards me, flinging me face down on top of Sally, her breath grunting bloodily into my mouth.

71

The Scabbard in the Hand

I ROLLED.

'Get out of my way,' the man yelled, and it was a moment before I recognized the voice as belonging to Sidney Grice, but he was gone, racing jerkily round a bend, his safety lantern swinging wildly.

I struggled to my knees, barely aware that they were scraped raw. Harriet was behind me. 'Stay with Sally,' I told her. 'Try to staunch it.'

But I knew there was no hope. I saw Sally's eye flicker, and the empty scabbard in her grip. 'I am so sorry.'

Sally's lips moved and her fingers crushed the scabbard. She sighed and I could not see any fresh frothing.

There was a distant cry and a thudding. 'Look after her.' I got to my feet. 'And use your gun if he comes back.'

I snatched up my lamp and gave chase.

This alley was so narrow that my skirts dragged along the rough bricks on both sides as it curved this way and that, unbroken even by a doorway or window, the body of a large dog sprawled across my path. I tried to jump it, but mistimed and heard the ribs crack and felt my foot sink in. I shook myself free and carried on.

There was a pink handbag in the gutter, its contents strewn. I could not see the gun. Did I hear a muffled wail? My neck prickled but I drove myself on.

The alley bent at a right angle to the left now and opened into a small deserted court, completely enclosed by a wall some ten or twelve feet high. There were three plank doors leading off, one to either side and one straight ahead. I tried them all but they were locked solid.

'Can anyone hear me?' I banged on the right-hand door. Nothing. Was that a rustle?

'Mr G?' The words came hoarsely but were unanswered.

A definite rustle this time. The sound of stiff bolts being pulled back. I brought out my revolver. 'I am armed,' I warned, backing against the wall and ready to jump either way. Banging noises preceded another bolt being forced back, and the middle door opened. 'I shall shoot.'

'No, you shall not.' Mr G came into the yellow sea of my lamp. His hat was off, his coat crumpled and his trousers torn at the knee.

'Dulcie,' I said. 'She was—'

'She was,' he agreed wearily and stepped aside. 'I should warn you—'

But I was not listening. I rushed through the gateway into a back yard – ten feet square and backed by a tall, dark building. Sidney Grice's lamp was on the floor and in its glow lay a woman on her back, her legs splayed out and the skirts pulled up above her head, and I did not need to pull them down to know that it was Lady Dulcet Brockwood. But when I did I saw, by the dancing flame, the terrible nothingness that filled her now.

An ornate horn-handled knife had been driven into Dulcie's neck up to the hilt and on her forehead was a hastily carved X.

I kneeled and took her hand, still warm but without a spark of the life that had radiated from her – could it really have been only a few minutes ago?

'Move away,' Sidney Grice said.

'What?' I heard his words clearly but they meant nothing to me.

'Away.' He pushed my shoulder roughly and I staggered to my feet.

Sidney Grice was crouching between hers, his lamp held over her torn undergarments. He pulled a test tube out of his satchel.

'What are you doing?' I hardly understood my own words.

'Something that the police surgeon will not do and is best done while it is still fresh.'

'It?' I asked numbly.

'The corpse.'

His words buffeted into me and I watched in horror as he took a lint ball in his locking tweezers and inserted it into her.

'Has she not been desecrated enough?'

Sidney Grice glanced up from his task. 'Do that in the corner.'

And it was only then that I realized I was vomiting down myself. I turned sideways, and when I had finished he was putting his test tube away.

'And what did you find?' I asked bitterly.

'Blood,' he said flatly. 'Just blood.'

'What on earth did you expect?'

Sidney Grice sprang up, his body twisted in rage. 'Whose work was this? Was it mine or yours?' He screwed himself up, fists clenched, his eye flying, bouncing over the stones, his right socket empty, as he stared at me in horror. 'By God, girl, if there were any justice in this cruel, savage, repulsive world, this would be you instead of Lady Brockwood.' There was a fury in his voice I had never heard before and a new disgust on his face. 'You stupid stupid girl.' He made as if to slap my face with the back of his hand, and I wished to God, and I have wished it ever since, that he had knocked me cold. 'I cannot speak to you,' he said. 'Who is there?'

That last remark was not addressed to me.

'Show yourself.' He had his ivory-handled revolver in his right hand.

I had still heard nothing.

Sidney Grice stood straight, feet apart, his head tipped back, scanning the building behind me.

And then there was a piercing shrillness and a quick, low laugh.

'I have you, you filth.' Sidney Grice raised his gun and fired, and the shutters on the fifth floor shattered. He threw himself backwards against the wall and, gun in both hands now, let off three more shots. The shutters exploded into a cloud of splinters, showering over us.

Silence.

'Did you get him?'

Sidney Grice put a finger to his lips. He was walking forward, intent upon that window, gun aimed straight at it.

Another laugh – a longer one this time – and something flew down, clattering at my feet. I bent and saw that it was the coachman's whistle.

'Go and look after your friend,' my guardian said quietly. 'She must be terrified.'

I had almost forgotten about poor Harriet. I turned dumbly, numbly, to leave. I could not look at Dulcie again but I would see her for the rest of my days.

'And, March,' he said softly, 'I am sorry.'

In all the time I knew Sidney Grice, he never said a kinder or a crueller thing.

72

The Dead and the Damned

I COULD NOT speak when I found Harriet. She had covered Sally's face with a bloodsoaked handkerchief.

'Oh, March.' She shrank back. 'What have we done?'

There were heavy footsteps and a man's voice calling, 'Here they are.'

Geoffrey, the coachman, and his two companions appeared breathlessly. 'Milady?' Geoffrey asked, and I found I could not look at him. 'Stay with the women,' he told his companions and squeezed past me up the alley.

His heavy footsteps faded and stopped and I heard a gasp as a man might make if he is punched in the stomach, and then a strange noise, a cry gathered and growing into the howl of a man who has lost the mistress he adored.

There was a severed finger in the dirt.

*

The woman and her children were dead by the time we returned to the square, from slum fever, no doubt, and Dick, the young footman, had laid a blanket over them. She still had my piece of silver wedged in her fist.

*

I cannot remember when I found out that Marjorie Kitchener was Hagop Hanratty's sister-in-law – she did not advertise the fact – and she had told him of our plans in the hope of getting us stopped.

But Hagop had other plans. If we caught the attacker so much the better. The streets were so quiet because he had ordered people inside. But he did not want us taking any unnecessary risks and, just to make sure, he had sent a message to Sidney Grice.

*

I do not know how I got through the next few days and nights. I only know that the gin did not help.

After three days, Geoffrey the coachman came to see me. He was whey-faced and his eyes bloodshot. He was very quiet and respectful. Lady Brockwood would not have wanted him to be otherwise, he told me.

I tried to say how sorry I was but he brushed that aside. I told him I was quitting as a detective and was about to tell Mr Grice.

'Oh no, miss.' An odd smile came over Geoffrey's lips and he shook his grizzled hair. 'The way I see it is, you got my mistress killed and you will get her killer or die in the process – begging your pardon, miss – but after that you can drown in your own piss-pity for all I care.' He made a deep bow and spoke confidentially in my ear, though nobody else was in the room. 'God damn you and keep you rotten writhing in your box, you self-righteous bitch.' He straightened up. 'Good day, Miss Middleton. I will see myself out.'

There was no point in telling him that I had damned myself a long time ago.

*

I put away my gin and had a long hot bath.

Sidney Grice was mashing a boiled onion, though it did not take much effort. I helped myself from the domed dish in the middle of the table and sat opposite him.

'You have a choice.' He did not look up from dusting his mush in white pepper. 'You can destroy yourself and, if you do, you will never recover.'

'How can I ever forgive myself for what I have done?' I picked up my fork for lack of anything else to hold on to.

'And I am the one you portray as arrogant.' He sowed his dinner with salt.

'I do not understand.' I put my fork down.

'Who are you to forgive yourself for what has happened?' He banged the cellar on the tabletop. 'It is for the injured and, perhaps, the God you believe in to forgive.' He slipped his napkin out of its bone ring. 'I shall continue my proposal with the alternative.' He tucked the napkin into the top of his waistcoat. 'You can destroy the man who murdered them.'

'Can I?'

Sidney Grice formed his food into an exact square before he replied. 'With my help, you can do it or die in the attempt.' He rotated his plate forty-five degrees. 'Either way should atone for your mistakes.'

'Is that all they were?' I asked wretchedly.

'Your plan was defective.' He filled his tumbler. 'But your motives were immaculate.' He raised his glass and looked at me through it. 'And our net is ever tightening.'

'Is it?' I asked hopelessly. 'Is it really?'

'We have hold of one rope each, March.' He closed his fist. 'Will you be the one to let go and set him free?'

I did not reply for we both knew the answer to that.

73

The Secret and the Shame

SIDNEY GRICE HAD gone to see Mr Jones/Chang, who wished to speak to him alone, and so I went to the Empress Cafe. I needed the small comfort of their chocolate cake, and the waitress was just showing me to a table when I spotted a familiar shape with her back to me, her green veil pulled up.

'Good morning, Freddy. I thought it was you.'

Freddy had clearly had the same idea as me, for her plate was scattered with dark crumbs. She had also beaten me to another of my plans and was sucking on a cigarette, her third, to judge from the ashtray at her side.

'March.' She smiled. 'Do join me. Has Mr Grice given you leave or are you playing truant?'

'The latter.' I sat to face her.

I gave my order just in time to get the last slice, and Freddy asked for another pot of coffee.

'Is Lucy not with you?'

'It would have been Eric's birthday today,' Freddy told me. 'She is visiting his grave.' Her left eye was dry and more inflamed than usual from her not being able to close it fully.

'You do not go with her?'

Freddy stubbed out her cigarette. 'She prefers to be alone. They were very close.'

I looked at Freddy, her expression so open and giving every appearance of being pleased to see me. Could she really be such an accomplished actress to have so deluded me? The Freddy that I knew loved her friend. And I found it almost impossible to believe that she would have maliciously burned her own house down with her parents and servants still inside. We all write things in our diaries that we regret as we get older. I decided not to bring the topic up.

'How is Lucy?' I did not mention that we had seen her for ourselves.

'She is well.'

There was a hesitancy in her reply that I could not ignore. 'Is something wrong?' I gave her one of my Turkish and struck a safety match.

'She seems very low in spirits lately. I do not know why.' Freddy blew smoke across the table over my head. 'But she has hardly spoken to me since Monday.'

'Does she get such moods often?'

Freddy shook her head sadly. 'Not even after the attack.'

There was a crash and I looked up, and Freddy turned round.

'Oh, Mummy,' a little boy cried. 'A monster.'

The mother shushed him but it was clear that she too was shaken.

'I shall never get used to that,' Freddy said softly.

'Is there no kind of cosmetic paint you could try?' I asked.

'To mask my ugliness?' Freddy hissed, but instantly reached out to touch my arm. 'I am sorry. I know you mean well.' She breathed in. 'Mrs Bocking took me to the New Royalty Theatre once and got Ellen Terry herself to show me how to apply greasepaint. But what looks natural under the glare of the limes looks garish in the daylight, besides which, it irritated my raw skin.'

'How strange,' I said. 'When we were in the library I glimpsed your profile and thought it very like hers.'

'People used to say I could be her daughter.' Freddy bowed her head. 'What a stupid woman I am to dwell on that.'

The waitress returned with our order and hesitated.

'Yes?' I asked.

She cleared her throat. 'The manager sends his compliments,' she began sheepishly. 'But he wonders if madam would mind...' she coughed again, 'lowering her veil.'

Freddy put a hand up, clearly used to such requests, but I half-rose and touched her wrist.

'Kindly send my regards to the manager,' I instructed, 'and tell him he had better start pretending to be a man and ask madam himself.'

'Yes, miss.' The waitress blushed and bent to take Freddy's used crockery. 'He made me say it.'

'I know.' Freddy lifted her veil back again and, when the waitress had gone to relay my message, added, 'It is easier to comply.'

'You do not strike me as a woman who does things the easy way.' I sat back.

'That much is true.' Freddy smiled lopsidedly.

'Is it very sore?' I asked.

'Very,' she said, 'but I could live with that.' She delved in her handbag. 'Do you know what is really painful, March?' And she brought out a green handkerchief to dab her eyes. 'It is knowing I am so hideous that I once terrified three hardened criminals on their own street at night.' Freddy blew her nose. 'It is seeing you kiss Lucy every time you see her but being too repulsed to kiss me.'

'Oh, Freddy.' I put a hand to my mouth. 'It is not that at all. I am always frightened of hurting you.'

Freddy threw her handkerchief back into her bag. 'Can you think of a better way to do so?'

I was so overcome with shame I hardly knew what to say. I said, 'Can I kiss you now?'

'No,' she said. 'It would have been forced from you.'

'I swear that was the only reason,' I vowed, and Freddy nodded.

'I believe you are different from the others. I see the way you look at me and how Mr Grice does too.' She clipped her bag shut. 'He is a horrible man but he meets my gaze without a shudder.'

'Perhaps one day you will meet a man who will love you for who you are.'

'And what a great catch he would be,' Freddy said mockingly. 'To settle for a woman who is ugly and poor.'

'Do not say that,' I said urgently. 'The more I know you, the more I see you for what you are – a fine, brave, loyal woman.'

'Men do not seek to marry *brave* women,' she told me.

Behind her, near the door, I could see the manager gesticulating angrily at the waitress.

Freddy said, 'Can I tell you a great secret?'

'If you are going to confess to a crime,' I warned, 'I cannot promise to keep it a secret.'

Freddy sucked her lower lip. 'I believe that this would only be a crime if I failed.'

'Go on.' I leaned towards her.

'Attempted suicide is an offence,' she told me. 'To succeed is not. I have on me the means to do it here and now.'

It flashed through my mind that Freddy might produce a knife or razor or a gun, but then I saw her touch the amulet that hung around her neck. I had taken it for a perfume bottle.

'Poison?' I mouthed, and Freddy's lips said, 'Cyanide.'

'Why?'

'How happy do you think my life is?'

I leaned back. 'Why are you telling me?' I asked. 'To make me feel guilty if you do it?'

'Because I wanted to know how it sounded,' she said.

'To me or you?'

'To me mainly.' Freddy looked lost. 'When I was in that den, I knew more than anything that I wanted Lucy to live, but I was not so sure about myself.' She plucked at her collar. 'Sometimes when I go to bed I pray that I shall not wake up.'

'I said that same prayer for years,' I admitted for the first time. 'My fiancé died in great pain because of me. And then, when I thought I never could, I fell in love with a man who would not have me. Do you think scars are easier to bear because nobody sees them?'

It seemed hypocritical, but I could not rub salt in her wounds by telling her how George had come back to me.

'And now?' Freddy touched my hand.

'There is a man out there performing monstrous deeds and I believe I can help to stop him.'

'Then you have a reason to live.' Freddy dabbed the outer corner of her eye.

'Do you think Lucy has not suffered enough?' I asked. 'Should she also lose her one true friend?' I saw Freddy waver. 'I watched a man die from cyanide poisoning,' I pressed on, 'and it was horrible. He had seizures and a heart attack and his lungs filled with fluid and he choked to death.'

'Really?' Freddy looked shocked. 'I thought you just fell asleep.'

'You drown inside yourself,' I said, 'in agony.'

'Honestly?' Freddy looked at me long and hard. 'I shall throw it away,' she decided.

'It is too dangerous,' I said. 'Give it to me and I will take it to the chemistry department at the university.'

Freddy unclipped the chain. 'I have sometimes worried what would happen if the glass broke.'

I wrapped it in my handkerchief and put it in a side pocket in my handbag and stood up. 'Now you will never have to find out.'

'You have not eaten your cake.'

'I have lost my appetite.'

I left payment on the table and marched straight up to the manager. He viewed me edgily. 'I trust everything was to madam's satisfaction.'

'No, everything was not to my satisfaction,' I said, much too loudly, and was gratified by the hush my words produced. 'There is a cockroach in this cafe.' And several squeaks of dismay from my audience served to reward me.

I am not very good at swishing out of places as a rule. I catch my heel or snag my dress or trip over my feet. But I did a swish that day which would have done credit to Sarah Bernhardt. My only regret is that nobody noticed. They were too fascinated by Freddy pushing my chocolate cake into the manager's face.

*

Back on the street Freddy grinned and said, 'I rather enjoyed that.'

'And you would have missed it if you were dead.'

She looked down. 'When this is all over—' She broke off and tried again. 'Have you ever stayed friends with a client?'

'Never,' I assured her and her face fell. 'But it is about time I did.' I took both her hands. 'But you have to stay alive for that.'

She forced a smile. 'I will try.'

'Succeed,' I said in my best Gricean manner, and Freddy laughed.

Then almost as quickly her eyes filled with tears and she pulled her hands free, but only to fling her arms round me. 'It is hard, March.' She trembled. 'So hard.'

And I knew that there was nothing I could say to make it easier. 'Too many women have died for nothing.' I leaned forward and kissed her. 'Do not become one of them, Freddy.'

And I turned and ran until I could not catch my breath. Detectives do not sob their hearts out in front of their clients.

74

The Painted Suns

SIDNEY GRICE WAS unusually cheery over dinner that evening, humming what might have ben a tune once as he browsed a crisp new copy of Stringwater's *Illustrated History of Clog Fighting.*

'How was your trip to Limehouse?' I asked.

Cook had roasted some vegetables for a change and, with great quantities of salt and pepper, they were almost worth eating.

My guardian dusted his carrots with mustard powder. 'I managed to persuade Mr Jones/Chang Foo that talking to me was preferable to a visit from Inspector Pound, who has gained an unfortunate reputation for being incorruptible.'

Spirit sprang into the chair next to his.

'Unfortunate?'

'Nobody believes in reputations any more,' he said, in what sounded like the start of a witty aphorism but never became one.

'And did Mr Jones tell you anything useful?'

'Indeed,' he agreed readily. 'He told me there is a clipper with a consignment of high-quality Assam tea waiting to dock in the morning.'

'And did he happen to mention anything relevant about Lucy Bocking?'

'He told me one thing.' He poked a toothpick in the hole of his salt cellar and blew. 'That while she was being assaulted she cried out, *Stop it, you fool.*'

'Was he in the room then?' I asked, and my guardian exchanged patient glances with Spirit.

'I thought it was so obvious that I did not trouble to mention it,' he explained. 'The inkwell Jones peered into is a periscope. When I dropped so elegantly to the floor during our first visit, I saw that there was a pipe leading from it through the ceiling. It also acts as a hearing tube.'

'Into one of those painted suns,' I guessed.

'You are guessing,' he complained.

'No, I am not.'

'Nonetheless you are correct.' He trickled vinegar on to his potatoes.

'So Mr Jones not only permits women to be attacked on his premises,' I deduced. 'He likes to watch.'

'We all like to watch.' Mr G folded the bottom corner of a page down and, before I could express my distaste at his remark, continued, 'It is what we like to watch that differentiates some of us from beasts or stockbrokers.'

'Why, when you insist that food should be tasteless, do you always use so many condiments?' I poured myself some water.

'Food should not have flavour.' He dipped a spoon into the horseradish. 'But flavourings, by definition, should. I have received,' he slipped an envelope out from under the tablecloth, 'a very civil letter from St Philomena's Convent, outlining all the holy works they perform. If you would care to peruse it, I can place it upon my Tableware Transference Device and convey it to you in twenty-three seconds.'

'No, thank you.'

Mr G pouted at this lost opportunity to play with his new toy – a continuous belt of thin wooden slats running the length of the table and powered by a foot pedal.

'The Mother Superior leaves me with no reasonable doubt that they would appreciate a donation and the larger the better.'

Molly was tramping up the stairs.

'Then they must be happy that you offered one.'

Sidney Grice greeted my statement blankly. 'You appear to have mistaken my enquiry as to whether they would welcome a donation for an intent to give them one.' He turned the page over. 'And so apparently has the Reverend Mother Mary Peter, who has offered to say prayers for my soul, though I am not sure—' he refolded the letter and placed it tantalizingly upon the transference belt—'what gave her the impression that I had one.'

'The fact that you are human?' I remained untantalized.

'Am I?'

Molly burst in and Spirit jumped.

'Why are you here?' Sidney Grice snapped.

'I've come to clear,' Molly announced.

'But we have not finished eating,' I told her, before her employer could give her the same information more aggressively.

'What?' She pulled her neck back incredulously. 'Cook didntn't not never think you'd eat any of that.'

And two storeys below us the doorbell rang.

75

Blood in the Brandy

THE BELL RANG three times before Molly got to the front door and I followed at her heels for its summons sounded urgent. George Pound stood on the steps.

'Yes?' Molly demanded.

'I am on my way to the Midland,' he announced over her head, 'and I thought you and Mr Grice might want to be there.'

'Oh, I aintn't not got no time for that.' Molly sighed. 'Take Miss Middleton instead.'

I wished he could – I wished he would take me in his arms there and then, and I could tell him how happy I was to see him and all about my silly premonition, but I took my bonnet calmly off the table while Mr G donned his soft felt hat.

'Prince Ulrich?' I asked. 'Are you arresting him?'

The inspector rushed back to his waiting Black Maria. 'Bit late for that,' he called as we hastened to join him. 'We've just had a report that Schlangezahn has been murdered.'

'Oh, what a pity.' Mr G pushed past me into the back of the van, where five uniformed policemen were already seated. 'I have selected the wrong cane.'

And I barely had time to squeeze on to the bench beside three men who were cursed by an inability to sit with their knees less than two feet apart, before George Pound slammed the door shut and went to join the driver up at the front.

'What's that whistling?' A sergeant twitched his nose to sniff out the source of the noise, which I would have described as more of a high-pitched whine.

'If you are referring to the musical tone, it emanates from my Grice Patent Canine Sonar Repellent Device,' Mr G divulged haughtily.

The constable opposite me gawked. 'You what?'

'It should be playing a note undetectable by the human ear, which dogs find distressing.'

'I'm not enjoying it much myself,' I confessed.

'The pitch is supposed to be one and three-quarter octaves higher.' Mr G twiddled the handle and the volume increased.

'Can't you turn it off?' The sergeant wiggled a finger in his ear.

'I am endeavouring to do so.' He twisted it three half-revolutions clockwise. 'But the valve appears to have jammed.'

'Oh good.' A constable clamped his hands to the sides of his head.

The noise grew louder and began to warble.

'Dash it.' Sidney Grice banged the handle on the floor and I looked ahead innocently. I did not like to tell my guardian that Molly had taken it upon herself to use some of his sticks to fish laundry out of the copper, and I had helped her to dry them and put them back in the rack before he came home.

Ten jostling, bruising minutes later we were there, Mr G waving his stick so vigorously to discourage two collies that came prancing over to greet him that he caught a young lady under the chin. 'Both our evenings would be much improved if you would take more care and make less noise,' he advised above her howls.

The cane clicked and she and it fell mercifully silent.

76

Shooting from the Hip

THE ENTRANCE TO the Midland Grand Hotel was guarded by two doormen, supplemented by a constable.

A man in a frock coat hurried across the strangely deserted lobby to greet us.

'Cecil Simms, the under-manager,' he introduced himself. 'I am afraid the manager is away this evening.'

'Did he elope with a smoking gun?' Mr G asked hopefully, and Simms flapped.

'Indeed not, sir.'

'Why a gun?' Pound asked.

'If you quit your habit of setting fire to tobacco, you might be able to detect it too.' Sidney Grice swept past. 'Plus the aroma of burning wool and singed flesh.'

I inhaled and thought I smelled something.

Two Prussian soldiers stepped aside at the sight of Inspector Pound's warrant card to let us pass into the anteroom where not so very long ago I had sampled a sparkling Riesling. The smell of cordite was strong now and as Pound turned to his left I saw the body.

The prince was on the same sofa from which he had toasted me a few nights ago, but he did not look so magnificent now. Ulrich Schlangezahn was slumped back, mouth agape. There were three bloodstains on his Prussian blue coat and the golden epaulette on his right shoulder had been torn apart – by a fourth bullet, I decided.

Sidney Grice strolled to the back of the sofa. 'Two of the bullets went completely through.' He indicated with his stick the splintered holes in the mahogany wainscoting.

'Whoever it was must have taken him by surprise.' Pound slid a partly smoked cigar out of the dead man's right hand. Ulrich's trousers were starting to smoulder and the skin of his thigh to char. His air gun was propped untouched against the seat cushion. Pound sniffed and asked me, 'Can you smell perfume?'

'He wore an eau de Cologne.' I looked into those blind, staring eyes.

The sergeant tutted. 'Not very manly.'

'But preferable to the stink of stale sweat,' I muttered, having had a throat-full of that in the confines of the van.

'There is a second, more feminine perfume,' Mr G announced before a fight broke out.

George Pound walked behind the sofa, poked his finger into the holes in the panelling, paced back again and crouched before the body. He dabbed at the coat and sniffed his finger.

'A woman,' the sergeant deduced cleverly.

'A small one, I'll wager,' George pronounced. 'His coat is covered in gunpowder so the gun was fired at very close range. There is not room between sofa and this coffee table to kneel, or space on the table to sit on it.' A tumbler of brandy sat untouched apart from the gore splattered over the cut glass and into the spirit. There was still a soda syphon waiting to be used. 'So somebody stood directly in front of him. The entrance and exit wounds are almost in a line parallel to the floor, so she did not tower over the deceased, even though he was seated, and,' he pointed to the pool of blood on the floor, 'you can see five small footprints leading away.' He looked about. 'So a short woman who will be covered in burnt cordite and blood.'

'The presence of a lady's perfume in a room does not mean

that she was here when the shots were fired, or even that she has ever been in here at all.' Sidney Grice opened the double doors a fraction, peeped into the private dining room and inhaled.

'Somebody could have sprayed the scent, I suppose,' I conceded, reluctant to see George Pound's diagnosis so easily dismissed.

'Also, some people shoot from hip level.' Mr G kept his back to us all. 'Especially those fortunate enough to have escaped the occidental regions of the temporarily United States of America. But,' he slid his palms upwards from the handles, 'I would think it prudent to ask what information the short lady, who wears that perfume and is liberally adorned in gore and cordite, possesses about Prince Ulrich's death.'

George Pound and I glanced at each other. Sidney Grice bunched his arms and flung the doors apart.

Wisporia Wright sat facing us across the table, in deepest mourning, her black veil up and her face, as the inspector had predicted, splattered in fresh blood.

77

The Executioner

I WAS SO taken aback by this revelation that I hardly noticed the man standing behind Mrs Wright, gripping her shoulder. I recognized him at once, though, as the red-headed man in the long maroon cloak who I had seen at the Golden Dragon the night that Peter and I entrapped Prince Ulrich. The man was struggling hard to keep his expression blank, but the muscles of his face were bunching and unbunching continuously.

'Rittmeister Heidrick Hildebrand.' He introduced himself with a stiff bow of the head. 'I am Prince Ulrich's aide.'

'*Was*,' Sidney Grice corrected him.

Wisporia Wright had both hands resting open on the stained white cloth. 'Mr Grice.' She spoke steadily and clearly. 'And Miss Middleton. As you can see, I have done your job for you.'

I stared at her in shock. 'You killed him?'

'With that.' She waved the back of her hand towards a little double-barrelled handgun, a Remington Derringer, lying like a visiting card on a silver tray in the middle of the table.

Hildebrand tightened his grip and, from a contraction in his mouth, he would have preferred it to be round her neck.

George made a calming motion with his hand. 'I am Inspector Pound of the Metropolitan Police.' He showed his card.

'We bought it for Albertoria,' she continued, as if he had rudely interrupted her anecdote at a soirée. 'But she refused to carry it. If she had,' Mrs Wright reflected, 'she might have done the job herself, and saved her father and myself a great deal of upset.' From the way she carped, Albertoria might have been refusing to practise the piano.

'Let us be quite clear about this.' Inspector Pound walked round to her side. 'Are you confessing to murdering Prince Ulrich?'

Wisporia Wright tinkled with polite amusement. 'Oh no, Inspector. I have not murdered anybody. I executed him.'

I saw the aide's free hand go back, but George Pound put out his arm to guard his prisoner's face.

'Come with me,' the inspector said and took her by the arm.

'I always imagined that he would look evil until the inquest,' she chattered as she let him guide her away. 'But he was a handsome devil and tonight he was so charming, you would not have thought he needed to stoop so low.'

'Give me ein minute mit her,' Hildebrand snarled, but the door closed behind them. He grasped the back of his chair and brought himself back under control. 'The finest man I ever met,' he said.

'Quite possibly.' Sidney Grice went to the sideboard and poured a large brandy. 'Drink that, Rittmeister Hildebrand, and then we can talk.'

78

The Hunter of Men

THE PRUSSIAN DID as he was bid, taking his drink in quick gulps as I had seen some Cossacks do with vodka once.

'Prince Ulrich Schlangezahn never raped a voman in his life,' he began without prompting. 'As even *she*,' he almost vomited the last word, 'said, he never needed to. Zu prince voz being vott you vould call a vomanizer. He made a sport of seducing them and daring zer husbands, brothers, fathers to challenge him to duels. Most knew his reputation too vell but some took up zu challenge. The prince voz one of zu best swordsmen and shooters in zu Imperial Army. He never lost but he never killed a man, just vounded them.'

'Well, that is all right then,' I muttered acidly, but the aide hardly noticed.

'He voz not alone in this behaviour. A lot of his fellows did zu same and vorse. Zen Gerda, his younger sister, voz attacked or seduced – it is not for sure vich – in London. She killed herself. The authorities let it be said zat it voz... I do not know the English vord.'

'Cholera,' I told him.

'Zo.' He nodded. 'You are knowing zis much.' He toyed with his glass.

'Would you like another?' I asked.

'Vy not?'

I got up. There were low voices and heavy noises coming from the antechamber.

'Prince Ulrich changed. You have an expression about stealers of rabbits changing sides.'

'Poacher turned gamekeeper,' I proffered.

'Just zo,' he agreed. 'He hunted zees men down. Every night he is going round the East End and Limehouse looking for zem, sometimes viv us but mostly alone. It becomes his obsession.'

'Did he kill Johnny Wallace?' I asked.

'Viv his Vindbusche,' Hildebrand confirmed. 'And zer was a man he drowned in a rain barrel last year. The police thought zat was a drunken accident.'

'Camford Berrick?' My guardian clipped on his pince-nez to examine nothing, as far as I could see.

'I am thinking that voz his name.'

This was all a bit too cosy for me. 'What about Albertoria Wright?' I demanded. 'Your fine prince was seen trying to drag her away.'

'To save her from zat place,' Hildebrand told me. 'He could see she voz young and... vulnerable.'

'Then why did he not say that at her inquest?' I banged the table.

'He vould not lie.' The rittmeister looked up at me. 'Voz he to tell the parents zer daughter voz behavink as a whore? Alzo,' he took another drink, 'he vanted his reputation to be bad so ze real procurers vould trust him.'

I had one last go. 'He tried to rape me.'

Hildebrand closed his eyes wearily. 'Prince Ulrich thought your man waz vot he postured to be and voz trying to entrap him.' His voice shook. 'Even his murderess. She voz coming asking for help and he voz trying to give it.' The aide finished his drink. 'And now you vill excuse me. Zer is much to arrange.' He stood up. 'Prince Ulrich held you in high esteem, Mr Grice.'

He clicked his heels.

'And I he,' Sidney Grice said. 'It is because of men like him that – in the next war – our two countries will unite, as they did at Waterloo, and crush those foppish rascals the French once and for all.'

Heidrick Hildebrand saluted my godfather and made a clipped bow to me, and went back into the antechamber to tend to his master.

79

The Death of Hope and the Deepest Cut

GERALDINE HOCKADAY HAD been taken to the Royal London Ophthalmic Hospital in Lower Moorfields, but, other than removing the infected remains of her left eye and dressing the wounds, there was nothing they could do for her. She was taken to University College Hospital to be closer to her family home, but her parents did not avail themselves of that convenience.

I paid her a visit.

Geraldine's eyes were bandaged but, more surprisingly, so was her left arm and both wrists were tied to the sides of the bedframe. She had slashed herself with a broken glass, the matron – a tall woman with a severe face but a kindly manner – had explained.

Geraldine jumped when I approached.

'It is me, March.' I sat beside her.

'Oh, March. I had a dreadful visitor today, an Inspector Quigley.'

'He is a horrible man,' I agreed. 'But what did he want?'

Geraldine twisted her head in a sweeping circle.

'Would you like some more medicine?' the matron asked, but I do not know if her patient even heard her.

'He told me that attempted suicide was a criminal offence punishable by prison and that I should not survive long in there.'

'I am sure any judge, when he knows what you have been through, would not want to punish you any further.'

Something metallic clattered to the floor and she let out a cry.

'But he said it would be different if I cooperated and told him the name of Peter's customers.' She threw her head back so hard I thought she would rick her neck. 'I told and told and told him that Peter was not like that, but he would not believe me. And then he said not to worry about prison because he had got two doctors to certify that I was insane, and that I should be put in a madhouse and kept in a straitjacket for the rest of my life.'

'He does have a certificate,' Matron confirmed quietly, 'and they are coming back this afternoon.'

She went to settle a girl who was weeping noisily.

'I shall see what we can do to fight it,' I promised, but without much hope, for even Sidney Grice with all his ingenuity and powerful contacts had not been able to keep me out of an asylum.

'I should have cut deeper,' she whispered.

'Do you think Peter would want that?'

'He is the only person who will be pleased to see me.'

'He wanted you to live again,' I argued.

'For what?'

'I have a friend who was a beautiful child,' I said, 'but her parents were killed and she was badly disfigured in a fire.'

'Is that supposed to make me feel better?'

I remembered her fears just in time to stop myself touching her hand. 'For many years she thought she had nothing to live for and kept the means to kill herself.'

'Was she violated?' Geraldine squirmed.

'No, but she was forced to witness her friend being attacked and she is in constant pain.'

'Is this one of these stories children are told about other people being worse off?' She squirmed. 'Oh hell, March, I cannot even cry.'

I forgot Geraldine's fear and took her hand, and she must have forgotten too for she curled her tiny fingers around mine.

'How did your friend plan to do it?'

'She carried an amulet filled with cyanide,' I replied.

'Oh.' Geraldine made a sour face. 'That is a horrible way to die. I read about it in your story.'

'She gave it to me to get rid of,' I told her. 'Because she realized that she wanted to live.'

Geraldine writhed and arched and let out a sob. 'It comes in stabs,' she cried and banged her head up and down on the pillow. 'Oh, Daddy, it hurts so much.'

A nurse hurried over and gave her an injection and, almost immediately, Geraldine settled down.

'When I was a child and my daddy loved me – no, do not tell me that he still does – he used to tell me stories every night. "The Firefly" was my favourite.'

'I do not know that one,' I said, but she was already asleep.

*

'We cannot keep her like this forever,' the matron confided. 'The effects of the opium are wearing off quicker and she needs bigger doses – too big. Much more will kill her.'

'Would that be such a bad thing?'

The matron crossed her arms tightly. 'I entered this profession to save lives, not to take them.'

'I am sorry.'

She relaxed her arms. 'The Lord will take her when he is ready.'

'I hope he does not wait too long then,' I said, and I do not think she had it in her heart to disagree.

*

For perhaps half an hour Geraldine slept peacefully, but all too soon she awoke with a jolt, already whimpering in pain. Matron was attending to a young woman who was vomiting blood across the aisle.

'You remember what you told me about your friend with her amulet and how it brought her good luck?' Geraldine asked. 'Do you still have it?'

'Yes,' I answered warily.

'I could do with some luck,' she said blandly.

'Are you sure?'

'It is my only hope.' She put her free hand on top of mine. 'Don't let them do it to me, March.'

'We can fight it,' I tried again.

'And if we fail?' Geraldine asked simply. 'And, even if we win, what is there for me now?'

I reached into my bag. 'There is a screw cap on top.' I put it into her upturned palm.

'Like a watch crown? I feel it.'

'Geraldine…' I tried one last time, but I was too tired.

'God bless you, March,' she said. 'You can leave me now.'

I kissed her goodbye, and knew God would not bless me for that day's work. I doubted that he would ever bless me again.

80

The Head of the Hound

THERE WAS A flat parcel at the bottom of the pile and Mr G opened it first, cutting the string with his cord-knife, carved from the femur of Marchioness Froughsborough, recovered from the gibbet by one of her acolytes. He peeled back the thick brown paper and lifted out a white letter bearing a gold and red crest of a shield topped by the head of a greyhound and subtitled with a blue scroll bearing the words *DEO DANTE DEDI*.

'Charterhouse School,' he informed me, letting the letter skim through the air to alight face-up on the green leather seat of his swivel chair.

There was a second parcel inside the main one and my god-father unwrapped it, smoothing the creases from each of the five layers of paper as he went along, eventually uncovering a photograph in a frame. 'They cannot think I would want to hang it on my wall,' he grumbled, lifting it out and laying it under his desk lamp.

I peered over. It was the image of a youth in a dark blazer and light, baggy trousers and a white shirt, the collar so wide that it overlapped his lapels. A peaked cap cast a flimsy veil of shadow over his eyes.

'Eric C. Bocking,' I read from the tiny brass plaque on the mahogany frame. 'Charterhouse School Middleweight Boxing Champion 1876.' Eric had his chin up and was holding a trophy, about the size of a silver eggcup, in both hands at chest level.

'Oh,' I said.

'There is more eloquence in that syllable than in half an hour of your usual babble,' my guardian told me. 'For once I would like your silly female opinion.'

'I am only sorry that I do not have one with which to oblige you,' I sniped. 'But, if you would like a reasoned feminine judgement, he is not at all what I expected. Lucy said he was beautiful. It may be a bad photograph and I do not like to be unkind, but this boy is distinctly ugly.'

I picked up his second favourite magnifying glass and took a longer look, but could find no reason to revise my opinion. Though he was sturdily built, Eric Bocking's face was not attractive. His nose, arising from between small round eyes, curved sigmoidally towards a snubbed tip with upturned nostrils over thin lips, parted in an arrogant smirk to reveal two upper central incisors severely splayed and twisted.

'Not plain then?' my godfather checked.

'Not even in a bad light,' I said guiltily, for I had endured enough barbs about my own looks not to wish to insult another's. 'No wonder Freddy did not encourage him.'

'Age him,' Sidney Grice suggested, taking the glass off me and substituting his third choice. 'Give him a hard life and a poor diet. Take off his cap and dress him in shabby clothes.'

I screwed up my eyes and tried to imagine a greying of the pallid complexion, a drooping of the mouth, some bagging below those haughty piglet eyes.

'Who have you now?' Mr G urged.

'It cannot be.' I lowered the lens and the image jumped out at me, leering horribly from under that cap. 'Johnny "the Walrus" Wallace.'

'Indeed.' And Sidney Grice prised the handle of his magnifying glass from my fingers as if I were a corpse. His fingers, I noticed, were as cold as if he were one himself.

81

The Death of Captain Bligh

I WAS RUNNING short of cigarettes and W. Twiggs, the tobacconist's shop, was having a half-day, so I rushed up Gower Street and just managed to catch Mr T before he turned the *Open* sign round in the front window.

Sidney Grice was coming down the stairs as I unclipped my cloak and hung it up.

'You have been running.' He aimed an accusatory finger. It did not take a detective to observe that I was still out of breath. 'Ladies never run.'

'Not even if they are being chased?' I unpinned my bonnet.

'Ladies are *never* chased.'

'Perhaps you should tell the gentlemen that,' I suggested.

Molly came, dragging a bucket and smearing the floor with a string mop. 'Oh, miss.' She slopped dirty water over my boots. 'I could have helped you with that.'

Molly grasped my hat with soapsuddy hands, crushing the silk marigolds on the side, and rammed it back on my head.

'No,' I started to explain, but Molly was saying, 'There you are, sir.' And she handed her employer a stick. 'Is that the one that turns into a stepping ladderer?'

'Leave my things alone.' Mr G snatched it from her.

'What, all your things, sir?' Molly grinned dreamily. 'What, not touch your cups and sorcerers, your food plates, your dusty furniture and screwned-up newspapers? Oh...' She clasped her hands ecstatically. 'What a life of bridled pleasure I shall have.' Her face fell. 'Only I dontn't not much like pleasure... much.'

'I do not think you will be overburdened with it in the near future,' I forecast, as Sidney Grice's expression changed from grumpy to very grumpy.

I gave up trying to uncrease the orange petals.

'Oh.' Molly flung my cloak into my arms. 'I dontn't not know if you rememberer, miss.' She selected another walking stick but her employer whipped it away. ''Cause your remembory aintn't not much good,' Molly went on. 'But when I said I'd had swallowed a live mouse...' She slapped her bosom so hard that I winced. 'I couldntn't not have, could I?' She cackled, grabbing Mr G's hat off the stand so violently that she dented the crown. 'Silly me.'

'Well, it is not very likely.' I checked my hair in the mirror and decided it did not look too bad by my standards today. I had pinned it up a bit higher and thought it suited me.

'No,' she cackled. ''Cause Cook explainered it. A mouse is much too small to swallow. It must have been a rat.'

'At last, a brain inside you.' Sidney Grice inspected his cane suspiciously.

'What brain, sir?' Molly put a hand up to try to hide the damage.

He sighed. 'The rat.'

'Oh no, sir,' Molly explained patiently. 'It was me who swallowed it, not Miss Middleton.'

She made a grab for another stick and he slapped her hand away.

'Tea, please, Molly,' I said, before it occurred to her to slap him back. Molly scowled because she had been enjoying the game and my guardian scowled because I had said *please*.

'Somebody has been polishing my canes,' he announced icily.

'That was Miss Middleton, sir,' Molly put in quickly. 'I tried to stopper her. I begged on blended knees.'

'Humph.' Mr G grumbled. And I took the blame because she would have been in much bigger trouble than I, though I could not help but conjecture that Molly had not just swallowed a rat, she had become one.

*

I had my first cup of tea wordlessly, while Sidney Grice made some urgent notes at his desk then sorted through the rest of his mail, ripping and screwing up and hurling almost all of it away until, with a loud *rhyrrhh*, he threw himself into his chair.

I poured his drink and topped up mine. 'I was just thinking.'

'Nobody *just* thinks.' He stirred his tea vigorously. 'They do at least forty-three other significant things simultaneously. Shall I enumerate?'

'No.' I tickled Spirit's ear as she promenaded past me. 'I was thinking how fortunate it is – and I am not sure that it can just be good luck – that none of the women who were violated is with child.'

Mr G stopped stirring. 'Not one,' he agreed carefully.

'I would not have thought he would be considerate enough to use French—'

'Indeed,' my guardian interrupted, still capable of being shocked at the things I knew. He leaned back, untouched tea swirling around the handle of his spoon, while he braced himself for what he was about to articulate. 'Come now, March,' he chivvied. 'Finish your sentence. You cannot afford to be priggish in cases like these.'

'Letters,' I said, and he hurrumphed.

'Quite so.'

And I had a strange feeling that in one field at least I might be less squeamish than he.

'Expound twelve major causes of women not conceiving during congress.' He took an avid interest in his watch.

'The woman may be too young or too old,' I began. 'She may

be infertile. It is believed that women are more fecund at certain times of the month.'

My guardian looked as if the milk he never consumed were sour, but I continued. 'She may already be with child or only just have had one. She may be congenitally barren or have had an infection.'

'We do not need to dwell on the nature of that,' he assured me hastily.

'How many is that?' I asked.

'Eight.'

'Is that all?' I racked my brains and remembered that, despite what men like to believe, it was not always the woman's fault. 'The man may have had an infection such as mumps or be congenitally barren. He may be incapable of,' I struggled to find the right words, 'spilling his seed.'

'One more.' Sidney Grice looked distinctly green.

'He may have no seed to spill,' I ended, to his undisguised relief.

'Let us consider that last proposal first.' He stretched forward to paddle his tea again – six times in each direction. 'Since you are invariably slow to say something relevant. Why would a man have no seed?'

'He could be a eunuch in a harem,' I suggested weakly, 'or a castrato in the Sistine Chapel, or have had an accident. Or sometimes men are castrated for medical reasons.'

Sidney Grice rose like a man in a dream and sleepwalked round his desk to his cabinets. He pulled open a top drawer and plunged his hand in, apparently randomly like a child at a lucky dip, but withdrawing the file he sought in his first attempt.

'We simply must,' he declared, raising the brown envelope high above his head, 'and we must do it now.' He waved the envelope triumphantly. 'Pay a visit to Captain Bligh.'

'I have some bad news for you.' I put down my cup. 'Captain Bligh is dead.'

'What?' Sidney Grice slapped the file down on to his desk. 'Dead? Do not tell me he is dead – although you have already done so. Dead when, where and how and why, and why was I not informed?'

'I think about seventy years ago,' I hazarded. 'I do not know what he died of, but I thought everybody knew.'

Sidney Grice clapped a hand to his head. 'You must have been mixing with Molly too long to have become so obtuse,' he said kindly, 'to imagine, even for one dull-witted moment that I was referring to Captain, later Vice Admiral of the Blue, William Bligh FRS RN, who died, incidentally, on Sunday 7 December 1817, sorely missed – though not, I suspect, by the naughty crew members of His Majesty's armed vessel *Bounty*.' He threw himself back in his chair. 'I am of course – and you will feel almost as stupid as you are when I rectify your misunderstanding – referring to Mr Captain Bligh, the retired General Surgeon of Great Russell Street.'

'Why was he called that?'

'It is his patronym.'

'You know full well what I mean.'

'His father was Mr Bligh and a great admirer of his namesake.'

'I see.' I got up, hoping that George would not want to call our firstborn *Ounces*, though I could just about live with *Sterling*.

Sidney Grice clinked his cup with the spoon as if about to make a speech. 'I cannot possibly drink that now,' he complained. 'It is grossly over-stirred.'

And, while he rang three times for his flask, I got up and glanced at his urgent notes. He had sketched a pole with alternating bars hingeing out of the sides. *The Grice Ladder Cane* was printed underneath.

82

The Mystery of the Missing Bells

THE BRITISH MUSEUM has been described as the biggest building site in Europe and they had only finished its new White Wing a year or so ago, but even then, I had read, it struggled to house the vast quantities of antiquities flooding in from every corner of the empire. I am ashamed to say that I had never troubled to visit it and we had only a glimpse of the roof today, for Mr Captain Bligh lived in a neat terraced house at the Bloomsbury Street end of Great Russell Street, furthest away from Tottenham Court Road.

'I shall answer it,' we heard being called, and the householder himself responded to my knocks.

Despite being, as my guardian had informed me on the way, nearly eighty years old, Mr B seemed in robust health, straight-spined and solidly built, with a florid complexion and a handshake too strong for my, until recently, pain-free fingers.

'You will take tea?' he offered after the introductions.

'What sort?' Sidney Grice asked suspiciously while wiping his hand.

'Nepal.' He had a good head of wild peppery hair and whiskers to rival those of an unsheared ram.

'That is acceptable.'

Mr Bligh ushered us into a cosy sitting room with deep armchairs of crumpled leather, and books stacked in multiple columns and pyramids on the floor.

'I see time has not mellowed you, Mr Grice.'

I smiled. 'Not that I have noticed.'

'Little girls very rarely notice anything beyond the fashion plates.' Mr Bligh rummaged about in his beard.

'I would not know.' I picked up a leather-bound book with gold lettering on the cover. 'Not having socialized with many little girls since I was one myself.'

'When the criminals of this world bask in gentleness and benignity, I might follow suit.' Mr G snatched the book from me.

'I doubt it,' I said, stung by his failure to defend me.

Mr Bligh strode into the hall and boomed out, 'Tea.'

'Is your bell not working?' I asked.

'I do not like bells.' Our host delved back into his whiskers. 'I cannot have one in the house.'

'Why is that?' I asked.

'Because I do not like them,' he said, slowly and indulgently.

Mr G rolled his eye. 'Miss Middleton does not listen.'

'I wondered why you do not like them,' I tried to explain.

'Because I cannot have one in the house.' Mr Bligh was markedly less patient this time. He jumped on to a hefty brown tome to increase his height advantage over us both.

'You will recall, unless you have subsided into senility…' My guardian clipped on his pince-nez and opened the tome. 'The outbreak of scrotal carcinoma at University College Hospital in—'

'Seventy-eight,' Mr Captain Bligh broke in. 'I am not likely to forget that.'

'Unless you have subsided into senility.' Mr G immersed himself in the book.

'Can one of you enlighten me?' I enquired.

'I am not sure,' Mr Bligh replied, 'given your inability to grasp the idea that I do not like bells and cannot have them in the house.'

'Please try.' I resisted the urge to stand on a book myself, as I felt sure I should be scolded if I did.

There were six carriage clocks on the mantle shelf, all ticking, but each set five minutes earlier than the one to its left, the one furthest to the left being about three hours fast.

'They are clocks,' Sidney Grice responded to my puzzled gaze.

'It is a short and simple story and not worth sitting down for.' Mr Bligh jumped off his dais. 'Is that the only reason you have come here?'

'Yes,' Sidney Grice said, before I could concoct an account of having long been anxious to meet the famous surgeon.

'In that case...' Captain Bligh marched back to the hall and bellowed, 'No tea and hurry,' before taking centre-stage again on the hearthrug. 'There was an outbreak of inflamed crusty growths of the scrotums of all our patients in St Agatha Ward. Mr Lamb was in charge and he diagnosed it as carcinoma. An ex-sweep's boy suffered – as they are prone to do – from the affliction and Lamb subscribed to the unpopular theory that certain types of cancers are transmittable and that the only cure was surgical excision before the whole body was affected.'

'Castration,' I clarified.

'Castration,' Mr Bligh clarified for my benefit. 'If you know what that means.'

'I used to help at a farm,' I said and he looked at me pityingly.

'And I am sure that you were very good at planting potatoes.'

'It was sheep,' I corrected him, and he sniggered.

'Have some sense, child.' Bligh took his fingers for a walk through his side-whiskers. 'You cannot plant sheep.'

I would not have minded planting him at that moment.

'Whilst we are on the subject of things ovine,' Mr G said urgently, 'would this even more than usually incompetent surgeon Lamb be Mr David Anthony Lamb?'

He pencilled a footnote and turned the page.

'I am not sure about the Anthony.' Mr Bligh wandered to the hearth to rattle the fire irons.

'One can never be sure about Anthonys,' Sidney Grice pronounced sadly.

'Were all the patients emasculated?' I asked, not sure if the conversation was leading anywhere.

'What on earth does she mean?' Bligh grasped the poker like a storybook illustration of a householder confronting a burglar, and I winced for I had been attacked with one of those before and still suffered occasional headaches.

'Perhaps I should rephrase that.' My guardian eyed me reprovingly. 'Miss Middleton was wondering if all the patients were emasculated.'

'All bar the sweep.' Mr Bligh drove the poker into the unlit coals. 'He escaped by climbing out of a window.'

'And what happened to him?' I asked, and Mr Bligh made an *ufff* noise.

'He escaped by climbing out of a window.'

'After that?' I tried again.

'Yes.' He made no attempt to hide his irritation this time. 'After that he escaped by climbing out of a window.'

'Do you know what happened to him subsequent to his escape?' Sidney Grice tore the bottom paragraph off a page and held it up like a manifesto.

Mr Captain Bligh extracted the poker in a decidedly Arthurian manner. 'I would have told you if your idiot girl hadn't kept pestering me to repeat myself. Is she deaf?' He raised his voice. 'Are you deaf?'

'As a dog,' I replied.

'Many dogs have excellent hearing,' he told me.

'Unless they are deaf,' I quipped, uncertain how I had got into this squabble.

'What was the ultimate fate of the sweep?' Mr G asked, and Captain Bligh resheathed his weapon in the stand.

'How in the name of Cosmas, Luke and Damian should I know that?'

'I think you mean *names*,' I muttered.

'But,' Mr Bligh condescended to tell us, 'he was re-diagnosed when he was put into Lister Ward with a fractured pelvis from falling out of the window, as having a bad case of crusted scabies, which – as you, but not your mentally retarded ward, will know – is highly contagious. It transpired that a trainee nurse – who was Irish and a Roman Catholic and therefore afraid of dirty bits – had given all the patients a wash down there.' He pointed as if she had carried out the task in his cellar. 'With the same flannel.'

'And was he cured?' I was almost flattered that he felt no need to explain to me what a flannel was.

'You cannot cure a broken pelvis, which is—'

'The hip bone,' I chipped in.

'The hip bone,' he informed me. 'You just have to hope it heals itself.'

'Did the other patients ever find out about Lamb's mistake?' Mr G replaced the torn-out paper upside down.

'Many did,' Mr Bligh told him. 'It was supposed to be hushed up, but the nurse confessed to anyone who would listen and many who would not. Lord above knows why but she blamed herself.'

'Catholics are trained to feel guilty,' Sidney Grice remarked, 'especially the Hibernians.'

'It is in their blood,' Bligh corrected him.

'You are probably thinking of poteen,' I chipped in to blankness. 'Could you enquire of your friend if any of the patients took legal action?' I asked my guardian, and he did.

'Some of them threatened to sue but they would have got nowhere.' The surgeon grasped his own lapels. 'Goodness me, if a doctor is not allowed to make mistakes, who is?'

'Nobody,' I guessed, and picked up a slender blue volume.

'We are not talking about nobody.' Mr Bligh stamped his foot. 'It is only through making mistakes that medicine makes advances.'

'Not through research and careful observation?' I glanced at the title – *Cheeky Maids Love to be Spanked* – and wondered if Molly would agree, and, seeing that the old surgeon had no intention of responding, asked, 'Where would the records of those cases be kept now?'

Mr G was wiping his hands on a green handkerchief decorated with images of leaping red ponies.

'They would be kept in the hospital records.' Mr Bligh put on a pair of smoked spectacles.

'And are they?' Mr G shook out his handkerchief, making the ponies prance playfully round their field.

'No.'

I glimpsed myself in the surgeon's blanked-out eyes.

'Perhaps, for Miss Middleton's benefit, you could elucidate.' Mr G mopped his forehead, though the room was on the chilly side.

'Very well.' Bligh felt his way forward in a manner similar to my godfather's crossing of the beam in Steep House. 'I shall explain in the simplest possible terms and, in order to hold her fleeting attention, in the style of a brief anecdote.' He bumped into a low, square table, upsetting a pillar of journals. 'After the possibility of a misdiagnosis came to light Mr Lamb took all the patients' medical notes to check through them, but had them stolen on the way home, and so the hospital lost all records of the names and addresses of all of the patients.'

'How unfortunate,' I said.

'How should I know how unfortunate it was?' Mr Bligh rubbed a barked shin. 'I only know that the hospital authorities were not very happy and that Mr Lamb retired, probably worn out by all the other complaints against him.'

'Do you know what they were about?' I asked.

Mr Bligh glowered at me. 'You have not understood a single word I said, have you?'

I tried one more tack. 'If the sweep was in Lister Ward, surely they must have made their own records?'

'Oh, for heaven's sake.' Bligh grabbed hold of his own hair. 'It goes without saying that he was deaf and dumb, which – I had better explain – means he could neither hear nor speak. We only knew him as *Sweep* and we called him that because he used to be one, otherwise we would have called him something else.'

'Like *Baker*,' I suggested, and Mr Bligh threw back his head like a wolf at the moon, but, I was disappointed to find, did not howl.

'No, not Baker. He was a sweep – a sweep-a sweep-a sweep. How many more ways can I say it.'

'You have only said it one way but four times,' I argued.

'It is time to go.' Mr G spun on his heel.

'Can you explain about the bells again?' I asked meekly as my godfather headed for the door.

The surgeon stumbled on to his knees over a footstool. 'Bother.' He picked himself up. 'I sometimes wonder why I wear these things.'

'Goodbye, Mr Captain Bligh.' Sidney Grice waved like a signalman trying to flag down a train in an emergency and, when we were outside, he explained, 'Mr Captain Bligh does not like bells and, incidentally, when I talked about the criminals of this world basking in gentleness and benignity, I have no serious expectations of that happening.'

83

Lies, Lucifer and the Leper Colony

IN THE CAB I asked, 'Why do you never stand up for me when people insult me?'

Sidney Grice took a swig from his flask, something I was never allowed to do with mine. 'Why do you not for me?' He tapped the cork back in. 'In fact you twice made remarks about my lack of mellowness.'

And I realized that he was right. 'I did not think you cared.' I shaded my eyes against the sun and wished I could have borrowed Mr Bligh's spectacles.

'You were not wrong to adopt that belief.' He nibbled the collar of his Ulster overcoat with his lips.

We sat in silence, jostling over a rough surface that had been temporarily repaired before I came to London.

'Would you like me to be nicer to you in future?' I asked after some thought.

'Good Lord, no,' he protested. 'You are kind to street urchins, beggars and stray animals. Am I to be included in their numbers?'

'Perhaps not.'

'What causes scabies?' He rattled his halfpennies.

'Lice,' I said, though he must have known the answer.

He cupped his ear.

'Lice,' I repeated.

'Louder.'

'Lice,' I shouted.

'Three times in rapid succession and as loud as you can, if you please.'

'Lice-lice-lice,' I yelled at the top of my voice.

A young man carrying a pyramid of brown paper parcels nearly spilled them; a miniature poodle hid in its mistress's skirts, and the hatch slid open.

'Tell 'er the truff for gawdsake, squire, before the 'orse 'as annart attack.'

'I knew I could rely on you to make a scene,' my guardian said with evident satisfaction, as we turned left into Gower Street.

*

Sidney Grice popped his eye out as he habitually did in the evenings. They fitted much better since he had permitted me to make a gutta-percha impression of his socket and they looked better, after I had the idea of getting a young painter by the name of Sickert to match the colours and tones of his left eye on a piece of card.

'I know we agreed that the attacker may be unable to father children.' I perched on my armchair. 'But there must be plenty of other men in such a condition apart from those unfortunate patients.'

'Twenty-seven thousand, four hundred and eighteen hours and nineteen minutes ago, Mr Anthony Lamb was battered to death in Brompton Cemetery.' Mr G tied on a violet patch.

'I remember reading about it. They never caught his murderer, did they?' I went to the window. A boy was doing cartwheels across the road and springing up with his hat held out, in the vain hope of a donation, and I wished that I had seen him earlier. 'But how can you prove that the killer was one of his patients?'

'If my unparalleled powers of reminiscence have not failed me, which they never have yet, I believe that the witnesses reported hearing shouts of *Lies, they were lies*, as the crime was being committed.'

I clicked my fingers. 'And when I shouted *lice*, our cabby thought I was saying *lies*,' I realized, 'which shows that the murderer may well have been one of those patients. But we do not even know their names, and how does it demonstrate any connection between him and Lucy's attacker?'

'Pertinent questions,' my godfather conceded, striding behind his desk. 'But there is something itching inside the parietal lobe of my right cerebral cortex and I cannot scratch it.'

'A mental louse,' I suggested helpfully.

'Something very like that,' he agreed. 'There is a link and I know it, but I cannot quite join the pieces together.' He wrenched open a drawer of his filing cabinet and leafed through the files. 'Now, where are we? Lacey, G. – Lacey, R. – Ladd, P. –' His fingers raced through the rows. 'Ah, here we are – Lamb, D. A.' He paused. 'Lamb, D. A.,' he murmured in puzzlement. 'Lamb, D. A.' Sidney Grice froze. 'Oh, how stupid you have been.'

I was not sure if he was talking to me or himself, for his eyes were transfixed by the title at the top of his brown envelope.

'What does Lamb, D. A. spell, March?'

'Lamb, D. A.,' I repeated stupidly.

'Say it all as one word,' he commanded.

'Lam-day.'

'Harden your *ay*.'

'Lamb-da,' I tried. 'Lambda, the...' I counted on my fingers. 'Eleventh letter of the Greek alphabet.'

'Write it.' He thrust the envelope at me. 'Write it on the back.'

I placed the envelope on his desk. 'Can I use your pencil?'

'Certainly not.'

'Or your pen?'

'Are you mad?

'That was not the most tactful of questions,' I complained.

'I am not the most tactful of questioners,' he assured me,

which, of course, made everything all right. 'But, if I had to worry about people's feelings, I should have to start worrying about people instead of the important things in life.'

I folded my arms and hoped I did not look too much like our maid. 'I suppose I am not important then.'

'When?' He slid the envelope back towards me.

'Now.' I glared at him. 'Well? What is your answer to that?'

He listened blankly. 'The last question you posed concerned permission to use my pen and I believe that I was insultingly dismissive of that request.'

I threw up my hands and got my bag from beside my chair, and found my own pencil with the notebook I kept but rarely used.

'It is like an upside down V,' I said, and wrote Λ.

'By Lucifer.' Sidney Grice almost danced on the spot in his frustration. 'Must I spend every waking hour with a stubborn idiot girl?'

'I was not aware that you knew any.'

'For goodness' sake.' He threw back his head. 'This is no time for one of your puerile sulks. Draw it in lower case, woman.'

I supposed that *woman* was an improvement on *girl*, but it did not sound much like one. I gritted my teeth and wrote λ.

'At last.' He stabbed at my inscription with his left thumb. 'And what – if I can persuade you to activate that minuscule part of your so-called mind that is not completely occupied with fashion and frippery and buttons and silly-silly frills – does that remind you of?'

I traced the symbols with my finger. 'A badly drawn X,' I said.

Sidney Grice let out a deep breath. 'At last,' he said

84

The Sultan's Slave and a Greek Goddess

SIDNEY GRICE BROUGHT out his Mordan mechanical pencil, which it was perfectly in order for him to use, and demonstrated his point.

'I thought it odd when I asked Miss Bocking how the attacker had carved his symbol and she told me—' He swung the pencil towards me as my cue.

'*In the same way as he beat me*,' I quoted, to finish his sentence, '*slowly and deliberately*.'

'And yet,' my guardian lowered his pencil, 'in every case we have seen –Mistresses Hockaday and Bocking and Lady Brockwood – the X was wanting its upper-right arm.'

'And Lucy said that he had cut both lines downwards,' I recalled. 'If you were drawing an X carelessly, it would be the end of your stroke that would be missing, not the start.'

'Precisely.'

I paced back to the window and looked out. The boy was still performing and still being ignored.

'But, if Lucy's attacker had been castrated,' I reasoned, 'surely – and, I am sorry, I cannot think of a more delicate way of phrasing this – he would not have been capable of... having congress.'

Sidney Grice blanched at my mouthing such an obscenity but steeled himself to continue. 'Are you familiar with that fascinating novel, *I was a Sultan's Slave*, by Lydia Lovely?'

This was not a conversation I had expected to be having with any adult male when I had read the book surreptitiously with Maudy Glass in the old barn at the end of Wood Lane in Parbold.

'Yes, I have read it,' I confessed, half-expecting to be scolded.

'Good.' He put his pencil away. 'Then you will be familiar with page seventy-six where one of the three hundred and fourteen unsavoury incidents is described in lurid detail – namely, the seduction of the sultan's nineteenth wife, the voluptuous nineteen-year-old Fatima by—' He jerked his right elbow towards me.

'Abdul, the eunuch,' I remembered. Maudy and I had been appalled and thrilled by that episode. 'But surely it is a work of fiction and rather overheated at that? In fact I am surprised that you are familiar with it.'

Sidney Grice blinked rapidly. 'It is what our filthy Gallic neighbours call a *roman-à-clef*.' Two halfpennies appeared in his left hand. 'A true story in which the names of the characters have been changed. Miss Lydia Lovely is now the wife of a prominent banker and Grand Master of the Ancient Order of Shrivers.'

'I do not suppose such a revelation would do his reputation much good.'

'Not in quarters with whom his business is likely to prosper,' he agreed.

'I do not want to belabour this,' I began hesitantly, 'but surely a castrated man cannot achieve—'

'Clearly he cannot produce seed,' Mr G completed my thought hastily. 'But the seminal vesicles, prostate glands and bulbourethral glands can and do produce quantities of fluid. Lord...' He fiddled with his cravat. 'I have not had such an awkward conversation since I had to explain to my mother how she came to be gravid with child, *id est* me.'

I gaped. 'Did she really not know?'

'She thought she had swallowed me in a rock pool.'

I went back to my chair to recover from a coughing fit. 'If only we had the names of those patients,' I managed to say at last.

'Hospital records are scant and their filing muddled at the best of times,' Sidney Grice told me. 'But let us consider – apart from his mutilation – what kind of man we are looking for.'

'His voice would not be high if he had already reached maturity,' I observed, 'though I do not suppose he would have much facial hair.'

I did not add *like you*, for my guardian regarded his smooth skin as an evolutionary advance.

"Do make an effort to say something less obvious.' Mr G rattled his coins impatiently.

'You are always telling me not to ignore the obvious,' I retorted.

'Not to the exclusion of all other thought,' he huffed.

'Well, he must be well-educated to make such a pun on the doctor's name.'

'But not wealthy enough to be in a private room,' my guardian pointed out, quite obviously, I thought. 'And...' His expression became even more sour than usual. 'Why do you persist in wearing that same pair of boots? You will have ploughed through my floor within nineteen years at this rate.'

'They are very comfortable.' I excused myself with a guilty glance at the scratched boards. 'And, the next time we see the cobbler, I can get him to hammer it in properly.'

'He cannot be much good at his craft,' my guardian remarked. 'That gentleman in the green paisley waistcoat, the two-tone cravat, the pinstriped grey trousers and black, side-buttoned boots was complaining about a repair he had done.'

'He even dropped—' I stopped and Sidney Grice looked at quizzically.

'Go on,' he urged.

'His hammer.' My words were hardly audible to my own ears

as I tried to reconstruct in my mind what had seemed to be a trivial conversation. 'He charged me fivepence,' I remembered.

'And you paid him that for banging in a nail?' Mr G was incredulous.

'Even worse,' I said. 'I had nothing smaller than a sixpence.'

Mr G pfffed. 'And, needless to say, he had no change.'

'No,' I agreed automatically. 'And he said, *Oh fanks, miss, you're an oops-a-daisy.*'

He watched me keenly. 'At what point in the proceedings?'

'After I had handed him the money but – and this is the odd bit – he said *oops* before he dropped the hammer.'

'You are sure of that?'

'Positive. I thought the act seemed contrived at the time, but then the flower girl who stands on the corner said he was always doing silly things for a laugh and I thought no more about it.'

'Until?' Mr G asked eagerly.

'I do not think he said *oops-a-daisy* at all,' I pondered.

'Then why did you waste your breath and my time telling me that he did?' Sidney Grice hurled the coins away, but I did not hear them strike anything.

'It was his pronunciation.' I could almost hear the bootmaker's voice. 'I think he said *Ops* and then tried to cover it up.'

'For once my ignorance is more profound than yours. What does *ops* mean other than a sickening abbreviation for operations or an acronym for the Obliteration of Penguins Society, of which I am a member.'

'What have you got against penguins?'

'Nothing very much except for their nasty jauntiness,' he assured me. 'It is just that I am of the opinion that the fewer species with which we have to share this ludicrously cluttered planet, the better.'

'Ops was the wife of Saturn and the Greek goddess of plenty.' I struggled to get back to the subject. 'And munificence. He was saying that I was generous.'

'A smooth-faced man with a knowledge of Greek mythology,' Mr G said grimly. 'And you told me that your shoddy and overpriced boot repair was not relevant to any of our cases.'

'I did not think it was,' I protested.

'What is the point of not thinking that?' he demanded angrily.

'What are you writing?' I asked, as he printed something on a blank sheet of paper.

'A telegram.' My guardian brought his temper back under control just as quickly as he had lost it. 'To Chief Inspector Pound. He should be settling into his new office by now.'

'Oh,' I said. 'You know about his promotion?' And I said a silent prayer that he had not pulled strings to help get it, for I wanted George to ascend on his own merit.

'Of course,' he said. 'In fact I recommended,' he shot me a glance, 'that he should not be given it.'

'But why?' I demanded indignantly.

'Because he will spend more time in meetings and writing memoranda than doing what he is occasionally not too bad at – for a policeman.' Mr G cupped his left palm and his two halfpennies fell one at a time into it. 'Investigating crimes.'

This seemed as good an opportunity as ever. 'Now that he is a Chief Inspector—'

'In the morning,' my godfather ploughed on, 'we shall take breakfast, bicker about something irrelevant, and seek out this irritating tradesman to see if he can explain himself.'

'We can try,' I mumbled, and he turned sharply.

'What now? Why are you looking like a bloodhound caught ingesting his master's slipper of tobacco?'

'Nobody keeps their tobacco in their slippers.'

'Silly people do. Explain your discomfort.'

'I am not sure,' I said, 'but I think he might have realized he had given himself away.' I hung my head. 'He has probably gone into hiding by now.'

'I hope you are right, March.' He rested Charley Peace's

patella on a diagram of the internal workings of his ladder stick. 'For you can be sure of one thing. He has not been loitering in Grosvenor Square for the fresh air.'

'Lucy,' I cried.

'Ring for tea,' he said nonchalantly.

'Is that all you care about?'

Sidney Grice took out a fresh sheet of paper. 'He will not make an appearance at night. That would attract too much attention, especially as his face is known in the square. In the meantime...' His new gunmetal pen was on his desk but he picked up his patent self-filler. 'I shall send her a telegram.'

And, as Sidney Grice began to print: *BEWARE THE BOOTMAKER*, Molly trundled in.

'Listen carefully,' her employer instructed, and she cocked an ear rather as Spirit did when he was confiding in her. 'You will take these telegrams immediately. Do not even change into your outdoor boots. Your mission is urgent. Do you understand?'

Molly crossed her fingers and her eyes. 'Telegramps immediantly – which means urgent – indoor boots, urgent – which means immediantly,' she recited with such concentration that I wanted to give her a ripple of applause.

'Money.' Mr G rammed a cotton pouch into her hand. 'Go.'

And Molly was off. I had seen racehorses make slower starts but they were the ones I had money on.

85

This, That and the Uvva

THE HANSOM CAME while I was still raising the flag and Sidney Grice groaned when he spotted the driver.

'Grosvenor Square,' Mr G bellowed, with enough volume to rouse an army.

'Grow what where?' Old Peter cupped his ear and I repeated the name.

'Grosvenor Square, it is, miss.' Old Peter pulled his string to release the flap.

'I said it more clearly than you,' my godfather grumbled as I tugged on a wisp of loose stuffing that was sticking through a rip in the upholstery

'Yes.' The wisp was longer than I expected and getting thicker. 'But your lips move differently from those of other men.'

And that seemed to satisfy my guardian for Sidney Grice hated to be thought the same as others. It reeked of equality to him and, when I sneaked a sideways look, I caught him mouthing the words proudly. I had about half of a horse's hair now.

'If this man is the one we are looking for…' I tried to push the stuffing back in but it had expanded. 'Why would he go out of his way to draw attention to himself?'

Sidney Grice pushed harder, though it was him, not me, who was taking two thirds of the seat. 'Perhaps you would care to attempt to answer that question yourself.'

'To taunt you.' I poked the stuffing with my finger. It did not seem possible that so much had come through such a little slit.

'Try again.'

'I *am* trying.' I got out my pencil to ram the thick wad down and the leather bowed under the pressure, but none of the stuffing went back in.

'I was referring to your answering your own question.'

'Inspector Pound told me that some habitual criminals are so sick of their own acts that they are relieved when they are apprehended, even if they face the severest penalties. Perhaps he wants to get caught.' I had a nasty feeling that the rip was getting bigger.

'Some do,' Mr G agreed, 'But not this one. Try harder.'

I racked my brains. 'I cannot.'

My godfather pulled the cork out of his flask. 'It would be odd indeed if he had not drawn attention to himself. A street tradesman who hides in the shadows would have aroused suspicions immediately. Local residents would probably have reported him for loitering.'

'But why is he hanging around outside Lucy's house?'

Sidney Grice grimaced. 'Let us hope that we get an opportunity to ask him.' He banged on the roof and, when the hatch opened, shouted, 'Faster.' And mimed holding the reins of a galloping steed.

'Oh sorry, guv. Goin' too fast for you?'

The hatch closed and we slowed to a gentle walk. In the end it made no difference for a hot-air balloon had come down in Maddox Street, blocking the road, attracting a curious crowd and frightening the horses. And, when we finally arrived in Cavendish Square, the bootmaker was nowhere to be seen.

'No sign of him,' I commented.

'Apart from those splashes of dubbin and blacking on the pavement.' Sidney Grice swept his cane over a wide area. 'Or the scratch on the railing where he sometimes hung his placard.'

'Apart from those,' I conceded.

'Or the snapped twig where he pushed his trolley into the rhododendron bushes,' Mr G continued.

'I meant there is no sign that he is here,' I snapped, and Mr G grunted.

'Why would there be when he is not?' My guardian appeared to be checking his chin for a beard.

A hansom pulled up, the horse shying at something I could not see or hear, and Inspector Pound leaped down.

'Good afternoon, Mr Grice. Your telegram sounded urgent.'

'A telegram has no sound other than the rustle of paper or a swish if it is dropped and perhaps a light pat as it lands, depending upon the surface which interrupts its trajectory or—'

'Excuse me interrupting your trajectory,' the inspector said. 'Good afternoon, Miss Middleton.'

'Inspector.' I shook his hand and felt him give mine a squeeze. 'I trust you are well.'

'Of course, if it alighted upon water, ranging from a puddle to an ocean,' my guardian spoke over him, 'the sounds would be very different but never urgent.'

'I am very well, thank you, Miss Middleton.' George winked at me. 'I hope you are too.'

He had a new suit on and looked very smart.

'Miss Middleton made a semblance of that ignorant blunder regarding my doorbell when I made the uncharacteristic mistake of admitting her into my invigorating household,' Mr G droned on.

'We think we may have identified the murderer,' I said.

'We?' my guardian queried. 'Oh, I suppose Miss Middleton does serve one purpose. She proposes so many ridiculous explanations that the only one left must be correct. Unless you are going to arrest my ward, Inspector, I suggest you release her at your earliest convenience.'

We let go of each other's hands.

'So who and where is your suspect, Mr Grice?' George Pound asked.

'Two obvious though pertinent questions,' my godfather almost complimented him, 'to which I have, as yet, no veracious response.'

'There is a bootmaker who usually stands on that corner around this time,' I explained, 'and we think he may be the culprit but it is possible I have frightened him away.'

I stood on tiptoe and whispered in his ear.

'If only the other women had possessed your ability to terrify him,' Mr G commented drily.

'Well, apart from the polish, branch and scratch and the smell of trimmed leather, there is no sign of him now,' Pound declared.

'What smell?' Mr G snuffled about like a bloodhound.

'Oh, it is quite distinctive,' Pound said airily. 'Is that flower seller usually here?'

The girl stood on the opposite corner, short and slight, in a patched dress much too big for her, a forlorn sight with her tray of unsold forget-me-nots.

'Yes,' I said.

'Which is one of my six motives for engaging her in friendly banter,' Sidney Grice set off towards her at a brisk pace. 'You there, juvenile female floral purveyor.'

The girl looked over in alarm.

'Be no more afraid than you ought to be,' my godfather sought but failed to reassure her, 'for I intend you no harm, though my intentions may transmogrify as our intercourse progresses.'

The girl let out a squeak, but it would have been more than her life was worth to put down her tray and run.

'It's all right,' Inspector Pound's voice rang out reassuringly. 'We just want to talk to you.'

The flower girl hopped from one foot to the other.

'We were just wondering,' I told her as we drew close, 'where the bootmaker is today.'

'Blimey,' the girl gasped. 'I fought you was gonna ask where I stealed these flowers from.'

Pound picked up a wilting nosegay. 'Do you know where he is now?" he asked gently.

'That last word was tautologous,' my godfather informed him pleasantly. 'If somebody *is* somewhere they must be there at the present time.'

'What, old Bootsy?' The girl grinned. 'Oh, 'es a larf.'

'That does not even meander vaguely in the direction of a reply,' Sidney Grice scolded.

'In what way?' I asked.

'Well, like the way 'e frew that 'ammer down,' she guffawed. 'And one time 'e got me to spill rubbish over some posh foreign geezer's boots, just so 'e could clean 'em up and not even charge 'im. Mind you...' She spluttered in mirth. ''E cut orf one of the gent's waistycoat buttons. Don't fink 'e knew I saw that.'

'I do not *fink* you would be here if he did,' Mr G mumbled.

'I could do with a good laugh,' Inspector Pound mused. 'Do you know where he is now?'

The girl looked about and her voice dropped. ''E ain't in no trouble, is 'e?'

'Of course not,' I lied, before my guardian broke in with the truth. 'It's just that I have a loose heel and I can't walk very far.'

'Didn't know gentry like yourselfs walked thery far anyways,' she bantered.

George Pound put the nosegay back and selected a pink carnation. 'How much is this?'

The girl assessed her customer, and no doubt his clothes at least doubled the price.

'Them's a penny each,' she declared.

'Outrageous.' He sniffed the petals. 'It must be worth at least thruppence.' And he slipped her a silver coin.

'You can 'ave six for that,' she told him.

'I only need one but I'll take a pin.' He smiled and presented the flower to me with a slight bow. 'Have you seen him today?'

I fastened it to my dress

'Who? Oh yeah.' The flower girl sniggered. 'Comes wiv-art 'is cart this morning. Lor' but 'e's gotta nerve. *Gotta fearful drought in me, I 'ave*, he says. *See if I can't p'suade a friendly skivvy t'give me a bit of a cuppa and bit more of the uvva.*' She cackled and nudged the chief inspector. 'Bold as brass straight to the front door, 'e was. And 'e must be gettin' plenty of the uvva the lengf of time 'e's been in there.'

'Did you notice which house he went in?' Pound asked casually.

'Vat one,' she pointed.

'Amber House,' I said in alarm.

86

The Shattering

CHIEF INSPECTOR POUND was off, coat flapping behind him. He was a tall man but not particularly fast – especially since his injury – and I soon caught up. But Sidney Grice, dipping wildly, was ahead of us both. He was slightly built and no taller than I, but I never knew a man with faster reactions and acceleration. By the time we reached the opposite pavement he was already at the front door, but instead of ringing the bell, my godfather stopped and brought out his gold cigarette case.

'Three lever,' he scoffed. 'You might as well use a ribbon in a bow.'

He flipped his case open and selected half a dozen slender steel picks, inserting them one at a time into the keyhole and giving each a tiny twist.

'Ever thought of ringing the bell?' Pound asked a little breathlessly.

'Certainly.' Mr G slipped what looked like a blank key between the picks. 'But I dismissed the idea as reckless. We only have four advantages – our numbers, your brutish bulk, my ingenuity and, I hope, the element of surprise.'

Even in our hurry I reflected that the only merit of my presence seemed to be in making up numbers.

The inspector watched uneasily – fully aware that he was witnessing a criminal act – as Sidney Grice made a few tiny adjustments and twisted the key anticlockwise. There was a click, and he bfffed in satisfaction before extracting his instruments and replacing them in the same order.

'Hurry, man,' Pound urged quietly.

'Hurry is a bent fork,' Mr G told him cryptically.

'Then unbend it,' I suggested, not at all sure what either of us meant now.

'Stop shouting.' He turned the handle and, standing to one side, pushed the door open with his cane.

The hallway was deserted as we stepped inside. I closed the door carefully.

'Slide your feet,' my guardian instructed, and we shuffled along, me lifting my heel to stop the nail scraping along the floor. 'If only you had taken such care in *my* house.'

'I thought you said it was *our* house.'

'Our home. My house.'

Sidney Grice held up his hand and we stopped to listen. Nothing. He shook his head and we edged down the corridor alongside the stairs. The doors to either side were shut, but the sun came through the fanlight and a stained-glass window at the far end. And, as my eyes accustomed themselves to the relative shade, I noticed a brighter patch running across the floor behind the back of the stairs and bending up on to the bamboo-patterned wall. We stopped just before it and Mr G opened his satchel, taking a four-inch circular mirror and slipping it over the ferule of his cane, stretching it outwards to view round the corner.

'Well, he has certainly been here.' He pulled the cane back, dipped into his bag again and, when his hand emerged, it was holding his ivory-handled revolver. He pulled back the hammer with great care but the click, as it locked, shattered the silence. 'Bother,' he breathed and stepped out.

The door facing him now was ajar. He took two swift paces and flung himself through.

'Oh, dear God.' I clamped a hand over my mouth.

Aellen and Muriel were sprawled on the kitchen floor, the shimmering pools of deep red oozing from their stomachs merging into a thickening pool under the table that separated them. Aellen's face was turned away but Muriel had a large lambda gouged into her forehead.

'Examine them, Chief Inspector,' my guardian commanded.

Sidney Grice was skirting that pool and using his mirror to check the room off to the left, before he revealed it as the pantry – unoccupied, with a back door bolted. He hurried through to what I judged at a glimpse to be the bootroom.

Chief Inspector Pound was bent over the bodies, his face as grey as when he had lain on the brink of death in the London Hospital. Was that really only just over a year ago?

'Hardly more than girls.' George Pound crossed himself. 'God rest you both.' He straightened up and touched an empty cake tin on the table, and then all the pots and pans on the range, as if it were some kind of ritual.

'And God damn the man who did this,' I added.

Pound doubled over the sink so low that I thought he was going to be sick, but he turned back with a puzzled expression and ran a finger under the tap.

'I have hopes that we shall damn him ourselves before this day is out.' My guardian took in the room.

'The strange thing is—' Pound began.

'There are many strange things. Tell me later,' Mr G rapped.

'Oh, poor Lucy and Freddy,' I said fearfully.

'Indeed.' My guardian looked lost. 'Good servants are difficult to replace.'

Sidney Grice went back along the hall and was at the foot of the stairs when he stopped again. I listened too and heard something – a stifled cry, I thought.

'Through there.' The chief inspector pointed.

'The pink room,' Mr G said, with more loathing than he had

greeted the murdered maids. ‘I think I can safely say that we have lost the element of surprise.’

He went over and struck three times with the handle of his cane before opening the door.

87

Blood on the Steel

FREDDY SAT SIDE-ON, twisting towards us.

'Good afternoon,' Sidney Grice called out cheerily, as George Pound followed him in with me close on their heels. 'I do not suppose that you ever thought you would be pleased to see me, Miss Wilde.'

'Oh, thank God.' Her wrists had been tied with blue wool to the arms of her cherry-wood chair.

'God must be at the very pinnacle of fashion from the number of times he has been invoked this day,' Sidney Grice chatted as he turned his back on her.

'Freddy.' I hurried over.

'Leave her.'

I spun round to see that the voice came from the bootmaker. He was standing behind Lucy who was also in her chair, manacled to it with red wool, a knife held under her chin.

'I have been looking for you,' I told him. 'That repair you did was hopeless.' I went towards him. 'Listen. You can hear the nail scratching the floor.'

'It has done reparable damage to my Hampshire oak floor,' my godfather confirmed.

'Stop right there,' the bootmaker commanded. 'Now go and stand by the ugly sow.'

'There is only one pig in this room,' I told him.

'Not so close,' he said, and I moved a couple of feet away.

'You – the famous Mr Grice – point that gun towards your friend in the flashy suit... lower the hammer gently... Now put it on the floor.'

'Don't do it,' Pound urged. 'You can put a bullet in his brain before he can move a muscle.'

'Had your eyes checked recently?' the bootmaker asked mockingly, and put the tip of his knife to a silver line on Lucy's throat.

'Cheesewire,' I realized.

There was a loop of it round Lucy's neck and the bootmaker held up a length behind her.

'The other end is tied through my belt,' he explained with great satisfaction. 'So, if I should fall over, it will slice her head off like a ball of cheddar. Put the gun down.'

'Please do as he asks.' Lucy trembled and Sidney Grice obeyed.

'Now...' The bootmaker smirked with milky-coffee lips. 'Kick it towards me.'

'This is most embarrassing.' Mr G took off his Ulster overcoat and put it folded on to the occasional table beside him. 'For I am forced to admit that I am hopeless at kicking and I always have been. I was never selected to play in any games at school.'

'Just do it.'

'Very well.' My guardian placed his soft-brimmed hat on top, rubbed his hands, leaned heavily on his cane, swung his right foot back and let fly. The revolver rose a few inches, clattered down and shot across the floor to stop at the side of Lucy's chair.

'Actually, that was not bad, was it?' Mr G tossed his head proudly.

'Well done you,' Pound said tersely. 'I suppose you couldn't have *accidentally* put it out of reach?'

'I do not have accidents, Inspector.' Mr G expanded his chest and flexed his shoulders like a weightlifter warming up for a new challenge. 'You should have known that by now.'

'And now that silly satchel.' The bootmaker stroked Lucy's cheek with his free hand and she shrank back.

'This is chrome-tanned Highland doeskin,' Mr G retorted indignantly but skimmed it over to stop just by the bootmaker's feet.

'Help me,' Lucy beseeched, and her captor grinned. He had good teeth, I noticed, regular and clean.

'I am the only one worth begging, darling.' He combed his fingers through her hair, lifting it back to show her scarred brow.

'What do you want?' George asked.

'That is for me to know.'

'If you were going to kill them, you could have done it well before now.'

'And spoil the fun.' The bootmaker grinned. 'Who are you anyway?'

'I am Chief Inspector Pound of the Metropolitan Police and I must warn you—'

'No, you must not,' the bootmaker shouted. 'The only thing you must do, Officer, is to keep quiet and do as I say.'

'Those are two things,' Sidney Grice pointed out.

'And you can shut your soapy mouth too.' He pulled the knife back, forcing Lucy's chin up, and she gasped.

It was a terrible-looking instrument, a good eight inches long, similar to those that the knacker's men used to dispatch horses in the street, and there was blood already on the steel.

'You speak very well,' I commented.

'When I choose to,' he agreed.

'For a man who has spent some time in Uckfield,' Mr G observed.

'I told you to shut your mouth,' the bootmaker snapped.

'You told me that I could, not that I should,' Sidney Grice differed.

'Well, shut it then.' But curiosity was already getting the better of the man. 'How did you know that?'

'I made many studies of accents.' Sidney Grice smiled

modestly. 'And the dialect in the south-western quadrant of High Weald is unpleasant but quite distinct. However, you were not raised there. You did not, *exempli gratia*, pronounce *only* as *oany*, which those indigenous to that area of Sussex never quite manage to mask. I must confess, however, that I am struggling to isolate all the ingredients of your speech.'

'You are too damned clever for my liking,' the bootmaker snarled.

'I cannot deny it.' Mr G raised his cane. 'Would you like me to transmit this to you too?'

'Well now.' The bootmaker allowed Lucy's head to drop a fraction. 'Why would you be offering that?' He toyed absently with a bow at the front of Lucy's dress. 'I have read about your trick canes.' He tugged the button open. 'How do I know it is not one of those dynamite walking sticks you had in *The Red-Handed League*?'

That adventure was a Fleet Street fantasy by one of the many journalists who Sidney Grice was taking to court.

'You may also have read that I never tell a lie,' Sidney Grice told him, 'and you have my word that it is not.'

'He is infuriatingly truthful,' George affirmed. He had edged perhaps six inches along the wall but was standing bolt upright.

'Hold it up.'

Mr G did so with the flourish of a drum major. Most of his sticks had globe tops, but this had a handle at a right angle to the shaft.

'What does that catch on the side do?' The bootmaker squinted. 'Show me.'

Sidney Grice pressed it and the top of the handle sprang open to reveal a brass lever with each end rounded into a disc.

'What the hell did you bring that for?' Pound demanded furiously. 'Honestly, Grice, I know you have a reputation for eccentricity to live up to, but a Morse code key! When exactly were you planning on using it?"

'Mr Grice to you, Pound.'

'Chief Inspector Pound to you, *Mr* Grice.'

'Stop it, both of you,' I scolded. 'Mr Grice often has trouble finding a telegram office,' I explained. 'He can connect this to any convenient telegraph wire and send his own message.'

'Which is a criminal offence,' Pound pointed out in disgust. 'And that's on top of illegal entry.'

'I shall not press charges,' Lucy promised.

'Would you rather I had brought my musical cane or the one with the built-in periscope?' Mr G queried.

'As this gentleman implied, a weapon might have been a good idea.' Pound groaned despairingly. 'A swordstick, for example.'

'It's a long time since a policeman called me that.' The bootmaker looked slightly mollified.

'I had my revolver,' my guardian protested, 'and I saw no reason to bring a bomb.'

'Point it towards your girl and let me see your thumb.' The bootmaker screwed up his eyes. 'Now push the lever.'

My guardian was expressionless as he complied. Nothing happened.

'I still don't trust you.' The man pondered. 'It could be on a timer.'

'Shall I take it outside?' I offered.

'Place it on the table pointing at your girl,' the bootmaker decided. 'But if I hear so much as a click...' He brandished the knife and Lucy cried, 'No, please.'

'I like it when they beg.' He smiled grimly. 'So what have you got in your sack, girl?'

'Shall I show you?' I went to the table, unclipped my handbag and brought out the wad of seat stuffing.

'What's that? Your spare wig?' The bootmaker guffawed.

'No, that is at the laundry.' I put it down beside Sidney Grice's cane. 'My gin flask and cigarette case followed – handkerchief, notebook and pencil, bottle of sal volatile, parma violets, perfumes, my purse. When I had constructed a small mountain, I held my bag upside down and gave it a shake. 'Happy?'

The bootmaker laughed. 'You are worse than my—'

'Mother?' I suggested, and his face stiffened.

'Just put it all away.'

'In the Golden Dragon you called your captor a fool, Miss Bocking,' Sidney Grice declared. 'Perhaps you would like to explain why.'

The bootmaker laughed – not the jolly chuckle he had used in the square, but two sharp yips like an excited puppy.

'That is an excellent idea, Miss snout-in-the-air Bocking,' he sneered. 'Tell them.'

Lucy's head went back and she exhaled through her mouth.

'Tell them.' The bootmaker raised his right elbow.

'All right.' Lucy gasped and I could hardly hear her words, much less believe them. 'Because I arranged to have Freddy assaulted.'

88

The Order of Death

FREDDY DOUBLED UP, winded by shock. 'Lucy!' She breathed fast. 'That cannot be true. Why are you making her say it?'

'The man I hired was just supposed to kiss and cuddle you,' Lucy protested. 'I thought you might enjoy it, but he sent this man instead.'

'Naughty.' The bootmaker tweaked the wire and Lucy sobbed as he continued. 'That's not what Johnny the Walrus told me.'

'All right.' Lucy choked and he ran his forefinger under the wire to loosen it, exposing a vivid red mark. 'I paid him to violate her.'

The noose might have been round Freddy from the noise that escaped her.

'And tell her why you chose to approach Wallace,' I challenged.

'I went to the trial because I thought it might be fun.' Lucy forced an odd air of lightness. 'It didn't last very long because the case collapsed, but it was obvious that he did those things.'

'Why him especially?' I insisted.

'I do not know what you mean.' Lucy adopted as haughty a manner as she could muster.

'We have a photograph of Eric,' I said flatly, and Lucy tapped her chair with a flapping hand.

'All right, he was older than my brother would be if he were still alive, but he looked a bit like Eric,' she admitted sulkily. 'But that was just a bit of silliness.'

'Oh, Lucy, you cannot mean that.' Freddy was aghast.

'I did not think he would use violence.' Lucy looked blankly ahead. 'I thought you might want to know what it was like – to have a man – and that way there would be no guilt on your part.'

The bootmaker cocked his head. 'That might be true,' he conceded pleasantly. 'All I know is Wallace boasted he was to be paid to have a woman. I got him blind drunk and took his place.'

'Animal,' Pound breathed. He had moved another few inches towards the man.

'We are all animals,' the bootmaker retorted. 'Only some of us have the sense to know it.' He wrapped a rag around his left hand to give a better grip on the wire.

'How quickly and smoothly the conversation moves from molestation to philosophy.' My guardian leaned on the table. 'And, since we are seeking the deeper truths, and Miss Bocking has failed to demonstrate any affection for them, perhaps I could be of assistance in our quest.'

'Go on,' the bootmaker said.

'Don't worry,' Inspector Pound assured him. 'He will.'

Mr G ignored him. 'I wrote a letter of complaint to each of thirty-one insurance companies about the unconscionable delay in settling the claim for the destruction of Steep House.'

Freddy spoke wearily. 'My solicitor has been doing so for years, but I do not have the means to take them to court.'

Sidney Grice did not even glance at her. 'Two lies in one sentence.'

'I beg your pardon,' she began indignantly.

Mr G sniffed. 'Provide me with the name of your aforementioned but, thus far, anonymous and seemingly ineffectual legal representative.'

'Mr Spry of Spry and Fitt,' Freddy said.

'Lucy's solicitor,' I pointed out.

'It is easier to have the same man look after our interests.' Freddy reacted defensively, though I had not accused her of anything. 'Especially as I cannot afford my own. But is this really the time to worry about such things?'

'Bearing in mind it may be our last opportunity to do so, yes.' Sidney Grice gave her what might otherwise have been a reassuring smile.

'Oh, for pity's sake, Mr Grice,' George Pound admonished him.

'You shall find precious little pity,' my guardian told him, 'from this odious churl.'

'You want to watch your tongue.' The bootmaker bristled.

'I am often told that, though I suspect that people mean *they* want me to do so.' Sidney Grice touched his glass eye. 'But it has had no effect on my manners thus far.'

'Not for the better, at any rate,' I testified.

'Let me make a prediction,' Mr G continued, as casually as he would when holding forth to me in the comfort and security of our study. 'You may be consoled or appalled to know, Miss Wilde, that – if your captor has his way – you will be the last to die.'

'No.' Freddy went white.

'You are a bright fellow, Mr Grice.' The bootmaker relaxed the pressure on Lucy's throat. 'Maybe you could tell them why.'

'If I were in your position,' Mr G brought out his two halfpennies, 'which I do not expect to be, I would assess my intended victims. The policeman is big and strong and most likely, you might think, to put up a fight. Then there is me. I am a handsome fellow but short in stature and, fools might imagine, handicapped by my unequal lower limbs and glass eye. You are not a fool, however, and know that I have done battle with many a criminal, though few as loathsome as yourself. Two of the women, being restrained, could do little to resist, so Miss Middleton would be the next in line.'

'Go on.' The bootmaker waved the knife.

'I imagine you will want to have your way with Miss Bocking and, since you strike me as a man who rejoices in cruelty, you would probably like to make Miss Wilde witness your act and the sight of her friend being slaughtered before you dispatch her at your leisure.'

He rattled the coins like dice.

'Very good.' The bootmaker made a mock bow. 'Only, with the other two tied up, what is to stop me having my way – as you so delicately put it – with Miss Middleton?'

George bunched his fists and crouched a fraction at the knees, but he caught my eye and stayed where he was.

My guardian winced. 'I was hoping that would not occur to you.'

'I'll bet you were.'

'For it puts me under an obligation to grant you something precious,' Mr G continued.

'Think you can buy me off?' The bootmaker snorted.

'It is knowledge.' Mr G made a flourish with his left hand, reminiscent of an organ grinder turning his handle. 'The consciousness that you only have one card to play and that, once you have played it, your game is over.'

89

The Keeper of Secrets

THE BOOTMAKER DID not even blink. 'If you mean that, once I have decapitated this bitch, you can all rush me, you cannot have forgotten that you gave me another card.' He bent and picked up the revolver. 'Six, to be precise.' He took aim at my godfather. 'How do you fancy your chances now, cripple?'

'I shall take a personal pleasure in watching you hang,' Sidney Grice forecast.

'The gun is not loaded,' I bluffed, and the bootmaker broke the breech.

'It looks fully loaded to me.' He clicked it back together.

'They are blanks.'

'Are they, Mr Grice?'

'No,' my godfather admitted.

'Thought not.' The bootmaker tucked the barrel into his waistband.

'Why in the name of all that is holy could you not have stepped off your pulpit and told a lie for once?' Inspector Pound exploded.

My guardian regarded him coolly. 'Did you want him to put the lie to the test on my ward?'

'I suppose not,' George conceded.

'Only *suppose*?' Mr G raised an eyebrow. 'I thought you held my goddaughter in higher regard than that.'

'That is not what I meant.' George Pound threw his head back. 'And you know it.'

'Whilst we are having such a nice chat,' the bootmaker said, 'what was all that carp about chewed-face's insurance?'

Accustomed though she must have been to such insults, Freddy's raw cheek still ticked.

'I was wondering when somebody would take an interest in that.' Mr G wound his hand the other way. 'Steep House, Miss Wilde's family home, was razed to the ground, and she gave me to believe that the insurance company was refusing to pay for it.'

'I gave you to believe the truth,' Freddy insisted. 'But I cannot see why it matters at this time.'

'What is the name of that company?'

'C. S. Derwent Assurance.'

'Acarus Scented Wrens,' mused my guardian and, for once, at least I knew what he meant.

'They have an office above Spry and Fitt, your solicitors,' I remembered.

'I know they share an address,' Freddy said distractedly. 'But I have never been there.'

'Nor shall you.' Mr G stopped winding, but his lower arm still jutted out at a right angle to his side. 'Even if you survive this tiresome ordeal – and, rest assured, I have almost every intention of delivering you from it intact, regardless of Miss Middleton's indifference to your fate.'

I did not trouble to dispute his allegation, for I had an inkling by now what his tactics were.

'You are quite mad,' Lucy raged. 'We are all facing death here.'

'And possibly none so imminently as you,' Mr G agreed amiably. 'For I do not believe that this creature feels under any obligation to adhere to my schedule.'

'Is all this actually leading anywhere?' The bootmaker rested the hand holding the knife on Lucy's shoulder, the blade dangling over her breast. 'If you are playing for time, it will serve no purpose.'

'I shall cut to the quick.' Sidney Grice tidied out a kink in his watch chain.

'So shall I,' the bootmaker quipped.

'After we visited the offices of Spry and Fitt, Miss Middleton and I made a brief excursion to the first floor. The dust on the stairs and landing suggested that my ward and I were the first to explore that area for many months.'

'The hem of my dress got dirty,' I remembered.

'And yet you made nothing of it.' Sidney Grice shook his head despairingly. 'Once there we came across two intriguing plaques. One was inscribed *CLOSED* and the other *IN CASE OF CLOSURE PLEASE DEPOSIT MAIL AT GROUND-FLOOR OFFICE*, and their obvious permanence inspired me to penetrate the woodwork with the aid of a bradawl in my Grice Patent Denied Housebreaking Cane. Upon doing so, I found myself presented almost immediately with a London Stock building block. In short, C. S. Derwent Assurance does not, nor ever has, existed.'

'You kept that a secret from me,' I huffed.

'No, I did not,' Sidney Grice retorted. 'I told you we had hit a brick wall.' He appeared to be checking his upper jaw now.

'Yes, but I thought you meant figuratively.'

'Most companies denied having issued any policies for Steep House.' Mr G gave his temples a cautious examination. 'But one trading under the name of Appleyard Alliance was insistent that they had settled this matter as soon as the police and the Metropolitan Fire Brigade confirmed that there were no suspicious circumstances.'

'They are lying,' Freddy insisted. 'I have never seen a penny.'

'I have formed the opinion that they and you are both telling the truth,' Mr G said, to everyone's apparent confusion, 'for Mr Appleyard himself assured me that he has a receipt for a considerable sum paid to the customer's solicitor, one—' He indicated Freddy.

'Silas Spry!' she exclaimed, her fear pushed briefly aside by her sense of injustice. 'He stole my money.'

'Naughty boy.' The bootmaker grinned.

'I think it unlikely that Miss Bocking would have permitted him to do that?'

'What, in the name of sanity, are you raving about now?' Lucy flared.

'Silas Spry has very few clients and yet he does not accept any more,' I recalled. 'And he lives in Berkeley Square.'

'My enquiries reveal that Spry does not come from a wealthy background, nor did he marry money.' Sidney Grice palpated his Adam's apple.

'What, just from a share of the insurance payment?' George objected.

'Even Miss Middleton remembered that Mr Clorence Bocking, Lucy's father, was embroiled in an expensive court case with his sister for purloining the design of her invention.' Mr G stood on tiptoe and craned his neck, as if the lady in question were to be discovered hiding behind the sofa. 'Eventually he settled out of court. Clorence Bocking lost everything, including New House, which, for the sake of kinship, his sister had granted him the use of for his life.'

'So when he died Lucy had nothing,' I concluded.

'This is nonsense,' Lucy exploded. 'Utter fantasy from start to finish.'

'Whereas,' my guardian added, 'Mr Tormead Wilde bequeathed a sizeable range of profitable concerns to his only remaining heir.'

'But I have nothing,' Freddy gasped.

'You have a considerable fortune,' Sidney Grice told her, 'though, inconveniently for you, it is in the hands of Mr Spry, who acts at the behest of the lovely though imperilled Miss Bocking.'

'That is not possible.' Freddy shook her head violently to cast the thoughts away.

'Who read your father's last will and testament to you? Who informed you of his dire financial straits?' Sidney Grice fired his words like bullets from a Gatling. 'Was it perchance the subject of so much of our intercourse today, the elusive Mr Silas Spry? Is it mere coincidence that he dramatically improved his domestic accommodation a matter of months after the death of your parents? I shall break one of my strictest rules by answering both of those conundrums myself: it was and it is not.'

'And has it ever occurred to you that I had also been fed lies by Silas Spry?' Lucy demanded.

'Numberless possibilities occurred to me long before I even accepted you as a client.' Sidney Grice turned his palm down. 'However, I rejected that one as it fails to explain how you obtained this house and all its expensive, if repellent, fixtures and fittings.'

'Oh, I quite like it.' The bootmaker amused himself by twisting Lucy's ear. She gritted her teeth but eventually he laughed to hear her cry out.

'But why is Steep House still in ruins?' Freddy asked. 'If they had control of my estate, why have they not sold it?'

'The money was probably in a trust fund which Spry can administer,' I conjectured, 'but a house cannot be transferred without the owner assigning the deeds, which are probably in a bank vault somewhere.' I measured my words. 'And how could Spry have asked you to access or sign those over without arousing suspicion?'

The bootmaker snorted. 'So this bitch—' he waved the blade in front of Lucy's eyes—'stole all that bitch's money. Is that it?'

'Not if you want to know how you came to be selected.'

The bootmaker gripped his knife so furiously I thought he

would use it there and then. 'What in the name of Zeus are you drivelling about now? Nobody *selected* me.'

Sidney Grice windmilled his arms carelessly. 'If you are not more cautious with that knife, you will never know.'

90

The Lampless Alleys

THE BOOTMAKER'S EYES travelled from person to person. 'This had better be good,' he threatened, but his grip relaxed.

'Miss Bocking approaches Johnny Wallace with an offer to do what she thought he did for his own amusement.' Mr G took to patting an imaginary large dog. '*Id est* violate another woman. However...' He tickled behind the imaginary dog's ears. 'Wallace was not a rapist. He did not mind assisting others to perform the acts for a fee, but it seems that all but the vilest criminals – such as this forensic specimen behind Miss Bocking – have their scruples.' He shooed the dog away. 'In fact, in some ways, Johnny was an exemplary figure. He did not smoke and he did not drink.'

'Well, he did when I met him,' the bootmaker remarked. 'Like a camel. That's how I was able to get him drunk and take his place.'

'Barmaid's gin,' my guardian told him.

'Water?' The bootmaker spluttered. 'So he was faking it?'

'Do you know why Johnny Walrus was so keen to hand the job over?' Mr G fluttered his long curled lashes.

'Suppose you tell me.'

'A wise supposition. You have heard, I take it, of Hagop Hanratty?'

'Who hasn't?' The bootmaker screwed up his face. 'Even the Chinamen pay him dues.'

'Hanratty has dedicated a substantial amount of his life to bringing the wealthy and gullible into his establishments.' Mr G half-crouched. Even his chair was fanciful now. 'And he was having considerable success until a series of attacks on women frightened them off the area. And he was so infuriated by the bad publicity generated by the attack on a Miss Hockaday that he withdrew his protection from Johnny Wallace. The trouble is, as we know, he could frighten Wallace off, but not only did the attacks not end, they increased in frequency and viciousness. When Albertoria Wright was found, Hanratty put a bounty on the capture of any man guilty of attacking women in his territory, and was determined to make an example of him. Unfortunately, Geraldine's brother, Peter, made too convincing an impression when he pretended to be a procurer and paid for his act with his life.'

'But surely, once he had explained he was her brother—' Pound began. He had edged a good foot or more further.

'I do not think they gave him much of a chance to talk,' I said. 'His tongue was cut out.'

'Like Princess Philomena.' The bootmaker chortled.

'You have a good knowledge of the Classics,' I remarked, and his face darkened.

'That prying tongue of yours could get you into trouble,' he warned. 'And you have quite a tongue too, Mr Grice.'

'And it has a great deal more to tell you yet,' Mr G replied, with no evident concern. 'Including a revelation which you might find distressing. Mr Hanratty has vowed to crucify – and he means that quite literally – the murderer of those two fine though reckless ladies in the lampless alleyways of Limehouse.'

'You can't blame me for that.' The bootmaker waved his knife like an angry schoolmaster with a rule. 'They tried to trap me. In fact the second one—'

'Dulcie,' I breathed, sickened at the memory.

'That damned vixen pulled a gun on me,' he told us in wounded tones. 'And if her friend had not distracted her by begging for help, she could have done for me. But I saw my chance and took it. One chop with this knife and I had half her hand off and the gun with it.' He paused in memory of the event. 'She was a game one, though – not a glimmer of fear as she tried to fight me off. Gave me a good old knee in the crotch, tore at my hair and cracked my skull on the wall – made my head ring like a Sanctus bell. I would have liked a lot more time with her.'

'You disgusting—'

'Don't, March,' Pound cautioned. 'It's exactly what he wants. But he's no man when he can only frighten women and girls.'

I wondered briefly if George knew the true significance of what he had just said, but realized that he could not have.

The bootmaker's face blazed, but it was then that I saw his powers of self-control. In a moment his expression turned to a sneer. 'Still on first-name terms?' He grinned. 'Which of you wants to watch the other die?'

It was then also that I saw George Pound's self-possession. 'If I rush you now,' he said calmly, 'you won't have time to aim for my head and it will take at least three shots in my belly to bring me down before I get there. Think Mr Grice will stand calmly back while you fire them off?'

'Think Miss Middleton will?' I added.

'Please don't,' Lucy implored.

The bootmaker narrowed his eyes as he weighed us up. 'Let us try it out, shall we?' He tried to outstare George, but Pound met his eyes coolly. 'Only, if I disable you and this pipsqueak first, I can promise you one thing, Inspector, your lady friend will have a very messy end indeed.'

'And, as I have already hinted to my unusual ward,' Sidney Grice chattered blithely, 'jealousy may well be the root of the malice that ignited – then smouldered – in the ruins of Steep House.'

'How in the name of Hades did we get on to the subject of that infernal house again?' the bootmaker expostulated.

'Because that unworthy emotion,' Sidney Grice plucked floating petals from the air over his head so convincingly that I could almost see them myself, 'was not germinated, nor did it take root or flourish within the noble heart of Miss Freda Tulsima Wilde, for she loves her friend who, it transpires, hates and envies her.'

'Envy Freddy?' Lucy scorned. 'For what?'

'It was Miss Wilde whose parents were rich whilst yours, though she did not know it, were facing penury. It was Miss Wilde who was clever and witty and turned all the boys' heads. Most pertinently, it was Miss Wilde who stole the heart of your beloved brother, Eric.'

Sidney Grice watched his petals float away with an almost-beatific expression.

'That is a lie!' The chair rocked violently and if Lucy Bocking could have broken her bonds, I would have feared for my guardian's safety. 'Eric may have had a crush on Freddy but I was the one he really loved.'

91

The Heart of the Fire

SIDNEY GRICE STARTED humming, scaling hitherto unexplored continents of tunelessness, whilst tapping both feet in different rhythms.

'Before,' he broke off, his feet still drumming frenetically, 'we venture down that thorny path, I should like to consider the condition of Steep House.'

He stood still.

'Well, maybe I wouldn't.' The bootmaker amused himself by wrapping a tress of Lucy's hair tightly round his fingers, pulling up hard and sawing it off with his knife.

My guardian put his hands on his hips. 'Let us consider the origins of the fire,' he persisted. 'We were expected to believe that it started in a Christmas tree, the candles having been left unattended.' His hands cupped into a megaphone. 'Were your parents moronic, Miss Wilde, or, perchance, in the habit of retiring in such states of intoxication that they were unaware of what they were doing? Were they such democratic employers that they sent their servants to bed before they followed suit? If not, did not one of those minions observe that the waxen illuminations had not been extinguished?'

'The fire brigade and police thought that one of the wicks must have been left smouldering and reignited,' Freddy explained. 'And, no, my parents were neither stupid nor drunk.'

His megaphone fell apart. 'I did not say that they were.'

'I did not say that you did,' Freddy whipped back, and Mr G inclined his head.

'*Sehr gut*.' He paused admiringly. 'I have, however, another undisclosed number of difficulties in subscribing even lukewarmly to that scenario. First,' he held up one finger for the benefit of anyone who was uncertain which number he referred to. 'The worst fire damage was to the south-east of that, to wit, the right-hand side as one faces the architectural corpse.'

'There was paraffin stored in the cellar against my father's instructions by one of the maids – who wanted to save herself having to go outside for it at night,' Freddy explained. 'But she paid for that with her life.'

'And three others.' Mr G's right foot thrust out like a big game hunter posing with his first lion. 'Quite a steep price, some might argue. However, you have yet to convert me to your cause for, when I examined the generously proportioned entrance hall, I was filled with wonder, as Miss Middleton can bear witness, to come upon a varnished floor.'

'Many places have those,' Pound objected, 'including this one and the house I live in.'

'Oh, Chief Inspector.' My godfather mimed tossing a weighty object into the air. 'Must you dominate proceedings with your embarrassing domestic anecdotes? The varnish,' he continued, before George could reply, 'was blistered.'

'Of course it was,' Lucy rejoined. 'There was a fire.'

'*Coniferophyta* burn with a vigour which may be gratifying or alarming, depending upon one's aspirations,' Mr G pondered, lowering his foot cautiously. 'If I were to set one on fire here and now – though you may rest assured that I have no intention of doing so – I would be overweeningly confident that the intense heat would melt the varnish and set it alight in very short order.'

'So why didn't it?' Pound had slid another inch.

'The question I asked myself,' Mr G inclined his head like an adult listening to a shy child, 'is how did the conflagration travel from the tree to the cellar?'

'Fire moves in funny ways.' The bootmaker unfastened another button of Lucy's dress very gently, and she shivered.

'No, it does not,' Sidney Grice argued. 'Heat and flames move upwards most readily, laterally less readily, and downwards least readily. If you want to burn something quickly you place it above, not at the side of your heat source, and certainly not below it. If the blaze had started in the tree, it would have spread to the staircase and ceiling. Fragments of the staircase still stand.'

'The ceiling collapsed, though,' Freddy pointed out.

'And landed on the non-ignited varnish, the thick plaster-work protecting it from the full effects of the heat.' Mr G prodded the floor with his boot, as he had when testing the floor of the ruins. 'Indicating that the fire was on the upper floor first. The logical conclusion, therefore, would be that the fire did not start at the tree.'

'Does any of this actually matter?' The bootmaker yawned.

'I am sorry if we are keeping you awake,' I murmured.

'Let us pretend,' Mr G invited us, 'that the primary source was in the most readily flammable part of the house, which was where, exactly, Miss Wilde?'

'Where the paraffin was stored,' Freddy said, 'under the front of the house to the right.'

'Where poor Eric was found.' Lucy sighed.

'But why would Eric have gone into the heart of the fire?' I asked.

'To try to put it out,' she replied, as if I were stupid.

'Or to try to escape,' Freddy volunteered. 'There was a window leading into a light-well there. He managed to smash his way into the well but there was a locked grating over it.'

'And the flames would have been sucked up into the air over him,' the bootmaker imagined with relish. 'Roasted like a suckling pig.'

'Shut up.' Lucy strained her arms and lowered her head in a hopeless attempt to block the words out.

'I do not think you are in much of a position to give me orders.' The bootmaker snatched another fistful of Lucy's pale blonde hair and yanked her upright. His mouth went to her cheek and I thought he was going to kiss her, but he brushed it against her ear and murmured, 'Must have made a nice lot of crackling.'

Lucy wrenched her head away and strained at her bonds, a muffled howl escaping from her clenched teeth but failing to drown him out.

'For pity's sake, man,' Pound railed. 'Have you no humanity?'

'Some.' The bootmaker licked his lips showily. 'But none to spare.'

'Go on,' my guardian urged, and mouthed something about *control*.

'The flames would go up through the floors until they reached the roof.' I pictured the wreckage with its still-standing bay, 'And along each floor and the roof, every layer would have been collapsing onto the one below as it became too weak to support itself. So,' I tried to superimpose one image on another. 'New House had a large central skylight. If that collapsed, the top of the stairs could have been blocked quite early on. The flames would have shot through the roof and gone the only way they could – sideways.'

'Everyone was trapped by the bars on the windows,' Freddy said miserably. 'Daddy had them put on after a spate of burglaries in the area. But, because my bedroom was at the side of the house, Fairbank managed to get to me from the servants' staircase at the back – where the fire was less intense – and carried me out. But I was unconscious, overcome by smoke and pinned down by a burning beam. By then the flames were too intense for him to get back in.'

'What a touching tale.' Mr G put his hand to his heart. 'If only it were true.'

'But he told me so, and Lucy saw him carrying me out,' Freddy said.

'Good old Lucy.' Sidney Grice waved his handkerchief in celebration. 'Except that she did not.'

Both women opened their mouths but neither spoke.

'We went to see Mr Fairbank,' I explained. 'And he told us he was in Elderberry House, next door, when the fire started, and Freddy was already lying on the ground.'

'This is outrageous,' Lucy blustered. 'He has been claiming a pension from the estate. He was even given a house as a reward for his bravery.'

'And he saw you nearby,' I continued, 'as soon as he arrived.'

'The man was a drunk,' she stormed.

'And freely admits as much,' Mr G said. 'I did not only search through Miss Wilde's undergarments.'

'For your diary,' I explained hastily, and her indignation was transformed into perplexity.

'I do not keep a diary.'

'The one you kept in Steep House,' I said guiltily, for I hated my guardian's habit of finding and reading mine.

Freddy greeted that news with overt confusion. 'But it was lost in the fire.'

'Or possibly stolen,' Sidney Grice said, and shushed any objections by saying loudly and clearly, 'Whatever its provenance, it was certainly not stored in your chest. It was charred and yet there was no ash, nor the lingering aroma of combustion in your immaculately laundered and stored petticoats.'

'But where was it?' Freddy searched our faces.

'Well, don't look at me,' the bootmaker told her jocularly.

'I found it and kept it,' Lucy announced.

'And partially incinerated it,' Sidney Grice chipped in. 'Miss Middleton, occupier but not owner of 125 Gower Street, commented privately to me that the surface was shiny. But she failed – as is her wont – to notice that the lower two thirds of the page were not, and the facing page had only a light sheen. If only – and my life is festooned with such regrets – she had touched it with one of her indifferently manicured fingerplates.'

'You told me not to,' I railed.

'I told you to be careful but, if you had performed that unchallenging action, you would have realized that this glossy area was oily from the drip-dripping of candle wax, the page having been deliberately burned to conceal Miss Wilde's report of a conversation.'

I quoted from memory: '*he told me, "I hate Steep House and everybody in it. I shall destroy them all."*'

Freddy's lips parted, but my godfather's arm shot out towards her in a Roman salute. 'Oh why, oh why – and you may answer this at my earliest convenience, Miss Freda Tulsima Darovena Wilde – did you start your sentence with a lower-case h?'

'It said *She*.' Freddy tried but failed to wipe her inflamed left eye on her shoulder. 'Lucy made that threat, but my diary went on to say that it was just because she was angry at not being invited with me to the New Year's ball, and I knew she did not mean it. After all,' she continued less certainly, 'it was Lucy who saved my life.'

'At the risk of my own,' Lucy pointed out.

'I also took stock of the contents of your trunk, Miss Bocking,' Mr G, closely watched by the bootmaker, slipped a hand gingerly in and out of his breast pocket, 'whilst my inelegant and sometimes mendacious godchild was regaling you with a bawdy ballad.'

'I think not.' Lucy smiled uneasily. 'The padlocks were not broken and only I have the key.'

'Grice knows no locksmith.' He flicked his cigarette case open to display the picks. 'Though that is not literally true. I know of seven hundred and three, and have met one hundred and eighty-six. It is just that I was trying to coin a neat turn of phrase.'

'You did very well,' I assured him.

'Was that sarcasm?'

'It was not.'

'Thank you.' He made a slight bow before raising his voice. 'You could not bring yourself to throw it away, could you, Miss Bocking – the notorious yellow dress that meant so much to you.'

Lucy flushed. 'I rescued it from the fire,' she said.

'But where did you find it?' Freddy asked.

'In the garden. It must have fallen out,' Lucy blustered. 'I saved it for you, Freddy, and then I thought it might upset you too much, so I locked it away – along with your diary.'

'The hem was badly scorched,' Mr G told her.

'Of course it was,' she responded incredulously. 'It had been in a fire.'

'But why only the hem?' I pressed. 'Oh, Lucy, Mr Fairbank saw you wearing it.' I did not know if that was true but Lucy soon confirmed my hunch.

'He is a liar,' she spat. 'He always has been. My father nearly sacked him several times but always felt sorry for him. That man has been trying to blackmail me with false allegations for years.'

'Then why not cut off his allowance?' I asked. 'Or is it paid to keep him quiet?'

'My father set up a fund that I cannot touch. I should have...' Lucy began, and I could only guess what she thought she should have done to her father's old butler.

'Shall I tell you what I think happened?' I said.

'I wish somebody bleeding would,' the bootmaker complained. 'I'm itching for my fun.'

'Fun?' Sidney Grice mused. The word held a special meaning for him.

'That's right.' The bootmaker took a breath and drew his knife across Lucy's throat.

92

Below the Blade

LUCY SCREAMED AND Freddy sobbed out, 'No!'

'It is all right,' George Pound held up his palms and pushed them down in a calming motion. 'He is using the blunt edge.'

'What?' Lucy looked at him wildly, gasping, and trying to bury her head in herself before she absorbed what he was telling her.

'Got you going, though, didn't I.' The bootmaker smirked.

'If by that you mean Misses Bocking and Wilde, you may be correct,' Sidney Grice said amiably.

'Shall I tell you what I think?' I began, but had a better idea. I unclipped my handbag.

'What's she doing?' The bootmaker gestured angrily.

'I just want to show you something.'

The stuffing was first out again. I rammed it back in and delved deeper. 'Oh, for goodness' sake.' I rooted through all my paraphernalia until I found the cold metal handle. 'Oh, here it is.'

I brought out the starting pistol.

'What's the idea?' The bootmaker looked rattled for the first time.

'Let us call it my insurance policy,' I suggested, levelling the barrel in his direction. 'I shall not make the first move but, if you should decide to use the other edge, I will kill you.'

'But you shook your bag out.'

'I pinched the leather to hold the gun inside.'

'You did it very well.' The bootmaker threw me a morsel of praise and I forced myself to reward him with a wink.

'Do you want to give that to me, March?' George suggested, for he knew how unintentionally dangerous I could be with firearms.

'No, thank you, Chief Inspector,' I said stiffly, for it might look too obviously light in his strong grip. 'I should not like you to get into trouble for bearing arms whilst on duty.'

'Well, we seems to have reached an impasse,' the bootmaker conceded. 'Let us see who blinks first, shall we?'

Mr G made as if to sweep dust off his left lapel and shot me an anxious glance. 'Then the metaphorical floor, Miss Middleton, is yours.'

'Is it?'

'You were about to tell us what you think,' George prompted.

'Oh yes,' I remembered. My throat was dry. 'I think Lucy went in and dragged Freddy out, which is how she burned the hem of her dress.'

Lucy puffed out her cheeks. 'You are right, March, I did. But, when Fairbank turned up and begged me not to tell anybody he had been absent, I felt sorry for him and let him take the credit.'

'What an exemplary client you could be.' Mr G made a clapping motion with his left hand. 'Brave and generous – if only you were not such a liar.'

'How dare you?' she exploded. 'Nobody speaks to me like that.'

'I do.' Sidney Grice treated us to a rare, though not jolly, smile. 'Would you like me to leave?'

'Why were you wearing the dress, Lucy?' I asked.

'I liked it,' Lucy faltered. 'I should not have taken it, I know, but I was young and girls do silly things.'

'They certainly do,' my guardian concurred wholeheartedly, and the bootmaker snuffled in amusement.

'Why did you change the dress before anybody else turned up, Lucy?' I asked, keeping my gun trained on him.

'So that I did not get into trouble,' she said simply. 'And that is why I let Fairbank take the credit. We did each other a favour, really, keeping each other's secrets.'

'But, Lucy,' Freddy said in bewilderment, 'the dress was in my wardrobe that night. How could you possibly have got to it?'

'Unless you were in the house before the fire,' I concluded.

And Lucy hung her head. 'I went in earlier and took it. I was going to put it back. But I had nothing to do with the fire, I swear.'

'That's funny,' George Pound mused. 'Nobody said you had.'

Lucy slapped the arm of her chair as much as her restricted movements allowed. 'Well, that was the implication of their questions.'

'Sounded to me like they were asking about some stupid dress,' the bootmaker chipped in. 'But now it sounds like you started that fire and I know how to prove it.' The bootmaker rotated his knife so that the point rested under the angle of Lucy's jaw. She winced. 'Here's the deal,' he said. 'You tell me the truth and I don't dig this in any deeper. Tell me one lie and I do, and it'll be too late for your plank-faced pal to do anything about it.'

'I am not bluffing,' I bluffed.

'Ditto.' The bootmaker winked back.

'But how can you know if Lucy is telling the truth or not?' Freddy asked nervously.

The bootmaker shrugged. 'Well, everything she's said so far that they've caught her out on, I've known in advance. So let's play.' He applied a little pressure and I saw Lucy's skin indent. 'Did you set fire to the house?'

'N—' was all Lucy managed before she jumped in pain. 'Yes, yes, I did.'

A drop of blood sprang up just below the blade.

'No court will ever take this as evidence,' Pound warned, and the bootmaker tossed his head.

'Let me put it this way. I'm not coming forward as a witness for the prosecution.' The bootmaker gave his attention back to Lucy, who was squirming in pain as her blood broke through, hanging like a teardrop. 'How and why? And no more porkies, girl, or the next one might be your last.'

'Take the knife away,' Lucy begged, 'and I'll tell you everything.'

'See?' The bootmaker grinned. 'There isn't anything to being a detective after all.'

'I shall deny it all afterwards,' Lucy muttered, and the bootmaker wiped his knife on her dress in a slow cross over her left breast.

'What makes you thinks there'll be an afterwards?' he asked.

A look of shock shot across Lucy's face, and it took me a while to realize that there was anything strange about that.

'But we have—' She stopped herself and George Pound clicked his fingers.

'Of course,' he said, to my and Sidney Grice's puzzlement. 'Now I get it. You were going to say you had an agreement.'

'Nonsense,' Lucy blustered. 'No wonder we need private detectives with such stupid policemen.'

'And personal detectives,' Mr G added sotto voce.

I took my eyes off the bootmaker for a moment. 'What sort of an agreement?'

'To let him in.' George stepped forward.

'Get back against the wall,' the bootmaker snapped, and then, 'How did you work that out?'

'Because the maids didn't,' Pound replied. 'By the way, where is your cook?'

'Why on earth are you mithering about that?' Lucy demanded.

But Freddy explained. 'She has gone to a funeral. All five of her nieces died of scarlet fever in Edinburgh.'

'Edinburgh.' For once Sidney Grice was visibly moved. 'Oh, what a terrible waste.' He rubbed the back of his neck. 'Of granite.' He pulled himself together. 'But why have you not employed an agency woman?'

'We were going to,' Freddy replied.

'Going to where?' he snapped.

'Going to hire one,' she clarified. 'But the last one was so awful that the girls said they would have a go. They both liked to help Cook.' Freddy lowered her head. 'They were lovely girls,' she sobbed.

'Certainly were.' The bootmaker licked his lips ostentatiously.

'You filthy—' Pound caught his words before any more escaped. 'They were in the middle of making scones and both of their hands were covered in the mix. If one of them had gone to the door, she would have wiped her hands or washed them. All the cloths were clean and the sink was dry. I had a close look at it.'

That must have been when I thought he was going to vomit, but he was checking the tap.

'Perhaps she let him in before she started to help.' I prayed that he would be able to gainsay my suggestion.

George was sceptical. 'When I was a handsome young pup of a constable,' his eyes sparkled as in days of old, 'I wasn't averse to sweet-talking my way into a few sculleries on a wet winter's night. First of all, I would never have gone through the front way. The householders would have wanted to know what I was up to. The maid wouldn't go on helping Cook and ignoring me. Otherwise why would she have let me in? She'd cut me a thick slice of bread – with jam, if I was lucky – and give me a mug of tea. The kettle was cold.'

'*Gut gemacht.*' Sidney Grice was undisguisedly impressed.

And George Pound grinned. 'I've waited ten years to hear him say that,' he told me. 'Whatever it means.'

And it was all I could do not to run over and kiss him.

'At last.' The bootmaker saluted. 'A peeler with brains. You're wasted as a copper, Chief Inspector.'

'The day I see you in the dock, I shall count my time well spent,' Pound said, with a power that made me shiver.

'But why?' I asked Lucy, unable to bring myself to use her name.

'To lure me in.' Sidney Grice put a hand to his brow in an odd salute. 'With a view to curtailing my life.'

'Not just you,' the bootmaker said. 'Your girl has been causing no end of trouble.'

'She is very good at that,' my guardian assured him, his hand still in place as though he were squinting into the sun.

'If I have made your life a bit difficult, I humbly apologize.' I performed the tiniest of curtsies. 'For that was never my intention. I meant to make your life very difficult indeed.' I paused. 'But why did you hire us in the first place, Lucy?'

'I wanted you to find the man who attacked me,' she replied simply. 'I was not to know you would go delving into Steep House and Silas Spry.'

'And you really thought he would let you go?'

'I gave him a non-cancellable bankers' order for one thousand pounds, but it is post-dated by a week and my accounts will be frozen if I die.'

'I am not sure that he cares about the money,' I warned, and Lucy met my gaze beseechingly as the bootman smirked.

'Think you can hold that gun up forever, do you?' he asked solicitously. 'Arm not getting tired?'

'I am quite comfortable, thank you.' Though, in truth, it was starting to ache.

He laughed sarcastically. 'I'm going to enjoy hurting you.'

'I am not sorry to disabuse you,' Sidney Grice said. 'But I could not possibly permit that.'

'How you going to stop me?'

'He won't need to,' George vowed. 'I will.'

'Excuse me, Chief Inspector.' My guardian puffed indignantly. 'But I am quite capable of looking after my own goddaughter.'

'Well, you ain't making too good a job of it at the moment,' the bootmaker sneered.

'Oh, she always looks like that,' Sidney Grice assured him, and the bootmaker cackled.

'You.' He gave Lucy a couple of light slaps as one might try to rouse an inebriate. 'Tell us about that brother.'

'And, for the benefit of your erstwhile partner in felony,' Sidney Grice chipped in, 'you might like to explain why you killed him.'

'What on earth are you talking about?' Lucy's pique fragmented into a yelp as the wire dug in. 'All right.' Tears of pain and frustration sprang up in her eyes. 'I'll tell you everything.'

'Before you do, Lucy...' Freddy paled. She fought to continue. 'I think you should know something. When you were in my dressing room I saw you.'

'What are you talking about?'

'I thought it was a burglar and that he might go away if I pretended to be asleep, and then I saw you – in my new dress with Eric.' Freddy almost choked on her own words. 'He was... pawing at you... slobbering... You—'

'Slobbering?' Lucy raged. 'It was not his fault his lips did not meet.'

'That is not what I meant.'

'You spurned him,' Lucy accused. 'My poor Eric was not pretty enough for you, was he? But do not trouble yourself on that account. He had a dutiful sister to make up for that.' Lucy looked at the assembled company defiantly. 'Oh, what is the point?' she spat. 'Whether or not you try to escape, the result will be the same.' For a fraction of a moment Lucy looked almost serene. 'Whatever happens, I am not getting out of this alive.'

93

The Light and the Dark

I RESTED MY RIGHT elbow on my hip for support.

'I told you that Eric had a soft spot for Freddy,' she began hesitantly. 'But it was much more than that. She obsessed him. He could hardly talk of anyone or anything else – the way she looked and moved, the way she laughed, things she said and did. It was endless. But he was not good enough for dear sweet high-and-mighty Freddy. She hardly even noticed him.'

'I could not help but notice Eric,' Freddy objected. 'But I tried not to. He made me feel uncomfortable, the way he stared.'

'Of course he stared.' Lucy kicked the leg of her chair with her heel. 'How could he not, with you flaunting yourself, smiling and flirting.'

'I did not,' Freddy cried. 'I never encouraged him.'

'Just get on with it,' the bootmaker said.

'Eric was desolate. He wanted Freddy so much but he was too shy to approach her. I offered to speak to her, but when I broached the subject of my brother, Freddy laughed and said he was a funny one. Funny!'

'I was a child,' Freddy objected.

'You were twelve. Girls used to get married younger than that.' Lucy chewed her cheek. 'Eric changed. The happy prankster with whom I had grown up became moody and irritable. On more than one occasion he snapped at me and made me cry and, when I complained to my mother, she told me that it was my own fault. I should be doing more to make Eric happy. I did not understand what she meant, but she told me not to ask so many questions. If I were a good sister I would have more understanding of Eric's needs.'

'Can I ask,' I began carefully, for I still hoped her account was not leading where I feared, 'if Eric was your real brother – and your mother was too?'

'Her mother cannot have been her brother,' my godfather objected.

'Miss Bocking knows what I mean.'

'Of course they were.' Lucy bridled, as if anything else would have been indecent. 'To start with it was awkward. I was shy and felt too embarrassed to ask, but once Eric realized how much I wanted to please him, I soon discovered what was expected of me.

'At first he was easy to satisfy. I did things for him and he was happy with that. And then I let him do things to me— No, that is not quite true – I encouraged him. His needs became greater but I was more than willing to fulfil them. I was just so happy that my darling brother had me instead of Freddy. But he kept talking about her and how much he wanted her, and so I let him call me Freddy.

'Freddy and I had always kept our drapes open since we were children. No one could see us, but we could see into each other's rooms and wave to each other. Freddy always had a night lamp. She was afraid of the dark. And so we would turn my light off and Eric would do things and get me to do things, while he watched her lying in her bed, and called me Freddy, Freddy, sweet darling Freddy, over and over. But still it wasn't enough.'

Lucy seemed unaware that her captor was undoing another button.

'I saw how Eric had looked at Freddy that summer in her yellow dress. She was so stunningly beautiful that he couldn't keep his eyes off her, and so I stole the dress – it was easy. We were always in and out of each other's houses. And I put it on for him and that helped a lot. He wanted me all the time then. It was heaven. I made up my hair like hers and even tried to speak like her, in her pretty-prissy way, and Eric was beside himself with want. Once he saw Freddy getting disrobed and he was in ecstasy.'

Lucy's face lit up with something close to the same emotion.

'When it was discovered that the dress was missing I hid it in the attic beside the maid's room, but then her ceiling came down after a leak and she moved rooms, and when I went to get it, she saw me, and so I had to put other things in her room. It was her word against mine.' She swallowed and cleared her throat.

'And you let her go to prison?' I remembered.

'Well, you could hardly expect me to go.' Lucy's voice rose self-righteously.

'So what happened to…' I combed my mind for the name, 'Jocinda?'

'When she came out – after far too short a sentence – she tried to blackmail me. I knew she had no proof, but she could have besmirched my reputation with her filthy insinuations.' Her tone fell. 'I told her I had money in a box tied under my window sill, but I was not tall enough to reach it. She was so stupid. I could not believe anyone would be that gullible, but she leaned out to get it. I said I would hold her legs to stop her falling, and I tipped her out.'

Lucy's face dropped and drained, and she could hardly get out the next words. 'And then the disgusting creature that spawned her killed my father and my darling, darling mother.' Her voice broke.

'Boo-hoo.' The bootmaker pulled a faux sad face. 'So what about dear Eric?'

'I was no use to Eric after the dress was found.' Lucy's eyes overbrimmed. 'I offered to get an identical one made but he said it was no good, it would not be hers, and there was no point in me taking another dress. He wanted one that she had worn.' She arched her back stiffly. 'So the next time I went to Steep House I sneaked down and left the back door unlocked. I knew that Fairbank, the butler, would not check it because it was never used. And I took Eric into the house that night, and we crept into Freddy's dressing room and I put the dress on. It was a terrible risk but that was part of the thrill, and I played Freddy for him in that room next to hers, and just before the end I opened the door a crack so he could see her lying in bed facing him. I was terrified she would wake up, but so excited I could hardly breathe.'

Lucy took a few sharp breaths in memory. 'But in the cold light of day I realized how dangerous my acts had been and I refused to do it again. Eric was so upset he wouldn't speak to me for weeks.' She pouted. 'And, when I burst into tears over dinner, Mummy dragged me away and said that I had obviously upset my brother. She did not want to know why. She only knew that I should at least try to be an obedient and loving sister.'

She spoke very carefully now. 'And so I found a new way to please him and at first it was enough, but he would sit all night in my window afterwards, watching and wanting.' Lucy laboured to catch her breath. 'Freddy – always that damned Freddy-Freddy-Freddy.'

94

The Burning of Flesh

SIDNEY GRICE FOLDED his arms and surveyed her bowed head. 'You spent six months in a convent, did you not, Miss Bocking?'

'St Philomena's.' She scowled. 'What of it?'

'Even now defiant.' Mr G reached into his jacket.

'Not so fast,' the bootmaker snapped, and Sidney Grice withdrew his hand a fraction at a time to reveal a folded letter.

'I wrote to that institution, asking if they would like a contribution to their funds, and had a very civil response from Mother Superior Sister Mary-James, outlining all the holy works they perform. Miss Middleton was too idle to read it but I imagine the contents will be of greater interest to some members of this assembly. The particular calling of the Sisters of Misfortune is suggested by the name of their community, for Philomena is the patron saint of infants and their duty is to tend to foundlings and the children of fallen women.'

'I did not think one could with one's own brother,' Lucy admitted in wonder. 'But I had a child – a monster, they said, who could not even be christened for it was the devil's spawn. I never saw him and, for all I know or care, they drowned him in the font.'

'You had a boy,' Freddy said wonderingly.

'They wanted to lock me away,' Lucy said flatly, 'for I had committed unspeakable sins. But my parents could not countenance the disgrace and so they forgave and took me back.'

'Did they punish Eric?' I asked

'Of course not.' Lucy's eyes flared. 'I had led poor Eric astray, they said, but the strange thing is—' she became a lost girl—'I did not really understand what we had done.'

'Did he stop making demands of you?' I tried, and the boot-maker snorted. He had four buttons undone now and I could see the top of Lucy's chemise.

'He told me Freddy had smiled at him on a few occasions and that she had asked about me, but he knew that it was really just a pretext to get close to him.'

'Oh, for heaven's sake,' Freddy broke in despairingly.

'He did not want me now that I was despoiled.' Lucy's eyes took on a strange lifelessness. 'And I suppose you could not blame him for that.'

'I think I could,' I muttered furiously.

'But I could speak to Freddy for him,' she said in a monotone. 'It was then that I made my mind up. The day after Boxing Day, I told Eric that I had done as he asked and that Freddy had sworn that she loved him too and wanted him to come to the house and spend the night with her, but he must say nothing in the mean-time to her or anyone, just to tell our parents that he was staying with a friend. I took him into the cellar and told him Freddy had set up a feather bed in the back room. He was so eager that he never even stopped to think and, when he went to look, I slammed and bolted the door. It was next to the paraffin store. There was a barred aperture between the room and Eric was shouting and cursing. He thought it was just a silly practical joke until he saw me open the taps and smelled the fuel, and then he started begging – Eric begging from me.' Lucy shook her head in disbelief. 'It only took one Lucifer and a soaked rag. Eric was hammering and screaming before the flames even reached him and I stood and listened, but then I worried that he would wake somebody up. So I called *Goodbye, my darling brother* and went upstairs, and you could not hear a thing when I shut the door into the hallway.

'The Christmas tree was very pretty.' Lucy smiled in remembrance. 'I lit the candles and watched from the terrace until I was sure that the flames had taken. I smashed a window to make it look like a burglary and hurried back to my room.'

'You must have waited a long time then.' Sidney Grice held up a crooked finger.

'How can you know that?'

'Because the flat window glass lay on top of the curved from the dome,' he said. 'But pray continue with your narrative, Miss Bocking.'

Lucy huffed, as she used to when he first irritated her. 'I could not go to bed. I sat in my window in my beautiful dress – I had taken it that afternoon – and stroked myself as Eric had liked to, and watched Steep House become a bonfire.'

The bootmaker had slipped his hand inside her dress and Lucy closed her eyes. 'Eric.' She stretched as if from a lovely dream. 'And then, when I saw figures on the lawn, I had to go and see what was happening.'

Her smile became distant as the bootmaker's hand moved slowly round.

'Do you feel no remorse?' I asked.

Lucy grimaced. 'The only reason I encouraged my parents to take Freddy in was so that I could watch her getting uglier every day. And that was my one regret, knowing that Eric had not lived to be repelled by her.'

The bootman withdrew his hand, but only to rip open the rest of her dress to the waist. Lucy hardly glanced to see what he was up to.

'Over the years, though, I started to realize that I had had no choice. He would have abandoned me and I could not have let him go to Freddy or any other woman. This way was perfect. He had been mine and nobody else's. And the more I thought about it, the more I realized that it was all Freddy's fault. If she hadn't been so beautiful and funny and clever and had that lovely yellow dress, he would have been happy with me forever. And the worst of it was, she did not even want him. *She* should have had the child and been cast aside. But there she was – so happy and more beautiful than ever, and taking an interest in some earl's son who had invited her to a New Year's ball. Surely she had to be punished for that?'

Sidney Grice had the same expression as he wore when sorting out a difficult mathematical problem.

'Punished?' Freddy cried, with such passion that Lucy jumped. 'I have certainly been *punished* – all these years of pain and disfigurement that will never get anything but worse. And for what? For being naive? For not wanting to be leered at by your disgusting brother?' Freddy saw her fellow captive about to protest, but she would not be silenced. 'If I had faults,' she wept, 'my God, they have been expiated.' She strained every sinew of her body. 'But know this, Lucy Bocking. When I saw you and Eric…' Freddy gasped and fought to control her emotions. 'And in all these years afterwards… I never condemned you – not once – because I thought that he had made you.' Freddy almost choked. 'I felt sorry for you.'

'*You* felt sorry for *me*?' Lucy tore uselessly at her bonds.

The bootmaker clapped Lucy's shoulder in mirth. 'Oh, this is rich.' The man chuckled. 'What a pair we have here.'

'Shut your mouth,' Lucy shrieked, but he roared with laughter, wrenching the dress aside to bare her shoulder.

I would have expected my guardian to be shocked, for I had known him to be nauseous at the sight of an ankle – especially one of mine – but he only said, 'I can see one of your contusions now.' He had the face of a poker player. 'I told you I might.'

'Well, I hope you are satisfied,' she flared back.

'I shall never be that.'

'This has gone far enough.' Pound clenched his fists impotently.

'Oh, we have much further to go yet,' the man vowed, and bared the other shoulder.

But Lucy paid no attention. She had the look of a beast now, her head rolling so violently that I thought she would dislocate her neck. 'Want to know why I saved you, Freddy?' The words sprayed messily from her mouth. 'Because I wanted you to see how grotesque you had become.'

'And how did Miss Wilde become so badly burned almost exclusively on the face?' Sidney Grice pounced, and Lucy banged her head back on the chair with a great cracking sound.

'The shovel,' I realized.

'I told you that you would work it out,' my guardian said, with a tilt of his chin.

But Lucy looked at me venomously. 'What the damn does it matter now?' She was all at once still. 'I found her on her back. She must have been overcome by the smoke, but she had staggered almost to the door before she collapsed. Her hair was singed but she did not look too badly hurt. My mother was there. She handed me the garden spade and told me to do what I had to. I think she meant for me to finish Freddy off, this prissy bitch who had caused all this trouble, and I had every intention of doing so. But, looking at that perfect button nose and beautiful bow lips, I had a better idea. There were some red-hot ashes nearby.'

Freddy howled but she could not shut the next words out.

'I shovelled them on. By Satan, she sizzled.' Lucy's words were rapturous. 'Even in all that smoke, I smelled the burning meat that was her flesh.'

'Oh, how priceless.' The bootmaker hooted and swapped hands with his knife. 'What an excellent note to end on.'

And with that, he grasped the ivory handle of Sidney Grice's revolver.

95

The Human Stain

I RAISED MY STARTING pistol a fraction.

'But we have not talked about you yet,' I pointed out, for I knew no man could resist that topic. And, seeing him tip his head in semi-assent, I continued, 'You do not do it for gratification. You could get that in many places for the price of a drink. You do it because you hate women.'

'Why, Miss Middleton, you should be an alienist.' The bootmaker's smile was forced this time, I thought, but he took his hand off the gun.

'You are beyond medical help,' I told him, and the smile congealed.

'Do not talk to me about doctors.' His fingers blanched on the knife handle.

'There is one that we really ought to mention.' I waved the gun in an attempt to relieve the cramp in my arm. 'You see, we know that you murdered Mr Lamb.'

'Oh yeah?'

'The surgeon?' Pound's question went unanswered. He had edged another couple of inches.

'And we know why.' I looked the bootmaker in the eyes and saw them smoulder, his lips still fixed mirthlessly. 'For the same reason,' I said carefully, 'that Lady Brockwood did not disable you with her knee. There was nothing for her to damage.'

The smile shrivelled into scorn. 'It took you a long time to work that out.'

'But those women never did you any harm,' I burst out.

'You think not?' The embers burst into flame. 'Have you any idea what it is to be despised for an injury that wasn't your fault?'

'Shall I answer that one?' Freddy asked quietly, and the flames dipped briefly.

'I take your point,' the bootmaker conceded. 'But it is different for men.'

'Really?' she demanded. 'The only man I ever kissed screamed.'

The bootmaker wiped his nose on the inner bend of his elbow. 'It is being laughed at that I cannot bear.' He leaned towards her confidentially. 'The first woman I went with was a widow. She knew what to expect and she mocked me. I ran away that time but never again.' His mouth worked like a man building up spit. 'The girls I go with now have no idea what to expect and half of them do not even understand what has happened. But there's one thing for sure – they never laugh.' He chewed at nothing. 'You complain about screaming, but I like that part best and – once I get going – by Beelzebub, you should hear them squeal.'

'But you are punishing innocent girls for what the medical profession did to you?' I tried to reason with him.

'One incompetent surgeon did for me,' the bootmaker said matter-of-factly. 'And I dealt with him. But there's not a woman of the world who would not despise me if she knew, and so I take them before they have the chance.' His tone became conversational. 'When I was whole I was engaged to an heiress.' He rested his elbow on Lucy's left shoulder. 'Very rich and not bad-looking. But I had a rupture lifting a crate that fell off a wagon on to my foot. I was worried I wouldn't be able to consummate the marriage with that and it could be annulled, so I went to see Lamb. He said he could put me right, and then I caught cancer – or so he said. He was just supposed to clean me up.' He looked at my guardian bitterly. 'But when I came round from the ether, he said it was more advanced than he thought and he'd had to be more radical to save my life. I didn't know what he meant until they changed the dressing.'

Sidney Grice jerked upright like a sentry caught almost asleep on duty. 'And that is why you were so angry with Miss Bocking,' he surmised, 'and called her – to quote – a *dirty dirty girl*.'

'I assumed she was a virgin,' the bootmaker agreed. 'But, when I found out she wasn't, I realized that she would know what was wrong with me.'

'I did not notice,' Lucy reassured him. 'I was in a drugged stupor and did not really believe it was happening.'

'Did not?' The bootmaker was incredulous. 'Then I have hung around the square all these weeks, shouting rubbish and trying to sew leather, for nothing.'

'But what,' I asked, though I feared I knew the answer, 'were you waiting for?'

'Take a guess,' he challenged.

'You thought about it later and were worried that she would be able to tell the police about you, and they could check all hospital records,' I surmised. 'But how did you know where Lucy lived?'

'I knew she and her friend were well-to-do by their accents and attire. So I toured all the good roads and squares until I saw a woman with a bruised face and another in a green veil coming out of this house.' He looked at the calluses on the fingers of his left hand. 'There's not too many of them. I thought I would catch her alone to make it easier, but in the end I decided it would be safer to do it in the privacy of her own home.'

'So why did you turn from rape to murder?' Pound enquired, as casually as one might ask for directions in the park. 'It's a very different crime.'

'Not very,' I argued. 'Both of them are about crushing women.'

'What God did not give you in looks he compensated for in brains.' The bootmaker had a greater facility for backhanded compliments than my guardian, I mused. 'But it was you who put me on the road to killing.' He flapped his hands innocently. 'Those two bitches in Limehouse – that was self-defence.'

'And this?' Pound asked calmly.

'The same,' the bootmaker reasoned. 'You and your two friends and this filthy vixen.' He tore at Lucy's hair and she choked back a cry. 'You're all a threat to me, and now this mash-faced one too – you're all witnesses. Besides,' he smirked, 'I rather enjoy it.' He scratched the side of his nose and remembered something. 'So what was that you were saying about me being selected to do this cow?' And, as he spoke, the bootmaker cut a line down Lucy's cheek reminiscent of Prince Ulrich's duelling scar, and she groaned but gritted her teeth.

Sidney Grice curled his fingers and examined the plates. 'I thought I had explained that already,' he said testily. 'Wallace pretended to be drunk so that you would take his place. If you were wondering why he chose you particularly from all the flotsam he could sift through, I would remind you that he was very nearly imprisoned for his role in the attack upon the person of Miss Hockaday at your behest.'

'But he couldn't have known who I was,' the bootmaker objected. 'I kept my face well covered – told him I had a toothache.'

'Jonathon Richard *the Walrus* Wallace liked to know who he was dealing with.' My guardian rotated his hand to peer at his knuckles. 'He had a trick which he adapted from an annoying practice of mine. The first time you met – when he contracted to help you entrap Miss Hockaday – Johnny slipped *Lawsonia Inermis*, better known to the hoi polloi as henna, into your drink. It was a simple thing thereafter to offer the local guttersnipes a meagre reward for spotting a man with orange-stained lips.'

'It had turned brown by the time we first saw you,' I recalled.

'Sneaky crup.' The bootmaker pulled his mouth down in grudging respect. 'I wondered where I had got that. Thought it might be something I caught off a girl.'

'The ladies might like to hum loudly whilst I make my next revelation.' Sidney Grice hurumphed, but none of us took up his suggestion. 'Not only can this detestable degenerate not spill seed, he cannot spill anything.'

The bootmaker turned puce. 'What the hell are you talking about?'

'I took a swab from Lady Dulcet Brockwood and there was blood aplenty and nothing but blood.'

'What? You?' The bootmaker actually looked queasy. 'And they think I am disgusting.'

'Oh, you are,' Mr G assured him. 'I dredge the drains. It is vermin like you that fill them.'

The bootmaker's fist blanched on the handle of his knife.

'What about Prince Ulrich?' I asked, desperate for any delay that would give us a chance to do something, though I had no idea what it could be. 'Why did you try to implicate him?'

The bootmaker spat on the floor. 'That high-and-mighty foreigner strutting the streets like he owned them – so rich and handsome and titled. I bet he had no problems getting girls. But he wasn't happy with all that.' He wiped his mouth on his sleeve. 'He had to set himself up as guardian-crudding-angel, stalking the East End and escorting girls home. He lost me a good few chances and he nearly had me cornered with that Hockaday bitch, and I bet you anything you like he did for Wallace. I thought about getting rid of him myself, but I was in enough trouble with Hanratty, and killing a member of the royal family is asking for trouble, to put it mildly. So then I thought why not make *him* suffer for *my* sins. I pointed the finger with that button and the accent. I put on some good clothes and I even sprayed some scent, but you were either too in awe of his rank or you saw through it.'

'The latter,' Mr G told him. 'Amongst other factors, if you rip off a button sewn as thoroughly as the prince's was, I would expect to find a few strands of cotton and possibly a piece of torn silk. The threads had been cleanly cut and the waistcoat was unscathed.'

'Also you wore new boots that creaked,' I contributed. 'Prince Ulrich's were oiled and softened.'

'Didn't do him any good, though, did it?' the bootmaker jibed. 'I read about that in the papers. Seems the mother of that silly girl they fished out of the river had more guts and initiative than the rest of you put together.'

'But she killed an innocent man.' I protested uselessly, I knew, but I was running out of things to hold his attention, and George Pound, ever edging forwards, was still a long way from being able to surprise him.

'That's what made it so delicious.' The bootmaker smirked. 'Anyway, I have enjoyed our chinwag.' He wrenched Lucy's head back to bare her throat. 'Think I'm stupid?' He sniggered at me. 'That's not a real gun, is it?'

The question caught me off balance. 'Of course it is.'

But he shook his head. 'Not from the way you've held it steady all this time. It's too light.'

'I am stronger than I look,' I bluffed frantically, levelling it at his head. 'Shall I pull the trigger?'

'Go on then.'

'Only if I have to.'

'I can still make you a deal.' Lucy stalled in desperation. 'I have lots more money and I can help you. I can lure girls here or wherever you want. Who would ever suspect me? And you would not even have to leave the house.' She writhed about and strained her bonds but the bootmaker hardly gave her a glance.

'Shall I go first?' He challenged me.

His eyes had a frightening chill in them now.

'No,' Freddy and I cried as one.

Lucy screamed.

'No-no, I can—' But she was beyond even knowing what she could do now, and tossing her head wildly.

The bootmaker smiled quite beautifully. 'Farewell, my pretty one,' he said softly, and the tip of the blade pressed just into the side of her neck.

96

The Gates of Hell

LUCY SQUEALED, BLOOD trickling down her neck.

'Enough.' In one smooth movement Sidney Grice leaped, swept his cane off the table and raised it to head height. He put a thumb on the lever in the handle and the cane exploded in a ball of flame. Sidney Grice cried out and clutched his face, and in that moment the gates of hell sprang open and sucked all of us in.

'What in God's name?' Pound shouted, and, even in the chaos, I realized it must have been one of the sticks that Molly had put in the wash.

My guardian dropped to his knees, clawing his eyes, and I would have run to him but Lucy was thrashing, stricken with terror and pain, whimpering, the blood a steady flow now. And, behind her, the bootmaker grinned and pulled the knife free.

'I'd say that was a misfire.' And he looked down lovingly, as he stroked her chin and drew that long thin sliver of steel slowly and as deliberately as a surgeon making his incision.

Lucy wailed and her white skin broke and was flooded bright flowing red, and she arched back in a hopeless attempt to draw away and escape the steel which was parting her throat. And her feet flew out, running nowhere, and her wail became a gurgle and her arms strained and wrenched, and the chair rocked and the flood became a torrent, then a pulse, splattering from under her right jaw far out on to the rug where once we had sat drinking tea. It may have only taken a second, but terror stretched that time into an endless agony and snapped it back into an instant too quickly to do anything about.

'Lucy!' Freddy screamed.

I raced towards him and swung the barrel of my gun into his face. I aimed for his eye but he pulled back and I caught his cheek.

'Bitch!' He swiped the knife out of Lucy's neck.

She was still alive. I saw her eyes turn to look into mine, pleading for something I could not give.

The bootmaker pulled back his arm to strike, but a large shape hurtled between us and George Pound threw me backwards, almost upsetting me on to the floor.

'Run, darling, run.'

There was a crash and I spun to see Freddy had rocked her chair over sideways and was yanking her left arm free of the broken chair and scrabbling, dragging the chair with her, towards her friend.

Sidney Grice was wiping his eye desperately with his sleeve and struggling up. 'What is happening? March, are you all right?'

'Yes.'

'It is a pity you are blind.' The bootmaker strolled over, the cheesewire dangling from his belt, a tight knot at either end. 'I should have liked you to see me kill you.' He pointed the gun.

I leaped at his hand but his left fist lashed out and cracked me in the mouth. My jaw jolted back against my skull. I staggered and toppled to my knees, groggy but conscious enough to see the bootmaker grin and, slowly and deliberately, pull back the hammer.

'Who are you?' Sidney Grice whispered huskily.

'Who indeed?' The bootman shrugged. 'We are none of us who we pretend to be.' He slipped off the safety catch, savouring every instant. 'You want my name, Mr Grice? Well, I'm not so formal as you. Just call me Jack.'

'Jack?' Sidney Grice croaked.

'Say goodbye, Mr Grice.' The bootmaker pulled the trigger. And there was nothing. 'What?' He shook the revolver and tried again.

Sidney Grice had his gunmetal pen in his hand. He pressed the clip and a stiletto shot out, as long as one of Geraldine Hockaday's knitting needles but flattened to a razor edge. He lurched up and thrust towards the voice. I saw the tip enter the bootmaker's nose and emerge on the other side.

The bootmaker howled. 'Jesus.'

Sidney Grice twisted the blade and ripped it out, tearing the nostrils wide open.

'By the Christ, that hurts.' The bootmaker's left hand cupped his lower face, his blood instantly spilling over. He hurled the revolver into Sidney Grice's gaping socket and my guardian's head reeled back.

The bootmaker reached behind himself.

'Knife,' I yelled, as he slashed in a wide arc, but Sidney Grice dropped under it, lashing unseeingly with his blade like a sabre into the side of his assailant's arm.

'Stop it.'

Sidney Grice jabbed.

I dived at the bootmaker and his elbow struck my temple, stunning me again. My bonnet came loose and, as my hand went to it, I came away with a hatpin. And, clutching it by the glass bead handle, I grabbed his trouser leg and drove the point into the side of his knee.

'Damn-shit-damn.' The bootmaker grabbed at my wrist and the pin snapped off inside him at the haft. 'Shit-shit-shit.' He raised his knife high to hack it down on me and I tried to roll away, but he had stamped on my dress. 'Die, you stinking bitch.'

Quick as a rapier, Sidney Grice's stiletto plunged into my attacker's thigh. The bootmaker howled, wrenching himself free and away, hurling his knife to clatter uselessly into a sideboard as he half ran, half toppled from the room.

I heard irregular footfalls and the front door slam, and got up blearily and dizzily to see Freddy trailing the broken chair and trying to hold Lucy's head in place. It had, as her murderer predicted, been sliced clean off.

Inspector Pound was on the floor, curled on his side.

'George.' I threw myself over to him and looked. The knife was in his chest, jammed hard, I saw, between his ribs.

'Oh, thank God, it is the right side.' He was leaning on the handle so I turned him on to his back, and he groaned. 'We shall get you straight to hospital. I shall give you my blood like I did before and you will complain about having to recuperate in the countryside. We shall bore our children and our grandchildren with the story of this as we sit holding hands by the fire.'

George smiled distantly and his hand rose to touch my cheek.

'Oh dear God, how I love...' But those fingers never found me. His arm fell and he shivered; his breath fled. Those beautiful eyes faded and the man I loved above all others, above my very self, gave up his soul and became a body.

97

The Cold Earth

I SENT A message to Lucinda. Did she want me to stay away? After all I had almost got her brother killed once, and succeeded the second time, but she replied that I must come.

There was much pomp – a Metropolitan Police guard of honour and a brass band. I think George would have been quietly amused by all the fuss.

The vicar had known the deceased man well, for George had been a regular churchgoer. He was clearly distressed and gave a lovely eulogy. George would have been embarrassed by that.

I sat at the back with Sidney Grice but we were ushered to the front. His eye, normally so alert and taking in every detail, was fixed on that oak coffin in front of the altar.

The last time I had stood by a grave I had begged George to marry me. It was an awful time but I would have given anything to be able to live it again, to have him take off his glove and touch my cheek and tell me that he did not know.

The mourners scattered until there were three of us. My guardian took the vicar away and then there was just Lucinda and me. She came round that terrible hole in the earth and put out her hand.

'I believe you loved George.' Her voice was clear and steady. 'And I know that he loved you. If I hate you he will have died for nothing. I know we will never be friends, but I hope we have learned to forgive each other.'

I took the hand she proffered and held on to it, but I could not speak.

And when I was alone, I took the wilted carnation and let it fall on to his name, cut in brass. 'No shrine,' I vowed, 'my darling.'

My guardian came back for me. He took off his glove and wrapped his long slender fingers around mine, and we watched the first clod crush my flower. 'It is too hard.' My voice flew, thin and unanswered, through the yew trees to the steeple pointing ever upwards, I had been told, to heaven.

And Sidney Grice turned his face away for fear that I would see something.

98

The Heart of Sidney Grice

WE DID NOT speak over dinner. We hardly spoke at all now except in monosyllables. Sidney Grice made no attempt to converse but browsed lackadaisically through some scientific tome.

I chewed and swallowed automatically, hardly noticing what was on my plate and not even bothering with a book.

Molly cleared, having failed to lure Spirit with a dripping frond of cabbage for a ride in the dumb waiter. And we adjourned downstairs.

'I cannot work at this again,' I said.

'As you wish.' He selected some reading matter from the pile beside his chair.

'Tell me about that locket,' I said, unintentionally loudly, and Mr G closed his journal.

'It was before your parents had even met.' He squeezed his right eyelids together.

I reached for the pot and caught my cup with my sleeve, knocking it on to the hearth. 'Uncle Tolly told me that my mother had an understanding with an Oxford undergraduate,' I prompted, and he shrank back in his chair. 'But you studied at Cambridge.'

'I went to Oxford first, but there were too many memories and I detested the architecture.' He took on a hunted expression. 'Spires should point and nothing more. They have no business to be dreaming.'

'Memories of what?' I pressed, and Sidney Grice's right eyelids crept apart again.

'You must promise that you will not tell a soul, nor make a written record of what I am about to tell you, for at least sixty years.' He rested his hands on his knees.

'You have my word,' I promised, and, though I knew he had no high opinion of that, he took it.

Sidney Grice interlocked his fingers in his lap. 'Your mother and I were in love,' he admitted at last. 'I was not in a position to marry her, but I had asked her father's permission to make my intentions clear and he readily agreed. It was hinted that I should take over the running of his clog-making factory, for I had a particular and violent aversion to bootlaces at the time. I took your mother boating on the Cherwell, having meticulously planned a picnic in our third favourite meadow.'

'Why not one of the other two?'

'The second had been given over to a particularly cantankerous Hereford bull,' he explained impatiently. 'And the first was, of course, in Bavaria – a little far by punt, as even you might imagine.'

Sidney Grice fell silent. Did he believe his tale to be complete?

'What happened?'

He lowered his head. 'We had rounded a bend and the meadow was in sight. The champagne was chilling over the side.'

I did not want to interrupt his account by pointing out that he abhorred alcohol, but he broke off into another reverie.

'And?'

'A pack of jackdaws swooped down, doubtless attracted to the parti-coloured buttons on my red and blue striped waistcoat.' He ran both hands through his hair to the back of his neck. 'They alarmed me, March.'

'Were you already frightened of birds by that time?' I asked gently.

'Since I was seven years and one day old,' he concurred. 'I stepped back and the boat rocked. Your mother jumped up to save me and the punt capsized.' His hands worked round to take him in a stranglehold. 'I could not swim for I was always too embarrassed...'

He could not quite bring himself to say that it was because of his short right leg.

'And my mother was tipped in too?'

He exhaled. 'I was thrown into the branches of a *Salix Babylonica* – a weeping willow with an effulgent crop of golden catkins – but your mother fell into the water and she could not swim either. I looked about me for a pole or some flotation device, but the boat had drifted away and your mother was being dragged under by the weight of water on her lovely dress.' His thumbs rotated round each other. 'I readied myself to go in after her.'

'Even though...'

'Even though,' he agreed. 'But, as I was disentangling myself, another man jumped in. Connie – your mother – had gone under, only her beautiful golden hair on the surface to mark where she was. Then even that became submerged. I dived in and her hand broke through the surface. Somehow I managed to clutch it and sank with her. At least we would die together, I thought, but then I was aware of the other man grabbing my coat and being hauled up, and both of us being towed to the bank and dragged out on to it.'

'*Foolish pup*,' our saviour upbraided me. '*You might have drowned the most beautiful girl on whom I have ever clapped eyes.* I lay prone, coughing up river water, and saw a tall, sturdily constructed man with military moustaches.'

'My father,' I guessed.

Mr G's thumbs revolved furiously. 'He scooped Connie up as easily as you might lift Spirit. *Follow me,* he said, and carried her off across our once third favourite meadow to a hostelry, but I slunk away. It was three miles to where I was living, but I could not face walking through the streets of Oxford. I marched for the rest of the day and all night, until a van of chickens stopped and took me to London. I never returned to Oxford. I did not even get my very special things sent on.' His thumbs were stilled. 'One month later I got a letter from your mother, expressing her disgust that I had not even troubled to go with them to the inn to be sure that she was safe and comfortable – I could not tell her that I was too ashamed – and with the news that she was to marry our rescuer.'

He closed his left eye and forced the right to follow suit, his fingers jabbing, plucking at the glass eye whose original was buried in Charlottenburg Cemetery.

'And yet you became my godfather,' I observed.

Sidney Grice covered his face. 'It was your father's idea. I suspect he felt guilty, not having realized my situation when he proposed to your mother, and I imagine that she had come to appreciate how humiliating the episode had been for me and wished to make amends. But of course...' He blew noisily into his hands. 'Your mother did not live to see you christened. Your father and I became allies, united in part by our joint loss.' He clutched his cheeks and leaned his head back. 'She was the most staggeringly beautiful person I shall ever meet.' His voice slowed. 'And I do not mean just her appearance.'

'Is that why you went missing in the sixties?'

'I was never missing.'

'Nobody knew where you were.'

'I did.'

And that was it. I picked up my cup unbroken and meditated. Perhaps it was true: we are none of us who we pretend to be. 'Why did your revolver not fire?' I held the cup handle back, but it would never glue. 'I saw him slip the safety catch.'

Sidney Grice rubbed his left eye, which was still inflamed, though the sight was restored. 'It has three safety devices, or I should not have surrendered it so readily.' My guardian slipped his third finger through the jackal ring on his watch chain.

'He was a good man,' he said hesitantly, and I did not need to ask who he meant. 'That was a fine piece of detective work, deducing that the maids had not answered the door.' I waited for my guardian to add that he could have done so himself, but he continued, 'And it was quick thinking on his part to pretend to know that my cane was a Morse key.' This was the first time he had mentioned George since the funeral. My guardian worked his lips against each other. His head was still back. 'I know that I vexed you about not getting married but I would not have stood in your way.'

I gazed at him in wonder, this mean-hearted, big-hearted man. 'Look at me,' I said at last, and his eye opened reluctantly, seemingly surprised to find me still there. And, when I had his full attention, I said shakily, 'I love you.'

My guardian chewed his upper lip and then his lower. 'And, since the moment we met, I have always loved,' he told me hesitantly, 'a good cup of tea.'

And Sidney Grice did not attempt to duck as my cushion hurtled towards him.

99

The Outcast

I MET FREDDY at the Empress Cafe. It was the first time I had been out in weeks and I felt anxious to be amongst people. The decor was unchanged with its green floral tiles and paintings of Paris, but Freddy and I had not been the only ones to fall out with the manager and he had been replaced by a smart and welcoming middle-aged lady, who had brought smiles to the faces of her staff and customers alike.

'I went to the convent,' Freddy told me. 'To find out what had happened to Lucy's son.' She pulled back her veil but the waitress was used to her by now. 'They have called him Ishmael.'

'*The outcast*,' I remembered grimly from my Bible.

'I shall change it to Samuel.' Freddy poured our coffees from a tall silver pot, 'Meaning *God has heard* my prayers for a child.'

'You are going to look after him?'

'Mr Grice is coming with me to collect him tomorrow.' Freddy opened her cigarette case and tutted. It was empty.

'How did he get involved?' I took out two Turkish and handed her one.

My guardian had had my case and flask repaired expertly, though not quite invisibly.

'It was he who suggested it,' Freddy leaned over the flame of my Lucifer. 'He came to see if I was all right after... everything.' She sucked in the smoke and her face lit up, and the pretty girl in her came to the surface. 'Samuel is such a lovely boy, March.'

She smiled. 'So affectionate and full of life, and the image of his mother. They had him slaving in the kitchen but they could not beat him down. I hope you will visit us.'

'I would love to.' I burned my fingers and hastily shook out the match. 'Have you seen much of Mr Grice?'

'Quite a lot.' I could have sworn Freddy flushed. 'He takes me for lunch sometimes to his club.'

'The Diogenes?' I said incredulously. 'Where one cannot speak? That must be fun.'

'Oh no.' Freddy blew out with studied casualness. 'A lovely place in St James's Street. Quite cosy.' There was no doubt about her blushing now. 'Can I tell you something, March?'

'Please do.' I tried to hide my envy, for he had never taken me to dine anywhere.

Freddy spooned in a sugar and slid the bowl to me. 'When we got back from St Philomena's last night.' Her eyes flicked to mine and then away. 'He asked if he might kiss me.' She fiddled with her veil, though it was perfectly straight. 'I asked if you had put him up to it.'

'I did not even know he was meeting you.'

'That is what he told me.' Freddy smiled coyly. 'And, when I said he might, I thought it would be a peck on the cheek.' She inhaled from her cigarette. 'But it was not.'

'Perhaps it was mistimed,' I suggested, for I knew that my guardian was not a lady's man.

'I do not think so.' Freddy laughed lightly. 'For it was quite a long kiss.'

*

'Freddy told me that you kissed her,' I said, as casually as I could, over another boiled-to-death dinner.

Sidney Grice turned the page of his *Art and Science of Mummification* book. 'Her truthfulness is something you would do well to emulate.' He closed his book. 'And if I am also to follow her example, I am obliged to confess that I rather enjoyed it.'

'I think Freddy did too,' I told him faintly.

'In that case, I cannot help but wonder,' Sidney Grice reopened his reading matter by slicing a clean butter knife into it, 'if she might let me do it again.'

A worthier woman might have felt some happiness and I certainly wished it for them both, but I was like a sleepwalker then, making the right movements and saying the right words, drifting through my existence and hoping never to awake.

100

The Handysome Prince and the Client

I SAT ON THE roof watching the nameless people bustle by – the children playing leapfrog or begging or scavenging the gutters; the mothers laden with babies in sackcloth slings; two old men, arms round each other's shoulders for support, in a hobbling parody of a three-legged race; lumbering goods vehicles and speeding private carriages, laden omnibuses and the hansoms ever swooping like crows towards an outstretched arm. So much life tumbling blindly to where?

I had found the ivory box with my three cubes of opium placed on my dressing table the night before the funeral but I did not use them. Some pains are too sacred to numb. The gin flask lay untouched by my feet, surrounded by stubbed-out cigarettes. My case was empty. It was time to go down.

'Oh, thank heathens.' Molly bawled so unexpectedly that I nearly lost my footing on the fire escape. 'I thought I might have to descend that ladderer to come and get you.'

'Did you want something?'

Molly sucked her thumb. 'Well—'

'Have you come to tell me something?' I added before she gave me a list of her heart's desires, including a handysome prince and a glittersome sash.

Molly extracted her thumb and wiped it on her apron. 'Mr Grice requests your present in the study,' she recited, adding in a conspiratorial whisper which was louder than her normal voice, which was more than loud enough already, 'He has a customer.'

'Client,' I corrected, for her employer hates her calling them that.

'Cly ain't what?' She reinserted her thumb. 'And anyway that aintn't not her name.'

'Why?' I sighed. 'Does he not think that I have done enough harm already?"

Molly sucked thoughtfully. 'I dontn't not think he does,' she decided. 'Because he said you'd say *no* but to tell you to say *yes*. And please stop crying, miss, I dontn't not like to see you looking so...' she struggled for the bon mot, 'ugly.'

'Tell Mr Grice I shall be down in five minutes,' I decided.

'Why cantn't I not tell him now?' Molly was enjoying her thumb enormously. 'Before I forget.'

I tried again. 'Tell him now that I shall be down in five minutes.'

'That dontn't not make sense,' she decided. 'I shall go and see if he understands.' And she trudged down the stairs, telling herself, 'No wondrous he's always muttoning on about lumpy wrenches.'

I went to the bathroom and washed my face and hands, then back in my room pinned my hair whilst sucking on two parma violets at once. The least I could do would be to explain in person that I was not going to see any more clients. The very thought of dealing with another death tore at my shredded heart.

Sidney Grice was pacing restlessly when I went down. A young woman sat in my armchair and half rose when I came in, but I ushered her down.

'Mrs Peters, this is Miss Middleton,' my guardian introduced us. He turned to me. 'I should like very much to take on her case. It is intriguing and – better yet – she is extremely wealthy. But I must go to Madrid, of all places.'

'Another sighting?' I hardly dared ask, for he had made six wasted journeys throughout Great Britain so far.

'A man with a scarred nose,' my guardian confirmed, and squeezed my hand before he addressed his visitor again. 'I am obliged to leave in—' He flipped open his hunter and checked it against the mantle clock, poking his head into the hall to double-check against the grandmother clock. 'Ten and nineteen minutes.'

He declaimed that last number with great relish and propelled me towards his client.

'I am so sorry,' I began and held out my hand.

The visitor grasped it, as if to save herself falling down a cliff, and rose. She was a tiny lady and quite plain with mousy hair, and I liked her instantly for that.

'Oh, Miss Middleton,' she wept, and I saw that she must have been crying as much as I had. 'Please make him change his mind. It is my little girl. She has gone missing and the police can find no trace of her. I have been to twelve private detectives, including that charlatan Cochran.' I saw my godfather beam approvingly at this description of his rival. 'I have thirty men combing London,' Mrs Peters continued, 'and put up posters for a thousand pounds reward. And now I am besieged by blackmailers and idiots, but there has been no trace of her.'

'I am truly sorry,' Sidney Grice stole the words from my mouth. 'But I have given my word and lives may depend upon it.' He put his watch away and slipped his third finger through the jackal ring hanging on the chain. 'But Miss Middleton will be able to help you.'

'Miss Middleton,' Mrs Peters looked at me uncertainly and I shook my head.

'I—'

'But of course,' Sidney Grice assured her breezily. 'After all, she is London's premier female personal detective.'

I pulled up a wooden chair and sat beside but facing the lady, and took her hands in mine. 'What is your daughter's name?' I asked.

'I have much to do,' Sidney Grice said and left the room, but not before he had tugged the bell cord twice for fresh tea.

Epilogue

I WENT EARLY TO the grave for I had no wish to see anyone or to be seen. The headstone had been erected, simple white marble with the words in black – a rank, a name and two dates – and the space for two more entries.

I had always believed what I read in Deuteronomy, *Vengeance is mine, saith the Lord.* But I wrested that right from God's fingers when I swore my oath. If it took my life, if I lost my soul, George Pound would be avenged.

It was four years, however, 1888, before I was to come across 'Jack' again.

The sun was only just showing over the rooftops as I came away, and it would be a bright crisp winter morning. But that light would never penetrate to the death and depravity buried beneath those burned ruins on Abbey Road. There would forever be a dark dawn over Steep House.

*

I was young again last night. I climbed up to look at the stars and saw George on the roof of the Anatomy Building across the street, so strong and handsome and kind. He held out his arms to me and I started to run but, of course, I fell and, as I hit the ground, I awoke with a jolt, knowing that I was dead. And I would have given anything for it to be true.

EPILOGUE

There are so many things that I should say, but I am sorry; it hurts too much. I cannot write any more.

M.M.
On George Pound's birthday, 1944